精神看護学❷

精神障害をもつ人の看護

本書デジタルコンテンツの利用方法

本書のデジタルコンテンツは、専用Webサイト「mee connect」上で無料でご利用いただけます。

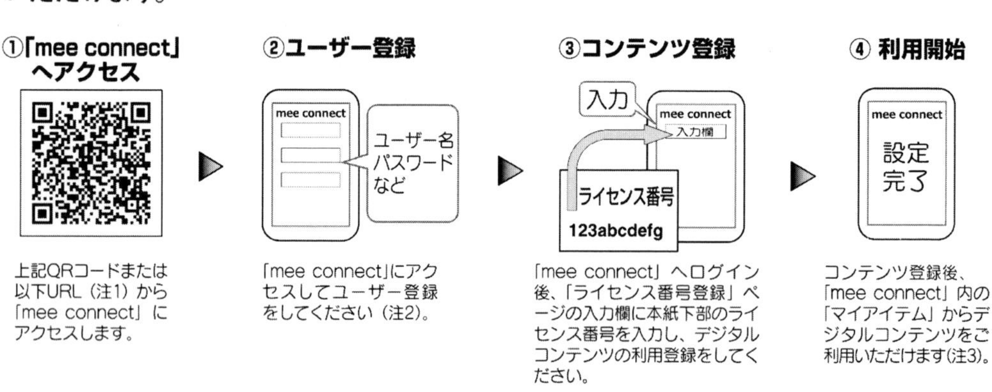

注1：https://www.medical-friend.co.jp/websystem/01.html
注2：「mee connect」のユーザー登録がお済みの方は、②の手順は不要です。
注3：デジタルコンテンツは一度コンテンツ登録をすれば、以後ライセンス番号を入力せずにご利用いただけます。

ライセンス番号　a049 0604 k5qguy

※コンテンツ登録ができないなど、デジタルコンテンツに関するお困りごとがございましたら、「mee connect」内の「お問い合わせ」ページ、もしくはdigital@medical-friend.co.jpまでご連絡ください。

まえがき

新型コロナウイルス感染症（COVID-19）の蔓延により私達の生活は一変した。また，感染拡大を防ぐための長期にわたるロックダウンや外出自粛，移動の制限などは，世界の人々の心の健康に影響をもたらした。

人と人とのかかわりが基本となる看護の道を選んだ学生の皆様にとっては，学内で講義や演習が受けられない，臨地実習に出られない，同級生との交流の機会が失われるなど，ステイホームやソーシャルディスタンスを強いられる毎日に，不安やストレスを募らせていたことと思う。一方，こうした困難の中でも，オンライン授業やリモート討議，臨地実習に代わるロールプレイなど，創意工夫された学習方法に挑戦し，学びを深めてきたことと思う。

今改訂では，新たな学習の一形態として，動画を用いた学習が含まれている。学生の皆様にとって馴染みが薄いであろう精神看護の現場について，より理解を深めてもらえるよう，『精神看護学①・②』合わせて10本の動画にアクセスできるようになっている。動画では，障害をもつ方たちによる病気とのつきあい方や回復への道のりに関する体験談，精神看護専門看護師へのインタビュー，精神疾患をもつ人との関係の構築，リラクセーション法の実際，精神療法の様子などを紹介している。

また，今改訂では，精神保健医療看護を取り巻く社会的・経済的環境の加速度的な変化と，それに伴う複雑かつ多様になってきている精神看護の役割を反映させつつ，地域精神保健の考え方を重視した内容とした。そして，学生が学習成果を臨床現場で適用しやすいような内容を取り上げ，精神看護学が私たちの身近な問題であり，挑戦しがいのある実践·研究領域であることを理解してもらえるよう編集した。そのため様々な現場における精神看護実践の現状と課題について言及し，学生が看護現象を複数の視点から批判的に検討できるよう，精神看護実践・研究における論争についても紹介した。また，できるだけ平易な記述とわかりやすい図表やイラストを用い，学生に親しみやすい教科書となるよう心がけた。

『精神看護学①　精神看護学概論・精神保健』では，精神保健について，脳の構造と認知機能，心の構造と働き，個人の発達とライフサイクル，家族の機能と発達，学校・職場・地域における精神保健，危機状況，社会病理現象，精神保健医療福祉の歴史と現状，障害者の権利保障や精神障害をもつ人を守る法・制度など，幅広い視点から論究した。また，学生が自分自身の精神保健を保持増進するうえで活用できるよう，精神保健上のセルフケアの方法についても解説した。

『精神看護学②　精神障害をもつ人の看護』では，精神疾患・障害をもつことの意味をはじめとして，精神疾患の症状・診断・治療法，精神疾患をもつ人や身体疾患を合併している患者の看護，精神障害をもつ人の地域生活支援，精神障害者をケアする家族への支援を中心に構成した。障害者の成長を支持するための関係づくりやコミュニケーション，安全・安心の環境づくりにおける看護の役割に関する記述は，当事者の視点から見た世界や当事者の体験に関する記述と併せ，学生が現実の世界を反映した看護を考える一助となるはずである。また，障害をもつ当事者が自分の人生・生活を選択，実践していく基盤となるセルフマネジメントについても触れたが，これは学生が「当事者が病をもちながらも自分らしい生活を送れるよう」な看護支援を考える機会となるであろう。最後に，多様な精神看護の場として，リエゾン精神看護，司法精神看護，災害時の精神看護も取り上げた。

本書では，精神看護の対象者を「精神疾患患者」「精神障害者」としているが，それらの呼称は，当事者たちのアイデンティティを病者としての役割のみにつなぎ留めてしまうおそれがある。編者一同の自戒をこめてお伝えするが，精神疾患や精神障害をもつ人のアイデンティティを病者・疾患の観点から理解できたと思いあがってはいけない。そのような医療者の姿勢が，当事者の人生・生活における可能性を奪ってしまうからである。ありがたくも本書を手にとっていただき，精神看護を学ぼうとしている読者諸氏には，当たり前のことと思われるかもしれないが，『疾患や障害は，あくまでも，それをたまたま引き受けることになった人と，縁あってその人を，職業人として手伝うことになった私達が，ともに見つめ，協力しあって解決をはかる困難課題である』ということを念頭において，本書を活用していただけるとありがたい。

本書は，学生の皆様が卒業後も活用できるような内容となっており，執筆者一同の精神保健医療福祉への熱い思いと障害をもつ方への深い尊敬の念も詰まっている。本書が，精神看護を実践するうえでの根拠を提示できるばかりでなく，精神障害をもつ人への理解につながれば幸甚の至りである。

最後に，お忙しいなか本書の刊行にご尽力くださった執筆者の皆様，資料収集に際してご協力くださった皆様，終始適切な助言でご支援くださったメヂカルフレンド社編集部に，この場をお借りして，深く感謝申し上げる。

2021年11月

編者ら

執筆者一覧

編集

岩﨑　弥生　千葉大学名誉教授
渡邉　博幸　千葉大学社会精神保健教育研究センター特任教授

執筆（執筆順）

渡邉　博幸　千葉大学社会精神保健教育研究センター特任教授
岩﨑　弥生　千葉大学名誉教授
伊藤順一郎　医療法人社団ここらるらメンタルヘルス診療所しっぽふぁーれ院長
石川　雅智　千葉大学大学院医学研究院精神医学教室講師
田邊　恭子　千葉大学医学部附属病院精神神経科臨床心理士
安藤　咲穂　千葉県こども病院精神科部長
木村　敦史　千葉大学大学院医学研究院精神医学教室助教
桂川　修一　東邦大学医療センター佐倉病院メンタルヘルスクリニック教授
吉永　尚紀　宮崎大学医学部看護学科教授
清水　栄司　千葉大学子どものこころの発達教育研究センターセンター長
中川　彰子　千葉大学大学院医学研究院認知行動生理学特任教授
久能　　勝　千葉大学子どものこころの発達教育研究センター特任助教
荒川　志保　医療法人社団翠松会松戸東口たけだメンタルクリニック院長
岡村　斉恵　医療法人柏水会初石病院医師
武田　直己　医療法人社団翠松会たけだメンタルクリニック院長
中里　道子　国際医療福祉大学医学部精神医学主任教授
谷渕由布子　医療法人同和会千葉病院医長
小松　尚也　医療法人同和会千葉病院院長
原　広一郎　医療法人静和会浅井病院精神科部長
小松　英樹　亀田総合病院心療内科・精神科部長
佐竹　直子　国立国際医療研究センター国府台病院精神科医長
松木　悟志　医療法人学而会木村病院副院長・心理研究所「しゅはり」所長
遠藤　淑美　鳥取看護大学精神保健看護学教授
梶原　友美　大阪大学大学院医学系研究科看護学専攻招聘教員
村瀬　智子　前日本赤十字豊田看護大学教授
大川　嶺子　前沖縄県立看護大学教授
天野　敏江　国際医療福祉大学成田看護学部准教授
鈴木　啓子　名桜大学人間健康学部看護学科教授
松岡　純子　甲南女子大学看護リハビリテーション学部教授
石川かおり　岐阜県立看護大学教授
野﨑　章子　千葉大学大学院看護学研究院講師

千葉　理恵　京都大学大学院医学研究科人間健康科学系専攻先端中核看護科学講座精神看護学分野教授
石井慎一郎　前福岡女学院看護大学看護学部看護学科准教授
夏井　　演　千葉市美浜保健福祉センター健康課主査
鶴本　有美　社会福祉法人かがやき会理事長
瀬尾　智美　千葉大学医学部附属病院看護部師長／精神看護専門看護師リエゾン精神看護
宮本　眞巳　東京医科歯科大学名誉教授

目次

●本文の理解を助けるための動画を収録した項目に VIDEO のアイコンを付しています。
視聴方法：本文中に上記アイコンとともに付している QR コードをタブレットやスマートフォン等の機器で読み込むと、動画を視聴することができます。

第1章

精神医療・看護の対象者：精神の病気・障害をもつということ

この章では

- 精神（心）を病むとはどういうことかを理解する。
- 精神障害者への偏見や差別への対応策を理解する。
- 精神障害をもつ人の経験していることに理解を深める。
- 精神障害をもって生活することの意味をリカバリー概念から理解する。

I 「精神(心)を病む」とはどういうことか

1. 精神疾患はなぜ重要な医療テーマなのか?

日本の精神疾患患者数は，厚生労働省「患者調査」*によれば2005(平成17)年から連続して300万人を超え，2020(令和2)年には600万人を超える事態となっている。従来4大疾病といわれてきた悪性新生物，糖尿病，脳血管疾患，虚血性心疾患に比べても，患者数の増加は著しい。また，様々な社会的課題(自殺や労働生産性の低下・労働災害，不登校や未就労など)にも強く関連していることから，2011(平成23)年より精神疾患を加えて**5大疾病**となったことは記憶に新しい。

障害調整生命年(DALY)*でみると，精神疾患は，あらゆる疾患のなかで最も高い疾病別割合をもっている。アメリカにおける精神疾患に関連する年間コストは1500億ドル近くにもなるといわれる。また，日本の2008(平成20)年の研究によれば，統合失調症，うつ病性障害，不安障害の社会的コスト(疾病費用)の推計は，それぞれ，約2兆8000億円，3兆900億円，2兆4000億円と試算されている[1]。このように，精神疾患は，日本では最も患者数が多く増加を続けており，個人の健康損失，社会経済的損失の原因となる医療上極めて重要なテーマである。

2. 病(やまい)の定義

精神疾患の定義は，突き詰めると極めて難しい。まず"疾患"という用語についても，多くの混乱がある。医学一般の概念からまず整理して，精神疾患に当てはめる場合の矛盾と混乱に触れる。

▶ **病(illness)** 英語のillnessは，からだや心のどこかが健康を損なっており，自覚的な体調不良であることを示す。

▶ **疾病・疾患(disease)** illnessよりも厳密で医学的な概念である。あるいは病の原因が明らかな場合をいう。特定の原因，病態，症状，経過予後などが明確になっている場合を疾患(disease)といい，診断名としては「〜病」と名づけられる。病(illness)よりも重篤な内科疾患であることがイメージされる。

▶ **症候群(syndrome)** はっきりした原因は不明だが，常にいくつかの特定の症状をもっている場合，病名に準じて使う医学用語である。将来的には原因，病態が解明されること

---

* **厚生労働省「患者調査」**：2011(平成23)年の調査では宮城県の一部と福島県を除いている。
* **障害調整生命年(DALY)**：DALY(disability adjusted life years)は"寿命・健康ロス"ともいい，世界保健機関(WHO)，世界銀行が試算した疾病の重要性を示す指標である。DALYは病気により失われる生命(YLL)と障害により損なわれる健康生活(YLD)の合算で示され，OECD諸国(先進工業国のほとんどを含む)や日本では，疾患総計の20%を超えて，精神疾患が第1位となっている。この統計には「自殺」は別の項目で統計されているため，自殺を含めると25〜30%に近づく。

を期待して，ひとまとめの疾患に準じた扱いをしている。症候群から，病因が特定されて，いくつかの疾患に変更される場合もある。

▶ **障害（disorder）** ある特定の生体機能の障害や個人的苦痛があるが，疾患（disease）とよぶには，その成因，病態がはっきりと特定されていないものをいう。身体疾患では，診断が確定する前の段階や，ある機能障害の総称として用いられているが，精神医学では，疾患（disease）や症候群（syndrome）に代わって，特定の病名として用いられている。

3. 精神科医療における「障害」

精神医学での病名では，前述のように「～ disorder」を「～障害」と訳して，身体疾患における「～病」とほぼ同義に用いている。精神保健及び精神障害者福祉に関する法律（精神保健福祉法）第5条において**精神障害者**とは，「統合失調症（編集部注：制定時は精神分裂病），精神作用物質による急性中毒又はその依存症，知的障害，精神病質その他の精神疾患を有する者をいう」と定義され，精神疾患を有する者のみと厳密には区別されていない。

また，日本語における「**障害**」という言葉は，障害者基本法にあるように「継続的に日常生活又は社会生活に相当な制限を受ける状態」という意味でも用いられる。

このように，医学モデルでの「障害（disorder）」と，社会モデルや福祉の観点で，身体障害や知的障害と並び用いられる「障害（disability）」とで，用語の混乱が少なからずある。これを明確化するために，たとえばアメリカ精神医学会の操作診断基準DSM-5（Diagnostic and Statistical Manual of Mental Disorders, 5th edition）の邦訳[2]では，前者の医学的な病名としての「障害」の代わりに「～症」を使うことも提案され，「～障害（症）」と並列表記されることにもなった。しかし，容易な医療化や疾病喧伝を招く恐れがあるため，表記変更は慎重にすべきだという意見もある。

また，障害という用語表現には“害”という字に連なるイメージから，個別的属性（発達や身体的個性の差）に対して差別を助長する可能性があり，個別的属性により社会参加が妨げられている（参加制約）という社会要因にこそ，困難の源があることを意識させる「障碍」という言葉を使うべきだという表明もなされている[3]。

4. 異常と正常

生物学的な考え方に従えば「異常」とは“平均からの著しい偏りがある状態”を指しており，これは純粋な平均概念である。身体医学における「異常」もまた，ある身体の構造的・生理的状態を示す計量化可能な臨床指標値によって統計的に定義することが可能である。

しかし，精神医学での異常・正常は，一部の心理検査を除いて，このような平均概念が適用できないことも多い。たとえば主観的な病悩の表出である「不安だ」「気力が出ない」「人から悪口を言われる」などの訴えについて異常か正常かを判断するうえでは，価値概念をどうしても含めざるを得ない。周囲の大事な人間関係がどのくらい破綻してしまったのかとか，行動化して迷惑行為に至る可能性がどのくらい切迫している病状なのか，などである。

このように，人間の振るまいや生活の理想的モデルを標準として，そこからどのくらいかけ離れているかで異常を判断せざるを得ない面があることから，精神医学における「異常・正常」の判断には，常に集団や社会秩序の維持，マイノリティ集団（社会的少数集団）への矯正（きょうせい）や排除につながる危険性をはらんでいることを忘れてはならない。

5. 疾病性と事例性

精神科臨床では，前述したような疾病性のみでなく，**事例性**（caseness）の軽重も治療や介入の重要な判断材料としている。たとえば，頻回の遅刻，急な成績下降，家庭内暴力，高額な借金，友人とのトラブルなど，生活上の様々なイベントを指し，疾病をもった個人の社会適応の程度を判断するために必要な概念である。

事例性は，本人の振るまいのみでなく，本人を取り巻く環境や対人関係のなかで，だれが，どのようなことを問題とみなし，どのような気持ちから行動に至っているかも含めて理解する必要がある。疾病性は薄いのに，周囲の環境などの修飾により重い事例性を帯びるケースもある。またその逆に疾病性は重篤（じゅうとく）であるにもかかわらず，事例性はほとんど目立たないケースも経験する。

6. 現時点でのまとめ：精神（心）を病むとはどういうことか

まとめると，現時点では，精神（心）を病むとは「症状のために著しい（本人あるいは周囲の）苦痛または社会的，職業的，またはほかの重要な領域における機能の障害を引き起こしていること」と言い表せるかもしれない。

明確な病因や疾患単位を現在の時点で確定できていない精神科領域においては，本人や周囲の人たちの苦悩や機能障害を重視せざるを得ないが，これもまた，自覚的病悩感と他覚的・客観的機能障害との乖離（かいり）に起因する新たな社会−医療問題（たとえば，現代型うつなどの問題，医療や支援を拒む人たちなど）を生じていることを付記しておく。

II 精神障害と差別

1975（昭和50）年12月，国際連合総会で「**障害者の権利宣言**」が採択され，その後2006（平成18）年に「**障害者の権利に関する条約**」（**障害者権利条約**）が採択された[4]。日本がこの条約を批准したのは2014（平成26）年1月である。この条約の目的は，障害者の「あらゆる人権及び基本的自由の完全かつ平等な享有（きょうゆう）」の促進，保護，確保および障害者の尊厳の尊重である。この条約では，移動や居住，自立した生活，教育，健康，適応技能の習得，労働，生活水準および社会的な保障，公的活動や文化的活動への参加などにおいて，障害に基づく差別を禁じ，平等を保障することが明記されている。また，障害者に関する社会全体の意識を向上させる措置をとることが定められている。

障害者権利条約の締結に向けて国内の様々な法制度が整備された*。その一環として，2011（平成23）年の「障害者基本法」改正時に，同法第4条に差別の禁止に関する規定が盛り込まれた。この規定を具体化する法律として，2013（平成25）年6月に「**障害を理由とする差別の解消の推進に関する法律**」（**障害者差別解消法**）が成立した[5]。この法律は，「障害を理由とする差別の解消を推進し，すべての国民が，障害の有無によって分け隔てられることなく，相互に人格と個性を尊重し合いながら共生する社会の実現に資すること」を目的としたものである。この法律の制定を機に，障害者が地域社会で共に生きることを阻む**社会的障壁***が取り除かれ，障害者に対する差別や排除を解消する取り組みが拡大，強化されることが期待されている。

本節では，まず，精神障害をもつということについてスティグマの側面から略述する。次に，障害者差別の解消に向けた取り組みについて紹介する。

A スティグマ

1. スティグマとは

精神障害者への差別や排除は，**スティグマ**（人の社会的価値を低める望ましくない属性）と絡み合っている。精神疾患にまつわるスティグマは，精神障害者とその家族の求助行動*を阻（はば）み，結果的に受診が遅れ，病状の悪化をもたらしたり，リハビリテーションが阻害されたりする。スティグマはまた，障害者と家族の孤立や，家族関係の問題，友人関係の途絶をもたらすこともあり，精神障害者の社会参加への大きな障壁にもなっている。

アメリカの社会学者アーヴィング・ゴッフマン（Goffman, E.）の定義によると，スティグマとは「未知の人が，われわれの面前にいる間に，彼に適合的と思われるカテゴリー所属のほかの人びとと異なっていることを示す（中略）望ましくない種類の属性*」であり，「人の信頼をひどく失わせるような属性」である。ゴッフマンは，こうした属性によって，われわれはスティグマのある人に対して「充全な意味での人間ではない」という思い込み

* **様々な法制度の整備**：「障害者差別解消法」の成立のほか，「障害者基本法」の改正（2011年8月），「障害者の日常生活及び社会生活を総合的に支援する法律」（障害者総合支援法）の成立（2012年6月），「障害者の雇用の促進等に関する法律」（障害者雇用促進法）の改正（2013年6月）などがある。
* **社会的障壁**：障害者基本法および障害者差別解消法では，社会的障壁を「障害がある者にとって，日常生活または社会生活を営む上で障壁となるような，社会における事物，制度，慣行，観念，その他一切のもの」と定義している。
* **求助行動**：他者に援助を求めて病気に対処しようとする行動。相談行動，受診行動，受療行動，受術行動（呪術を受ける行動），巡拝行動（病気の平癒を願って神仏を拝んでまわる行動）などが含まれる[6]。
* **望ましくない種類の属性**：ゴッフマンは，特異な属性の種類として，身体的異形などの肉体上の特徴，過度の情欲やかたくな過ぎる信念などの性格上の特徴，人種・民族・宗教などの集団的特徴をあげている。

をもつことになり，差別や社会的排除につながり，スティグマのある人の「ライフチャンス」（社会生活を送るうえでの可能性）を狭めるとしている[7]。

2. スティグマの検証

ゴッフマンの述べたことは，スティグマに関する研究においても検証されている。たとえば精神障害者に対する一般住民の信念と態度について調べた研究[8]では，精神障害者の属性として，気まぐれ，攻撃的，危険，道理をわきまえない，愚鈍，自己コントロールを欠いた，恐ろしい，といった負の認識があげられており，そうしたスティグマが精神障害者の回避や拒絶に関連していることが報告されている。一方，精神障害者が経験した差別に関する研究[9]では，友だちをつくる，仕事を得る，仕事を保つ，教育を受ける，住居を見つける，近隣から受け入れてもらう，結婚する，安全に暮らす，などの生活の諸側面で不利な扱いを受けていることが報告されている。この研究では，スティグマにより精神障害者が友人関係を築いたり，仕事を得たり，社会的役割を遂行したり，といった社会参加を阻(はば)まれることが示唆されている。

3. スティグマとアイデンティティ

スティグマのより深刻な問題は，個人のアイデンティティとして精神障害の属性が内在化され，自身を信頼に足る存在として認めることができない状況をスティグマが生み出す点にある。たとえば異常性，否定的な存在，さげすみや差別といった精神障害に対する社会の見方は，精神障害者本人のなかに取り込まれ内面化され，「精神病者」としての「否定的な」アイデンティティが形成されていく。そして，一度形成された「精神病者」のアイデンティティから脱却するのはかなり困難で，自分自身への不信，自尊感情の消失，絶望などの形で，障害者の精神的安寧と自己価値観を脅かし続ける。

心のバリアフリーとは

心のバリアとは「知らないこと・知ろうとしないこと」「知っていても理解しようとしないこと」「障害者は……だというような決めつけ」のことであり，知識不足，認識のゆがみ，誤解，偏見，経験不足などが原因で，対等に，人格を尊重してつき合えないことを指す。つまり，心のバリアフリーとはこのような心のバリアを解消することであり，障害者に関する内容を考えた場合には，障害理解とほぼ同様の概念であると言うことができる。

文献／徳田克己：心のバリアフリーとはどのようなことか．http://www.u-x3.jp/modules/tinyd113/index.php?id=203（最終アクセス日：2019/7/2）

4. 心のバリアフリー

精神障害者にまつわるスティグマや偏見を克服し差別を解消していくため，精神障害に関する正しい知識の普及，アンチスティグマに関する啓発，障害者との接触体験，差異を認め合う社会環境の醸成，制度的な差別の撤廃など，様々な試みが行われている。

たとえば，精神疾患や精神障害者の正しい理解の普及啓発については，厚生労働省が2004（平成16）年に発表した指針がある。この指針は「**こころのバリアフリー宣言**」と命名され，副題として「精神疾患を理解し，新しい一歩を踏み出すための指針」がつけられている。「こころのバリアフリー宣言」では，2つの方向性（①精神疾患を自分自身の問題としてとらえること，②精神障害への態度を変え適切に行動し，誰もが人格と個性を尊重して互いに支えあう共生社会を目指すこと）と8つの柱（関心，予防，気づき，自己・周囲の認識，肯定，受容，出会い，参画）が示されている（**表1-1**）。

この指針の普及啓発においては，当事者とのふれあいの機会をもつなどの地域単位の活動と，マスメディア等の様々なメディアを媒体とした活動のそれぞれの特性を生かした活動を対象者に応じて進めていくことが重要だとされている[10)]。

表1-1 こころのバリアフリー宣言（抜粋）

【あなたは絶対に自信がありますか，心の健康に？】
第1：精神疾患を自分の問題として考えていますか（関心）
　精神疾患は，糖尿病や高血圧と同じで誰でもかかる可能性があります。
第2：無理しないで，心も身体も（予防）
　ストレスにうまく対処し，ストレスをできるだけ減らす生活を心がけましょう。
第3：気づいていますか，心の不調（気づき）
　早い段階での気づきが重要です。
第4：知っていますか，精神疾患への正しい対応（自己・周囲の認識）
　病気を正しく理解し，焦らず時間をかけて克服していきましょう。

【社会の支援が大事，共生の社会を目指して】
第5：自分で心のバリアを作らない（肯定）
　先入観に基づくかたくなな態度をとらないで。
第6：認め合おう，自分らしく生きている姿を（受容）
　誰もが自分の暮らしている地域（街）で幸せに生きることが自然な姿。
第7：出会いは理解の第一歩（出会い）
　理解を深める体験の機会を活かそう。
第8：互いに支えあう社会づくり（参画）
　人格と個性を尊重して互いに支えあう共生社会を共につくりあげよう。

資料／厚生労働省：心の健康問題の正しい理解のための普及啓発検討会報告書；精神疾患を正しく理解し，新しい一歩を踏み出すために，2004.

B 障害者差別の解消に向けて

1. 障害者差別解消法

差別のない共生社会の実現を目指す障害者差別解消法が施行されたのは2016（平成28）年4月1日である。その翌年に内閣府が実施した「障害者に関する世論調査」[11]によると，障害を理由とする差別や偏見の有無について「あると思う」者の割合は83.9％（「あると思う」50.8％，「ある程度はあると思う」33.1％），「ないと思う」者の割合は14.2％（「あまりないと思う」7.7％，「ないと思う」6.4％）であった。2012（平成24）年の調査に比べると，「あると思う」者の割合が，89.2％から83.9％へと若干減少しているものの，障害者への差別や偏見の解消への道のりは長いことが推察される。また，障害者差別解消法について「知っている」者の割合は21.9％（「法律の内容も含めて知っている」5.1％，「内容は知らないが，法律ができたことは知っている」16.8％），「知らない」者の割合が77.2％であり，法律の周知度も低いことが示された。

障害者差別解消法は，日常生活や社会生活における障害者の活動を制限し社会への参加を制約している「社会的障壁」を取り除くことを求めている。そして，障害者に対する「不当な差別的取扱い」および「合理的配慮の不提供」を差別と規定している。何が「不当な差別的取扱い」で，どのような「合理的配慮」が望ましいのかについての基本的な考えは，「障害を理由とする差別の解消の推進に関する基本方針」[12]に提示されている。

2. 障害を理由とした差別の解消措置

障害を理由とした差別を解消するための措置は，「不当な差別的取り扱いの禁止」と「合理的配慮の提供」の2つに分類される。

不当な差別的取り扱いの禁止では，「正当な理由なく，障害を理由として，財・サービスや各種機会の提供を拒否する又は提供に当たって場所・時間帯などを制限する，障害者でない者に対しては付さない条件を付けること」を禁止している。不当な差別的取り扱いの例としては，障害を理由に窓口での対応を拒む，障害を理由に入店を断る，障害を理由に受験や入学を拒否するなどがある。

合理的配慮の提供とは，障害者から何らかの配慮を求める意思表明があった場合に，負担になり過ぎない範囲で，社会的障壁を取り除くために必要な対応をとることをいう。社会的障壁とは，①通行や利用のしにくい施設・設備，②利用しにくい制度，③障害者の存在を意識していない慣習や文化，④障害者への偏見，など障害者が日常生活や社会生活を送るうえで障壁となるようなものを指す。合理的配慮（社会的障壁の除去）の例としては，①車椅子利用者のために段差に携帯スロープを渡す，高い所に陳列された商品を取って渡すなどの物理的環境への配慮，②筆談，読み上げ，手話などによるコミュニケーション，わかりやすい表現を使って説明をするなどの意思疎通の配慮，③障害の特性に応じた休憩時間の調整といったルール・慣行の柔軟な変更などがある。

ちなみに，障害者差別解消法は2021（令和3）年5月に改正，6月に公布された。大きな改正のポイントは，合理的配慮の提供を民間事業者にも義務化したことである[13)]。改正前は，2つの差別解消措置のうち，「不当な差別的取扱いの禁止」については，行政機関などおよび事業者ともに法的義務を課されていたが，「合理的配慮の提供」については，事業者においては努力義務（合理的配慮を行うよう努める義務）となっていた。改正によって，民間事業者も社会的障壁を取り除く義務を負うことになる。なお，改正法は公布後3年以内に施行されることになる。

べてるの家の「偏見・差別大歓迎！」

北海道浦河町（うらかわ）にある「べてるの家」は，精神障害などをもつ当事者たちの活動拠点である。その歴史は1978（昭和53）年，浦河教会の古い会堂で共同生活を始めた頃までさかのぼることができる。べてるの家は「三度の飯よりミーティング」「安心してサボれる職場づくり」「手を動かすより口を動かせ」「弱さの情報公開」「苦労を取り戻す」「昇る人生から降りる人生へ」などを理念に，様々なユニークな活動（商売）を続けている。

「偏見・差別大歓迎！　けっして糾弾いたしません」も，べてるの家のユニークな取り組みを表す1つの「理念」である。それは，もともとは，べてるの家と町内の企業の人たちとの初回の「精神障害について学ぶ会」のタイトルであった。

べてるの家に発足当初からかかわっているソーシャルワーカーの向谷地生良（むかいやち いくよし）氏によると，「精神科を退院した人たちが繰り広げる奇想天外なエピソード」もあり，べてるの家も含めて最悪のイメージをもたれ，小さな町の中で「人目を気づかいながら」暮らしていた。しかし，「日高昆布で商売をやろう」「浦河の町のためになることをやろう」と始めた日高昆布の販売を契機に，町の企業経営者との交流が始まった。そこで出会った人たちは，べてるの家のメンバーを迎え入れ，「朝にならないとだれが出勤してくるかわからない」といった話に関心を寄せ，「べてるはおもしろい」と反応した。そして「精神障害について学ぶ会」の開催につながった。

「精神障害について学ぶ会」では，べてるの家のメンバーは自分たちの病名と体験を紹介し，町の人たちも正直な自分たちの考えを話した。それからの，べてるの家の偏見や差別に対するスタンスは次のようなものである。

「偏見？　ああ，当たり前です。差別？　みんなそうなんですよ。誤解？　誤解もよくあることです。病気をした私たちでさえ，この病気になったらもうおしまいだなどという誤解をして，慣れるまでけっこう時間がかかりました。ですから……あまり無理して誤解や偏見をもたないように努力したり，自分を責めたりしないほうがいいんです。体をこわしますから」[1)]。

文献／1）浦河べてるの家：べてるの家の「非」援助論；そのままでいいと思えるための25章，医学書院，2002，p.52.

表1-2 精神障害者の困りごとと配慮のエピソード

精神障害者の困りごと	配慮のエピソード
人が多い場所ではパニックを起こしやすく，待合室で長時間待機することがつらい。	• 極力，患者が少ない時間帯で予約を取ってくれた。 • パーテーションで区切って，スペースを作ってくれた。 • 空いているスペースで，落ち着いて待たせてもらえた。
他人と話すことに恐怖感や警戒心があり，医師や看護師に自分の思いや身体の状態をうまく伝えることができない。	• 医師が時間をかけて，しっかりと話を聞いてくれた。 • 医師がていねいに向き合ってくれた。 • 診察中に聞きそびれたことへの問い合わせにも対応してくれた。
慣れない外出をしていると疲れやすく，院内の移動や長時間待機することがつらい。	• こまめに声をかけてくれ，体調を把握してくれた。 • 受付から様子を見守りやすい座席に案内してくれた。 • 着替えを同性の事務職員がサポートしてくれた。

資料／厚生労働省：平成29年度障害者総合福祉推進事業　医療機関における障害者への合理的配慮事例集，ミライロ，2018，p.10，一部改変．

3. 医療機関における合理的配慮

医療機関における合理的配慮については，「医療機関における障害者への合理的配慮事例集」[14] に掲載されている。たとえば，「人が多い場所ではパニックを起こしやすい」といった困りごとのある精神障害者に対する合理的配慮のエピソードとして，「患者が少ない時間帯に予約を取る」などが取り上げられている（表1-2）。複雑な説明や専門用語がわかりづらい知的障害・発達障害のある人に対する配慮のエピソードとしては，わかりやすい言葉やイラストを使った説明，図や写真を用いた検査の説明，検査室に行く動線の床面への表示などが紹介されている。

合理的配慮のエピソードには，日常的に実践できるものが多く含まれている。これは私たち一人ひとりが社会的障壁を除去し，差別解消に貢献できることを意味している。私たちにできることは，日常のなかで好事例を積み重ね，それを広く共有していくことであろう。

III 精神障害をもつ人はどのようなことを経験し感じているか

1. 精神障害をもつ人の心象風景

近年，精神障害をもつ人の体験が数多く報告され，とりわけ当事者による病（やまい）の体験談は，精神医療のあり方に少なからず影響を与えてきた。また，当事者の体験談は，患者とその家族に病とともに生きるための勇気と実践的な知識を与え，地域の人々や子どもに対しては，障害者理解を促す役割を果たしてきた。

医療社会学者のアーサー・W・フランク（Frank, A. W.）は「病（や）む人は，病（やま）いを物語へと転じることによって，運命を経験へと変換する」と述べている[15]。また，病む人が「傷ついた者」として物語の語り手となるならば「他者をケアすることもできる」としている[16)]。なお，フランクは，病の物語を「回復の語り」「混沌の語り」「探求の語り」に類型化している。フランクによると，回復の語りの筋書きは，過去に健康であったこと，現在は病気であること，未来は健康に戻るだろうことから構成されている。慢性疾患の場合では，この語りの頻度は低い。回復の語りの対極にある語りは，混沌の語りである。混沌の語りは，「傷口の縁をなぞり，ただその周囲を語ってまわることしかできない」混沌のただ中にいる人の語りである[17)]。それに対して，探求の語りは，病者としての試練をとおして新たなあり方を見いだす再生の語りである。

2. 回復者の語り

パトリシア・E・ディーガン（Deegan, P. E.）は，精神障害をもつ当事者であり，心理学者でもあり，障害者の権利擁護の活動家でもある。彼女は当事者の生きた経験をベースにしたリカバリー（回復）概念の普及に大きな影響を与えてきた。

ディーガンは，**リカバリー**とは自分たちが為せないことや自分たちがなれないものを，諦め受け入れることであり，そこに到達して初めて，自分たちができることやなれるものを発見できるとしている[18)]。ディーガンは，リカバリーは苦痛（痛み，pain）や苦闘がないことではなく，むしろ苦悶（anguish）から苦悩（サファリング，suffering）への変容であるとしている。ディーガンによると，**苦悶**とは，むなしい苦痛であり，堂々巡りの苦痛であり，無駄に終わる苦痛である。しかし，希望が生まれることで苦悶は**苦悩**に変容する。苦悩には確かな平穏がある。それは，苦悩の痛みがどんなに大きくとも，苦悩は自分たちを新たな未来に導いてくれることを知っているからである。

このようなディーガンの回復の経験に関する語りは，フランクのいう「探求の語り」といえるかもしれない。ディーガンの「探求の語り」については成書を参照してもらうこととして，ここではディーガンのリカバリーの経験に関する論文から，病者として体験したことの一部を紹介する。

ディーガンは高校時代に統合失調症を発病した。その当時，ディーガンは体育教員を目指して大学に願書を出しており，発病の「数日前までは，わくわくするような未来」を信じて疑わなかった。しかし，発病で「すべてが崩壊した」。ディーガンは，病気は治る見込みがないこと，そして残る人生を病者あるいは障害者として生きなければならないことを知らされた。一方で，「勧められた治療と療法を続ければ，日々の生活に順応，対処する方法を学ぶことができる」とも聞かされた。しかし，ディーガンはそのような話は信じなかった。

> 断固として，気の滅入る予言を怒り否定した。それは単なる間違いであり，悪い夢であり，一時的な挫折だと思った。1，2週間もすればまた普通に戻る，ということを疑わなかった……こうした否認は，精神的に押しつぶされるような状況における正常な反応である。否認は，最初の数か月を生き延びるために必要な段階である[19)]。

時間が経つにつれ，ディーガンは病気が良くなり元に戻るとは思えなくなってきた。束の間だったはずの悪い夢は，目覚めることのできない恐ろしい悪夢に変わった。まるで，航路を見失い，暗黒の海を漂う船のようであった。自分が薬でもうろうとしながら硬直して精神病院の廊下に立ちつくしていたときに，同級生たちは大学に進学していた。時間は癒しにならなかった。過去には戻れず，未来も生気なく不毛に見えた。現在は，意味のない退屈な日夜の連続であり，そこには自分の居場所も，自分が役に立つ機会も，生きる意味もなかった。

ディーガンは絶望し，苦悶し，そして諦めた。諦めることは，失望の痛みを和らげた。諦めて，何か月間も，家の居間の椅子に座り，煙草を吸い，夜8時になるのを待ち，寝床に戻るという生活を送っていた。この時期，ディーガンは単純なことさえもできなくなっていた。パンの生地をこねるにも，無限の時間がかかるように思えて圧倒されてしまい，泣いた。

ディーガンは，あるとき「自分は博士になって，精神保健のシステムを変革して，精神障害者が二度と傷つかないようにする」という思いがわき，その後，そうすることが精神病を生きのびた人としての神から与えられた使命であると確信するようになった。それは人生の目標でもあり，希望でもあった。ディーガンはその目標に向かって自分の生き方を変えていった。ディーガンは，リカバリーが生じるには，人生の目的または意味が欠かせないという。また，自分のことを信じ，諦めないでいてくれる人の存在，そして歓迎され，尊重され，望まれ迎え入れられる場が必要だという[20)]。

3. 語ることは癒されること

Aさん（男性，55歳）は16歳のときに発病したが，何とか高校を卒業，就職した。しかし再発のため失業し，20～30歳代にかけて6回ほど入退院を繰り返していた。10年ほど前に「精神医療提供者への復讐心をばねに」当事者活動*を開始し，現在に至っている。

Aさんの「復讐心」は次のような経験から生まれた。

> 私も15，6までは飛んで跳ねて元気に普通にやってたから，はたち過ぎてから，精神病院がこんなに口を大きく開けて待ち受けてるなんて，夢にも思ってなかったですよ。入り口は広く出口は狭い精神科の病院へ行って，余計に具合が悪くなっちゃってね。昔は，閉鎖病棟で，鉄格子で，自由はないし，希望はない。中庭には1日1時間しか出られない。あとは，ずっと閉鎖の中でしょ。23時間近く拘留された生活。やっぱそれで，地獄に来たと思いましたよ…（中略）…近くの公園に行こうにも，看護人が監視みたくなって，町の中を二列縦隊になって，幼稚園生みたいに行くんですよ。どうしても囚人みたいな感じがするんですよ。とんでもない病院ですよ。あの怒りは，22年経ってもまだ消えませんよね。だから，病気というよりも，そういう精神科の閉鎖病棟のひどい待遇っていうのがトラウマになって，俺も復讐心が出てくるんですよ。俺が看護人，監視してやるから，医者も看護人もみんな3か月体験入院して，3か月薬づけでやってみろって，そういう気持ちがある。

＊ **当事者活動**：体験の共有や学習，交流，相互支援を基盤とした当事者主体のグループ活動。活動内容は，回復や問題解決を目的としたセルフヘルプ（自助）活動やピアサポート活動から，誰もが尊重される社会の実現を目指した権利擁護活動，行政や議会への陳情・請願，地域住民への啓発活動まで，様々である。

この復讐心がしっかりあるから，バネになって当事者活動ができるんですよ。

Aさんによると，精神病院での人間扱いされない“囚人扱いの体験”は，病気を悪化させ，もし1年入院したとしたら，回復するまで2，3年はかかるという。最初の入院の2か月後，兄の助けを借りて退院し町に出たとき，周囲の人が当たり前のように歩いているのを目(ま)の当(あ)たりにして「ああー，みんな精神科の病院のことを知らねえんだなあ」と，まるで異次元の世界から現在の世界に生還してきたような感じを味わった。

現在，Aさんは当事者へのピアサポート*に加え，一般人や医療従事者に対して精神病院で受けた非人道的な扱いについて「生き証人」として伝える活動に従事している。Aさんにとっては，病気と入院の記憶は痛みを伴うものであるが，それにもかかわらず，Aさんは病気や入院の体験があったからこそ，自分の人生を当事者活動に捧(ささ)げ，当事者の生き方を支持するという現在の自分があるとし，病気の体験に積極的な意味を付与(ふよ)している。

そして，Aさんにとって，語ることは癒されることでもある。

入院がトラウマになって，こうやってピアサポートやってんだけど，当事者活動やるとトラウマが癒(い)えてくるんですよ。だれだって治りたいと思って，青い鳥求めて外を探すんですよ。ところが，青い鳥っていうのは自分の中にいるんですよ。つまり自分の中に治す力とか，自然治癒力みたいなのがあってね。当事者活動っていうのも，みんな同じような体験をした人が1か所に集まって，みんなの前で自分の苦しさを吐き出して，みんなに話を聞いてもらって，共感してもらうことによって，ちょうどトイレみたいなもんで，すっきりするんですよ。そこでみんなに話聞いてもらって苦しみを吐き出すことによって，みんなに共感してもらって，だんだんだんだん自分が癒されて，回復して，自分を取り戻していくっていうふうにね，癒されるんですよ。

4. 語りを聞き，聞き手自身の生き方を問われる

Bさん（男性，45歳）は，16歳から24年余りを精神病院の中で過ごした。Bさんの幼少期の生育環境は極限状態に近かったらしく，学校にもほとんど行けなかったようである。本人によると「母さんは，自転車に乗って遊んでた。父さんは父さんで，酒とタバコで，仕事には月に1日しか行かなかった」という状態であった。Bさんの入院後数年間は，ほとんどのスタッフが早口で不明瞭なBさんの言葉を理解できなかった。

Bさんは，自分の病気は母親から受け継いだものだと考えていて，「昔から母ちゃん病気だった。俺みたいにさぁ，ラジオと話したりさぁ，テレビと話したりさぁ。そういう病気が俺にうつっちゃったんだよなぁ。俺は，母ちゃんの様子見てさぁ，病気だと思ってもさぁ，助けようと思っても助けられなかった。俺が働かなかったら食ってけないから，それで，俺は必死で，これじゃいけない，このままじゃいけない，がんばるぞ」と思って働くことを決意した。そして，職業訓練校に通い，溶接工の資格を取り，入院中から溶接工場で働き始めた。その後，土地を買い，家も建て，兄の面倒もみ，母親を看取り，葬式も

* **ピアサポート**：peer support。同じような立場にある仲間（peer）による実際的・社会的・情緒的な支援などを指す。

出し，お墓も作った。

Bさんは，現在も幻聴，幻視，幻嗅（げんきゅう），体感幻覚に伴う疼痛（とうつう）などに苦しんでいる。幻聴に苦しみ，「右耳に埋め込まれたマイクロホンをドリルで取り除こう」の声を実践し，聴覚障害を残した。今でも「人をぶん殴ってやれとか，殺してやれ」という幻聴が続いているが，「やっちゃえば終わりだ。いくら精神科だって，やっちゃえば，もし犯せば，お前は捕まると。だから殺しちゃいけないと思うんだよ」と言う。

Bさん：まあ，とにかく，幻覚幻聴っていうのはもう，変わんないけどもさぁ，ひどくなった部分もあるね。
私：ひどくなった部分もある？
Bさん：特に，歌聞くのが苦しくなったりとかさぁ。
私：歌っていうのは，ラジオとかなんかで流れる歌？
Bさん：CDの歌とかさぁ，古時計のとかって，知ってる？
私：大きな古時計とかいうやつ？　あの歌だめなんだ。
Bさん：あの歌とかさぁ，「涙（なだ）そうそう」って知ってる？
私：何？　なだ？
Bさん：沖縄のなんだっけ？
私：沖縄の歌。
Bさん：それとかさぁ，なんだっけ。沖縄の歌で，戦争がおっぱじまってさぁ，さとうきび畑で死んだってのとさ。
私：その歌，私は知らないけど，そういう歌とかだめ？
Bさん：好きな歌はだめなんだ。
私：好きな歌がだめなの？
Bさん：そう。
私：その歌，好きなんだけど，その歌聴くと，つらくなっちゃう？
Bさん：「ハアハアハアハア」と，歌ったときに，歌おうと思ったらさぁ「ハアハアハアハア」と音が聞こえてくるの。呼吸音みたいな。ハアハア。なんで聞こえてくるんだよなぁ。歌おうとすると聞こえてくるんだよなぁ。せっかく聞いているのによぉ，調和してくるんだよなぁ。歌の声も聞こえてくるんだよなぁ。わかんなくてよぉ。
私：せっかく好きな歌なのに，その歌を聴こうと思うと「ハアハア」っていうのが聞こえてきて，歌が聴こえなくなっちゃうってこと？　だからそういう歌だめなんだ。
Bさん：だめ。好きだけど，でも聴こえない。
私：好きなのにねえ。せっかくね。
Bさん：あれ思い出してきた。あれだ「さとうきび畑」だ。
私：「さとうきび畑」っていう歌なんだ。好きだけど聴こえなくなっちゃうんだ。
Bさん：戦後にさぁ，沖縄，日本でさぁ，地上戦が起こったところ。アメリカ軍がさぁ，日本が戦ってさぁ。で，その沖縄のサトウキビの下にね，まだ戦後のさぁ，骨がさぁ，そのまま残っていますって，そういうことをテレビでしてたからさぁ。
私：そういう話聞いたりしたりしてるので，気の毒に感じたりするのかしら？
Bさん：気の毒っていうよりさぁ，俺の病気に比べたら俺のほうがまし，あの人たちに比べたらさ。戦争っておっぱじまればさ，手を失ったりよぉ，真っ黒けになって死んだりよぉ。そういうことに比べると俺の病気のほうがましだと思う。戦争は悲惨だよ。

幻聴に苦しみ，それを取り除こうとドリルで耳を傷つけることまでしたBさんだが，戦争の犠牲（ぎせい）者に比べれば，自分のほうがましだと言う。Bさんの語りをとおして，その世界の豊かさに触れたとき，私は自分の生き方を自問した。果たして自分が病気であった場合，そのような境地（きょうち）に至れるのだろうか？　語りは聞き手を語り手の世界へ引き込むと同時に，聞き手の生き方を問う力を秘めている。語り手の話でありながら，実は問われているのは，聞き手の生き方や日常のありようであり，聞き手の他者や社会とのかかわり方である。Bさんの語りは，今でも私にいかに生きるのかと問いかけてくる。

統合失調症をもつ人の多くは，能弁ではない。彼らの語りは，しばしば平板であったり断片的であったりする。言葉少ない語りの裏に隠された意味や，平易な語りのなかに込められた多くの思いは，語り手の歩んできた歴史を知らない聞き手には，その輪郭さえ把握しがたい。それでも，語り手の言葉少ないつぶやきが圧倒的な力をもって聞き手に迫ってくることがある。

たとえば，Cさん（女性）は，病気をして得たことは「諦めつつも生きること」だと言う。この短い言葉を吟味するならば，Cさんが諦めなければならなかった数々の夢や希望，あるいは普通の日々への思いを読みとることは，そう難しいことではない。ただ，あまりにも平易過ぎる言葉は，ともすれば私たちの意識を素通りしてしまう。語り手の思いをとらえるには，文脈を読みとることのできる感性と想像力をみがく必要があるのだろう。

IV 精神障害と共に生きる

「精神障害をどのように生きるか」という問いは，社会が精神医学をどのようにとらえているか，ということと無縁ではありえない。また，日本の現代のありようが，人間として「精神障害と共に生きる」ために最良なものであるかどうかもわからない。

ここでは，精神障害が社会からどのように扱われてきたかを概観し，そして現在のとりあえずの到達点である「生活機能モデル」を「リカバリー」という概念を参照枠に説明し，「精神障害と共に生きる」ということが，今どのような姿なのかを描いてみることにする。

1. 精神障害を社会がどのようにみてきたかを概観する

ヨーロッパの歴史を紐解くと，長きにわたり，奇妙な行動や信念のある人は「患者」とみなされることはまれであり，“憑き物に憑かれた人”“狂人”などとよばれ，普通の人としての状態にはない人とみなされてきたようである。特に中世ヨーロッパでは，宗教が大きな権力をもっていたため「悪魔憑き」とみなされた人は過酷な弾圧にあった。一方で，精神病院も16世紀からつくられ，人道的に介護をしようという動きも存在した。残念なのは科学が極めて未熟だったことであり，科学の名の基に「治療」として瀉血や下剤の大量投与などの手荒なことを，精神障害をもった人々に行うことを，良しとしてきたことである。

18世紀になると，アメリカの独立とフランスの革命を経て，欧米には市民の人権という発想が誕生し，個人を重視する価値観が広まった。このなかで精神障害をもった人々は搾取的な社会的環境の犠牲者であるという考えが受け入れられるようになり，社会改革の一環として精神を病める人の解放が行われた。フランスの精神科医フィリップ・ピネル（Pinel, P.）が患者を鎖から解放した件はその象徴である。

しかし19世紀には，近代化のなかで労働力としては期待することが困難な精神障害をもつ人々は，収容所と化した精神病院に強制的に長期に入院させられ，そこで「治療」を受けることが当たり前となった。収容所では人間的なケアをすることと，危険な行動を矯正し秩序を守ることの葛藤が絶えずあったが，隔離室や拘束衣，拘束具などは，このなかで必要悪として認められてきた。強制収容された患者に認められる権利は少なく，環境は劣悪であり，収容所は人間の倉庫と化していた。また，これまでの歴史では，治療の主体は常に医師にあり，医師が診断や治療の責任をもち，患者や家族にあるのは治療に協力する「義務」であった。これを**パターナリズム**とよぶ。

20世紀の前半，精神障害をもつ人々が地域社会のなかで生きていく権利が十分には認められない状況下で，大きな悲劇が起きる。全体主義国家において，精神医学の不正な利用が行われ，精神障害というレッテルを口実に，罪のない人が虐殺され，断種され，長期収容されたのである。また，ロボトミーという精神外科手術も，人の人格を奪うものとして精神医学の信頼を低下させた。

このような状況下で，20世紀後半には反精神医学運動が活発となり，「患者の完全な同意と理解なしに患者の行動を修正したりする権利が医師にあるのか」という問いをつきつけた。

その後，抗精神病薬の進歩，薬物療法の技術の向上，さらに心理社会的治療の発展は，当事者からの権利擁護の声の拡大と相まって，欧米では収容主義を否定する動きとなった。この動きから，地域社会のなかで市民として人間の尊厳を取り戻し生活していくことをケアすることが精神保健医療福祉の命題となった。

1996年に世界精神医学会（World Psychiatric Association；WPA）で出されたマドリッド宣言では，「患者は治療過程においては，正しくパートナーとして受け入れられるべきである。治療者－患者関係は，患者が自由にかつ十分な情報を得たうえで自己決定できるように，相互信頼と尊重に基づかなければならない」との一節があり，治療者と患者の基本的な平等関係の重要性がうたわれた。

2. 生活機能モデル：国際障害分類から国際生活機能分類への変遷

このような歴史のなかで，今や精神障害は，支援やリハビリテーションがなされ，それを抱えながらも市民としての生活を維持できるものとして位置を得るようになっている。特に21世紀になってからは，欧米を中心に，病気の治療を最優先する考え方（illness centered）から，病をもった人々の希望や生活を最優先する考え方（person centered）に，治療や支援の概念が変化している。これは必ずしも精神障害に限ったことではなく，身体障害，知的障害などの分野でも同様の発想の転換が行われてきた。これを象徴するのが2001年5月に世界保健機関（WHO）が提唱した，**国際障害分類**（International Classification of Impairments, Disabilities and Handicaps；ICIDH）から**国際生活機能分類**（International Classification of Functioning, Disability and Health；ICF）への概念の変化である。

▶ **国際障害分類**　図1-1は1980年版の国際障害分類の概念モデルである。この理解の特徴は疾病，機能障害，能力障害，社会的不利を結ぶのが一方向的な矢印であることで，直線的因果律として状況が説明されている。乱暴にいってしまえば「疾病が機能障害をもたらさないように治すことができれば，すべてが解決する」といっているようにもみえる。いわゆる「**疾患モデル**」の解明が患者の幸福につながるというメッセージが矢印から読みとれなくもない。

▶ **国際生活機能分類**　それに対して，国際生活機能分類では障害の概念を図1-2のように説明した。この分類では，第1に，用語として機能障害（impairment）や能力障害（disability）など「失われたもの」というニュアンスのある言葉を使わず，**心身機能**（body functions and structure），**活動**（activity），**参加**（participation）といった中立的な生活機能を表す言葉を用いた。人のあり方や活動には多様性があり，障害とよばれる状態も明確な段差があ

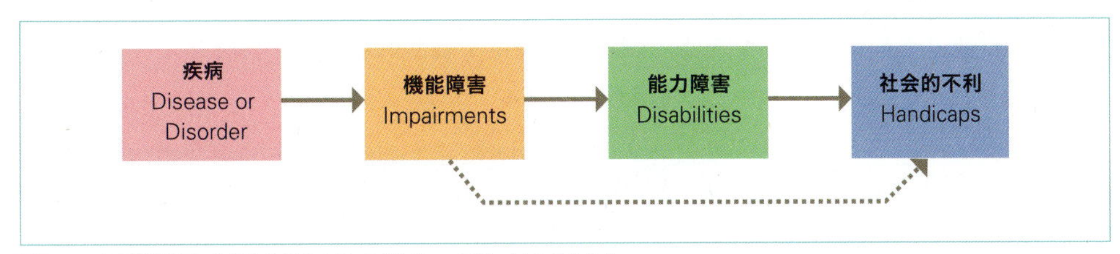

図1–1　国際障害分類（ICIDH）の概念モデル（1980年）

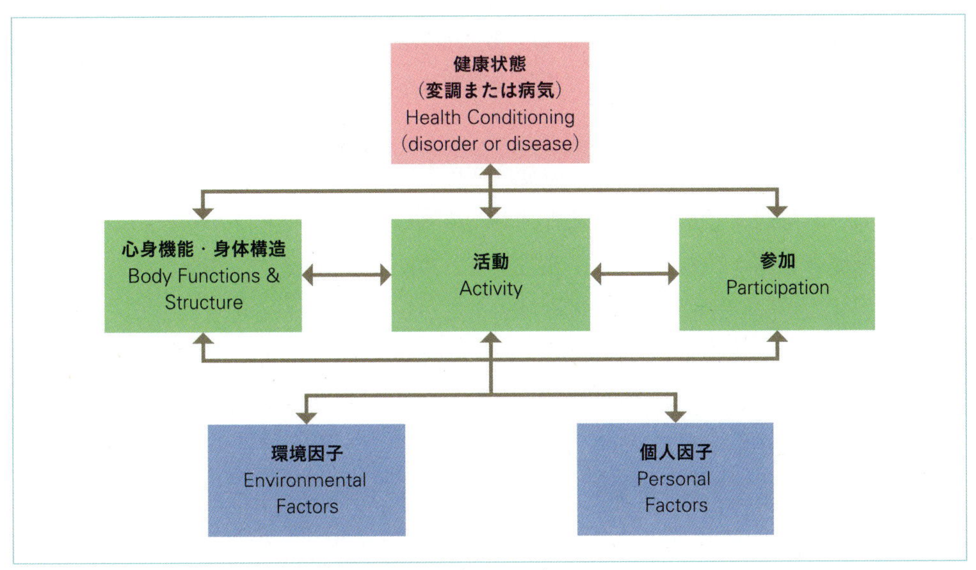

図1–2　国際生活機能分類（ICF）の概念モデル（2001年）

るのではなく，スペクトラムをなしているというとらえ方が前景に出た。同時に「どこが失われているのか」というよりも「今何ができているのか」「どこまではできるのか」といったアセスメントのありようを示すことにもなった。

第2に，心身機能，活動，参加の関係が両方向性の矢印で結ばれ，それぞれが相互に影響を与え得る関係にあることが示された。たとえば就労やスポーツ活動など社会参加の場を積極的に確保することで，参加しようとする者の活動は支援者や優れた補助具などの助けも借りながら向上することがあり，そのことが心身機能や身体構造にもよい変化を与えることがある。このような現象の可能性を国際生活機能分類の概念図は提示した。

第3に，**健康状態**（health conditioning）を心身機能・身体構造，活動，参加の全体に影響を与える因子として上位に置き，同様の位置に環境因子や個人因子をも置いた。これはトータルとしての健康状態が，機能や構造とは別の側面から活動や参加にも相互的な影響を与えることを表している。また，対人関係や物理的環境，社会的環境などの**環境因子**，モチベーション（動機づけ）や好み，強みなどの**個人因子**が，心身機能・身体構造，活動，参加というありようと相互的に影響を与えることを強調しているとみることができる。

この概念変更によって，障害をもった人々の活動や社会参加は，疾病の状態や障害の重さによってのみ規定されるのではなく，環境や個人のありようによっては，より活発な活動や社会参加が可能であることが示された。同時に，活動や参加のありようを変えていくことが，健康状態に影響を与えたり，個人的な状況や社会的環境に影響を与えたりすることも提示された。これがいわゆる「**生活機能モデル**」である。

3. 生活機能モデル：支援者に求められること

「生活機能モデル」で精神障害をとらえるようになると，精神疾患が重症慢性の状態にあるからといって，それが必ずしも活動の制限や参加の制約につながるのではない，という発想がわく。知恵や工夫のなかで活動や参加の機会を増やしていくことは可能であり，そのことが病（やまい）との付き合いや病をめぐる社会環境にも影響を与え得るということも，この概念図（前掲図1-2）は示している。

そして，生活機能モデルは支援者にも態度変更を求めている。

たとえば「入院病棟で症状が不安定な人が，退院して安定するはずがない」というのは神話であることを認める必要がある。精神障害と共に生きるうえで，病棟が最良の環境とはいえず，本人が安心して自分の好みや能力を生かして生活できる環境でこそ，活動や参加の可能性は伸ばせるのである。支援の現場が生活の場に移動するのは必然であり，予防，治療，リハビリテーションが精神障害をもちながら住む地域社会のなかで行われることが求められるようになる。

精神障害と共に生きる人に寄り添うためには，具体的にその場にいる必要がある。多職種により構成される訪問看護ステーションや多機能型の診療所をベースとして，支援者自身が地域社会を自らのフィールドとすることで，それが可能となる。一方で，地域社会が精神障害をもつ人々の活動や参加を促進する環境になるよう，地域社会に働きかけることも，支援者の役割の一つとなるだろう。よりよい多様な居住環境づくり，障害をもっていても働きやすい職場の開拓，ボランティアやピア活動など社会貢献できる機会の拡充など，精神保健領域にとどまらず多くの人々を巻き込んで，この働きかけを行う必要がある。

4. リカバリー概念：当事者の主体的な自分の人生への関与

1990年代のアメリカを中心に，当事者サイドから「**リカバリー**（recovery）」の運動が広まった。これは障害を抱えながらの生き方のプロセスを表す言葉であるが，その発端は，「治癒（cure）」とは異なる価値を，この分野にもち込むために提案されたものである。そこには「病気」や支援システムにコントロールされるのではなく，当事者が自分の手に人生の主導権を取り戻すことに重きを置くという発想が込められている。

先に述べた精神障害をもつ人々の処遇を振り返れば，リカバリーには精神障害からの回復である以上に，人々のもつ偏見により生活が不自由になっていることや，精神保健医療福祉システムに管理され，自らのことを自らで決める権利が奪われてしまっていることから回復し，市民としての生活を取り戻す過程という意味がある。

このリカバリーの過程のなかで，人はどのように精神障害と共に生きるのであろうか。一例として，精神障害の当事者であるが，**WRAP®**（Wellness Recovery Action Plan，元気回復行動プラン）という「不快で苦痛を伴う困難な状態を自分でチェックして，プランに沿った対応方法を実行することで，そのような困難を軽減，改善あるいは解消するための系統立ったシステム」[21] を開発したメアリー・E・コープランド（Copeland, M. E.）は，**リカバリーの要素**として，次の5つが重要だと述べている。

- 希望をもつこと。
- 元気でいることや自分の人生に対して責任をもつこと。
- 自分自身について，あるいは必要なことについてできる限り学ぶこと。
- 自分自身の権利を守ること。
- 自分が必要なときに頼りにすることができる仲間や支援者をもつこと。

いずれも，病が「重い－軽い」という座標軸ではなく，主体的に生活を「しているか－否か」という座標軸にのるような意味づけであり，病の状態がいかなるものであれ，リカバリーの過程は始められる，という立場からの言葉である。

リカバリーを十分支援できるよう精神保健医療福祉の制度やシステムが整備されているか否かは，日本はもとより世界各国でも一律にはいえない状況である。しかし，今を生きる当事者のありようとして，このような概念を主体的にもつというところまで，現代の「精神障害と共に生きる」地平は拓かれてきているのである。

文献

1）学校法人慶應義塾：「精神疾患の社会的コストの推計」事業実績報告書，平成 22 年度厚生労働省障害者福祉総合推進事業補助金，2011.
2）American Psychiatric Association 著，日本精神神経学会監：DSM–5；精神疾患の診断・統計マニュアル，医学書院，2014.
3）「障害」の表記に関する作業チーム：「障害」の表記に関する検討結果について，第 26 回障がい者制度改革推進会議（平成 22 年 11 月 22 日）資料 2，2010．https://www8.cao.go.jp/shougai/suishin/kaikaku/s_kaigi/k_26/pdf/s2.pdf（最終アクセス日：2021/11/2）
4）外務省：障害者の権利に関する条約（略称：障害者権利条約），2015．http://www.mofa.go.jp/mofaj/gaiko/jinken/index_shogaisha.html（最終アクセス日：2021/11/2）
5）内閣府：平成 28 年版障害者白書，2016．https://www8.cao.go.jp/shougai/whitepaper/h28hakusho/zenbun/pdf/s2.pdf（最終アクセス日：2021/11/2）
6）宗像恒次：最新 行動科学からみた健康と病気，メヂカルフレンド社，1996，p.131.
7）ゴッフマン，E. 著，石黒毅訳：スティグマの社会学；烙印を押されたアイデンティティ，せりか書房，1997, p.11–15.（原著：Goffman, E.：Stigma：Notes on the management of spoiled identity, Simon & Schuster, 1963）
8）Schulze, B., Angermeyer, M. C.：Subjective experiences of stigma；A focus group study of schizophrenic patients, their relatives and mental health professionals, Soc Sci Med, 56（2）：299–312, 2003.
9）Thornicroft, G., et al.：Global pattern of experienced and anticipated discrimination against people with schizophrenia；a cross–sectional survey, Lancet, 373（9661）：408–415, 2009.
10）厚生労働省：心の健康問題の正しい理解のための普及啓発検討会報告書；精神疾患を正しく理解し，新しい一歩を踏み出すために，2004．https://www.mhlw.go.jp/shingi/2008/04/dl/s0411-7i.pdf（最終アクセス日：2021/11/2）
11）内閣府：障害者に関する世論調査，2017．https://survey.gov-online.go.jp/h29/h29-shougai/2-3.html（最終アクセス日：2021/11/2）
12）内閣府：障害を理由とする差別の解消の推進に関する基本方針，2015．https://www8.cao.go.jp/shougai/suishin/sabekai/kihonhoushin/honbun.html（最終アクセス日：2021/11/2）
13）内閣府：障害を理由とする差別の解消の推進，2021．https://www8.cao.go.jp/shougai/suishin/sabekai.html（最終アクセス日：2021/11/2）
14）厚生労働省：平成 29 年度障害者総合福祉推進事業 医療機関における障害者への合理的配慮事例集，2018．https://www.mhlw.go.jp/content/12200000/000331883.pdf（最終アクセス日：2021/11/2）
15）フランク，A. 著，鈴木智之訳：傷ついた物語の語り手；身体・病い・倫理，ゆみる出版，2002, p.3.（原著：Frank, A. W.：The wounded storyteller：body, illness, and ethics, University of Chicago Press, 1995）
16）前掲書 15），p.4.
17）前掲書 15），p.140.
18）Deegan, P. E.：Recovery；The lived experience of rehabilitation, Psychosoc Rehabil J, 11（4）：11–19, 1988.
19）前掲書 18），p.12–13.
20）Deegan,P.E.：Recovery, rehabilitation and the conspiracy of hope, 1987.
21）コープランド，M. E. 著，久野恵理訳：元気回復行動プラン WRAP，道具箱，2009.

参考文献

・伊藤順一郎，福井里江：リカバリー〈日本統合失調症学会監，福田正人，他編：統合失調症〉，医学書院，2013.
・ブロック，S.，グリーン，S. A. 編，水野雅文，他監訳：精神科臨床倫理，第 4 版，星和書店，2011.

第2章

精神障害をもつ人の抱える症状と診断のための検査

この章では

- 精神機能はどのような要素によって成り立っているかを理解する。
- 精神症状にはどのようなものがあるか理解する。
- 精神科診療における状態像を理解する。
- 精神科診療におけるフィジカルアセスメントを理解する。
- 精神科診療や診断のプロセスを理解する。

I 精神（心）の働きと精神症状・状態像：精神障害をもつ人の抱える症状

1. 精神症状を学ぶ必要性

身体疾患の多くは，単一あるいは複数の病因から始まり，生体組織・臓器の構造や機能の病的な変化が生じ，それらが何らかの症状や臨床検査異常として現れる。精神疾患も同様に，何らかの病因，発症起点があり，その結果として脳組織の構造や機能の変化が生じ，精神症状として現れる。しかし，**精神症状**は，身体疾患の症状とは異なり，現れている症状がどのような病態メカニズムで生じているのかが解明されているものは少なく，ある病態と1対1で結びつく症状はまれである。たとえば気分が沈み，興味・関心の喪失（そうしつ）で特徴づけられる“うつ状態”は，うつ病はもちろんのこと，統合失調症や双極性障害，認知症，適応障害など病因の異なる様々な精神疾患で現れる。

また，現在，遺伝生物学的研究やモデル動物を利用した基礎研究，機能的MRI（磁気共鳴画像）やPET（陽電子放出断層撮影）画像，近赤外線スペクトロスコピーなどによる画像研究などが盛んに行われているが，多くの精神疾患に関しては，特異的な脳画像所見や検体検査，生理学的検査の異常などの生物学的マーカーは，いまだに解明されていない。

さらに，症状を客観的に判定する方法は乏しい。たとえば症状評価尺度などは，患者の言動や態度，談話の内容などによって，どのような評価をするかが目安としては決められているが，それでも判定者の主観によって，判断が左右されることは逃れられない。

現在，精神疾患の診断は，目の前の患者に面接，問診を行い，診察の場面に現れている患者の言動などの観察，患者や家族，患者を知る周囲の人物からの陳述による病歴聴取によって浮かび上がる“いくつかの特徴的な精神症状を羅列（られつ）し，それらの項目のうち，○個以上が当てはまれば，その精神疾患”と診断する**カテゴリー診断**が主流である。

したがって，①特徴的な精神症状を記述する用語を理解する，②患者が示すある言動，感情などの変化が，どのような精神症状に該当するのかを，その用語を用いて記述する，③従来の使い方と照らして妥当かどうかの指導を受ける，という学習過程は，精神疾患の診断，症状経過観察，そして適切な看護ケアや治療介入を行ううえでも不可欠であり，精神医療に触れる学生にとって，最初に学ぶべき分野の一つである。

2. 精神症状の分類

目の前の患者の言動などの観察や病歴の聴取によって，明らかにされる精神機能の項目としては，意識，知覚，思考，感情，意思・欲動（よくどう），自我意識，記憶，見当識，睡眠，知能，神経心理学的所見，人格（パーソナリティ）・性格などがある。本項では，それらの精神症状を解説する。

1　意識障害

❶意識とは

「意識」という用語は，哲学，心理学や精神分析学，社会学でも定義され議論されている多義的な用語であるが，ここでは生理学的な「意識」について解説する。

意識は，自分の状態や外界の状況をはっきりと認識し，外部に自己を表出できる能力を指す。意識は「覚醒状態」や「認知」と密接に関連している。大脳生理学的には，覚醒状態は脳幹の上行性網様体賦活系（ascending reticular activating system；ARAS）と視床下部調節系の二重支配を受けているとされる。ARASが刺激されると覚醒水準が上がり，意識が生じるとされる。また，視床下部調節系も睡眠・覚醒の基本的リズムをつくっており，網様体と連絡して意識を調節している。また認知機能は大脳皮質の広い範囲で制御されている。

自分の状態や周囲の状況を把握し，また適切な反応をするためには，体内外の刺激が神経系の情報伝達をとおして脳内に達し，それぞれの刺激に応じた感覚を生じること，その感覚入力に応じて，適切な認知のもとに反応することが必要である。つまり情報の入力，処理，反応の一連の神経系活動を適切に行うことが，意識の役割と言い換えてもよいかもしれない。

❷意識障害の定義

覚醒しており，自身と外界の認識が正常に保たれていることを**意識清明**（せいめい）という。覚醒水準や知覚認識の機能が低下した状態を**意識障害**という。意識障害は単純なものと複雑なものがある。

単純な意識障害は**意識混濁**（こんだく）といい，意識清明度（覚醒レベル）の低下である。

複雑な意識障害には，意識の質的な変化を伴う**意識変容**と，意識野の広がりの障害である**意識狭窄**（きょうさく）とがある。

意識障害を示唆する臨床所見として，注意集中困難，見当識障害，理解力の低下，記銘力の低下と回復後の健忘などがある。また，脳波検査において，周波数が毎秒8サイクル以下の遅い波が混入する「脳波の徐波化」を認めることがある。

(1) 単純な意識障害（意識混濁）

意識混濁は狭義の意識障害ともいわれ，覚醒度の低下であり，意識全体の曇（くも）りともいえる。劇をしている舞台の照明が全体的に暗いため，演技がよく見えない状態にも例えられる。覚醒度の低下の度合いにより，軽度のほうから，明識（めいしき）困難状態，昏蒙（こんもう），傾眠（けいみん）状態，昏眠（こんみん），昏睡（こんすい）とよぶ（図2-1）が，より客観的に評価するため，JCS（Japan Coma Scale，ジャパン・コーマ・スケール）（表2-1）やGCS（Glasgow Coma Scale，グラスゴー・コーマ・スケール）（表2-2）が用いられる。

(2) 複雑な意識障害（意識変容，意識狭窄）

▶ **せん妄**　意識変容の代表例は**せん妄**である。せん妄は，軽度〜中等度の意識混濁に（図

意識正常	
	明識困難状態：反応がやや遅れて鈍い
軽度	昏蒙：浅眠状態でぼんやりしている
	傾眠状態：睡眠傾向が強い
中度	昏眠：刺激がないと眠り込む
高度	昏睡：刺激しても覚醒しない

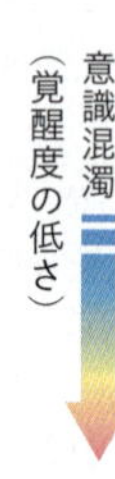

図2-1 意識混濁

表2-1 Japan Coma Scale（JCS）

I 覚醒している	0 意識清明 1 見当識は保たれているが意識清明ではない 2 見当識障害がある 3 自分の名前・生年月日が言えない
II 刺激に応じて一時的に覚醒する	10 普通の呼びかけで開眼する 20 大声で呼びかけたり，強く揺するなどで開眼する 30 痛み刺激を加えつつ，呼びかけを続けるとかろうじて開眼する
III 刺激しても覚醒しない	100 痛みに対して払いのけるなどの動作をする 200 痛み刺激で手足を動かしたり，顔をしかめたりする 300 痛み刺激に対してまったく反応しない

R：restlessness（不穏），I：incontinence（失禁），A：apallic state（失外套（しつがいとう）状態）または akinetic mutism（無動無言）などの状態がある場合は，たとえば 20R などと記載する。

表2-2 Glasgow Coma Scale（GCS）

E 開眼 （eye opening）	4 自発的に開眼 3 音声により開眼 2 痛みや刺激により開眼 1 開眼せず
V 言葉の応答 （best verbal response）	5 見当識あり（年月日や時刻，場所などの状況を把握できている） 4 会話混乱（会話は成立するが見当識が混乱している） 3 言語混乱（発語はみられるが会話が成立しない） 2 理解不明の声を発生 1 発語がみられない
M 運動機能 （best motor response）	6 命令に従う 5 痛みや刺激を感じる部分を認識して手足で払いのける 4 四肢屈曲反応，逃避（痛み刺激に対して四肢を引っ込める） 3 四肢屈曲反応，異常（痛み刺激に対して緩徐な屈曲運動） 2 四肢伸展反応（痛み刺激に対して緩徐な伸展運動） 1 まったく動かない

2-2），健忘（けんぼう）や知覚の障害，たとえば**錯覚**（壁のシミを見て「虫がいる」と言う），**幻覚**（だれもいないのに「人がいる」と言う）といった様々な認知機能の変化が加わり，しばしば不安や興奮といった情動変化や行動変化を伴うものをいう（図2-3）。高齢者にみられる**夜間せん妄**，手術後にみられる**術後せん妄**，アルコール多飲者の急な断酒後にみられる**振戦（しんせん）せん妄**などがある。

▶ **もうろう状態**　意識野の狭窄した状態の代表例は**もうろう状態**である。せん妄に比べると，まとまった言動をとれており，複雑な手続きをとって行動することも可能なことがある。たとえば1人で交通機関を利用して遠出するなどである。しかし，多くの場合，その

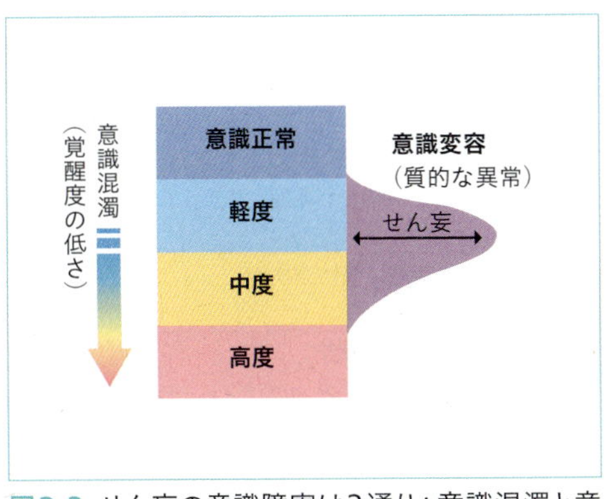

図2-2 せん妄の意識障害は2通り：意識混濁と意識変容の模式図

図2-3 せん妄の症状

ような行動を後にはっきりと思い出すことができず健忘を残す。発症の開始がはっきりしており，比較的短期間で回復することが多い。原因としては，てんかん発作後のもうろう状態や解離性（かいりせい）のもうろう状態があげられる。

▶ **アメンチア** 意識混濁（こんだく）の程度は明識困難状態程度と軽いものの，高度の思考散乱のために，周囲の状況を理解できず，言動もまとまらない状態となる。当人はそのような自己の意識障害を自覚して，困惑していることが多い。一過性の幻覚・妄想を認めることもある。急性感染症や内分泌疾患といった全身性疾患による一過性の意識障害でみられることが多い。

❸意識障害の原因

情報入力の障害（すなわち脳幹の障害）と情報処理の障害（すなわち大脳皮質の障害）といった脳器質的な障害と，両方の機能を障害する可能性のある全身性疾患があげられる。

❹意識障害の鑑別

救急医学での意識障害の鑑別疾患の覚え方として，**アイウエオチップス**（aiueotips，カーペンター分類，表2-3）というものがよく知られており，救急場面などで患者以外からの情報が乏しいときなどに多用される。また，生命の危険が切迫しており，迅速な診断・検査，対応が必要な鑑別疾患順に整理した鑑別（かんべつ）診断一覧表（表2-4）もあげておく。

表2-3 アイウエオチップス

A	aorta / alcohol	大動脈／急性アルコール中毒
I	insulin	インスリン
U	uremia	尿毒症
E	endocrine	内分泌
O	oxygen / opiate	低酸素症／麻薬
T	trauma / temperature	外傷／低（高）体温
I	infection	感染症
P	porphyria / psychiatric	ポルフィリア／精神疾患
S	stroke / SAH / shock / syncope	脳卒中／クモ膜下出血／ショック／失神

表2-4 意識障害の原因と検査：CAMP

	原因	検査
C	CNS（中枢神経系）：脳血管障害，頭部外傷，けいれん発作，脳変性疾患	頭部CT，脳波
	CHF（うっ血性心不全），心筋梗塞，不整脈，呼吸不全	バイタルサイン確認と心電図，サチュレーションモニター
A	Alcohol（アルコール），ビタミンB群欠乏，覚せい剤や薬物乱用	注意深い病歴聴取，薬物尿検査
M	Metabolic（メタボリック）：腎不全，肝不全，貧血，低血糖，甲状腺機能障害，酸塩基・電解質異常	血液生化学検査，尿検査
	Medication（薬物治療）：鎮静薬，抗コリン薬，抗パーキンソン薬，抗潰瘍薬など	注意深い病歴聴取，薬物血中濃度測定
P	Pyrexia（発熱）：感染症	バイタルサイン，血算，炎症反応，起炎菌同定
	Physical（身体疾患）：悪性新生物，重度外傷，火傷	
	Psychological（心理的な）	

2 知覚の障害（錯覚と幻覚）

❶感覚と知覚

感覚とは，外部環境または身体内部の物理化学的エネルギーを感覚器官や末梢神経系が受けとり，電気信号に変換した情報として，大脳皮質感覚野に伝達するプロセスである。感覚によって生じるものは，単純で要素的なもの（明暗，色，形，音など）である。

知覚とは，感覚器が受容した単純な情報が，より高次の脳の情報処理過程を経ることによって，対象の印象（形態や性質など）をとらえる働きである。

たとえばギターの音をある音量，音色としてとらえるのが感覚であり，そのギターの音が，あるメロディを奏(かな)でているととらえるのは知覚である。そのメロディを別の楽器が奏でていれば，感覚としては別のものとしてとらえるが，知覚は同じメロディとして把握する。知覚が経験や記憶，ある認識パターンをもって外界情報を処理していることの一つの例である。また，視覚を例にすると，対象が同じであっても，対象を見る距離や方向，明るさなどが異なれば，網膜がとらえる像も変化するが，実際は同じ対象として知覚される。聴覚では，複数の音源を同時にとらえても，脳内で音源ごとに再統合することができ，関心のある音源を聞き分けることが可能となる。

このような感覚と知覚の違いがあることにより，動物は適切な情報処理と反応を行うことができるが，一方で，その機能の差異が，様々な知覚の障害を生じさせる要因ともなる。

❷錯覚

実際に存在する対象を誤って知覚することを**錯覚**という（表2-5）。たとえば服を人と間違えたり（**錯視**(さくし)），機械の音を人の声と聞き間違えたり（**錯聴**(さくちょう)）することである。これは注意力が低下しており，不安・恐怖感が強い場合は健常者でも生じ得るが，多くはせん妄などの意識障害において，よくみられるものである。

また，不明瞭あるいは意味のない視覚対象から明瞭で具体的な錯視像を知覚する体験を

表2-5 錯覚と幻覚

錯覚（実際にあるものを間違える）	幻覚（実際にないものを知覚する）
錯視，錯聴	幻聴，幻視，幻触，体感幻覚，幻嗅

パレイドリア（pareidolia）という。パレイドリアは，壁のシミや雲の形から人の顔や動物の姿を見いだすが，一方で，それが実際は壁のシミ，雲とわかっているという点が通常の錯覚とは異なる。ヘイケガニの甲羅に人の顔を見たりするのも1つの例であろう。最近では，携帯電話などで一般的に用いられるようになった顔文字もパレイドリアを利用しているともいえよう。

❸幻覚

対象のないところに，対象を知覚することを**幻覚**という（表2-5）。幻覚には幻聴，幻視，幻触，幻嗅，幻味などがあるが，幻覚の種類によって，意識障害の有無や原因がある程度予測できることもある。

（1）幻聴

幻聴とは，実際の音や声を発する音源がないにもかかわらず，音や声が聞こえると訴えるものをいう。

幻聴は「かすかに人の声で話しているようであるが，内容まではわからない」というものから，「はっきりと意味のある会話として聞こえるもの」まで様々である。また，その内容は，自分に対する悪口，非難，中傷，噂など被害的で不愉快なものが多く，逐次自分の行動を実況中継したり，「ああしろ，こうしろ」と命令してくるものもある。このため，幻聴に対して，不安や怒りなどの強い感情を伴ったり，圧倒されて疲弊したり，命令に従って行動してしまうこともある。

▶ **要素性幻聴**　単に音や音楽が聞こえるというものを**要素性幻聴**という。聴力が低下した状態や高齢者で多い。

▶ **幻声**　人の声として聞こえるものは**幻声**という。一般的に幻聴という場合，幻声を指すことが多い。統合失調症などで特徴的な症状の一つである。

▶ **思考化声**　幻聴の一つである。自分が考えていることが，外から声になって聞こえてくるという症状をいう。

▶ **機能性幻聴**　「雨の音に載せて人の声が聞こえる」「換気扇の音に混じって聞こえる」など，実際の音に重ねて幻聴が聞こえることを**機能性幻聴**という。

（2）幻視

幻視とは，実際にはその場に存在しない対象が見えることをいう。幻聴が統合失調症で特徴的な症状であるのに対して，幻視は中毒性，症状性・器質性精神障害に多くみられる幻覚である。虫や小動物が見える**小動物幻視**，小さな人間が動いているのが見える**小人幻視**など特徴的な名前のついた幻視があり，いずれも意識混濁を伴っていることが多い。せん妄（特にアルコール離脱せん妄）や中毒性精神病，認知症のタイプの一つであるびまん性レビー小体病などで認められる。

また，通常の視野の外側に対象を知覚する，たとえば自分の背後に人が見えることを**域外幻視**という。

(3) 幻触

幻触（げんしょく）とは，「皮膚に虫が這（は）っている」「電磁波でビリビリとしびれさせられる」などの訴えのあるものをいう。主に統合失調症で認められる。

▶ **体感幻覚**　温痛覚，運動，平衡感覚などあらゆる体感に関する幻覚である。「子宮があちこちに移動する」「脳が腐（くさ）る」などと訴える。統合失調症でみられることが多いが，まれに器質性精神障害でも認められる。

(4) 幻嗅

幻嗅（げんきゅう）とは，「隣家が悪臭のする薬剤を散布している」「食べ物に何か変なにおいがする」などの訴えでは，被毒（ひどく）妄想や被害妄想と関連しており，特に統合失調症で認められる。

▶ **自己臭妄想**　思春期から青年期において，「自分のからだから嫌なにおい（たとえばおならのにおい，体臭など）が出て，周囲から嫌われる」という訴えをするが，それ以外の妄想には発展しないタイプが知られている。関係妄想（後述の本項 -3-2「思考内容の異常（妄想）」参照）に近く，また対人恐怖や社交不安を伴っていることがある。日本では伝統的に1つの独立した疾患と考えられているが，国際的な操作診断では，妄想性障害または社交不安障害などに位置づけられる。長期経過の後に統合失調症に進展することもある。

(5) その他の知覚障害

見ているものが実際の大きさよりも小さく見えることを**小視症**といい，大きく見えることを**大視症**という。また，ものが歪んで見えたり変形して見える場合は**変形視**という。てんかんや脳器質疾患などで認められる。

3　思考の障害

思考の障害には，①思考過程の異常（思路障害），②思考内容の異常（妄想），③思考体験の異常がある（図2-4）。

❶ 思考過程の異常（思路障害）

思考過程の異常（思路障害）とは，思考の進行過程が目標に向かってスムーズに流れないことをいう。原因疾患によって比較的特徴的なものがある（図2-5）。

▶ **迂遠**（うえん）　細部に拘泥（こうでい）して回りくどく簡潔に述べないため，思考目標にはたどり着くものの非常に時間がかかる。認知症で認められる。

▶ **滅裂思考**（めつれつ）　考えが脈絡（みゃくらく）なくバラバラに出てきて，相互の結びつきを失う。談話の前後の関連性を欠き，何の話をしているのか理解できない。

滅裂思考よりも極端ではなく，かろうじて談話内容を追うことができるが，筋道を立てて考えることができなくなる状態を**連合弛緩**（しかん）という。滅裂思考よりもさらに談話の解体が進んでいて，単語のみの羅列になってしまうものを**言葉のサラダ**（word salad）という。統合失調症で認められる症状である。

図2-4 思考の障害

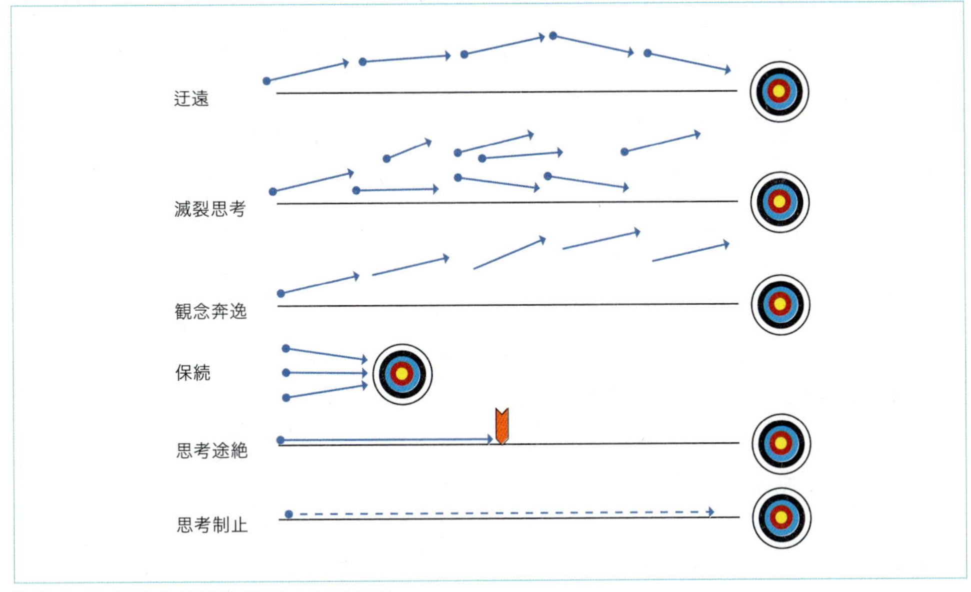

図2-5 思考形式（思路）障害のモデル図

滅裂思考と同様の状態を呈するが，意識障害によって起きている場合は**思考散乱**という。

▶ **観念奔逸** 躁状態の特徴的な思路障害である。次々に考えが浮かび，飛躍し，話の展開が素早い。連合弛緩とは異なり，前後の話の主題の関連は保たれているが，最初に意図した話題とはかけ離れてしまう。指摘により，修正して元の脈絡に戻ることもできる。たとえば「どのような仕事をしているのですか？」の問いに対して，「私の仕事はマスコミ関係で，芸能人とも親しいんですよ。芸能人は高級車に乗ってますよね。外車にね。外車は維持費が高いからね。意地でも乗っているんですよ。見栄を張ってね……」。このように，音連合によって別の話題に転じたり，だじゃれを多用したりする。

▶ **保続** 一度浮かんだ考えを変えられず，機械的に繰り返されて先に進まない。異なる質問に対しての答えが皆同じ場合などでわかる。たとえば「年齢は？」とたずねて「75」と答えるが，さらに「ここはどこ？」と尋ねても再度「75」と答えてしまうなどである。

このような会話で明らかになるほか，書字，動作でも認められる。認知症，特に前頭側頭型認知症などで特徴的である。

▶ **思考途絶**　考えが急に途切れてしまい，話が続かずだまり込む。幻聴で思考が邪魔される場合，「考えが急に消えてしまう」と訴える場合などがある。いずれも統合失調症で特徴的である。

▶ **思考制止**　観念奔逸(ほんいつ)の対極的症状である。うつ状態で認められる。考えが浮かばず，またその進み方も遅延する。質問への返答に時間がかかり，また最後まで続かないこともある。本人は精一杯の努力をしているが，「さび付いた歯車を無理に回そうとしているようだ」とも形容される。

▶ **言語新作**　自分で言葉をつくり，本人しかわからない意味を与えて使用すること。

❷思考内容の異常（妄想）

妄想とは，不合理で誤った考えや判断であるにもかかわらず，本人はそれを正しいと強く確信しており，訂正できないものをいう。妄想は，多くの精神疾患に認められるが，特に統合失調症の中核的症状である。

一方，**迷信**は古くからその文化に属する集団の伝統や慣習，約束事などを背景にもち，論理的な説明を加えれば訂正が可能であり，周囲には共有されない妄想とは異なるものである。

▶ **妄想体系**　妄想の主題が様々な現実の情報を取り入れ，加工され，いくつかの妄想を関連づけて1つの大きな妄想世界がつくられることがあり，これを**妄想体系**という。もともとの妄想体系をもっている患者に，医療者としてかかわるなかで，その妄想体系のなかに治療者の言葉や態度や行動が取り込まれることは往々にしてある。

(1) 妄想の生じ方による分類

妄想の生じ方が了解不能のものを**一次妄想**（真性妄想）といい，ほとんどの場合，統合失調症に特徴的に認められる。また，状況・感情・性格から生じたという了解が成り立つものを**二次妄想**といい，うつ病，双極性障害など統合失調症以外の疾患に認められる。

一次妄想には，**妄想気分**（漠然とした不気味な感じがあり，大変なことが起きそうだという切迫した不安感におそわれる），**妄想知覚**（実際に知覚した対象に対して，直感的に独特の意味づけをし，訂正不能な確信に至ること。たとえば商店の看板を見て，人類に危険が迫っていると確信するなど），**妄想着想**（突然，妄想を思いつく。たとえば，何の根拠もなく，自分は宇宙人だとわかったなど）がある。不安緊迫感から始まり，「とんでもない厄災が起こる」という妄想に進展した結果，「この世が滅びる」という世界没落体験に至ることがある。

(2) 妄想の内容による分類

▶ **被害的な内容のもの（被害妄想）**　他人から害を受けている，いやがらせされると考える妄想を**被害妄想**というが，特定の内容については次のような別の名称で記される。統合失調症で多い妄想群である。

関係妄想：周囲の人の言動や態度を，自分に関係づけて考える。「道ですれ違った人が笑っていたのは自分のことを，あざ笑っていたのだ」とか，「バスの中で咳をしていたのは，自分への当てこすりだとか」など。

注察妄想：皆が自分を観察している。テレビカメラで監視されるなど。

追跡妄想：スパイに付けられている。殺し屋に命を狙われているなど。

被毒妄想：食べ物に毒を入れられている。毒を撒かれているなど。

憑依妄想：動物や霊や神が自分に乗り移って操っているなど。

嫉妬妄想：自分の配偶者が浮気していると確信するなど。

▶ **微小妄想**　自分の健康や能力，財産，将来などを事実よりも過小に評価し気に病む。うつ症状の進行によって認められる。うつ病者の無力感，自責念慮から端を発していると了解できるという点から，二次妄想に含まれる。

貧困妄想：自分には財産や貯金がない，家計が破綻したなどと信じ込む。

罪業妄想：過去のささいな出来事を苦にして，迷惑をかけた，大変な罪を犯したなどと強く自責的になる。

心気妄想：身体的要因がないのに，「自分はがんだ，不治の病だ，胃が働かないので食事をとれない」などと思い込む。

▶ **誇大妄想**　微小妄想とは逆に，自分に特別の能力，莫大な財産，輝かしい将来などがあると思い込む。躁状態で特徴的であるが，統合失調症でも認めることがある。

血統妄想：自分は高貴な血統の出であると確信する。

宗教妄想：自分が宗教上の救世主であると思い込む。

発明妄想：素晴らしい発明をしたと思い込む。

恋愛妄想：他人が自分に恋心を抱いていると思い込む。

▶ **カプグラ症候群**　家族などよく知っている人物は偽物であり，うり二つである別人がすり替わっていると確信する妄想。統合失調症などで認められる。

❸思考体験の異常

思考を制御できなくなり，思考の能動性を失った状態を**思考体験の異常**という。

▶ **強迫または強迫観念**　考えが不合理でばかばかしいと自覚しているにもかかわらず，意思に反して浮かんできて追い払うことができず，その考えにとらわれて，無理に無視しようとすると強い不安を生じる。たとえば，ドアの鍵を完璧に閉めたか不安になる，手すりを触ったら病原菌が手について，すぐにでも石けんで洗いたくなる，あるいは菌がつくのを恐れて手すりに触れない，物を決まった位置に置かないと気がすまない，廊下のタイルの数を数えないと不安になる，などがある。強迫性障害の重要な症状である。

▶ **強迫行為**　強迫観念を和らげようとして行われる行為を**強迫行為**というが，継続するうちに当初の対処的な目的を失い，強迫行為自体が目的化し，それを行わないと強い不安に駆られる状態となることも多い。たとえば何時間も手洗いを繰り返す洗浄強迫や，何度も戸締まりを確認しないと気がすまず時間をとられてしまう鍵確認などがあげられる。

▶ **恐怖症**　たとえば，赤面恐怖，対人恐怖，空間恐怖，閉所恐怖，先端恐怖など，特定の対象や場面に対して不合理とわかっていても強い不安や恐怖を持ち続ける。その恐怖に対処するための回避行動や，そのような場面に曝露されることを避ける傾向も併せてもっていることが多い。

▶ **支配観念**　強い感情を伴ってある考えが意識され続け，なかなか消失しない状態である。近親者との離死別（りしべつ）や大きな失敗，叱責（しっせき）などを経験した場合に，悲しみや恥（はじ）や恐れや怒りなどを伴って続く特定の考えをいう。

▶ **自生思考**　意識して考えようとしていないにもかかわらず，脈絡のない考えが勝手に次々に浮かんできて，まとまらなくなる。

▶ **作為体験（させられ思考）**　思考の能動性を失い，外部からの支配を受けて考えさせられていると感じる体験をいう。

▶ **思考奪取**　自分の考えがだれかに抜きとられてしまうと感じる体験（その結果，自分の考えがなくなった。消えてしまったと訴える）をいう。

▶ **思考吹入**（すいにゅう）　外からある考えを吹きこまれて影響されてしまうと感じる体験をいう。

▶ **思考伝播**（でんぱ）　自分の考えが外部に伝わって，知られてしまっていると感じる体験をいう。

自生思考，作為思考，思考奪取，思考吹入，思考伝播は著しい思考の能動性の障害であり，典型的には統合失調症に特徴的な思考障害である。これらの能動性の障害は後述する「自我意識の障害」にも関連している。

4　感情の障害

❶感情・気分・情動

感情とは喜怒哀楽，快不快，愛情，憎悪（ぞうお）などの自覚的な体験であるが，空腹感や疲労感などの身体知覚（内臓知覚など）や自律神経機能，あるいは認知機能と密接に関連し，相互に修飾加工をしている。

感情のうち，**気分**は楽しい気分とか憂うつな気分などのように比較的安定して長期に続く感情を指す。一方，**情動**は多くの場合，感覚刺激の入力によって短期的に生じる強い感情であり，様々な生理的反応や行動変化を伴う。外的刺激に対して生じる怒りや恐怖などの基本的情動や，羨望（せんぼう）や嫉妬，罪悪感や自尊心などの社会的情動がある。

❷感情の障害

▶ **不安と恐怖**　**不安**は対象のない漠然とした恐れを意味し，**恐怖**ははっきりした特定の対象がある恐れである。

ある環境に曝露されることで，不安が唐突，発作的に生じることがあり，多くの場合，動悸や発汗，過呼吸，震（ふる）えなどの自律神経症状とめまい・脱力感や安全感の喪失（そうしつ）を感じる体験を**不安発作**という。この体験は激烈で不快なものであることが多く，また不安に襲われたらどうしようという心配（**予期不安**）を形成することも多い。不安発作に陥ると冷静な判断が困難になり，安全希求行動として，その場にうずくまる，逆に動き回る，助けを求めるなどの行動変化を生じることも多く，精神科の主要な救急受診ケースの一つである。

不安障害で典型的であるが，うつ病，統合失調症，アルコール関連精神障害や物質依存などでも認められる。

▶ **抑うつ気分**　気持ちが沈み，晴れない。悲しみ，寂しさを自覚する。喜怒哀楽の感情がなくなり，自己評価が低下し，劣等感や罪責感をもつこともある。何もかもつまらず空虚で，何事にも関心を失い，楽しめない。うつ状態で認められる基本症状の一つである。

▶ **爽快気分・発揚気分**　気分は快活で晴れ晴れとし，幸福感や充実感で満たされ，楽天的となる。自尊心が高まり自信満々になるが，度を越すと尊大となり，他者を見下すような態度を示したり，易怒性が増し好訴的* になって，周囲とのトラブルを起こしやすい。躁状態の気分の障害として特徴的である。

▶ **多幸症**　状況に関係なくニコニコして楽天的で苦悩を示さない。しかし，人格の深みに欠け，深刻味がない。脳器質性疾患で認められる。

▶ **児戯的爽快**　抑制が効かず不遠慮となり，快活であるが，思考・言動とも浅薄な印象を受ける。統合失調症の慢性期で認められる。

▶ **感情鈍麻**　いきいきした感情表現が乏しくなり，周囲との感情的交流や関心をもたなくなる。自己への関心も喪失し，身辺不整となることもある。統合失調症の維持期（慢性期）にみられることがある。

▶ **易刺激性**　いらいらして怒りやすくなり，不快感が高まった状態である。焦燥感とも区別できない。易刺激性が亢進すると，自傷や他害の恐れが高まるため注意を要する。躁状態で多くみられる感情の変化だが，それ以外の疾患でも生じ得る。

▶ **情動失禁**　情動コントロールができず，わずかな刺激で強い情動が惹起される。たとえば，ささいなことで涙もろくなったり笑ったり怒ったりする。脳血管障害後の情動変化として知られている。

▶ **両価性（アンビバレンツ／アンビバレンス）**　同一の対象に対して，愛情と憎悪といった，まったく相反する感情を同時にもつ。統合失調症の重要な症状の一つであり，また不安定性パーソナリティ障害でみられることがある。

▶ **離人感**　感情体験のみでなく，自身の存在感や行為の能動性，周囲の景色や他者についても現実感を失ってしまう状態である。自我意識の障害の一つとしても説明される。

5　意欲・行動の障害

意欲とは，欲動と意志とを合わせた概念である。**欲動**はさらに身体的欲動（狭義の欲動，生理的欲求，一次的欲求）と精神的欲動（欲望，社会的欲求，二次的欲求）に分けられる。

身体的欲動とは動物としての人間に先天的に備わっているもので，個体保存のための食欲，睡眠欲，排泄欲，休息欲などと，種の保存のための性欲などを指す。

精神的欲動とは人間として養育，後天的な学習により発達したもので，社会的生命を維

＊ **好訴的**：他罰的となり，あらゆる手段を駆使して一方的かつ執拗な自己主張を繰り返す。

持するためのものである。社会的承認・自尊欲求，所属欲求などがある。

意志とは，欲動をコントロールし，特定の目的を達成するように行動を調節する働きである。それに対して，**衝動**は前述の意志の制御が効かず，欲動が直接に発露（はつろ）した行動といえる。

❶意欲・行動の亢進（興奮状態）

意欲が過度に亢進すると，行動量が増加し，落ち着かずまとまりのない状態となる。これを興奮状態という。病的な興奮は次の2つに大別される。

▶ **躁病性興奮**　躁状態で顕著となる発揚性が目立ち，多弁，多動，不眠不休で活動する。浅慮（せんりょ）や自尊心の肥大から社会的逸脱行動に至ることも多い。初期は会話が成立するが，極期には滅裂思考に近いような混乱状態を呈することもある。

▶ **緊張病性興奮**　躁病性興奮のような快活，発揚感情は伴わず，不安緊迫感を示し，焦燥に駆られて落ち着かない。意思疎通不良で精神内界を把握困難なこともある（後述の❸「緊張病症候群」参照）。

❷意欲・行動の低下

▶ **自発性の喪失・無為（むい）**　自発性が低下し，周囲との接触を避け，不活発な生活を過ごす。自発性低下が強まり，終日，好褥（こうじょく）的に過ごす（臥床しがちになる）ようになる場合を**無為**という。統合失調症の陰性症状の代表症状ともいえるが，薬剤性あるいは医原性の可能性を念頭におく必要がある。

▶ **制止**　何かしなければという意志はあるが，行動のスタートが停滞し，動き出したとしてもスムースに進まない。うつ状態で典型的である。

▶ **昏迷（こんめい）**　意識は清明であるが，意志の表出や行動が認められない状態である。周囲からの刺激に対しての反応も不明瞭であるが，患者は周囲の状況を察知し記憶も保たれている。自発行動がないため，失禁や不食に至ることもあり，生命維持のための集中的なケアが必要となることもある。うつ状態の極期，緊張病，解離などでみられる。

❸緊張病症候群

緊張病で特徴的な状態像である。緊張病性興奮，緊張病性昏迷を基本として，それぞれの病態が急激に交代することがある。

また，次のような特徴的な症状をもつ。

▶ **カタレプシー**　意志発動性の低下と被暗示性の亢進により，他動的に四肢を動かしたり一定の姿勢をとらせると，長時間その姿勢をとり続ける。

▶ **反響言語，反響動作**　意志発動性の低下により，相手の言葉や動作を無目的にオウム返しする。

▶ **常同症（じょうどう）**　状況に応じて合目的的な行動をとることができず，からだを前後に揺する，顔をしかめる，口をとがらせるなど，同じ動作を繰り返す。

▶ **拒絶症**　他者からの口頭指示や身体的な誘導すべてに対して拒否的態度をとる。

▶ **無言・緘黙（かんもく）**　意識があるにもかかわらず，まったく発話がない。

6 自我意識の障害

❶自我意識

外界から自己自身を区別して実感できることである。**自我意識**には，①**能動性**（自分が感じ，考え，行動している），②**単一性**（自分は唯一の存在である），③**同一性**（以前の自分も，現在の自分と連続した同一の存在である），④**境界性**（自分と外界，自分と他人は別個の存在である）の4つがあげられる。

❷自我意識の障害

▶ **離人症**　自分がいきいきと主体的に感じ，考え，行動しているという実感がわかない。周囲を見ても現実感がないと感じる。極度の疲労，うつ状態，統合失調症，ストレス反応などで認められる。

▶ **作為体験（させられ体験）**　能動性の障害により，自身の思考，感情，意欲，行動が外部の操作や影響を受けて操られていると感じる。統合失調症の特徴的な症状の一つである。

▶ **解離**　自我の同一性の障害によって起こる。急性，慢性の危機状況にさらされたときに防衛機制が働き，無意識に外部との接触を遮断し，心理的な危機を避けようとする。解離性健忘や解離性遁走などがある（第3章 - Ⅱ -H「解離症群／解離性障害群」参照）。

7 記憶の障害

❶記憶の機能

記憶の機能は，①記銘（体験内容を記録する），②保持（記銘した内容を蓄えておく），③再生（保持した内容を意識に上らせる），④再認（再生した内容が記録したものと同じであることを確認する）の4つのプロセスからなる。

また，記憶の保持時間の長短や役割によって分類される。記憶が保持される長さによって，**即時記憶**，**近時記憶**，**遠隔記憶**に分けられる（表2-6）。記憶の役割によって，**陳述記憶**（**エピソード記憶**，**意味記憶**），**非陳述記憶**（**手続き記憶**）に分けられる（表2-7）。

作業記憶は，たとえば，電話番号を覚えて電話をかけるというような一時的な記憶と，その情報に基づく操作や処理を行っているものと考えられている。短期記憶そのものであるという説，あるいは短期記憶と長期記憶の情報にもアクセスして処理を行っているという説もある。

❷記憶の障害

▶ **記銘力障害**　新しいことを覚えられないものをいう。保持の能力は保たれているため過

表2-6 記憶の長さによる分類

神経学的分類	時間
即時記憶	数秒～1分
近時記憶	数分～時～日
遠隔記憶	週～月～年

表2-7 記憶の役割による分類

陳述記憶	エピソード記憶	生活史や思い出，時間・空間・出来事の記憶
	意味記憶	知識や言語に関する記憶
非陳述記憶	手続き記憶	技能や操作に関する習熟，習慣

去のことは比較的保たれている。認知症やせん妄などで認められる。

▶ **健忘**（けんぼう） ある特定の期間の体験を思い出せないものをいう。まったく思い出せない場合を**全健忘**，一部を想起できない場合を**部分健忘**という。健忘の原因になる頭部外傷などで，受傷以前の一定期間の体験がさかのぼって思い出せなくなる場合を**逆行性健忘**，睡眠薬の薬物中毒などによる意識障害から回復後の一定期間まで思い出せない場合を**前向性健忘**という。自分の氏名・仕事・家庭などの生活全体を忘れてしまうことを**全生活史健忘**という。ただし，生活史以外の意味記憶や生活技能などは支障がない。

▶ **コルサコフ症候群** 記銘力障害，健忘，失見当，作話を特徴とする。ビタミンB_1欠乏症，一酸化炭素中毒後遺症，頭部外傷などが原因となる。MRI画像では，中脳水道周囲，視床内側，乳頭体，小脳虫部などに左右対称の病変を認める。

▶ **記憶錯誤** 記憶の再認の障害。初めて体験した出来事なのに以前にまったく同じ体験をしたと感じることを**既視感**（きし）（デジャ・ビュー）といい，体験していることを初めて体験したかのように感じることを**未視感**（ジャメ・ビュー）という。

8 見当識障害

見当識（けんとうしき）とは，自分の居場所，日時，現在の状況，身近な人物などを正しく認識する能力を指し，これが障害される場合を**見当識障害**（**失見当**）という。見当識障害は，認知症や，せん妄などの意識障害により注意集中困難があるとき，妄想状態にあるときなどに認める。

9 睡眠の障害

睡眠障害の分類には，①不眠（入眠困難，中途覚醒，早朝覚醒，熟眠困難），②過眠，③概日（がいじつ）リズム睡眠－覚醒障害，④睡眠時随伴症がある。

❶睡眠のパターン

睡眠は生理的な覚醒水準の低下であり，健康な成人では7～8時間の睡眠をとり，約24時間周期の睡眠－覚醒リズム（**概日リズム**）をもとに生活している。ヒトの場合，リズムをつくる体内時計は視床下部の視交叉上核にあると考えられ，日光やメラトニン系の調節を受けている。

ヒトの睡眠には，大別してノンレム睡眠とレム睡眠がある。***ノンレム睡眠***は睡眠深度により浅睡眠から深睡眠まで4段階に分かれる。それぞれ特徴的な睡眠脳波で区別される。**レム睡眠**では，急速眼球運動（rapid eye movement；REM）の出現，四肢筋肉の緊張低下がみられる。成人の睡眠では，ノンレム睡眠の後にレム睡眠が続き，この間隔約90分を1サイクルとして，一晩で4～5サイクルを繰り返す。レム睡眠直後は夢を覚えていることが多い。

❷不眠

不眠は健常者にもみられる現象で，一般人口の6～10％前後が不眠状態にあるといわれる。しかし，不眠状態にある人の約3割がうつ病に該当するという調査もあり，様々な精神疾患の初期症状の一つとしても注意する必要がある。

今日，不眠は「眠れないこと」による夜間の心理的苦痛のみでなく，その結果として生じる様々な精神症状，日中の疲労感，注意集中困難による QOL（quality of life，生活の質）の低下も重視される。

不眠のタイプには，①**入眠困難**（寝つきが悪い：寝つくまでに30～60分以上かかる），②**中途覚醒**（睡眠維持困難：一晩で何度も目を覚ます），③**早朝覚醒**（朝早く目覚めてその後再入眠できない），④**熟眠困難**（寝てはいるが熟眠感がない）などがある。

不眠の訴えがある場合は，まず不適切な睡眠習慣が原因になっていないかを注意する。たとえば就床時刻が早過ぎる，午睡（昼寝）が長過ぎる，運動量が少ない，カフェインの過剰摂取，アルコール（寝酒）による浅眠などを検討する。次に，常用している内服薬の影響やうつ状態，アルコール依存，睡眠時無呼吸症候群やレストレスレッグス症候群のような身体因性の睡眠障害を精査する必要がある。詳しくは，厚生労働科学研究班と日本睡眠学会による「睡眠薬の適正な使用と休薬のための診療ガイドライン」[1] を参照されたい。

❸過眠

睡眠を7時間以上持続してとっているにもかかわらず，過剰な眠気の訴えがある。社会生活上，不都合な時間帯に耐え難い眠気や居眠りがある。あるいは，9時間以上の長い睡眠をとっているのに起きたときに爽快感がないものを**過眠**という。

▶ **ナルコレプシー**　突如として睡眠に陥る睡眠発作や，笑いや驚愕が引き金となって突然数秒から数分間の筋緊張消失が起こる情動脱力発作，入眠時幻覚を認めることがある。入眠時にレム睡眠を認め，脳脊髄液中のオレキシン値欠乏が明らかになっている。

❹概日リズム睡眠ー覚醒障害

もともとの体内時計の睡眠－覚醒リズムと環境や職業的スケジュールとの不整合によって生じる。いわゆる時差ぼけ，交替勤務スケジュールによる不眠や眠気，睡眠相後退（昼夜逆転）などがある。認知症などでは，約24時間の睡眠－覚醒リズムが崩れることがある。また不規則な生活習慣に陥りやすい精神障害患者でもみられる。

❺睡眠時随伴症

▶ **睡眠時遊行症**　睡眠中に起き上がり，歩き回り，呼びかけによる覚醒が困難である。

▶ **睡眠時驚愕症**　**夜驚**ともいう。睡眠中に突然叫び声を上げて覚醒する。覚醒後も強い恐怖反応を示す。

睡眠時遊行症と睡眠時驚愕症はノンレム睡眠の障害といわれる。小児期に認められ，成人するとともに自然に出現しなくなる場合が多い。遺伝性も指摘されている。

▶ **レム睡眠行動異常**　睡眠中に大声を上げたり，複雑な運動をして覚醒する。覚醒後は意識清明で混乱はない。「夢のなかでだれかと口論していた，争っていた」と述べることが多く，本人に不用意に近づいた家族が，けがを負うことがある。高齢男性で多く認め，認知症の初期症状の場合もある。

10 知能

知能とは，読字・書字・計算，抽象的思考，計画を立てる，優先順位を勘案(かんあん)するなどの実行機能，短期記憶などの概念的領域，コミュニケーション，会話，情動や行動制御などの社会的領域，保清や家事能力，育児能力，健康管理などの実用的領域における能力や適応力を意味する。

これら知的能力の全体的な発達が遅れた状態にとどまる場合を**精神遅滞**(ちたい)（知的能力障害）という。一方で，いったんは定型発達した知能が，脳の器質的要因などで持続的に低下した場合を**認知症**という。

❶精神遅滞（知的能力障害）

母体内，あるいは分娩期，新生児期における大脳の成熟障害や器質的障害が原因となることが多い。2016（平成28）年の厚生労働省の調査等によれば，推計109.4万人と試算される[2]。知能検査による知能指数（IQ）の程度から，軽度，中等度，重度，最重度の4段階に分かれるが，最近の診断基準では，より個別的な能力を臨床的に判断すべきとの見解もある。

❷認知症

知能の低下とともに記銘力，記憶力，見当識などの異常，実行機能やパーソナリティの障害をきたす。日本では65歳以上の高齢者の約7人に1人（15%）を占め，約462万人と推測される[3]。

▶ **仮性認知症**　老年期うつ病などでは，可逆性の認知症様の状態を示すことがある。治療方法が異なるため，認知症との鑑別が大切である。表2-8にうつ病による仮性認知症と認知症の症状の相違・鑑別点を整理した。

11 神経心理学と高次脳機能障害

失語，失行，失認などのように，脳の局在性病変によって生じる高次の精神機能の障害を**巣症状**(そう)という。これら巣症状は，神経学的病態基盤をもち，高度の精神機能の障害を生じる点で，神経学，精神医学双方の学際領域に位置し，これらを扱う分野を神経心理学とよぶ。

表2-8 うつ病性仮性認知症と認知症の鑑別

鑑別ポイント	うつ病性仮性認知症	認知症
物忘れの自覚	ある	少ない
物忘れに対するとらえ方	深刻さがある，誇張する	深刻さが少ない，取りつくろい
気分の落ち込み	ある	少ない
典型的な妄想	心気妄想	物とられ妄想
質問・検査への態度	取り組むが「できません。わかりません」	軽視・表面的・はぐらかし・立腹
会話	小声・会話量減少，反応が遅い	常同的・つじつまが合わない
日内変動	朝が一番悪い	夜間悪化

❶失語

失語は，脳の言語領域の病変により，「話す」「聞く」「読む」「書く」が様々な程度で障害された状態である。ただし，失語には構音障害や全般的な知的機能の低下による言語機能の障害は含めない。

失語は，損傷部位によって様々な種類があるが，古典的には運動性失語（非流暢性失語にほぼ対応）と感覚性失語（流暢性失語にほぼ対応）の2種類に大別される。**運動性失語**は，自発言語が乏しくなるが言語理解は可能である。**感覚性失語**は，自発言語はむしろ増加し多弁であるが言語了解の障害や錯語（言い間違い）が生じる。運動性失語の責任病巣として前頭下葉にある運動言語中枢（ブローカ中枢）が，感覚性失語の責任病巣として第1側頭回後半にある聴覚言語中枢（ウェルニッケ中枢）が知られている。

言語機能に関与する中枢は，これら2つ以外にも分布しており，複雑な調節を行っていることが推定される。

❷失行

失行とは，運動障害（麻痺や運動失調，不随意運動など）がなく，また，行うべき動作や運動を十分理解しているにもかかわらず，目的の行為を正しく行えない状態をいう。

たとえば，①ボタンをうまくはめられない，②自動的にボールをつかむことはできても，握ることを意図的に命じてもできない，③動作をまねできない，④道具をうまく使えない（マッチで火をつけるとき使い方を間違える），⑤図形を描けない，などがある。

❸失認

失認とは，知覚に障害はないのに，知覚の対象を認識できない状態をいう。

▶ **視覚失認**　視力障害はなく，対象物の形や色もわかるが，それが何であるか認識できない。しかし，触ったり音を聞くと何かわかる。

▶ **相貌失認**　親しい人物を見てもだれかわからない。自分を鏡で見ても自分であることがわからない。顔面の表情の意味も理解できない状態となる。

▶ **視空間失認**　物の位置や物と物の空間的位置関係がわからなくなる。**半側空間無視**といって，空間の半分が無視され，図形や文字も半側を認識できなくなる。右利きの場合は左側半側空間を無視する。

12　性格・人格（パーソナリティ）

❶性格とは何か

性格とは，先天的な特性傾向である**気質**に，しつけ，教育など学習や習慣による生育環境や社会的立場による役割性格などが加わった，その人固有の意思や行動の傾向をいう。様々な後天的要因や経験によっても変化し得る。**人格**は，日本語では「優れた人間性」「倫理性」などの意味を含むことが多いため，医療実践で用いる場合は，患者への侮蔑的な表現との誤解を生じないように十分注意する必要がある（このことから，旧来“人格障害”とよんでいた疾患群を“パーソナリティ障害”という呼称に置き換えるようになった）。

▶ **気質**　生得的（せいとく），遺伝的，生物学的に強く規定される，特に感情面における特定の傾向を指す。たとえば「穏やかな気質」「柴犬の気質」「循環気質」などと用いる。

▶ **パーソナリティ**　アメリカの心理学者ゴードン・W・オルポート（Allport, G. W.）のパーソナリティの定義は「個人に内在する，その個人の思考・感情・行動を決定づける，力動的（変化していく）な構造をもつ心理的・生理的システム」である[4]。パーソナリティ概念は，気質・性格に能力（知能・身体機能）を加えて3要素の複合体としてとらえる。つまり，個人の知・情・意・体の総体を“パーソナリティ”ととらえている意味で，“性格”よりもさらに広い概念ともいえる。

患者の性格を把握することは，看護的支援の導入のしかたやコミュニケーションに配慮するうえで大切であるが，病（やまい）を得て新たな適応を得ようとする過程で表出される感情や行動は，患者のもともとの性格によっても千差万別である。一方で，「病を得る」体験自体が性格に影響することを念頭に置き，ステレオタイプ（画一的）な決めつけをせずに，パーソナリティの把握に努めることが大切である。

❷病前性格

発病前に認められる性格の特徴を**病前性格**という。これは精神疾患の発症と関連するが，精神疾患の操作診断が主流となった現在においては，病前性格に重きをおく診断学はあまり顧（かえり）みられなくなっている傾向がある。しかし，一部の精神疾患の成り立ちや，患者の特性に合致した心理療法を計画するうえでは，その重要性は衰えていない。日本では，特にうつ病の病前性格としてメランコリー親和型性格や執着気質，双極性障害の病前性格として循環気質や発揚気質が知られている。

▶ **メランコリー親和型性格**　几帳面で何事においても完全主義である。責任感が強く，対他配慮が行き届いている。仕事においては勤勉で良心的とされる。ドイツの精神医学者フーベルトゥス・テレンバッハ（Tellenbach, H.）が提唱した。日本では，うつ病の病前性格論でよく知られているが，現在の若年うつ病者の病前性格としては，あまり当てはまら

性格と遺伝子

アメリカのC・ロバート・クローニンジャー（Cloninger, C. R.）は，TCI（temperament and character inventory）というパーソナリティ質問紙を用い，性格・気質を７つに分類した。そこでは先天的に規定される４つの気質因子と，後天的な学習・経験に修飾される３つの性格因子をあげている。

４つの気質因子とは，①新奇性探求（行動の発動，好奇心），②損害回避（行動の抑制，慎重さや不安感），③報酬依存（共感性や社会性との関連），④固執（完全主義や熱心さ）であり，それぞれ，①ドパミン，②セロトニン，③ノルアドレナリン関連の遺伝子多型性に関連しているという研究がなされている。しかし，これらの結果には反論もあり，必ずしも結論は出ていない。

ないという見解もある。

▶ **循環気質** ドイツの医師エルンスト・クレッチマー（Kretschmer, E.）の分類による3つの気質の一つである。同調性が高く社交的で親しみやすい。ユーモアがあり快活で活動的な状態と，憂うつで優柔不断な状態との間で気分が変動する。

▶ **発揚気質（性格）** ドイツの精神医学者クルト・シュナイダー（Schneider, K.）の精神病質10類型のうちの発揚者の記載に，この概念の源流をみることができるが，「循環気質」をより極端にした性格傾向である。気分が常に明朗快活・楽天的・精力的であり，自信家で外向的，優れたリーダーシップを発揮する場合がある。一方で，刺激にとらわれやすく，怒りやすく，軽率な言動によって，周囲とのトラブルが生じる可能性もある。S・ナシア・ガミー（Ghaemi, S. N.）の双極スペクトラムの診断基準案[5]にも取り上げられ注目されている。

❸人格変化

認知症の進行や脳器質的な要因により，一度獲得した人格が変化した場合をいう。人間らしい情緒や態度，振る舞いが低下した状態が問題となる。発動性が低下し，周囲への興味・関心を失うこともあるが，道徳心の欠如や自己中心性，易怒（いど）性など，高次の抑制的な行動が取れず脱抑制的になることもある。今までの人格と似ても似つかない行動が出ることもあるが，従来の性格傾向がより先鋭化する場合も多い。

3. 状態像

精神科診断学特有の概念に「**状態像診断**」がある。精神疾患の確定診断は，時間をかけた何度かの診察や行動観察の結果，ようやく明らかになることも多い。特に初診時の横断的症状把握のみでは，診断確定に至らないこともある。

また，診察場面における患者との言語的コミュニケーションが不十分な場合もあり，病歴聴取による情報が十分にとれないこともある。この場合，その患者の“今ここで”の状態像を確定することによって，続く検査や初期治療計画を立てる必要もあり，状態像診断は今日においても重要な意味をもつ。状態像には次のようなものがある。

1 幻覚妄想状態

幻覚と妄想が前景に立っている状態である。統合失調症やアルコールや覚醒剤精神病などの物質誘発性の精神病性障害，内科疾患を原因とする症状精神病などで認められる。

2 精神運動興奮状態

精神作用としての不快感やいらいら，易怒性や意思の発動性の亢進を背景として，表情，言動の過剰，暴言暴力に至っている状態である。緊張病性，躁病性，中毒性精神病，脳炎などの器質性精神病，せん妄，解離性障害などでも認められる。あらゆる病因で生じ得ることに注意が必要である。興奮状態の患者に対しては，適切な問診や諸検査を行うことができないことも多く，様々な鑑別疾患を念頭に，「患者－医療者」双方の安全性を確保しつつ，器質因の精査から検討する必要がある。

3　躁状態

気分，自尊感情，思考，意欲の亢進した状態である。気分・感情面では，爽快気分，高揚気分が多いが，いらいらして好訴的となる不快気分主体の場合もある。自尊感情が高まり，誇大的，尊大な態度がみられ，次々にアイデアが浮かぶ思考促迫を呈し，多弁・多動，疲れを知らず睡眠欲求が減少する。典型的には躁病で認めるが，統合失調症や器質性精神病，物質誘発性精神疾患も念頭に置く。

4　抑うつ状態

気分，自尊感情，思考，意欲の低下した状態である。感情面は憂うつ感，悲哀感を示し，思考は制止症状と微小念慮，自責感，意欲・行動は寡言（言葉数が少ない）・寡動（活動が緩慢），不眠や睡眠過多，易疲労感や疼痛などが認められる。うつ病で典型的であるが，身体疾患による症状の場合もあることに注意する必要がある。

5　無為・自閉状態

周囲への関心を失っているかのように見える。自発性は著しく低下し，身辺の整容や安全確保にも無頓着に見える。発話も少なく，意思の疎通も取りにくくなったり，コミュニケーションに対しても関心を示さなかったり，応答性が低下する。統合失調症の維持期や脳器質性，認知症の進行期などに認められるが，特に抗精神病薬や抗不安薬などによる薬剤性の場合もあること，病院や施設への長期入院・入所による社会性や発動性の低下という精神的廃用症候群の可能性を肝に銘じておく必要がある。

Ⅱ　精神科的診察

どの診療科においても診察と各種検査によって患者に関する情報を集め，その情報をもとに患者の状態を把握・判断し，治療へと進む。そのため診察と検査は治療の土台となる大切な行為である。この流れを反映したものとして **SOAP 形式**の診療録記載方法がある。

現在の患者診療録は Problem Oriented System（POS システム，問題志向型システム）に基づいて，SOAP 形式で記載することが一般的になっている。

S：Subject，主観的データ。患者の発言など問診による情報収集。
O：Object，客観的データ。視診，触診や各種検査によるデータ収集。
A：Assessment，上記 S と O から患者の状態を評価する。
P：Plan，治療計画を考える。

情報を集める際，SとOの段階で誤りがあると，その後の診断（A），ひいては治療計画（P）が誤った方向に進んでしまう。患者に適切な治療を行ううえでも診察における情報収集は基本中の基本である。

 診察

1. 視診

「人を外見で判断するな」などといわれるが，患者の外観も重要な情報の一つである。

1 外見を観察する視診

精神科において薬の有害作用としてよくみられる薬剤性パーキンソン症状は無表情な顔貌（masked face，仮面様顔貌）や歩行状態（小刻みで手を振らない）が有名である。そのほかにも正常圧水頭症の歩き方など，特徴的な身体症状を示す疾患が多く存在する。

さらに服装，髪型，化粧など見るべき点は多い。統合失調症の患者においては，衒奇（げんき）的と表現される奇異な感じのする服装や化粧，風貌（ふうぼう）をしていることがある。双極性障害患者が躁状態に傾くと，化粧が濃くなり，服装も派手になる。逆に抑うつ状態に傾くと，化粧，髪型，服装に無頓着になり，疲れはてた印象を受ける。

2 非言語的コミュニケーションとしての視診

人のコミュニケーションは，言語的なものと非言語的なものに分けられる。言語的コミュニケーションについては問診の項で述べるが，非言語的コミュニケーションは視診の範囲に入る。患者の表情，話し方，身ぶり，態度などが，心の内面を反映していることに注意して観察する必要がある。

わかりやすい例を示せば，文字にしてしまうと同じ「バカね」という言葉も，怒りを込めて言う場合と，親しい人をからかうように言うのとでは，その意味合いが異なるようなものである。人間は気づかずにこの非言語的コミュニケーションを発信しているため，その存在を意識して，その意味合いに思いをはせることが，より深い患者理解につながる。

3 実際の臨床現場では

医師の目が届かない外来待合室における患者の振る舞いについて，外来担当看護師が目を配って，敏感に患者の状態を把握することも大切である。たとえば，患者が診療の支払いをいつも1万円札だけで行っていることから認知症が見つかることもある。

患者の状態を24時間見ることができる病棟看護師であれば，患者の示す日常生活動作に対する注意深い観察が求められる。患者の行動・態度をいつも意識することで治療に有益な情報が得られ，それが最終的には患者にとってプラス（利益）になる。

2. 精神科看護におけるフィジカルアセスメント

精神科の診察・看護は，患者の陳述や行動から，患者に何が起きているのか，どんな支援をすればよいのかを判断する作業である。そのためには，患者との意思疎通が円滑に行えるように，安心して話ができる環境設定や態度で接することに気を配らねばならない。しかし，特に発症間もない急性期の状態などでは，一番情報が欲しい場面でありながら，言葉による情報に頼れないことがある。患者に意思疎通の力が損なわれていたり，病的体験に圧倒されて談話が混乱していたり，医療者側に敵意や拒絶を向けていたりすることも多い。そのような場合，言語表現のみではなく，非言語的な表情・態度・行動の情報を把握する**フィジカルアセスメント**を行って，症状や生活状況の把握や推測をすることが求められる（図2-6）。

また，薬剤の有害作用の早期発見にもフィジカルアセスメントは重要である。精神疾患患者は，自らの健康セルフモニタリングを適切に行えないことがある。そのため，有害作用による身体不調や異変に気づかなかったり，適切に伝えられなかったりすることから，発見と対処が往々にして遅れてしまうことがある。医療者側が積極的に身体観察，診察を行うことで，有害作用の悪化を未然に防止できる場合もある。

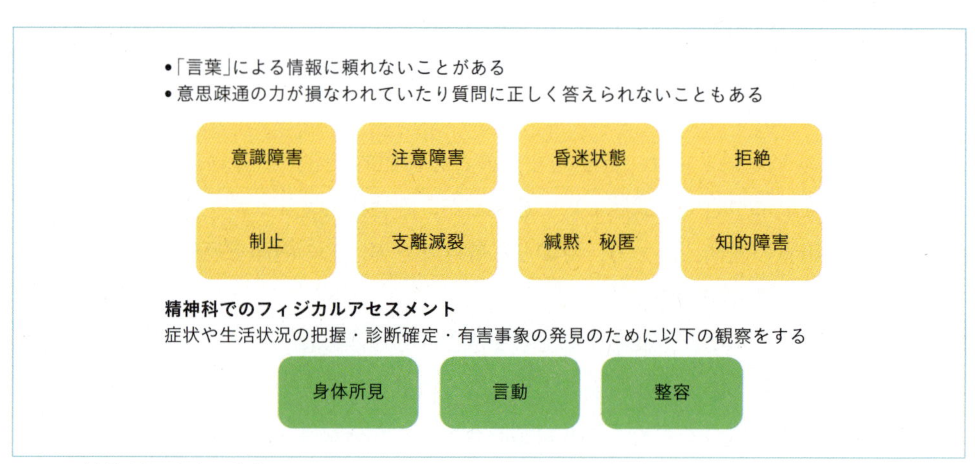

図2-6 精神科の診察・看護におけるフィジカルアセスメントの重要性

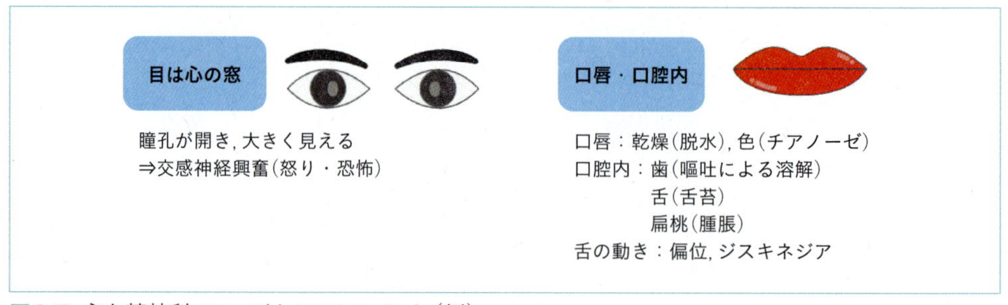

図2-7 主な精神科のフィジカルアセスメント（例）

表2-9 代表的精神疾患におけるフィジカルアセスメント

疾患	部位	徴候	背景・病理
統合失調症	全身	やせ／肥満，着衣の乱れ・モノトーン・質素・寝間着のまま	抗精神病薬の有害作用，不活発，無頓着，気力低下
	頭部	頭髪の乱れ	陰性症状で整容が不整に
	顔	耳栓やサングラスをつけている	幻聴・注察妄想が悪化
	頸部胸部	脈診（不整脈に注意）	抗精神病薬の長期使用で不整脈に
	上肢	指にタバコ脂	ヘビースモーカー
うつ病	全身	体重減少・るいそう，衣服はモノトーン・質素・寝間着のまま	食欲減退，気力低下
	頭部	頭髪の乱れ	易疲労感・制止で整容が不整に
	顔	憂うつ，悲哀，眉間のしわ，伏し目がち，視線固定	抑うつ気分，苦悶，自信喪失
	頸部胸部	前屈・うなだれている，動悸	抑うつ気分，パニック発作
	言動	寡言・小声・単調，寡動	精神運動制止
躁状態	全身	華美な服装	
	頭部	頭髪の乱れ，髪染め，装飾品	注意転導（不注意）で整容が不整に
	顔	快活，派手な化粧，装飾品	躁的気分変調，高揚感，誇大性
	頸部胸部	香水・装飾品	
	四肢	マニキュア・ペディキュアが派手，指輪や高価な時計	
	言動	多弁・大声・だじゃれ，多動・行為心迫（行動の抑制ができない）	躁的気分，意欲亢進
離脱せん妄	頭部	頭部の振戦	交感神経が刺激されている状態
	顔	過度な発汗，散瞳	
	首・胸	過度な発汗	
	言動	混乱・事実誤認，大声，怒声，過活動	意識障害，精神運動興奮
	四肢	振戦，失調性歩行	交感神経刺激，アルコール性小脳症状
神経性やせ症／神経性無食欲症	全身	るいそう，脱水，低体温，低血圧，産毛の密生，無月経，粗造な（きめが粗い）皮膚	代謝の異常，内分泌異常
	顔	唾液腺腫脹，貧血，う歯・エナメル質溶解	自己誘発性嘔吐による
	頸部胸部	食道炎症と吐血，徐脈・呼吸苦	自己誘発性嘔吐，代謝の低下・肺水腫
	腹部背部	腹部膨満，腹部大動脈音，上腸間膜症候群，鼠径ヘルニア	腸間膜脂肪組織の消失
	上肢	吐きダコ	口の中に指を入れ吐く
	下肢	下腿浮腫	低アルブミン血症
	行動	過活動	低栄養に基づく変化
自傷行為	頭部	抜毛	発達障害が背景にあることも
	顔	耳以外の部位のピアス，何か所も穴を開ける	若者の文化・ファッションと間違えやすい
	頸部胸部	首にためらい傷，自絞・索状痕	既遂性の高い手段であることを把握する，ほかの部位の自傷を探す，服毒にも注意
	上肢	自傷痕（手首・肘窩），根性焼き（たばこ火傷痕）	最も多く，反復性
	下肢	自傷痕	上肢から発展

表2-10 診察時の患者の表情・行動の観察のポイント

診察に名前を呼んでから，患者が入室するまで	• 足取りは軽いか？　時間はかかっていないか？ • どんな履物か？（たとえば寝起きのスリッパで受診するくらい急な受診なのか？　望まない受診ではないか？）
入室時の様子	• 入る前に家族と口論していないか？ • 椅子(いす)に座るのを待たずに話し出す，あるいはまったく話さない • 辺りをキョロキョロしている様子，びくついている様子はないか？ • 凶器になるような危険物を持ち込んでいないか？
表情	• 奇異な表情（悲しい話をしているのに顔は笑顔など）をしていないか？ • 清潔感はあるか？　美容や化粧のノリはよいか？ • 疲労感（目の下にくま，眉間のしわなど）はないか？
診察中の態度	• 上の空，拒絶的，妙に話を合わせる，何を言っても肯定する，拒絶する • 貧乏ゆすり，手振り身振りはないか？　震えていないか？ • 退室の際の動作・振る舞いはどうか（退室の際の言動に本音が現れる）

図2-7に，主な精神科のフィジカルアセスメントの例をあげた。また，代表的精神疾患における看護的観察や看護アセスメントに有用なフィジカルアセスメントを列記した（表2-9）。

統合失調症では「整容」も重要な視診ポイントである。うつ状態では，制止が目立つため言葉数が少ないのか，話し方は保たれているのかなど「話し方」にも注目する。躁状態では「服装」の変化が病勢を表すことがある。せん妄では自律神経系の変動（交感神経系の過活動による瞳孔散大や発汗，頻脈など）に注意する。神経性やせ症／神経性無食欲症では，やせによる生理的変化が顕著となる。自傷は，自殺企図の予測因子となり得るため，自傷痕の診察は慎重かつ忘れずに行う。表2-10に診察時の患者の表情・行動の観察のポイントをまとめた。

3. 問診

精神科においては患者の語る内容が重要な情報源である。患者の背景を把握するための単なる情報収集も大切だが，語られた内容に基づいて患者から見た世界観をできるだけ把握する，つまり「患者の精神内界を把握する」ことも目指す必要がある。

1　問診にあたっての看護師の役割

状況によるが，看護師は医師が診察をする前に出会う医療専門職となる場合が多く，その対応が患者の医療そのものへの印象を左右しかねない。いまだ敷居の高い印象のある精神科病院に電話をしたり，出向いたりするまでに，患者はあれこれと思いをめぐらせているはずである。散々思い悩んだ末に来院した患者に対して，その人がもつ複雑な思いやこれから出会う精神科医に対する不安などへの対応が重要となるのは指摘するまでもない。

また，精神科を受診する患者のなかには，自ら受診する意思のない患者もいる。その場合には，まず少なくとも来院してくれたことに対する感謝，ねぎらいの言葉が必要である。自発的に来たわけではないにしても自分の足で歩いて来院したのであれば，医療者の対応次第で本人が感じていることを語ってくれる余地は十分にある。

受診の意思がない患者をむりやり連れてきた場合，家族への対応にも配慮が必要である。家族関係がこじれていることも多いため，病院において家庭と同じ言い争いをしてもらっても進展はなく，いかに受診や治療に結びつけられるように誘導するかを考えながらの対応が必要となる。ただし，家庭と同じ言い争いを観察するのは，家族間の人間関係把握の重要な材料となる。

2 情報収集の問診

通常の問診をする際には，主訴，現病歴，生活歴，家族歴などの項目を頭に入れておくと手際良く進められる。

主訴：患者が受診することになった理由。精神科においては，内容が変化することもまれではない。

現病歴：主訴の経過。いつから始まり，どのような過程を経てきたのかについて話してもらう。過去の精神科受診歴や内服歴も重要である。

生活歴：患者の生い立ち。これにより患者の背景を把握することができる。

家族歴：親，きょうだい，子ども，孫などの家族構成ならびに血縁者の精神科受診歴である。

そのほか，身体疾患の既往歴や違法なものも含めた薬物使用歴なども必要である。

4. 触診

触診は精神科においてはほかの診療科に比べて必要性が低いと思われがちだが，患者に直接触れる医療行為を行うことで患者が医療者に対して信頼感を抱き，心を開いてくれることもある。

また，精神疾患をかたくなに否定する患者も血圧測定などには応じることが多い。精神科においては患者との関係づくりにこれらが役立つことが多く，内科的な診察と異なった意味合いで行う場合があるので留意する必要がある。

B 一般検査・画像検査

技術発展のおかげで新しい検査機器が次々と開発され，臨床応用されている。精神科において各種検査は身体疾患すなわち器質的疾患を検知するために利用されることが多い。器質的疾患でも精神症状を起こす疾患は多々あり，器質的疾患を見過ごして純粋な精神疾患と診断してしまうと誤った治療に進んでしまう。常に器質的疾患が背景にないか注意する必要がある。たとえばDSM-5（アメリカ精神医学会による「精神疾患の診断・統計マニュアル」の第5版）においては抑うつ症状を起こす器質的疾患の例として甲状腺機能低下症をあげている。

表2-11 代表的な血液検査項目

検査項目	検査対象	予想される精神症状
FT3, FT4, TSH	甲状腺機能	感情障害
Na, Cl, Caなど	電解質異常	意識障害，不穏
血糖値	低血糖	意識障害，不穏
RPR, TPHA	進行麻痺	精神病様症状

1. 一般検査

1 血液検査

精神症状を起こす可能性のある内分泌系の異常や感染症などが検知可能である。代表的な例を表2-11にあげた。

2 髄液検査

脳は頭蓋骨（とうがいこつ）の中で硬膜に包まれて大切に守られ，脳脊髄液（髄液）の中に豆腐のように浮いている。脳脊髄液はアルカリ性の無色透明の液体で，脳室内の脈絡叢（みゃくらくそう）から分泌され，毛細血管やリンパなどから静脈系に吸収される。

中枢神経系は大脳から幹脳を経て脊髄に至るが，脳脊髄液も脊髄のまわりの脊髄腔（せきずいくう）に連続しており，腰椎まで続いている。そのため腰椎穿刺（せんし）（ルンバール）を行うことにより脳脊髄液が採取でき，脳に関する情報を得ることができる。

腰椎穿刺を行うにあたっては清潔操作が必要なため，術者のほかに介助者が必須である。看護師は介助者の役割を担うことが多く，術中に患者に起こり得る合併症などの知識をもつことが必要となる。特に腰椎穿刺は患者から見えない背中で行うため，患者の不安感の軽減に努めるのも介助者の重要な役割である。腰椎穿刺の実際については成書に譲るが，頭蓋内圧亢進があり占拠性病変の存在が疑われる場合は，脳ヘルニアを起こす可能性があるので禁忌となる。

腰椎穿刺を行った際には，まず**脳脊髄圧**を測定する。正常圧は70～180mmH_2Oである。髄膜炎を起こしていると，この圧が上昇し，髄液中の細胞数も増加する。原因が細菌のときは多核球が，ウイルスのときはリンパ球が増える。細菌性感染の場合は，髄液中の糖の値は細菌による糖の分解により減少するが，ウイルス性感染では減少しない。脳脊髄液中のたんぱくの量も感染により上昇する。

2. 画像検査

画像検査は形態画像と機能画像に分けて考えるとわかりやすい。形態画像とは形を見るもので，機能画像とは働きを見るものである。精神科における対象臓器は主に脳であるので，ここでの説明は頭部画像に限る。

1　形態画像検査

CT検査，MRI検査が代表的である。それぞれの特徴を把握して，その患者の状態や疑われる疾患の検知を前提に，適切な検査法を選ぶことが重要である。

❶CT検査

CT（computed tomography）とは，コンピューター断層撮影のことである。放射線を複数回照射し，コンピューターで解析することにより人体の断面を画像にすることができる。脳の萎縮などの形の変化，脳腫瘍などの占拠性病変，出血，骨折などの検知に優れるが，脳梗塞は24時間以上経たないと検知が難しい。撮影時間が短いのも特徴であるため，患者が不穏状態でも撮影可能なことが多い（表2-12）。造影剤を投与する造影CT撮影を行うことにより脳腫瘍や脳膿瘍などの鑑別が可能になる。

図2-8①は健常者の頭部CT画像である。一般的に骨，金属，造影剤などは白く（high density），液体は黒く（low density）写る。脳などの軟部組織はその中間色の灰色である。出血は急性期においては白く写るが，時間の経過とともに灰色に変化していく。

図2-8②は前頭葉に外傷を負って数年経った患者のCT画像である。損傷を受けた前頭葉が黒く欠けているのがわかる。図2-8③はアルツハイマー型認知症患者のCT画像である。白い頭蓋骨と灰色の脳の間に黒く映っている隙間が前頭葉や側頭葉において少し広くなっている。また脳自体が萎縮した結果，側脳室前角が拡大して大豆のような形になっていたり，脳にあるしわ（脳溝）が広がったりしている。図2-8④は脳出血の画像である。基底核の出血が白い円形に描出されている。図2-8⑤は初発の神経性やせ病（神経性無食欲症）患者の画像で，図2-8③ほどではないが前頭葉において脳溝が広がり，脳が萎縮していることがわかる。図2-8①の健常者と年齢が同じなので見比べると違いがより鮮明になるだろう。

❷MRI検査

MRI（magnetic resonance imaging）とは，磁気共鳴画像のことである。磁場と電磁波を使って，体内の詳細な画像を得ることができる。CTと異なり，撮影条件を様々に調整することにより，目的とするもの（出血，急性期の梗塞，血管の描出など）を際立たせることが可能である。画像自体もCTより鮮明で，放射線を使わないので被曝がない一方，①撮影

表2-12 CT検査とMRI検査の主な長所と短所

	長所	短所
CT検査	• 撮影時間が短い • 開放的な機械 • 急性期の出血がわかりやすい • 骨折がわかりやすい	• 被曝がある • MRIに比べて画像が不鮮明 • 急性期の脳梗塞は検知しにくい
MRI検査	• 画像が鮮明 • 撮影条件を変えることで様々な情報が得られる • 被曝がない	• 閉鎖的な機械なので閉所恐怖症の人は検査できない • 撮影時間が長い • 体内に金属があると撮影できない

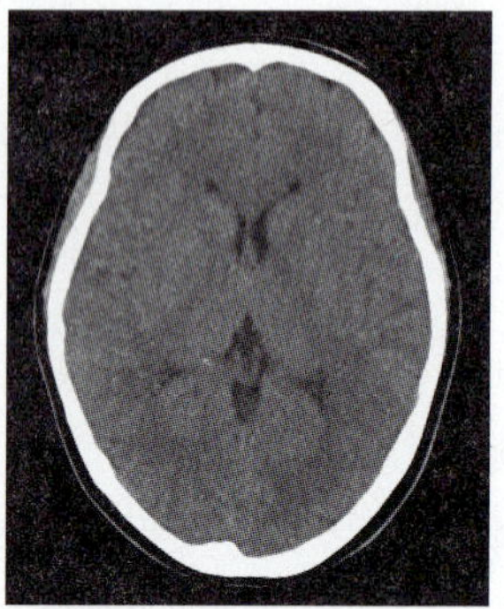

①健康な 10 歳代女性の CT 画像

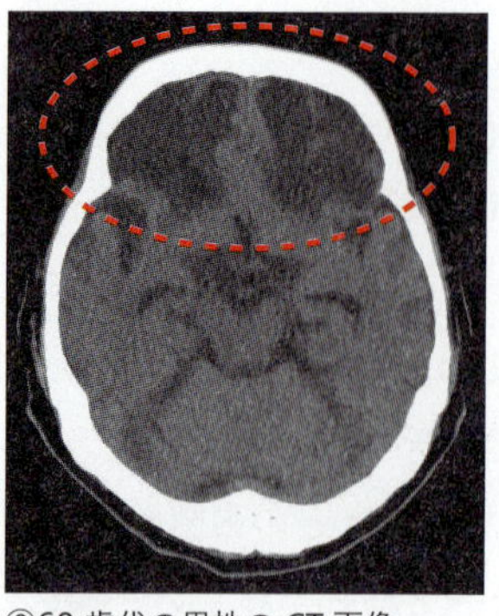

②60 歳代の男性の CT 画像
転倒して前頭部を強打してから数年後の画像。

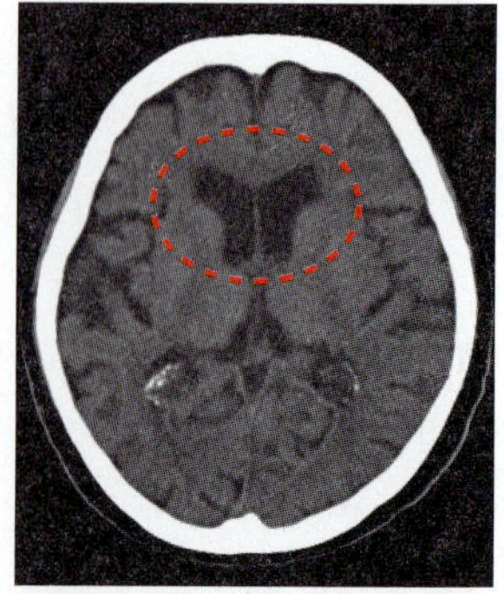

③周囲から物忘れを指摘されて受診した 60 歳代女性の CT 画像
後頭葉に比べて前頭葉に萎縮が目立つ。アルツハイマー型認知症と診断された。

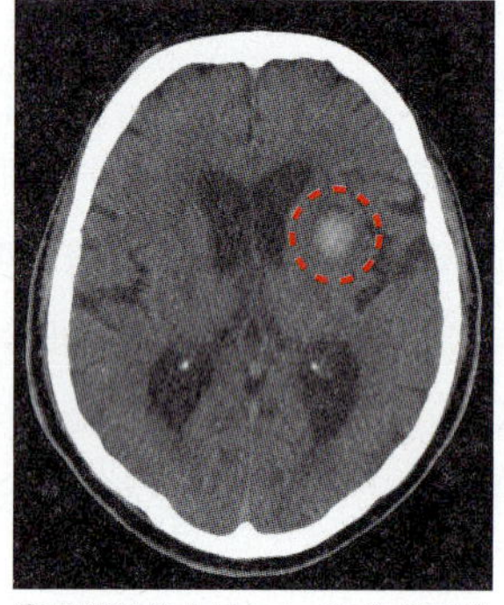

④不穏状態を呈した 60 歳代男性の CT 画像
基底核に出血がみられる。

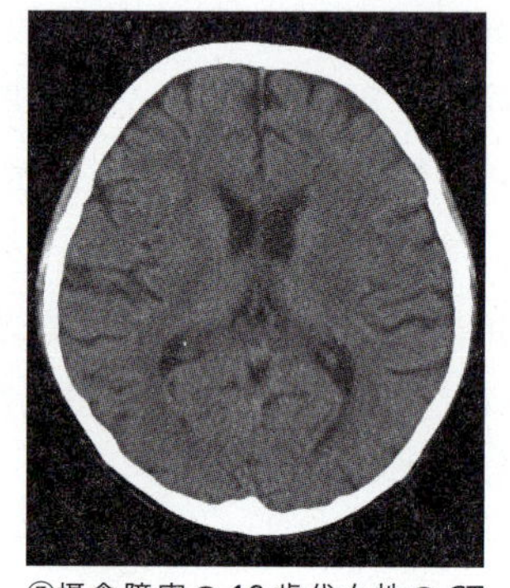

⑤摂食障害の 10 歳代女性の CT 画像
撮影当時，身長 158.2cm，体重 32.3kg，BMI=12.9。前頭葉において脳溝の開大がみられる。

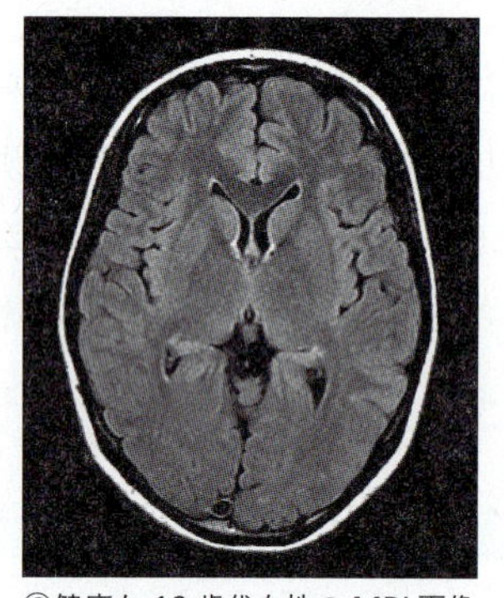

⑥健康な 10 歳代女性の MRI 画像

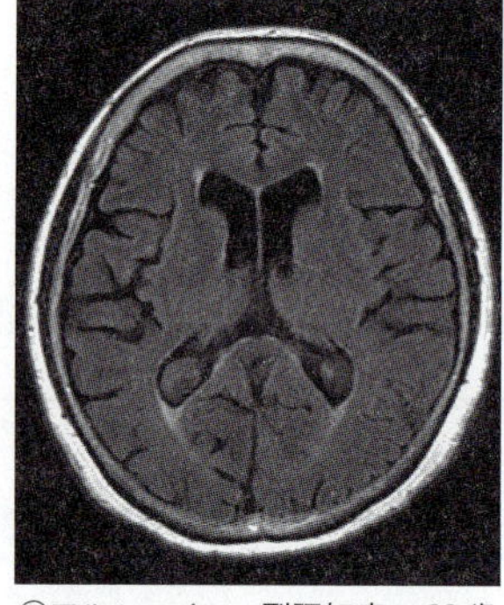

⑦アルツハイマー型認知症の 60 歳代女性の MRI 画像

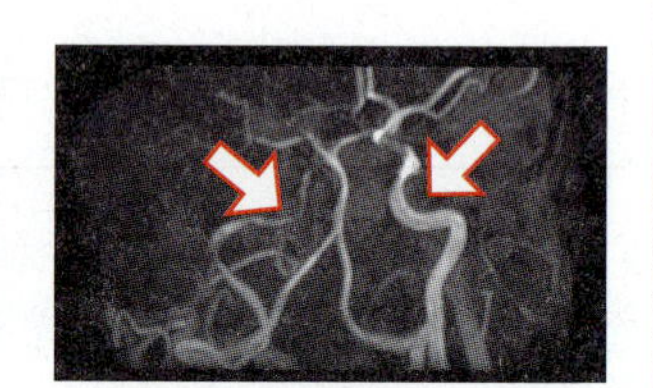

⑧長年ふらつきを訴えていた 50 歳代女性の MRA 画像
片側の内頸動脈が閉塞している。

図 2-8 形態画像検査画像

時間が長い，②撮影中に大きな音がする，③体内に金属があると撮影できない，などの欠点もある（前掲表2-12）。

図2-8⑥は図2-8①と同一健常者の頭部MRI画像である。図2-8⑦は図2-8③と同じアルツハイマー型認知症患者の画像である。

図2-8⑧は片方の内頸動脈が閉塞している症例である。MRIでは造影剤を投与しなくても血管を描出することが可能で**MRA**（magnetic resonance angiography，磁気共鳴血管撮影）とよばれる。この症例は長年ふらつきや頭痛などの不定愁訴のもとで内科や精神科医療機関を転々としていたが，この画像により脳血管障害が明らかになり，脳外科に紹介され治療につながった。

2 機能画像検査

SPECT，PET，脳波などがある。

❶SPECT

SPECT（single photon emission computed tomography）とは，単一光子放射断層撮影のことである。核医学検査の一つで，トレーサーといわれる放射性同位元素（radioisotope；RI）を投与して撮影するためRI検査と呼ぶこともある。トレーサーが安定していることから，次項のPETに比べて簡易であるため，多くの施設に普及している。中枢神経系では主に脳血流の画像を撮影する。

図2-9は前掲図2-8③，⑦で示したアルツハイマー型認知症患者のSPECT画像である。

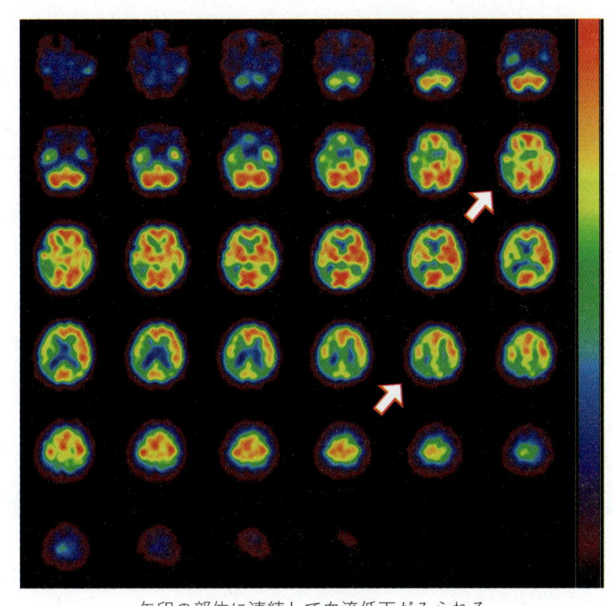

矢印の部位に連続して血流低下がみられる

図2-9 アルツハイマー型認知症患者のSPECT画像

表2-13 代表的な認知症の種類と主な血流低下部位

認知症の種類	主な血流低下部位
アルツハイマー型	後部帯状回から楔前部および下部頭頂葉皮質
レビー小体型	頭頂葉皮質，後頭葉皮質
前頭側頭型	前頭葉皮質，側頭葉皮質
正常圧水頭症	シルビウス裂周囲皮質（帯状回上部に相対的な血流上昇がみられることも特徴）

脳の主な神経細胞は皮質と基底核に集中している。そのため本来ならば皮質の細胞への血流が豊富となり，赤で表示されている血流の高い部位がリング状に脳を囲むはずである。しかし，この患者の場合，頭頂葉，後頭葉において脳血流が低下して，赤いリングが欠けたような画像になっている。

SPECTにおいて各種認知症が示す一般的な血流低下部位を表2-13にまとめた。

❷PET

PET（positron emission tomography）とは，陽電子放出断層撮影のことである。核医学検査の一つで，投与するトレーサーの放射性同位元素の種類が豊富なため，目的に応じて様々な検査を行うことができる。また検査データを数値化して結果を統計解析したり，数値自体を画像化したりすることも可能である。

一方，投与するトレーサーの放射能の半減期が短いので，被曝（ひばく）が少ない利点があるものの，施設でトレーサー自体を合成しなくてはならない場合もあり，その合成に必要なサイクロトロン（電子の加速器）を備えた施設でないと検査ができない欠点もある。代表的なトレーサーを表2-14にあげる。

一般に広く行われているのはブドウ糖を^{18}Fで標識したFDG（fluorodeoxyglucose）を使って行う**FDG-PET**である。これにより脳細胞のブドウ糖代謝能力を測定できる。^{18}Fの半減期がおよそ2時間と長く，サイクロトロンのない施設でも検査が可能であるため多くの施設で普及している。認知症においては脳の萎縮（いしゅく）が始まる前にすでに，ブドウ糖代謝能力に変化が起きていることが指摘されており（図2-10），FDG-PETは認知症の発症前検査として重要である。なお，FDGは身体検査において，がんの発見に優れている。これはがん細胞のブドウ糖代謝能が正常細胞よりも高く，FDGを正常細胞よりも多く早く取り込むため，その集積状況が画像上に見てとれるからである。しかし，脳細胞は正常細胞もブドウ糖代謝能が高いので脳腫瘍（しゅよう）の検査には向かない。脳腫瘍には通常メチオニンを用いる。

表2-14 代表的なPETトレーサー

トレーサー	対象	代表的な対象疾患	標識する核種	半減期
FDG	ブドウ糖代謝	認知症	^{18}F	約110分
PiB	アミロイドβ	アルツハイマー型認知症	^{11}C	約20分
H_2O	即時的脳血流	脳腫瘍，てんかん	^{15}O	約2分
ラクロプライド	ドパミン受容体	パーキンソン病	^{11}C	約20分

^{11}Cや^{15}Oは半減期が短く，すぐに放射能が弱まってしまうので，検査直前にその施設においてトレーサーを合成する必要がある。

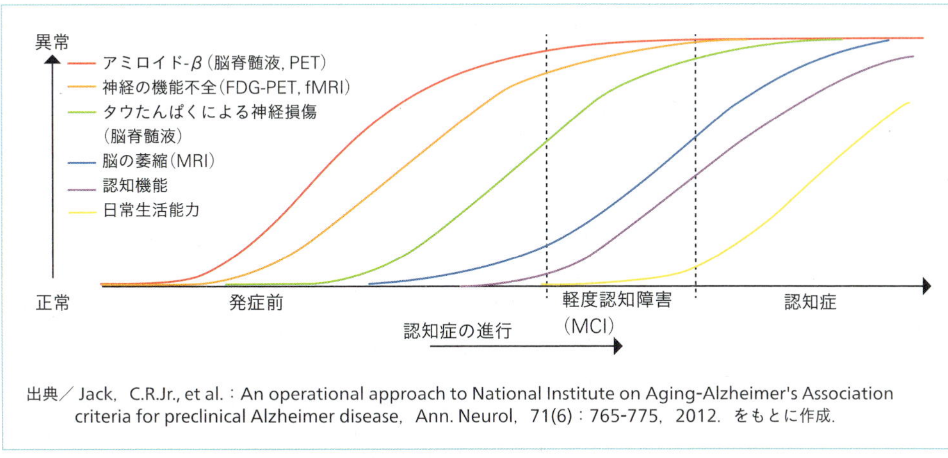

出典／Jack, C.R.Jr., et al.：An operational approach to National Institute on Aging-Alzheimer's Association criteria for preclinical Alzheimer disease, Ann. Neurol, 71(6)：765-775, 2012. をもとに作成.

図2-10 アルツハイマー型認知症の進行過程の仮説モデル

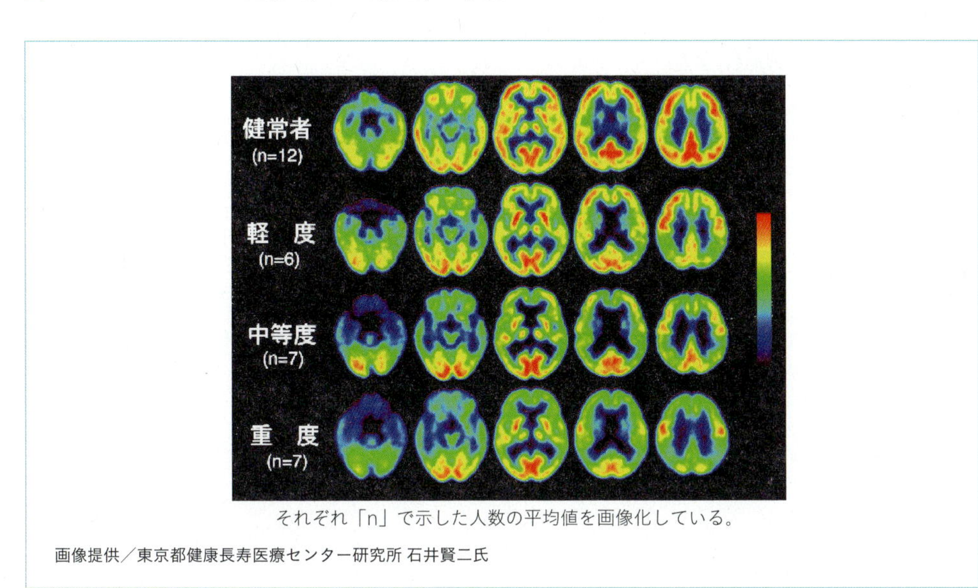

それぞれ「n」で示した人数の平均値を画像化している。

画像提供／東京都健康長寿医療センター研究所 石井賢二氏

図2-11 健常者と各重症度のアルツハイマー型認知症患者のFDG-PET画像

図2-11は健常者，アルツハイマー型認知症の軽度，中等度，重度の患者のFDG-PET画像である。コンピューター解析によりそれぞれ一定人数（n）のPET画像の平均値を画像化してある。SPECTよりも画像が鮮明で，鋭敏にブドウ糖代謝能の低下を検知できる。

❸脳波

脳が活動する際に起こす微弱な電流を頭皮につけた電極で記録する。脳の活動を知る基本的な検査で，てんかん，意識障害などが対象となる。特に**てんかん**では特徴的な発作波が出現するので診断や治療に有用である（図2-12）。波の周波数と振幅（図2-13）やその出現率，パターンの変化などで評価するため，読み取るためには知識だけではなく，多くの症例を経験することが必要である。

図2-14は健常者の脳波である。脳波は健常者においても，子どもや睡眠時などでは異

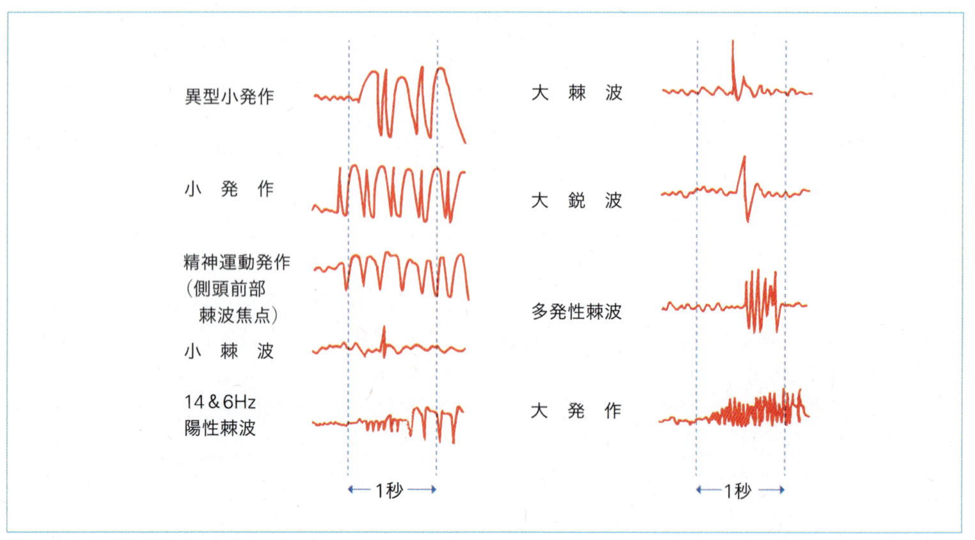

図2-12 異常脳波（Gibbsによる）

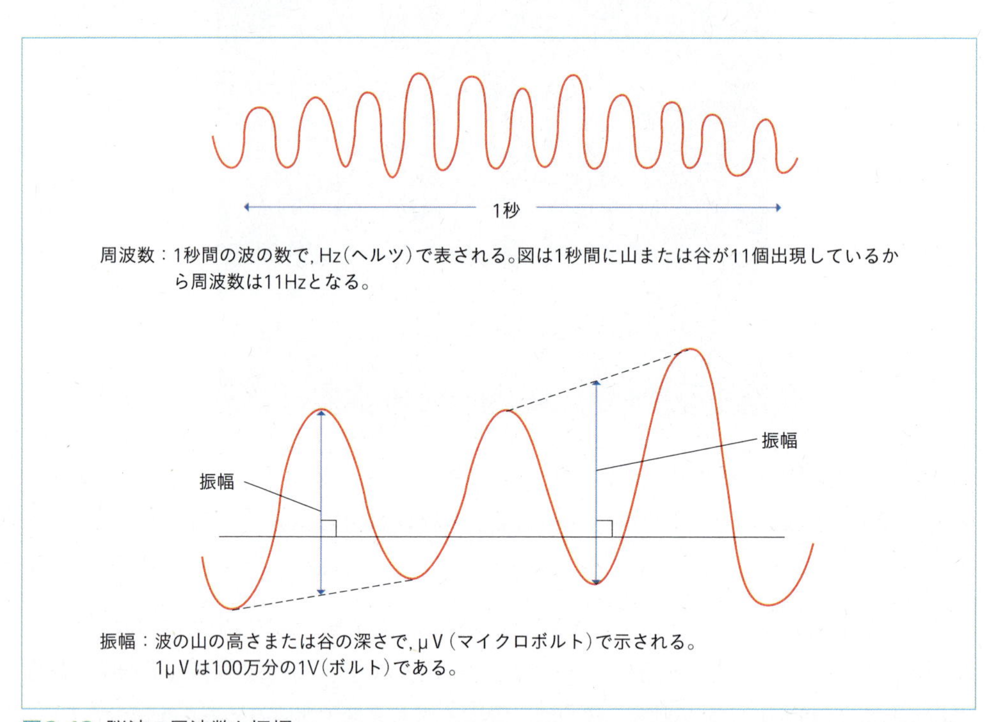

図2-13 脳波の周波数と振幅

なる形を示す。通常は安静，閉眼の状態で測定する。毎秒10Hz前後で振幅50μV前後のアルファ波が連続して出現し，そのなかに振幅10〜20μVのベータ波がみられるのが普通である。アルファ波は後頭部に優位に出現し，左右対称で，開眼によって抑制される。

異常脳波は発作性異常と非発作性異常に分けられる。

▶ **発作性異常**　棘波（きょくは），棘徐波結合，鋭波，鋭徐波結合，徐波群発，14＆6Hz陽性棘波などがあり，てんかんの各型の診断に重要である。

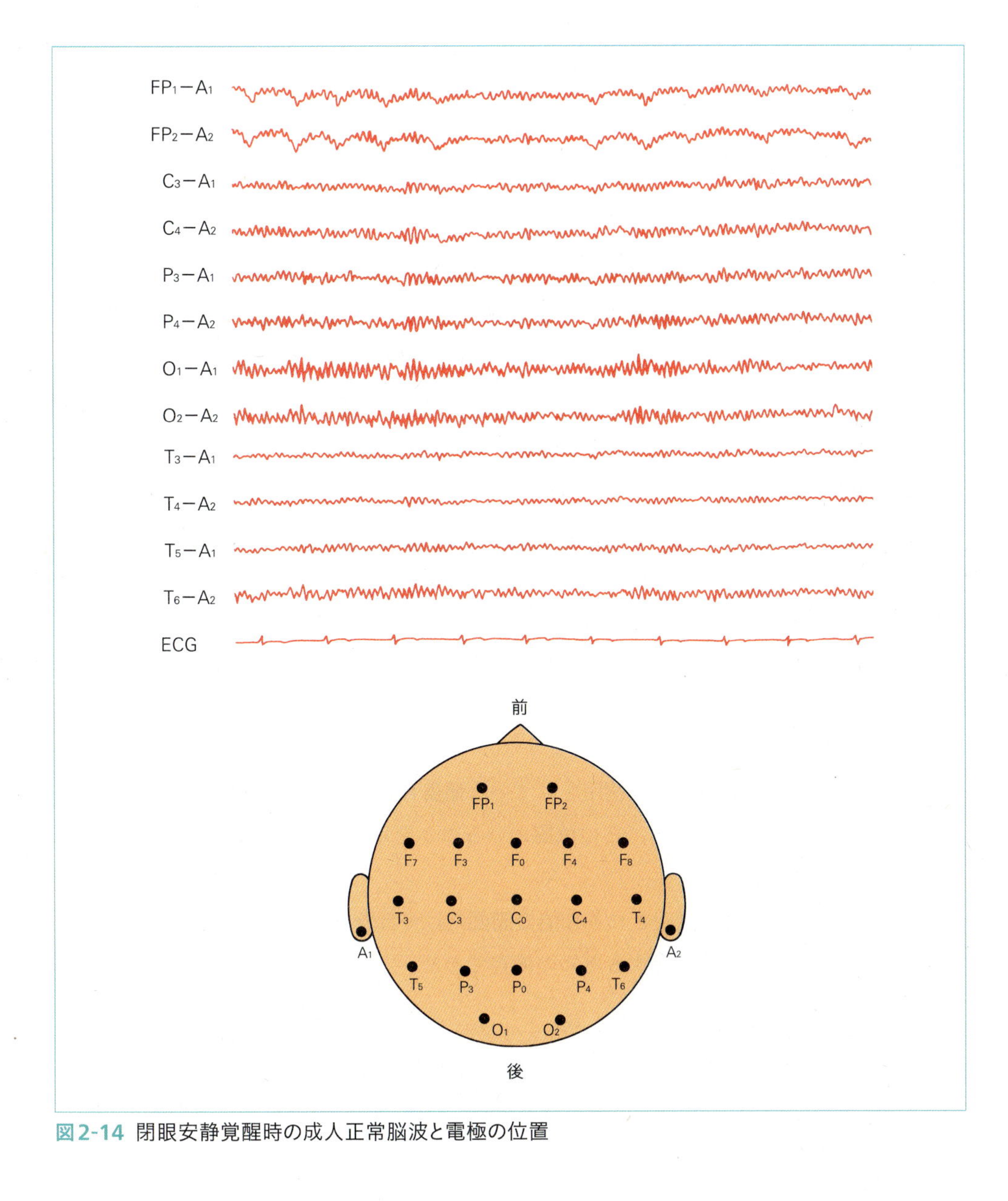

図2-14 閉眼安静覚醒時の成人正常脳波と電極の位置

▶ **非発作性異常** 臨床上は徐波が重要で，意識障害や脳機能の低下をきたす疾患の診断に役立つ。

C 心理検査

個人の問題や症状を生じさせている要因を把握し，援助のための情報収集を行う作業を**心理査定**（**心理アセスメント**）という。心理査定において，対象者の知的能力や発達水準，人格特性などを客観的に測定するために用いられるのが**心理検査**である。精神科医療においては診断補助，治療効果の把握を目的として実施されることも多い。

心理検査の種類は多く，何を測定したいかにより，複数の検査を組み合わせて実施する必要がある。この複数の検査の組み合わせを**テストバッテリー**という。しかし，心理検査には実施に時間のかかるものや被検者の心理的負担が大きいものも少なくない。このため，被検者の負担が最低限で済み，かつ必要な情報が得られるようにテストバッテリーを決定することが重要である。

また，検査は被検者の症状が落ち着き，検査に耐え得る状態で導入されるべきである。実施場所も検査に集中できる環境であることが望ましい。これは被検者の負担を減らすためだけではなく，知りたい情報を正しく結果に反映させるためでもある。

検査の導入や結果のフィードバックにおいては，それが治療的に働くよう被検者に伝える必要がある。

次に代表的な心理検査を紹介する。

1. 知能検査・発達検査

知能は様々な知的活動から構成されている総体的な能力であり，その知能を客観的に測定するための検査が**知能検査**である。検査結果は知能検査の種類により**MA**（**精神年齢**）や**IQ**（**知能指数**）などで表される。MAは知的能力が何歳程度の発達水準にあるかを示したものである。IQには田中－ビネー知能検査Ⅴなどで採用されている従来のIQ（精神年齢÷生活年齢×100）と，WAIS-Ⅳなどで使用されている**偏差IQ**の2種類がある。偏差IQは知的能力を同年齢群の平均と比較し，どの位置にいるのかを示したものであり，平均100，標準偏差15で表される。

発達検査は，知能検査で測定される知能の側面だけではなく，運動面・心理面・社会面など総合的な発達の状態を測定するための検査である。

表2-15 知能検査・発達検査

名称	内容
WAIS-Ⅳ （**Wechsler Adult Intelligence Scale-Fourth Edition**）	• 成人用のウェクスラー知能検査（児童用のWISC，幼児用のWPPSIもある） • 適用年齢は16歳0か月～90歳11か月 • 全検査IQ（FSIQ）と4つの指標*により全般的な知的能力や領域ごとの強み弱みを把握する
田中－ビネー知能検査Ⅴ	• ビネー式知能検査 • 2～13歳は精神年齢を用いてIQを算出している • 2歳から実施可能
DAM（**Draw a Man test**） **グッドイナフ人物画知能検査**	• 人物画を描かせ知能を測定する • 言葉や聴覚に障害をもつ対象者にも実施可能
コース立方体組み合わせテスト	• 色分けされた立方体を組み合わせて模様をつくる検査 • 言葉や聴覚に障害をもつ対象者にも実施可能
新版K式発達検査2001*	「姿勢・運動」「認知・適応」「言語・社会」の3領域について評価し発達指数（DQ）を測定する
津森－稲毛式乳幼児精神発達診断	主な養育者に対象者の発達について回答してもらい「運動・探索・社会・生活習慣・言語」の5つの領域の発達段階を調べる

＊ WAIS-Ⅳは言語理解，知覚推理，ワーキングメモリー，処理速度の4つの指標で構成されている。全検査IQ（FSIQ）は，4つの指標から推測される全般的な知的能力である。
＊ 2020年に「新版K式発達検査2020」に改訂されている。

知能検査や発達検査は診断の補助として利用されるほか，全般的な知能や発達の水準，領域によるばらつきを知ることにより，被検者の日常生活における不適応の要因を推測することにも役立つ。

代表的な知能検査，発達検査を表2-15に示す。

2. 人格検査

被検者の人格特性を把握するための検査が**人格検査**である。様々な分類方法があるが，主に検査方法により次のように分類されている。

1 投影法

曖昧で多義的な刺激を用いて，被検者に自由に反応してもらう方法が**投影法**である。被検者が意図的に回答を操作することが難しく，反応には無意識的な側面が現れるとされている。人格検査であると同時に治療的な意義をもつ検査もある。

ただし，施行方法や解釈が複雑であり，検査者に知識や経験が必要とされることや，検査に時間がかかること，何を調べられているのかわからないといったことから被検者の負担が大きいという短所がある。

2 質問紙法

質問紙法とは，調査したい内容に沿って設定された質問項目に被検者が回答し，その結果から人格特性を把握する方法である。実施や採点は比較的容易で，集団に対して実施することもできる。また検査者の主観的解釈が入りにくいといった特徴もある。

短所としては，被検者が意図的に回答を操作できること，言語能力や自己評価能力を必要とされることなどがあげられる。

3 作業検査法

作業検査法とは，対象者に一定の作業を課し，その作業の遂行過程や結果，実施態度から対象者の人格特性を把握する方法である。集団での実施が可能である，言語的な能力を必要としない，客観的な解釈ができるといった長所があげられる。

一方で，作業意欲が結果に大きく反映する，人格の特定の側面しか評価できないといった短所がある。

代表的な人格検査を表2-16に示す。

3. 認知機能検査

認知機能とは知覚や記憶，思考，判断などの知的機能を指す。認知機能には様々な要素があるが，それらが低下することにより日常生活に支障をきたすことも少なくない。**認知機能検査**とは，認知機能のどういった側面が障害されているのか，どの程度障害されてい

表2-16 人格検査

分類	名称	内容
投影法	ロールシャッハテスト	被検者にインクのしみを見せて何に見えるか答えてもらい，その反応から人格の特徴を把握する
	描画テスト	検査者の指定した絵を描いてもらう検査。実のなる木を描く「バウムテスト」，検査者の指示した順に風景を描いてもらう「風景構成法」，家と木と人を描いてもらう「H-T-P」，家族が何かしているところを描いてもらう「動的家族画」など，目的と方法により様々な種類がある
	SCT（Sentence Completion Test，文章完成法）	刺激文に続けて自由に文章を記述してもらい全般的な人間像を把握する
	P-Fスタディ絵画欲求不満テスト	欲求不満場面における反応を書いてもらい，攻撃性の方向と型を把握する
質問紙法	MMPI（Minnesota Multiphasic Personality Inventory，ミネソタ多面人格テスト）	550の項目に回答することにより，4つの妥当性尺度，10の臨床尺度から客観的，多面的に人格を把握する
	Y-G（矢田部－ギルフォード）性格検査	120の項目に回答することにより，12の性格因子の得点から性格類型を把握する
	新版TEG3（東大式エゴグラムver.3）	53の項目に回答することにより，人と人とのコミュニケーションにおける交流パターンを把握する
作業検査法	内田－クレペリン検査	簡単な1桁の足し算を，休憩を挟みながら連続して行い，作業能力や性格の特徴を調べる

るのかを明らかにし，その結果から被検者への支援方法を模索するための検査である。

記憶力や注意力，遂行(すいこう)機能など特定の認知機能に焦点を当て，その機能の様々な側面を調べるための検査のほか，認知症のスクリーニングや経過を調べる目的で作成された検査もある。

代表的な認知機能検査を表2-17に示す。

表2-17 認知機能検査・症状評価尺度

名称	内容
WMS-R（Wecheler Memory Scale-Reviced，ウェクスラー記憶検査）	• ウェクスラー式の記憶検査 • 短期記憶，長期記憶，言語性記憶，非言語性記憶など記憶の様々な側面を総合的に測定する
CAT（Clinical Assessment for Attention，標準注意検査法）	• 7つの下位検査から選択性注意，注意による制御機能，持続性注意など注意機能を測定する
BADS（Behavioural Assessment of the Dysexecutive Syndrome，遂行機能障害症候群の行動評価）	• カードや道具を使った課題を行い，遂行機能（目標を設定し計画を立て行動する能力，問題解決能力）を測定する
WCST（Wisconsin Card Sorting Test，ウィスコンシンカード分類検査）	• 3つの分類方法に従ってカードを分類してもらい，抽象的な思考やセットの転換など前頭葉機能を測定する
ADAS（Alzheimer's Disease Assessment Scale）	• 記憶を中心とする認知機能検査 • 得点変化によりアルツハイマー型認知症の経過を把握する
HDS-R（改訂長谷川式簡易知能評価スケール）	• 簡易に実施できる記憶を中心とした認知機能検査 • 認知症のスクリーニングに用いられる

文献

1）厚生労働科学研究・障害者対策総合研究事業「睡眠薬の適正使用及び減量・中止のための診療ガイドラインに関する研究班」，日本睡眠学会・睡眠薬使用ガイドライン作成ワーキンググループ編：睡眠薬の適正な使用と休薬のための診療ガイドライン；出口を見据えた不眠医療マニュアル，2013．http://www.jssr.jp/data/pdf/suiminyaku-guideline.pdf（最終アクセス日：2021/11/2）
2）内閣府：令和2年版障害者白書，2020．https://www8.cao.go.jp/shougai/whitepaper/r02hakusho/zenbun/pdf/ref2.pdf（最終アクセス日：2022/6/15）
3）内閣府：平成29年版高齢社会白書（全体版），2017．https://www8.cao.go.jp/kourei/whitepaper/w-2017/html/zenbun/s1_2_3.html（最終アクセス日：2021/11/2）
4）Allport, G. W.：Personality；a psychological interpretation，Constable，1938.
5）Ghaemi, S. N., et al.：The bipolar spectrum and the antidepressant view of the world，J Psychiatr Pract，7(5)：287-297，2001.

参考文献

・大熊輝雄原著，「現代臨床精神医学」第12版改訂委員会編：現代臨床精神医学，改訂第12版，金原出版，2013.
・加藤敏，他編：現代精神医学事典，弘文堂，2011.
・尾崎紀夫，他編：標準精神医学，第7版，医学書院，2018.

第 3 章

主な精神疾患／障害

この章では

- 精神疾患／障害の診断基準と分類を理解する。
- 主な精神疾患／障害の疾患概念／定義，病因，症状／状態，治療／支援などを理解する。

I 精神疾患／障害の診断基準・分類

1. 精神疾患の分類（病因論的分類）

従来は精神疾患を病因論的にとらえた，①外因性，②内因性，③心因性に分類する考え方が主流であった。

外因とは，たとえば頭部外傷や脳血管障害，神経変性のような脳器質的要因，ホルモン異常や感染症，遺伝子疾患などのような全身性疾患などによるものをいう。

内因とは，神経病理学的な方法では明らかな異常を認めないものの，ある程度の遺伝素因が関係しているなど，何らかの生物学的病態基盤が想定できるという意味で用いられた。統合失調症やうつ病，双極性障害がこれにあたる。

心因とは，環境要因や対人関係などのライフイベントにおける負荷，本人の性格や精神機能の発達程度などを含む。

このような分類は，予後推定や治療介入計画の選択に一定の有用性をもっているが，近年となって様々な矛盾が指摘されている。たとえば心因性と考えられていた社交不安障害，パニック障害，強迫性障害などの分子遺伝学的仮説や神経回路が研究されたり，SSRI（選択的セロトニン再取り込み阻害薬）などの薬物療法への反応性が示された。また，内因性とされた統合失調症や双極性障害でも，形態画像あるいは分子遺伝学的，神経科学的な異常が示されている。

そこで，従来のように病因を問わず，客観的に観察・聴取が可能な，特徴的な症状を列挙した一覧をつくり，それらを一定のルール（たとえば特徴的な症状が○個以上の場合は，○○と診断するなど）で取り扱えば，だれでも再現性をもって，ある精神疾患の診断に分類できるという，操作的診断基準がつくられた。特に各国間での精神疾患診断の差異を極力排除し，国際的な疫学調査や新薬の大規模治験などの薬理学的研究を可能にするために，このような国際標準の診断基準が必要とされた。

2. アメリカ精神医学会の診断・統計マニュアル（DSM）

アメリカ精神医学会（American Psychiatric Association；APA）の診断・統計マニュアルである **DSM**（Diagnostic and Statistical Manual）の第1版は1952年，第2版は1968年に作成されたが，これらは従来の診断学における病因論に基づく分類体系であり，当時のアメリカ精神医学の趨勢（すうせい）を反映したものであった。

第3版（1980年）となって，外因性，内因性，心因性などの病因を問わず，すべての精神疾患に操作的診断基準を規定した。また患者の状態を多面的に把握するために，「多軸診断」が採用された。Ⅰ軸は精神疾患，Ⅱ軸がパーソナリティ障害と精神遅滞，Ⅲ軸が身体疾患，Ⅳ軸が心理社会的問題，Ⅴ軸が機能の全体的評価（global assessment of functioning；

GAF）で構成されていた。精神疾患をもつ患者を多面的に把握するための画期的な方法論であり，第4版（1994年）でも，この多軸診断は踏襲され，ICD–10（国際疾病分類）と並んで世界標準としての診断基準となった。

第5版（DSM-5, 2013年）[1]では，一転して多軸診断は廃止された。また，GAFに代わって，WHODAS 2.0（世界保健機関障害評価尺度第2版）が採用された。第5版の特徴は，第3版，第4版で確立したカテゴリー診断を主体とはするものの，ディメンジョン診断（計量的尺度による診断）の一部導入を図ったことである。第3版，第4版でカテゴリー化された各精神疾患の分類・区分の境界は，相互排他的で明瞭なものではなく，そもそも境界が曖昧で，正常から典型例までの連続体（スペクトラム）を構成していると仮定するほうが，閾値下*症状や中間病態を理解しやすい。また，神経生物学的研究の立場からも，カテゴリー診断に関しての強い疑義が提起された。

これらを踏まえて，第5版では精神と行動の異常を，ディメンジョン（計量的尺度）を用いて評価し，数理統計モデルで分類するディメンジョン診断が試みられたのである。すべての精神疾患分類の見直しには至っていないが，たとえば自閉スペクトラム症の診断分類の大幅な変更などに，その方向性を見てとれる。

3. 国際疾病分類（ICD）

国際疾病分類（International Statistical Classification of Diseases and Related Health Problems；**ICD**）は，WHO（世界保健機関）によって作成される死因や疾病の国際的な統計分類である。医療保健実態の国際比較や，日本の診療統計，診療文書管理などに用いられる。現在用いられているのは1990年に採択されたICD–10であり，精神および行動の障害はF分類に属する[2]。なお，約30年ぶりの改訂が行われ，WHOの年次総会にて2019年5月，ICD–11が承認された。今後数年で医療実務に使用される予定である。

4. 国際生活機能分類（ICF）

国際生活機能分類（International Classification of Functioning, Disability and Health；**ICF**）は，WHOによる1980年の国際障害分類試案を基礎に，2001年に改訂された，人の健康状態を系統的に分類したものである。健康や生活を包括的にとらえるため，「障害」から「生活機能」に視点を移し，当事者を含めてあらゆる関係者の共通理解のもとに健康状態をとらえることを意図している。先のWHODASもICFから派生している。

診断基準や診断分類は，このようにその時代の医療状況や科学研究，社会文化の趨勢のなかで大きく姿を変えている。本書では，最新版のDSM–5に準拠して各精神疾患を取り上げたが，これもまた暫定的な専門知識の整理の一方法である。DSM–5そのものにも様々

* **閾値下**：診断基準には満たないものの，いくつかの症状を併せもつ場合に用いる表現。たとえば，閾値下うつ病，閾値下軽躁状態などと用いる。

な批判が表明され議論となっており，暫定的，実験的な試みに近い内容もある[3]。また，これらの操作診断基準の有用性に対して，「本当に患者の治療のため，幸福のために有用なものなのか」という疑義は，依然として論じられている。

もともと疫学的統計や研究での有用性を意図した診断基準であるという成り立ちを理解すべきである。目の前の患者の訴える苦悩に対して，診断基準のフィルターをとおして導き出した何らかの病名をレッテルのように貼ることが，精神科診断学の目的ではない。疾患理解の基礎として，操作診断分類を学ぶことは必要ではあるが，実臨床では，それのみにとらわれるのではなく，患者個人の生活機能や生活史，生活環境や人間関係などへの理解を深め，健康な機能をとらえることも大切な臨床的視点である。

Ⅱ 主な精神疾患／障害

 神経発達症群／神経発達障害群

ここに分類される障害または状態は，発達期（おおむね18歳以下）に発症するという共通の特徴を備えている。典型的には幼児期や小学校低学年頃に明らかとなるが，成人になって初めて診断される場合もある。脳の発達過程において何らかの要因が正常な発達を歪めた結果と考えられるが，頭部外傷や脳炎などの外部要因によるもの，または染色体異常などの部分症状として認めるものを除いて，明確に特定できる原因は見つかっていない。

それぞれ特徴的な臨床像により同定可能だが，単一の障害として認めることは，むしろまれで，しばしばいくつかが併存する。たとえば自閉スペクトラム症と知的能力障害および運動症群のどれか，あるいは注意欠如・多動症と限局性学習症などである。これは，それぞれが共通または密接に関係している要因から生じているためと考えられ，ここには分類されない排泄症群やてんかんが併存する場合も少なくない。

1. 知的能力障害群

1　知的能力障害（知的発達症／知的発達障害）

❶疾患概念／定義

全般的知能の欠陥と家庭や学校，職場などの日常生活で適応困難を示す障害で，発達期に発症するもの。全般的知能の欠陥とは，知能テスト（WAIS，WISC*，田中ービネー知能検

＊ **WAIS, WISC**：WAIS（Wechsler Adult Intelligence Scale），WISC（Wechsler Intelligence Scale for Children）は，いずれもアメリカの心理学者デイヴィッド・ウェクスラー（Wechsler, D.）が考案した知能検査を改訂したもの。

査*など）でおおよそIQ70以下を指す。

日常生活での適応困難が認められなければ知的能力障害とは診断しない。なお，知能が発達期を過ぎてから低下した場合は認知症（および軽度認知障害）に分類される。

❷病因

生理群と病理群に大別される。**生理群**は明らかな脳障害がなく，ばらつきの範囲内と考えられている。ただし，遺伝的素因も関係している可能性がある。

病理群は脳に障害を残すことが明らかな疾患や外傷によるもので，代表的なものは染色体異常（ダウン症候群，ターナー症候群など），先天性脳奇形（小頭症など），代謝・内分泌疾患（フェニルケトン尿症，先天性甲状腺機能低下症など），中枢神経感染症（髄膜炎，脳炎など），薬物中毒，頭部外傷などである。

❸症状／状態

学業，個人の日常生活，社会生活などにおける適応機能に応じて重症度が分かれるが，実務的には便宜上IQで分類される。重症度が高いほど病理群の割合が高い。

- **軽度知的能力障害（IQ50～70）**：簡単な書字，読字，算数などは可能だが，具体的思考に限られ抽象的概念は扱えないことが多い。個人生活はおおむね自立でき，社会的にも適切な援助があれば自立可能だが，創意工夫や計画・立案を要求される仕事は困難である。
- **中等度知的能力障害（IQ35～49）**：学業領域には明らかな遅れがみられ，個人生活においても部分的な援助を要する。コミュニケーションは単純で，多くは福祉的就労（作業所などで自立を目的とせずに働くこと）の範囲である。
- **重度知的能力障害（IQ20～34）**：書字，読字は困難で，数，量，時間の概念も一般にもてない。個人生活のほとんどの領域に援助を要し，コミュニケーションも単語レベル程度。自傷行為や不適応行動を示すことがある。運動障害や，ほかの身体的障害を有することも多い。
- **最重度知的能力障害（IQ20未満）**：形の弁別はできるかもしれない。身辺的なことのほぼすべてに援助を要し，ごく親しい家族となら情緒的反応が認められるかもしれない。身体的障害の併存割合がさらに高い。

❹治療／支援

障害が見いだされた場合，できるだけ早期に療育指導を行うのが良いとされている。ただ，療育の場の選択は，併存障害を考慮に入れ，かつその時点での本人の適応状況に即して行うべきであり，診断名だけが先行してはならない。療育の場としては，幼児期は障害児通所施設や療育センター，学齢期には小中学校の特別支援教室または特別支援学校（小学部，中学部のほか高等部もある）などがある。

その後は入所施設や通所施設での生活訓練，就労支援などの福祉サービスが国や自治体

＊ **田中ービネー知能検査**：フランスの心理学者アルフレッド・ビネー（Binet, A.）が考案したものを基に，田中寛一が日本で再標準化したもの。

により用意されている[4)]。

知的能力障害の治療・支援とは，このような教育と福祉による支援が中心である。医療の関与は，合併している身体疾患の治療，自傷や衝動行為への対応など，ごく一部分にすぎない。

2. コミュニケーション症群／コミュニケーション障害群

1 言語症／言語障害

聴力や教育に問題がないにもかかわらず，ある程度の年齢になっても言葉が身につかない状態をいう。言語能力には表出性能力（話す，書く）と受容性能力（理解する）があり，言葉は出ないが親の言うことは理解している，というように両能力に差を認める場合もある。

まずは身振り手振りでの意思疎通を大切にし，子どもの意図を汲（く）んで大人が言葉に置き換え，実際に発音して聞かせるなどの対応が大切である。その後も発達が遅いときは，言語訓練などの専門的な療育を開始する。

2 語音症／語音障害

言葉の発音に関する発達の遅れで，バチュ（バス），おあな（お花），だい（ちょうだい），おにりぎ（おにぎり）など，発声や配列の誤りなどが認められる。4～5歳になっても改善しなければ構音訓練の適応となるが，劣等感を抱かせない対応も重要である。

3 小児期発症流暢（りゅうちょう）症（吃音（きつおん））／小児期発症流暢障害（吃音）

「ぼ，ぼ，ぼくは」「せえーんせい（先生）」など，会話における音または音節の反復，延長，途切れなどにより，スムーズなコミュニケーションがとれない状態をいう。遺伝要因と環境要因との相互作用で生じると考えられているが，緊張から会話そのものを避けるようになることもある。

対応としては，環境調整などで緊張やストレスを軽減することが大切である。症状を指摘したり叱ったりせず，ゆっくり話してもよいことを伝えて，話し終わるまで待ってあげることが有効といわれている。

4 社会的（語用論的）コミュニケーション症／社会的（語用論的）コミュニケーション障害

会話において，挨拶（あいさつ）をする，相手や場所によって言葉を使い分ける，相槌（あいづち）を打つ，隠喩（いんゆ）やユーモアを理解するなどの，コミュニケーションにおける社会的ルールが理解できず，それに従うことができない状態をいう。自閉スペクトラム症における「社会的コミュニケーションや対人的相互反応における持続的な障害」の条件に相当するが，自閉スペクトラム症との違いは，「興味や活動が限定的で反復的」の条件を伴わない点である。

3. 自閉スペクトラム症／自閉症スペクトラム障害

❶疾患概念／定義

自閉スペクトラム症は，①社会的コミュニケーションや対人的相互反応における持続的な障害と，②興味や活動が限定的で反復的という2つの特徴をもつ発達障害の一種である。

中核的な臨床像は，アメリカの精神科医レオ・カナー（Kanner, L.）が1943年に提唱し，近年では「小児自閉症（ICD–10）」「自閉性障害（DSM– Ⅳ –TR）」とよばれていた。しかし，類縁疾患のアスペルガー症候群や高機能自閉症，非定型自閉症，小児期崩壊性障害，特定不能の広汎性（こうはんせい）発達障害などと連続体（スペクトラム，各徴候に程度の差こそあれ本質は同じ障害）をなすものとして，DSM–5でこのようにまとめられた。

❷病因

かつて母親の愛情不足が原因と考えられていたが，近年では否定され，遺伝要因の関与が強調された。現在は，多数の遺伝子の関与とともに，その遺伝子の発現を制御する機構*に環境要因が多分に影響していることも示されつつある[5)]。

❸症状／状態

よく認められる症状を次に列挙するが，各症状の有無は患者の個人特性によっても年齢によっても様々である。社会的要求水準が高まる年長期に初めて見いだされる症状もあれば，逆に成長するにつれ，個人の社会的スキルが上達し目立たなくなる症状もある。

❶社会的コミュニケーションや対人相互反応における持続的な障害：幼児期では，視線が合わない，人見知りがない（母親と他人の区別がない），他者の指差しや視線の先を追うこと（共同注意）ができない，呼んでも振り返らないなどがみられる。

言葉の発達が遅れる場合もあるが，3歳頃から急に饒舌（じょうぜつ）になる場合もある。後者の場合でも表現が堅苦しかったり一方的だったりして会話がかみ合わないことも多い。他者に共感すること（心の理論*）が苦手なため，年長期には，場をわきまえない言動や冗談の通じにくさから「空気が読めない」と評されることもある。

❷興味や活動が限定的で反復的：手を反復的に奇妙に動かしたり，ぴょんぴょん飛び跳ねたり，くるくる回ったりなど，自己刺激的な常同運動を繰り返す。光るものや回るもの，数字など特定のものに強い興味を示し長時間眺めたり，延々と書きつづったりする。おもちゃをひたすら並べることに興じ，他者に少しでもずらされると激しい癇癪（かんしゃく）を起こす場合もある。物事の手順，道順，予定，ルールなどに固執し（同一性保持傾向），急な変更や臨機応変な対応に激しく抵抗することもしばしばで，学齢期にはトラブルの元になる。

❸そのほか：音，におい，痛みや皮膚感覚への過敏さ，もしくは逆に鈍感さがみられ

＊ **遺伝子の発現を制御する機構**：この分野の学問を「エピジェネティクス」といい，近年「DNAのスイッチ」として話題になった。

＊ **心の理論**：他人がどう考えているのか，どう感じているのかを理解する能力。

る。感情のコントロールが苦手で，ささいなことでも激しく怒ったり泣きわめいたりする。遠い過去の出来事を突然思い出し，たった今体験したかのように激しく感情が揺さぶられること（タイムスリップ現象）もしばしばみられる。

❹治療／支援

現在，原因治療は不可能であり，社会適応の向上を目指した療育指導や治療教育が主体となっている。

乳幼児期には，愛着を促進する母子のスキンシップ，様々な感覚刺激と運動を組み合わせた感覚統合訓練などが有効とされる。方法論としては健常児の養育と共通点が多いが，働きかけに対する児からの応答の少なさが養育者側の働きかけも減らしてしまうといわれており，働きかけを減らさない意識的な努力が大切である。

就学前から学齢期には，集団行動に参加させることで社会性を育てることが主眼となる。社会生活技能訓練（SST）やアメリカのノースカロライナ大学で開発された**TEACCHプログラム***なども盛んに行われている[6]。この時期は，児と教師との思惑のずれや他児との軋轢（あつれき）などが生じやすいことから，暴言・暴力などの激しい感情の噴出（ふんしゅつ）がみられることがある。環境調整と相互理解の促進が重要だが，時に向精神薬を使用することもある。

思春期・青年期になると，より複雑化した対人関係についていけず，孤立したり，自他の違いを強く意識して抑うつ的になったり，時に統合失調症様の幻覚妄想を呈したりする。本人への支持的精神療法とともに，疾病教育，就労支援，薬物療法などが行われる。

4. 注意欠如・多動症／注意欠如・多動性障害*

❶疾患概念／定義

脳器質的基盤をもった注意と行動制御の障害として，かつてMBD（minimal brain damageまたはminimal brain dysfunction，微細脳機能損傷または微細脳機能不全）とよばれていた。しかし，器質的原因は解明できず，現在では，①不注意，②多動性，③衝動性を主徴とした症候群と考えられている。通常，12歳になる前から症状が現れるが，気づかれずに成人になって診断されることもある。

❷病因

自閉スペクトラム症同様，遺伝的関与が強く示唆される一方で，妊娠中の母親の胎内環境の影響も大きいと考えられている。

虐待など出生後の環境要因は，二次障害の発生など，経過の修飾要因としての意味合いが強いといわれてきた[7]。しかし，本症や自閉スペクトラム症を含むいわゆる「発達障害」と虐待との関係は，より複雑であることがわかってきている。たとえば，虐待が発達期の脳の形態や機能に変化を及ぼすことが報告されたり[8]，小児期逆境体験がのちの発達

---

* **TEACCHプログラム**：TEACCH；treatment and education of autistic and related communication handicapped children。自閉スペクトラム症などのコミュニケーション障害のある子どもやその家族への支援を行うプログラム。
* **注意欠如・多動症／注意欠如・多動性障害**：attention–deficit/hyperactivity disorder；ADHDと表記される。

障害様の思考や行動パターン[9]，さらには様々な精神障害および身体疾患の原因にもなり得ることが示されたり[10]している。

❸症状／状態

- **不注意**：勉強や仕事などでケアレスミスが多い，集中力が続かない，最後までやり遂げられない，段取りが悪い，必要な道具や書類をなくす，片づけられない，約束を忘れてしまう，人の話を聞けないなどとして現れる。
- **多動性**：しばしば席を離れてしまう，座っていてもそわそわ動く，しゃべり過ぎるなどがある。
- **衝動性**：順番が待てない，他者を遮ったり邪魔したりする，不用意な発言をする，すぐに怒鳴ったりいらいらしたりするなどがある。

基本は上の3症状であるが，様々な二次障害も併発し得る。頻繁に叱責を受けて次第に自信を失い，抑うつ障害群や不安障害群，パーソナリティ障害群などに分類される障害へと発展する場合（これを「内在化障害」という）や，けんかが増えたり，理解されないと感じたりすることから，反抗挑発症*，素行症*などを呈する場合（「外在化障害」という）などである。

しかし，これらの障害が，二次的に生じたとは言えないほど同時期から認められる場合もしばしばある。これは❷「病因」でも述べたように，虐待や小児期逆境体験が発達障害様症状の原因になり得るからである。つまり「発達障害特性→養育の困難性→虐待の発生→二次障害」という流れとともに「虐待や小児期逆境体験→脳の形態や機能の異常→発達障害特性や様々な精神障害」という流れも存在し，因果関係が鶏と卵の関係のような円環状をなしているからである。

ただし，神経発達症群の各障害が互いに併存し合う関係（これは円環ではなく同一原因からの枝分かれ。本章 - Ⅱ -A「神経発達症群／神経発達障害群」の冒頭を参照）と区別する意味で，二次障害が二次的に発生するわけではないとしても“二次障害”という呼称は現在も健在である。

❹治療／支援

ねらいは次の2つである。①基本の3症状を軽減すること，②二次障害やその原因となる環境要因（虐待や逆境的状況）を改善すること。しかし，両者は円環状に悪循環を形成しているので，一方が他方の治療にもなり得，厳密に両者を分けることはできない。ここでは，薬物療法，非薬物療法という切り口で説明する。いずれの方法を取るにせよ，差し当たりは悪循環を断ち切ることに注力すべきであろう。

＊ **反抗挑発症**：反抗挑発症／反抗挑戦性障害は，DSM-5において秩序破壊的・衝動制御・素行症群に分類される疾患である。怒りっぽさ，口論好きまたは挑発的，さらに執念深いという特徴をもち，特に大人や権威ある人物との間で問題を生じやすい。

＊ **素行症**：素行症／素行障害は反抗挑発症と同様，秩序破壊的・衝動制御・素行症群に分類される。反抗挑発症との類似点も多いが，より重篤で，人や動物に対する攻撃性（威嚇，暴力，凶器の使用など），他人の所有物の破壊，盗みや詐欺などを認める。一方で怒りっぽさなどを伴わないこともある。

▶ **薬物療法**　現在，日本において①の目的で使われているものは，中枢神経刺激薬とよばれるメチルフェニデート塩酸塩徐放錠，リスデキサンフェタミンメシル酸塩の2剤と，非中枢神経刺激薬とよばれるアトモキセチン塩酸塩，グアンファシン塩酸塩徐放錠の2剤の，合計4剤である。衝動性の，なかでも怒りなどの攻撃的症状を軽減する目的で，抗けいれん薬や抗精神病薬が使われることもあるが，これらはむしろ②をねらったものと言える。

▶ **非薬物療法**　①に対しては，おもちゃをしまう，音を消すなど，気の散りやすい刺激を減らして集中しやすくする環境整備が大切である。教室で席を最前列にする，指示は箇条書きで簡潔に示すなど，学校の協力も必要である。②には，ペアレント・トレーニング（家族の対応改善を目指した家族訓練），SST（患者本人の不適切な行動を適切な適応的行動へ転化させるための訓練）などがある。いじめや虐待などへの対応も重要で，教育や福祉機関との連携協力は欠かせない。

5. 限局性学習症／限局性学習障害

聴力・視力障害や知的能力障害，教育環境の不備などがないにもかかわらず「読み」「書き」「計算」のうちの一つ以上が，ほかの能力に比べて明らかに劣っている状態である。元来は英語圏の読字(どくじ)障害から発展した概念であるため，日本に欧米の知見をそのまま当てはめることはできない。また「書き」「計算」の障害は「読み」と比べて発生機序に不明な点が多い。

対応は教育指導上の工夫が主となるが，本人の努力不足ではなく発達上の脳機能特性がかかわっていることを伝えて自尊感情を損なわないことが重要である。また，ほかの神経発達症群と併発することが多く，医療的にはそれらへの対応も重要である。

6. 運動症群／運動障害群

1　発達性協調運動症／発達性協調運動障害

ボタン掛けやはさみの使用，書字，ボール遊び，自転車乗りなど，指先の運動やからだ全体を使う運動に関して，幼少期からいわゆる不器用でぎこちなく，上達が遅い。原因としての神経学的要因は特定されていないが，やはり共通の基盤を有すると考えられるほかの神経発達症群との併存が多い。

長期的視点に立った感覚統合訓練のほか，特定の技能を直接的に教えることも有効といわれている。

2　常同運動症／常同運動障害

手を震わせる，からだを揺する，頭を打ちつけるなどの律動的で無目的な運動で，3歳くらいまでに現れる。単純な動きのものは定型発達児にもみられるが，複雑なもの，自傷行為に相当するものなどは，重度の知的能力障害を有する人に伴うことが多い。

3　チック症群／チック障害群

❶疾患概念

突発的，急速，反復性，非律動性の運動または発声を**チック**という。持続期間が1年未満の場合「暫定的チック症／暫定的チック障害」，1年以上の場合は「持続性（慢性）運動または音声チック症／持続性（慢性）運動または音声チック障害」，持続期間が1年以上のなかでも運動チックと音声チックの両方が存在したことがあれば「トゥレット症／トゥレット障害」とよぶ。

❷病因

心因性と考えられていた時期もあるが，現在は脳の生物学的基盤が関係していることがわかっている。ただし，心理的影響により症状の強さや頻度が変動することも知られている。

❸症状

運動チックと音声チックがあり，それぞれに単純性チックと複雑性チックがある。**単純性運動チック**は，瞬き，顔をしかめる，首を振る，肩をすくめるなどで，**複雑性運動チック**は，物に触る，卑猥な身振りをする（汚行）など，目的をもった動作のようにみえる。**単純性音声チック**は，「あっ」と声を出す，咳払い，鼻を鳴らすなどで，**複雑性音声チック**は，最後に聞いた言葉の繰り返し（反響言語），中傷的あるいは性的な言葉を言う（汚言）などがある。複雑性チックは二次的に対人関係の悪化を引き起こすことがある。

過度な緊張やいらいらは症状を増悪させるが，適度な緊張は抑制的に働くため，外出中には症状が目立たない場合も多い。強迫症，注意欠如・多動症，自閉スペクトラム症との併存も多いといわれる。

❹治療／対応

短時間なら意識的に止められるが，通常は無意識に出てしまうものなので，指摘や叱責は逆効果であり慎むべきである。軽度のものは10歳代後半頃から自然に軽快するので取り合わないほうが良い場合が多い。症状自体で身体を傷めるか，誤解やからかいで対人関係を壊す可能性が高ければ抗精神病薬（ドパミン遮断薬）やクロニジン塩酸塩（交感神経抑制作用），グアンファシン塩酸塩（同じく交感神経抑制作用。注意欠如・多動症を伴う場合）などによる薬物療法を行う。近年は認知行動療法も試みられている[11]。

B 統合失調症スペクトラム障害

DSM–5によれば，統合失調症スペクトラム障害は，統合失調型（パーソナリティ）障害，妄想性障害，短期精神病性障害，統合失調症様障害，統合失調症，統合失調感情障害，物質・医薬品誘発性精神病性障害，緊張病などが含まれている。本書では，そのなかで代表的疾患といえる統合失調症，妄想性障害，緊張病を取り上げる。

1　統合失調症

統合失調症は代表的な精神疾患の一つで，本疾患への取り組みが近代精神医学の歴史をつくってきたといっても過言ではない。いまだに病因は不明であるが，薬物療法，心理社会的治療，社会福祉制度の構築により，全人的な支援のしくみづくりの努力が続いている（図3-1）。

❶疾患概念／定義

統合失調症は，何らかの生物学的な脆弱性（ぜいじゃく）と環境ストレス（特に対人関係での緊張状態）が重なって発症し，脳の様々な働き（たとえば考え，気持ち，行動）がまとまりにくくなる代表的な精神疾患である。特徴的な症状として，陽性症状（幻覚や妄想など），陰性症状（意欲減退，ひきこもりなど），認知機能障害（注意集中困難，遂行機能障害など）があり，経過につれ症状も変化していき，長い治療やリハビリテーションが必要であるが，最近の包括的な治療支援で回復していくケースや疾患自体の軽症化が話題となっている。

❷疫学

統合失調症は，典型的には思春期・青年期に，ほとんどは10歳代後半～40歳代に発症する代表的な精神疾患である。生涯有病率は国や地域による差は少なく，日本の生涯有病率は約0.8％（120人に1人）とされる。2020（令和2）年の厚生労働省「患者調査」によれば，推定患者総数は約88万人，男女差はないとされる。入院患者数は約14万人と，精神科入院患者のなかで最多である。

❸症状／状態

知覚・思考・感情・意欲・認知機能など，多くの精神機能領域の障害が現れる。幻聴（げんちょう）に代表される幻覚や被害妄想に代表される妄想体験などの**陽性症状**と，感情鈍麻，自発性低下，社会的ひきこもりなどの気力や活力が減退した状態を示す**陰性症状**，記憶，注意，実行機能などが損なわれ生活遂行に支障をきたす**認知機能障害**などからなる特有の症候群を呈する（図3-2）。

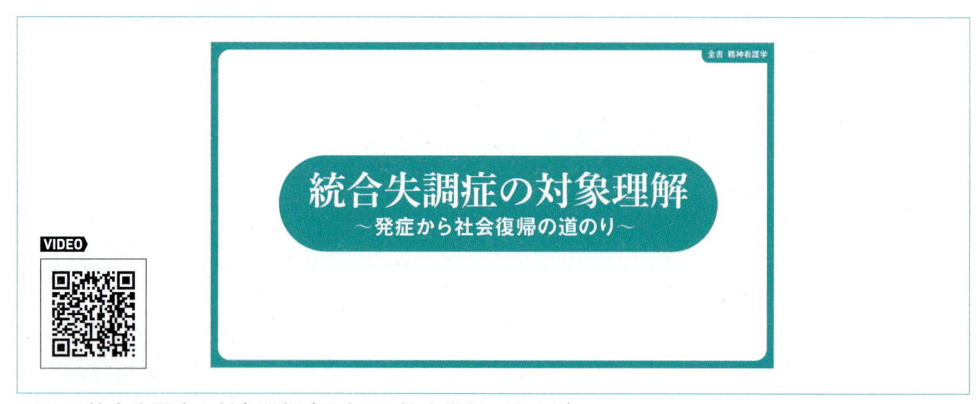

図3-1　統合失調症の対象理解（発症から社会復帰の道のり）

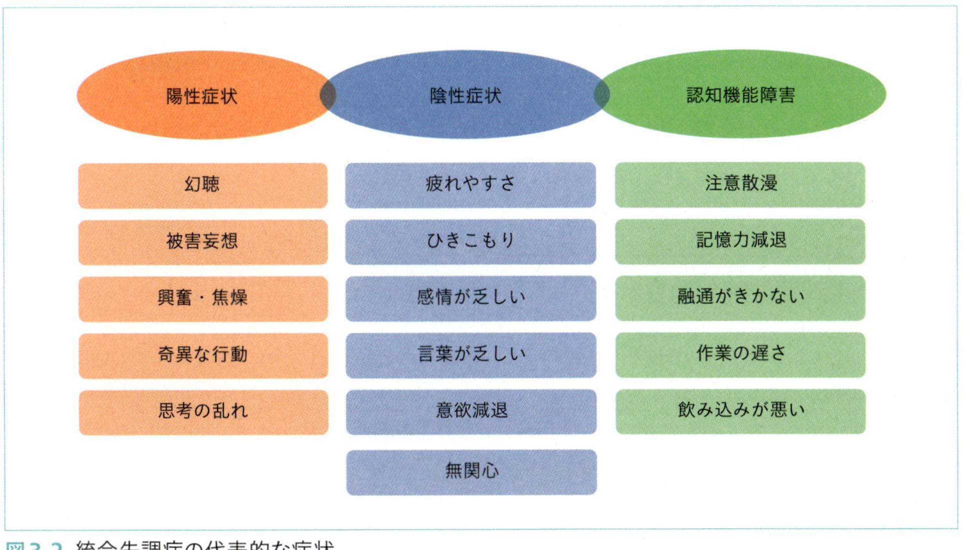

図3-2 統合失調症の代表的な症状

❹経過／予後

約1/3は完全，あるいは軽度の障害を残して回復するが，急性の精神病性の状態を繰り返しながら，慢性に経過することも多く，一部は陰性症状，生活障害が表出し，種々の社会生活支援を長期に要することもある。

❺発症機序

いまだに不明だが，胎生期の神経発達障害を基とする生得的な素因に環境要因が複雑に関与するという“**ストレス−脆弱性−対処技能モデル**”が病態基盤として想定されている。思春期以降に，脳の情報処理過程が複雑になると，ドパミン神経系の機能亢進，グルタミン酸神経系の機能低下をきたし，特有の精神症状が顕在化するといわれる（表3-1）。

❻治療／支援

急性期，回復期，維持期ごとに，薬物療法，心理社会的治療を組み合わせて行う（表3-2）。

▶ **急性期**　急性期は統合失調症特有の精神症状である陽性症状が顕在化し，医療の関与が始まる時期である。急性期の治療では，特に陽性症状を軽減し，不安・緊張・緊迫感を緩

表3-1 統合失調症の発症メカニズム

ライフステージ	病期	特徴	生物心理社会学的要因
胎生期 思春期	病前期	軽度の運動・認知・社会機能障害	神経発達障害
青年期 成人期	前駆期	非特異的な情動・行動の変化	心理社会的ストレス
	急性期	特有の精神症状の顕在化 陽性・陰性・気分症状・認知機能障害	ドパミン機能亢進 グルタミン酸機能低下
老年期	残遺期	進行期の症状の継続（特に陰性・認知機能障害が進行）	神経変性

表3-2 統合失調症の病期と治療内容

病期	急性期	回復期	維持期
主な目標	症状を減らす 幻覚妄想 興奮不眠	状況を理解する 疲労 不安・抑うつ	リカバリーを目指す 対人関係 生活機能の障害
薬物療法 生理的視点	急性期症状や混乱を治める 生活リズム確保	有害作用を減らす 意欲気分改善	再発防止
精神療法 心理療法 心理的視点	安心感を提供 治療目標の共有 生活リズム確保	疾病教育 服薬の必要性 対処法の工夫	体重管理 再燃サインを知る セルフモニタリング
リハビリテーション 環境調整 社会的視点	安心できる環境をつくる 家族への支援 (疾病理解)	作業療法 個別プログラム	社会生活技能訓練 包括型地域生活支援 社会参加・就労支援・援助付き雇用

薬物療法＋心理社会的アプローチが車の両輪として働く。

和し，安全確保や睡眠・栄養などの基本的な生存機能の維持を図る。そのための環境調整，薬物療法の導入が重要となる。

精神運動興奮が著しい場合や幻覚妄想状態が激しいときは，入院治療が選択される。本人に病識がなく，治療に協力的ではない場合は，家族などの代諾者による医療保護入院，自傷他害が切迫している場合は措置入院となる場合もあるが，最近は薬物療法の工夫や早期受診により，外来で治療が完結することも一般的になってきた。

▶ **回復期**　急性期に続く回復期は，陽性症状が軽減し，現実検討能力が戻ってくる時期である。心身共に疲弊(ひへい)が目立ち，また自分の身に起きたことが精神疾患の症状であったことに気づき始め，治療の必要性を了解するようになる反面，精神疾患になってしまったことへの抑うつ感や絶望感，今後の生活への不安感などが現れやすい。

回復期の治療では，そのような病(やまい)に対する複雑な気持ちを理解し支え，的確な情報をもとに心理教育を導入し，治療同盟や治療への動機づけを高める。患者の心身の状態に対して，家族への理解を促す家族心理教育も引き続き必要となる（図3-3）。また服薬による有害作用の出現をモニターし，身体的な変調に対応する。

▶ **維持期**　維持期における精神症状の特徴は，軽重様々な認知機能障害・生活障害である。機能の程度を評価し，それらの程度や個別性に応じて生活・社会機能回復・増強のためのリハビリテーション（図3-4）や障害者総合支援法に規定される社会福祉サービスなどを，多施設・多職種協働のもとで導入する（図3-5）。

薬物療法の目標としては，引き続き有害作用をモニタリングしつつ，できるだけシンプルで安全性の高い服薬量や服用内容に調整し，服薬アドヒアランス維持に努める。訪問看護などを利用して服薬継続を支援したり，患者との相談のうえ，希望により抗精神病薬持続性注射製剤（デポ薬）を導入することもある。

❼治療の課題

日本の統合失調症治療の歴史において，病院収容主義の時代が続いたことは事実である。現在は，様々な薬物療法や心理社会的治療の導入により，外来治療が主体となりつつ

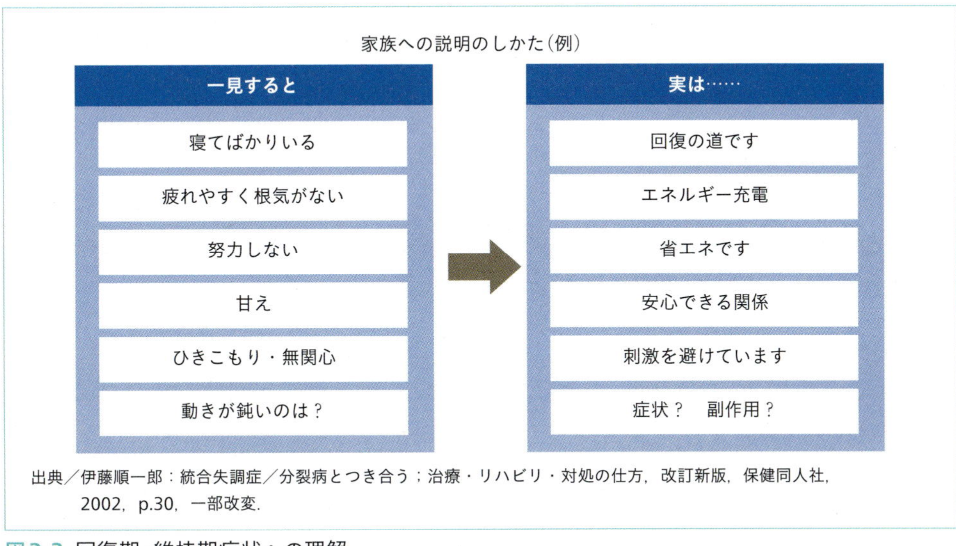

出典／伊藤順一郎：統合失調症／分裂病とつき合う；治療・リハビリ・対処の仕方，改訂新版，保健同人社，2002，p.30，一部改変.

図3-3　回復期・維持期症状への理解

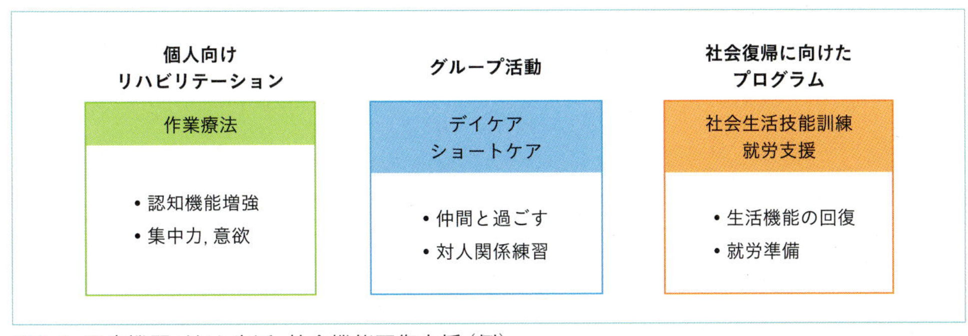

図3-4　医療機関が行う生活・社会機能回復支援（例）

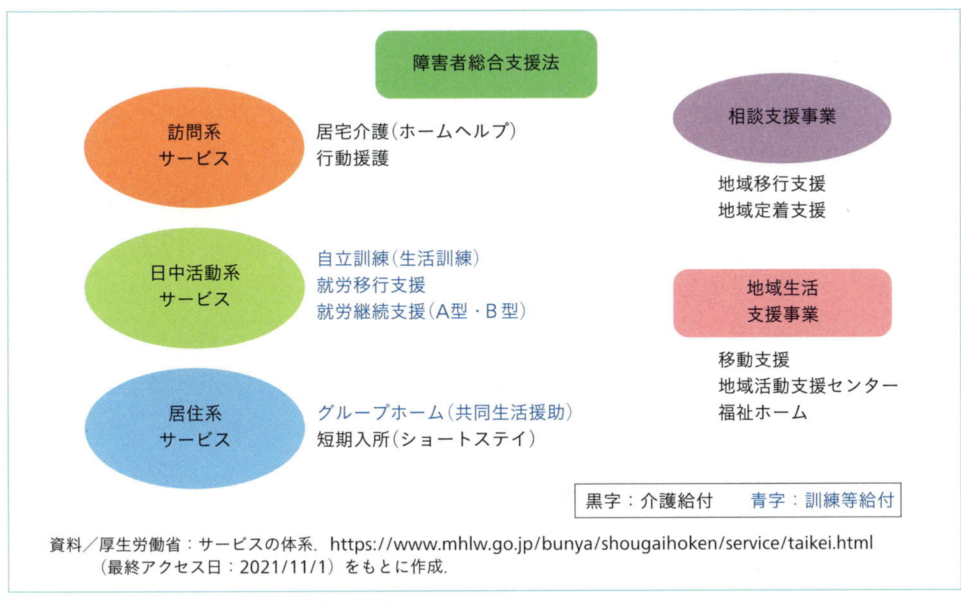

資料／厚生労働省：サービスの体系．https://www.mhlw.go.jp/bunya/shougaihoken/service/taikei.html（最終アクセス日：2021/11/1）をもとに作成.

図3-5　統合失調症患者への主な社会福祉サービス

ある。しかし，収容主義時代に入院したまま慢性化・高齢化し，生活機能が低下して退院が困難となっている長期入院患者は10万人近くいるとされている。また，現在でも急性期入院患者の約10％が1年以上の入院となっており，“新規長期入院患者”の問題もある。

これらの生活機能障害も併せもった統合失調症入院患者の退院を促進し，地域生活を継続するためには，病院中心，医療中心の支援のみでは困難である。地域で安全に安心して生活するための環境や住居の確保，居宅介護（ホームヘルプサービス），医療健康面の支援である訪問看護など，在宅支援，アウトリーチ支援*の充実が望まれている。

2 妄想性障害

❶症状／状態

妄想性障害は，1つまたは複数の妄想が持続するもので，一般的には成人期に発症し，社会的機能は著しく損なわれてはいない。幻覚はないか，あったとしても妄想のテーマとの関連性が示唆されるものである。また，統合失調症の妄想と異なり，「宇宙人にコントロールされている」「世界の秘密を知ったので命を狙われている」などの荒唐無稽な内容ではなく，現実的にあり得るようなテーマのことが多く，事実確認には他者からの補足を必要とすることもある。また，当該の妄想以外は思考障害を認めないこともある。次のような亜型が知られている。

- **被愛（ひあい）型**：だれかが自分に恋愛感情をもっていると思い込む。
- **誇大（こだい）型**：自分が飛び抜けた才能をもち，重要な発見をしたなどと思い込む。
- **嫉妬（しっと）型**：配偶者や恋人が不貞（ふてい）を働いていると思い込む。
- **被害型**：自分を陥れるような陰謀があり，邪魔（じゃま）され，だまされているなどと思い込む。
- **身体型**：自分がひどい臭いを発している，寄生虫が体中に巣くっているなど，身体の機能や感覚に関係した思い込みをする。

❷治療／支援

治療では，患者本人の自覚的病悩や他覚的症状に応じて，統合失調症治療に準じた薬物療法や精神療法を行う。しかし，妄想性障害は，他者に対しての強い疑惑や不信感をもち続けていることもあり，“妄想”自体を治療対象とすることが困難で，治療の動機づけに難渋（なんじゅう）することも多い。むしろ，その強い信念によって，自身と大事な他者との関係が不安定となり，自己実現や安定した暮らしが阻害されていることに焦点を当て，善悪・正誤はとりあえず脇に置いて，現実適応的な考え方や方法を検討・実行し，結果としてどちらが良いかを実感していくような課題解決的な志向性を目指していくことが必要となる。

いたずらに妄想を訂正するための説得や薬物療法を行うことは，患者にとって新たな脅威となる危険がある。

また，身近な対人関係でのテーマが妄想の主題になることが多いことから，妄想の対象

* **アウトリーチ支援**：支援者が当事者の生活の場に出向いて必要なサービスを提供したり，ほかのサービス，社会資源利用の橋渡しをすること。

に医療者が巻き込まれることも，まれではない。節度ある対応をふだんから心がけることはもとより，妄想の対象になってしまった場合は，1人で解決を図ろうとして抱え込まずに，同僚や上司・先輩に相談し，グループで治療・看護に当たることが肝要である。

3 緊張病

緊張病（catatonia）の症状については，第2章–I–2–5–3「緊張病症候群」で述べた。興奮・昏迷を基本として，①カタレプシー，②反響言語，反響動作，③常同症，④拒絶症，⑤無言・緘黙など，特徴的な症状を示す症候群である。統合失調症のみならず，うつ病，双極性障害，脳炎などによる器質性精神病などが原因となることもあるため，状態像のみで治療方法を決定することは危険である。

生命維持のための基本的な生活活動ができなくなるため，脱水や低栄養，身辺の不潔，褥瘡，誤嚥，失禁，廃用性の筋萎縮や関節拘縮などを合併しやすく，身体看護的なアセスメントやケアが必要となることが多い。

治療としては，補液や経管栄養などの全身管理，電気けいれん療法などが必要になることもある。

C 双極性障害および関連障害群

❶疾患概念／定義

(1) 双極性障害

▶ **疾患概念** 以前は躁うつ病と呼称した**双極性障害**はⅠ型とⅡ型に大別される。基本的に，躁病をきたした患者の8割以上が人生のいずれかの時期においてうつ病にも罹患するため，双極性障害とよばれる。躁病とうつ病のエピソード（状態像）をきたすものを**双極Ⅰ型障害**，軽躁病とうつ病のエピソードをきたすものを**双極Ⅱ型障害**とよぶ。躁病と軽躁病の違いを表3-3に示した。

▶ **症状** ICD–10によれば，双極性障害（双極性感情障害，躁うつ病）は，患者の気分と活動水準が著しく乱されるエピソードが繰り返されることが特徴とされている。単なる気分の浮き沈みではなく，活動性の変化を伴う点が重要である。うつ病のときは気分が落ち込み，活動性は低下し，一方，躁病（軽躁病）のときは気分が高揚し，活動性は増加する。

躁病の時期は平均して4か月程度続くことが多く，うつ病の時期は6か月程度続くこと

表3-3 躁病と軽躁病の異なる点

	躁病	軽躁病
高揚気分	1週間以上続く	4日以内に治まる
精神病症状（誇大妄想など）	認めることも多い	なし
社会機能の障害	重度	軽度
入院の必要性	あり	なし

図3-6 双極性障害の対象理解（双極性障害とともに生きる）

が多いが，個人差も大きい。特に双極性障害Ⅱ型の患者および高齢者は，うつ病の時期が長引きやすい。

患者は人生において躁病とうつ病のエピソードを何度か繰り返すが，それぞれのエピソードの間は症状がまったくなくなり，通常の社会生活を営むことが可能となる（図3-6）。この点が統合失調症と大きく異なる点である。ただし，エピソードを繰り返すごとに，次のエピソードまでの期間が短くなり，再発しやすくなる傾向がある。躁病とうつ病を交互に繰り返すこともあれば，うつ病エピソードを何回か起こした後に躁病となることもある。一般的に，最初はうつ病で発症することが多く，単極性のうつ病との鑑別を難しくしている。

躁病，うつ病共に生活上の強いストレス（親しい家族の死など）に引き続いて起こることがしばしばあるが，ストレスがなく突然発症することも多く，これが何らかの生物学的病態基盤が想定されている内因性の病気とよばれているゆえんである。

(2) 持続性気分障害

双極性障害とよぶほどの躁病・軽躁病・うつ病エピソードは起こさないが，長年にわたって気分の上がり下がりを繰り返すものを**持続性気分障害**とよぶ。

(3) 精神作用物質や医薬品によって引き起こされる双極性障害

特定の物質を摂取することにより，躁病エピソード・うつ病エピソードが引き起こされることがある。特に身体疾患の治療に必要なステロイドや，アルコールによるものをよく経験する。ほかにもコカインや，覚醒剤に含まれるアンフェタミンによっても引き起こされる。

❷病因

確実な病因というものは発見されておらず，個人の遺伝的体質や養育環境，生活上のストレスや身体の状態などが複雑に組み合わさって発症すると考えられている。躁うつ病にかかりやすい性格というものが指摘されたこともあったが，現在では否定的である。

両親のどちらかが双極性障害である場合は子どもも双極性障害を発症しやすく，両親のどちらも双極性障害である場合，より発症のリスクは高くなる。

身体の状態として，双極性障害は甲状腺の病気との関連が深い。また女性の場合，特に出産後に双極性障害を発症するリスクが高くなる。

❸症状

躁病時の症状として，次のようなものを認める。

- 気分の高揚が少なくとも1週間以上続く
- 自尊心の肥大：自分がとても偉くなって何でもできるような気になる
- 睡眠欲求の減少：短時間の睡眠で満足するようになる
- 多弁：絶え間なく話して疲れない
- 行為心迫：絶えず動き回り，何かをしようとするが行動がまとまらない
- 観念奔逸：考えが次々に湧き起こって最初の目標からずれていき，結局何を言いたいのかわからなくなる
- 注意散漫および転導性の亢進：関心が次々と変わる
- 目標をもった活動の増加
- 焦燥感
- 後でまずいことになる快楽的活動への熱中：過度の飲酒や性的逸脱行動，過度の浪費

躁状態が重度になると，自分は特別な人間であるという誇大妄想や，本当は高貴な生まれであるという血統妄想，神や天使の声が聞こえたり姿が見えたりする（幻聴，幻視）などの精神病症状も出現する。特に躁病エピソードのときは社会的逸脱行動を起こしやすく，本人や家族の生活に多大な支障をきたすことになる。

うつ病時の症状は，単極性うつ病（本節-D-1「うつ病／大うつ病性障害」参照）と，おおむね同じである。異なる点としては，双極性障害（双極性うつ病）の場合，Ⅰ型では精神運動性の焦燥や制止，心気妄想（重大な病気にかかっている）や貧困妄想（とにかくお金がなくてどうしようもない），罪業妄想（自分は罪人である，自分がいるとまわりの人に迷惑がかかる）などの精神病性の症状を起こしやすい。Ⅱ型では不機嫌さ，気分の浮き沈み，過眠，体重増加などの症状をきたしやすい。

また，混合状態という病状を呈することがある。これは躁病症状とうつ病症状が両方同時に存在するか，急速に交代するもので，患者の不安や混乱は強く，自殺のハイリスク状

表3-4 躁病とうつ病の症状の比較

躁病	うつ病
• 高揚した気分が続く	• 憂うつな気分が続く
• 後先を考えずに手を出す	• 何をやっても楽しくない，興味がもてない
• 活動的で疲れにくい	• 疲れやすい
• 眠らなくて平気	• 眠れなくてつらい
• 注意散漫で集中できない	• 頭が回転しなくて集中できない
• 考えが出過ぎてまとまらない	• 考えが出てこない
• よく話し，止まらない	• 口数が少なく，促しても話さない
• 自分は何でもできると考える	• 自分は何もできないと考える
	• 食欲がない，味がしない
	• 希死念慮

態であるため注意を要する（表3-4）。

❹罹患率／好発年齢

双極性障害の生涯有病率は0.6～2％前後と考えられており，男性と女性に等しくみられる。これは，単極性うつ病が女性において男性の2倍多いことと対照的である。ただし，単極性うつ病と間違われやすいため，実際の有病率は2％より高い可能性がある。

好発年齢は単極性うつ病よりも若く，患者の半数が20～50歳に発症する（平均発症年齢は30歳前後）。ただし最近では，老年期になって初めて発症する双極性障害の報告も増えている。また，パニック障害などの不安障害やアルコールの乱用・依存を合併しやすい。

❺検査／診断

検査のみで双極性障害と診断できるものはなく，病歴の聴取と症状の観察が診断に重要となる。うつ病エピソードと躁病あるいは軽躁病エピソードを，それぞれ1回以上経験したことがあれば，双極性障害と診断できる。ただし患者は，うつ病エピソードの苦悩については自分から訴えるものの，躁病，特に軽躁病のエピソードについてはむしろ「あの頃は楽しかった，充実していた，人生が輝いていた」などと表現し，病気の自覚がないことも多い。その場合，家族などから話を聞き，そこで初めて躁病・軽躁病エピソードの既往が判明することがある。

加えて，うつ病症状での初発が多いため単極性うつ病との鑑別が難しく，診断確定まで10年近く要することも珍しくない。また，情緒不安定性パーソナリティ障害と診断され，治療が後手に回ってしまうこともある。そのため，早期に双極性障害と診断できる検査法の開発が待望される。

❻治療

▶ **薬物療法**　軽症の場合は環境調整や精神療法で経過をみることもあるが，中等症以上の場合，薬物療法はほぼ必須である。ただし，うつ病エピソードであっても，双極性障害の患者は躁転のリスクがあるため抗うつ薬は使わない。そもそも双極性うつ病には抗うつ薬が無効であることが多い。

炭酸リチウム，バルプロ酸ナトリウムといった気分安定薬が主剤となることが多い。うつ病エピソード，躁病エピソード，再発予防のいずれにも効果を発揮するが，高用量で中毒症状をきたすため，定期的な採血により薬物の血中濃度を測ることが必須である。特に炭酸リチウムは，NSAIDs（nonsteroidal anti–inflammatory drugs，非ステロイド性抗炎症薬）との併用や脱水，腎機能低下により容易に血中濃度が上昇するため，注意を要する。カルバマゼピンも気分安定薬だが，薬疹や血球減少などの重篤な有害作用を起こしやすい点や，ほかの薬剤との相互作用が複雑な点などから積極的には用いにくい。

炭酸リチウム，バルプロ酸ナトリウム，カルバマゼピンはいずれも胎児への悪影響があることが報告されており，女性患者の場合は妊娠についてよく話し合う必要がある。妊娠の希望はあるのか，いつ頃妊娠の予定か，また妊娠中の治療をどうするのかなどを，あらかじめ話し合っておくことが大切である。炭酸リチウムは母乳中に移行しやすく，授乳の方法についても話し合っておく。

比較的新しい気分安定薬としてラモトリギンが再発予防に効果的であるが，重症薬疹の発現には十分注意する。また最近では，非定型抗精神病薬の有用性も実証されている。日本では，オランザピンが躁状態とうつ状態の両方に，アリピプラゾールが躁状態に，クエチアピン徐放錠とルラシドン塩酸塩錠がうつ状態に，それぞれ保険適応となっている。現在のところ，非定型抗精神病薬のほうが胎児への悪影響は少ないようである。効果発現も早く，重篤な副作用も少ないため今後の薬物療法の主流となっていくかもしれない。ただし再発予防効果は，気分安定薬のほうが，優れているのではないかという意見もある。周産期の向精神薬の使い方については，国立成育医療研究センターが主体となって，いくつかの病院に妊娠と薬外来が設けられており，相談を受けている。

▶ **精神療法，生活指導**　薬物療法以外の治療として，生活指導や認知行動療法を含めた精神療法も大変重要である。双極性障害の患者の特徴として，何かに熱中して生活リズムが不規則になりやすいことや，目標や課題を達成するまで休憩を挟まずにがんばってやり遂げてしまうなどの傾向を認める（たとえば行動パターンや性格傾向）。不規則な生活習慣は再発リスクを増大させるため，就寝時間と起床時間をなるべく一定に保つよう勧めること，活動は目標達成までの「量」で区切るのではなく，「時間」で区切るように説明することなどが大切である。

また，飲酒習慣のある患者には断酒を勧めることが重要である。アルコールはそれだけで気分を不安定にして再発リスクを高めるだけでなく，突発的な自殺のリスクも増大させる。

❼予後／転帰

患者の人生では躁病の期間よりも，うつ病の期間のほうが長く，特にⅡ型においてその傾向が顕著である（図3-7）。社会的な予後は単極性うつ病の患者より不良である。自殺のリスクも高い。予後不良を予測させるものとして，①発症年齢が若い，②男性，③病前の

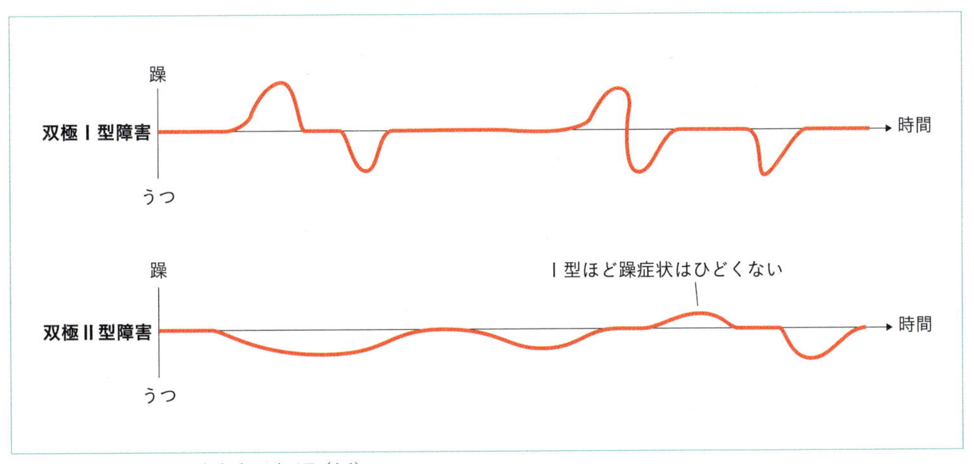

図3-7　双極Ⅰ型，Ⅱ型障害の経過（例）

社会適応の悪さ，④アルコールなどの物質依存，⑤精神病性の特徴を伴う，⑥エピソード間でうつ病の症状が完全に消えない，がある。

基本的に周期性の疾患であり，90％が再発し，40％が10回以上のエピソードを経験する。1年に4回以上のエピソードを経験する場合は**急速交代型**に分類される。再発を繰り返すことで失業や離婚などにより社会的に孤立を深めてしまうことも多い。そのため自殺のリスクも高く，長期的な治療および支援が欠かせない疾患である。

D 抑うつ障害群

1 うつ病／大うつ病性障害

❶疾患概念／定義

WHOは次のように定義している。**うつ病**はありふれた精神障害であり，抑うつ気分，興味や喜びの低下，エネルギーの低下，罪悪感や自尊心の低下，睡眠と食欲の障害，集中力の低下が生じる。さらに，しばしば不安の症状を伴い，慢性化して再発を繰り返し，機能の障害が生じて日々の責任ある行動ができなくなり，最悪の状態では自殺に至ることもある。また，プライマリケアの場で，診断治療できる疾患とも位置づけている。

DSM–5では精神疾患のいくつかの分類変更がなされ，それまで大うつ病性障害と双極性障害を一括してまとめていた内容が，双極性障害とその関連する障害，抑うつ障害群の2つの独立した概念に分けられた。つまり，従来の双極うつ病は**双極性障害**として扱われることとなり，単極（性）うつ病が**抑うつ障害群**のカテゴリーに含められることとなった。

抑うつ障害群はうつ病／大うつ病性障害以外にも，いくつかのうつ病に関連する疾患を含んでいるが，本書では代表的なうつ病／大うつ病性障害に絞って述べていくことにする。なお，「気分障害」という表記については，DSM–5以前に分類されているうつ病を示すものであり，狭義のうつ病／大うつ病性障害ではなくICD–10による分類を用いている。

❷疫学

WHOによる統計では，世界人口におけるうつ病の有病率は4.4％，アメリカでは5％，日本では4.2％とされている。うつ病の増加は世界的な傾向となっており，その疾病負荷*（Global Burden of Disease；GBD）が高いことによる社会経済的損失が注目されている[12]。男性より女性の有病率が高い点は世界共通であり，中高年で高い傾向にある。

厚生労働省の調査でも日本において気分障害の受療率増加が確認されており，うつ病性障害（DSM–IV）は5.7％，すべてのうつ病エピソード（ICD–10）は5.0％とされている[13]。うつ病の有病率は診断基準の変更や社会環境の影響を受けるため，調査時期により数値が

＊ **疾病負荷**：個々の病気が社会や経済に及ぼす損害の指標であり，死亡率や受療率，医療費，障害の重症度，QOLへの影響などから算出される。

変動する。

❸病因

気分障害については，脳内のカテコールアミンやインドールアミンの異常が関与するとされる脳内モノアミン仮説に基づき，それらの神経系との関連で検討した報告が集積されている。

ノルアドレナリン系については，うつ病患者ではノルアドレナリンやその代謝産物の濃度の異常や起立負荷などによるノルアドレナリン濃度の変化についての異常が報告されている。

セロトニン系の異常については，血漿(けっしょう)トリプトファン濃度の低下，脳脊髄中5–HIAA（セロトニン主要代謝産物）濃度の低下，血小板のセロトニン取り込みの減少，血小板イミプラミン結合の減少，血小板5–HT（セロトニン）2A受容体機能の亢進などがうつ病患者で報告されている。

神経内分泌系においては，視床下部－下垂体－副腎皮質系，視床下部－下垂体－甲状腺系，視床下部－下垂体－性腺系，視床下部－下垂体－成長ホルモン系での異常が報告されている[14]。

❹症状／状態

▶ **一般的な臨床症状**　病的な気分の低下が抑うつ障害群の中心的な症状であって，健康な人が通常経験する不幸，特に悲嘆を含む喪失による正常な悲しみとは区別される。気分の低下は，正常気分のバリエーションから重篤な気分障害まで一連のスペクトラム（連続体）とみなすことができる。

抑うつ障害群では，気分の低下は持続性であり，しばしば不安，喜びの喪失（アンヘドニア），活力の喪失，全身衰弱，睡眠障害といった症状を伴う。気分の低下が進むと，仕事や子育てなどの日常の活動機能において，症状がより強くなる。患者が笑ったり，悲惨さを否定することで，気分の低下はわからないかもしれない。気分障害を診断するうえでは，特にアンヘドニア，睡眠障害，日中の気分のバリエーション，将来に対する悲観的予測といった，次に示す症状全体の度合いを注意深く調べる必要がある[15]。DSM–5では，抑うつエピソードは軽症，中等症，重症といったサブタイプの臨床特徴により区別されている。

▶ **軽症うつ病エピソードとその障害群**　プライマリケアにおいて，軽症うつ病性障害の最も頻度の高い表現は，不安と抑うつの混合である。この時期は抑うつ障害の診断基準を満たすほどの症状の重さがない障害群も含まれるが，患者にとっては障害が生じているかもしれない。一般医療ではこのような状態がよくある。別の視点では，一般医療でみられる精神疾患の約2/3は小うつ病性障害と診断されている。最も頻度の高い症状を次に示す。

- 不安と心配する考え
- 悲しみと抑うつ思考
- 落ち着かなさ

- 集中力の低下
- 不眠
- 倦怠感
- 身体化症状，腹部不快感，消化不良，鼓腸，食欲不振，動悸，胸部不快感，心臓病の懸念，頭痛，頸部・背部・肩部の痛み
- 身体機能への過剰な集中

▶ **中等症うつ病性障害**　中等度の症状では，中心症状は同様で，気分の低下，喜びの欠如，エネルギー低下と悲観的思考である。しかし，機能障害はより重大であり，たとえば患者は働くことが困難であると気づくかもしれない。

外見は，しばしば特徴的で，精神運動抑制は精神活動と行動が遅くなっていることで現れる。焦燥感や落ち着きのなさは，その行動からリラックスすることができていないことを示している。焦燥感が顕著な場合，患者は長い時間座っていられず，立ち上がったり座ったりする。

▶ **重症うつ病性障害**　抑うつ性障害がさらに重度となると，中等症うつ病性障害で記された特徴すべてが高頻度で出現する。幻覚や妄想といった中等症ではみられない付加症状（精神病症状：これらは精神病性うつ病とよばれる疾患である）も現れるかもしれない。

重症うつ病性障害の**妄想**は，無価値観，罪業，健康悪化，さらにまれだが貧困である。これらの内容がうつ病性障害において妄想として生じると，それらは気分に一致しているとみなされる。気分に一致しない妄想もまた生じ得るが，その際は疾病経過がより統合失調症に似る。

自殺念慮は重症うつ病性障害患者すべてに注意深く問診される。これが生じており，子どもを含めた家族に注意が向けられていた場合，時として殺人を犯すという考えに至ったりする。この可能性は出産後のうつ病性障害のアセスメントで考慮される。

中等度ないし重度のうつ病性障害のバリエーションとして次があげられる。

- **激越うつ病**：焦燥感がとりわけ重度のものである。激越うつ病は高齢患者で生じることがよくある。
- **抑制型うつ病**：精神運動抑制が目立つ状態のものである。
- **うつ病性昏迷**：時に重症うつ病性障害で抑制が顕著となり，患者は動きがなくなり無言となって，飲食を拒否する。回復後は昏迷時の出来事を想起することが可能である。
- **非定型うつ病**：逆説的な生物学的症状で特徴づけられる。すなわち，睡眠時間の増大，食欲増大，重度の不安と対人関係の過敏さである。

❺治療／支援

WHOでは，その治療オプションとして，基本的心理社会的支援，抗うつ薬の投与，認知行動療法・対人関係療法・問題解決療法などの精神療法の組み合わせをあげている。そのなかでも抗うつ薬と認知行動療法，対人関係療法などの短期構造化精神療法が効果的としている。抗うつ薬は中等度か重度のうつ病の場合には効果が高いが，軽症や閾値下うつ

病（診断基準を満たさない場合）には治療の第1選択にはならないとしている[16]。

▶ **入院治療の条件**　軽症うつ病性障害は外来で治療されることが多いが，中等症以上では入院治療が選択されることも多い。入院治療を考慮すべき条件は①自殺企図・切迫した自殺念慮のある場合，②療養・休息に適さない家庭環境，③病状の急速な進行が想定される場合である[17]。身体的衰弱や身体合併症がある場合，幻覚妄想などの精神病症状を伴うような重度の場合，治療反応性が悪い場合も含まれる。

▶ **治療導入時の心理教育的配慮**　重症度によらないうつ病全般において，治療導入時の心理教育的配慮として次の事項を患者本人と家族に説明する[18]。

❶「うつ病」という診断を伝え，起きている状態は「うつ病」によって引き起こされたものであり，「自分はなまけている。駄目だ」と自分自身を責める必要はないことを伝える。

❷「うつ病とは何か」を伝える。患者自身が納得しやすいうつ病の疾病モデルを提示して，治療への共通理解につなげる。その一例として「環境」と「脳」との関係を示しながら，うつ病患者の「否定的なものの見方」をキーポイントにおき，「悪循環」が生じていることを説明する（図3-8）。

❸「うつ病の治療はどのように行うか」を伝える。まず，「悪循環を形成している要素を，1つずつ消していくことで，悪循環を断ち切ることが治療である」と伝える。すなわち「脳の機能変化」を改善することを第1目標にして，「脳（心）の休息と薬物療法」と「睡眠の確保」が重要という点を説明する。「脳（心）の休息」を得るために，「周囲に相談してサポートを得ることで，いったん，ストレスになる出来事から離れる」ことを伝える。さらに，「自分のとらえ方を考え直す」という，否定的認知の修正・緩和

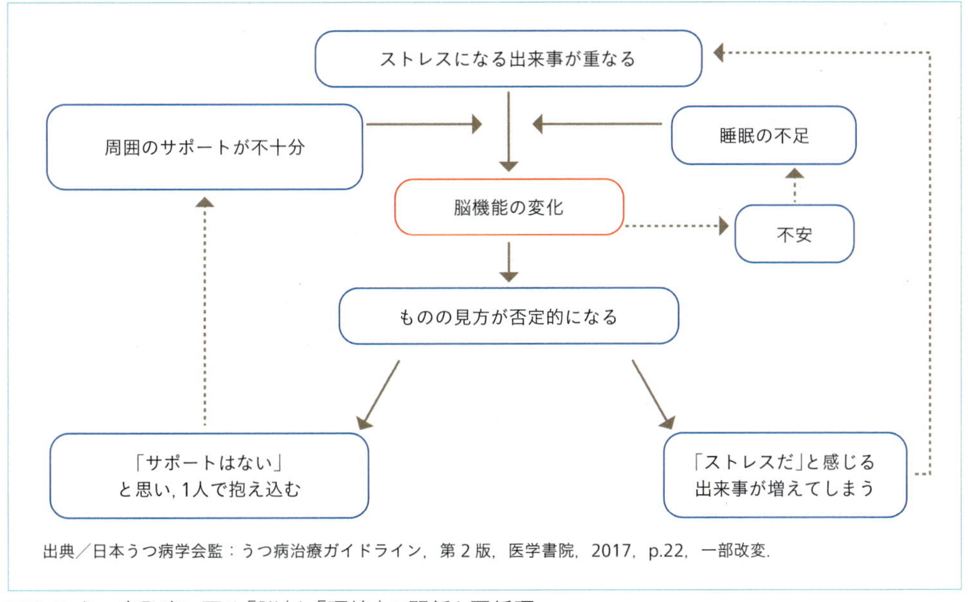

出典／日本うつ病学会監：うつ病治療ガイドライン，第2版，医学書院，2017，p.22，一部改変．

図3-8 うつ病発症に至る「脳」と「環境」の関係と悪循環

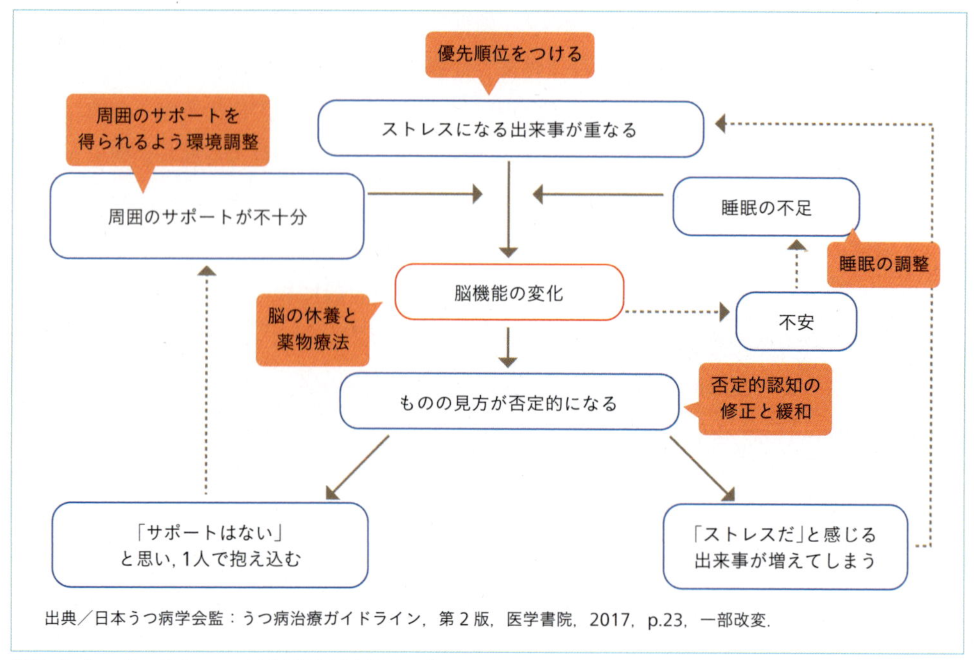

図3-9 うつ病で生じている悪循環を遮断するための介入

（例：認知行動療法などの導入）を図る（図3-9）。

▶ **軽症うつ病の治療**　全例に行うべき基礎的介入として，患者背景，病態の理解に努め，支持的精神療法と心理教育を行う。基礎的介入に加えて，必要に応じて選択される推奨治療として，新規抗うつ薬（SSRIなど）と認知行動療法があげられている。

▶ **中等症・重症うつ病（精神病性の特徴を伴わないもの）の治療**　新規抗うつ薬，三環系抗うつ薬ないしは三環系以外の抗うつ薬，修正型電気けいれん療法が推奨されている。必要に応じて，抗不安薬の一時的使用，炭酸リチウムや抗甲状腺薬の併用，気分安定薬や非定型抗精神病薬による抗うつ薬増強療法を追加する。認知療法・認知行動療法・対人関係療法・力動的精神療法・問題解決技法といった体系化された治療エビデンスのある精神療法も継続療法や維持療法で用いられる。

▶ **精神病性うつ病の治療**　抗うつ薬と抗精神病薬の併用，修正型電気けいれん療法が推奨治療としてあげられる。

▶ **神経刺激療法**　アメリカとカナダでは成人のうつ病治療として**反復性経頭蓋磁気刺激療法**（repetitive transcranial magnetic stimulation；rTMS）が行われており，日本でも2019（令和元）年に保険適用が認められた（図3-10）。

▶ **リハビリテーション**　うつ病患者では抑うつ症状が寛解（かんかい）した状態においても，注意・遂行機能の低下など，一定の認知機能障害が残存し得ることが報告されている。したがって，集中困難・うっかりミス・忘れやすさなどがみられやすい。また，急速に家事・育児・学業・労働などの負荷をかけた場合，うつ病症状再燃の可能性が高まるといわれている。

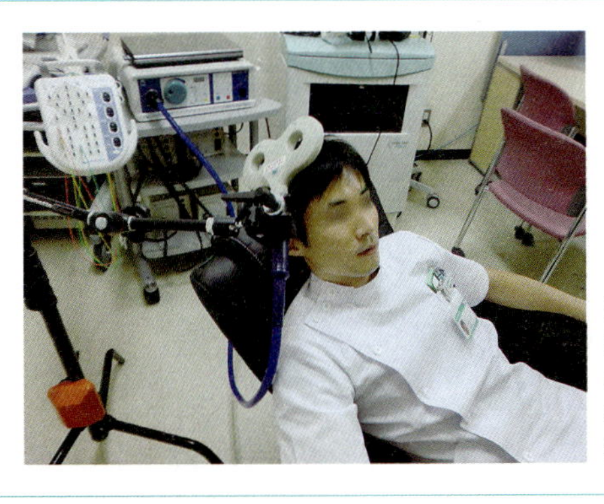

反復性経頭蓋磁気刺激療法専用機器「ニューロスター」（アメリカのニューロティクス社製）

図3-10 反復性経頭蓋磁気刺激療法（rTMS）

職場において，気分障害をはじめとする精神疾患による抑うつ状態のために休職する労働者が増加し，またその復職後に再休職が多くみられることは社会問題となっている。抑うつ状態のために休職となった者に対する復職と再休職の予防を目的とする訓練は**リワークプログラム**とよばれている。このリワークプログラムはうつ病性障害に限った治療ではないが，再発性のうつ病性障害にも有効と考えられている。

❻経過

うつ病の経過は様々である。寛解状態（症状がないか，または中等度以下の症状が2つまでの状態が2か月以上続いている）がほとんどない人もいれば，個々のエピソードの間に，ほとんどもしくはまったく症状のない時期が何年も続く人もいる。抑うつ症状が慢性化している場合は，パーソナリティ障害，不安症，物質使用障害が併存している可能性が高く，治療によって症状が完全に消失する可能性は低くなる。

典型的には，うつ病をもつ人の5人に2人は発症後3か月以内に回復し始め，5人に4人が1年以内に回復し始める。発症が最近であることが短期間で回復する可能性を強く規定しており，ほんの数か月だけ抑うつ状態にあったという多くの人では自然に回復できることが期待できる。

▶ **再発**　再発の危険は寛解の期間が長くなるに従って減少していく。前回のエピソードが重度であった人，若年者，すでに複数回のエピソードを経験している人では，再発の危険がより高い。寛解時にたとえ軽い抑うつ症状でも持続していた場合には，再発の強い予測因子となる。

▶ **双極性障害**　多くの双極性障害が1つまたはそれ以上の抑うつエピソードから始まるため，当初はうつ病と見えた人の一定数が，後に双極性障害であったとわかる。これは思春期に初発したり，精神病性の特徴を伴っていたり，双極性障害の家族歴を有している人で可能性が高くなる。「混合性の特徴を伴う」という軽躁病症状が抑うつエピソードに現れる場合，将来の躁病または軽躁病診断の可能性を増加させる。うつ病（特に精神病性の特徴を伴う場合）は，統合失調症に移行することもある。それは逆の場合より，はるかに頻度が高い。

❼危険要因／予後要因[19)]

▶ **気質要因**　単極（性）うつ病においては単一のパーソナリティのタイプとの相関はないとされているが，神経症的特質（否定感情）はうつ病を発症する危険要因として確立されている。この傾向が強いと，多くのストレスを伴う人生上の出来事に強く反応して，抑うつエピソードを生じる可能性が高いといわれている。

▶ **環境要因**　幼少時の不幸な体験，特に異なる形での複数の経験は，うつ病の強力な危険要因の一群を構成する。

▶ **遺伝要因と生理学的要因**　うつ病をもつ人の第1度近親者（本人の両親，きょうだい，子ども）のうつ病の危険率は，一般人口の2～4倍である。遺伝率はおよそ40％であり，この遺伝的罹病(りびょう)性のかなりの部分を神経症的特質というパーソナリティ特性によって説明できる。

▶ **経過の修飾要因**　基本的に気分障害以外のすべての主な疾患は，うつ病になる危険を増加させる。ほかの疾患を背景として発症した抑うつエピソードは，しばしばより難治性の経過をたどる。物質使用，不安，そして境界性パーソナリティ障害群は，それらのうち最も広くみられるが，抑うつ症状が存在すると，それらの疾患がわかりにくくなり，発見が遅れるかもしれない。しかし，抑うつ症状の継続的な臨床的改善のためには，背景にある疾患の適切な治療が必要である。慢性的または重度の身体的疾患もまた，抑うつエピソードの危険を増加させる。糖尿病や病的肥満，そして心血管疾患のような一般的疾患は，しばしば抑うつエピソードを合併しているが，それらの抑うつエピソードは，身体的に健康な人の抑うつエピソードに比べ慢性化しやすい。

E 不安症群／不安障害群

❶疾患概念／定義

不安を感じることは，脅威や精神的ストレスに対する正常な反応であり，これはヒトが生きていくために必要不可欠な機能の一つである。しかし，この不安が行き過ぎてしまうと，過剰に予防・対処しようとしてしまい，様々な生活上の支障をきたす。**不安症***とは，このような生活障害を及ぼすほどの行き過ぎた不安が病像の中心をなしている疾患である。不安症は，不安や恐怖の対象・状況・性質などによって分類されるが，各不安症の概念・定義について，DSM-5とICD-11で大きな違いはない（表3-5）。

ここでは「社交不安症／社交不安障害（社交恐怖）」「パニック症／パニック障害」「全般不安症／全般性不安障害」を中心に述べる。

❷病因

不安症を含む精神疾患の発症メカニズムや根本的な病因は，その多くが解明されていない。現在のところストレス－脆弱(ぜいじゃく)性－対処技能モデルに基づき「病因は1つではなく，病

＊ **不安症**：DSM-Ⅲ／Ⅳおよび ICD-10での日本語表記は「不安障害」となっていたが，DSM-5および ICD-11（仮訳）から「不安症」が用いられている。

表3-5 DSM–5およびICD–11における不安症／不安障害の分類

DSM–5	ICD–11
不安症群／不安障害群 • 分離不安症／分離不安障害 • 選択性緘黙 • 限局性恐怖症 • 社交不安症／社交不安障害（社交恐怖） • パニック症／パニック障害 • 広場恐怖症 • 全般不安症／全般性不安障害	不安または恐怖関連症群 • 全般不安症 • パニック症 • 広場恐怖症 • 限局性恐怖症 • 社交不安症 • 分離不安症 • 場面緘黙

注）その他特定不能の不安症／不安障害／不安または恐怖関連症，他の医学的疾患による不安症／不安障害，物質・医薬品誘発性不安症／不安障害の項は省略。
ICD–11（英語版）は2019年5月のWHO総会にて承認されたが，日本語版は未発表のため，ここでは仮訳を掲載している。

気になりやすいかどうかの脆弱性と，発症の引き金となるストレスといった複数の要因が複雑にからみ合うことで発症する」と考えることが一般的である。

生物学的な要因としては，不安症に共通して，抗うつ薬を中心としたセロトニン系の薬物が有効であることから，神経伝達物質であるセロトニンの調整障害が1つの病因仮説となっている。このほかに，遺伝的要因や心理・社会的要因（幼少期の成育歴や行動特性など）も，不安症の発症にかかわる要因（リスク因子）になることが報告されている。しかし前述のとおり，これら特定の病因については，いずれも一致した知見が得られていない。

❸症状

▶ **社交不安症／社交不安障害（社交恐怖）** **社交不安症**は，人との交流状況（社交状況）において，他者から否定的な評価を受けることに対し，顕著な不安・恐怖を抱くことが特徴である。苦手とする状況は様々で，人前でのスピーチ，会食や飲み会への参加，隣人との雑談，人前での食事や署名などがある。

多くの場合，苦手とする社交状況に直面した際に，動悸，震（ふる）え，発汗，赤面などの身体症状が出現する。また，社交状況に直面していないときでも「明日の飲み会で独りぼっちにならないだろうか」といった予期不安と，「昨日の飲み会で変な人だと思われなかっただろうか」などの否定的な振り返り（反芻（はんすう））を行うことで，慢性的な不安を抱えている人が多い。

当然のことながら，だれでも就職面接など重要な社交状況において，否定的な評価を恐れ，緊張や不安を感じることがある。しかし社交不安症では，友人との雑談などの公でない，あるいは日常的な社交状況でも強い恐怖を感じてしまう。さらに，社交不安によって人との交流を避け，その結果，ひきこもりや不登校，趣味や職業選択が制限されるなどの生活障害が生じていることが大きな違いとなる（図3-11）。

▶ **パニック症／パニック障害** **パニック症***は，理由もなく突然襲ってくる強いパニック発作（不安発作）と，パニック発作の出現を恐れる予期不安が特徴となる。パニック発作では，

* **パニック症**：パニック様の症状が特定の状況（公共交通機関の利用，人混みなど）で出現し，逃げられない，助けが得られないことを恐れている場合は「広場恐怖（症）」として診断される。DSM–5では，広場恐怖とパニック症は独立した疾患となっているため，両方の診断がつく場合もある。

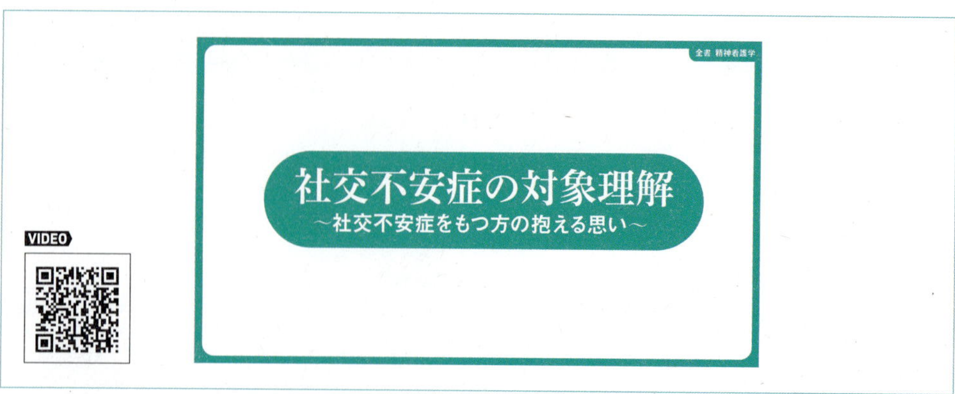

図3-11 社交不安症の対象理解（社交不安症をもつ方の抱える思い）

突然激しい恐怖または強烈な不快感の高まりが数分以内でピークに達し，その間に多彩な身体症状（動悸，発汗，震え，窒息感，胸・腹部の不快感，めまい，冷感・熱感など）を体験する。この発作は1回で終わることはなく，何度も繰り返され，そのうち「あの発作がまた起こるのではないか」「発作によって人前で取り乱してしまうのではないか」といった予期不安が患者を苦しめる。

予期不安はパニック発作を繰り返すごとに強まり，症状をさらに悪化させていく。その結果，患者はパニック発作を避けようとして，運動することや慣れない場所に行くことを避けるなど，その人本来の生活行動が制限される。また，患者がパニック発作を初めて経験したときには，発作の激しさに救急車で病院へ運ばれることも，しばしばある。しかし，パニック発作は数分間でピークに達し，病院に着く頃には治まっていることが多く，また，種々の臨床検査を行っても身体的な異常は認められない。ところが，患者がパニック症を理解していないと，救急や内科などの医療機関の受診を繰り返し，その間に適切な精神科治療が受けられないことで，症状が悪化してしまうことも少なくない。

▶ **全般不安症／全般性不安障害**　**全般不安症**は，様々な出来事や活動について持続的かつ過剰な不安と心配を抱くことが特徴である。不安・心配の対象は，仕事，経済状態，家族や他者との関係性，健康などの日常生活に関することが多いが，いずれか1つに限定されることはない。不安症状には，このような様々なことが漠然と不安になる浮動不安に加えて，過覚醒（不眠など），自律神経性の過活動（発汗，頻脈，口渇など），過度の筋緊張（筋緊張性の頭痛，首や肩の痛み，震えなど）がある。これらの症状は慢性的であり，パニック症のような強い不安発作を生じることはない。さらに不安症状により，絶えず緊張状態にあることで，慢性的な身体症状に悩み，医療機関の受診を繰り返す患者も少なくない。患者はこのような慢性的な不安・心配と身体症状を抱えることにより，勉強や仕事・家事などに集中することが困難になる。

これら不安症の病像の中心である「不安」は，一般の人でも日常的に体験する。そのため患者は，周囲から「不安を感じる」ことへの理解は得られても，その不安から生じる「苦痛」「生活障害」についてはわかってもらえず，「不安はだれでも感じることだから，とにかくがんばりなさい」などと叱咤激励(しったげきれい)され続けてきた経験をもつ人が多い。つまり医療者は「私もそのような不安を感じたことがあります」「だれだって不安に感じますよ」といった安易な共感を示すことは患者の信頼を失うことにつながるため，本人が「苦痛」と「生活障害」を抱えながら生きてきたことをねぎらい，共感を示していく姿勢が重要となる。

❹罹患率／好発年齢

アメリカの疫学調査における各精神疾患の生涯有病率（一生のうちに一度は病気にかかる人の割合）を図3-12に示す。

▶ **社交不安症／社交不安障害（社交恐怖）** 生涯有病率は約12％と不安症のなかで最も高く，また女性の有病率が高い。多くの患者は思春期早期（13歳頃）に発症し，成人期に発症することは，まれである。

▶ **パニック症／パニック障害** 生涯有病率は約5％で，また男性より女性の有病率が高い。好発年齢は15～19歳の思春期後期と35～50歳である。

▶ **全般不安症／全般性不安障害** 生涯有病率は約6％で，また，女性の有病率が高い。ほかの不安症と異なり，児童・思春期に発症することはまれで，特に女性では45歳以降に発症リスクが高まるとされる。

❺検査／診断

本人または家族への詳細な問診から得られる情報（主訴，病歴，生活歴，家族歴など）を基に，DSM-5（あるいはICD-10）の基準に従った操作的診断が行われる。

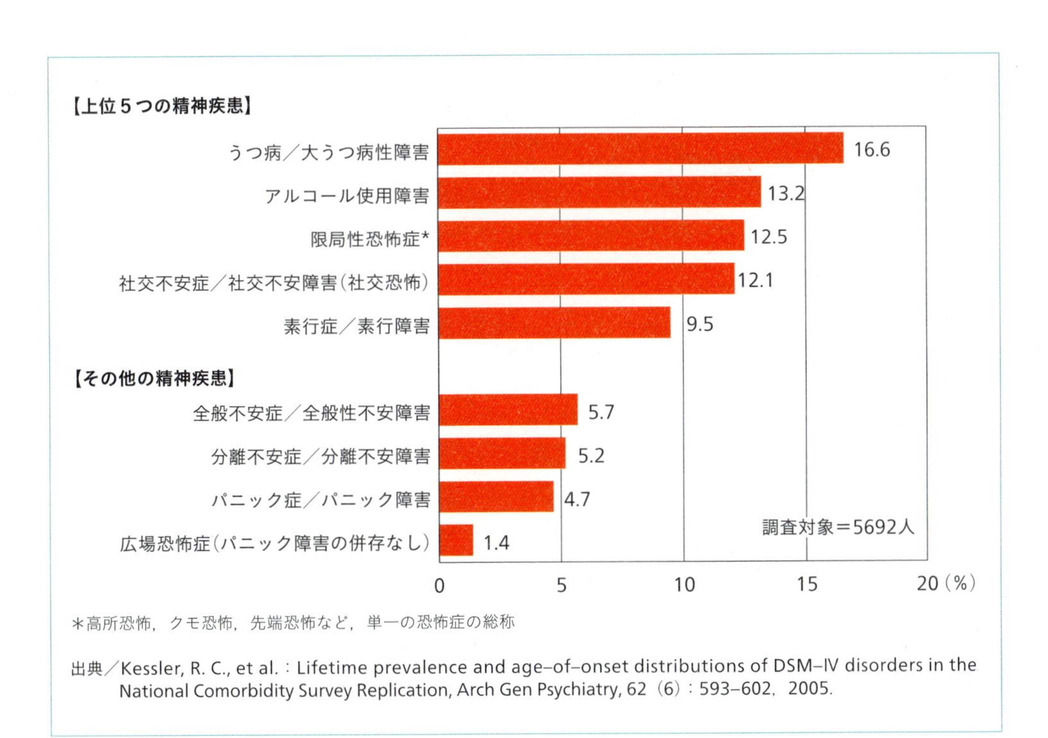

図3-12 各精神疾患の生涯有病率

▶ **社交不安症／社交不安障害（社交恐怖）**　ほかの精神疾患（嘔吐恐怖などの限局性恐怖症，パニック症，広場恐怖症，うつ病，醜形恐怖症や自閉スペクトラム症など）との鑑別が重要となる。ほかの不安症との鑑別には，恐怖の対象が「社交状況」である点に注目する。また，ほかの身体的疾患・状況（パーキンソン病，肥満，火傷や外傷による損傷など）が存在する場合でも，その恐怖や回避が明らかに無関係か過剰であるときは，社交不安症として診断される。

▶ **パニック症／パニック障害**　特徴であるパニック発作は，ほかの精神疾患（限局性恐怖症，社交不安症，心的外傷後ストレス障害など）でも生じ得る。鑑別の際は，ほかの不安症では強い不安発作が起こる状況が限定されているのに対し，パニック症では思いがけない（予期できない）状況で出現すること，つまり「強い不安発作の出現状況」に注目する。加えて，身体的・生理学的な臨床検査により，パニック発作と身体疾患（心血管障害，内分泌疾患など）の影響を鑑別することも必須である。

▶ **全般不安症／全般性不安障害**　中心病像である不安状態は，ほかの精神疾患（うつ病，統合失調症，パニック症，社交不安症など）や身体疾患にも生じ得る。全般不安症では，心配の対象が限定されず，様々なことが漠然と不安・心配になる**浮動不安**の存在が鑑別の要点となる。

❻治療

不安症に共通して，抗うつ薬または認知行動療法のいずれかを用いた治療が推奨されている。近年の研究では，不安症に対しては抗うつ薬よりも認知行動療法の効果が高く，また，治療後の再発率が低いことが報告されている。どちらの治療を用いるかは患者の好み・希望が優先されるが，イギリスでは初期治療として認知行動療法を提供することが推奨されている。しかし，日本では認知行動療法を実施できる専門家が不足していることから，抗うつ薬が用いられる場合が多いのが現状である。

▶ **抗うつ薬治療**　抗うつ薬治療は，SSRI（selective serotonin reuptake inhibitors，選択的セロ

不安症は日本に多大な経済負担をもたらしている

日本における統合失調症，うつ病，不安症の社会的コスト（疾病負荷）は次のとおりである。

- 統合失調症：2 兆 7743 億 8100 万円（うち罹病費用 1 兆 8496 億 5100 万円）
- うつ病：3 兆 900 億 5000 万円（うち罹病費用 2 兆 123 億 7200 万円）
- 不安症：2 兆 3931 億 7000 万円（うち罹病費用 2 兆 990 億 8900 万円）

特に不安症の罹病費用（疾患による就業者の生産性低下と非就業による損失）は，統合失調症とうつ病を超えている。このように，不安症は，日本の経済状況に多大な負担を与えていることから，患者の受療率を高めるとともに，有効な治療介入法を広く提供できるような体制を整備することが，社会的な重要課題となっている。

文献／学校法人慶應義塾：「精神疾患の社会的コストの推計」事業実績報告書，平成 22 年度厚生労働省障害者福祉総合推進事業補助金，2011，p.4.

トニン再取り込み阻害薬）とSNRI（serotonin–norepinephrine reuptake inhibitors，セロトニン・ノルアドレナリン再取り込み阻害薬）の有効性が示されている。通常は2～4週で初期効果，8～12週で最大効果が発現し，その間に十分な効果が認められる場合は，再発を防ぐために半年～1年は服薬を継続する。なお，日本では不安症に対して認可が下りているSNRIがないため，SSRIが用いられる。

抗うつ薬治療が奏功しない場合には，別の種類の抗うつ薬に置換する方法や，抗不安薬・抗精神病薬を追加する治療もあるが，エビデンスとしては不十分である。また，不安が重度で患者に耐えがたい苦痛を与えている場合に限り，長時間作用型のベンゾジアゼピン系抗不安薬が2～4週の短期限定で用いられることもある（物質・アルコール使用障害の前歴がある場合は禁忌）。

強く耐えがたい不安を感じる場面が限定されている場合には，抗不安薬を必要時に頓用（とんよう）として使用することもあるが，常用量依存の問題に十分注意する必要がある。動悸や息切れなどの身体症状が強い患者には，交感神経の活動を抑制するβ遮断薬が頓用として使用される場合もあるが，エビデンスは少ない。

▶ 認知行動療法　**認知行動療法**とは，対象者が抱える生活上の問題について，特に「認知（ものの受け取り方や考え方）」と「行動」に働きかけながら，困り事から抜け出す方法を探す精神療法・心理療法である。

対象者は治療的面接をとおして，問題を維持する認知や行動の悪いパターン・くせを知り，さらに考え方や行動の幅を広げ柔軟にすることで，気分や身体を楽にする，行動をコントロールしていくなど，対象者が主体となって問題解決に取り組んでいく。

不安症に対する認知行動療法は，通常約60分の治療面接を週1回の頻度で，合計10～20回実施する。形式は，1対1の個人療法，少人数（5～10人）の集団療法，近年では本やウェブプログラムによるセルフヘルプなどがある。集団療法やセルフヘルプ形式は費用対効果に優れている利点があるが，社交不安症においては，個人形式での認知行動療法が最も治療効果が高いことが知られている。

不安症に対する抗うつ薬と認知行動療法の併用効果については，十分なエビデンスが存在しない。しかし日常の臨床場面では，抗うつ薬か認知行動療法のいずれかの単独治療が奏功しない場合には，双方を併用する治療も試みられる。

❼予後／転帰

いずれの不安症も慢性的な経過をたどる。アメリカの調査では，うつ病の自然寛解率（かんかい）（治療を受けずに自然に病気が改善する人の割合）が73%であるのに対し，不安症では顕著に低かった（社交不安症37%，広場恐怖を伴うパニック症48%，全般不安症58%）。また不安症は，再発率が高いことや，医療機関の受診率（治療を求める人の割合）が低いことでも知られている。これらの理由から不安症は慢性の経過をたどりやすく，さらにその過程で二次的にうつ病，物質依存・乱用，その他の不安症が発症し，重症化する場合も少なくない。

F 強迫症および関連症群／強迫性障害および関連障害群

1 強迫症／強迫性障害

❶疾患概念／定義

「手が汚れているのではないかと気になって，繰り返し手を洗い続ける」「車の運転中に交差点で人をひいたのではないかと心配になり，何度も交差点に引き返して確認をする」などの症状のために，社会生活に支障をきたしている状態を**強迫症**あるいは**強迫性障害**とよぶ。

強迫性障害の症状には「強迫観念」と「強迫行為」がある。「手が汚れているのではないか」「交差点で人をひいたのではないか」という考えが**強迫観念**であり，「手を洗い続ける」「何度も交差点に引き返して確認をする」という行動が**強迫行為**である。

成人の強迫性障害患者の多くは，強迫観念が非現実的で不合理であると理解している。また強迫行為をしたくないと考えているにもかかわらずやってしまう（自我違和感）ため，苦痛を感じている。しかし，一部の成人患者や児童の患者は，強迫観念が非現実的であるという自覚が乏しい。

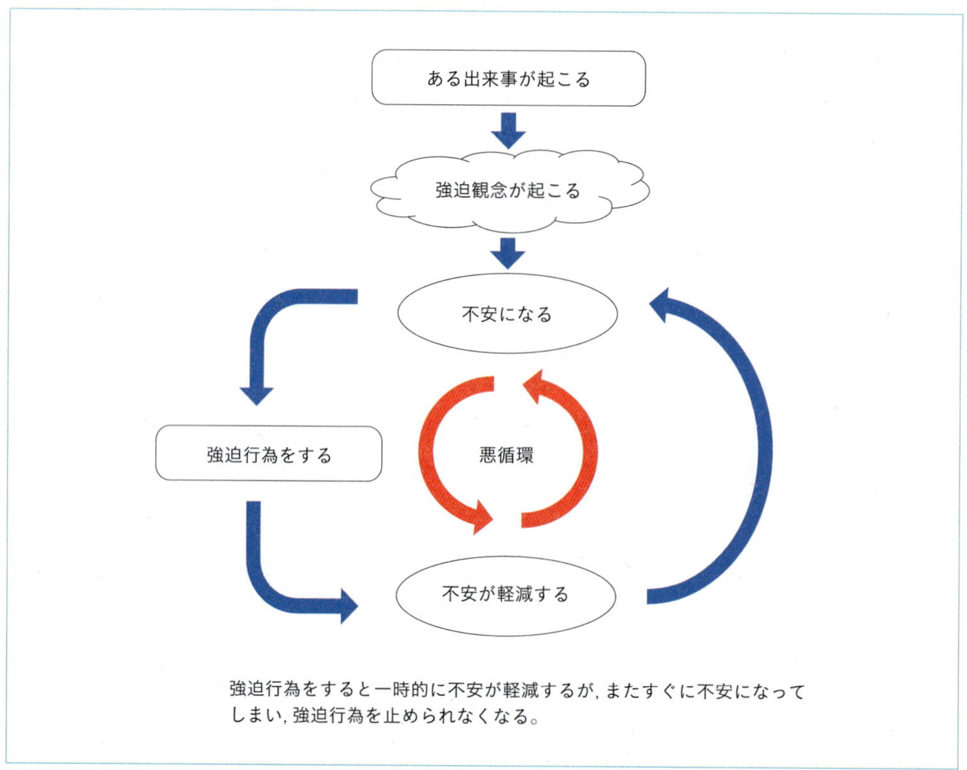

図3-13 強迫観念と強迫行為の関係

典型的な強迫性障害では，強迫観念と強迫行為は図3-13のような関係にあり，強迫観念と強迫行為が悪循環を起こしている。きっかけとなる出来事が起こると，強迫観念が頭に浮かび，不安を感じる。その不安を解消するために強迫行為を行い，一時的に不安が軽減する。しかし，時間が経ち，またきっかけとなる出来事が起こると，再び強迫観念が頭に浮かび，不安になり，強迫行為を行ってしまう。この悪循環が繰り返され徐々にエスカレートして，ささいなきっかけでも強迫症状が生じるようになり，強迫行為が長時間になる。症状が生じる状況を避ける（回避）ために，日常生活が著しく制限されることもある。

WHOの調査では，強迫性障害は生活に不自由をきたす疾患の第10位となっており，患者の社会生活を著しく障害する。

❷疫学

一生のうちで強迫性障害になる人の割合は2～3％であり，発症する平均年齢はおよそ20歳である。男性はやや早く平均19歳で発症し，女性は平均22歳で発症する。約20％の患者は10歳以前に発症している。35歳以上で発症することは珍しい。成人では男女差はみられないが，児童・思春期では男児のほうが多い。

❸合併症

うつ病の合併が約67％，社交不安障害の合併が25％にみられる。強迫性障害患者の20～30％が，強迫性障害になる前にチック障害になったことがある。また，強迫性障害と自閉症スペクトラム障害が合併していると治療が困難になるという報告がある[20]。

❹病因

強迫性障害患者では，脳の一部で血流が増えていることが画像研究からわかっており，脳の機能に障害があることが示唆されている。また，セロトニンをはじめとする脳内の神経伝達物質に異常があることがわかっている。

そのほか，遺伝的要因や感染，ホルモンの影響なども指摘されており，複数の原因が重なって強迫性障害を発症すると考えられている。

❺症状

代表的な症状として，次のようなものがある。

- **洗浄強迫**：便や尿などの排泄物や汚れなどが対象となり，それらに触れたのではないかという不安から過度に手を洗ってしまう。そのため，手の皮がむけてしまったり，汚いと感じるものに触れたくないために外出ができなくなることもある。汚れを洗い落とすために長時間の入浴が必要となり，それが苦痛で入浴しなくなることもある。
- **確認強迫**：戸締まりを忘れたために留守中に泥棒に入られるのではないか，また，火を消し忘れたために火事になってしまうのではないか，という強迫観念のために，戸締りをしたかどうか，火を消したかどうか確認しに何度も家に戻ってしまう。また，車を運転していてだれかをひいてしまっていないか不安になり，気になった場所に何度も戻って確認したり，死亡事故が起こっていないか警察に問い合わせをする場合もある。
- **そのほか**：幸運な数字と不吉な数字があるために，不吉な数字にかかわることを避けて幸運な数字にこだわってしまい，テレビのチャンネルを不吉な数字に合わせず，テレビを消すときは幸運な数字に合わせてから消したり，歩数を数えて不吉な数字で終わるのを避け，幸運な数字で終わるようにするという症状がある。また，神様や仏様など神聖なものを冒瀆（ぼうとく）するような考えを抱いていないか，発言をしていないか不安になるなど，多様な強迫症状がある。1人の患者が複数の強迫症状をもつことも多い。

❻経過

50～70％の患者は，強いストレスを感じる出来事の後に発症する。発症した後も，患者は症状を隠しながら自分で何とかしようとして生活していることが多く，発症してから精神科を受診するまでに5～10年ほど経過していることもある。発症してから治療が始まるまでの時間が長くなると，治療を受けても治りにくくなるため，早期発見・早期介入が望まれる。

❼治療

薬物療法と認知行動療法の効果が実証されている。軽症の成人患者や軽症～中等症の児童の患者には認知行動療法が優先される。

症状が重い患者に対しては，薬物療法と認知行動療法を組み合わせる。

▶ **薬物療法**　脳内の神経伝達物質であるセロトニンを増やすSSRIで治療を開始する。効

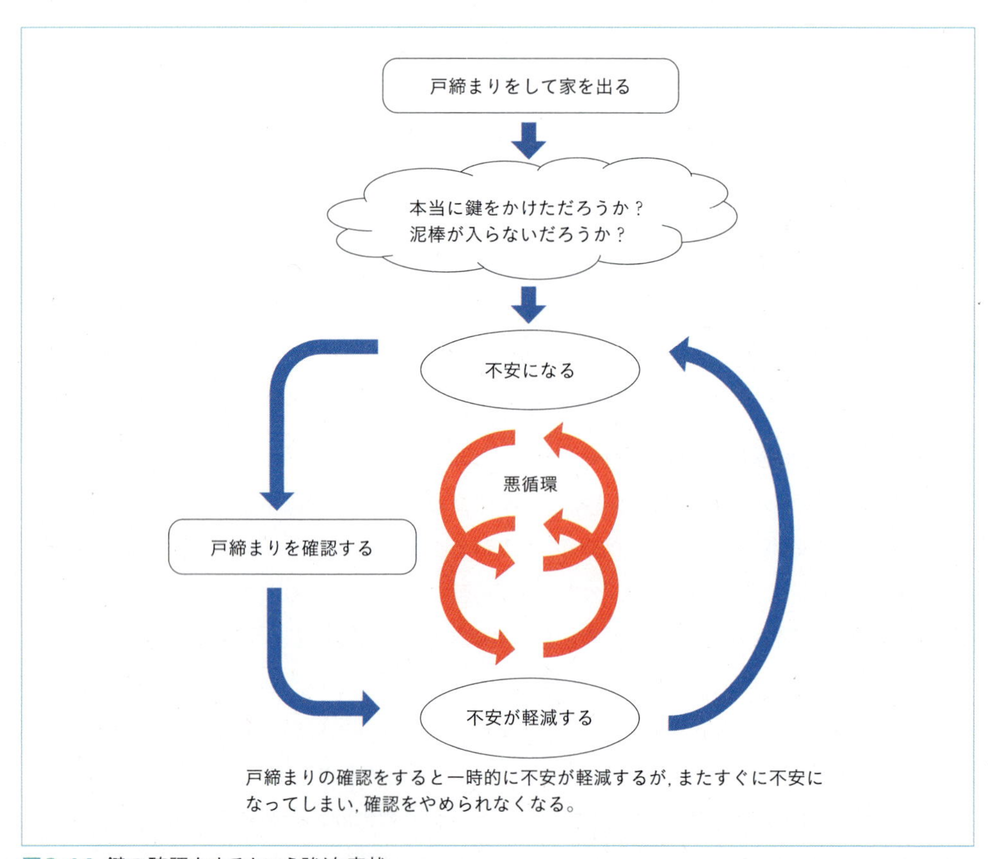

図3-14 鍵の確認をするという強迫症状

果が得られないときは，ほかの向精神薬を追加することがある。

▶ **認知行動療法**　強迫症状の悪循環を止めることが治療の目標となる。たとえば鍵の確認をするという強迫症状がある場合，戸締まりをして外出したにもかかわらず，本当に戸締まりをしたかどうか不安になり，家に戻って鍵がかかっているかどうか確認してしまう。鍵がかかっていることがわかると安心してまた出かけるが，また不安になり，家に戻って鍵の確認をしてしまう。これを繰り返してしまい，悪循環が生じる（図3-14）。重症になると，鍵の確認を繰り返すために，いつまでたっても外出ができなくなる。

このような場合，認知行動療法では，あえて強迫観念の生じる状況に自らを曝（さら）し，強迫観念による不安を解消するための強迫行為をしないようにする，**曝露（ばくろ）反応妨害法**という技法が用いられる（図3-15）。鍵の確認の場合には，家を出てから戸締まりをしたかどうか気になっても，家に戻って確認することをやめ，そのまま外出するようにする。すると，最初は，戸締まりを忘れたのではないか，泥棒が入るのではないか，という強迫観念のために不安が高まるが，徐々に戸締まりのことを忘れ，不安が軽減し，恐れていた結果が起こらないことを体験できる。

これを繰り返すと，強迫行為をしなくても不安にならなくなり，強迫観念が起こる頻度

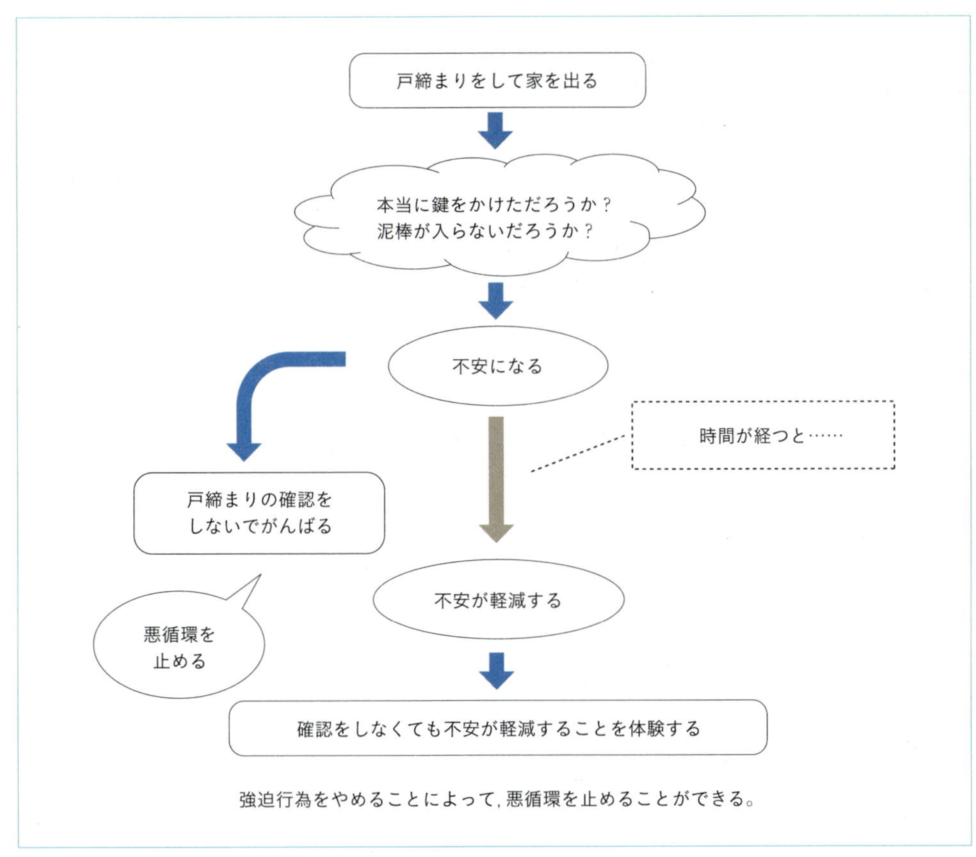

図3-15　鍵の確認をするという強迫症状に対する曝露反応妨害法

が減っていく。その結果，強迫症状に左右されない生活を送れるようになっていく。ただし，先に述べた悪循環の図式が当てはまるかどうかを患者と共に同定し，それに基づいて技法を適用することが重要である。

2 ためこみ症

ためこみ症とは，新聞紙，古い洋服，バッグ，本，紙類など，本来であればゴミとして捨てる物を捨てることができず，部屋にためこみ，生活スペースがなくなり，日常生活に支障をきたす疾患である。ためこんでしまう理由として，ためている物に美的な価値を感じたり，物に強い愛着を感じている場合や，物を捨てることで重要な情報を失ってしまうことを恐れる場合などがある。ためこみ症では，意図的に物をためこんでいることと，ためこんだ物を捨てることに強い苦痛を感じることなどの違いから，単に部屋が散らかっている状態と区別ができる。ためこみ症は，これまでは強迫性障害の一症状として分類されていたが，DSM–5において独立した診断名となった。

75％は気分障害か不安障害を合併する。約20％に強迫性障害の症状がみられる。多くの患者は症状が10歳代前半に始まり，徐々に重症化する[21]。

薬物療法や精神療法の効果は得られにくく，治療が困難である場合が多い。

3 醜形恐怖症／身体醜形障害

醜形恐怖症（しゅうけい）とは，皮膚のしわ，鼻の形，筋肉質でないことなど，自分が欠点だと思うからだの部位を過剰に気にし，とらわれる状態である。気になる部位を鏡の前で繰り返し確認したり隠したりする。美容整形手術を受けることもあるが，ほとんどが手術を受けてもとらわれが続き，時には悪化することもある。ICD–10では「心気障害」の症状として分類されている。

4 抜毛症

繰り返し髪の毛や眉毛を抜いてしまい，やめようと思ってもやめられないために，眉毛がなくなったり，頭髪の一部がなくなってしまうような状態を，**抜毛症**（ばつもう）という。男性よりも女性に多くみられる。不安や退屈が引き金となり，抜毛したときに安心感を得る場合がある。ICD–10では「抜毛症」として分類されている。

5 皮膚むしり症

皮膚むしり症とは，自分の皮膚を繰り返しむしることに多くの時間を費やし，やめようと思ってもやめられない状態である。抜毛症と同様に，不安や退屈が引き金となり，皮膚をむしったときに安心感を得ることがある。ICD–10では本症に対応する分類はない。

G 心的外傷およびストレス因関連障害群

1 心的外傷後ストレス障害（PTSD）

❶疾患概念／定義

心的外傷後ストレス障害（posttraumatic stress disorder；**PTSD**）とは，心的外傷（トラウマ）体験を原因として生じる特徴的なストレス症候群である。

一般に心身に不快をもたらす要因を**ストレス**とよぶが，それが非常に強い恐怖感や無力感を伴い，精神的衝撃を与える場合には，その体験が過ぎ去った後も体験が記憶に残り，精神的な影響を与え続けることがある。これを**心的外傷**（**トラウマ**）とよぶ。トラウマは多くの人にとって強い衝撃をもたらすような，日常ではみられない体験だけを指す。具体的には，戦争経験，自然災害，自動車事故，暴力被害，性的被害，大切な人の不慮の死や暴力被害とその目撃，他害経験などがある。

❷疫学

▶ **頻度**　PTSDの頻度は国によって異なるが，日本での12か月有病率は0.7％，生涯有病率は1.3％程度であり，アメリカなどに比べると1/5～1/10の頻度である。一生のうちで大切な人の不慮の死や目撃，暴力被害を経験する人は40％程度にみられ，次いで自動車事故，性的被害が20％弱にみられる[22]。

PTSDの生涯有病率をみると，男女共に高いのはレイプ，子ども時代のネグレクト（育児放棄），身体的虐待で，男性では戦闘経験が，女性では親しい者の被害によるショック，武器による脅し，性的いたずらなどが高い。

▶ **危険因子**　PTSDの危険因子としては性別（女性），年齢（若年者），人種（マイノリティ），社会経済状態（低い），社会的支援（低い），知的水準（低い），子ども時代の困難な経験や虐待といった逆境体験*，別の精神疾患の既往歴や精神疾患の家族歴があげられる。

トラウマに関する要因としてはトラウマの過酷さ，生命への脅威の自覚，身体傷害，対人暴力，軍関係者については他害行為・残虐行為の目撃などがあげられる。また，思い出させるものに繰り返し曝露されること，人生の不運な出来事が続くこと，トラウマに関して経済的またはほかの損失を被ることが含まれる。

▶ **予後**　治療群，非治療群ともにPTSD発症後2年くらいまでは急速に改善し，30～40％は回復する。発症後約5年までは徐々に回復して60％程度の改善率となり，以降ほとんど改善率は変化しない。このことからPTSDは回復可能な疾患であるが慢性例も少なくないことがわかる。

* **逆境体験**：逆境的小児体験（adverse childhood experience；ACE）は，小児期における被虐待や機能不全家族との生活，その他のトラウマといった困難な体験をいう。脳へのダメージなど神経生物学的影響，アタッチメント不全など心理社会的影響，物質乱用など身体健康を害する行動面への影響を及ぼす。

❸生物学的因子

PTSD発症の病態メカニズムとしては，トラウマ体験により扁桃体の活動性が亢進することで引き起こされる「恐怖条件付け」や，扁桃体の興奮を抑制する働きをもつ前頭前皮質の機能低下により通常の「恐怖記憶の減弱（消去）」プロセスが障害される，記憶の保持・強化を司る海馬の機能不全により「恐怖記憶の再生」を引き起こす，といったプロセスが関与していると推察されている。

❹診断／症状

PTSDは「トラウマへの，①直接的な曝露，②他人に起こった出来事の目撃，③近親者や親しい友人に起こった出来事を耳にすること，④出来事の細部に繰り返し，または極端に曝露されること」に起因して起こる症状である。なお，④については遺体を収集する緊急対応要員や児童虐待に取り組む警察官などが想定されている。

症状は通常トラウマへの曝露後1か月以内に出現するが，6か月以上経った後に初めてみられることもある。なお，3日後～1か月の間に同様の症状がみられた場合は，後述する急性ストレス障害に分類される。PTSDは，うつ病，不安障害，物質依存症などの併存障害が多くみられ，自殺の危険性が高まることも知られている。

- **再体験症状**：トラウマ体験が本人の意思とは関係なく気持ちのなかに侵入し，そのときと同じ気持ちがよみがえり，それに伴って生理的な身体反応を生じる。それは偶発的に起こったり，夢のこともあれば，トラウマを象徴したり，類似するきっかけに曝露されることで誘発される。
- **回避症状**：**回避**というのは，PTSDの場合，特定の場所にどうしても近づけないなどの病的なものである。内面的な記憶や外的な想起刺激の回避が起こる。
- **解離症状・陰性感情**：トラウマ体験は様々な心理的な反応（防衛反応）を生じる。**麻痺（解離（かいり））**もその一つで，あたかもトラウマ体験が意識から切り離されたかのようになり，体験の記憶や実感が乏しくなる。周囲の人々や自分の未来からも切り離されたように感じ，人々との自然な交際や将来の計画などができなくなる。また，トラウマ体験によって社会や世の中に対する基本的な信頼感を喪失し，他者，世界に対して過剰に否定的な信念をもったり，トラウマの原因や結果についてゆがんだ認識をもつこともある。怒りや罪悪感などの**陰性感情**が持続し，幸福や愛情といった陽性の情動を体験しづらくなる。
- **過覚醒症状**：トラウマ体験に限らず，あらゆる物音や刺激に対して過敏で気持ちが張りつめてしまい，不安で落ち着かず，いらだちやすく，眠りにくくなる。また，病的な対処行動として，度を超した飲酒，喫煙や賭博（とばく）など自己破壊的な行動がみられる。

❺治療／支援

PTSDの治療に関する様々な治療ガイドラインは必ずしも統一した見解を示していないが，エビデンスの優先順位から考えると，おおむね認知行動療法（特に曝露［エクスポージャー］療法），次に薬物療法があげられる。一方，日常臨床での治療を想定すると，心理教育，薬物療法，支持的精神療法などが利用しやすい方法として選択されるだろう。

(1) 対応の基本

自然回復例などから，症状が軽度であれば経過観察を考慮するといった意見もある。心理教育として PTSD における一般的な症状や考えられる治療手段，予後について本人およびその関係者に伝える。特に大事なのは「PTSD はだれにでも起こり得る反応である」という考えを伝えることである。時に精神論として語られやすく「心のもちようで何とかなる」と考える人もいるため，生物学的な基盤が考えられることを，きちんと伝えることである。

麻痺・陰性反応については PTSD 症状として気づきにくいため，病気の症状であることを伝える。自殺企図への対応も念頭に置く。

また，以前はできるだけ早くトラウマ体験を語らせることによって，それらを浄化するという考えがあったが，そのような方法は有効でない，もしくは症状を悪化させる場合があるということが明らかになっている。安全で安心できる居場所をもち，支えてくれる家族や仲間がいて初めて自分で対処することができ，それをとおして自分自身への信頼感を回復し，トラウマ体験に向き合えるようになる。早過ぎる時期にトラウマと向き合うように強要されることは，さらなる傷つきにつながりかねないため注意が必要である。

(2) 精神療法

▶ **トラウマ焦点化認知行動療法**

- **持続エクスポージャー療法**：「トラウマ記憶」は普通の体験時における通常の記憶の処理ができていない可能性が考えられているため，「トラウマ記憶」を反復して賦活(ふかつ)し，「修正された情報」を受け入れられる状態にすることが必要となる。治療法は恐怖を覚える事物，状況，記憶のイメージに，安全な環境下で向き合うことができるようにデザインされており，治療が進むと過去（トラウマ体験）と現在の弁別，危険と安全の弁別，世界と自己に関する認知の修正が促される。具体的には，この治療法についての心理教育，対処法の指導（呼吸法など），イメージおよび実生活内曝露(ばくろ)，認知の修正などが行われる。
- **TF-CBT（trauma-focused cognitive behavioral therapy）**：子どもの PTSD に対してエビデンスが最も蓄積されている治療法であり，大人よりマイルドなやり方で，より漸進的に心的外傷と向き合えるように設計されている。

▶ **眼球運動脱感作再処理法（EMDR）** 目を左右に動かすという動作を繰り返しながら外傷的なイメージや考え方を想起し，身体感覚を意識化することを繰り返す治療法である。

▶ **支持的精神療法** 外傷体験そのものにとどまらず，外傷が二次的に及ぼしている生活上の様々な障害に対する訴えも丹念(たんねん)に聞き，場合によっては適当な情報や指示を与える治療法である。治療場面の安全性や外傷の想起を強いられないという安心感を保つ。

(3) 薬物療法

PTSD の薬物療法としては SSRI や SNRI の効果が示されている。PTSD の中核症状や，随伴する激しい怒り，攻撃性，衝動性，希死念慮といった症状や，併発症のうつ病，不安障害にも有効である。しかし，これらの治療反応率は60％で，完全寛解（かんかい）率が20～30％と低い。

そのほか，アドレナリン阻害薬，抗精神病薬，気分安定薬なども使用されるが，治療法が十分確立されているわけではない。したがって環境調整や心理教育，精神療法を併用することが望ましい。

2 急性ストレス障害（ASD）

急性ストレス障害（acute stress disorder；**ASD**）は，トラウマへの曝露後3日～1か月の期間持続する，PTSDの類似症状のことである。最終的にPTSDとなる人の約半数が，最初はASDを呈している。ASDの時期には自然回復する可能性が高いとされており，経過観察も考慮する。以下に初期対応として必要な基本的姿勢について述べる。

▶ **人間関係を築く**　まず，共感やいたわりなどの自然な気遣いによって人間関係を築く。安易な励ましの言葉は控え，穏やかな態度でそばにいることが，対象に落ち着きを与えることに役立つ。多くの場合，心理的な支援を前面に出すよりは現実的に困っていることについて聞き，具体的な手助けをするほうが受け入れられやすい。

▶ **安全の確保**　心身の安全の確保が第一に必要であるため，時には経済的な支援に関する助言や，虐待者におびやかされない環境の提供の手助け，緊急避妊薬の服用など，ほかの医療的な支援が必要であれば対応する。

▶ **レジリエンスへの支援**　対象には人とのつながりが大切であることを伝える。大き過ぎる問題を小さな部分に切り分け，優先順位を決められるように手助けすることも役に立つ。このような対応をとおして，不利な状況にあっても健康を維持する力や回復する力（**レジリエンス**）を支援する視点が重要である。

3 適応障害

❶診断

はっきりと確認できるストレス因に反応して，情動面または行動面の症状が出現する。そのストレス因に不釣り合いな強度をもつ著しい苦痛を感じ，生活機能の重大な障害をもたらすが，その症状はほかの精神疾患の診断基準を満たしていない。

症状はストレス因の始まりから3か月以内に出現し，ストレス因の終結後6か月以内に改善する。ストレス因が持続することもあり（例：慢性疼痛疾患，犯罪多発地域での居住），その場合，適応障害は持続性の病型を示す。ストレス因は通常のライフイベント（例：入学，結婚，引退）であることもある。ただし，死別反応の場合は反応の強度や質，持続性が通常予測されるものを超えた場合に診断される。

❷症状

落ち込み，涙もろさ，絶望感などの抑うつ気分，神経質，心配，過敏などの不安，行き過ぎた飲酒や暴食，無断欠席，無謀な運転やけんかなど素行の異常がみられる。また，抑うつ感や不安が強く，緊張が高まると動悸，発汗，めまい，肩こり，不眠などの身体症状がみられることもある。

適応障害の症状は適応障害に特有のものではないため，ほかの精神疾患との鑑別が重要になる。うつ病と比較すると，適応障害ではストレス因から離れると症状が改善することが多くみられる（例：勤務日に比べて休日は気分も楽になり趣味を楽しめる）。また，不安障害と比較すると不安障害の不安は理由がなく，適応障害より程度が強い。

DSM-5では，トラウマ体験に続いて起こる症状がASD，PTSDどちらの診断基準も満たさない場合，あるいは，その人がトラウマ体験に曝露されていないのにASDやPTSDの症状を呈している場合は適応障害と診断する。

適応障害のため抑うつ的だと考えられた人が，統合失調症や認知症の初期症状であることがある。また，ストレス因がみられる以前から不適応の既往がある場合は，発達障害やパーソナリティ障害などの合併も検討する。

❸治療／支援

▶ **ストレス因の同定**　まず，ストレス因を同定し，理解し，言語化することを援助する。言語化することで，ある程度改善が得られることもある。「自分が弱いからこのような病気になった」と考える人もいるため，「未熟だったり弱いということではなく，体験したストレス因をどう受け止めるかの違いである」と説明し，患者の低下した自己評価や自信を回復し，患者自身に問題に対処する能力があることを伝える。

▶ **生活療法**　生活療法として規則正しい睡眠，食事を指導し，適度な運動を促す。周囲の人に対しては激励や忠告，善悪の判断を伝えるよりも，見守り，無理をさせないことを勧(すす)める。患者の状態を把握して，必要があれば希死念慮への対応について助言する。

▶ **ストレス因の除去**　発病に至った要因を同定し，以前，同様の問題に遭遇したときは，どのように対処していたかを思い出すことも役に立つ。並行してストレス因を除去する。支持的な態度で接することで，患者が現状を冷静に観察し，自分の内面に気づき，周囲の人と相談しながらストレス因を物理的に除去することを支える。

▶ **問題解決技法**　問題解決技法を援用し，問題の解決方法をできるだけ列挙するようなブレインストーミングを行い，そのなかから有効な方法を選択し，実行してみるよう促すことも有用である。

▶ **認知行動療法**　ストレス因が除去できないものである場合や，問題解決を妨げるような非機能的な思考がある場合，それを同定・修正し，適応的な認知や行動を増やすような認知行動療法を行うこともある。

孤立感の強い患者には，同様の体験をした人が相互に理解し共感する場を提供する**集団療法**や，「断ること」が苦手なためにストレスにつながる患者も多いため，適切な自己主張を身につける**自己主張訓練**なども有用である。さらに，ストレス因への脆弱(ぜいじゃく)性に関与するパーソナリティの病理が存在する場合は長期的な**力動的精神療法**を行うこともある。

薬物療法は対症療法として行われる。うつ状態に対しては抗うつ薬，不安・不眠に対しては抗不安薬や睡眠薬を使うこともある。呼吸法，筋弛緩法などの**リラクセーション法**も役に立つ。

4 その他の心的外傷およびストレス因関連障害

小児期の適切な養育の欠如に起因する障害として，**反応性アタッチメント（愛着）障害**と**脱抑制型対人交流障害**がある。

2つに共通するのは，①情動欲求の持続的無視，②主たる養育者の頻繁な変更，③特定のアタッチメント形成を極端に制限する養育環境，などを障害の原因としていることである。具体的には劣悪な施設養育や，重度の虐待（ぎゃくたい）やネグレクト，また，その後の里親の頻繁な変更や，特定の職員のかかわりが極端に制限された施設養育などを想定している。「特定の愛着対象をもたない」最重度の愛着の問題であり，臨床場面で出会うことはまれである。

反応性アタッチメント（愛着）障害では，養育者への愛着の証拠が認められず，慰めを求めることがなく，情緒が制限されており，社交的な喜びや探求がほとんどないといった行動特性がみられ，自閉スペクトラム症との鑑別が必要である。

一方，脱抑制型対人交流障害は，だれにでも無差別に接近するという問題行動の特性をもつ。ほとんど知らない人に対して，何のためらいもなく近づいたり，抱きついたり，慰めを求めたりし，浅く，不安定な情緒が観察され，注意欠如・多動症（ADHD）との鑑別が必要である。

両疾患とも機能的予後は不良と考えられ，年少の子どもの対人関係能力の障害をもたらす。

必要であれば児童相談所などへの虐待通報を行い，愛着の適応的な形成を促すような，情緒的および物理・身体的に児を世話できる養育者を実際に提供する。保護的な環境下での新たな対象との愛着形成が治療の目標であり，愛着の再形成を阻害するトラウマの処理などを行い，虐待する養育者に対して発達した，非適応的な愛着を修正する。

薬物療法としては，発達障害との併存も多く抗ADHD薬が適応となるケースもある。心的外傷後ストレス障害や解離症などを合併することも多いため，非定型抗精神病薬やSSRI，感情調整薬などを処方する。一方で，病的養育を与えた養育者との愛着関係の改善を目標とした乳幼児 - 親治療を行うが，家族との再統合を目標とすべきではないケースがあることに留意すべきである。

H 解離症群／解離性障害群

❶疾患概念／定義

▶ **解離とは**　**解離**（かいり）では，意識，記憶，感覚，運動，パーソナリティの同一性などにおいて自然な連続性・統合性が損なわれる。この連続性・統合性の障害は無意識的な心理の働きによって生じ，それによって生じる症状は，健忘，複数の人格の出現，憑依体験，現実感の喪失など様々なものがある。

多くの場合は，発症の背景に，精神的・身体的に外傷的な体験，感情的な葛藤など，心の耐えがたい苦痛がある。この苦痛は，大きいが無意識にとどまり，本人が自覚しないこともある。苦痛に対して，心が自らの働きで反応した結果が解離である。

解離はほかの精神障害に併存することも多い。解離性障害と診断するには，症状が，別の疾患や物質の影響によるものではないことが前提となる。

▶ **人の一貫性と解離**　人が自分のことを考えるとき，その「自分」は，一貫していて，1つであり，つながった感覚がある。自分の記憶もおおまかな時間の流れに沿った連続性をもつ。目の前で見て知覚している状況に対しても，これが今起こっている現実であるという感覚が一定している。随意運動は，話そうと思えば自然に声は出るし，歩こうと思えば立ち上がって歩き出すことができる。感覚機能も，おおむね一定で，だいたい同じように見え，同じように聞こえるという一貫性がある。

このように，正常であれば自然につながっている機能に対して，部分的な，あるいは全体的なまとまりが失われてしまうのが解離である。

▶ **疾患概念の特徴**　特徴の一つは，心理機制すなわち無意識を含んだ心の動きが概念に含まれていることである。ほかの特徴としては，臨床症状が多様であり，とらえにくいことである。理論的にも臨床的にも複雑で理解しにくい疾患である。

解離性障害については，精神医学の内部で様々な意見や対立がある。たとえば解離性同一性障害について，暗示療法による人為的結果とする見解がある一方で[23]，そのような無理解な態度が二次的なトラウマを起こしているという指摘もある[24]。

解離による感覚機能や随意運動の機能障害は，ICD–10とDSM–5で異なった分類となっている。随意運動の機能障害，たとえば失声はICD–10では「解離性（転換性）障害」のなかに「転換性障害」として含まれている。しかしDSM–5では解離性障害に含まれず，「身体症状症および関連症群」の「変換症／転換性障害」に分類されている。

DSM–5では，隣に並んでいる「心的外傷およびストレス因関連障害群」と「身体症状症および関連症群」は，外傷体験やストレス因子に対する反応性の症状を含み込んでいる点で，解離性障害とかかわりが深い。

▶ **解離の歴史*とヒステリー**　解離という現象は，**ヒステリー**として紀元前からの報告がある。ヒステリーという言葉は様々に使われてきており曖昧なため，現在では診断名として用いられない。

---

* **解離の歴史**：現在のように憑依現象や人格交代が報告されるようになったのは18世紀で，当初は「悪魔によって引き起こされた病」とされた。19世紀のジャン＝マルタン・シャルコー（Charcot, J-M.）を経て，20世紀初頭以後は，ピエール・ジャネ（Janet, P.）による体系化，ジークムント・フロイト（Freud, S.）による心理機制の研究が発展した。

❷病因

▶ **防衛**　解離は**防衛**＊という心理機制で生じる現象と理解されている。その防衛機制の一つに，心のある部分をほかの部分から切り離すというものがある。心のある部分が切り離され不連続になると，苦痛を感じにくくなる。この防衛は，ほとんどは自分自身に十分に意識されることなく，意思による制御ができないまま働く。

▶ **外的なストレス因**　解離性障害の原因の一つは，この防衛機制が働くきっかけとなったストレス因である。急性に発症した解離性障害は，多くの場合，恐怖，不安，怒りなどの強い感情を伴う何らかの耐え難い精神状態があると考えられる。

また，解離症状を呈する患者は，実際，過去（特に幼少期）に外傷体験を抱えていることが多い。外傷体験が，心に不安を抱えにくくなってしまうという変化を与えると考えられている。

▶ **心理的葛藤**　自分自身の特定の欲望，情緒，葛藤が，耐え難い不安や苦痛を引き起こすことがある。たとえば殺人的な攻撃的衝動，激しい羞恥，手に入らないものに対する強い欲望などである。このようなときは，その情緒を感じていること自体が苦痛となる。防衛としての解離は，この欲望や情緒を他人事のように遠く感じさせたり，その感情にまつわる記憶を失わせたりする。

外的なストレス因が，一見するとささいで日常的な出来事に思われることがある。社会的にも，時には本人自身にも，それほど大きな影響を及ぼしているとまで思われないことが，心理的な探索理解をとおして初めて，本人にとって実は耐え難い状況だったとわかることがある。

❸症状

連続性・統合性の破綻がどこに生じるかによって，多彩な症状をきたす。たとえば「記憶」の連続性がなくなり，ある特定の期間の記憶が思い出せないということがある。これは**解離性健忘**である。また，たとえばパーソナリティの同一性が損なわれると多重人格の状態になる。

▶ **解離性健忘**　ある特定の期間の記憶，あるいは記憶のある側面のみが，思い出せないことをいう。ある期間の記憶が抜け落ちている，ひどくぼんやりしているなどと感じる。解離性健忘の間に放浪してしまうことを**解離性遁走**（とんそう）という。

▶ **離人感・現実感消失症／離人感・現実感消失障害**　**離人感**とは，自分自身の感情・身体・行為などについて，非現実的に感じ，自分がまるで外部の傍観者のようであると感じる体験である。**現実感消失**とは，周囲に対して「夢のような」や「霧がかかった」ように非現実と感じる体験である。

▶ **解離性同一症／解離性同一性障害**　2つあるいはそれ以上の別のパーソナリティ状態が認められることをいう。いわゆる多重人格である。文化によっては憑依（ひょうい）体験といわれること

＊ **防衛**：たとえば外的な状況や自分自身のある欲望が，耐え難い不安や苦痛を引き起こすとする。そのとき心は全体で安定を保つ方向に自らを調整する。自己を守り平衡を保とうとする心の動きを防衛という。

もある。

▶ **ほかの特定される解離性障害**

- **混合性解離症状の慢性および反復性症候群**：自己感覚や意思作用感における不連続性や，同一性の変化が混合した状態で認められる。
- **長期および集中的な威圧的説得による同一性の混乱**：たとえば洗脳を受けていた人で，同一性が混乱することがある。
- **ストレスの強い出来事に対する急性解離反応**：数時間から1か月未満持続する，急性かつ一過性の状態で，離人感，現実感の消失，視覚の変容（視野が小さくなったり，物がゆがんで大きく見えたりする）などを伴う。
- **解離性トランス**：直接接している環境に対する認識が狭窄（きょうさく）したり，なくなったりすることで起こる。

▶ **併存症**　併存症として，何らかの気分障害，身体症状症，心的外傷後ストレス障害（PTSD），パーソナリティ障害（PD）などが認められることが多い。解離症状が起こると，併存症，すなわちそれまでの精神症状にも変化が出ることがある。

❹疫学／好発年齢

国内では一般人口の1～5%に認められるという報告がある。下位項目によって有病率はかなり差があり，離人感・現実感消失障害については，年間有病率は一般人口の約19%で，精神障害では不安，抑うつに次ぐ有病率とする見解がある。一方，解離性健忘については一般人口の2～6%と報告されている。

思春期から成人期の幅広い年齢で発症する。解離性障害全体での明らかな性差ははっきりしないが，解離性同一性障害については女性が多く，解離性健忘では男女差はなく，解離性遁走では男性により多いなどの報告がある。

❺診断

面接によって，本人の主訴やそれに関連する話，家族や知人らの気づきなどから総合的に診断される。

▶ **鑑別診断**　たとえば健忘，意識の変容などが，別の疾患や生理的要因によって起こっているのであれば，解離性障害とは診断しない。健忘がみられる場合，脳損傷，脳腫瘍，てんかん，認知症，アルコールや乱用薬物の使用，通常の物忘れなどを鑑別する必要がある。

▶ **自覚の難しさ**　解離症状は，当初，本人がはっきりそれと自覚・認識できないことが多い。本人の側からすると「時々，買った覚えのないものが部屋にある」「気がつくと遠い駅に来てしまっていたことがある」となる。別の精神症状があり，その治療中に，慢性的な解離症状があることがわかってくることもある。

❻治療／支援

急性の発症の場合，トラウマなどの恐怖をもたらす特定の体験がきっかけとなることが多い。その場合，外傷的な状況から離れて安全を確保するだけで，症状が消失することがある。トラウマではなくても，不安の原因が明らかな場合，その原因への対応・対策を支援することは，治療的なかかわりとなることが多い。

解離性障害において薬剤*は併存する症状に対して使われることが多い。

解離性障害の本質的な治療としては「統合された機能を獲得すること」を目標とした精神療法が行われる。認知療法，精神力動的精神療法，認知行動療法，支持的精神療法などが行われるが，いずれの治療も，こうやればよいという一定の方法は確立されていない。

治療の基本の一つは，安全な環境を提供しつつ，その個人のもつ治癒の力による回復を促すことである。解離の病態を理解していること，治療する際の危険を予測できることは大切である。治療にあたるスタッフは，職種によらず，解離という現象を理解し，振り回されることなく，また，先入観や偏見にも陥(おちい)らないことが重要である[25]。経験のある助言者をもったり，スタッフでミーティングをもったりすることは役に立つ。

❼予後／転帰

反応性に急性の経過をたどる解離性障害は，比較的短期間で軽快することが多いが，併存症として別の診断をもつ場合の治療予後は，そうでない場合に比べて不良であるとする見解がある。

 身体症状症および関連症群

従来「神経症」といわれていた疾患である身体症状症，病気不安症，変換症（機能性神経症状症），ほかの医学的疾患に影響する心理的要因，作為症ないしは虚偽性障害などは，臨床的には大きな部分を構成しており，「心理的な要因により心や身体に不調＝症状を呈するもの」としてまとめることができる。ICD–10においては，「神経症性障害，ストレス関連障害及び身体表現性障害」としてF4に分類されているものが多い。DSM–5においては，疾患概念を再編成してこのような分類となった。

次に，それぞれの疾患について，実際の臨床症例とともに説明する。

1　身体症状症

❶疾患概念／症状

従来は身体化障害，身体表現性障害，疼痛性障害などと細かく分類されていたものを，「1つ以上の身体症状が苦痛をもたらし，日常生活を妨げる」状態にあり，その症状に対して「過剰に深刻に考えてとらわれている」ことを特徴としてまとめたものであり，これらの症状は6か月以上続くものとされる。

身体表現性障害で重視されていた「医学的に説明できない」ということは強調せず，そ

* **薬剤**：解離性障害では，併存症で薬剤が適用となるものについて，たとえば不眠，不安，うつ症状などに対して適切な薬物治療が行われることは大切である。併存症が薬物治療で改善すると，それに伴って解離症状も軽快することがよくある。

の症状にとらわれている人の行動や生活における困難に焦点を当ててとらえている。

❷疫学

一般人口における有病率は数%とされるが，その多くは内科などの一般診療を受けているものと思われる。その内の一部が対応困難，あるいは心理的な要因が関与していると判断されて，精神科の受診を勧められる。総合病院や精神科診療所の外来においてはかなりの割合を占めているが，多くは社会的機能が保たれ，入院に至ることはまれである。また個々の症状や背景が異なるために，まとめて論じることが難しいが，プライマリケアにおいては重要な疾患である。小児期からも生じるが，臨床的には中高年に多く，男性より女性に多い。

❸治療

対症療法的に薬物療法（主に抗うつ薬，抗不安薬）で症状の軽減を図りつつ，支持的精神療法をとおして症状に折り合いをつけて生活を維持するように指導し，本人の健康さを支えていくことが重要である。症状の改善を求めて，過剰な薬物療法に陥らないことが大切である。

臨床経過としては改善と増悪を繰り返しつつ，長期に持続することが多い。

❹症例提示（例：60歳代，女性）

もともと非常に心配性な性格であった。あるとき，腱鞘炎により接骨院で治療を受けた後に，顎に違和感を覚えるようになり，さらに治療を受け続けたところ，耳鳴りやまっすぐ歩けないなどの症状を呈するようになった。そのため不安が非常に強くなり，種々の診療科で治療を受けたが改善せず，動悸，息苦しさも加わり，精神科受診を勧められた。翌年に精神科を受診し，薬物療法と支持的精神療法により症状は改善した。その後，服薬量を減量すると顎の違和感が出現して，それに伴い不安感も強くなるため，長期に服薬を維持している。日常生活は活発に過ごしており，症状は消失した状態で経過している。

2　病気不安症

❶疾患概念／症状

従来，「心気症」といわれていたものと同様の疾患概念である。「重い病気にかかっている，あるいはなりつつあるというとらわれ」に支配されていることを重視した疾患概念であり，「身体疾患は存在しないか，あっても軽度」で「ある疾患が発症する可能性があったとしても，それに対するとらわれが過剰」である。「健康に対する強い不安」があり，その状態が6か月以上続く。この結果として，「（不安に基づき）過剰に医療を求めるタイプ」と「（悪い結果が出るのではという不安から）不適切に医療を避けるタイプ」という2つの表現型をとる。身体症状症と同じように病気の有無ではなく，病気に対する過剰なとらわれと不安，それから生じる行動や生活上の困難に焦点を当ててとらえている。

❷疫学

一般人口における有病率は1～数%程度と推測されている。発症年齢も様々で，男女比も差がないとされる。その多くは複数の医療機関，診療科を受診する，いわゆるドクターショッピングを繰り返し，過剰な検査や治療を受けることになる。対応に苦慮した各診療科の医師から精神科受診を勧められて，一部が精神科受診となるが，多くの患者は自分の症状が「心理的なもの」「過剰な不安が問題である」と判断されることに不満をもつため，精神科受診には至らないことが多いと推測される。このため，身体症状症と同様にプライマリケアにおいて重要な疾患である。

❸治療

一般的には対症療法的な薬物療法（抗うつ薬，抗不安薬など）と支持的精神療法となる。本症の患者に対しては，医療者はつい抱きがちな自らのネガティブな感情を自覚し，中立的な態度を維持することが大切である。患者は前医から見放されて精神科受診に至ったと感じていることがしばしばで，医療に対する不信や不満を表出することもあるからである。その不信や不満は受容しつつ，医療としてできることとできないことをはっきり伝え，自分の問題は自らの内にあると気づけるように促すことが望ましい。

臨床経過としては，大きな変化や改善を示さずに長期に持続することが多い。

❹症例提示（例：60歳代，女性）

もともと神経質で，不安の強い性格である。あるとき腰痛のため消炎鎮痛剤を服薬したところ胃痛が生じた。それをがんではないかと心配し，がんに対する強い不安を訴えるようになり，2か月後に精神科への紹介が行われた。精神科受診に際しても，「うつ病であったらどうしよう」と，強い不安を訴えた。薬物療法で不安は軽減したが，何かしら処方を受けるたびに有害作用を気にして，不安が高まった。その2年後に，たまたま肝機能障害を指摘されたことから，何か深刻な事態になっているというとらわれが強くなった。薬物療法は変更せずに，現状を受け入れて不安と折り合いをつけつつ，実際の生活を楽しむことに目を向けるよう粘り強く指導を繰り返した。さらに5年ほど経過した折に，「だいぶ楽になってきました」と肯定的な言葉が聞かれるようになった。

3　変換症／転換性障害（機能性神経症状症）

❶疾患概念／症状

かつては「心因から生じる身体症状」をすべてヒステリーと称していたが，その概念の曖昧（あいまい）さを排除するために，解離性障害と身体表現性障害という疾患概念に整理された経緯があり，その身体表現性障害のなかでも，一見すると神経疾患を思わせる神経機能の症状を呈するものが**転換性障害**としてまとめられた。その延長上にあるのが，**変換症**（機能性神経症状症）である。脱力，麻痺，運動異常，知覚の障害，失語などの「1つ以上の随意運動，感覚機能の障害」があり，一方で「確認できる神経疾患やそのほかの疾患ではこれらの臨床症状を説明できない」ことが，この疾患の特徴である。外的なストレス要因が関連していると推定できることもあるが，明らかでない場合もある。「満ち足りた無関心」，すなわち症状の深刻さを訴えつつも，その状態に安住しているかのような「困っていない態度」が重要な所見であるとされているが，必ずしも診断に必須ではない。

❷疫学

一般人口の有病率は不明で，典型例はさほど多くはなく，男性より女性が多いとされる。急性に発症し，一過性の経過をたどることが多く，その場合の予後は良好である。

❸治療

薬物療法を対症療法的に用いることもあるが，自然に軽快することも多いため，精神療法的なかかわりが中心となる。状況因を軽減するための環境調整が有効であることも多い。経過中に症状の心理的意味を洞察できると，より本質的な治癒となる。臨床経過としては，状況因の変化や改善に伴い一過性である例が多いが，状況因が改善しない場合や，さらに訴訟に発展するなど，症状があることが本人にとって有利に働くとき（＝疾病利得）には，症状が持続することもある。

❹症例提示（例：50歳代，男性）

もともと，こだわりや自己主張が強い性格である。長年自営業を営んでいたが，事業に失敗してタクシー運転手に転職して数年が経つ。

あるとき勤務中に酔った乗客から暴行を受けて肩を骨折した。それ以外には問題はないと整形外科の医師から診断されているが，受傷後より頭部や首，両側手足のしびれを訴え，手足が動かなくなった。食事や入浴も介助してもらう状態が続いたため，1か月後に精神科の受診を勧められた。

加害者への怒りと日常生活の困難さを語り続けて1年以上経過しているが，症状は固定化され変化が認められない。背景としては，労災と認定されるまでに時間がかかったこと，その間の会社や労働基準監督署の対応に不満をもったこと，加害者からの補償がいまだに行われていないことなどがあげられる。労災が認定されてからは，その症状と状況に安住しているかのような生活が続いている。

4　ほかの医学的疾患に影響する心理的要因

現に身体疾患が存在しており，心理的要因ないしは行動的要因が，その疾患に対して好ましくない影響を与えていることが明らかに認められる場合の疾患概念である。

これは以前より「心身症」と称されていたものに相当する。すなわち，心理的苦痛，対人関係上の問題，病状を否認すること，あるいは不適切な対処行動をとることなどが，もともとの身体疾患に対して好ましくない影響をもたらしている状態で，その影響の程度は様々である。

5　作為症／虚偽性障害

❶疾患概念／症状

自分自身や他者に対して，身体的あるいは心理的症状を捏造（ねつぞう）するもので，自ら意図的にそうしていることを認識している状態である。

具体的には，現実とは異なる状況に基づいて症状を偽って申告すること，検査などの結果を不正に操作すること（たとえば，体温計に操作を加えて発熱を装う），病気を装うために自ら薬物を摂取すること（インスリンを自らに打ち，低血糖を引き起こす），自傷行為を行うこと（自らを傷つけ瀉血（しゃけつ）し，貧血を引き起こす），あるいはこれらを他者に行うこと（子どもに前述の行為を行い，病気にさせる）などがあげられる。自ら病気を装うものが**ミュンヒハウゼン症候群**，子どもなどに危害を加えて病気を引き起こすものが**代理ミュンヒハウゼン症候群**と称されている。子どもに認められた代理ミュンヒハウゼン症候群は児童虐待の一つの現れであり，速やかな介入を要する。

作為症が詐病と異なるのは，こうした状況から直接的な利益（たとえば，休業して金銭の補償を求めるなど）を生じないことである。

作為症の患者の多くは，医療に関連する職業に就いた経験があり，そのほとんどが女性であるとされる。また，何らかのパーソナリティ障害が背景にあると推定される。この疾患の特徴から，自らの問題は否定し，治療的なかかわりが困難となることが多い。

❷症例提示（例：30歳代，女性）

5歳の子どもが，たんぱく尿などの尿検査における異常とけいれんを主訴に小児科を受診した。外来治療では尿検査所見，母親から報告される症状の改善が得られなかったことから，精査加療のために入院となった。入院後，小児科のスタッフが母親の言動に違和感を抱き，モニターで観察していたところ，けいれんとして母親が画像を用いて報告したときには，意図的に母親が子どもを動かしてけいれんを装っていたこと，子どもの尿に母親が何かを混入していることが発覚した。そのため，客観的な証拠に基づき母親に経緯と理由について説明を求めたが，母親は詳しい説明を拒否した。小児科医は母親に精神科を受診するよう勧めたが，精神科を含む医療からの介入はすべて拒否し，子どもは退院となった。このような事例に関しては，児童相談所と連携して，児童の保護を考慮しなければならない。

 食行動障害および摂食障害群

摂食障害は，拒食や過食などの食行動異常，体重や体型に過剰に重きを置く価値観，ボディイメージの障害などを特徴とし，思春期から青年期の女性に多発し，成人や小児，男性にも認められる。主な症状は，食行動の異常（拒食や過食），排出行動（下剤の乱用や自己誘発性嘔吐など）を繰り返す，ボディイメージの障害，やせ願望などであり，心身の健康状態や日常生活，社会生活機能に著しい支障をきたす。

❶疾患概念／定義

DSM–5に基づくと，摂食障害は主に，神経性やせ症／神経性無食欲症（anorexia nervosa），神経性過食症／神経性大食症（bulimia nervosa），過食性障害（binge- eating disorder），回避・制限性食物摂取症／回避・制限性食物摂取障害（avoidant/restrictive food intake disorder）に分類される。

ここでは代表的な摂食障害として，神経性やせ症／神経性無食欲症，神経性過食症／神経性大食症について，主な定義を次に示す。

▶ **神経性やせ症／神経性無食欲症（拒食症）**　極端なやせがあるのに，①肥満への病的な恐怖から体重を増やそうとしない，②自己評価に対する体型や体重の過剰な影響があり極端にやせているにもかかわらず，自らの体型や体重を太っていると偏ったとらえ方（ボディイメージの障害）をしており，日常生活に支障をきたす。DSM–5の診断基準によると，神経性やせ症／神経性無食欲症は，

①必要量と比べてカロリー摂取を制限し，年齢・性別・成長曲線，身体的健康状態に対する有意に低い体重に至る。有意に低い体重とは，正常の下限を下回る体重で，子どもまたは青年の場合は，期待される最低体重を下回ると定義される。

②有意に低い体重であるにもかかわらず，体重増加または肥満になることに対する強い恐怖，または体重増加を妨げる持続した行動がある。

③自分の体重または体型の感じ方における障害，自己評価に対する体重や体型の不相応な影響，または現在の低体重の深刻さに対する持続的欠如がある。

また，下位分類として次の2つがある。

(1) 摂食制限型：過去3か月間，過食または排出行動（自己誘発性嘔吐や緩下剤の乱用など）を伴わない。

(2) 過食・排出型：過去3か月間，過食や排出行動を伴う。

▶ **神経性過食症／神経性大食症**　主な症状は，食べることへの制御できない渇望（かつぼう）から過食（むちゃ食い）を繰り返し，体重増加を防ぐために不適切な代償行為（緩下剤の乱用や，自己誘発性嘔吐など）を繰り返すことである。自己評価に対する体型や体重の過剰な影響がある。

過食とは，ある一定の時間内に普通の人よりも明らかに大量の食べ物を食べ，その間，食べることをコントロールできない感じを伴う状態である。

神経性大食症／神経性過食症は，DSM-5の診断基準によると，

①反復する過食エピソードがある。過食エピソードは，次の2つによって定義される。

(1) ほかとはっきり区別される時間帯に（例：1日の何時でも2時間以内），ほとんどの人が同じような時間に同じような環境で食べる量よりも明らかに多い食物を食べる。

(2) そのエピソードの期間中は，食べることを制御できないという感覚がある。

②体重の増加を防ぐために不適切な代償行動を繰り返す（例：自己誘発性嘔吐（おうと），下剤，利尿剤，浣腸，またはその他の薬剤の誤った使用，絶食，または過剰な運動）。

③過食および不適切な代償行動は共に，平均して3か月間にわたって少なくとも週1回起こっている。

④自己評価は体型および体重の影響を過剰に受けている。

▶ **その他の摂食障害**

- **過食性障害**：過食を繰り返し，自己誘発性嘔吐や下剤の乱用などの排出行動がみられない摂食障害で，肥満症との合併が多い。
- **回避・制限性食物摂取症／回避・制限性食物摂取障害**：食事または栄養状態の障害で，有意な体重減少，栄養不良をきたし，やせ願望や肥満恐怖が明らかではなく，社会生活機能を著しく損なう。小児期に多い。
- **異食症**：少なくとも1か月以上にわたり，普通は食物として摂取しない非栄養的なもの（例：紙，髪，石けん，石，粘土など）を食べる行動がみられる。知的障害を有する人では，重症度が上がるにつれて多くみられる。

❷病因

摂食障害の病因は，文化・社会的要因，心理的要因，身体的要因が相互に複雑に絡み合っていると考えられている。

文化，社会的要因としては，女性のやせ願望に拍車をかけるような，女性誌やメディアの影響，周囲からの体重に関するプレッシャー，健康食品やダイエット志向，食生活習慣の欧米化などがあげられる。

患者に対応する際に，何が摂食障害を引き起こし，持続させているかを考えるうえで，摂食障害の症状の先行因子，契機（きっかけ），持続因子の3つに大別することが大切である。

▶ **先行因子**　摂食障害の問題が生じる以前から存在していた，摂食障害になるリスク因子としてとらえられる要因である。遺伝的要因，出産時の外傷や低出生体重，幼少時の気質，性格因子，幼児期の環境的要因（幼児期の虐待（ぎゃくたい），ネグレクトや親の高い期待，家族関係の問題など）が含まれる。

摂食障害になりやすい心理的特性として，完全主義，柔軟な思考の乏しさ，自己評価の低さ，他者の感情への共感の苦手さ，強い不安などがあげられる。

▶ **契機（きっかけ）**　ストレスの大きい人生の出来事（例：受験の失敗，学校でのいじめ，家族の喪失，転居など），ダイエットの直接の契機となる出来事で，発症の前後に生じることもある。必ずしも特別な契機がみられない場合もある。

▶ **持続因子**　患者個人のやせへの過剰なとらわれや，やせることで得をすると本人がとらえること（例：周囲からやせたと言われる，スポーツ競技の成績が上がるなど），摂食障害に対する身近な家族や周囲の人たちの反応（例：家族に心配されるなど），患者の性格傾向（例：完全主義，細部にこだわる，柔軟性の乏しさ，強迫的な特性など）があげられる。

❸症状

摂食障害は，身体・心理・社会的な面で，様々な症状を呈する。主たる症状は，拒食や過食などの食行動の異常と，体型や体重への過剰なこだわりである。神経性やせ症の患者では，活動性の増加がみられることもある。また，食の嗜好（しこう）の偏り，隠れ食いや盗食，万引きなどの非社会的行動や薬物依存，アルコール依存症がみられることもある。

有意に低い体重の意味するところ

標準体重の国際基準では，1994年にWHOが発表した体格指数（body mass index：BMI）が一般に用いられ，18.5未満はやせ，18.5以上25.0未満が健康的，25.0以上は肥満と定義されている。BMIの基準値は，統計学的に最も病気にかかりにくい健康的な数値と考えられる。

WHOの定めるICD–10の診断基準では，神経性やせ症の低体重の基準はBMI（体重kg/身長 m^2）に従って17.5に設定されている。

▶ **身体合併症**　神経性やせ症の場合，るいそう，無月経，徐脈や低血圧などの循環器系の障害，低体温のほか，顔や背中などの産毛の密生，急激な栄養障害に伴うむくみ（浮腫）や脱毛，便秘などの症状がみられる。

過食や自己誘発性嘔吐，下剤の乱用などを繰り返す場合，電解質異常（低カリウム血症，低ナトリウム血症など），不整脈や腎機能障害，肝機能障害などを伴いやすい。特に低カリウム血症は，不整脈や循環器系の障害をきたし，死に至ることもあるので注意を要する。

過食嘔吐を繰り返すことで，唾液腺でつくられるアミラーゼが血中で増加したり，胃酸が何度も口の中に上がって，歯のエナメル質，象牙質が損なわれ，虫歯になりやすくなる。耳下腺，顎下腺の腫脹，吐きだこがみられることもある。

消化器症状として，食道炎や胃穿孔，急激なやせを伴い，胃から十二指腸に食物が通過しにくくなる上腸間膜動脈症候群では，腹部膨満感や腹痛を訴えることがある。下剤の乱用による下痢，便秘などもある。

▶ **精神面の症状**

- **抑うつ**：低栄養状態，過食や嘔吐の影響で，しだいに生活全般にわたって空虚感や孤立感が生じ，気分が落ち込みやすくなる。
- **不安**：不安感は，食事前後に特に強くなるが，生活全般にわたってみられることもあり，恐怖感や緊張感，動悸や息切れ，発汗が起こりやすくなる。
- **集中力の低下や倦怠感**：学業や仕事の能率が下がり，意欲が低下する。
- **強迫症状**：同じ考えが何度も頭に浮かんだり，自分でやめようと思っても，不安または苦痛を避ける，または緩和するために，手洗いや確認などの行動を繰り返すことがある。

そのほか，衝動制御の問題，自殺企図や自傷行為を繰り返す患者もある。また，こだわり，頑固さ，融通の利かなさなどがみられることもある。

Column

摂食障害と無月経

極端なやせになると，脳内の視床下部における神経伝達物質の変調をきたし，下垂体からのゴナドトロピンの分泌が低下し，卵巣を刺激することができなくなるため，無月経，無排卵を呈する。

DSM-Ⅳの診断基準では神経性やせ症の診断基準にあげられていたが，初経を迎える以前に発症する例や，男性例では無月経の診断基準に該当しないケースもみられることから，DSM-5では診断基準から除かれた。しかし，神経性やせ症，神経性過食症の女性患者では無月経や月経異常を呈する症例が多くみられるので，神経性やせ症の主な身体症状の一つとして見逃せない。

神経性やせ症患者では，女性ホルモンの低下は低栄養（カルシウムやビタミンの摂取不足），低体重とともに骨代謝動態に影響し，骨密度の増加を妨げ骨量の減少をきたす。重要な合併症や後遺症として，骨粗鬆症をきたすことがある。

▶ **社会生活・対人関係の問題**

- **ひきこもり**：症状が慢性化すると，社会生活面への影響として，日常生活に支障をきたす。
- **人間関係**：学校や職場でも，食事や体重が生活の中心となり，友人や家族関係にも弊害（へいがい）を及ぼす。
- **家族関係**：患者を支援する身近な家族は，患者が食事を食べないこと，やせにこだわることに対して，過剰に心配し，過保護，過干渉や批判的な態度や，家族間の会話で食事の問題を避けるようなことが生じ得る。看護師，医療スタッフの立場から，患者の家族の不安を傾聴し，患者の家族が過剰に過保護，批判的になるのではなく，患者の行動に巻き込まれずに，温かな態度で寄り添いながら接することを勧めていく。家族面接や，家族心理教育などの資源を活用することも有用である。

❹疫学／好発年齢

神経性やせ症，神経性過食症は，それぞれ男女比はおよそ1：10である。神経性やせ症は前思春期から青年期，神経性過食症は思春期から成人期に多発するが，児童や中高年，男性例もみられる。

欧米における有病率は，神経性やせ症は0.1～0.5%，神経性過食症は1.3～3.8%といわれている。過食を繰り返し肥満症に合併しやすい過食性障害が増加してきている。日本では1980（昭和55）～1998（平成10）年の19年間に約20倍に増加しており，1990年代後半の5年間に，神経性やせ症は4倍，神経性過食症は4.7倍と急増している[26]。

❺治療

摂食障害では，精神療法，身体治療，栄養療法，薬物療法などを，患者の病型や症状の重症度，治療経過や治療を提供する環境などに合わせて適宜選択し，組み合わせて治療が行われている。

治療に当たっては，多職種チームで医療を提供する。患者や家族を取り巻く困り事や治療の目標をチームで共有し，ケースカンファレンスを定期的に実施していくことが大切である。

▶ **摂食障害のケアにおける留意点**　看護師や医療スタッフの立場から，患者や家族の不安に対して温かく支持的な態度で接し，信頼関係を築き，食生活を回復させ健康を取り戻すという共通の目標に向かっての協働作業が大切である。

患者は不安や心配事を言葉で表すことが苦手なことが多く，行動上の問題（食行動異常や，盗食などの問題行動），身体症状として症状を呈することも多い。

看護の立場からは，直接患者の日常生活や身体ケアに携わることから患者の不安や訴えを支持的に傾聴し，病気の回復に向けて動機づけを高めるようなアプローチが大切である。

摂食障害患者は，食事の前後には特に，不安感が強くなりやすい。また，自己誘発性嘔吐や下剤使用といった反復的な排出行動や，過活動などの代償行動が生じやすく，患者の不安を受け止め，行動観察をしていくことが大切である。

身体ケアでは，血圧，脈拍の測定，低血糖に十分に留意し，ケアしていく必要がある。

反復する自己誘発性嘔吐や下剤使用を伴う患者は，血液検査，低カリウム血症や低ナトリウム血症，不整脈や徐脈といった循環器の障害，腎機能障害，肝機能障害を合併することがあり，標準体重であっても突然死に至ることもある。患者は，飢餓状態や排出行動に伴う身体症状を自覚していないことも多く，特に低体重の患者では，血糖値の測定，心電図モニターやバイタルサインのチェックを行う必要がある。下肢筋力低下は重症度のサインであり，しゃがみ立ちや階段昇降時には，転倒に留意する。

▶ **神経性やせ症の治療**　神経性やせ症患者は，①やせていることや食行動に問題があることを否認する，②回復に対する両価性（回復して健康になりたい気持ち，やせたままでいたい気持ちの間で揺れ動く），③食行動の問題を「困り事」としてとらえられないといった特徴があり，体重の回復や，食事を摂取することに対する抵抗が強いことも多い。特に治療の導入期には，共感的態度で接し，病気についての正しい知識と理解を会得させ，健康な心身を取り戻すことへの動機づけを高めていくようなアプローチが大切である。

神経性やせ症の治療では，通常は栄養状態の回復を目指して体重減少を含めた身体リスクを定期的に評価したうえで，身体治療，栄養療法（経鼻腔栄養，高カロリー輸液など），精神療法などを患者の病態に合わせて包括的に行っていく。

- **治療の目的**：健康な体重や食生活を回復し，摂食障害に随伴する症状を改善し，心身の回復を促すことである。
- **外来治療**：最初のアプローチとしては，外来治療をベースとした精神療法が推奨される。外来治療でも十分な改善が得られない場合には，身体治療，精神療法などを包括的に用いた入院治療などが推奨される[27]。

治療の初期から，患者との信頼関係を構築し，動機づけを高めるアプローチが大切である。身体状況や栄養状態を慎重に観察・評価しながら，心身両面からの治療やケアが推奨される。治療の経過では，患者の不安感や食べること，太ることへの恐怖感を支持的に傾聴しつつ，温かく忍耐強い，一貫性のある態度で，健康な食生活を取り戻すことの大切さに向き合うことを励ましていくような対応が勧められる。

イギリスのNICEガイドラインでは，多職種チームで治療に取り組み，専門機関と連携をとること，神経性やせ症に対する外来治療として，摂食障害に焦点づけされた認知行動療法（eating disorder focused cognitive behavior therapy；CBT-ED），モーズレイ式神経性やせ症治療（Maudsley anorexia nervosa treatment for adults；MANTRA），専門家による支持的精神療法（specialist supportive clinical management；SSCM）のいずれかを受けることが推奨されている[28]。**CBT-ED** は摂食障害の症状維持の要因として，病的な完全主義，感情不耐性，中核となる低い自尊心，対人関係の問題を取り扱う個人精神療法である[29]。**MANTRA** は動機づけと神経性やせ症を維持する特有の認知・感情・身近な家族などとの対人関係の様式に焦点づけられた個人精神療法であり，外来治療をベースとして行う。**SSCM** は支持的精神療法と栄養治療を組み合わせた外来治療である。

▶ **神経性過食症の治療**　神経性過食症（過食症）に対する精神療法として，ガイデッドセルフヘルプ本を用いた疾患に関する心理教育，過食症に対する認知行動療法が推奨される[30]。

• **認知行動療法**：認知行動療法とは，症状の維持にかかわる偏（かたよ）った考え方（摂食障害では，体重が増え続けてしまうといった**肥満恐怖**），行動の問題（過食や拒食），気持ちの問題（不安感や肥（ふと）ることへの恐怖），身体症状の問題が維持される要因の相互作用に気づき，より機能的な方向に変化を促す，期間限定，構造化された心理療法である（図3-16）。認知行動療法では，看護師や医療スタッフがコーチ役になって，患者自身が健康な食生活を取り戻すために，治療のゴールを共有し，行動や考え方の変化を促していく。

具体的には，**食事日誌**を用いて，非適応的な食行動の問題が維持される悪循環（きっかけ，行動，結果）に患者自身が気づき，規則正しい食行動を確立することを目標とする。また，過食や自己誘発性嘔吐（おうと）などの問題のプラスの結果，マイナスの結果に気づき，プラスの結果をもたらす行動の循環を促していく。治療の中盤には，変化の妨げとなる非適応的な考え方，たとえば体重が限りなく増え続けてしまうといった肥満恐怖や，やせていなければ自分に価値がないといった思考態度について，いかに対処するかを学んでいく。最終段階では，改善された状態を維持し，再発の危険性を最小にすることが目標となる。

• **薬物療法**：薬物療法に関しては，神経性過食症や過食性障害に対する抗うつ薬の短期的な有効性が報告されている。一方，神経性やせ症に対しては，明らかな効果は検証されていない。非定型抗精神病薬の限定的な効果が，不安の軽減に対して短期的に認められた報告があるが，低体重や低栄養状態から副作用のリスクも高く，心電図のQT延長や血圧低下などの副作用には特に注意する必要がある。

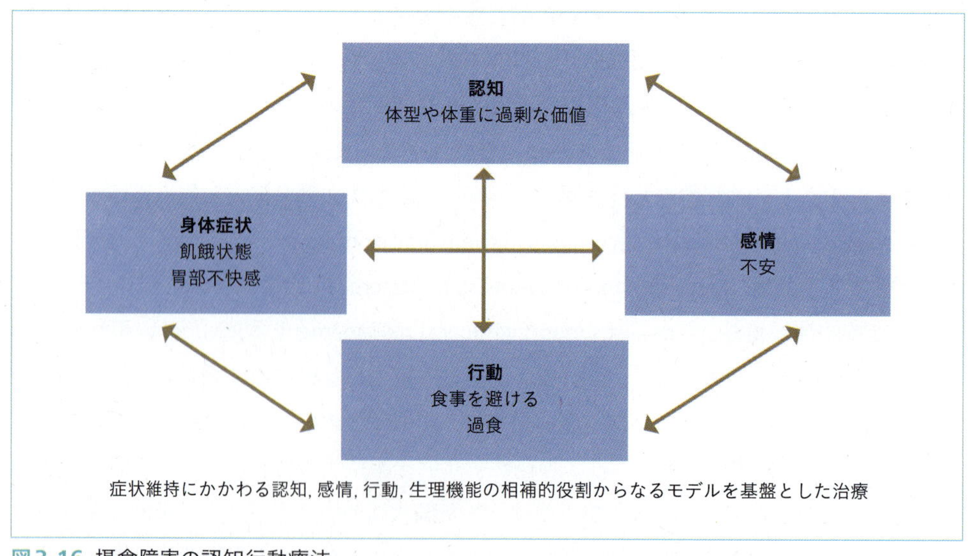

図3-16　摂食障害の認知行動療法

- **その他の支援**：集団療法や，患者，家族が病気からの回復を支援する家族会，自助グループや，患者向けのデイケアなども，回復への支援に役立てていく。

❻予後／転帰

神経性やせ症の平均罹病期間は約6年といわれているが，長期化，慢性化する症例も多い。経過と予後に関しては，青年期と前思春期の患者に関する追跡調査から，約6割の患者で体重が戻り，ほぼ同程度の割合で月経が回復している。食行動は約半数の患者で正常化している。おおよそ患者の約半数は回復し，1/3は改善，1/5は慢性化する。致死率は全経過で約10%，死因は飢餓，自殺が多い。

摂食障害患者は，致死率が一般人口に比較し約5倍以上高く，入院を要するような重度の精神障害と比べて約2倍，10〜30歳代の摂食障害女性患者の自殺率は一般人口の18倍以上といわれている。

神経性過食症は，約半数が疾患から完全に回復し，1/4が改善し，残りの1/4が慢性化するといわれている。致死率は約0.7%。神経性やせ症で発症し，経過中に神経性過食症に移行することもある。

K 睡眠－覚醒障害群

睡眠覚醒障害には，不眠障害，過眠障害，ナルコレプシー，睡眠時無呼吸症候群，概日(がいじつ)リズム障害，睡眠時随伴症などがある（それぞれの症状については，第2章-I-2-9「睡眠の障害」参照）。ここでは代表的な睡眠覚醒障害の病態や治療について整理する。

1 不眠障害

❶概要

不眠障害は，睡眠の量または質の低下である。入眠困難，中途覚醒（睡眠維持困難），早朝覚醒，熟眠困難のうち1つ以上が認められ，日中の眠気，倦怠(けんたい)，集中困難などによる苦痛や社会生活機能の障害をもたらす。日本の一般成人の約10%が罹患(りかん)していると推定される。

2009（平成21）年の一般成人における睡眠薬の処方率は3.5%にも及ぶ。ベンゾジアゼピン系睡眠導入薬が主流であるが，本薬剤群の特徴として，長期連用により常用量依存が形成されやすく，乱用や自殺目的などの過量服薬も大きな社会問題になっている。

睡眠薬は，精神科のみならず一般診療科でも処方されることが多く，入手しやすいことがこれらの背景にある。ある報告によれば，日本の身体科救急での向精神薬過量服用症例のうち，ベンゾジアゼピン系睡眠導入薬を服用していたのは77%と最多であった[31]という。

❷社会構造の変化と不眠

睡眠のパターンの変化が生じている背景に，深夜でも手軽に買い物や飲食ができる24

時間社会，深夜勤などのシフトワークの増加，インターネット回線などを通じた双方向性コミュニケーションなど，夜に活動する生活場面が増えてきたことや高齢化などがあるとの議論がされている。

2011（平成23）年のOECD（経済協力開発機構）の国際比較調査では，15～64歳の睡眠時間は，日本人は男女共に最も短く，男性が7時間41分，女性が7時間36分であった。この値は，1986（昭和61）年の男性7時間56分，女性7時間39分に比べて短くなっているが，その差は数分に留まっている。

❸高齢者と不眠

高齢者は，生理的に深い睡眠やレム睡眠が少なくなる。それらの睡眠構造の変化に加えて，男性では前立腺肥大や腎臓，心循環系の機能低下に伴う排尿覚醒も増えるため，中途覚醒や熟眠感の不足が生じやすい。表3-6に高齢者における睡眠生理的な変化を示した。

❹睡眠･覚醒リズム障害

入眠時刻と覚醒時刻が遅くなる睡眠・覚醒リズム障害を**睡眠相後退型**という。不規則交替勤務者に起こりやすい。

❺不眠障害の治療

厚生労働科学研究班と日本睡眠学会が編集した「睡眠薬の適正な使用と休薬のための診療ガイドライン」[32]によれば，不眠の症状と日中の機能障害を把握し，不適切な睡眠習慣や睡眠行動をとっていないかを問診し，睡眠衛生指導を導入することが大切である。

薬物療法としては，①オレキシン受容体拮抗薬，②メラトニン受容体作動薬，③ベンゾジアゼピン受容体作動薬*，④催眠・鎮静系抗うつ薬などがある。寛解（かんかい）に至ったところで，漸減（ぜんげん）法による休薬トライアルを試みる。薬物療法が無効の場合は，認知行動療法を行うと

表3-6 高齢者の睡眠：加齢に伴う生理的変化

睡眠ポリグラフ検査（polysomnography：PSG）	変化
睡眠潜時（入眠までにかかる時間）	延長
中途覚醒の回数	増加
覚醒時間	増加
中途覚醒後の再入眠までの時間	延長
睡眠効率（就床時間に占める総睡眠時間の割合）	低下
非レム睡眠第Ⅰ段階	増加
非レム睡眠第Ⅲ＋Ⅳ段階（徐波睡眠）	減少

概日リズムの変化	睡眠の変化
睡眠覚醒リズムの多相化	夜間中途覚醒増加，日中の覚醒水準低下
睡眠相前進	早い時間帯で入眠，深夜に覚醒
メラトニン血中分泌振幅の減少	

出典／新野秀人：老年期精神障害の不眠，精神科治療学，27（9）：1161－1165，2012.

＊ **ベンゾジアゼピン受容体作動薬**：従来からのベンゾジアゼピン系睡眠導入薬と非ベンゾジアゼピン系睡眠導入薬を合わせて呼称する。双方とも $GABA_A$ 受容体を介して睡眠効果を現す。耐性，離脱，依存，健忘などの共通の副作用が起こり得るため，現在，処方日数の規制がなされているものが多い。

表3-7 睡眠衛生指導「12の指針」

❶睡眠時間は人それぞれ，日中の眠気で困らなければ十分
❷刺激物は避け，眠る前には自分なりのリラックス法
❸眠たくなってから床に就く，就床時刻にこだわりすぎない
❹同じ時刻に毎日起床
❺光の利用でよい睡眠
❻規則正しい3度の食事，規則的な運動習慣
❼昼寝をするなら，15時前の20～30分
❽眠りが浅いときは，むしろ積極的に遅寝・早起きに
❾睡眠中の激しいイビキ・呼吸停止や足のぴくつき・むずむず感は要注意
❿十分眠っても日中の眠気が強いときは専門医に
⓫睡眠薬代わりの寝酒は不眠のもと
⓬睡眠薬は医師の指示で正しく使う

資料／厚生労働省精神・神経疾患研究班：厚生労働省精神・神経疾患研究委託費総括研究報告書；睡眠障害の診断・治療ガイドライン作成とその実証的研究，2002.

している。

▶ **ベンゾジアゼピン受容体作動薬の有害作用**

❶深睡眠の減少：ベンゾジアゼピン受容体作動薬は，現在においてもなお不眠障害の薬物治療で頻用されている。しかし，多くのベンゾジアゼピン系薬は，睡眠脳波（デルタ波）でわかる深い睡眠を減少させてしまうことが知られている。したがって，寝つきは改善しても，深睡眠が減少し中途覚醒が逆に増えてしまうことも懸念される。

❷持ち越し効果：ベンゾジアゼピン受容体作動薬の有害作用に，ふらつきや持ち越し効果（薬の効果が翌日まで残ること）などがある。これらは薬物代謝が遅延する高齢者などでは，転倒・転落の危険性を高めるため，注意が必要である。

睡眠衛生指導は，不眠を訴える患者の睡眠生活習慣を把握するためにも，また非薬物的介入としても有用である。表3-7にその概略を示す。

2 ナルコレプシー

❶概要

ナルコレプシーは，好発年齢が10歳代～20歳代前半に集中しており，40歳以降の発症はまれである。日本人に比較的多くみられる過眠症の一つであり，近年有力な原因が同定されて注目されている。

❷ナルコレプシーの4主徴

ナルコレプシーの4主徴といわれる症状は次の4つである。

❶睡眠発作：活動中あるいは精神的緊張状態においても急に抑えがたい睡眠欲求を生じ，睡眠に陥る

❷情動脱力発作：カタプレキシーともいい，笑ったり驚いたりなど強い感情が生じたときに突然の両側性の筋緊張消失・脱力が生じる

❸睡眠麻痺：レム睡眠が入眠直後に出現するため，意識が浅く残っている最中に全身の

筋弛緩によりからだが動かない，いわゆる金縛り体験を呈する

❹入眠時幻覚：③と同様に，睡眠生理の障害により，寝入りばなに悪夢を見やすくなる

これらの症状のため，居眠りによる仕事中のミス，交通事故や労働災害のリスクが高いばかりでなく，疾患とはみなされず，ふまじめと誤解され失職してしまうこともある。

前述の4主徴はすべてがそろわないこともある。また③，④は，うつ病や，健常者でも睡眠不足や不規則な睡眠が続く場合に生じることが知られているため，両者の鑑別は重要である。

❸病因

ナルコレプシーの原因は，現在，視床下部にあるオレキシン神経の後天的な破壊に伴う神経伝達障害と考えられている。ナルコレプシー患者の髄液中のオレキシン値が低値または測定限界以下であることが明らかにされており，本疾患の補助診断基準として採用されている。また，従来から免疫学的にはヒト白血球抗原（HLA–DR2抗原）がほぼ全例で陽性であることが知られている。

❹診断

ナルコレプシーの診断は，特徴的な4主徴の問診所見と，睡眠ポリグラフ検査と反復睡眠潜時検査の実施によって確定する。

❺治療

ナルコレプシーの治療として，中枢神経刺激薬が処方される。従来はメチルフェニデート塩酸塩が主に用いられていたが，乱用などの問題から，現在は依存性を回避できるモダフィニルが第1選択となっている。

L 物質関連障害および嗜癖性障害群

❶疾患概念／定義

DSM-5において，物質使用に基づく様々な精神障害や嗜癖(しへき)的行動が，「物質関連障害および嗜癖性障害群」のカテゴリーに定められた。

(1) 物質関連障害群

DSM–5の定める「物質関連障害群」は，10の異なる分類の薬物に及んでいる。アルコール，カフェイン，大麻，幻覚薬（フェンシクリジン，または類似作用を有するアリルシクロヘキシラミンと，別にほかの幻覚薬の一群），吸入剤，オピオイド，鎮静薬，睡眠薬および抗不安薬，精神刺激薬（アンフェタミン型物質，コカイン，およびほかの精神刺激薬），タバコ，ほかの（または不明の）物質である。

▶ **大脳への作用**　これらの物質は，脳内報酬系回路とよばれる神経系回路を，直接活性化させるということが共通している。脳内報酬系回路とは，嗜癖や依存に強く関係した，中脳の腹側被蓋野から側坐核などへ投射するドパミン神経系（神経伝達物質の一つであるドパミンにより情報を伝達している神経系ネットワーク）である。そして，側坐核を含む腹側線条体か

ら，眼窩前頭皮質，前部帯状回皮質，扁桃体，海馬，大脳皮質にもドパミン神経系が投射されている。つまり，脳内報酬系回路は，依存的行動の強化と記憶の生成に関与しており，そのため，何らかの依存性物質により脳内報酬系回路が活性化されると，その物質への強い渇望と，引き続く物質探索行動，物質摂取行動がもたらされる。

現在，物質関連障害や嗜癖性障害の分野においては，中脳腹側被蓋野から側坐核，前頭前野へ投射するドパミン神経系を中心に，扁桃核，前頭前野，腹側淡蒼球，視床など，脳内報酬系回路とそれを取り巻く神経回路について，物質およびネットワーク制御の観点から解析が進められている。

▶ **分類**　物質関連障害は，物質使用障害と物質誘発性障害の2群に分かれる。

- **物質使用障害**：物質使用障害（substance use disorder）とは，従来の物質依存（substance dependence）と物質乱用（substance abuse）の概念が統合された，DSM–5から新たに提唱された概念である。

依存とは，その物質の摂取により健康を害していたり社会生活に支障をきたしているために，摂取をやめようと思ってはいるが，その物質への渇望が強く，なかなかやめられない状態のことである。

一方，**乱用**とは，非医学的な概念であり，日常生活や社会生活に支障をきたすような物質の摂取のしかた，あるいは，その社会規範や文化のなかでは認められていない物質の摂取や物質の摂取のしかたのことであり，その人の属する社会や文化が強く影響し，しばしば法律上の問題にも関連する。

違法薬物は1回の使用も「乱用」と定義されるが，そもそも「違法」の定義が社会や文化により異なる。たとえば，アルコールは，飲酒を違法とする一部のイスラム圏などの社会のなかでは，どんなに少量でも「乱用」であるが，多くの地域では，日常生活や社会生活に影響しない摂取のしかたであれば乱用とはいえない。つまり，乱用にあたるかあたらないかに「依存」の概念は一切関係がない。

物質使用障害とは，そのように，質的に異なる「依存」と「乱用」を，それらの不連続性をなくすために統合され，依存もしくは乱用と診断された様々な逸脱的な物質使用の様態が，一元的に整理されたカテゴリーであり，物質に関連した重大な問題が生じているにもかかわらず，物質を使用し続けるという本質的特徴について，「制御障害」「社会的障害」「危険な使用」「薬理学的基準」という4つの側面から，認知的，行動的，生理学的症状として検討され診断される。具体的な基準については，❷「症状」に記述する。

- **物質誘発性障害**：物質誘発性障害（substance–induced disorder）には，中毒，離脱，その他の物質・医薬品誘発性精神疾患（精神病性障害，双極性障害および関連障害群，抑うつ障害群，不安症群，強迫症および関連症群，睡眠障害，性機能不全群，せん妄，神経認知障害群）が含まれる。

DSM–5における物質関連障害は，DSMと同様に精神疾患の分類や診断の際によく参考にされる国際疾病分類第10版（ICD–10）においては，「精神作用物質使用による精神および行動の障害」というカテゴリーに該当する。このカテゴリーには，精神作用物質使用による単純な中毒や有害な物質使用から，物質使用の結果による明らかな精神病性障害や認知症に至るまでの様々な程度の障害が含まれる。ICD-10において，関連する物質はコードで示される。コードのうちピリオドの後の数字は状態像を示している。精神作用物質の分類には，ほぼDSM–5と同様に，アルコール，あへん類，大麻類，鎮静薬あるいは睡眠薬，コカイン，カフェインを含むほかの精神刺激薬，幻覚剤，タバコ，揮発性溶剤，そして多剤およびほかの精神作用物質があげられる。状態像には，急性中毒，有害な使用，依存症候群，離脱状態，せん妄を伴う離脱状態，精神病性障害，健忘症候群，残遺性および遅発性精神病性障害があり，その下にはさらに詳細に状態が記載された下位分類がある。

(2) 嗜癖性障害群

▶ **分類**　DSM–5の「物質関連障害および嗜癖(しへき)性障害群」のカテゴリーでは，物質関連障害のみならず，**嗜癖性障害**，つまり物質に関連していない依存や嗜癖についても言及している。これらは従来，行動嗜癖やプロセス依存などととらえられてきたものであり，ギャンブル障害（gambling disorder），インターネットゲーム障害（internet gaming disorder），窃盗癖（kleptomania）などのほか，買い物依存，暴力・虐待(ぎゃくたい)，性的逸脱行動，過食・嘔吐(おうと)，放火，携帯電話依存など，多様な行動上の障害が含まれることがある。

従来，依存症の診断基準は，ある物質を摂取することにより直接脳内の変化がもたらされ，結果として依存が出現する物質依存症を前提につくられてきた。そして，嗜癖性障害の定義には漠然とした点が多く，従来，行動嗜癖やプロセス依存とよばれてきたものまで「依存症」という範疇(はんちゅう)に含めるかどうかは，専門家の間でも長年議論のあるところであり，DSM–5の前身である1994年に発表されたDSM–Ⅳでは，「衝動制御の障害」という疾患分類に入れられていた。

▶ **特徴**　しかし，嗜癖性障害は，その嗜癖のために日常生活や社会生活上に多大な支障をきたしており，やめたいとは思っても，その行動に対する渇望が強いためになかなかやめることができず，衝動の自制が困難であり，本人や周囲に苦痛をもたらし，その行動への強い衝動や渇望(かつぼう)と制御不能という特徴をもつ。このような特徴は，物質を伴わないものの，物質使用障害，あるいは物質依存症に共通する。そして近年の動物実験，薬物や画像を使用した研究などにより，嗜癖性障害において共通した神経生物学的根拠が示唆され，物質使用障害との類似性が報告されるようになった。

嗜癖性障害に含まれるものには多種多様なものが考えられるが，特にギャンブル障害に関しては神経学的研究の検証が多く，DSM–ⅣがDSM–5に改訂された際には，「物質関連障害および嗜癖性障害群」の項目に正式に含められた。そして，正式にはまだ含まれていないものの，将来における検討課題として，DSM–5では付録欄にインターネットゲーム障害を提示している。物質的依存のみならず，依存や嗜癖についてより広義的な概念に基づいた理解が行われるようになり，従来，行動嗜癖やプロセス依存として一括されてきた行動障害が，徐々に物質的な依存に包含される傾向にある。

❷症状

前述したように，DSM–5の提唱する物質関連障害には，物質使用障害と物質誘発性障害が含まれる。これら2つに加え物質を伴わない依存である嗜癖性障害を加えた3つについて症状を以下に解説する。

(1) 物質使用障害

物質使用障害は「制御障害」「社会的障害」「危険な使用」そして「薬理学的基準」という4つの側面から考えられた，合計11の条件を満たすかどうかを検討され診断される。

まず，制御障害とは，①当初意図していたよりも，より多量にまたはより長期間物質を使用する，②物質の使用を減量または制御しようという持続的な希望をもちながらも，使用量の減量や使用の中断の試みを何度も失敗する，③非常に多くの時間を，物質の獲得，物質の使用，物質の作用からの回復に費やす，④その物質を使用することへの強い欲求や衝動がある，である。

そして社会的障害とは，⑤物質の反復的な使用の結果，職場，学校，または家庭における重要な役割の責任を果たすことができなくなる，⑥物質の作用により，持続的，または反復的に社会的・対人的問題が起こり，悪化しているにもかかわらず，その物質の使用を続ける，⑦物質の使用のために，重要な社会的，職業的，または娯楽的活動を放棄，または縮小している，である。

危険な使用とは，⑧身体的に危険な状況においても，その物質の使用を続ける，⑨身体的または精神的問題が，持続的または反復的に起こり，悪化していることを知りながらも，その物質の使用を続ける，である。

最後に，薬理学的基準とは，⑩耐性と⑪離脱である。

以上の①〜⑪項目のうち，12か月以内に少なくとも2つ以上が当てはまる場合，DSM-5の物質使用障害の診断基準を満たす。

前述したように物質使用障害は，従来の物質依存と物質乱用の概念をひとくくりにしたものである。「依存症候群」は，ICD-10においては，ある物質あるいはある種の物質使用が，その人にとって以前にはより大きな価値をもっていたほかの行動より，はるかに優先するようになる一群の生理的，行動的，認知的現象と定義されている。具体的には，物質を摂取したいという強い欲望あるいは強迫感，物質使用の開始・終了・あるいは使用量に関して，その物質摂取行動を統制することが困難であること，物質使用を中止もしくは減量したときの生理学的離脱状態，耐性の獲得，精神作用物質使用のために，それに代わる楽しみや興味を次第に無視するようになり，その物質を摂取せざるを得ない時間や，その効果からの回復に要する時間が延長する，明らかに有害な結果が起きているにもかかわらず，依然として物質を使用する，などの状態や行動があげられる。一方「乱用」とは，前述の通り社会規範や文化によって規定される非医学的な概念であり，社会生活や家庭生活に支障をきたし，臨床的に著明な障害や苦痛を引き起こす不適応的な物質使用様式のことである。

(2) 物質誘発性障害

物質誘発性障害とは，薬物やアルコールによりもたらされた様々な精神症状のことである。そのなかには，中毒，離脱，中毒せん妄，離脱せん妄，持続性認知症，健忘性障害，精神病性障害，持続性知覚障害（フラッシュバック），気分障害，不安障害，性機能障害，睡眠障害があげられる。

▶ 精神症状

- **物質中毒**：物質を摂取したことによる精神あるいは身体への物質特異的な有害作用の出現のことである。物質が摂取され，中枢神経系に作用することにより，知覚，覚醒，注意，思考，判断，精神運動性行動，対人行動障害などの，精神および心理的変化がもたらされる。具体的には，知覚変容，幻覚，妄想，意識レベルの低下や意識混濁，興奮，理性的判断・思考の障害や脱抑制，対人関係トラブルや迷惑行為などである。
- **急性中毒**：物質を摂取中や摂取後まもなく出現する短期的な障害であり，「依存」とは関係のない概念である。一方，**慢性中毒**とは，「依存」に陥ったために，物質を繰り返し摂取し続けた結果による長期的な身体および精神への障害のことである。たとえば，急性アルコール中毒の症状は，嘔吐（おうと）や心拍上昇，意識障害などであり，慢性アルコール中毒による疾患には，肝硬変，食道がん，糖尿病，アルコール性認知症などがある。
- **離脱**：ある物質を反復的に，通常は長期に大量に摂取した後で，その物質の使用を完全あるいは不完全に中断することで，血中あるいは組織内の物質の濃度が低下し，これによって生じる様々な症状からなる症候群であり，依存症候群（そのなかでも主として「身体的依存」）の一つの指標とされている。離脱症状のある人は，症状の軽減のために物質を再び使用したいという衝動をもっていることが多いからである。アルコールでよくみられるように，離脱期にせん妄状態を合併することも多い。なかには痙攣（けいれん）を伴うなど，身体的に重症な状態に陥ることもある。
- **耐性**：薬物やアルコールの反復的摂取により，同じ効果を得るための摂取量が徐々に増加してくる現象である。つまり薬物やアルコールを繰り返し長期間摂取し続けると，最初は少量の薬物やアルコールで期待した効果を得られていたものが，徐々に同じ量では以前のような効果が得られなくなってきて，摂取量を増加させなくてはならなくなることである。これは身体依存と密接に関連して起きるため，身体依存のある薬物やアルコールに顕著である。

精神病性障害の精神症状には，典型的には幻覚や妄想があげられ，そのほか，うつや躁といった気分や感情の症状も出現することがある。また，それらの精神症状に伴い，不穏な言動を呈することがあり，重篤な場合には自殺企図や他害行為が認められることもある。

▶ **発症**　物質誘発性障害の発症のしかたには個人差があり，同じ物質を摂取しても，何らかの症状を呈する者もいれば，何の症状も呈さない者もいる。症状を呈した者も，みなが同じ症状を呈するわけではない。また，物質誘発性障害の素因をもつ同じ個人であっても，あらゆる物質において症状が出るわけではなく，ある特定の物質においてのみ症状が出やすい傾向がある。

通常は，物質の使用中あるいは使用直後に起こり，物質摂取の中止に伴い，少なくとも部分的には1か月以内に，そして完全には6か月以内に消失するとされている。認知，感情，パーソナリティ，あるいは行動などの面で，精神作用物質が直接影響していると合理的に想定される期間を超えて持続している場合には，ICD-10では残遺性および遅発性精神病性障害と定義されている。

(3) 嗜癖性障害

続いて，物質を伴わない依存である嗜癖性障害の一つであるギャンブル障害の診断基準をあげる。

臨床的に意味のある機能障害または苦痛を引き起こすに至る持続的かつ反復性の問題賭博行動で，その人が過去12か月間に以下のうち4つ（またはそれ以上）を示している。

①興奮を得たいがために，掛け金の額を増やして賭博をする欲求。
②賭博をするのを中断したり，または中止したりすると落ち着かなくなる，またはいらだつ。
③賭博をするのを制限する，減らす，または中止するなどの努力を繰り返し成功しなかったことがある。
④しばしば賭博に心を奪われている（例：過去の賭博体験を再体験すること，ハンディをつけること，または次の賭けの計画を立てること，賭博をするための金銭を得る方法を考えること，を絶えず考えている）。
⑤苦痛の気分（例：無気力，罪悪感，不安，抑うつ）のときに，賭博をすることが多い。
⑥賭博で金をすった後，別の日にそれを取り戻しに帰ってくることが多い（失った金を"深追いする"）。
⑦賭博へののめりこみを隠すために，嘘をつく。
⑧賭博のために，重要な人間関係，仕事，教育，または職業上の機会を危険にさらし，または失ったことがある。
⑨賭博によって引き起こされた絶望的な経済状況を免れるために，他人に金を出してくれるよう頼む。

物質関連障害や嗜癖性障害において，うつ病，不安障害，注意欠如・多動性障害，パーソナリティ障害などの，様々なほかの精神疾患が重複して出現することは，精神科の臨床現場において珍しいことではない。またその逆に，様々な精神障害に，あとから物質関連障害が合併して出現することもある。重複障害は，非重複のケースに比べ，症状の増悪（ぞうあく），治療成績低下，治療脱落などのリスクを高め，治療上大きな問題となっている。

❸罹患率・好発年齢

▶ **薬物とは**　物質関連障害の対象物質には脳に変化をもたらす様々な物質が含まれるが，アルコールやタバコ，市販薬や処方薬などの合法の薬物と，覚醒剤や大麻などの非合法の薬物に分けることができる。非合法の薬物を取り締まる法律には，麻薬及び向精神薬取締法，あへん法，大麻取締法，覚醒剤取締法がある。検挙者数が乱用の実態を反映しているわけではないが，2020（令和2）年の検挙者数はそれぞれ，638人，15人，5260人，8654人である。例年覚醒剤の検挙者数が圧倒的に多く，次いで大麻という結果となっているが，近年は大麻取締法での検挙者が激増している。なお，検挙数は多くないが，危険ドラッグにも，麻薬に指定され法規制の対象となっている成分が数多く含まれる。近年の傾向としては違法薬物の密売の手口も巧妙化し，インターネットや携帯電話などの機器を用いた密売も増えている。

▶ **薬物使用の状況**　日本においては，隔年で薬物使用に関する全国住民調査（全国の15～64歳の7000人が対象）が実施されている。2021（令和3）年の調査において，これまでに1回でも経験したことがある者の割合は，覚醒剤0.3%，危険ドラッグ0.5%，大麻1.4%，有機溶剤0.9%，MDMA0.3%，飲酒92.9%であった[33]。また，全国の中学生を対象として隔年で薬物乱用に関する調査も行われており，2020（令和2）年の調査では，これまでに1回でも経験したことがある者の割合は，有機溶剤0.47%，大麻0.34%，覚醒剤0.33%，危険ドラッグ0.30%であった[34]。しかし，薬物乱用についての一般市民への調査では一般的に正確な回答を得づらく，薬物の乱用者数や依存者数を正確に把握することは非常に難しい。

全国の有床精神科医療施設を対象とした，物質関連障害患者についての調査が隔年で行われている。2020（令和2）年の結果では，「主たる薬物」（調査時点の精神科的症状に関して，臨床的に最も関連が深いと思われる薬物）として最も多かったのは覚醒剤53.5%で，次いで処方薬（睡眠薬・抗不安薬）17.6%，市販薬8.4%，有機溶剤5.0%，大麻4.5%，危険ドラッグ1.78%という順であった[35]。「過去1年以内に主たる薬物の使用が認められた者」に限定した場合，「主たる薬物」として最も多いのは，やはり覚醒剤36.0%であり，次いで処方薬（睡眠薬・抗不安薬）29.5%，市販薬15.7%であった。今日の薬物依存症臨床の現場では，処方薬や市販薬といった，違法ではない薬物が特に若者の間で増加傾向である状況が示されている。

処方薬関連障害患者は，うつ病などの気分障害，不安障害などの神経症性障害，PTSDなどのストレス関連障害および身体表現性障害を併存する者が多く，大部分の者が，乱用する処方薬を精神科医療機関から処方される形で入手しているため，医療従事者は処方薬依存という概念を頭に入れておくことが必要である。

なお，乱用される頻度の高い処方薬としては，エチゾラム，フルニトラゼパム，トリアゾラム，ゾルピデム酒石酸塩などの抗不安薬や睡眠薬が同定された。全体的に，依存症レベルに相当する患者は，医療機関などの依存症治療プログラムや自助グループ・民間リハビリテーション施設の利用率が低く，国内における薬物依存症に対する治療体制の整備は喫緊（きっきん）の課題である。

❹検査

物質関連障害については，多くの依存性物質のための生物学的な検出検査が存在する。最近の薬物使用の有無や，摂取された物質の特定には，尿，毛髪，唾液，血液などを用いた臨床検査が有効である場合がある。しかし，検査所見が陽性であっても，そのことだけで物質関連障害の基準を満たすわけではない。

また，検査所見が陰性であっても，物質関連障害の診断を除外できるわけではない。検査結果はそのまま臨床に使用するのではなく，結果については慎重な考察や対応が必要である。また，検査には基本的に被検者の同意が必要である。嗜癖（しへき）性障害のスクリーニングや重症度については，主に口頭や質問紙での検査が行われる。

❺治療

物質関連障害および嗜癖性症候群に対する治療は，その物質や行動，あるいは症状が多彩であることから，標準化されておらず一律ではない。それほど重篤ではない障害をもつ患者に対する短期的な介入から，重篤な障害をもつ患者に対する入院治療など，その内容や形態は様々であり，個人精神療法，集団精神療法，薬物療法，家族療法などを組み合わせて行われることも多い。

▶ **薬物療法**　薬物療法のみが単独で行われることはあまりないが，特定の薬物がある薬物の依存に対する介入の重要な手段として使用されることがある。たとえば，アルコール依存に対してのジスルフィラム，シアナミド，アカンプロサートカルシウム，ナルメフェン，ヘロイン嗜癖に対するμ（ミュー）オピオイド受容体の部分作動薬であるブプレノルフィン塩酸塩やメサドン塩酸塩，ニコチン依存に対するバレニクリン酒石酸塩などである。

▶ **自助グループ**　依存症候群や嗜癖性障害は，突如寛解（かんかい）するものではなく，一連の段階を経て回復していくものである。そのため，医療機関以外にも，NA（Narcotics Anonymous，薬物のための自助グループ），AA（Alcoholics Anonymous，アルコールのための自助グループ），GA（Gamblers Anonymous，ギャンブルのための自助グループ）や，ダルク（Drug Addiction Rehabilitation Center；DARC）などの民間リハビリテーション施設や治療共同体などの，地域社会での回復のための組織が全国的にある。当事者のみならず，家族などを対象としたナラノン（Nar-Anon）やアラノン（Al-Anon）といった組織もある。近年，日本でも多くの医療機関や精神保健福祉センターなどにおいて，薬物再乱用防止プログラムが実施されている。

全体的にはまだ不十分な現状にあり，物質関連障害および嗜癖性障害群に対するさらなる治療や援助に関する医療機関や社会資源の拡大が望まれる。

M 神経認知障害群

神経認知障害群には，せん妄，認知症，軽度認知障害（mild cognitive impairment；MCI）などが分類される。

神経認知障害群において，せん妄，認知症，軽度認知障害はすべて状態像を指す。したがって，これらはすべて疾患を指す用語ではない。患者が「せん妄状態」にある，あるいは「認知症状態」にあるという診断をもとに，せん妄や認知症の原因となる「疾患」の検索に進んでいく手順であることを忘れないようにしたい。

1 せん妄

❶疾患概念／定義

様々な病因により軽度の意識障害が生じ，そのことで患者が様々な注意障害その他の認知機能の障害を呈する状態を指す。認知症との大きな違いは，**せん妄**は，数日，あるいは数時間で症状が重くなったり軽くなったりすることである。夜間に重症化することが多いので，以前は**夜間せん妄**のほうが一般的であった。

❷病因

病因は多様である（表3-8）。また，せん妄を起こしやすくする環境や状況を誘発因子という。誘発因子には，入院や手術などによる環境の変化，身体拘束，点滴チューブやカテーテル処置，疼痛や不快な感覚，知覚遮断などがある。

❸疫学

せん妄の発生状況を左右する要因は，年齢や基礎疾患の有無，患者の特徴，適切な医療環境にあるか否かなど無数にあり得る。有病率は一般には1～2%程度がせん妄状態にあるとみられるが，年齢とともに上昇し，85歳以上では14%に上昇するとされる。さらに

表3-8 せん妄における基礎疾患

A. 頭蓋内疾患	• レビー小体病その他の脳変性疾患 • 脳血管障害（脳出血，脳梗塞など） • 進行麻痺（神経梅毒） • 単純ヘルペス脳炎 • その他の脳炎 • 頭部外傷 • 脳腫瘍，脳奇形など
B. 全身疾患または頭蓋外の身体疾患	• 内分泌疾患（甲状腺，副腎，下垂体など） • 膠原病（全身性エリテマトーデス，ベーチェット病など） • 代謝性疾患（肝性脳症，ウイルソン病，尿毒症，透析後脳症，ウェルニッケ脳症，ペラグラ，電解質異常，糖尿病，低血糖など）
C. 外科手術後	–
D. 医薬品その他の物質	• インターフェロン，ホルモン製剤，パーキンソン病治療薬，抗がん剤，鎮痛薬，循環器治療薬，潰瘍治療薬，抗菌薬，アルコール，覚醒剤，コカイン，モルヒネ，一酸化炭素，硫化水素，シアン化物，鉛，有機リンなど

高齢者が入院する際は14～24%，術後の高齢患者では15～53%にみられ，さらに集中治療室（ICU）内では実に70～87%にみられるとされる。

❹検査

せん妄は多様な病因を基盤として，様々な症状が出ることを観察することが最も必要なことである。脳波検査における徐波の出現も補助的な診断にはなろうが，感度や特異性は不十分である。言い換えれば，せん妄に特異的な検査法はない。

❺治療および予後／転帰

基礎疾患の治療が第1である。

第2に，患者の適切な睡眠覚醒リズムを整えることである。その場合，適切な薬剤の投与と不必要で有害な薬剤の中止も入る。

第3に，患者に適切な治療環境を整えることである。特に，ICUや外科病棟，救急外来などで，せん妄の発症が高いことを考えれば，看護師の担う役割は重大である。

基礎疾患の重症度と適切な治療の有無によって，予後および転帰も左右される。

数時間～数日で改善する場合もあれば，数週，時に数か月続く場合もある。まれに死亡の転帰をとることもある。

2 認知症

❶疾患概念／定義

認知症は，一度正常に発達した認知機能が何らかの病気により低下した状態である。

認知症の診断基準は徐々に変わってきた。以前は診断において，記憶障害は必須であったが，近年は記憶障害は様々な認知機能障害の一つとなっている。

診断をつける際，まれに高度な技術を有する検査手段が必要な場合もあるが，基本は本人および関係者からの病歴聴取と，診察および簡易な知的機能検査である。ゆえに，認知症を患った人がこれまでどういう人生を過ごしてきたのか，どこに生まれ，どういう家族関係のなかで育ち，どのような教育を受け，いかに社会で暮らしてきたのか，そのような個人の歴史を詳細に聴取することで，発症後の生活においてどの部分がどの程度できなくなっていたのか，人間関係の構築が下手になっていたのか，などが明らかになる。このことは，認知症の診断のみならず，精神科領域においては，ほぼ共通して必要な診療手順である。

❷病因／症状

疾患原因別に後述する。

❸有病率，好発年齢

日本における認知症の有病率を図3-17に示す。この462万人（65歳以上高齢者約7人に1人）という数字が新聞の見出しを大きく飾った。認知症有病者数は，2025年には約700万人（同5人に1人）に増加すると推計されている。認知症発症の最大の因子は加齢であり，年齢を重ねるごとに高くなる。65歳時点で1.2/1000人/年で，90歳以上は63.5/1000人/年である[36]。

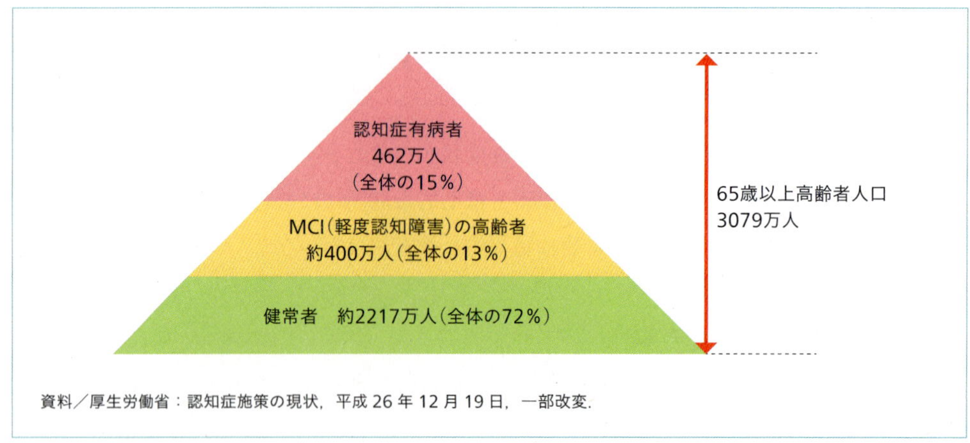

図3-17　認知症高齢者の現状（平成24年時点の推計値）

Column

あれこれと考えごとをしなくなる病気

認知症といえば，「物忘れ」，物忘れといえば「認知症」とほぼイコールに考えられていた時代から，少しずつ「物忘れにも良性と悪性があり，放置してはいけない物忘れに気をつけましょう」という時代に変わってきた昨今である。しかし,「放置してはいけない物忘れ」を一言で定義するのは困難であると感じる。いくつもの「放置してはいけない物忘れ」を1つ残らず覚えておくことはそれこそ難しい。

これが正解とはいえないかもしれないが,「認知症とは，ふだん，あれこれ気にかける，気をつけることがきわめて少なくなる病気」と定義できるかもしれない。

われわれの脳は，寝ているときでも，ボーッとしているときでも，どんなときでも活動している。ボーッとしているときのほうが脳の活動量が高い，という研究結果もあるくらいである。そして，そのボーッとしているときに，あれこれ様々な考えが浮かんでくることを日常経験する人は多い（入浴中や就寝前など）。

認知症（特にアルツハイマー病）は，その部位の脳神経の活動を低下させる。果たしてその人の脳内に何が生じるのだろうか。

われわれはふだん様々なことに気を遣って生活している。「今日の晩御飯何にしよう」「来月は○○さんの誕生日だからお祝いしなくちゃ」「××さんから言われたことがまだ気になる」など，口に出さなくても，あれやこれや脳内で思いをめぐらせることは多い。認知症になるとそういうことが思い浮かばなくなる。

これらのことから，認知症が疑われる本人もしくは家族や介護者に問診する際に留意しておくべきこととして，「物忘れがありますか？」という質問よりは，「以前に比べるとボーッとしていることが多くなりましたか？」「社交的でどちらかというとおしゃべりであったのに，この頃は黙り込んで自分から話すことがなくなりましたか？」などの質問のほうが，より有用である。

なお，疾患別の有病率は地域や時代によって様々である。確定しているのは，アルツハイマー病による認知症が最も多数を占めること（約60％）であり，脳血管性認知症，レビー小体病，前頭側頭型認知症の順となる。残りの疾患は多数あるが，すべてを合わせても10％に満たない。

❹検査および診断

繰り返しになるが，「認知症」という臨床の状態を診断するのに諸検査は必ずしも必要ではない。前述したように，詳細な病歴聴取，身体診察がなされればよい。しかし，認知症を呈する疾患の鑑別診断，または補助診断のためには各種検査が必要になる。血液検査，尿検査，脳脊髄液検査，生理学検査（心電図，脳波，神経伝導速度など），放射線検査（胸部X線，頭部CT，SPECT，MIBGシンチグラフィなど），脳磁気共鳴画像検査（MRI，MRAなど）などがある。加えて詳細な神経心理学的検査（WAIS-Ⅲ，WMS-Rなど）が施行できればなお有用である。各疾患の特徴的な所見は後述する。

❺治療および予後／転帰

疾患により，治療および予後が異なることは当然であるが，少なくとも頻度の多い認知症疾患（アルツハイマー病，レビー小体病，前頭側頭葉変性症，脳血管疾患）に共通の対応として，介護保険を適用し，医療介護行政の連携を診断早期からとることが求められる。図3-18

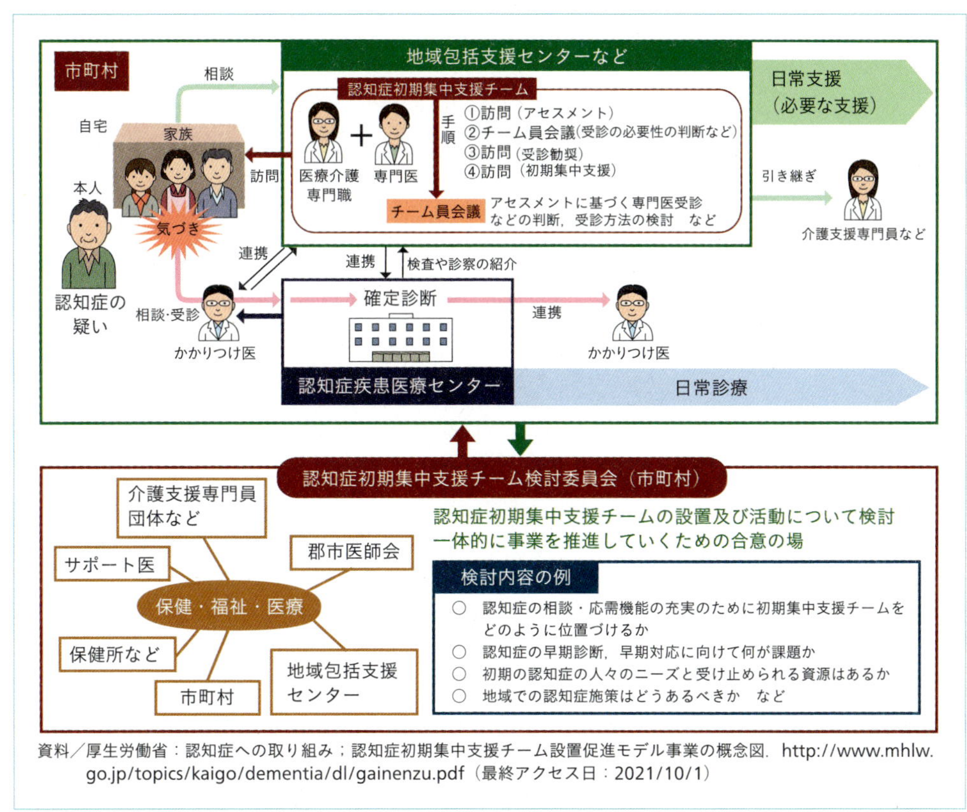

資料／厚生労働省：認知症への取り組み；認知症初期集中支援チーム設置促進モデル事業の概念図．http://www.mhlw.go.jp/topics/kaigo/dementia/dl/gainenzu.pdf（最終アクセス日：2021/10/1）

図3-18 認知症初期集中支援チーム設置促進モデル事業の概念図

に厚生労働省が提案している認知症患者に対する早期介入の概念図を示す。

3 認知症の疾患・原因

❶アルツハイマー病

- **疾患概念／定義**：アルツハイマー病を患者や家族など，医療関係者ではない人々にうまく説明できるだろうか。筆者は少なくとも，①記憶の低下を含めた認知障害のため，生活に支障をきたしている，②ゆっくりと悪くなっている，③ほかの病気では今の状態を説明できない，という3つのことが伝わればよいと考える。
- **検査**：死後脳の病理検査においては，脳萎縮（いしゅく），アミロイド主体の老人斑，タウ主体の神経原線維変化などが有名である。また，生前の確定診断について現在研究中である。脳画像検査では，形態学的画像（CTやMRI）における海馬や側頭頭頂葉の萎縮，機能画像（PETやSPECT）における同部位の代謝や血流低下が目立つものであるが，アルツハイマー病に特異的なものではない。
- **治療／支援**：日本では，アルツハイマー病に適応される薬剤は4剤である。抗コリンエステラーゼ阻害薬が3つ（ドネペジル塩酸塩，ガランタミン臭化水素酸塩，リバスチグミン），NMDA受容体拮抗薬が1つ（メマンチン塩酸塩）である。これらの薬剤はすべて認知機能低下の進行を遅らせ，かつ認知症の行動・心理症状（behavioral and psychological symptoms of dementia；BPSD）を抑制する効果をもつが，認知機能自体の改善までには至らない。現在，全世界でワクチンを開発中である。

医療介護行政の連携は必須である

　認知症患者をめぐって，医療と介護，さらに行政の連携が必要，などと大げさに言わなくても，われわれは日本に住む限り必然的に連携をとるように迫られる。介護保険の認定である。65歳を超えると，明らかな病気がなくても，われわれ（本人，代理人として主に家族）は介護保険を申請することは可能である。そして審査され介護度が判定される（まれに介護不要という判定もあるだろうが，そもそもそういう場合は申請しないであろう）。介護申請の手続きは，各自治体の介護支援の窓口（呼び名はそれぞれ異なる）なので，ここですでに行政との連携が必要である。また，介護認定のためには，自治体からの調査員の調査に加え，かかりつけ医師の診断書（介護保険主治医意見書）が必要である。ゆえに医療との連携も必須である。さらに介護保険の認定が下りても，申請の手続きとはまったく別に，介護支援専門員いわゆるケアマネジャーを選定しなければならない。ケアマネジャーは行政が選ぶのではなく，様々な民間の居宅介護事業所からわれわれが選ぶのである。

　このことは，知っている人にとっては当然過ぎるくらい当然のことである。しかし，知らない人（あるいは家族）はまったく知らない。認知症外来を行っていて，かなり病状が進行した患者さん，あるいはその家族から「介護保険ってわたしたちが申請していいのですか？」と聞かれたことが一度や二度ではないからである。

現時点で実効力がある対応は，介護支援の導入と生活習慣病の治療である。糖尿病や脂質異常症（高脂血症）はアルツハイマー病の有力な危険因子である。

- **予後／転帰**：発症年齢や，合併症，さらに治療／介護環境の優劣で大きく変わる。平均生存期間はおおよそ10年ほどである。

❷前頭側頭葉変性症

- **疾患概念／定義**：以前はピック病とよばれていた疾患である。行動障害型（脱抑制，無気力，思いやりや共感の欠如，保続的，常同的行動，または強迫的／儀式的行動などを呈する）と言語障害型（言語能力の顕著な低下などを呈する）に分類される。
- **検査**：画像検査では前頭葉または側頭葉の萎縮が顕著である。
- **発症**：発症年齢はアルツハイマー病より一般に若く（50～60歳代），進行も速い（平均生存期間6～11年）。
- **治療／支援**：根本治療はなく，現行の治療はすべて対症療法である。

❸レビー小体病

- **疾患概念／定義**：2つの中核的特徴，または1つ以上の示唆的特徴をもつことがDSM-5における確実なレビー小体病の診断基準である。中核的特徴は，①認知の動揺性とともに著しく変動する注意および覚醒度，②よく形作られた詳細な，繰り返し出現する幻視，③認知機能低下の進展に続いて起こる自然発生的なパーキンソニズムで，示唆的特徴は，①レム睡眠行動障害の基準を満たす，②神経遮断薬に対する重篤な過敏性，である。
- **検査**：脳の形態学的検査では初期には萎縮を呈さないことが多い。SPECTやPETにおいて，線条体におけるドパミントランスポーター取り込みの低下，後頭葉における代謝や血流低下を認める。また交感神経の脱神経を示唆するMIBG心筋シンチグラフィにおける取り込み低下を認める。
- **治療／支援**：治療はアルツハイマー病に準じる。パーキンソン症状が進行した場合，運動機能低下が致命的になることもあり，平均生存期間は5～7年とアルツハイマー病よりも短い。

❹血管疾患

- **疾患概念／定義**：血管性認知症の症状を簡潔に述べるのは難しい。血管障害の部位や程度により様々な症状が出る。第1に，認知症であげた診断基準を満たすことが前提である。第2に，病歴や神経学的診察，また神経画像診断によって，脳血管性疾患が存在することが明らかであり，またその疾患が生じてから認知症の症状が始まっていることが必要である。
- **疫学**：かつて日本においては血管性認知症が最も有病率が高かったが，診断技術の進歩や診断基準の変遷，さらに日本人の生活習慣の変化など様々な理由から，現在は欧米諸国と同様，アルツハイマー病が最も頻度が高くなっている。血管性認知症は現在2番目といわれており，約20％である。

• **検査**：MRIやCTなどの脳の形態学的画像検査は，診断過程に重要な役割を果たすのは，前述したとおりである。

• **治療／支援**：治療に関しては，血管性疾患の治療が最も重要であるが，アルツハイマー病に有効な薬剤，特にメマンチン塩酸塩が有効な場合がある。

❺外傷性脳損傷

認知症は高齢者が多く罹患する症候群であることは間違いない。しかし，DSM–5の改訂によって，外傷性脳損傷がクローズアップされることにより，若年や幼年層にも「認知症」と診断をつけざるを得なくなるかもしれない。DSM–5では幼児や学童が脳損傷を受けた状態について言及されている。しかし日本においては，認知症という観点から外傷性脳損傷の疫学や病態を調べた文献は見当たらない。現段階では脳外科疾患として詳細な説明がある。

❻物質・医薬品の使用

認知症は物質・医薬品の使用により，せん妄のように一過性ではなく，認知症の診断基準に合致するようになった状態を指す。アルコール誘発性の健忘と作話を伴う**コルサコフ症候群**が代表的なものと考えられる。詳しい疫学は不明である。治療や経過は本節-L「物質関連障害および嗜癖(しへき)性障害群」を参照のこと。

❼HIV感染

ヒト免疫不全ウイルス－1型（HIV–1）の感染によって起こる。感染症の治療薬の進歩により，一時は流行していたアメリカにおいてもHIV感染による認知症はまれなものになりつつあるようで，日本において頻度はさらに少ない。

❽プリオン病

プリオンとよばれる伝染性のたんぱくによって生じる。遺伝性，感染性，弧発性などに分類される。かつては**クロイツフェルトーヤコブ病**という名称が一般的であった。1990年代半ばにイギリスを中心に生じた「狂牛病」の原因でもある。

現在では年間の発症率が100万に1～2人であり，有病率は極めて低い。現在のところ治療法はなく，神経認知障害のみならず運動障害も急速に悪化し，1年ほどで死の転帰をたどる。

❾パーキンソン病

パーキンソン病の診断が確定された後に，徐々に認知機能の低下が明らかになり，認知症の状態を呈する場合がある。レビー小体病による認知症をはじめとして，パーキンソン症状を呈する疾患はほかにも多数あり，さらにアルツハイマー病や脳血管疾患と合併する例も多い。

❿ハンチントン病

ハンチントン病は常染色体優性の遺伝性疾患である。発症年齢にばらつきはあるが平均は40歳ほどである。精神症状が初発のことが多く，ほかの精神疾患との鑑別に苦慮する場合も多い。しだいに認知機能および運動機能が低下（舞踏病様運動からしだいに運動神経すべての障害に及ぶ）する進行性の神経難病である。現在は遺伝子検査によって診断され得るが，いまだに有効な治療法はない。

⓫ほかの医学的疾患による認知症

頻度は多くないが，多種多様な内科外科疾患が認知症の原因となり得る。

- 脳神経疾患（例：原発性または続発性脳腫瘍，硬膜下血腫，正常圧水頭症など）
- 心不全，肝不全，腎不全
- 内分泌疾患（例：甲状腺機能低下症，高カルシウム血症，低血糖症など）
- 栄養疾患（例：サイアミン，ナイアシン欠乏症など）
- 感染性疾患（例：神経梅毒，クリプトコッカス症など）
- 免疫疾患（例：側頭動脈炎，全身性エリテマトーデスなど）
- 代謝性疾患（例：クフ病，副腎白質変性症，異染性白質変性症，成人期および小児期のその他の蓄積性疾患）
- その他の神経学的疾患（例：多発性硬化症，てんかんなど）

4　軽度認知障害（MCI）

近年，軽度認知障害は認知症の「前段階だが，ある明確な状態にある」ものとして定義されることが多くなってきた。たとえば「アルツハイマー病による認知症」は，認知機能が低下して生活に様々な支障をきたす，ということであるが，「アルツハイマー病による軽度認知障害」は，認知機能は低下しているが，生活にはさほどの支障はない，ただし，生活するのに多大な努力を要する，というふうである。この軽度認知障害に関しては，臨床現場で診断を行うことは時期尚早であるという意見も多い[37]。

N パーソナリティ障害群

❶疾患概念／定義

パーソナリティ障害（personality disorder：**PD**）は，青年期，成人期早期までに認められ，持続的に，著しい認知，感情，対人関係，衝動制御の偏り（かたより）を示し，そのために本人に苦痛をもたらすか，社会的機能の障害を引き起こす。

▶ **パーソナリティ障害の類型**　パーソナリティ障害は3つのクラスターに大別される。

- **クラスターA**：認知の偏りが顕著で言動が風変わりで奇異（きい）な印象を受ける。対人関係上では，自閉，孤立傾向が目立つ（**表3-9**）。
- **クラスターB**：感情・情動面での偏りが目立つ。ささいな刺激に大きく情緒が変動したり，爆発性，衝動性が目立つ（**表3-10**）。
- **クラスターC**：不安や恐怖心，内向性などが目立つ（**表3-11**）。

▶ **パーソナリティ障害と併存症**　近年，これらのパーソナリティ障害診断については，診断基準を満たさない症例や複数の診断基準に合致する重複症例，あるいはほかの精神疾患の

表3-9 クラスターAのパーソナリティ障害（PD）

PD	特徴
猜疑性PD	対人的不信感や疑い深さが目立つ。他人から危害を与えられることや嫉妬・ねたみを強くもつ。周囲との衝突や不和が絶えない。判断が自己中心的で偏り，訂正が困難。 **統合失調症や妄想性障害に発展することもある**
シゾイドPD	感情表出の範囲が限定され，温かみが乏しく，非社交的で，孤立しやすいが，他者への関心は薄く，無関心であるため，本人が苦悩を表さないこともある。対人接触をあまり好まない傾向がある，特定の領域への活動に没頭する傾向がある。 **自閉スペクトラムとの鑑別は困難**
統合失調型PD	認知や知覚の歪曲があり，奇妙で風変わりな会話および行動を示す。感情的応答が不適切であったり，非現実的な思考，魔術的思考がみられることがある。対人関係では孤立しやすい。 **統合失調症の家族歴や，経過のなかで統合失調症に発症する場合もある**

表3-10 クラスターBのパーソナリティ障害（PD）

PD	特徴
反社会性PD	衝動性・無計画性が目立ち，冷淡で，共感性が乏しい。自己中心的で，無責任。良心の呵責がなく，他人の権利を無視・侵害する。公共のルールや法律・規範に従わない。 **素行症からの発展型とされる**
境界性PD	感情，対人関係，自己像の不安定と著しい衝動性がある。見捨てられ不安がある。自己破壊的行動（自傷，自殺企図，過度のダイエット，複雑な人間関係）を取りやすい。女性に多い。 **双極性障害，うつ病，心的外傷後ストレス障害，アルコール・物質使用障害（依存）などの併存があり，鑑別を要す**
演技性PD	過度の情動性を示し，他者の注意を引こうとする。自己顕示性や被暗示性が高く，誘惑的な振るまいをすることもある。 **他のPD（クラスターB）との合併が多い**
自己愛性PD	誇大性・尊大傲慢な態度や特権意識が強い。常に他者からの評価にこだわり，賞賛を求めるが，それが得られないと抑うつや激しい怒りを表す。男性に多い。 **うつ病やアルコール・物質使用障害（依存）の併存が多い**

表3-11 クラスターCのパーソナリティ障害（PD）

PD	特徴
回避性PD	恥に敏感で傷つきやすく，失敗をおそれ，そのような可能性のある環境を回避する。自己評価の低さ，自己不全感，劣等意識が目立つ。社会的ひきこもりになることがある。 **社交不安障害との合併は非常に多い**
依存性PD	他者への過度な依存。他人の助言や励ましを常に必要とし，服従・従属による依存関係を維持する。自らの責任を追わないという無責任さもある。女性に多い。
強迫性PD	秩序，規則，順序に固執し，堅苦しく頑固。几帳面で融通が効かない。完璧主義や過度な倫理観や正義感を示すこともある。また吝嗇も認められることがある。男性に多い。

併存や連続性があることが話題となっている。

たとえば**猜疑性パーソナリティ障害**や**統合失調型パーソナリティ障害**は，統合失調症の家族歴をもつものもあり，また経過のなかで統合失調症を発症する場合もある。

シゾイドパーソナリティ障害は，孤立した行動を好み，対人関係をもつことへの関心の乏しさや，特定の対象へのこだわり，情緒的な冷たさなどの特徴が，神経発達障害群の自閉スペクトラム症における社会性の困難と極めて近似しており，乳幼児期・児童期の情報がない場合，両者の鑑別は困難なことがある。両者は1つの自閉スペクトラムの連続帯に位置するのではないかという仮説も提唱されている。

境界性パーソナリティ障害は，成人期のADHD（注意欠如・多動症／注意欠如・多動性障害）の臨床的特徴である，注意の欠如，感情調整の困難，衝動制御の困難，物質乱用，対人関係の不安定さ，低い自己評価などの症状で類似性がある。同じく境界性パーソナリティ障害の過剰で不適切な怒りは，不機嫌優位の躁状態を呈する双極性障害との鑑別が困難で，また家族歴にうつ病や双極性障害の負因があることも多いことから，双極性スペクトラムの連続帯に位置づけるという考え方もある。

神経性やせ症／神経性無食欲症は，飢餓状態のときに生理的に多動や衝動行動を示すこともあり，境界性パーソナリティ障害の診断がなされていることがある。栄養状態が改善すると自然に治まることもよく経験する。また，軽度精神遅滞者で，処理しきれないストレス要因や過剰な解決課題にさらされると，不適応行動に至る場合もある。さらに**回避性パーソナリティ障害**は，社交不安障害の重症ケースという見方も可能である。

❷診断

このように，パーソナリティ障害（PD）と診断した症例が，後に別の精神疾患に結実したり，別の精神疾患の家族負因をもっていたりすることなどを踏まえて，まったくの初回診察でのパーソナリティ障害の確定診断は避け，生育生活歴，家族歴，身体因の可能性などを詳細に集め，また数回の診察場面での患者の言動を詳細に把握したり，心理検査，脳波検査，画像検査，血液検査（特に甲状腺機能）などを行ったうえで，慎重に診断すべきである。

また，紹介元や前医からの引き継ぎでパーソナリティ障害という診断となっていても，別の疾患の可能性をていねいに鑑別し直すことも肝要である。治療への拒否的な態度や診察場面での暴言，自傷行為や衝動行為のエピソード（状態像）など，治療側が陰性感情をもちやすい行動がみられた後に，パーソナリティ障害と診断されることが往々にしてあるからである。

パーソナリティ障害の診断は，場合によっては，患者自身に大きなスティグマを与えることになり，医療からさえも疎外される一因になりかねない。自験例を1例あげる。

“夜間，無意識に舌をかんだり，知らず知らずに手足や顔にあざをつくってしまう，診療中に不機嫌が目立つことから，境界性パーソナリティ障害の診断で十数年通院したものの，一向に改善しない”ため，治療困難事例として紹介された40歳代の女性がいた。詳細に問診すると，「舌をかんだ後，泡を吹くようにいびきをかいた」というエピソードから，てんかんを疑い，脳波検査を行ったところ，はっきりしたてんかん放電を認め，抗てんかん薬を調整し，前述のような症状はまったくみられなくなった。

❸治療

第1に，診断の見直しを丹念（たんねん）に行い，ほかの精神疾患が併存していないか，あるいは別の疾患としてとらえ直すことはできないかを，まず検討すべきである。

そのうえで，パーソナリティ障害という診断となった場合は，精神療法が重要な治療となる。境界性パーソナリティ障害の精神療法は歴史的に最も試みられているものである。近年では，アメリカのマーシャ・M・リネハン（Linehan, M. M.）[38]による弁証法的行動療法（dialectical behavior therapy；DBT）という一連の治療技法が開発され，自傷行為の軽減などに実証性の高い効果をあげており，日本でも臨床への普及が望まれている。

薬物療法は対症療法的ではあるが，それぞれのパーソナリティ障害の併存疾患や類似性を考慮し，少量の抗精神病薬や気分調整薬などが用いられることがある。

0 てんかん

❶疾患概念／定義

てんかん（epilepsy）とは，痙攣（けいれん）や意識障害を発作性にきたす脳疾患の代表的なものであり，ICD–10では，神経系疾患の「挿間性及び発作性障害」に分類されている。

WHOの「てんかん事典」[39]において，てんかんは「種々の病因によってもたらされる慢性の脳疾患であって，大脳ニューロン（神経細胞）の過剰な放電から由来する反復性の発作（てんかん発作）を主徴とし，それに変異に富んだ臨床並びに検査所見の表出が伴う」と定義されている。

つまり，次のようにまとめることができる。

①てんかんは個人の体質や遺伝素因，あるいは様々な病気が原因となるもので，単一の疾患ではない。

②てんかんは慢性の脳疾患であり，頭部外傷の急性期，薬物中毒，アルコール離脱など一過性の病態で起こる発作は除外される。

③大脳ニューロンは，通常，規則正しいリズムで互いに調和を保ちながら電気的に活動しているが，この活動が突然崩れて，激しく過剰な放電（てんかん放電）が生じて起きるのが，てんかんである。てんかん放電を生じないもの，たとえば不整脈や脳虚血などによる失神発作，ナルコレプシー，心因性発作などは除外される。

④発作が繰り返し起こることがてんかんの特徴である。ただし，1回だけの発作であっても，発作の原因となる脳器質疾患およびてんかん様の脳波所見などが認められ，再発リスクが2回の発作後と同程度（60％以上）に高いと考えられる場合も，てんかんとみなして治療を開始する。

てんかんは精神疾患ではなく神経疾患であるが，日本では行政において精神疾患（障害）として制度が運用されており，成人の場合，長い間，精神科で治療されてきた。また精神症状や知的障害を合併することがあり，現在も精神科で治療する機会が少なくない。

❷病因

全体の約7割は脳の器質的病因がわからず，遺伝的素因などが原因と推定されるもの（**特発性**），あるいは器質的病因が強く疑われるが特定できないもの（**潜因性**）である。

脳の器質的病因が診断できるもの（**症候性**）は約3割で，これには構造的病因（脳血管障害，外傷，腫瘍，海馬硬化，先天奇形など），感染性病因（髄膜炎，脳炎など），代謝性病因（ポルフィリン症，尿毒症など），免疫性病因（抗NMDA受容体抗体脳炎などの自己免疫性脳炎）などがある。てんかん発症における遺伝子の関与は，多くの場合大きくない。親がてんかんの場合，その子どもにてんかんが発症する頻度は4～6％で一般の2～3倍であるが，てんかんの病因により頻度が異なる。常染色体優性または劣性遺伝，伴性遺伝などの明瞭な遺伝形式を示す家系は極めてまれである。

❸症状

てんかん発作は，てんかん放電に巻き込まれる脳の部位によって「ひきつけ」「痙攣」だけでなく，「ボーッとする」「身体がピクッとする」「意識を失ったまま動き回ったりする」など多彩な症状が現れる。突然の痙攣や意識消失によって転倒，外傷，熱傷，自動車事故などを起こし，生活や仕事に大きな支障をきたす。患者は，いつ発作が再燃するかわからない不安を常に抱えていることを知っておかなくてはならない。また，実際の発作を見たときに，あわてずに対処するためには，発作についての知識が不可欠である。

▶ **てんかん発作の分類**　てんかん発作は，発作開始時のてんかん放電の分布によって部分（焦点起始）発作と全般（全般起始）発作の2つに分けられる。

部分発作とは，発作開始時にてんかん放電が大脳半球の片側に一定時間とどまっているものである。一方，**全般発作**とは，発作開始時にてんかん放電が，すでに大脳半球の両側に広がっているものをいう。現在まで最もよく使用されているてんかん発作の国際分類（1981年）を表3-12に示す。

▶ **部分発作**　部分発作には，意識障害（意識減損）のない単純部分発作（simple partial seizure；SPS）と，意識障害を伴う複雑部分発作（complex partial seizure；CPS）がある。

- **単純部分発作**：てんかん放電の部位によって，運動症状（身体の一部分の痙攣，顔面の向反

表3-12 てんかん発作の臨床・脳波分類（国際抗てんかん連盟，1981年版より抜粋）

Ⅰ．部分（焦点起始）発作	A．単純部分発作（意識障害を伴わない） 1．運動徴候を呈するもの 2．体性感覚または特殊感覚症状を呈するもの 3．自律神経症状あるいは徴候を呈するもの 4．精神症状を呈するもの（多くは複雑部分発作として経験される） B．複雑部分発作（意識障害を伴う） 1．単純部分発作で始まり意識障害に移行するもの 2．意識障害で始まるもの C．二次性全般化を伴う部分発作
Ⅱ．全般（全般起始）発作	A–1．欠神発作 A–2．非定型欠神発作 B．ミオクロニー発作 C．間代発作 D．強直発作 E．強直間代発作 F．脱力発作（失立発作） （上記のものとの重複，たとえばBとF，BとDとの重複が起こり得る）

注）2017年に国際抗てんかん連盟のてんかん発作分類が改訂された。全般発作は全般起始発作（generalized onset seizure），部分発作は焦点起始発作（focal onset seizure），単純部分発作は焦点意識保持発作（focal aware seizure；FAS），複雑部分発作は焦点意識減損発作（focal impaired awareness seizure；FIAS），二次性全般化発作は焦点起始両側強直間代発作（focal to bilateral tonic-clonic seizure；FBTCS）と用語が変更になった。

出典／Commission on Classification and Terminology of the International League Against Epilepsy：Proposal for Revised Clinical and Electroencephalographic Classification of Epileptic Seizures．Epilepsia，22（4）：489–501，1981をもとに作成．

など），異常感覚や幻覚（幻視，幻嗅，幻聴など），自律神経症状（上腹部の不快感，蒼白，紅潮，発汗，立毛，散瞳など），精神症状（既視感，夢様状態，恐怖など）など，様々な症状が出現する。

- **複雑部分発作**：側頭葉てんかんに多くみられ，典型的には前兆（aura）として上腹部のこみあげる不快感（単純部分発作）などがあり，一点を凝視したまま動きが止まり，意識が障害される。何か食べているように口を動かしたり，手で何かをまさぐるなど，目的のない動作（自動症；automatism）がよくみられる。数十秒から，長ければ数分持続する。発作後にもうろう状態がみられることが多く，健忘が残る。部分発作で始まった後，てんかん放電が大脳半球の両側に広がって全身の痙攣発作に進展するものは**二次性全般化発作**という。

▶ 全般発作

- **欠神発作**：全般発作で意識消失を主体とするものである。以前は小発作とよばれたもので，数秒から数十秒間程度，突然動作が止まってボーッとした表情となり，発作が終わると急に意識が戻る。数回繰り返すこともある。間代発作，強直発作，脱力発作の要素や，自動症を伴うこともある。欠神発作のうち，発作の始まりと終わりがわかりにくいものを**非定型欠神発作**という。

　全般発作で痙攣や脱力を主とするものは，次の5つがある。

❶ミオクロニー発作：両側の四肢や体幹筋などが瞬間的に「びくっ」とする筋収縮（ミオクローヌス）を呈する発作である。

❷間代発作：短い筋の収縮と弛緩を交互にリズミカルに「ビクンビクン」「ガクガク」と反復する発作である。収縮の周期は1秒に3回ほどのことが多い。全身性で屈筋群優位の左右対称性痙攣である。

❸強直発作：筋肉が収縮し続けて「ぐーっとつっぱる」痙攣発作である。多くが全身性，左右対称性である。眼球は上転して白目をむき，口角が下がり，上半身は前かがみとなり，両肩から前腕を挙上する。発作の持続は数秒から10数秒と短い。

❹強直間代発作：強直間代発作（generalized tonic-clonic seizure; GTCS）は，以前は大発作とよばれていたもので，初めのうなり声（initial cry）に続いて強直発作が15～30秒出現し，その直後に左右対称性の間代発作が30～90秒出現し，痙攣中は顔面蒼白（チアノーゼ），発汗，唾液分泌，尿失禁などをみる。発作後は呼気で貯留した唾液を泡状に吹くことがある。その後，自然睡眠に移行するが，発作後もうろう状態とよばれる異常な興奮に陥ることもある。発作中の意識はなく，15～30分程度で意識は回復する。いわゆる全身痙攣発作の典型的な形である。

❺脱力発作：姿勢を保つ筋の緊張が突然低下あるいは消失するため，姿勢を保てなくなる発作である。立位のときには立っていられず転倒（失立）し，座位のときにも座位を保てず倒れ込む。臥位で起こることもある。

1つの発作が長く続くか，何度も繰り返して発作と発作の間に意識が回復しない重篤な状態を**てんかん重積状態**という。脳に不可逆的な障害を与え，生命にかかわる医学的緊急事態である。発作が5分以上続くときには速やかに治療を開始する必要がある。

▶ **精神症状**　てんかん患者には精神症状がみられることがあり，その併存率は一般人口平均の数倍多い。うつ病性障害はてんかん患者の11～44%，不安障害は15～25%，自殺は5～10%，精神病は2～8%にみられるという報告がある。抑うつ症状は最も頻度が高く，自殺のリスク要因としても注意が必要である。

精神病性障害には発作後精神病と発作間欠期精神病がある。

- **発作後精神病**：大きな発作や群発発作のあとに1～2日の意識清明期を経て急激な精神病症状を呈するもので，抗てんかん薬などによる治療で比較的早期に寛解する。
- **発作間欠期精神病**：発作の消退と入れ替わるように精神病症状が出現する**交代性精神病**から，ほとんど統合失調症と区別のつかない**慢性精神病**まで様々な形をとり得る。

❹疫学／好発年齢

先進国におけるてんかんの有病率は約0.7～1%とされ，日本にはてんかん患者が約100万人いると考えられる。神経疾患のなかでは認知症，脳血管障害に次いでよくみられる疾患である。

好発年齢は1歳までの新生児期および高齢者と二峰性の分布を示す。超高齢社会下にある日本では，高齢発症のてんかんが増加しており，近年臨床的に重要となっている。

❺検査／診断

▶ **検査**　てんかん発作は大脳ニューロンの過剰な放電が原因であることから，脳の電気活動を記録する**脳波**（electroencephalogram；**EEG**）は最も診断に役立つ検査である。てんかん放電は脳波で鋭い形の波（棘波，鋭波，棘徐波複合など）として確認できる。海馬硬化，腫瘍など脳の器質的病因を頭部MRIなどの画像検査で調べることも欠かせない。

てんかんの外科手術の際には，SPECT（単一光子放射断層撮影），PET（陽電子放出断層撮影），脳磁図（MEG），頭蓋内脳波などの特殊な検査も行われる。抗てんかん薬を開始した後は定期的に血液検査を行い，抗てんかん薬の血中濃度や，貧血，肝・腎機能障害などの有害作用をモニターする。

▶ **診断**　てんかんおよびてんかん症候群の診断は，発作と病因によって分類する方法が広く用いられている。発作については，部分発作を呈するものを**部分**（焦点，局在関連性，局所）**てんかん**，全般発作を呈するものを**全般てんかん**という。病因については，前述した特発性と症候性・潜因性に分け，これらを組み合わせて，特発性部分てんかん，症候性部分てんかん，特発性全般てんかん，症候性・潜因性全般てんかんの4つに大きく分類する方法がよく使用されている。表3-13にてんかんおよびてんかん症候群の分類と代表的疾患をまとめた。

❶特発性部分てんかん：特発性部分てんかんの代表は中心・側頭部に棘波をもつ**良性小児てんかん**（BECTS）である。幼児～学童期に初発し，睡眠中の顔面片側が痙攣する発作が主で，思春期までに寛解する。

表3-13 てんかんおよびてんかん症候群の分類と代表的疾患(国際抗てんかん連盟,1989年版より抜粋)

	部分(焦点,局在関連性,局所)てんかん	全般てんかん
特発性	中心・側頭部に棘波をもつ良性小児てんかん(benign epilepsy with centro–temporal spikes;BECTS)など	・小児欠神てんかん ・若年欠神てんかん ・若年ミオクロニーてんかん ・覚醒時大発作てんかん　など
症候性 潜因性	・側頭葉てんかん ・前頭葉てんかん ・頭頂葉てんかん ・後頭葉てんかん　など	・ウエスト症候群 ・レノックス－ガストー症候群　など

注)2017年に国際抗てんかん連盟のてんかん分類も改訂された。てんかん病型については全般てんかん(generalized epilepsy),焦点てんかん(focal epilepsy)に加えて,全般焦点合併てんかん(combined generalized & focal epilepsy)が新設され,レノックス－ガストー症候群などがここに含まれる。さらに,てんかんであることはわかっているが,十分な情報が得られないため病型が焦点か全般かを判断できない場合は病型不明てんかん(unknown epilepsy)に分類される。また,病因に関しては,特発性/症候性/潜因性という分類から,別項目で構造的/素因性/感染性/代謝性/免疫性/病因不明と具体的に分類する方法に変更された。さらに,精神・心理・行動の問題や運動障害,運動異常症などの併存症(comorbidities)がある場合はてんかん分類の中で記載するようになっている。

❷特発性全般てんかん:小児欠神てんかんは幼児～学童期,**若年欠神てんかん**は思春期にそれぞれ発症し,いずれも欠神発作が主体で,強直間代発作をみることもある。**若年ミオクロニーてんかん**は主に思春期に発症し,朝起き抜けに上肢が突然「びくっ」として,持っている茶わんや箸(はし)を落としてしまうのが典型的である。**覚醒時大発作てんかん**(全般性強直間代発作のみを示すてんかん)は10歳代に発症し,強直間代発作が覚醒後まもなく起こるのが特徴的である。特発性全般てんかんのなかには光過敏性をもつものが多い。

❸症候性部分てんかん:症候性部分てんかんの代表は**側頭葉てんかん**である。小児期から青年期に発症し,前兆(単純部分発作)に続いて,あるいは突然一点凝視,口をもぐもぐ動かすなどの自動症といった複雑部分発作を呈する。二次性全般化発作をみることもある。頭部MRIで海馬硬化がしばしば認められる。**前頭葉てんかん**は睡眠中に発作が起こることが多く,フェンシングのような姿勢をとる発作や,ペダルを漕いでいるような複雑な動作の自動症などがみられることがある。発作は短く,発作後のもうろう状態はごく軽いが,発作を何度も繰り返しやすい。**頭頂葉てんかん**は多様な感覚発作が特徴で,手,腕,顔,舌などの異常感覚が現れやすい。変形視,めまい,空間的な失見当識,言語障害がみられることもある。**後頭葉てんかん**は視覚野が焦点となることが多く,点,線や図形などの幻視が毎回同じように出現する発作が代表的である。

❹症候性・潜因性全般てんかん:症候性・潜因性全般てんかんは,**てんかん性脳症**ともよばれ,難治で多くは知的障害を合併する。乳児期発症の代表は**ウエスト症候群**(点頭(てんとう)てんかん)である。特徴的なてんかん性攣縮(れんしゅく)(スパズム)は突然パタンとうなずくように頭部を前屈し(点頭),同時にからだ全体を折り曲げ,1～3秒手足をつっぱる。シリーズ形成といって,数秒から10数秒の間隔をあけて何度も繰り返すことがある。「電撃・点頭・礼拝痙攣」ともよばれる。**レノックス－ガストー症候群**は幼児～学童期に発症し,非定型欠神発作,強直発作,脱力発作,てんかん性攣縮など多彩な発作型がみられる。

• **鑑別が必要な疾患:**てんかんと鑑別が必要な疾患は数多く,失神,心因性発作,パニック障害,脳卒中,薬物やアルコールの急性中毒または離脱,急性代謝障害(低血糖,テタニーなど），急性腎不全，頭部外傷直後などがある。このうち**心因性非てんかん性発作**（psychogenic non–epileptic seizure；**PNES**）は，頻度が多く臨床的に重要である。突発的にてんかん発作に似た様々な精神および身体症状を示すが，身体的あるいは生理学的に発症の原因が認められない。てんかん発作よりも持続時間が長く，周囲の状況や時間経過によって症状が変動することが多い。ただし，真のてんかん発作に合併することも少なくないため注意が必要である。診断には発作のビデオ記録が有用で，特に発作時のビデオ脳波同時記録で確定診断が下せる。

❻治療

▶ **薬物療法**　抗てんかん薬による薬物療法が第1選択となる。全般てんかんにはバルプロ酸，エトスクシミド，ラモトリギン，クロナゼパム，レベチラセタム，トピラマートなど，部分てんかんにはカルバマゼピン，ラモトリギン，レベチラセタム，ゾニサミド，トピラマートなどが使用される。一度服用を開始したら長期にわたって服用することが多いため，眠気，ふらつき，肝機能障害，貧血，皮膚障害，催奇形（さいきけい）性，精神症状などの有害作用を考慮して薬剤が選択される。妊娠可能な年代の女性の場合は，催奇形性の問題からバルプロ酸以外の薬剤を考慮し，神経管閉鎖不全リスクを下げるために適量の葉酸補充が推奨される。服薬を急に中断すると，発作の再燃や，てんかん重積状態を起こすことがあるので注意が必要である。てんかん重積状態の場合，抗てんかん薬の静注（ジアゼパム，ロラゼパム，ミダゾラム，ホスフェニトインナトリウム水和物，フェノバルビタールなど）で速やかに発作を止めなくてはならない。

▶ **手術療法**　てんかんの外科手術は，成人の場合，部分てんかんで代表的な抗てんかん薬を1～2剤服用しても発作が抑制されない場合に検討される。内側型側頭葉てんかんや，脳腫瘍，血管腫が原因のてんかんでは，約80～90％の症例で病巣の切除により発作消失が期待できる。

発作焦点が脳の複数の場所にあるケースや，発作焦点が運動野など重要な部位に重なっていて切除困難な場合には，発作を軽減し緩和させる目的で迷走神経刺激術（vagus nerve stimulation；VNS）などの緩和手術も行われる。

▶ **発作時の対応**　初めててんかん発作を見るとだれでも動揺する。まず自分が落ち着くことが大事である。時計を見て時刻をメモし，ぶつかって，けがをしそうな危険なものを患者の周囲から移動させ，ほかのスタッフをよぶ。痙攣中に衝撃が加わる部位にクッションを入れるのもよい。発作が終わったら時計を見て時刻をメモし，左側臥位のリカバリー姿勢をとる。表3-14の発作観察のポイントに沿って観察，記録を行う。強直間代発作でも通常は1分程度で発作が終わるが，それ以上発作が持続するときには速やかに酸素吸入，輸液ラインを確保し，てんかん重積の治療に移行する。自動症でまわりのものをいじったり，発作後もうろう状態で歩き回って危険な場合は，行動を制するのではなく，周囲の危険なものを排除しながら，横か後をついて歩く。前もって患者の同意があれば，発作中に動画を撮影しておくと，発作の診断に非常に役立つ。

表3-14 発作観察のポイント

発作開始時	• 時刻，場所，姿勢（立位，座位など），何をしているときか • 最初の症状は何か • 発作が起きるとき前兆があったか（上腹部不快感，恐怖感など。発作後に本人に聞く）
発作症状の経過	• 姿勢，痙攣に左右差があるか（手足，頭部，口角など） • 開眼しているか，眼球の向きはどうか（上転あるいは横を向いているか） • 自動症があるか（口をぺちゃぺちゃ動かしたり，手をもぞもぞ動かす） • 発作後に力が抜けている場所がないか（発作後麻痺）
意識の有無	• 簡単な命令に従えるか（例：「目をつぶって」「両手をあげて」） • 単語を言って発作後に覚えているか（例：発作中に「リンゴ」と言って，発作後に「さっき言った食べ物の名前は？」と改めてたずねる）

心因性非てんかん性発作が疑われる場合には，1回だけ「自然におさまるから大丈夫。落ち着くまでそばにいます」と伝え，明かりや音，人の刺激を避け，ほかのスタッフには持ち場に戻ってもらい，1人で対応する。

どの発作でも，意識が回復するまでスタッフが目の届く範囲にいて観察をする。誤嚥を防ぐため，服薬は意識が清明に戻るまで行ってはいけない。発作後，ふだんと同じ状態に戻れば通常活動に戻ってよいが，発作中に頭部を打撲した場合は，麻痺の有無や意識レベルなどを最低1時間は観察する。1～2時間眠ったり（発作後睡眠），頭痛，吐き気，めまい，だるさが半日以上残るときには十分回復するまで休ませてよい。

• **してはいけない対応：**痙攣中にからだを無理に押さえ付けたり，ゆすったり，叩いたり，大声で呼んだりしても，発作が早く止まることはなく，かえってもうろう状態の患者が暴れ出すことがあり危険である。舌をかまないようにと口腔内にタオルなどを入れると窒息を誘発する。現場から無理に患者を移動させない。心因性非てんかん性発作の場合は，周囲が過剰に反応することで症状を強化するおそれがある。

• **生活指導：**てんかん発作の誘発因子として一般的に睡眠不足，過労，飲酒，喫煙などが知られており，それらを避けるように指導する。光過敏性には青色のサングラスをかけることも有効である。

薬物療法を行っている場合，飲み忘れないようにすることが最も重要である。1回飲み忘れただけで発作が起こってしまうこともある。もし飲み忘れたことに気づいた場合には，その時点で服用する。次の服薬時間が近い場合には，1時間ほど間隔をあけて次の薬を服用する。

入浴中の発作は溺水事故につながりやすい。発作が抑制されていない場合は特に注意し，シャワー浴でも湯船に落ちないよう風呂の蓋をしておく。

自動車運転は，道路交通法で，覚醒中に意識または運動が障害される発作がなく2年間経過していることが条件とされている。2年以上無発作であっても，睡眠不足，体調不良，薬の飲み忘れ，抗てんかん薬の変更後など，発作再発リスクの高いときには絶対運転しないように指導する。

❼ 予後／転帰

てんかんの約7割は薬物療法で発作が消失する。てんかんの寛解率を分類別にみると，

BECTSなど年齢依存性の特発性部分てんかんは，ほぼ10割で最も予後がよい。若年ミオクロニーてんかんなど特発性全般てんかんは約8割，側頭葉てんかんなど年齢非依存性の症候性部分てんかんでは約5割である。レノックス－ガストー症候群など症候性・潜因性全般てんかん（てんかん性脳症）は約2割と低く，難治である。

てんかんにおける突然死のリスクは，若年患者で一般人口の24～28倍高いとされる。特に，てんかん外科の術前評価中あるいは待機中の難治てんかん患者では，年間突然死発生率が1000人当たり9人とリスクが高く，注意が必要である。

文献

1）American Psychiatric Association著，日本精神神経学会監，髙橋三郎，大野裕監訳：DSM–5；精神疾患の診断・統計マニュアル，医学書院，2014.
2）World Health Organization編，融道男，他監訳：ICD–10 精神および行動の障害；臨床記述と診断ガイドライン，新訂版，医学書院，2005.
3）仙波純一：総論；DSM–5をどう見るか〈DSM–5をどう見るか？〉，第1回，精神科治療学，29（2），2014.
4）厚生労働省：障害福祉サービスについて．https://www.mhlw.go.jp/stf/seisakunitsuite/bunya/hukushi_kaigo/shougaishahukushi/service/naiyou.html（最終アクセス日：2021/11/2）
5）三宅邦夫，久保田健夫：発達障害のエピジェネティクス病態の最新理解，日本生物学的精神医学会誌，26（1）：21–25，2015.
6）佐々木正美：自閉症療育；TEACCHモデルの世界的潮流，脳と発達，39（2）：99–103，2007.
7）杉江陽子：環境と遺伝の相互作用，脳と発達，47（3）：225–229，2015.
8）友田明美：児童虐待の脳画像解析，分子精神医学，13（4）：242-250，2013.
9）杉山登志郎：神経発達症と子ども虐待，小児科臨床，72（12）：203-208，2019.
10）ドナ・ジャクソン・ナカガワ著，清水由貴子訳：小児期トラウマがもたらす病；ACEの実態と対策，パンローリング，2018.
11）金生由紀子：チック障害の理解と支援に向けて；トゥレット症候群を中心に，日本社会精神医学会雑誌，23（1）：10–18，2014.
12）World Health Organization：Depression and other common mental disorders；Global health estimates，2017．http://apps.who.int/iris/bitstream/handle/10665/254610/WHO-MSD-MER-2017.2-eng.pdf;jsessionid=678A44747B0E6A50A0D2CDC561995BC5?sequence=1（最終アクセス日：2021/11/2）
13）川上憲人，他：精神疾患の有病率等に関する大規模疫学調査研究；世界精神保健日本調査セカンド総合研究報告書，2016．http://wmhj2.jp/WMHJ2-2016R.pdf（最終アクセス日：2019/4/8）
14）野村総一郎，他編：標準精神医学，第4版，医学書院，2009.
15）Geddes，J.，et al.：Psychiatry，4th edition，Oxford University Press，NY，2012，p.223.
16）WHO：Depression．https://www.who.int/news-room/fact-sheets/detail/depression（最終アクセス日：2021/11/2）
17）気分障害の治療ガイドライン作成委員会編，日本うつ病学会監：うつ病治療ガイドライン，第2版，医学書院，2017，p.19.
18）前掲書17）.
19）前掲書1）.
20）Tsuchiyagaito，A.，et al.：Cognitive-Behavioral Therapy for Obsessive-Compulsive Disorder with and without Autism Spectrum Disorder；Gray Matter Differences Associated with Poor Outcome，Front Psychiatry，8（143），2017.
21）前掲書1）.
22）川上憲人：トラウマティックイベントと心的外傷後ストレス障害のリスク；閾値下PTSDの頻度とイベントとの関連，平成21年度厚生労働科学研究費補助金（こころの健康科学研究事業）大規模災害や犯罪被害者等による精神科疾患の実態把握と介入方法の開発に関する研究分担研究報告書，2010，p.17-25.
23）Paris, J. 著，松崎朝樹監訳：DSM–5®をつかうということ；その可能性と限界，メディカルサイエンスインターナショナル，2015，p.187.
24）岡野憲一郎：解離性障害をいかに臨床的に扱うか，精神神経学雑誌，117（6）：399–412，2015.
25）中井久夫，山口直彦：看護のための精神医学，第2版，医学書院，2004，p.213.
26）Nakai Y, et al.：Eating disorder symptoms among Japanese female students in 1982, 1992 and 2002，Psychiatry Research，219（1）：151-156，2014.
27）National Collaborating Centre for Mental Health：Eating disorders；Core interventions in the treatment and management of anorexia nervosa, bulimia nervosa and related eating disorders, National Clinical Practice Guideline, National Institute for health and Clinical Excellence（NICE），2004.
28）National Institute for Health and Care Excellence (NICE): Eating disorders；recognition and treatment full guideline, 2017．https://www.nice.org.uk/guidance/ng69（最終アクセス日：2019/3/19）
29）Treasure，J.，他：モーズレイモデルによる家族のための摂食障害こころのケア，新水社，2008.
30）西園マーハ文：摂食障害のセルフヘルプ援助；患者の力を生かすアプローチ，医学書院，2010.
31）大倉隆介，他：精神科病床を持たない二次救急医療施設の救急外来における向精神薬過量服用患者の臨床的検討，日本救急医学会雑誌，19（9）：901–913，2008.
32）厚生労働科学研究・障害者対策総合研究事業「睡眠薬の適正使用及び減量・中止のための診療ガイドラインに関する研究班」および日本睡眠学会・睡眠薬使用ガイドライン作成ワーキンググループ編：睡眠薬の適正な使用と休薬のための診療ガイド

ライン；出口を見据えた不眠医療マニュアル，2013. http://www.jssr.jp/data/pdf/suiminyaku-guideline.pdf（最終アクセス日：2019/4/18）
33）嶋根卓也，他：薬物使用に関する全国住民調査（2021年），令和3年度厚生労働行政推進調査事業費補助金（医薬品・医療機器等レギュラトリーサイエンス総合研究事業）分担研究報告書，2022.
34）嶋根卓也，他：飲酒・喫煙・薬物乱用についての全国中学生意識・実態調査（2020年），令和2年度厚生労働科学研究費補助金（医薬品・医療機器等レギュラトリーサイエンス政策研究事業）分担研究報告書，2021.
35）松本俊彦，他：全国の精神科医療施設における薬物関連精神疾患の実態調査，令和2年度厚生労働行政推進調査事業費補助金（医薬品・医療機器等レギュラトリーサイエンス政策研究事業）分担研究報告書，2021.
36）Launer, L. J., et al.：Rates and risk factors for dementia and Alzheimer's disease；results from EURODEM pooled analyses. EURODEM Incidence Research Group and Work Groups. European Studies of Dementia, Neurology, 52（1）：78–84, 1999.
37）Frances, A. 著，大野裕，他訳：DSM–5® 精神疾患診断のエッセンス；DSM–5の上手な使い方，金剛出版，2014.
38）Linehan, M. M.；Dialectical behavior therapy for treatment of borderline personality disorder；implications for the treatment of substance abuse, NIDA Resarch Monographs, 137：201–216, 1993.
39）World Health Organization 編，和田豊治訳：てんかん事典，金原出版，1974.

参考文献

・Allgulander, C.：Generalized anxiety disorder；What are we missing?, European Neuropsychopharmacology, 16（Suppl 2）：S101–S108, 2006.
・American Psychiatric Association：Diagnostic and statistical manual of mental disorders, 5th edition；DSM–5, American Psychiatric Association, 2013.
・Anthony, D. W.，他著，野中猛，大橋秀行監訳：精神科リハビリテーション，第2版，三輪書店，2012.
・Liberman, R. P. 著，西園昌久監，池淵恵美監訳：精神障害と回復；リバーマンのリハビリテーション・マニュアル，星和書店，2011.
・Linehan, M. M.：Cognitive–behabioral treatment of borderline personality disorder, Guilford Press, 1993.
・Matsuura, M. et al.：A multicenter study on the prevalence of psychiatric disorders among new referrals for epilepsy in Japan, Epilepsia, 44（1）：107–114, 2003.
・Mellers, J. D. C.：Epilepsy.〈David, A.S. et al（eds）：Lishman's Organic Psychiatry〉, 4th ed., Willey–Blackwell, 2012, p.309–396.
・Proposal for revised clinical and electroencephalographic classification of epileptic seizures. From the Commission on Classification and Terminology of the International League Against Epilepsy, Epilepsia, 22（4）：489–501, 1981.
・Proposal for revised classification of epilepsies and epileptic syndromes. Commission on Classification and Terminology of the International League Against Epilepsy，Epilepsia，30（4）：389-99，1989.
・Rapp, C. A., Goscha, R. J. 著，田中英樹監訳：ストレングスモデル，第3版，金剛出版，2014.
・Roy–Byrne, P. P., et al.：Panic disorder, Lancet, 368（9540）：1023–1032, 2006.
・Scheffer, I.E. et al.：ILAE classification of the epilepsies；Position paper of the ILAE Commission for Classification and Terminology, Epilepsia，58（4）：512–521，2017.
・Schmitz, B.：Depression and Mania in Patients with Epilepsy，Epilepsia，46（Suppl.4）：45-49，2005.
・Stahl, S. M. 著，仙波純一，他監訳：ストール精神薬理学エセンシャルズ；神経科学的基礎と応用，第4版，メディカル・サイエンス・インターナショナル，2015.
・Stein, M. B., Stein, D. J.：Social anxiety disorder, Lancet, 371（9618）：1115–1125, 2008.
・Tyrer, P., Baldwin, D.：Generalized anxiety disorder, Lancet, 368（9553）：2156–2166, 2006.
・World Health Organization：The ICD–10 classification of mental and behavioural disorders；Clinical descriptions and diagnostic guidelines, World Health Organization, 1992.
・World Health Organization：ICD-11；International Classification of Diseases 11th Revision，The global standard for diagnostic health information，2019．https://icd.who.int/en/（最終アクセス日：2019/9/12）
・飛鳥井望編：心的外傷後ストレス障害（PTSD）〈新しい診断と治療のABC 70〉，最新医学社，2011.
・阿部隆明：おとなのADHDとパーソナリティ障害，精神科治療学，28（2）：199–205，2013.
・新井康祥：小児のストレス因関連障害（反応性アタッチメント障害/反応性愛着障害，脱抑制型対人交流障害），精神科治療学30（増刊号）；176-178，2015.
・安西信雄編著：地域ケア時代の精神科デイケア実践ガイド，金剛出版，2006.
・飯倉康郎：強迫性障害の治療ガイド，二瓶社，1999.
・伊藤順一郎，地域精神保健福祉機構監：統合失調症の人の気持ちがわかる本，講談社，2009.
・浦河べてるの家：べてるの家の「当事者研究」，医学書院，2005.
・大澤眞木子，秋野公造：てんかんの教科書，メディカルレビュー社，2017.
・岡野憲一郎：解離性障害；多重人格の理解と治療，岩崎学術出版社，2007.
・尾崎紀夫，他編：標準精神医学，第7版，医学書院，2018.
・片山知哉：パーソナリティ障害の特徴を示す自閉症スペクトラムの成人例；自己愛性パーソナリティ障害，境界性パーソナリティ障害を中心に，精神科治療学，27（5）：639–646，2012.
・兼本浩祐：てんかん学ハンドブック，第4版，医学書院，2018.
・金吉晴編：心的トラウマの理解とケア，第2版，じほう，2006.
・神庭重信，他編：DSM–5を読み解く 4，中山書店，2014.
・気分障害の治療ガイドライン作成委員会編，日本うつ病学会監：うつ病治療ガイドライン，第2版，医学書院，2017.
・齊藤万比古編：注意欠如・多動症－ADHD－の診断・治療ガイドライン，第4版，じほう，2016.
・齊藤万比古，他編：発達障害とその周辺の問題〈子どもの心の診療シリーズ2〉，中山書店，2008.
・元村直靖：認知行動療法と心的外傷からの回復，日本保健医療行動科学会雑誌，34（1）：29-32，2019.
・飛鳥井望監：トラウマ体験に苦しむストレス症候群　心的外傷後ストレス障害PTSDを診る，共和薬品工業，2014.

・櫻井武：睡眠の科学；なぜ眠るのかなぜ目覚めるのか，講談社，2010.
・櫻井武：睡眠障害のなぞを解く；「眠りのしくみ」から「眠るスキル」まで，講談社，2015.
・嶋根卓也，他：飲酒・喫煙・くすりの使用についてのアンケート調査（2017年），平成29年度厚生労働科学研究費補助金（医薬品・医療機器等レギュラトリーサイエンス総合研究事業）分担研究報告書，2018.
・嶋根卓也，他：飲酒・喫煙・薬物乱用についての全国中学生意識・実態調査（2018年），平成30年度厚生労働科学研究費補助金（医薬品・医療機器等レギュラトリーサイエンス政策研究事業）分担研究報告書，2019.
・杉山登志郎編著：講座 子ども虐待への新たなケア〈ヒューマンケアブックス〉，学研教育みらい，2013.
・鈴木丈，伊藤順一郎：SSTと心理教育；中央法規出版，1997.
・「てんかん診療ガイドライン」作成委員会編，日本神経学会監：てんかん診療ガイドライン2018，医学書院，2018.
・融道男，他監訳：ICD-10精神および行動の障害；臨床記述と診断ガイドライン，新訂版，医学書院，2005.
・長嶺敬彦：ココ・カラ主義で減らす統合失調症治療薬の副作用，地域精神保健福祉機構・コンボ，2010.
・夏苅郁子：心病む母が遺してくれたもの；精神科医の回復への道のり，日本評論社，2012.
・平島奈津子：適応障害〈神経症性障害の治療ガイドライン〉，精神科治療学，26（増刊号）：129–133，2011.
・本間博彰，小野善郎編：子ども虐待と関連する精神障害〈子どもの心の診療シリーズ5〉，中山書店，2008，p.97-115.
・前田正治，他：外傷後ストレス障害〈神経症性障害の治療ガイドライン〉，精神科治療学，26（増刊号）：106–127，2011.
・松浦雅人，原恵子編：てんかん診療のクリニカルクエスチョン200，改訂第2版，診断と治療社，2013.
・松本俊彦，他：全国の精神科医療施設における薬物関連精神疾患の実態調査（2018年），平成30年度厚生労働科学研究費補助金（医薬品・医療機器等レギュラトリーサイエンス政策研究事業）分担研究報告書，2019.
・三島和夫編：睡眠薬の適正使用・休薬ガイドライン，じほう，2014.
・吉川徹：自閉症スペクトラムが疑われるケースを前に；他のパーソナリティ障害との関係，精神科治療学，29（6）：763–767，2014.
・渡邉博幸：抗精神病薬〈高久史麿監：治療薬ハンドブック2015〉，じほう，2015.
・厚生労働省：医療機器の保険適用について．https://www.mhlw.go.jp/content/12404000/000494014.pdf（最終アクセス日：2022/7/10）

第4章

精神疾患の主な治療法

この章では

- 精神疾患／障害の主な治療法について理解する。
- 精神療法の適応・技法・治療機序について各疾患／障害ごとに理解する。
- 日常生活における自分自身の精神療法的な言動やその関係性について理解する。
- 医療機関で行われる精神科リハビリテーションについて理解する。

I 薬物療法

1. 精神科薬物療法とは

1 向精神薬

向精神薬とは，中枢神経に作用し精神機能（心の働き）に影響を及ぼす薬物の総称である。広義では必ずしも精神科治療に用いられる医薬品のみでなく，鎮痛薬や医療麻薬なども含まれる。また，日本の「麻薬及び向精神薬取締法」における“向精神薬”には，睡眠薬，抗不安薬，鎮痛薬などが該当し，薬局や医療機関におけるそれらの取り扱いは，厳密に規定されていることに注意する必要がある。

ここでは，中枢神経に作用し，精神疾患や精神症状の軽減，制御を目的に用いられる薬剤を“向精神薬”と総称する。向精神薬には，抗精神病薬，抗うつ薬，気分安定薬，抗不安薬，睡眠薬などがある。また，抗てんかん薬についても，てんかん発作の抑止のみならず，気分安定作用として用いられることから取り上げる。

2 精神科薬物療法の目的と今日的課題

▶ **薬物療法の進歩**　向精神薬の種類と主な役割は表4-1に示した。薬物療法の進歩によって，精神疾患は医学的方法論を用いて対応できるようになったといっても過言ではない。非自発的，強制的な入院管理による社会的隔離なしに，医療的介入が可能になったのも，薬物療法の発見によっている。精神疾患や精神医療自体への偏見を減らすことに寄与しているともいえよう。

また，20世紀後半から今世紀にかけての向精神薬の開発ラッシュのなかで，強い不快感を伴う有害作用が目立たない新薬が次々に登場し，旧来の薬剤から主役の座を取って代わった。このことは，服薬への抵抗感を減じ，精神科治療を受けやすくすることにもつながった。

表4-1 向精神薬の種類と薬理作用，対象疾患・病態

薬の種類	代表的な薬理作用	対象疾患
抗精神病薬	ドパミン D_2 遮断作用	統合失調症，幻覚妄想状態，躁状態，あるタイプのうつ状態，認知症周辺症状など
抗うつ薬	セロトニン，ノルアドレナリン再取り込み阻害作用	うつ病，不安障害（パニック障害，社交不安障害，強迫性障害，心的外傷後ストレス障害）など
気分安定薬	イノシトールリン酸系細胞内情報伝達を修飾	躁状態，うつ状態
抗不安薬	GABA 受容体結合による系の賦活	不安障害，不安状態
睡眠薬		不眠（症）
抗てんかん薬	Na^+チャネル遮断など	てんかん，双極性障害
抗認知症薬	アセチルコリンエステラーゼ阻害など	認知症

さらに，これまで有効な薬物療法が確立していなかった精神疾患への適応（一例をあげれば，双極性うつ病，種々の不安障害，注意欠陥多動症など）も得て，薬物療法の守備範囲は拡大を続けている。

▶ **薬物療法の課題**　しかし一方で，このような簡便さによる安易な薬物導入の問題や，疾病喧伝（従来であれば精神科で扱わないような心理社会的課題や個人のライフイベントにおける困難を"病気"として医療で扱うようにすること）を助長したという反省がある。さらに，慎重な身体診察のうえで少量から導入するような，危険性を把握した処方の作法が軽視され，ヒューマンエラーがむしろ生じやすくなったともいえる。

このように精神科薬物療法は，新薬ラッシュを手放しで喜べる状況はすでに終わり，適正使用を図る反省期に入っているともいえる。当事者や一般市民の精神科薬物療法に対しての疑問や批判は大きな世論になっており，どのように適正な薬物療法を行うかが，これからの医療者全体の取り組む課題として浮き彫りになっていることを忘れてはならない。

向精神薬が精神疾患を医療の範疇で取り扱えるきっかけをつくったことは確かとしても，この治療の弊害面にも注意を払うことが精神科医療にかかわる者に求められているともいえるだろう。

2. 精神科薬物療法における看護の役割

▶ **多職種協働**　精神科治療は多職種協働を必要とする。多職種チームを構成するメンバーは，相互の専門領域に関しても一定の知識と実務理解があることが，実効性のある多職種協働を運営するうえで必須となる。看護職を含めて，これにかかわるあらゆる職種が，精神科薬物療法への基本的な知識と処方意図への理解をもつことは，薬物療法とほかの心理社会的治療や看護ケアの足並みをそろえて包括的な治療を円滑に進めるためだけでなく，薬物療法の負の面となる有害作用を最小化し，また服薬による患者の逡巡や苦悩に寄り添う原点ともなる。

▶ **看護師の役割**　看護師は，在宅看護においては患者の実生活での諸困難を最も身近に把握し，入院治療においては患者との情報交換を最も頻繁に行っている立場にある。その実践のなかで，患者から服薬に関しての疑問や相談を受けることも多々ある。また，薬剤の効果を生活や行動の変化として把握したり，有害作用の徴候にいち早く気づいて対処を促したり，服薬アドヒアランスを把握し，その向上を図ったりと，薬剤や服薬をめぐって患者を支援することが期待されている。

3. 薬物療法の実際

1 抗精神病薬

❶抗精神病薬の種類

表4-2に日本で現在用いられている代表的な抗精神病薬の種類をまとめた。抗精神病薬

表4-2 抗精神病薬の種類（内服薬の一部）

	一般名（一部）	商品名（例）
第一世代	クロルプロマジン	コントミン®
	ハロペリドール	セレネース®
	プロペリシアジン	ニューレプチル®
	ゾテピン	ロドピン®
第二世代	アセナピン	シクレスト®
	アリピプラゾール	エビリファイ®
	オランザピン	ジプレキサ®
	クエチアピン	セロクエル®
	クロザピン	クロザリル®
	パリペリドン	インヴェガ®
	ブレクスピラゾール	レキサルティ®
	ブロナンセリン	ロナセン®
	ペロスピロン	ルーラン®
	リスペリドン	リスパダール®
	ルラシドン	ラツーダ®

は大別して，**第一世代抗精神病薬**と**第二世代抗精神病薬**に分かれる。現在の主流は，適正使用の範囲においては，錐体外路系有害作用の発生が少ない第二世代抗精神病薬である。成書によっては，第一世代薬を「従来薬」「定型薬」と表し，第二世代薬を「新規薬」「非定型薬」としているものもあるが，ここでは区別をせずに用いることとする。

❷統合失調症のドパミン仮説と抗精神病薬の作用機序

統合失調症では，ドパミン神経系のシナプスにおける神経伝達物質ドパミンの過剰放

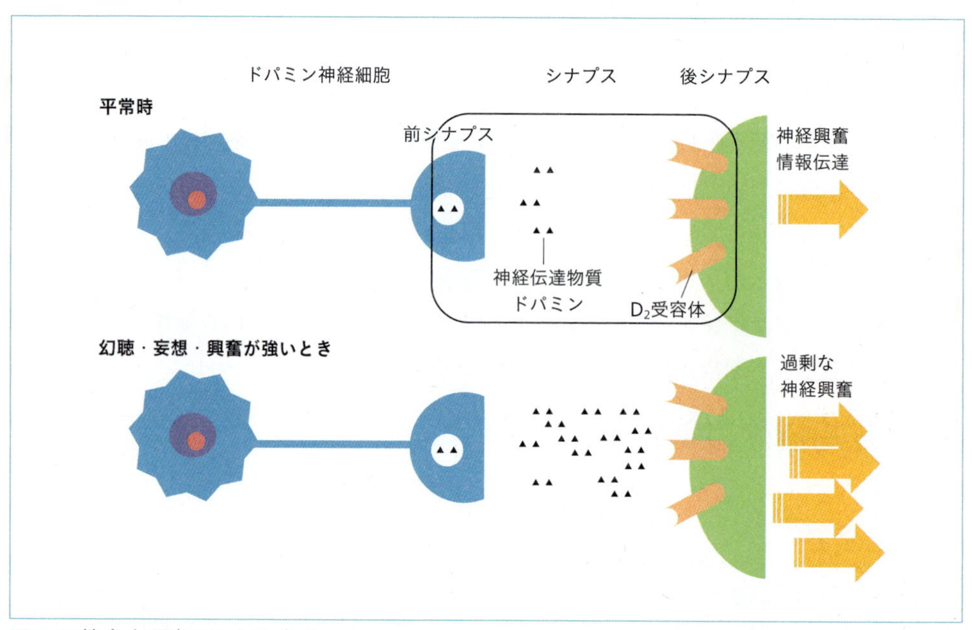

図4-1 統合失調症のドパミン仮説

出，あるいはドパミンD_2受容体の感受性変化が生じており，その結果，過剰な神経興奮が生じ，幻聴や妄想，不安／緊張をもたらす（図4-1）。抗精神病薬は，このドパミンD_2受容体に拮抗的に結合し，過剰な神経興奮を遮断する。その結果，適度な情報量で神経系下流に送られるようになって，幻覚・妄想・興奮を軽減する（図4-2）。

脳内には大別して**4つのドパミン神経系**がある（図4-3）。①中脳辺縁系，②中脳皮質系，

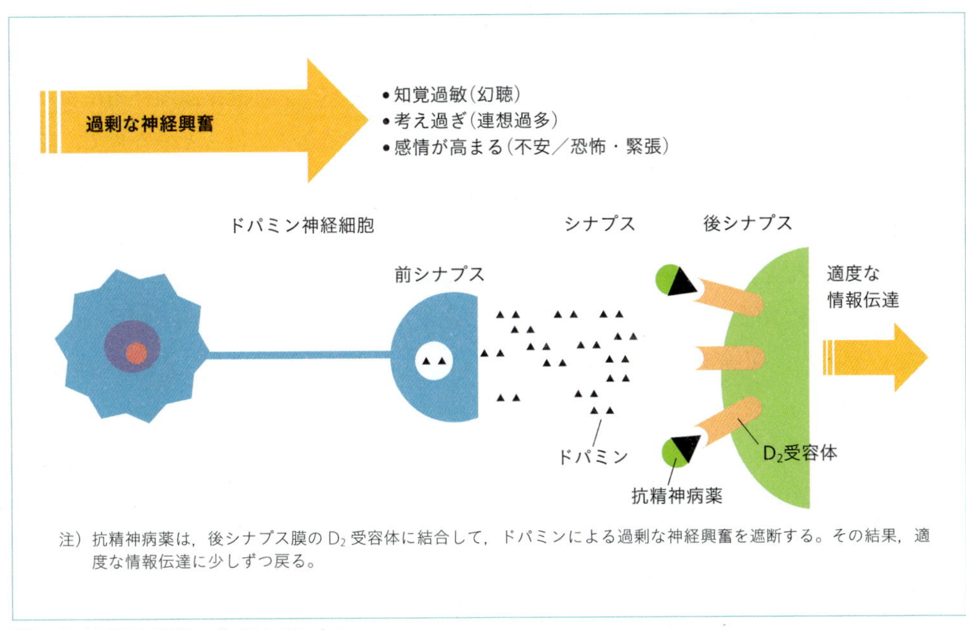

注）抗精神病薬は，後シナプス膜のD_2受容体に結合して，ドパミンによる過剰な神経興奮を遮断する。その結果，適度な情報伝達に少しずつ戻る。

図4-2 抗精神病薬の作用するしくみ

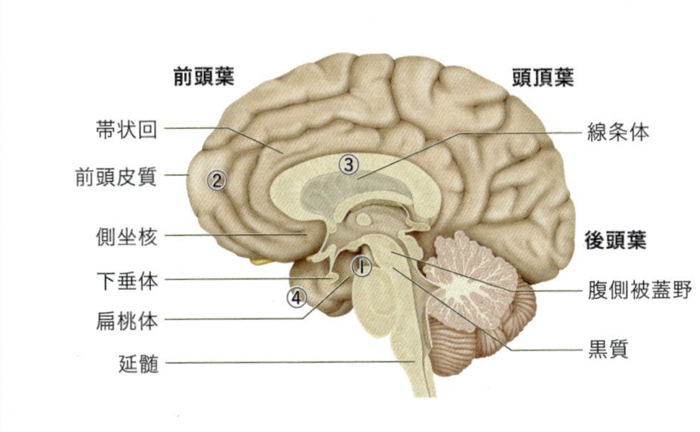

- 抗精神病薬は，脳内の主に4つのドパミン神経系に作用する。
- 従来の抗精神病薬は中脳辺縁系に対しては効果作用を示すが，ほかの3つのドパミン系に対しては有害作用を生じる。
- 第二世代抗精神病薬は，中脳辺縁系に対しての効果はもちろん，ほかのドパミン系への少ない影響など利点が多い

①中脳辺縁系：現実判断能力低下，感情コントロール不良
②中脳皮質系：意欲や思考力が低下，対人関係，生活力が低下
③黒質線条体系：錐体外路症状という有害作用に関係
④視床下部下垂体系：プロラクチン分泌，月経の遅れなどの有害作用に関係

図4-3 ドパミン神経系と抗精神病薬

③黒質線条体系，④視床下部下垂体系である。

統合失調症では，①の過剰興奮による幻覚・妄想・興奮が生じ，また②の低活動から，意欲・思考力の低下が生じるとされる。

抗精神病薬は，①の神経系に治療的に作用し，幻覚や妄想などを改善すると考えられる。しかし抗精神病薬は，②③④のドパミン神経系に対しては有害作用として働く。②のドパミン系を遮断することにより，より意欲低下や思考力の低下が増悪する。③を遮断することで，錐体外路症状（振戦(しんせん)，筋強剛(きんきょうごう)，筋固縮，嚥下(えんげ)困難，構音障害など）が生じる。④の遮断により，プロラクチン分泌が亢進し，女性では月経不順，無月経，乳汁分泌などを，男性においては勃起障害などをもたらす。抗精神病薬は，ドパミン神経系遮断作用によって精神病症状を軽減するが，同時にその作用が様々な有害作用を生じ得るという点で，諸刃(もろは)の剣(つるぎ)であることを理解する必要がある。

❸抗精神病薬の有害作用

図4-4に様々な受容体遮断作用による抗精神病薬の有害作用を整理した。ドパミン D_2 受容体遮断作用以外にも，抗コリン作用（ムスカリン受容体遮断作用），アドレナリン α_1 遮断作用，ヒスタミン H_1 遮断作用，セロトニン $5HT_{2C}$ 遮断作用などがあり，それぞれ特徴的な副作用が生じる。

2013年の大規模メタ解析による抗精神病薬ごとの有害作用の特徴を表4-3に示した。数字の1～9は相対的な有害作用の軽重を示しており，数字が大きくなるにつれて有害作用が強いことを示す。各抗精神病薬ごとに有害作用の特徴に違いがあることに注意する必要

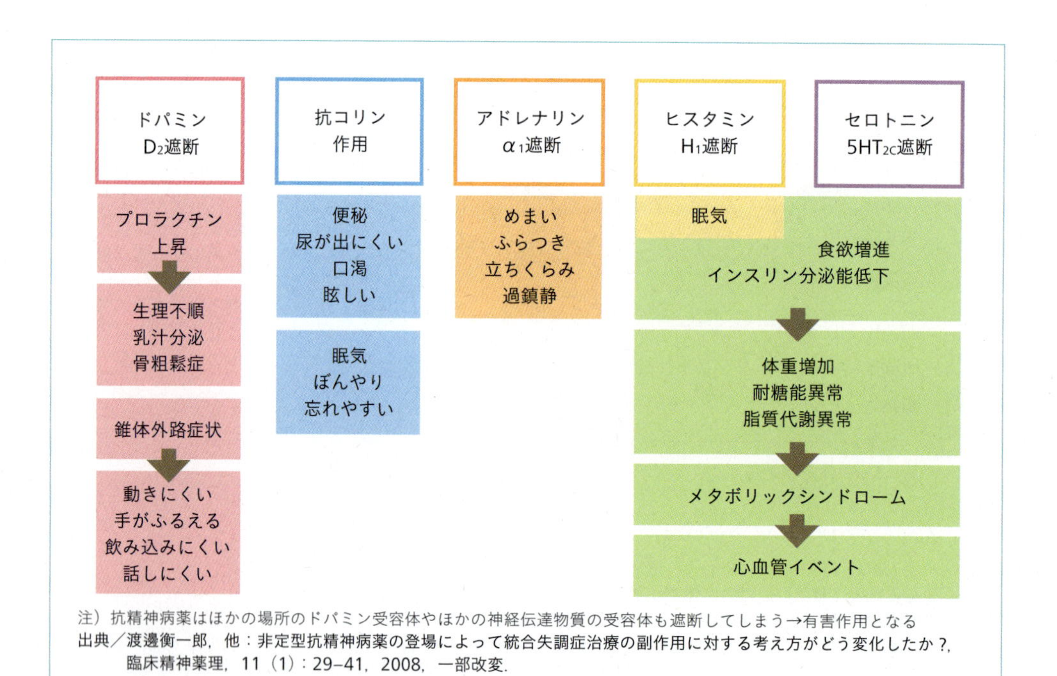

注）抗精神病薬はほかの場所のドパミン受容体やほかの神経伝達物質の受容体も遮断してしまう→有害作用となる
出典／渡邊衡一郎，他：非定型抗精神病薬の登場によって統合失調症治療の副作用に対する考え方がどう変化したか？，臨床精神薬理，11（1）：29–41，2008，一部改変．

図4-4 抗精神病薬の有害作用のメカニズム

表4-3 大規模メタ解析で示された各抗精神病薬の有害作用の違い

	錐体外路症状	プロラクチン上昇	QTc延長	体重増加	鎮静
ハロペリドール	11	7	4	1	5
ゾテピン	10	NA	NA	10	10
クロルプロマジン	9	5	NA	8	9
ルラシドン	8	6	1	2	3
リスペリドン	7	8	7	6	4
パリペリドン	6	9	3	5	1
アセナピン	5	3	8	4	6
アリピプラゾール	4	1	2	3	2
クエチアピン	3	2	5	7	8
オランザピン	2	4	6	11	7
クロザピン	1	NA	NA	9	11

プラセボと比べて明らかに有害作用リスクが高い薬剤は赤とした。
NA：研究データなし
出典／Leucht, S., et al.：Comparative efficacy and tolerability of 15 antipsychotic drugs in schizophrenia；a multiple-treatments meta-analysis, Lancet, 382（9896）：951-962, 2013 のメタ分析をもとに作成.

がある。実臨床では，これらの有害作用特性の違いに応じて，薬剤を使い分ける。

(1) 錐体外路系有害作用

錐体外路系有害作用は抗精神病薬の代表的有害作用である。第二世代抗精神病薬が主流となって，その頻度は従来より減ったとはいえ，①ドパミンD_2受容体遮断作用が強い抗精神病薬を用いる場合，②薬剤の用量が多い場合，③多剤併用の場合，④高齢患者や脳器質疾患患者や知的障害者に用いる場合，⑤脱水など全身状態が悪い患者に用いる場合などでは発現しやすくなる。

むしろ，薬剤自体の安全性が高まったために，錐体外路症状を見過ごすケースが出てきている。それぞれの錐体外路系有害作用の特徴を表4-4，5に整理した。特に，**アカシジア**は，第二世代抗精神病薬でも生じやすい有害作用であり，またアカシジアから自傷・衝動行動に発展することがあるため，看護観察上，この有害作用を早期発見し，対処することが重要である。

表4-4 錐体外路系有害作用（急性）

種類	症状	出現日	好発年齢	備考
急性ジストニア	突然の奇異な姿勢や運動。たとえば舌の突出，捻転，斜頸，眼球上転など	3日以内	若年者	緊張病症状，てんかん症状との鑑別が必要だが，通常服薬との因果関係が明瞭である
アカシジア	じっと座っていられず，歩き回らずにいられない（静座不能），足のムズムズ，精神不安，焦燥，不眠を伴うことも多い	2～4週	中年	精神症状の悪化と判断され，さらに抗精神病薬の増量がなされる恐れがある
パーキンソニズム	動作が乏しくなり緩慢になる，無表情，手指のふるえ（振戦），身体の動きが硬くなる，よだれ，飲み込みが悪くむせる	2～4週	高年	抑うつ症状や感情鈍麻，重症例では昏迷状態との鑑別困難なことがある

表4-5 錐体外路系有害作用（慢性）

種類	症状	備考
遅発性ジスキネジア	顔面表情筋，口周辺部，顎，舌や四肢体幹に出現する無目的で不規則な異常不随意運動。舌の突き出し，口をもぐもぐ，下顎の小刻みな動き，唇の動きなど	抗精神病薬の長期投与（数か月）後，または中断後に出現。50歳以上，脳の器質病変，感情障害，小児などで起こりやすい
遅発性ジストニア	症状は急性ジストニアと同様。眼瞼けいれんは女性に多い。顔面筋以外の筋群の遅発性ジストニアは男性に多い。急性ジストニアに比べ，より重症で難治のことが多い	50歳以下の若年・中年層に多く，男性に多い。遅発性ジスキネジアよりも出現頻度は少ないが，服薬期間が短くても出現し得る

▶ 悪性症候群　**悪性症候群**（neuroleptic malignant syndorome）は，抗精神病薬などを服用中に，急性の発熱（37.5℃以上），意識障害，錐体外路症状（筋強剛（きんきょうごう），振戦（しんせん），ジストニア，構音障害，嚥下（えんげ）障害，流涎（りゅうぜん）など），自律神経症状（発汗，頻脈，動悸，血圧変動，尿閉など），横紋筋融解を併発し，その結果，急性腎不全となり，適切な治療を行わなければ死に至ることもある。

特徴的な悪性症候群の検査所見として，血清クレアチンキナーゼ（CK）の上昇，ミオグロビン尿，白血球増多，代謝性アシドーシスがあげられる。ただし，第二世代抗精神病薬では，前述の典型的症状がそろわないこともあり，不全型も認められるため，可能性を疑って対応を図ることが肝心である。

(2) 代謝障害（体重増加・耐糖能異常・脂質代謝異常）

錐体外路系有害作用が少ないとされる第二世代抗精神病薬（特にオランザピンやクロザピン，クエチアピンフマル酸塩）とフェノチアジン系抗精神病薬（クロルプロマジン，ゾテピンなど）で目立つ問題である。必ずしも体重増加，耐糖能異常，脂質代謝異常は同時に現れず，それぞれ単独で認められることもある。

これらの有害作用は，錐体外路系有害作用や抗コリン性有害作用に比べて，自覚症状が出にくい反面，糖尿病性ケトアシドーシスや心血管，脳血管障害を引き起こし，突然死の原因になったり，糖尿病合併症（網膜症，神経障害，腎症）など非可逆的で重篤な身体合併症の原因となる。

また，代謝障害が一度生じてしまうと，精神科での減薬・変更や対処薬治療だけでは改善しないことも多く，専門内科治療や食事療法・運動療法などの集学的身体治療が必要となることもしばしばである。また，長期有害作用に対しては，リハビリテーションや腎透析などの導入が必要となる。精神疾患に罹患（りかん）し，これらの身体治療を並行して行う施設や環境が整っていないこともあり，医療コスト増大や当事者への負担増をもたらす。

代謝障害のモニタリングのため，まず糖尿病や脂質異常症（高脂血症）の既往，肥満の有無，これらの家族歴などを初回処方時に必ず把握する。また，初診時に血液検査（肝機能，血算，血糖など），心電図検査を行い，身体リスクを把握しておく。身長，体重，BMI，胴囲，脈拍数，血圧，未服薬時の運動機能なども初診時に明らかにしておく（表4-6）。糖尿病患者，既往歴のある患者では，オランザピン，クエチアピンフマル酸塩の内服薬処方は禁忌

表4-6 適切な初期評価と継続的モニタリング

適切な初期評価	• 身体・環境・心理的要因をよく調べる • もともとの持病はないか？ • 代謝性・心血管系疾患の家族歴の確認
適切な継続的モニタリング	• 処方用量・効果と副作用の検討 • 運動機能や神経学的な診察をする • 体重，腹囲，BMI • 血圧，心拍数 • 血糖値，脂質代謝系血液検査

注）適切な初期評価と継続的モニタリングなしに，患者に対して抗精神病薬を処方してはならない。
出典／渡邉博幸：統合失調症薬物療法の適正化はどのように行うのか？；不適正とならないための留意点．臨床精神薬理，18（11），2015.

となっている。そのほかの薬剤でも慎重投与となっているものがあることに注意する。

続いて，再来時あるいは入院中であれば定期的な身体モニタリングを行う。外来であれば，精神的に安定していて薬剤も同処方で継続となっており，特段の身体症状を認めない場合でも，年に3回程度は初診時同様に採血検査を行いたい。初診時のバイタルサイン確認を継続して行い，特に体重増加に注意する。

▶ **糖尿病性ケトアシドーシス**　**糖尿病性ケトアシドーシス**（diabetic ketoacidosis；DKA）は，多飲，多尿で始まり，高血糖が続くと意識障害が生じ，極期には昏睡に至り死亡することもある緊急合併症である。血糖値250mg/dL超で，動脈血pHが7.30以下，尿ケトン体陽性を示す。抗精神病薬服用中でソフトドリンクの大量摂取が引き金になることがある。代謝障害を起こしやすい抗精神病薬を導入する際には，糖分を含むソフトドリンクの飲用を控えてもらうなどの注意喚起が必要である。

(3) 心循環系の突然死のリスク

抗精神病薬が関係すると考えられている心循環系の突然死のリスクは，薬剤の種類よりも，1日の投与量が関係しているという報告が相次いでいる。日本の抗精神病薬治療の大きな問題点は，関係者の是正の努力がなされているとはいえ，いまだに多剤大量併用療法が続いていることである。2013（平成25）年の全国の精神科病院での調査によれば，クロルプロマジンという基準薬の量に換算して1000mg以上の大量処方がなされている入院患者が全体の30%以上を占めている（表4-7）。

心循環系の突然死の背景には，致死性の心電図異常（QTc延長，心室性不整脈など）や深部血栓症，肺塞栓症が想定されており，いずれも抗精神病薬の高用量処方でリスクが高まる（表4-8）。維持期（慢性期）統合失調症の薬物療法の調整は慎重さを要するが，このような

表4-7 日本の抗精神病薬多剤大量処方の実際（2010～2013年の発表データから）

多剤併用されている統合失調症入院者	63%[1)
クロルプロマジン換算1000mg以上の大量処方	30%以上[1)
3剤以上の多剤併用	42%[2)
4剤以上の多剤併用	20%[2)

出典／1）吉尾隆：抗精神病薬の多剤併用大量処方の実態；精神科臨床薬学研究会（PCP研究会）処方実態調査から，精神神経学雑誌，114（6）：690–695，2012.
2）奥村泰之，野田寿恵，伊藤弘人：日本全国の統合失調症患者への抗精神病薬の処方パターン；ナショナルデータベースの活用，臨床精神薬理，16（8）：1201–1215，2013.

表4-8 心循環系の突然死の背景

突然死と関連が疑われる有害作用	抗精神病薬処方量との関係
心電図異常（QTc延長，不整脈）	CP換算*1000mg以上で起きやすい 多剤になるほど延長しやすい
深部血栓症，肺塞栓症	CP換算600mgを超えると起きやすい

＊CP換算：抗精神病薬の薬効を薬剤間で比較する場合に，等価換算値という数値を用いることがある。歴史的に最も古い抗精神病薬であるクロルプロマジンを基準にしたものをCP換算値という。
注）これらの有害作用は，抗精神病薬の処方量や数に関係する。第一世代薬，第二世代薬の違いはない（第二世代薬でも注意が必要）。体重増加や肥満も影響している可能性がある。
出典／渡邉博幸：統合失調症薬物療法の適正化に関する3つの提言，臨床精神薬理，17（10）：1343–1352，2014.

身体リスクを減らし，計画的な最大限の処方整理を行うことも今日の精神科薬物療法の大切な目的である。

❹服薬継続の必要性

統合失調症の再発防止のためには，現在のところ服薬継続が最も大切である。調子が悪いときのみの服薬は長期安定維持につながらない。

しかし，服薬を守ること（**服薬アドヒアランス**）は，患者側のみの努力目標ではない。有害作用を減らす，飲み方を単純にするなどの薬剤・投与法自体の工夫や，良好な“患者－治療者関係”の構築，多職種による服用しやすい環境の調整，心理教育など集学的な取り組みが必要である。

2 抗うつ薬

抗うつ薬は，うつ病・うつ状態に対して，睡眠，食欲や抑うつ気分，興味関心・意欲の改善などを図る薬剤である。

歴史的には，三環系，四環系（複素環系），選択的セロトニン再取り込み阻害薬（SSRI），セロトニン・ノルアドレナリン再取り込み阻害薬（SNRI），ノルアドレナリン作動性・特異的セロトニン作動性抗うつ薬（NaSSA）などの種類がある。SSRI以降の抗うつ薬を新規抗うつ薬，第三世代抗うつ薬とも総称する（表4-9）。

❶抗うつ薬治療の流れ

▶ **抗うつ薬の選択** 現在，外来における抗うつ薬の導入治療においては，患者の意向や身体背景，有害作用特性を検討して，忍容性（有害作用が少なく服用を続けられること）の高いSSRI, SNRI, NaSSAなどの新規抗うつ薬から1剤を選んで単剤処方することが推奨される。

薬剤選択に関しての，それぞれの抗うつ薬グループの特徴を表4-10に整理した。古典的な抗うつ薬である**三環系抗うつ薬**（TCA）は，不快感のある抗コリン性の有害作用（便秘，口渇（こうかつ），排尿困難など）が生じやすく，また過量服用により致死性の不整脈が生じ，集中治療対象になることも多いことから，特に外来診療では主役として用いられることは少なくなっている。

▶ **抗うつ薬治療の実際** 抗うつ薬は少量から開始し，1～2週間ごとに徐々に増量し，十分量，十分期間（6～8週間）を用いて効果を判断する（表4-11）。

表4-9 日本で処方できる抗うつ薬一覧

分類		一般名	商品名の例	発売年
三環系	第一世代	イミプラミン塩酸塩	トフラニール®	1959
		アミトリプチリン塩酸塩	トリプタノール®	1961
		トリミプラミンマレイン酸塩	スルモンチール®	1965
		ノルトリプチリン塩酸塩	ノリトレン®	1971
		クロミプラミン塩酸塩	アナフラニール®	1973
	第二世代	アモキサピン	アモキサン®	1981
		ロフェプラミン塩酸塩	アンプリット®	1981
		ドスレピン塩酸塩	プロチアデン®	1991
四環系		マプロチリン塩酸塩	ルジオミール®	1981
		ミアンセリン塩酸塩	テトラミド®	1983
		セチプチリンマレイン酸塩	テシプール®	1989
複素環系		トラゾドン塩酸塩	レスリン® デジレル®	1991
第三世代	SSRI	フルボキサミンマレイン酸塩	デプロメール® ルボックス®	1999
		パロキセチン塩酸塩水和物	パキシル®	2000
		塩酸セルトラリン	ジェイゾロフト®	2006
		エスシタロプラムシュウ酸塩	レクサプロ®	2011
		ボルチオキセチン臭化水素酸塩	トリンテリックス®	2019
第四世代	SNRI	ミルナシプラン塩酸塩	トレドミン®	2000
		デュロキセチン塩酸塩	サインバルタ®	2010
		ベンラファキシン塩酸塩	イフェクサー SR®	2015
	NaSSA	ミルタザピン	レメロン® リフレックス®	2009

SSRI：選択的セロトニン再取り込み阻害薬，SNRI：セロトニン・ノルアドレナリン再取込み阻害薬，NaSSA：ノルアドレナリン作動性・特異的セロトニン作動性抗うつ薬

表4-10 各抗うつ薬グループの利点と問題点

種類	利点	問題点	好適症例／対策
TCA	豊富な使用実績，難治例への適用	抗コリン作用，心毒性・不整脈（過量で致死的）	重症例・入院例／緩下剤併用，服薬管理下で用量調整
SSRI	不安症状合併例に有効 抗コリン性有害作用，心毒性・過鎮静が少ない，1回投与可能（フルボキサミンマレイン酸塩以外）	初期の悪心，食欲低下，薬物相互作用，賦活症候群，焦燥感	軽症・中等症，外来症例，特に不安症状合併例／胃薬を初期に併用
SNRI	鎮静が少ない，安全性が高い，疼痛疾患への効果	排尿障害，初期の悪心，頻脈など	軽症・中等症，外来症例／男性高齢者では排尿障害のため投与注意
NaSSA	1日1回投与，睡眠・胃腸症状の改善，性機能障害にも効果がみられる	傾眠，体重増加	高齢者，自殺傾向患者にも他剤との併用で効果増強が期待されている

TCA：三環系抗うつ薬

抗うつ薬の種類にかかわらず，効果よりも有害作用が先に生じることも多く，服薬中断・治療中断の原因となる。患者への初期のオリエンテーションが大切である。

また，初期の不安，焦燥，不眠が強い場合は，ベンゾジアゼピン系抗不安薬，睡眠薬などを短期間のみ併用する。長期連用により，眠気や日中活動への支障をきたすほか，ベンゾジアゼピン依存が形成され，薬を中止しにくくなるのを防ぐためである。

表4-11 抗うつ薬治療導入（各うつ病薬物治療ガイドラインから）

- 患者の意向，過去の治療歴，身体的背景を把握したうえで，有害作用（心毒性，便秘，イレウス，口渇など抗コリン性有害作用など）が少ないものを第１選択薬に選ぶ
- 第１選択はSSRIあるいはSNRI，ミルタザピンなど新規抗うつ薬１種類
- 不眠，不安，焦燥を伴うタイプのうつ病では治療導入時期にベンゾジアゼピン系抗不安薬を併用する（4週間までに減量・中止）
- 少量から開始。十分量，十分期間の投与が必要。1～２週間ごとに増量が目安
- 十分な第１選択薬による治療を行って６～８週間しても改善がない場合
  ①同一，異なるクラスの抗うつ薬へのスイッチング（第１選択薬が無効な場合）
  ②抗うつ薬併用療法
  ③抗うつ薬以外の薬剤付加による増強療法

出典／原田豪人，他：うつ病の最新薬物治療ガイドライン，臨床精神薬理，14（6）：993–1000，2011.

効果が現れ，うつ状態が改善しても，1年近くは薬物治療を継続する。症状改善した後の3～6か月は治療中断により再燃しやすい。2回以上の再発を経験している場合や，うつ症状自体が重篤な場合（自殺企図や精神病性の症状，入院症例など）では，数年以上の維持療法を行うことも多い。

▶ **抗うつ薬の切り替え・併用・増強療法**　最初の選択薬で効果が不十分な場合は，①別の抗うつ薬への変更，②別の抗うつ薬の併用，③抗うつ薬以外の薬剤の増強療法が行われる。

どの方法が優れているかについての結論は，いまだ出ていないが，薬物療法全体として，治療効果が得られるのはうつ病者の約7割といわれている。

❷抗うつ薬（特にSSRI）の有害作用

抗うつ薬の一般的な有害作用としては，抗精神病薬で述べたように，抗コリン作用によるもの，アドレナリンα_1受容体遮断作用による有害作用などがある。それぞれの内容については，前掲図4-4を参照されたい。

現在，抗うつ薬の主流として用いられている**SSRI**に特徴的な有害作用を述べる（表4-12）。

- **セロトニン症候群：**SSRIの併用，大量投与，過量内服などによって生じる。

表4-12 SSRIの有害作用

セロトニン症候群	SSRIの大量投与，リチウムなどとの併用により，急激に脳内セロトニン濃度が上昇するために生じる。下痢，腹部けいれん，振戦，ミオクローヌス，協調運動障害，頻脈，高血圧，躁症状，不機嫌，興奮，発汗など
賦活症候群	投与初期の不安・焦燥感，さらには激越（感情の激しい高ぶり），パニック発作，不眠，易刺激性，敵意，衝動性，躁状態，希死念慮，自傷・自殺行動にSSRIが関与している可能性がある。特に未成年および若年成人で注意
離脱症候群（withdrawal syndrome）	半減期の短いパロキセチン塩酸塩水和物で顕著。中止後２日ほどから，めまい，悪心，易刺激性，錯覚などが出現
消化器症状	SSRIの特徴的有害作用，薬剤の服用によって増加したセロトニンが脳幹や消化管における$5HT_3$受容体および$5HT_4$受容体を刺激するため。悪心・嘔吐，下痢，腹痛
性機能障害	各SSRIで約24%の発現頻度
薬物相互作用	肝臓の薬物代謝酵素（CYP）の酵素活性阻害
出血傾向	NSAIDsや抗精神病薬との併用で，出血傾向が増す

表4-13 抗うつ薬の離脱症候群

離脱症候群	症状
インフルエンザ様症状	疲労感，全身倦怠感，筋肉痛，頭痛
消化器症状	悪心，下痢
不安定	歩行不安定，めまい，フラフラ感
感覚障害	感覚異常，電気ショック感覚，視覚障害
過覚醒	不安焦燥，不眠

対処：①命にかかわる状態ではないことを説明する。②少量の抗うつ薬を再開，半減期の長い抗うつ薬に変更する。
出典／Warner, C. H., et al.：Antidepressant discontinuation syndrome, American Family Physician, 74（3）：449–456, 2006 をもとに作成.

- **賦活症候群**：未成年や若年成人，脳器質疾患や双極性障害で生じやすい，投与初期の衝動性亢進などを指す。添付文書で注意喚起されている。
- **離脱症候群**（withdrawal syndrome）：SSRI を急激に減量・中止した際に生じる。表4-13に詳述した。
- **消化器症状**：SSRI の特徴的副作用で，服薬後3～5日でピークとなることが多い。SSRI の種類により若干頻度が異なり，また個人差も大きい。
- **性機能障害**：SSRI 服用者の1/4に認められるとされる。男性では勃起障害が問題になる。
- **薬物相互作用**：SSRI のもつ薬物代謝酵素（CYP）の活性阻害などにより，ほかの薬剤の血中濃度が上昇するなどの，薬物相互作用の問題がある。薬剤ごとに，どのタイプのCYP を阻害するかは異なるため，添付文書などの熟知が必要である。
- **出血傾向**：新しい有害作用として話題となっている。鎮痛解熱薬などとの併用により危険が増すという報告がある。

3 気分安定薬

気分安定薬とは，双極性障害（躁状態とうつ状態を繰り返す情動・意欲・行動症状を中心とした精神疾患）の躁状態改善，うつ状態改善，維持期・再発予防の効果をもつ薬剤を指し，厳密には，炭酸リチウムのみが該当するという説もある。

臨床実地では，炭酸リチウム以外に，抗てんかん薬（バルプロ酸ナトリウム，カルバマゼピン，ラモトリギン），第二世代抗精神病薬（アリピプラゾール，オランザピン，クエチアピンフマル酸塩，リスペリドンなど）が双極性障害の治療に用いられている（表4-14）。

表4-14 双極性障害の薬物療法（最も推奨される治療）

	最も推奨される治療
躁病エピソード	軽度：炭酸リチウム 中等度以上：炭酸リチウム＋第二世代抗精神病薬（オランザピン，アリピプラゾール，クエチアピン，リスペリドン）
抑うつエピソード	クエチアピン，炭酸リチウム，オランザピン，ルラシドン，ラモトリギン

注）厳密には日本では適応外の薬剤もある。
出典／日本うつ病学会 気分障害の治療ガイドライン作成委員会：日本うつ病学会治療ガイドライン Ⅰ．双極性障害 2020 をもとに作成.

▶ **急性躁病の治療**　急性躁病／躁状態では，精神運動興奮状態であったり，病識を欠いていたりすることも多いため，薬物治療導入自体に難渋することが多い。初期の興奮や多動，衝動的・拒絶的態度を速やかにおさめるためには，純粋な気分安定作用のみで鎮静効果をもたない炭酸リチウムや，初期から治療用量を使うことができないカルバマゼピンなどは不利である。錐体外路症状発現が少ない第二世代抗精神病薬が治療初期（3週間まで）の抗躁効果を期待でき，第1選択薬となっている。

▶ **急性双極性うつ病の治療**　20世紀末までは，双極性うつ病は独立した治療標的として見なされていなかった感がある。しかし，今日においては双極性障害の病悩期間の30～50％を占めるのは双極性うつの状態であるという報告もあり，診断や薬物療法の精緻化が進んだ。前掲表4-14にあげたように，クエチアピンフマル酸塩徐放錠やオランザピン，バルプロ酸ナトリウムやラモトリギンの単剤治療や，炭酸リチウムとラモトリギンの併用などが推奨されている。

一方，双極性うつの治療では抗うつ薬単剤の治療は推奨されない。双極性障害のうつ状態（双極性うつ病）への抗うつ薬単独療法は，効果がないばかりではなく，むしろ病像を不安定にさせ，特に24歳以下の若年者に用いると衝動行為や自傷行為の誘引になることが指摘されている。

▶ **維持期・再発予防**　双極性障害において，躁転（急に躁状態に転じる），うつ転（急にうつ状態に転じる）の病相への移行を防ぐ（病相予防）ための推奨薬剤は，まだ十分定まっていない。炭酸リチウムやクエチアピンフマル酸塩の単剤処方での効果が示されているほか，日本ではラモトリギンが適応を取得している。

ラモトリギンは併用薬によって，複雑な処方量設定を厳密に守る必要があり，初期用量が多かったり，増量スピードが早過ぎたりすると，重篤な皮疹（スティーヴンス－ジョンソン症候群や中毒性表皮壊死融解症など）を引き起こし，死に至ることもあるため，十分な注意が必要である。

▶ **気分安定薬の用量設定**　気分安定薬の用量設定は次の2つの点で細かく行う必要がある。①抗躁作用，抗うつ作用それぞれで効果が最大となる用量（至適用量）が異なることがある。②有害作用が出やすい中毒域があり，特に炭酸リチウムでは治療濃度と中毒濃度の差が狭く，身体状況や併用薬剤（たとえば利尿薬や非ステロイド性抗炎症薬など）によって，血中濃度が著しく上昇し，リチウム中毒に至ることがある。

表4-15には抗精神病薬を双極性障害で用いる際の用量設定の目安を，表4-16には気分安定薬としての炭酸リチウム，バルプロ酸ナトリウム，カルバマゼピンの治療血中濃度の目安や有害作用を整理した。これらの薬剤は血中濃度測定が義務づけられており，定期的に採血を行い，濃度の推移を見ながら用量を調整する必要がある。

用量を変更したときや維持期の安全域の濃度にあるときでも，年に3～4回のモニタリングを行いたい。また，炭酸リチウムでは甲状腺機能や腎機能（BUN，Cr），バルプロ酸ナトリウムでは血算血中アンモニア濃度，カルバマゼピンでは血算（特に白血球数）の検査項

表4-15 抗精神病薬の用量設定の目安

単位：mg/日

	アリピプラゾール（エビリファイ®）	オランザピン（ジプレキサ®）	クエチアピン（セロクエル®／ビプレッソ®）
うつ病／うつ状態	3～9	2.5～10	150～300
躁病／躁状態	24～30	15～20	600以上
統合失調症	12～30	20	600以上

注）抗精神病薬は病状によって効果的な用量が異なる。うつに用いるときは，少量が原則。

出典／渡邉博幸：統合失調症薬物療法の適正化に関する3つの提言，臨床精神薬理，17（10）：1343–1352，2014をもとに作成．

表4-16 気分安定薬の血中濃度の目安と有害作用

	炭酸リチウム（リーマス®）	バルプロ酸ナトリウム（デパケン®）	カルバマゼピン（テグレトール®）
血中濃度の目安	急性期：0.8～1.0mmol/L 維持期：0.6mmol/L 治療域と中毒域の幅が狭い	50～125 μg/mL 濃度反応相関あり	3～14 μg/mL 濃度反応相関なし
有害作用の作用機序	低ナトリウム血症，脱水，利尿薬・降圧薬・鎮痛解熱薬などの併用で炭酸リチウム血中濃度上昇	血中アンモニア高値	薬剤性過敏症症候群
症状	手のふるえ，多飲水・多尿，悪心・嘔吐，意識混濁，無尿（腎不全），心毒性	食欲不振，悪心，運動失調	眠気，皮膚症状，運動失調

注）リチウム血中濃度は，脱水や非ステロイド系抗炎症薬の併用で，容易に2倍の濃度に上昇。リチウムの中毒濃度：1.2mmol/L以上。

出典／Keck, P. E. Jr., McElroy, S. L.：Carbamazepine and valproate in the maintenance treatment of bipolar disorder, The Journal of Clinical Psychiatry, 63 Suppl 10：13–17, 2002をもとに作成.

目を共に確認しておく必要がある。

4 抗不安薬・睡眠導入薬

抗不安薬・睡眠導入薬の主なものは，ベンゾジアゼピン受容体作動薬（以下BZ薬）という共通の薬理的グループに属している。BZ薬は，神経細胞に分布するγ－アミノ酪酸A（$GABA_A$）受容体の特異的な部位に結合し，Cl^-チャネルを開きやすくするため，神経細胞の過分極が起きて神経興奮が頓挫（とんざ）し大脳辺縁系における神経活動を抑制する結果，抗不安・鎮静に働くと考えられている。

抗不安薬は，種々の精神疾患における不安や不安障害に用いられる。また睡眠導入薬は，不眠（入眠困難，中途覚醒，早朝覚醒）に用いられる。

BZ薬は，アルコールやバルビツレート酸系などに比べると安全性が高く，過量服薬により致死性も低い。しかし，連用により，眠気やふらつき，易疲労感などの生活機能の低下が問題になることもある。また，臨床用量の範囲内で用いても薬剤への依存性が形成される**常用量依存**や，反復使用の結果，効果が弱まり，同じ効果を得るためにより多くの量を必要とする**耐性**が生じることがある。さらに，急激な服用中止で**退薬（たいやく）症状**（薬物の服用を断つことで現れる様々な症状）を生じることもあるため，その苦痛からベンゾジアゼピン系薬剤をやめることが困難になることがある（表4-17）。なお，退薬症状を生じやすい服薬条件を表4-18にまとめた。

表4-17 ベンゾジアゼピン受容体作動薬

- 不眠，不安，不快気分，筋肉痛，振戦
- 頭痛，悪心，食欲不振・体重減少
- 知覚変化：感覚過敏（音，光，匂い，触覚），感覚鈍麻（味，匂い），めまい感，反響，奇妙な匂い
- 現実感喪失
- てんかん発作

注）退薬症状では，もともとの症状に加えて，それまでにはなかった症状までも出現する。

表4-18 ベンゾジアゼピン受容体作動薬による退薬症状が生じやすい条件

❶短時間作用型のベンゾジアゼピン系薬の使用
  - 抗不安薬：エチゾラム（デパス®）
  - 睡眠導入薬：トリアゾラム（ハルシオン®），ブロチゾラム（レンドルミン®），ゾルピデム酒石酸塩（マイスリー®）

❷高用量の服用
❸２種類以上の持続的服用
❹服用期間が長い
  - ２か月を超える使用で身体依存が形成
  - ８か月超で43％に退薬症状出現

出典／早川達郎，他：Benzodiazepine 系抗不安薬の臨床応用と問題点，臨床精神薬理，6（6）：705–711，2003，一部改変.

このような問題を避けるために，各種治療手順では，BZ 薬の使用は必要最小限，最短にとどめることが推奨されている。また，一度依存が生じた場合は，超短時間型の BZ 薬であれば，長時間型 BZ 薬に一度置き換えて，非常に緩徐な減量を試みることもある。さらに，BZ 薬を用いず，たとえば不安障害に対しては SSRI を，睡眠導入としては別の作用機序の睡眠薬を選択するなどの試みがなされている。

4. 患者にとって向精神薬の服用はどのような意味をもつか？

患者が抱く薬への思いは千差万別であり，また病状の時期によっても異なる。長く苦しい葛藤の末，自分のためになるとして静かに受け入れる人もいれば，何度も飲んでは止めてを繰り返す人もいる。薬に頼ってしまい片時も手放せなくなっている人もいる。それらはすべて，患者の薬に向き合う正直な態度の現れである。

若くして発症する精神疾患の場合は，医療を長期継続的に受ける最初の体験が精神科治療であることが，まれではない。服薬を順守する体験も同じように，向精神薬が初めてということも多々ある。通常，私たちは症状がなくなれば服用をやめるという考えや習慣になじんでいる。医学的に必要性が示されているといっても，規則的服薬を最初から守れないことは，むしろ当然である。患者のもつ服薬への様々な思いに寄り添うことから，服薬への相互理解は始まる。

服薬を支援すること，服薬の大切さを教育することのみが，薬物療法における看護師の役割・目的ではない。服薬という大なり小なりのリスクをはらむ行為を引き受けることによって，患者本人がどのような自己実現を可能にできるのかを引き出し，人生設計や希望の実現のための一つの手立てとして，薬物療法を位置づける視点を忘れてはならない。

II 電気けいれん療法

1. 電気けいれん療法とは

電気けいれん療法（electroconvulsive therapy；**ECT**）とは，電気的刺激によって脳に全般性の発作活動を誘発し，これによる神経生物学的効果をとおして，臨床症状の改善を得ようとする治療法である[1)]。

▶ **電気けいれん療法の歴史**　その歴史は長く，1930年代には化学物質を使って人為的にけいれん発作を誘発することで精神症状の改善を図る試みが報告されていたが，この方法では確実性に欠けることが問題となっていた。1938年にイタリアのウーゴ・チェルレッティ（Cerletti, U.）とルシオ・ビニ（Bini, L.）により，頭部に短時間通電することで全身けいれんを引き起こす電気けいれん療法が考案されてからは，簡便かつ確実に行えるようになった。

以後，多くの精神疾患に対して試されることとなり，欧米では1950年代から全身けいれんに伴う骨折や脱臼を防ぐために麻酔下で筋弛緩薬を用いる**修正型電気けいれん療法**（modified ECT；**m-ECT**）*が導入され，1980年代にはより効率的に電気刺激することのできる**パルス波刺激型治療器***が開発されるなど，有害作用や副作用を減らして安全性を高める技術的な改良がなされてきた。

▶ **日本での実施状況**　日本でも1939（昭和14）年には安河内五郎（やすこうちごろう）と向笠廣次（むかさひろじ）により統合失調症患者に対して行った電気けいれん療法が報告されている。しかし，1950年代から薬物療法が普及したことに加えて，電気けいれん療法が説明や同意なしに無麻酔で行われ，病院の管理手段として乱用されていたことに批判が集まり，一時期，電気けいれん療法は衰退した。

近年では麻酔科医の協力のもと手術室で行う修正型電気けいれん療法が総合病院を中心に取り入れられるようになり，日本でも2002（平成14）年にパルス波型治療器が認可され，学会のガイドライン作成や講習などで治療手技の標準化も進められ，現在では再び広く行われるようになってきている。

電気けいれん療法は古くからあるが，比較的即効性が期待できる治療法である。今日においても，特定の疾患や切迫した状況，薬物療法が困難な場合といった一定の条件下においてはなお有用性が高い。一方で歴史的な経緯を顧みると，標準的な治療手技により安全

＊ **修正型電気けいれん療法**：静脈麻酔薬と筋弛緩薬を併用することで全身けいれんを起こさずにより安全に治療を行う方法。無けいれん法ともよばれ，最近の主流となっている。適切な麻酔管理のためには麻酔科との連携が好ましく，精神科単科病院では実施が難しく実施可能な施設が限られるといった問題がある。

＊ **パルス波刺激型治療器**：従来使われていたサイン波型治療器に比べ，パルス波電気刺激を行うパルス波刺激型治療器では，少ない刺激用量で発作の誘発が可能であるため健忘症状などの有害作用が少なく，抵抗値に限らず安定した電気刺激が可能であり，安全性と確実性に優れている。

性を確保し，適応を慎重に検討することや事前のインフォームドコンセントなど倫理面へ配慮しながら行うことを忘れてはならない。

2. 電気けいれん療法の特徴

1 即効性

電気けいれん療法の特徴は，適応を限れば高い効果が期待され，比較的効果の発現が早い。数秒間の電気刺激による治療を通常は週2～3回の頻度で，計6～12回行うことで効果が得られることが多い。

2 問題点

問題点として，①効果が長続きしない，②全般発作を抑制する可能性のある薬剤（抗てんかん薬，抗不安薬，睡眠薬など）の服用中には治療の妨げになることがあるので減量や中止をしなければならない，③通常は入院して行う必要がある，などがあげられる。

効果が長続きしないために定期的に行われる電気けいれん療法は**維持電気けいれん療法***とよばれる。

3. 電気けいれん療法の適応と禁忌

1 適応

電気けいれん療法の適応として，重症うつ病や統合失調症（緊張型）などがあげられる。自殺念慮がひどく，薬物療法の効果が得られない場合，昏迷や亜昏迷の場合，身体疾患などにより薬物療法を導入しにくい場合などに行われる[2)]。

2 禁忌

電気けいれん療法には絶対的禁忌はないとされる[3)]。しかし，治療中には全般発作を起こすことによる中枢神経系への影響，自律神経興奮による心血管系への影響が生じる。このため，頭蓋内圧亢進（とうがいないあつ）（脳内占拠性病変），循環器疾患，呼吸器疾患などを合併する場合には，個々の身体状態への対応策を検討して行う必要がある。

4. 電気けいれん療法の主な有害作用

電気けいれん療法にも有害作用があり，主に循環動態の変化，遷延性（せんえんせい）発作，遷延性無呼吸，頭痛，筋肉痛，悪心（おしん），発作後せん妄，健忘，躁状態の出現などがある。これらの多く

＊ **維持電気けいれん療法**：電気けいれん療法は効果が長続きしないため，いったん病状が改善した後も，再燃・再発予防のために何らかの治療法が必要となることが多い。ほかの治療法によっても再燃・再発予防が困難な場合には，1～2か月おきに定期的に単回の電気けいれん療法を行うことがあり，維持電気けいれん療法とよばれる。

は数時間～数日内には回復するが，重大な合併症の発生につながる可能性があり，看護の観察ポイントとして重要である。

死亡事故は，欧米のデータでは治療8万回に1回程度とされている[4)]。繰り返しの施術による長期的な脳への影響は今のところ認められていない。

5. 電気けいれん療法の方法

通常，麻酔科医，精神科医，看護師によって構成される治療チームで実施され，手術室で行われることが一般的である。

1 前評価

事前に問診や全身状態の診察に加えて血液検査，心電図検査，胸部X線検査，頭部CT検査，認知機能検査などを行い，治療における危険性を評価しておく。

2 インフォームドコンセント

電気けいれん療法を行う際には，患者本人から文書によるインフォームドコンセントを得る。重症の昏迷状態や自殺の危険が切迫している精神病性うつ病など，**意思決定能力***を欠くと判断される場合には，家族などの同意を得て行う。

3 使用機器

現在では，安全性と確実性に優れるパルス波刺激型治療器の使用が一般的で，発作誘発時の脳波や筋電図，心電図などをリアルタイムに記録することもできるようになっている（図4-5）。また，パルス波刺激型治療器においては，あらかじめ刺激用量を設定すると通電時間などは自動的に計算され，設定された電気量が通電される。

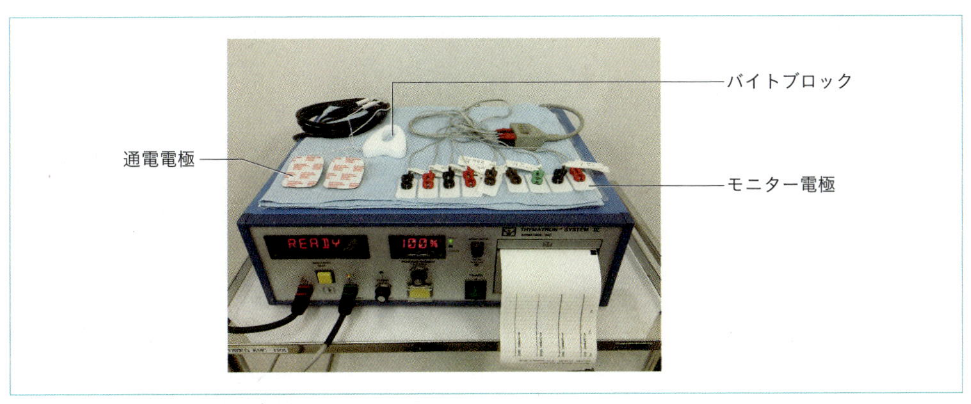

図4-5 パルス波刺激型治療器

＊ **意思決定能力**：意思決定能力の有無については，説明内容を理解しているか，意思決定のプロセスが合理的であるか，自発的に意思表示しているかが評価の基準になる。

4 治療手順

治療当日は，嘔吐（おうと）による窒息や誤嚥（ごえん）性肺炎を防ぐために朝食は絶飲食とし，静脈ラインを確保しておく。手術室に入ってからの手順は表4-19のとおりである。手術室への入室から退出までは30分程度である。

修正型電気けいれん療法では，発作誘発時の骨折や脱臼を防ぐために筋弛緩薬を用いて全身のけいれんを抑制して行うが，この際にタニケット（空気圧を用いた止血器）を下腿に巻いて圧迫し，タニケットよりも末梢側に筋弛緩薬が流入するのを防いでおく。この処置により，下肢末端ではけいれんが生じ，目視と筋電図で確認できるようになる（図4-7）。

電気けいれん療法の作用機序は今なお明らかでないが，効果を生じるには十分な発作の誘発が必要であることが知られており，有効な発作には，発作時の脳波形，脳波と筋電図の発作持続時間，交感神経系の興奮（心拍・血圧上昇）を確認することが重要とされている[5)]。有効な発作が誘発できなかった場合には，次回の治療時の刺激用量の調節，麻酔薬の減量や変更といった対策を検討する。

表4-19 手術室入室後の手順

❶パルス波刺激型治療器の通電電極を左右の側頭部に装着し（図4-6），モニター電極（脳波，心電図，筋電図）も装着する。血圧計，パルスオキシメーター，タニケットを装着する。
❷呼吸抑制による低酸素血症を防ぐために十分に酸素投与をする。
❸静脈麻酔薬を投与し，患者を入眠させる。
❹タニケットを加圧し，下肢末端の血流を止めてから筋弛緩薬を投与する。
❺筋弛緩薬の効果を確認する。
❻発作誘発時の咬舌を防ぐためにバイトブロックを口腔内に挿入する。
❼治療器のボタンを押して数秒間通電させ，発作を誘発する。
❽有効な発作が誘発できたか確認する。
❾タニケットによる阻血を解除する。
❿意識状態がある程度回復し，自発呼吸が確認できたら退室する。
⓫その後もバイタルサインの安定や意識状態が回復するまで注意を払い，有害作用が生じていないか観察する。

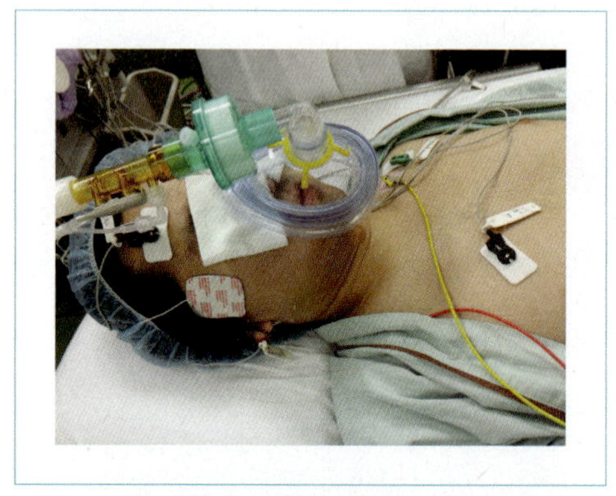

図4-6 通電電極を側頭部に装着

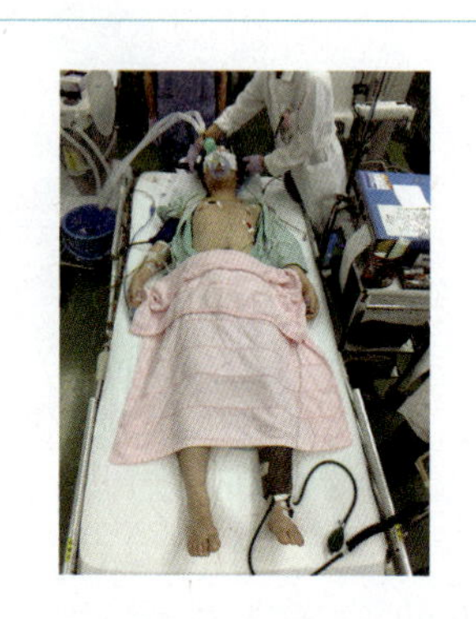

図4-7 治療中の様子

III リハビリテーション療法

1. 精神科リハビリテーション

1 精神科リハビリテーションとは

元来**精神科リハビリテーション**は，精神疾患によって引き起こされた日常生活および社会生活上の困難さの回復を意味していた。その困難さは精神疾患の症状や機能的障害だけでなく，その人特有の機能的制限，能力障害，偏見などにより社会参加を妨げられることまで多岐にわたり，それらすべてにおいての回復，つまり全人的回復という意味を含んでいた。かつて精神科医療が入院中心だった頃には，精神科リハビリテーションは，社会復帰を目指した，病院における段階的な訓練というニュアンスが強かった。

しかし1980年代より主にアメリカで「リカバリー」という概念が広まりはじめた。**リカバリー**とは，「極めて個人的なもの，自分の態度，価値観，感じ方，目標，技能，役割を変化させる独自の過程である。たとえ病気による限界はあっても，満足し，希望のある，貢献できる生活の仕方である（Anthony, 1993）」[6] とあり，精神障害があっても地域のなかで本人が満足できる人生の獲得のプロセスを意味している。この流れのなかで欧米諸国において精神障害者に対する精神医療・福祉の目的は，症状の軽減だけではなくリカバリーを目指すことに変わり，リハビリテーションという言葉は精神障害者が患者役割を離れ，主体的に自分の新しい社会的な役割の獲得を目指す回復を意味するようになった。

2 精神科リハビリテーションのあり方

精神科リハビリテーションは，かつては長期入院からの社会復帰に向けた段階的な訓練プログラムが展開されていた。しかし欧米では長期療養型の精神科病院を廃止する脱施設化およびリカバリーの概念の普及により，精神障害者のリハビリテーションは，リカバリーを実現する地域生活を支えるためのサービスに変化してきた。日本においても2004（平成16）年に厚生労働省が精神障害者の精神医療福祉の地域移行の方向性を打ち出したことで，遅ればせながらリハビリテーションのあり方に変化を求められるようになった。地域生活におけるリハビリテーションに必要なコンセプトとして，次のようなことがあげられる。

❶リカバリーの理念とストレングスへの注目 前述のとおり，リカバリーを支援するためのリハビリテーションが求められており，その場合，支援者の意識が重要である。「リカバリーのプロセスを支援者は，当事者が自己意識を取り戻し，他者とつながり，人生の主導権を回復し，彼らにとって価値のある役割や希望を取り戻そうとする試み（リカバリー）であると理解することによって，そのリカバリーの過程を援助することが出来る（Farkas &

Vallee, 1996)」[7] とあり，支援者のリカバリーに対する姿勢の重要性が述べられている。また，本人の生活上の困難な点の克服に注目するのではなく，本人のストレングス（強み，長所）をうまく利用して困難をカバーするストレングスに注目した支援も，本人のモチベーションを上げ，リハビリテーションに意欲的に取り組めるという効果をもたらす。

❷生活の場で行われるリハビリテーション　リハビリテーションは，医療機関で行われるものから患者の生活の場で生活支援と一体化したものへ移行してきている。またその内容も，集団的なアプローチから本人の生活に即した個別のアプローチに変化してきている。

❸目標設定と評価　リハビリテーションが機能的に行われるためには，目標設定と評価が必要である。本人が希望する人生や生活の目標を明確化し，その目標に対してプランを作成し実行したうえで，その結果に対する評価を行い次のプランへ移る，この繰り返しを支援者と共に行うことが重要である。プランはスモールステップや期限を設けるなどの工夫が用いられる（図4-8）。

❹train then place から place then train へ　かつて精神科リハビリテーションは入院生活を前提とし，病院から社会復帰するための訓練という意味合いがあり，訓練が終わった後に社会生活に移る「train then place（訓練後の社会復帰）」が主流だった。しかしリカバリーを支援する場合，就労や単身生活など本人が希望する社会生活にまず身をおいて，そこで直面する様々な問題に対処しながら本人の回復を促すやり方のほうがより実践的であるため「place then train（生活の場での練習）」に方向性が変わってきた。

❺多職種でのアプローチ　リハビリテーションは前述のように満足できる地域生活や社会的役割の獲得が目的であり，そのための支援の内容は多岐に渡る。様々な専門性をもった多職種のスタッフが協働することで，ブレンド効果も加わり幅広い支援が可能になる。

❻包括的リハビリテーション　精神障害者の地域移行，入院治療の短期化により，精神科リ

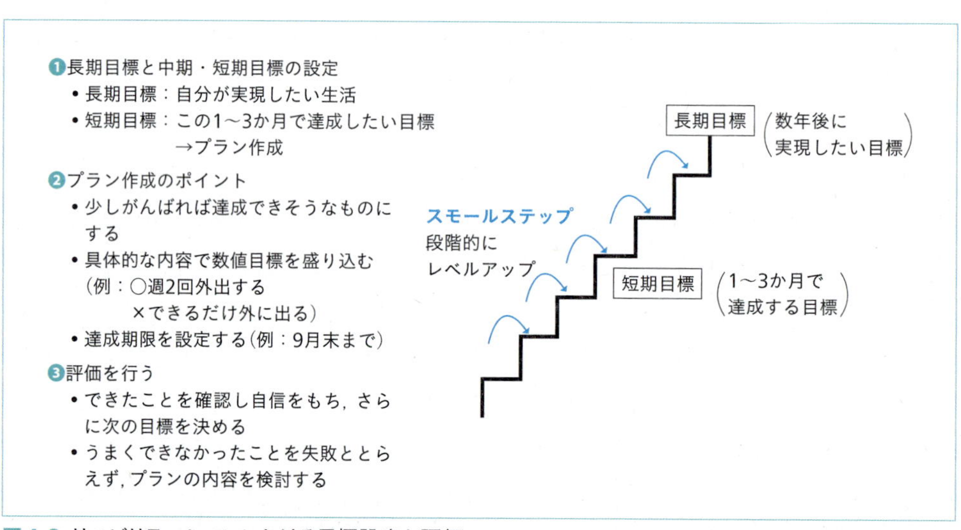

図4-8 リハビリテーションにおける目標設定と評価

ハビリテーションは，病院，地域での一貫したバイオサイコソーシャル（bio–psycho–social）なアプローチ（薬物療法，心理的療法，生活支援が統合されたアプローチ）を，本人を支援する医療・福祉・保健サービスが協働して（または一括したサービスとして）行う包括型リハビリテーションという形に移行しつつある。これによって対象者の地域生活全体を見据えたリハビリテーションが可能になる。

3 医療機関で行われるリハビリテーションの意味

病院の機能がより急性期治療に特化したものへと変化しているなかで，リハビリテーションもそれに合わせて変化を求められている。

▶ **急性期入院治療と連動した早期からのリハビリテーション** 精神疾患の入院治療は，徐々に急性期治療に特化される方向へ変化してきており，入院治療はできるだけ最小限かつ短期化している。そのため入院機能と連動し，入院から地域生活へスムーズに移行できるような急性期からのリハビリテーションの重要性が認識されつつある。

▶ **専門的なスキル，EBPを意識したサービスの提供** 医療機関には，専門療法のスキルを駆使した治療効果の高いリハビリテーションプログラムの提供を求められており，家族心理教育やACT（assertive community treatment，包括型地域生活支援プログラム），IMR（column参照）など，EBP（evidence based practice，科学的根拠に基づいた医療）に基づいた治療プログラムが導入されるようになった。

2. 様々なリハビリテーション療法

1 精神科作業療法

▶ **精神科作業療法とは** **作業療法**は，様々な作業活動をとおして集中力や作業能力の改善，社会適応能力の回復を目指す治療法である。かつて精神科病院で行われていた作業活動と生活指導，レクリエーションが組み合わされた「生活療法」から，1974（昭和49）年に精神科作業療法が診療報酬化されたことで普及するようになった。

精神科作業療法は医師の処方箋により導入され，作業療法士が対象者との関係性の構築

Column
IMR

IMR（Illness Management and Recovery，疾患管理とリカバリー）は，家族心理教育プログラムと同様，アメリカのSAMHSA（アメリカ連邦保健省薬物依存・精神保健サービス部）によってプログラム化された，EBPに基づく当事者に対する心理教育プログラムである。リカバリーのプロセスを歩むために必要な疾患の知識，服薬自己管理，症状に対する対処スキル，ストレスに対するセルフマネジメントなどについて学び，実践するプログラムとなっている。

と能力評価を実施したうえで，目的に合った作業メニューを選択し実施する。1回2時間の作業療法が診療報酬の基準となっている。

作業メニューは手工芸や園芸などの作業活動から，スポーツやゲームなどのレクリエーション，音楽鑑賞や絵画などの芸術療法，就労に向けた活動，社会生活技能訓練（SST）などの集団療法と，様々な治療法が組み込まれている。

▶ **精神科作業療法の今後の展開**　かつて作業療法は主に慢性期の患者に対する集団でのプログラムを基本に実施されてきたが，精神障害者への支援がリカバリーを目指すものに変化してきているなかで，その対象や内容が変わりつつある。作業療法の導入時期は，今まで回復・安定期であったが，機能障害や2次障害防止のための急性期からの治療導入が試みられるようになってきた。作業メニューも，より個人の地域生活に焦点を当てた個別の作業療法や，生活支援と一体化したものが注目されつつある。また，就労に向けたプログラムの充実も今後期待されるところである。

2　レクリエーション療法

レクリエーション療法は，主に精神科病院で行われてきたレクリエーション活動をとおして社会参加の促進を目指すものである。スポーツや映画観賞，音楽鑑賞など私たちが日常生活で余暇活動として楽しむものなどから，運動会やクリスマスパーティーなどの行事まで，様々な活動をとおして余暇活動や集団活動の楽しさを感じ，社会的孤立を防ぐ効果がある。与えられた活動を楽しむ受動的なものとならないよう，活動の企画や運営に患者が自主的に取り組めるような促しが必要である。

レクリエーション療法の多くは，作業療法やデイケアでの活動として実施されることが多い。

3　社会生活技能訓練（SST）

社会生活技能訓練（social skills training；**SST**）は，精神障害を抱えながら社会のなかで生活していくうえで，特に困難さを感じやすいコミュニケーションについてのスキル，いわゆる対人関係技能（social skill）を向上させるための援助法で，認知行動療法の一つの形である（図4-9）。SSTはアメリカのロバート・P・リバーマン（Liberman, R. P.）が治療技法として体系化し，それが日本に導入された。1994（平成6）年に診療報酬化されたことで広く普及することとなった。

SSTは，ストレス－脆弱性（ぜいじゃくせい）－対処技能モデルに基づいて，行動療法と社会的学習理論を基につくられた治療法である。精神障害者が抱える「脆弱性（＝発病のしやすさ）」と，環境からくるストレス，本人の対処技能のバランスが，精神病の発症や増悪（ぞうあく）に関与すると考え，このなかで対処技能を伸ばすことにより再発や増悪のリスクを減らそうという取り組みである。SSTは入院治療中の退院支援のプログラムとして，またデイケアにおける社会復帰のためのトレーニングとして実施されることが多い。

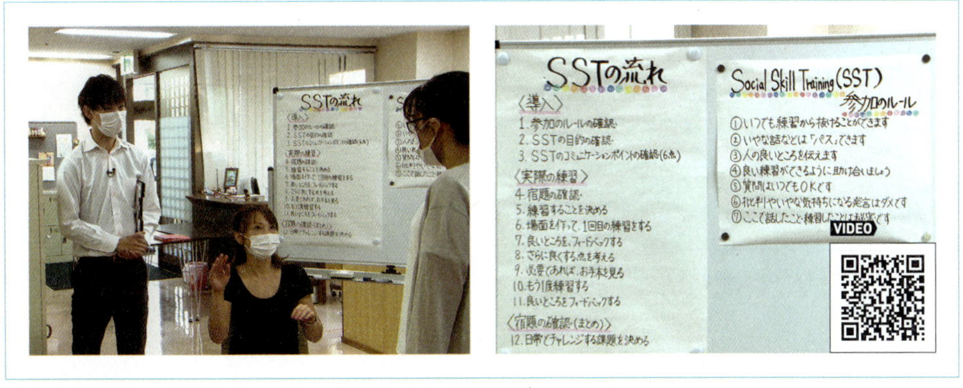

図4-9 精神科におけるSSTの様子（職員による模擬場面）

SSTは大きく2つの訓練プログラムに分けられる（図4-10）。1つは行動技能に着目した基本訓練モデル（図中Ⓐ）であり，もう1つは認知技能に着目した問題解決技能訓練（図中Ⓑ）である。コミュニケーションのための技能を，①受信技能，②処理技能，③送信技能に分けたとき，基本訓練モデルは①と③に対しての，問題解決技能訓練は②に対しての対処技能を向上させる介入となる。

SSTは個人でもグループでも実施可能であるが，グループのほうがピアサポートのように仲間どうしでの学習効果が期待できるため，病棟での集団療法，作業療法，デイケアなどにおいてグループで開催されることが多い。週1回1時間程度のプログラムを，5～10名程度のメンバーと2名程度の治療者（看護師，ソーシャルワーカー，臨床心理士・公認心理師，作業療法士など）で行う。基本訓練モデルの流れを表4-20に示した。問題解決技能訓練も同様の流れで行われるが，ロールプレイによる訓練の部分について，問題に対する解決策を原因追及することなく肯定的に考えられるような工夫を行い，対処技能の向上を促すようになっている。

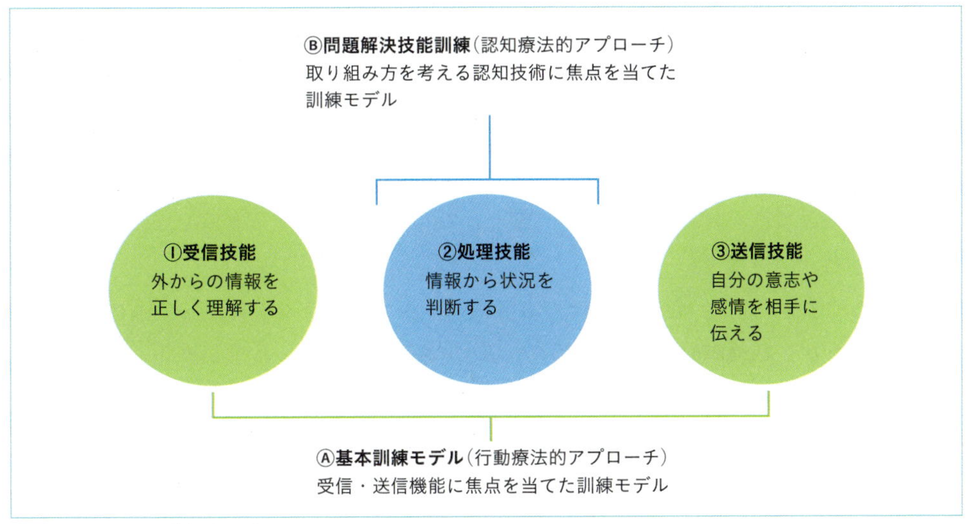

図4-10 SSTの訓練プログラム

表4-20 SSTの基本訓練モデル

❶グループのルールと進め方の確認 グループワークを効率的に進めるための工夫 ❷楽しい話題やゲームによるウォーミングアップ 緊張をほぐし話しやすい雰囲気をつくる ❸練習したいテーマ（行動）の決定 相談者の決定と，問題場面のロールプレイ ❹ロールプレイを用いた反復練習 行動要素の教示→モデルの提示→ロールプレイ→ポジティブフィードバックの繰り返しにより技術を磨く（シェーピング） ❺宿題の設定 次回宿題の報告を設定し，実践を促す ❻参加者の感想のシェア

4 心理教育

心理教育は，①疾患についての理解を深め，②疾患から生じる生活上の困難さについて具体的な対処を身につける，③同じ悩みを抱えた当事者または当事者家族がそのつながりのなかで支えられる，この3点を基本構造とする集団精神療法の一つである。

精神障害者に対する心理教育は，家族に対する心理教育から普及し，現在では当事者に対する心理教育も行われている。

▶ 家族心理教育プログラム　1970年代，イギリスにおける家族の感情表出（expressed emotion；EE）についての研究で，同居家族が高い感情表出をしている場合に患者の再発率が高くなるとの結果がみられた。家族の感情表出の高さは，疾患に対する知識の乏しさからくる不安，日常的な負担，偏見から来る孤立感などが深く関係しており，これらの解消により再発率を低下させる目的で**家族心理教育プログラム**が始まった。

現在日本でよく用いられているプログラムは，本人も含む複数の家族に対するグループ形式で，内容は，①疾患に関する様々な情報提供としての講義，② SSTの手法を用いた対処技能の向上のためのグループワーク，となっている。グループは5～7家族程度が適切で，2～4週に1回の頻度で1回2～4時間，10回程度開催する。スタッフは看護師，ソーシャルワーカー，医師，薬剤師，臨床心理士・公認心理師などの多職種で運営することが望ましい。最近では，ピアサポートの一環として，家族が運営する家族心理教育プログラムも存在する。

▶ 当事者心理教育　近年，心理教育は当事者本人へのプログラムも普及し，主にデイケアやショートケア，病棟や外来の集団療法などで実施されている。症状の悪化・再燃のサインに気づき，早めに対処できるようになるなど，疾患教育による症状管理能力の向上や，ピアサポートによる孤立化の解消などが再発抑止に効果的である。

3. 精神科デイケア

1 精神科デイケアとは

精神科デイケアは，外来治療におけるリハビリテーションとして1974（昭和49）年に診療報酬化され，さらに1988（昭和63）年に主に診療所で行う小規模デイケアが診療報酬として算定されてから，その数は著しく増加した。

そもそもアメリカでは，デイケアを「部分入院（partial hospitalization）」とよび，診断や急性期治療を在宅ベースで行うデイホスピタル，慢性期の心理社会的治療や維持療法に焦点を当てたデイトリートメント，当事者活動を主体とするソーシャルクラブなどとその機能によって分類されていた。日本においてはデイトリートメントに当たるサービスがデイケアとして一般的に普及した。

精神科デイケアは，日中一定時間（デイケア6時間，ショートケア3時間），病院または診療所に設置されたデイケア施設で実施され，利用者はそれぞれの治療計画に沿ってプログラムを利用しながら集団の場で生活技能や社会技能の改善を図る。プログラムの内容は作業療法，レクリエーション療法，心理教育，SSTなどの様々な要素を盛り込んでいる。同様のプログラムを午後4時以降4時間施行するナイトケアもあり，日中から夜までとおしてプログラムに参加するデイナイトケアもある。

デイケアはその施設規模により小規模，大規模に診療報酬が分かれており，最大利用者数と看護師，精神科ソーシャルワーカー，臨床心理士・公認心理師，作業療法士などの専従スタッフの基準が設けられている。

2 最近のデイケアの傾向

かつて，デイケアの目的は，主に統合失調症などの慢性期の精神障害者の心理社会的治療や社会機能維持を目的とするものであったが，近年様々な福祉サービスの普及と精神科リハビリテーションに対するニーズの変化により，デイケアにも変化がみられている。

地域活動支援センターや就労継続支援など，障害者の日中活動メニューが増えたため，特に社会機能維持の機能に関しては福祉サービスへの移行がみられている。また，利用期間の短期化，治療効果を意識したプログラム構成，個別治療目標の設定と評価など，医療機関で行うリハビリテーションとして治療効果を意識したものに変わりつつある。また，うつ病の復職支援や発達障害を対象としたプログラムなど，多様な精神疾患や病態に特化したデイケアも増加している。

IV 精神療法

1. 精神療法の日常性

仕事のミスや失恋，ペットが亡くなったなど，自分の大切なものを失って，悲しみ，落ち込んでいるときに，まわりの人にどうしてもらいたいだろうか。話を聴いてほしい，遊びに連れ出してほしい，一緒に悲しんでほしい，そっとしておいてほしい，いろいろあるだろう。たとえば，次のような場面である。

ある日Aさんが仕事をミスして落ち込んでいるときに，同僚のBさんに「つらかったね，あなたはがんばってきたから，次はうまくいくよ」と励まされた。Aさんは少し元気な明るい気持ちを取り戻して，「今日はおいしいもの食べて早く寝て，明日またがんばる」と答えることができた。

次の日，Aさんは同じく同僚のCさんに「昨日またやっちゃったってね，夜遊びして仕事中も集中してないからじゃないの？」とばかにされたようにからかわれた。Aさんは前向きな気持ちから，また自信を失い，悲しみだけでなく怒りも感じてきた。

Aさんは，Bさんとのかかわりでつらさを受けとめてもらい，Cさんとのかかわりで批判的に評価されて落ち込んだ。

人と人がかかわり触れ合うときに，人の心は揺れ動く。この心の動きを起こす関係性こそが精神療法である。Aさんの落ち込みや悲しみは，Bさんとのかかわりで治療的に働いた。一方，Cさんとのかかわりで落ち込みがひどくなり怒りにまでつながった。このありふれた日常生活の一場面にも精神療法が表れている。つまり精神療法には後述するような特別なスキルとしての側面だけでなく，生活のなかにちりばめられている日常性がある。

医療従事者として学ぶべきコミュニケーションについては第5章にあるが，姿勢や視線の位置，目の向け方，声の大きさ，話し方や速度，言葉遣い，沈黙，表情，手の温度，服装，しぐさなど，自分自身のあらゆる言動や態度が患者に対して治療的な効果を上げたり下げたりすることを自覚し，研鑽する必要がある。

2. 精神療法の治療的因子とトレーニング

生きにくさを抱えている患者に対する際は，精神療法の日常性を踏まえながら，より治療的なスキルとして目的をもったかかわりをすることが大事である。

では，そもそも精神療法ではどのように治療的な効果が出てくるのであろうか。これは特異的因子と非特異的因子とに分かれる。最近の脳科学の発展により，心の動きを脳の機能や活動性，脳の局在性などからも評価ができるようになってきているが，ここでは心の動きに特化して説明する。

- **特異的因子**：各精神療法の流派による，それぞれ独自の治療機序や特徴となる要素である。たとえば精神分析における抑圧からの解放や認知行動療法における認知の修正や強化子による行動の変化などが該当する。特異的因子については，次の「精神療法各論」で一部説明する。

- **非特異的因子**：精神療法の流派にかかわらず共通して治療的に働く要素のことである（図4-11）。つまり人と人がかかわる関係性そのもの，治療者と協同して同じ目的（大きな意味で患者が楽になるということ）のために“共に過ごす”ことである。この治療者との関係のなかで，患者は，①個人として受容され，②基本的信頼感をはぐくみ，③温かみのある真摯（しんし）な態度を受け，④思いを理解し抱えられていることを感じ，⑤人と共にいられることを体験していく。関係性の深まり方によっては，目の前にいない時間すらも治療的に働く。

▶ **精神療法の有害作用**　薬物療法ではからだの不調として目に見えやすい有害作用が出現するが，精神療法ではどうだろうか。前述のミスをしたAさんに対するCさんのかかわりから考えるとどうだろうか。治療者によって自分の存在や感情を否定されたと疑われるような態度，治療への意欲や希望を失わせるような言葉，治療者側の独断的で倫理的に問題のある動機（研究，名誉，金銭など），個人的な関係への進展や破壊などの問題がみられた場合，有害作用として感情的な負担や精神症状の悪化，治療への希望を失うだけでなく，さらには日常の人間関係や社会活動での生きにくさに広がってしまう体験へとつながる。

ただし，精神療法の経過のなかで，治療者と患者の行き違い，思い違いが生じることは多くみられる。このズレについて，治療者と患者が真摯に共に考える態度で取り組むことは，治療の行き詰まりから新しい展開に進展するきっかけとなる。

▶ **精神療法のトレーニング**　教科書で学ぶことや講義を聞くこと以上に重要なのが，ワークショップとスーパービジョンである。**ワークショップ**では，介入技法について自分が実際に体験することでコツをつかむことができる。**スーパービジョン**では，精神療法の先達（先輩，先生など）に実際の患者の経過を聞いてもらうことから，第三者の視点を含めて患者と治療者が体験していることの理解を深めることができる。看護の実践場面では，ケースカ

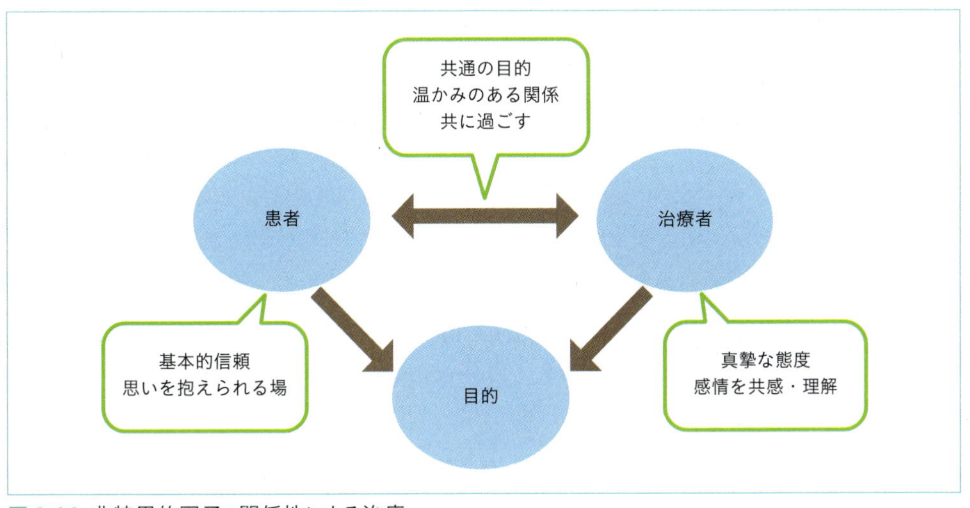

図4-11 非特異的因子：関係性による治療

ンファレンスがスーパービジョンに近い形である。精神力動的な精神療法では，治療者自らの問題点や課題を見つめ直すことを目的として，教育分析という力動的な精神療法を実際に受けることを推奨している。

3. 精神療法各論

精神療法にはいろいろな流派があり，提唱者，治療の目標，アセスメント（患者の困り事がどこにあるのかという見立て方），治療的特異的因子，実際の介入技法などについて代表的なものを説明する。ここで説明するものは一部の流派であり，そのほかの技法や詳細は成書を参照してほしい。

1 支持的精神療法

一般的な精神科医師が行っている精神療法であり，あらゆる精神疾患に適応できる。また精神療法の日常性として中心になっている技法である。

▶ **治療の目標**　起こっている問題の解決を含め，症状の改善や社会適応の向上（学校，職場，家庭での過ごしやすさ）を目指す。

▶ **アセスメント**　患者自身の解決すべき問題とその優先順位，患者をサポートしてくれる人間関係の有無，患者の今までの問題解決する手段や能力，得意なこと（ストレングス）と苦手なこと，現実検討能力・理解力から何が必要かを評価する。

▶ **介入方法**　介入では，患者の体験を傾聴し，気持ちの動きを共感するところから始まる。十分な傾聴と共感のうえに，患者が体験を理解・受容されたと感じ，患者のためにという真摯な態度が伝わったときに信頼関係（ラポール）が深まっていく。そのうえで，問題点の整理と解決手段の相談をし，患者自らが「自分らしい」解決方法を主体的に選択・実践できるように助言や説明，励ましを行う。また，患者をサポートする力を高めるために，環境調整として，家族や所属している組織に対して協力依頼や援助なども行う。患者は困ったこと，つらいことに対して「自分らしく」解決することを「支持」されることによって，自己肯定感，自己効力感や自尊心を回復することで治療的因子として働く。

2 来談者（クライエント）中心療法

カール・R・ロジャーズ（Rogers, C. R.）が1940年代から提唱し，日本では1960年代から発展してきた。フォーカシングなどの技法や教育分野，社会学的な葛藤の問題の取り扱いなど幅広く応用されている。

▶ **治療の目標**　特定の精神疾患ではなく苦悩を抱えた人（クライエント）が，元来もっている力を発揮し，自分の問題を見つめ直し，自分で解決していけるように成長していくことである。

▶ **介入方法**　特徴としてはリフレクション（伝え返し）と非指示（助言や質問への回答をしない）があげられる。**リフレクション**とは，面接場面で起きている状況や身体感覚，そのときにわき起こる感情などをクライエントの言葉を使って伝え返すことである。

▶ **治療的因子**　治療者の「無条件の肯定的態度」「共感的理解」「純粋性」「プレゼンス」があげられる。つまり，傾聴とリフレクションをとおして，クライエントは自分の話を，良い悪いなどの評価・判断されることなく，その感情を受容・共感される体験を続ける。治療者は自分の感情・感覚をありのままに感じながら（**純粋性**），今ここにいる関係（**プレゼンス**）そのものをクライエントが体験することで，問題の解決と成長につながっていく。

3　認知行動療法

認知行動療法（cognitive behavior therapy；CBT）とは，認知療法と行動療法の技法を合わせた治療法である。①週1回30～50分を12～20回と回数に制限を設けること，②症状評価尺度を利用し，治療効果を評価することでエビデンス（科学的な根拠）を重視できることが特徴である。認知療法はアーロン・T・ベック（Beck, A. T.）が1970年代に提唱し，行動療法は学習理論に基づき1950年代にジョセフ・ウォルピ（Wolpe, J.）らが提唱した。

▶ **治療の目標**　うつ病や不安症における気分の落ち込みや不安，恐怖などの不快な感情を軽減することを目指すものであったが，現在は依存症やトラウマ処理，ストレスマネジメント，メンタルヘルスなど幅広く応用されてきている。

▶ **アセスメント**　不快な感情に対する自分の対処行動が，かえって悪循環を生み出して不快な感情が続いてしまっている状態を，状況・認知・感情・行動・身体反応に分けて記載したフォーミュレーション（関係図）を作成する（図4-12）。フォーミュレーションに基づき，自分の認知の偏り（歪（ゆが）み）や行動パターンに気づくことができ，悪循環を見極めることで介入ポイントを明らかにできる。

▶ **介入方法**　実際の介入技法としては表4-21に示したようなものが行われており，ワークシートやツールとして用いるものもある。

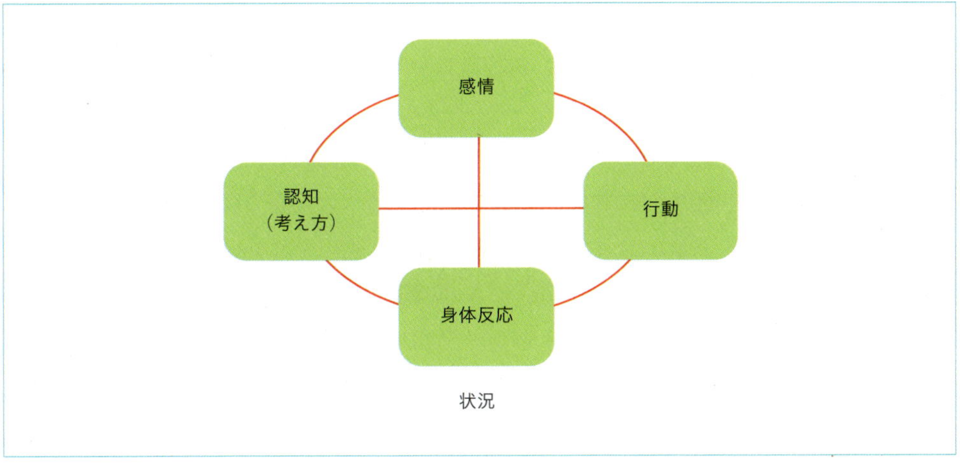

図4-12 フォーミュレーション

表4-21 認知行動療法の介入方法

思考記録表（コラム）	“状況ー気分ー認知（自動思考：そのとき頭に浮かんだ考え）ー根拠と反証ー適応的思考”という一連のコラムを記録することで，自分の認知と気分へのつながりに関する理解を深めることができる。自動思考の根拠と反証を探すことで，気づかなかったり，忘れていたり，見落としている情報に目を向ける練習を行い，適応的思考（より楽な気分につながる考え方）を導き出すツールである。
行動実験	不吉な予想のためにできなくなっている行動と自分の行動パターンを整理し，できなくなっている行動を“実験”として治療者と一緒に，または宿題として“試しにやって”みて結果を振り返る。その予想が必ずしも正しくない，または正しかったとしても予想よりもつらくなかったなど，新しい体験・情報によって認知の歪みが変わっていく。
系統的脱感作	恐怖の対象（クモ，閉所，高所など）に対して，恐怖のランキング（不安階層表）を作成し，恐怖の対象を体験したときに同時にリラクセーション（脱力や安静，深呼吸など）を行うことで，恐怖感が軽く感じる体験を計画的に行っていく。
曝露反応妨害法	恐怖の起こる場面を曝露（体験）したあと，ついやってしまう回避的反応を妨害することで，馴化（じゅんか）（不安は体験したあと回避しなければ時間がたつと軽くなり，体験回数が増えると不安は軽くなりやすくなるという作用）によって不安が軽減する。
オペラント技法	望ましい行動をとると褒美（ほうび）（強化子（きょうかし））が手に入るため，望ましい行動が増える。不適切な行動をとると嫌（いや）なこと（罰子（ばっし））が起こるため不適切な行動が減る。強化子と罰子を工夫して望ましい行動が増えることを目指す。応用としてトークンエコノミー法ではトークン（代用貨幣：シールやマークなど）を強化子として用いる。
モニタリング	自分がどんなときに，どんな考えやどんな行動をしていて，その結果どんな気分になっているのかを記録に残すことによって，自分のパターンを理解するツールである。

4 精神力動的精神療法（精神分析）

精神力動とは，精神（心）の構造（『精神看護学①』第1章－Ⅱ－A「精神力動理論とその派生理論」参照）や精神性的発達論（『精神看護学①』第1章－Ⅱ－B「深層心理学：欲動論」参照）などの視点から，**リビドー**（欲求に基づくエネルギー）が何に向かっているのか，発達過程のどこにつまずきがあるのかを考える理論である。精神力動を分析し，自己洞察を深めて，自分の抑圧された感情を表現，体験していくことで症状が改善するとして1890年代にジークムント・フロイト（Freud, S.）によって創始されたのが**精神分析療法**である。その後，フロイトの流れから，クライン派，対象関係論，間主観主義などが別視点を取り入れて発展してきている。

▶ **治療の目標**　神経症（麻痺，失声，心因性のけいれんなど）の改善を目指していたが，現在は症状の改善に主眼を置くだけではなく，自分自身や人間関係の理解など幅広い関係性を体験することが重要視されてきている。

▶ **アセスメント**　現在の他者との関係（職場，学校，家族，病院環境），治療場面での治療者－患者関係，過去の親子関係（養育環境や外傷体験など）の3つの場面で繰り返されている関係性を，防衛機制（抑圧，投影など）や意識的・無意識的に表現されている感情や行動から評価する（カール・A・メニンガー［Menninger, K. A.］の葛藤の三角形，図4-13）。

▶ **介入方法**　標準的精神分析療法では，週3～5回，50分寝椅子に横になり，治療者が見えない状況のまま，頭に浮かんだものを浮かんだままに話をしてもらう（自由連想法）。そのなかで治療者が理解したことや思いを伝えることを繰り返す（解釈）。日本では週1回で実施する**分析的精神療法**を実践している場合が多い。

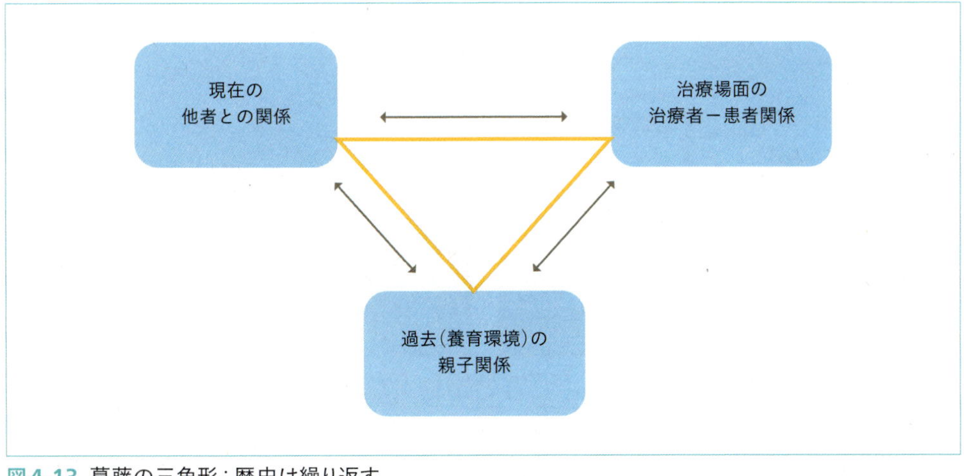

図4-13 葛藤の三角形：歴史は繰り返す

▶ **治療的因子** 葛藤の三角形から自分自身の人間関係のパターンが過去の体験の反復であることを理解し，「今ここで」行われている治療の場においては，過去の反復だけではない感情を繰り返し表現・体験していくことで，防衛されていた感情を体験し直し，新しい人間関係や考え方への自由さが広がっていく点にある。

5 森田療法

森田正馬が1920（明治9）年頃に創始した。入院生活において1週間の絶対臥褥期，1週間の軽作業期，4週間の作業期にわけて行う。日記をつけることで，自分の「生の欲望」である“かくあるべき”というとらわれを「あるがまま」に体験し直し，症状の苦痛感から逃れようとして悪循環に落ち込んでいる状態を断ち切り，自然治癒力を活かしていく治療である。

治療の対象は神経症的なこだわり（神経質，強迫，対人恐怖，身体表現など）である。現在は入院だけでなく外来でも実践されている。

6 内観療法

吉本伊信による自己観察法を基本としている。自分とかかわりの深かった人（母，父など）を順々に，内観3項目を振り返り，記録する。

内観3項目とは「していただいたこと」「して返したこと」「迷惑をかけたこと」であり，自分と他者との関係を構築し直すことを目指す。1週間の集中内観では食事・睡眠・洗面・排便・入浴以外は内観をひたすら行い，2時間おきに治療者と話をしてまた記録に戻ることを繰り返す。対象はアルコール依存・薬物依存，非行などである。

7 表現療法

言葉で表現することが苦手な患者（重症例，知的障害，認知機能の低下や身体構造的な問題があ

図4-14 表現療法（コラージュ）

る場合など）では，非言語的・象徴的な表現が選ばれる。表現の種類によっては**芸術療法**ともいい，コラージュ，絵画，音楽，演劇，写真などが用いられる。安全な場で作品を表現する過程で起こる心の動きやカタルシス（浄化），治療者と「共に見る」体験によって治療的に効果がある。作業療法（リハビリテーション）の一部には**表現療法**と同じ効果が期待される（図4-14）。

8 遊戯療法（プレイセラピー）

遊びをとおして心の内面を表現していく治療法で，児童が対象となる。時間と場所が決められた安全な場で，遊びをとおして生じてくる感情を抱えられる体験や，安定した関係のなかで生まれてくる新しい対人関係などを体験していく。

遊びに用いる道具は，市販のものを使ったり，人形だけに制限したり，紙とペンで絵を描くことだけに制限したり，様々な方法が用いられる。

9 箱庭療法

マーガレット・ローウェンフェルト（Lowenfeld, M.）が創始し，カール・G・ユング

図4-15 箱庭療法

(Jung, C. G.) のユング心理学*に準拠させた精神療法である。治療者が共に見ているところで，所定の砂箱に治療室にある様々なアイテム（動物，車，木など）を自由に置くことをとおして，心の動きを見つめていく。遊戯療法の一部として応用されることもある（図4-15）。

10 回想法

主に認知症の患者に対して行われる。認知機能障害により，新しいことは忘れてしまうため，自己効力感や自尊心が傷つき，さらなる能力低下への恐怖や羞恥が強くなっている。ところが，古い体験や歌などは記憶が保たれやすいため，患者が自分の生活を回想して語ることにより，自分のできていたことやストレングスの再発見，尊重されている体験につながっていく。

11 自律訓練法

ヨハネス・H・シュルツ（Schultz, J. H.）が考案した。緊張や不安の強い心身症が対象になる。自己暗示・自己催眠によって，身体感覚を利用し，交感神経（興奮・緊張状態）から副交感神経（脱力・安静状態）を活発化させるスキルである。

従来は温感法，重感法などの7段階の公式*を組み合わせたプログラムが用いられていたが，1つの公式だけを用いることもある。自分で緊張を和らげるリラクセーションスキルとして身につけると有効である。

12 バイオフィードバック（biofeedback）

緊張や不安など意識にのぼらない情報を心拍・血圧・脳波・筋電図などの測定できる身体的な変化として意識する（フィードバック）ことで，自律神経機能のコントロールを目指す。心身症（気管支喘息（ぜんそく），高血圧など）や神経症が対象となる。

13 催眠療法

ピエール・ジャネ（Janet, P.）によって19世紀に創始された。対象はヒステリー（転換性障害）などの神経症で，催眠状態（変性意識状態：心もからだもリラックスして無意識に集中している状態）をつくることによって，感情的な問題を解消していくことを目指す。ミルトン・H・エリクソン（Erickson, M. H.）らにより発展してきている。

企業などの自己啓発に用いられる神経言語プログラミング（neuro–linguistic programming）など幅広く応用されてきている。

---

* **ユング心理学**：ユングによって提唱された心理学。分析心理学ともいわれる。文化圏や宗教を超えた人間全体で共通して体感しやすい世界観を提唱し，集合的無意識や元型，コンプレックス，タイプ論，夢分析などの理論的概念を構築した。患者は治療者との関係のなかで，対話や夢の内容について表面的にとらえるだけでなく，自身の内的世界の象徴としてそれらを理解することにより自己理解を深めることができる。箱庭療法では，アイテムやストーリーを内的世界の象徴としてみていく。
* **公式**：自律訓練法で，自分に暗示をかけるために心のなかで唱える決まった言葉。「両手両足が重たい」「両手両足が温かい」など。

14 対人関係療法

うつ病や摂食障害などを主な対象とし，精神的な問題は，重要な他者（配偶者，親子など）との関係性やコミュニケーションなどの現実的な問題から生じていると考える。

4つの視点（悲哀，対人関係の不和，役割の変化，対人関係の欠如）からアセスメントし，重要な他者との関係や交流を変化させるように介入する。

15 マインドフルネス，アクセプタンス（mindfulness，acceptance）

“禅”の心構えをもとに，頭に浮かぶ思考や感情をそのままに漂わせておくスキルをエクササイズやワークによって身につけていく精神療法である。

マインドフルネスとは，自分に起こっている感情やからだの反応など「今ここ」のことに対して，開かれている（注意を向ける）状態のことである。**アクセプタンス**とは，価値ある人生を送るためには苦痛は付き物であり，取り除いたり避けたりするのではなく，苦痛があるままに自分の人生を豊かにする行動を選んでいく心構えのことである。認知行動療法の応用として紹介されている。

16 メンタライゼーション（mentalization）

愛着理論や精神力動を背景に境界性パーソナリティ障害の患者に対して開発された。**メンタライゼーション**とは，自分や他人の気持ちとその表現を理解していく姿勢をもつことである。メンタライゼーション機能が低下すると，自分の感情とその表現が不適切になってしまい，強烈な感情のために攻撃性や衝動性が強まりコントロールできなくなる。

メンタライゼーション機能を向上させるために，今起きている感情や心の変化を理解していく姿勢を保ち，患者が体験している感情とその表現の違いやギャップを橋渡ししていく。結果として情動，人間関係，自己表現，自分自身の感覚がまとまり安定していくことを目指す。

17 集団精神療法

治療者と患者が1対1であることが多い個人精神療法に対して，治療者も患者も集団であり，集団力動（**グループダイナミクス**）を含めた理解をする精神療法の構造を**集団精神療法**（**グループサイコセラピー**）という。

集団精神療法では，SST，リワークプログラム（復職支援），断酒会（アルコール依存），家族会，自助グループ，サイコドラマ（心理劇，ロールプレイ）など集団に特化した形式も行われている。

▶ **介入方法**　グループの枠組みとして，スタッフがリーダーやコリーダーとして全体への配慮や司会進行などの役回りを行う。グループの中で話し合われたことは，グループの中だけのものとし，ほかの生活では話題にしないなどグループと参加者が守られる約束事がある。グループの構成としては，自由参加のオープングループと参加者を固定したクローズドグループ，同じ悩みをもつものに限定するのか様々な参加者を認めるのか，少人数か大人数かなど目的や対象に応じて工夫がなされる。

▶ **治療的因子**　治療の**非特異的因子**としては，①仲間どうしに受け入れられる，②他人の様子をモデルにして自分の行動を振り返る（人の振り見てわが振り直せ）ことができる，③自己表現からカタルシスにつながる，④ほかの人のために（愛他主義）行動することに意味をもてる，⑤対人関係やコミュニケーションの練習になる，⑥社会的なスキルを獲得できる，⑦仲間という集団への所属感が得られる，などがあげられる。

18 家族療法

1950年代から家族病因論（母に問題があるから病気になったという理論，現在は否定的）などから発展し，生きにくさを抱えた患者自身だけではなく，家族それぞれの立場や家族歴（ジェノグラム）を踏まえ，家族関係という単位で問題を理解し，家族全体を支援する精神療法である。システム論や力動的視点など様々な技法が統合的に用いられている。

家族の中での複雑な相互関係が問題をつくっているため，原因検索をするよりも現在から未来に向けてどうかかわっていくのかという視点を重視する。

▶ **治療の目標**　家族支援は精神疾患のみならず，社会的ひきこもり，不登校，アルコール依存，虐待，家庭内暴力などの社会的問題，また身体疾患の治療場面における家族協力（たとえばがん告知や介護認定調査など），遺族ケアなど多彩な場面で求められている。目標は，家族に求めている甘えと自立のバランスを柔軟にとらえ，家族それぞれが互いを理解していくコミュニケーションの回復である。

▶ **アセスメント**　父母の家族背景と体験，家族の誕生や喪失，情緒的なつながりの強さや希薄さなど，家族一人ひとりの足し算だけでなく，掛け合わせた「家族システム」のなかで問題点を評価する。

▶ **介入方法**　家族面接のなかで，家族は互いの知らなかった一面や感情を表現し，治療者の前という安全を保証された場で，家では話題にできなかったテーマについて話すことができる。その結果，新しい家族の交流パターンが生まれ，より生きやすさのある新しい家族機能に代わっていく。本人が来なくても治療関係を進めることが可能であり，家族以外の学校や会社，地域などのネットワークにも応用していくことができる。

4. 看護場面における精神療法の位置づけ

日々の看護場面において看護師が精神療法を活用する点（therapeutic care，治療的ケア）について，聴くスキル，触るスキル，専門職連携，看護師のメンタルケアについて説明する。

1 聴くスキル

患者が最初に訴える相手は看護師である。その話の内容は病気やからだ，心や気持ち，社会経済的問題，家族，雑談，主治医には話しにくい話題など様々である。話を通じて，患者－看護師間における信頼性，共感的な姿勢，真摯な態度，共通の目的をもった行動，様々な思いを理解され抱えられているという体験を提供できる場面である。ここで聴くスキルを意識することで，看護師における非特異的因子を含んだ治療的かかわり（therapeutic care）が実践される。話題は問題解決を優先するものと関係性を優先するものに分別する。

▶ **問題解決を優先する場合**　即時性（すぐに解決に動いたほうがいいのか，時間をかけて考えていくほうがいいのか），主体性（患者自らが解決することか，家族や福祉などのサポート資源を活用することか）を判断し，必要に応じて主治医やチームでの情報伝達，薬や処置による対応などを行う。

ここでは，患者自身がケアを提供される満足感や安心感を得る一方で，解決手段の依存心が強まったり，自己効力感を失ったりすることもある。困ったままで，もちこたえることや患者自らが対応できるように促すかかわりができると，治療に対する動機づけや自尊心の回復，自立につながる。

▶ **関係性を優先する話題**　特に雑談のなかでは“なぜ，今，ここで，私に，この話をしてくるのか”を患者の治療の経過や背景から理解する意識をもちながら聴く。患者と看護師の共通話題（地域，趣味など）や自己開示（看護師自身のプライベートを話す）が含まれると信頼感・安心感が得られやすく，体験談からくる教育的な配慮が得やすいメリットがある。一方で，患者－看護師間の役割の境界を失い，依存的になるがゆえに不安が増強する，個人

Column

病棟運営は集団療法：治療環境システム

治療環境システムには，患者，患者と治療スタッフ，ほかの患者との関係，治療スタッフどうしの関係などが含まれる。何か問題が発生したときに，集団ならではの理解をもつ視点が問題解決の糸口となり，看護師の負担を軽減できる。

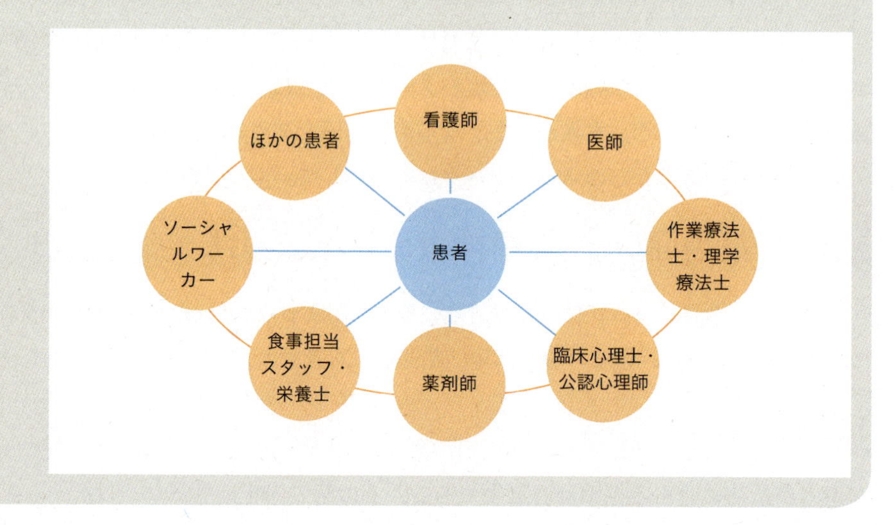

的な関係を目的とされてしまうなど，リスクが生じる。また，雑談の機会を失うと，大切な訴えや問題を取りこぼすリスクが増えてしまう。

2　触るスキル

看護師における精神療法の要素として最も重要なことは身体的ケアである。食事や排泄の介助，バイタルサイン測定や医療処置などで身体に触れること，つまり「手当て」が，人と人のつながりを最も提供しやすい場面である。ここで患者が信頼感や安心感を得られるのか，被害感を強めるのかは重要である。

また，日常生活が自立していた患者にとって，ケアによって自尊心の傷つきや無力感が強まる場面もあり，必要だからという看護側の視点だけではなく，ケアを受けざるをえない傷つきへの配慮が望ましい。身体的ケアの際の姿勢や声かけ，気配りに，触るスキルとして看護師特有の精神療法が実践される。

3　専門職連携

精神科医や臨床心理士・公認心理師が個人精神療法を実施しているときの看護師との連携について触れる。

個人精神療法では，1対1の枠組みだからこそ，話題にできる内容の秘密性が保たれることで，安心した関係性と場が提供され治療的効果が期待できる。しかし，同じ医療職としてかかわっているにもかかわらず，その情報を共有することができないため，治療がどう進展しているのか，看護師にはわからないといった事態も生じる。この共有できない疎外感が看護師と臨床心理士・公認心理師との連携を難しくすることもある。

定期的なカンファレンスにおいて，精神療法の秘密性を保ちつつ，今患者に起こっていることや今後の見通し，看護師に期待されている役割やかかわりについて議論や相談を行うことはチーム医療として欠かせない（図4-16）。精神療法における看護師の強みは，同じ方向性をもつ複数の看護師によるかかわりが繰り返される反復性と，目の前で起きた問

図4-16　精神科における多職種カンファレンス

題に即座にかかわることができる即時性にある。患者にとっては，主治医や臨床心理士・公認心理師だけでなく，看護師のAさんにもBさんにも同じことを言われたという体験は，治療に向かっての励ましや支持を受けている実感をもちやすい。

一方で，AさんとBさんとでは言うことが全然違うという体験は，混乱を招きやすい。病棟などで起きる目の前の問題に対して，最初に話を聴き，一緒に問題を整理し，共感的なサポートをするのは看護師であることが多い。患者の治療経過のなかで起こっていることを看護師どうしで情報共有することで，同じ方向性をもった対応を繰り返し，反復する患者の問題に対してチームとして一貫した治療的ケアを行うことができる。

4 看護師のメンタルケア

患者へのかかわりだけではなく，自分自身や同僚のメンタルケアとして，精神療法を応用していけることが大事である。対応が難しい患者やトラブルに巻き込まれたときに，様々な感情が浮かんでくる。この看護師の感情を，患者を理解する視点で評価する。問題があれば，責任の所在とサポート資源（支持してくれる仲間，先輩，上司，家族，教科書の知識）を明らかにして，自分の資質（自分らしさ）に合った解決方法を選んでいく。

時には解決しがたい感情がわき起こることもよくある。そこで職場全体が，人とのかかわりあいのなかで，信頼感・安心感・方向性をもち，つらさや怒りや不安などを抱えられるように精神療法の理解が応用され，工夫されていく。精神看護をする者が精神的な不調をきたしやすくては，看護師の不養生（ふようじょう）ということになる。特に仲間との支え合いこそが精神療法の日常性としてとても重要となる。

看護場面における逆転移

逆転移には2種類ある。治療者自身の人間関係の問題が患者との間に生じるものと，患者が抱えきれない感情（怒りや絶望感など）を治療者に投げ込み，治療者が患者に対して怒りや絶望感を感じるものである（第5章-I-D-1-2「転移」参照）。

看護師においては，自分の苦手だった母親と同じ年代の患者や先輩に対して不快な思いを隠せなくなったり，「私には何もできない」と訴える患者に対して，患者が感じている絶望感のように「この患者に助けになることが何もできない」と絶望感や無力感が強まってしまうという場面がみられる。

看護師が自身の感情や感覚を大切にすることは，患者を理解し治療に生かす道しるべとなり，また看護師自身のメンタルヘルスを保つためにも大事な視点である。

文献

1）本橋伸高，他：電気けいれん療法（ECT）推奨事項 改訂版，精神神経学雑誌，115（6）：586-600，2013.
2）前掲書 1）.
3）American Psychiatric Association Committee on Electroconvulsive Therapy：The practice of electroconvulsive therapy；a task force report of the American Psychiatric Association，2nd ed，American Psychiatric Association，2001.
4）前掲書 1）.
5）Mankad, M. V.，他著，本橋伸高，上田諭監訳：パルス波 ECT ハンドブック，医学書院，2012.
6）Anthony, D. W.，他著，野中猛，大橋秀行監訳：精神科リハビリテーション，第 2 版，三輪書店，2012.
7）前掲書 6）.

参考文献

・Allgulander, C.：Generalized anxiety disorder；What are we missing?, European Neuropsychopharmacology, 16（Suppl 2）：S101–S108，2006.
・American Psychiatric Association：Diagnostic and statistical manual of mental disorders, 5th edition；DSM–5, American Psychiatric Association, 2013.
・Anthony, D. W.，他著，野中猛，大橋秀行監訳：精神科リハビリテーション，第 2 版 , 三輪書店 , 2012.
・Liberman, R. P. 著，西園昌久監，池淵恵美監訳：精神障害と回復；リバーマンのリハビリテーション・マニュアル，星和書店，2011.
・Linehan, M. M.：Cognitive–behabioral treatment of borderline personality disorder, Guilford Press, 1993.
・Matsuura, M. et al.：A multicenter study on the prevalence of psychiatric disorders among new referrals for epilepsy in Japan, Epilepsia, 44（1）：107–114, 2003.
・Mellers, J. D. C.：Epilepsy.〈David, A.S. et al（eds）：Lishman's Organic Psychiatry〉, 4th ed., Willey–Blackwell, 2012, p.309–396.
・Proposal for revised clinical and electroencephalographic classification of epileptic seizures. From the Commission on Classification and Terminology of the International League Against Epilepsy, Epilepsia, 22（4）：489–501, 1981.
・Proposal for revised classification of epilepsies and epileptic syndromes. Commission on Classification and Terminology of the International League Against Epilepsy，Epilepsia，30（4）：389-99，1989.
・Rapp, C. A., Goscha, R. J. 著，田中英樹監訳：ストレングスモデル，第 3 版，金剛出版，2014.
・Roy–Byrne, P. P., et al.：Panic disorder, Lancet, 368（9540）：1023–1032, 2006.
・Scheffer, I.E. et al.：ILAE classification of the epilepsies；Position paper of the ILAE Commission for Classification and Terminology, Epilepsia，58（4）：512–521，2017.
・Schmitz, B.：Depression and Mania in Patients with Epilepsy，Epilepsia，46（Suppl.4）：45-49，2005.
・Stahl, S. M. 著，仙波純一，他監訳：ストール精神薬理学エセンシャルズ；神経科学的基礎と応用，第 4 版，メディカル・サイエンス・インターナショナル，2015.
・Stein, M. B., Stein, D. J.：Social anxiety disorder, Lancet, 371（9618）：1115–1125, 2008.
・Tyrer, P., Baldwin, D.：Generalized anxiety disorder, Lancet, 368（9553）：2156–2166, 2006.
・World Health Organization：The ICD–10 classification of mental and behavioural disorders；Clinical descriptions and diagnostic guidelines, World Health Organization, 1992.
・World Health Organization：ICD-11；International Classification of Diseases 11th Revision，The global standard for diagnostic health information，2019．https://icd.who.int/en/（最終アクセス日：2021/11/2）
・飛鳥井望編：心的外傷後ストレス障害（PTSD）〈新しい診断と治療の ABC 70〉，最新医学社，2011.
・阿部隆明：おとなの ADHD とパーソナリティ障害，精神科治療学，28（2）：199–205，2013.
・新井康祥：小児のストレス因関連障害（反応性アタッチメント障害 / 反応性愛着障害，脱抑制型対人交流障害），精神科治療学 30（増刊号）；176-178，2015.
・安西信雄編著：地域ケア時代の精神科デイケア実践ガイド，金剛出版，2006.
・飯倉康郎：強迫性障害の治療ガイド，二瓶社，1999.
・伊藤順一郎，地域精神保健福祉機構監：統合失調症の人の気持ちがわかる本，講談社，2009.
・浦河べてるの家：べてるの家の「当事者研究」，医学書院，2005.
・大澤眞木子，秋野公造：てんかんの教科書，メディカルレビュー社，2017.
・岡野憲一郎：解離性障害；多重人格の理解と治療，岩崎学術出版社，2007.
・尾崎紀夫，他編：標準精神医学，第 7 版，医学書院，2018.
・片山知哉：パーソナリティ障害の特徴を示す自閉症スペクトラムの成人例；自己愛性パーソナリティ障害，境界性パーソナリティ障害を中心に，精神科治療学，27（5）：639–646，2012.
・兼本浩祐：てんかん学ハンドブック，第 4 版，医学書院，2018.
・金吉晴編：心的トラウマの理解とケア，第 2 版，じほう，2006.
・神庭重信，他編：DSM-5 を読み解く 4，中山書店，2014.
・気分障害の治療ガイドライン作成委員会編，日本うつ病学会監：うつ病治療ガイドライン，第 2 版，医学書院，2017.
・齊藤万比古編：注意欠如・多動症－ ADHD －の診断・治療ガイドライン，第 4 版，じほう，2016.
・齊藤万比古，他編：発達障害とその周辺の問題〈子どもの心の診療シリーズ 2〉，中山書店，2008.
・櫻井武：睡眠の科学；なぜ眠るのかなぜ目覚めるのか，講談社，2010.
・櫻井武：睡眠障害のなぞを解く；「眠りのしくみ」から「眠るスキル」まで，講談社，2015.
・嶋根卓也，他：飲酒・喫煙・くすりの使用についてのアンケート調査（2017 年），平成 29 年度厚生労働科学研究費補助金（医薬品・医療機器等レギュラトリーサイエンス総合研究事業）分担研究報告書，2018.
・嶋根卓也，他：飲酒・喫煙・薬物乱用についての全国中学生意識・実態調査（2018 年），平成 30 年度厚生労働科学研究費補助金（医薬品・医療機器等レギュラトリーサイエンス政策研究事業）分担研究報告書，2019.
・杉山登志郎編著：講座 子ども虐待への新たなケア〈ヒューマンケアブックス〉，学研教育みらい，2013.

・鈴木丈，伊藤順一郎：SST と心理教育；中央法規出版，1997.
・「てんかん診療ガイドライン」作成委員会編，日本神経学会監修：てんかん診療ガイドライン 2018，医学書院，2018.
・融道男，他監訳：ICD–10 精神および行動の障害；臨床記述と診断ガイドライン，新訂版，医学書院，2005.
・長嶺敬彦：ココ・カラ主義で減らす統合失調症治療薬の副作用，地域精神保健福祉機構・コンボ，2010.
・夏苅郁子：心病む母が遺してくれたもの；精神科医の回復への道のり，日本評論社，2012.
・平島奈津子：適応障害〈神経症性障害の治療ガイドライン〉，精神科治療学，26（増刊号）：129–133，2011.
・本間博彰，小野善郎編：子ども虐待と関連する精神障害〈子どもの心の診療シリーズ 5〉，中山書店，2008，p.97-115.
・前田正治，他：外傷後ストレス障害〈神経症性障害の治療ガイドライン〉，精神科治療学，26（増刊号）：106–127，2011.
・松浦雅人，原恵子編：てんかん診療のクリニカルクエスチョン 200，改訂第 2 版，診断と治療社，2013.
・松本俊彦，他：全国の精神科医療施設における薬物関連精神疾患の実態調査（2018 年），平成 30 年度厚生労働科学研究費補助金（医薬品・医療機器等レギュラトリーサイエンス政策研究事業）分担研究報告書，2019.
・三島和夫編：睡眠薬の適正使用・休薬ガイドライン，じほう，2014.
・吉川徹：自閉症スペクトラムが疑われるケースを前に；他のパーソナリティ障害との関係，精神科治療学，29（6）：763–767，2014.
・渡邉博幸：抗精神病薬〈高久史麿監：治療薬ハンドブック 2015〉，じほう，2015.

第 5 章

精神障害をもつ人と「患者－看護師」関係の構築

この章では

- 精神障害をもつ人との「患者－看護師」関係のあり方を理解する。
- 精神障害をもつ人とのコミュニケーションの意味を理解する。
- 多様なコミュニケーションの方法を理解する。
- 精神障害をもつ人とのかかわりの振り返りの重要性を理解する。
- プロセスレコードの使い方とその意義を理解する。

I 精神障害をもつ人とのかかわり方

精神科の実習を終えた学生たちは，精神科のイメージが変わったという。講義で精神疾患をもつ人の健康的な側面を強調しても，学生の精神科に対する「暗い」「恐い」というイメージは，なかなか払拭(ふっしょく)できない。しかし，実際に障害をもつ人と出会い，かかわることで，学生たちはその人たちが自分たちと変わりないことを実感する。精神疾患をもつ人も，症状とうまく付き合うコツさえ見つければ，自分の生きたい人生を送ることができる人たちだと理解するのである。

苦しい体験から，再び前を向いて自分の人生を生き始める精神疾患をもつ人たちと出会うことで，看護師も成長し，多くの勇気と学びを得る。

この章では，そういった出会いを目指して，「患者－看護師」関係の構築を考えていこうと思う。

 「患者－看護師」関係の目指すこと

1.「患者－看護師」関係が重要である理由

精神疾患の特徴を考えるにあたっては，身体疾患と比較してみると理解しやすいかもしれない。たとえば術後の回復には，薬によって感染を防ぎながら，身体の治癒力を高めるようにする。このとき，薬の効き目や患者の回復に，医療者との関係が大きく影響するとは考えにくい。

一方，精神疾患は，生物学的精神医学の発展によって脳の病気であることが広く知られるようになったとはいえ，手術で悪い部分を取り除けるかというと，今のところそれは難しい。精神疾患は，悪い部分を治せばよくなるといった類の病気とは異なるものである。

▶ **不信の病としての精神疾患**　精神疾患は，外的・内的な負荷が，その人自身のもっている耐性や対処能力あるいはサポートの力をしのいだときに患(わずら)う（図5-1）。微妙な均衡を支えてきたのも，対人関係であることが多い反面，図5-1で「ストレス」として示したなかに対人関係があったりする。精神疾患をもつ人は，これまで対人関係の困難を多く経験してきた人たちである。そして，その人が何とか保っていた均衡をくずす最後の一押しが対人関係によるものだったりする。そのため，精神疾患をもつ人にとっては，見知らぬ他者を再び信頼してみようと思えたり，話をしてみようと思うだけでも，看護師が思う以上に大きな賭(か)けであったりするのである。精神疾患がときに「**不信の病**」といわれるように，対人関係の難しさは，常に精神疾患をもつ人の課題である。

加えて，精神疾患をもつ人に対して，社会はまだ寛容とは言いがたい。身体疾患の人へかけられる「お大事に」という言葉が，精神疾患をもつ人へかけられることが，どれだけ

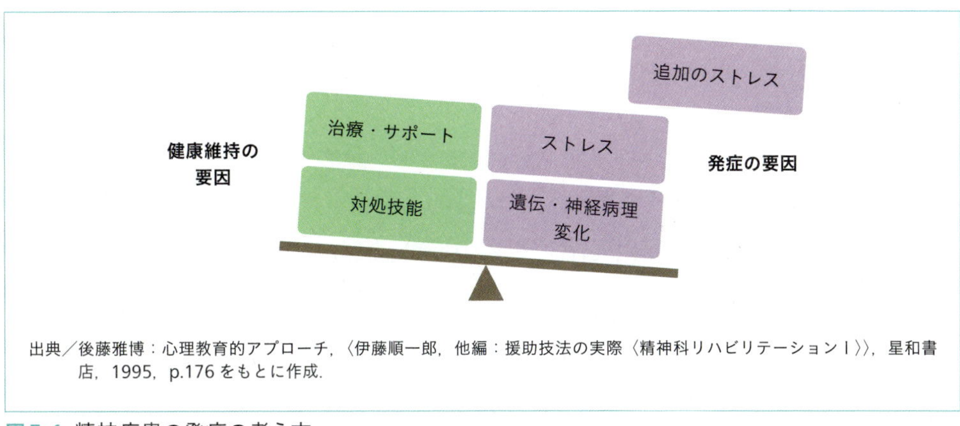

図5-1 精神疾患の発症の考え方

あるだろうか。入院は，このような厳しい社会から少し撤退し，心身を立て直して「病気になる前より生きやすくなる」[1]ための仕切り直しの機会でもある。

▶ **看護師の役割** そのような状況で出会う看護師には特別な責任がある。患者が再び信頼できる他者に出会う勇気をもち，社会へとつながることができるかどうかに看護師はかかわる。信頼できる他者に出会うということは，信頼されるに足る自分に出会うということでもある。「患者－看護師」関係は，精神疾患をもつ人への看護において，患者の回復を左右する援助の基盤をなすものだといえる。

同様に，精神看護学の母ともみなされている[2]ヒルデガード・E・ペプロウ（Peplau, H. E.）は，看護を有意義な治療的・対人的なプロセスであると位置づけ，患者－看護師関係を治療的な人間関係として表現している。

2. 信頼関係はどのようにして構築されるか

▶ **話を聴く行為** 「患者－看護師」の関係は，日々の看護行為の積み重ねによって構築される。ところが学生には，精神看護は外科領域や母性領域に比べ看護行為が不明確だと感じられるようである。たとえば学生は「話を聴いているだけでいいんでしょうか」「話を聴くことは別にだれでもできる」「何をしたらいいかわからない」と，教員や臨床指導者によく相談をする。このような相談をしたくなる背景には，「話を聴く」という行為が看護の一つの重要な行為であり，看護の目的につながる行為だと自覚されにくいからかもしれない。

確かに話を聴くことは，だれでもできる行為である。しかし，精神看護においては「話を聴く」行為が，重要であり特別な意味をもっている。

▶ **基本的信頼を贈る** 精神科看護師は，患者によって，いつ，どこで，どれくらいの時間，どのような距離や位置関係で話を聴くのが一番安心であり，話しやすいかを考える。事前に訪室することを伝えたほうが安心する人もいれば，ふらっと何気なく訪ねるほうが自然にいられる患者もいる。疾患の特徴や段階とともに，患者一人ひとりの特徴と自分自身の与える影響を精神科看護師は気にする。それはなぜかというと，関係構築において，看護師のありようが，看護師に求められる最低限にして最も重要な「基本的信頼」[3]を患者に贈り続けることにかかわるからである。

先にも触れたように精神疾患をもつ人は，どこかしら他者に対して，あるいは外界に対して守りの薄い感じがある。看護師の患者へ向ける表情，声，態度は，治療的にもなれば，非治療的にもなる。看護師の患者に対する気遣いを伴った声のかけ方，触れ方，態度は，患者に「基本的信頼」を届けるメッセージであり，最後の安心をもち続けていられることを保障するものである。そのため，ここではあえて「贈る」という表現を使った。「贈る」には「感謝や祝福などの気持ちを込めて人に贈り物をする」という意味がある。こうして，看護師の気遣いを伴った一つ一つの表現が「基本的信頼」として患者にメッセージとして伝わったとき「患者－看護師」関係は構築され始める。

3.「患者－看護師」関係が目指す方向

「基本的信頼」を贈りつづけながら，「患者一看護師」関係を基盤として，精神疾患をもつ人との関係は，最終的に何を目指して構築されるのだろうか。

先に，入院は「病気になる前より生きやすくなる」[4]ための機会だと述べた。精神を病むということは，生活習慣病と同様に，これまでの生き方では，うまく立ちいかなくなったということである。再び具合が悪くならないために，病(やまい)は，生き方や生活のしかたを再考したほうがよいことを教えている。

さらに，近年はリカバリー[5]の理念が浸透しつつある。**リカバリー**とは，障害をもちながらも，希望を取り戻し，社会に生き，自分の目標に向かって挑戦しながら，かけがえのない人生を歩むことである。

看護師は，生き方や生活の再考をしたり，リカバリーの道のりを歩む患者の伴走者である。1人では限界があることも，伴走者がいればその限界を乗り越えられるように思える。患者が自分の人生の主体者として，困難や苦難があっても乗り越え，前を向き続けられるように，「患者－看護師」関係では次のことが目指される必要がある。

①患者が自分自身のこれからの生活にも希望をもてること

②自分自身が人生の主体者であり，挑戦してみようと思えること

③そのような力が自分にあると思えること

④自分を支えてくれる人々がいると思えること

⑤社会の中で，役割と責任を引き受けて生きること

これらは，精神疾患をもつ人自身が感じたり思ったりするのであって，看護師が希望をもたせたり，挑戦させるのではない。リカバリーしようとするその人たちにとって，「患者－看護師」関係が，希望につながったり，やる気につながるものになっているかどうかを常に内省し，働きかけを更新することが看護師の行うべきことである。

B 「患者－看護師」関係を理解するための手がかり

1. 自分自身が基準となる

1 自分の特徴を知る

患者とのやりとりのなかで，患者や患者の言葉をどのようにとらえるかは，人によって異なる。たとえば，患者が浴室で毎回洗髪しないことについて「不潔だ」と感じる看護学生もいれば，そのように感じない看護学生もいる。患者からの「あっちへ行って」という言葉をショックとともに「嫌われた」と受け取る看護学生もいれば，「自分の意思をはっきり伝えられる人なのだ」と患者の強みとして受け取る看護学生もいる。

そのようなとらえ方には，学生個々の物事のとらえ方の特性が反映される。たとえば，自分は人より清潔かどうかを気にするほうだとか，ネガティブにとらえがちだとか，人の意見に影響されやすいなどの特徴を知っていると，自分のとらえ方の偏りを検討しながら患者にかかわることができる。自分のとらえ方は自分独自のものと知っていると，ほかの人のとらえ方を知ろうとすることができる。多くの人のとらえ方を知ることは，患者を多様なとらえ方で理解することにつながる。

2 自分の感情を手がかりにする

感情は自分や相手の行動に影響する。感情は人間にとってエンジンである。

感情は大きく陽性感情と陰性感情の2つに分けられる。**陽性感情**は人と人のつながりを強め，**陰性感情**は切り離す方向に働きやすい。したがって対人関係を構築していくときには，自分の感情に気づいていることが重要になる。

▶ **自分の感情に気づく**　自分の感情に気づくことは案外難しい。講義のなかで学生に「今の感じは？」と聞くと感情を答えるより，「ちょっと難しいなと思いました」と返事が返ってきたりする。これは，「考え」を答えている。感じを答えるのであれば「いい感じ」とか「不安」といった答えになる。一般的に喜怒哀楽とよばれるものである。

感情がわかりにくいときは，自分のからだへ意識を向けるとよい。からだ全体の緊張の程度や鼓動，皮膚，腹部の感じから，自分の感情を理解することができるかもしれない。

▶ **陰性感情は警告のサイン**　陰性感情の働きは自分自身に対しては行動を起こす原動力であり，相手に対しては相手がしていることをやめさせたり，していないことをさせたりするなど，相手を動かす働きがある。

陰性感情が生じているときは，攻撃か防衛か，いずれにしても行動を起こさないといけない事態だと無意識的にも判断しているときである。つまり陰性感情は，自分の思うとおりにいっていないときに発動し，何かしら今の状況を変える必要があることを知らせるサインだといえる。たとえば怒りは強い陰性感情であるが，怒っているときは，たいてい相手がしてほしくないことをしたり，頼んだのにそのようにしてくれないとき，あるいは，ふがいない自分に腹を立てているときではないだろうか。

▶ **陰性感情の働きの理解**　このような感情に気づくことができれば，感情的になったまま直接表現してしまうようなことを避けることができる。感情は生じてしまうものだから，それ自体を制御することはできない。しかし，感情を感じることとそれをどう表現するかは別のことである。サインが自分に警告していることは何かを今一度考え，どうなれば良いのか，そうするにはどのようにするのが最も良いやり方だろうかを考えて，どう伝えるかを工夫することができる。事態が変われば感情も変化する。関係によって生じた感情を建設的な方法で解消することができるのである。

▶ **患者理解の手がかり**　一方，患者を理解するときにも，自分の感情が手がかりとなる。患者の内面を知るのは，結局，自分に生じる感覚や感情をとおして推測するのである。患者の言葉と雰囲気から感じることの不一致は，特に違和感として看護師は感じる。看護師はその違和感を手がかりに，患者の言葉にできない背景に思いを寄せながら，働きかけることができる。

2. 関係は2人の間にある

▶ **困った患者は実在するか**　看護師は，患者の対応に困ったときに陰性感情をもち，「困った患者」「問題患者」としてその患者をとらえがちである。たとえば「訴えが多い」「薬を飲まない」患者を問題患者といったりする。

しかし，患者を「困った」ととらえているのは看護師であり，もともと困った患者が困った患者としていたわけではない。患者からすれば，自分がそのような行動をとらざるをえない状況を理解しない看護師のほうを問題看護師と言いたいだろう。

基本的な傾向や特徴があるにしても，その人が「いつも」「その傾向を」「どの人との関係でも」表しているわけではない。人はそれぞれの関係のなかで，その時々の自分を表現している。私たちは，場や相手によって，表現する自分が変わる。友人といるとき，家族といるとき，教員の前，患者の前の自分は，ベースの自分は変わらなくても表現は変わる（図5-2）。

そう考えると，関係は2人の間にあって，どちらか一方の特徴によって良い関係，悪い関係が決まっているのではないと思える。怒りっぽい患者も，相手が異なれば，笑顔の患者になる。怒りっぽい患者が最初から存在するのではなく，関係のなかで生まれているのなら，関係を変えることで患者は違う側面を見せるだろう。

▶ **鍵は自分にある**　このように関係が2人の間にあるものと，とらえ直すことによって援助が可能になる。なぜなら関係の一方の鍵は看護師にあり，関係に困っている自分が，その関係を変えることができるからである。患者を変えることはできなくても，自分は変えられるのである。「自分が関係の鍵を握っている」と考えることによって，新たな関係を

図5-2 場や相手によって変わる役割と表現

つくりだしていくことが自分にはできると思える。そのように意識できれば「あの患者さんは困った患者」と言って，困った患者を変える方向に意識がいく前に，「私にできることは何か？」に思いをはせることができる。

C 関係構築にあたっての基本的な態度

ここでは患者と関係を構築するうえで留意する点について紹介していく（図5-3）。

1. 相互の尊敬

▶ **尊敬するとは** 尊敬は英語で“respect”という。その語源は「re（再び）＋ spect（見る）」であり，「あるものを再び見る」「振り返ってみる」「きちんと見る」「人や物事に注目する」という意味がある[6)]。ここから，ある人に対して深い関心を抱くことが尊敬であり，

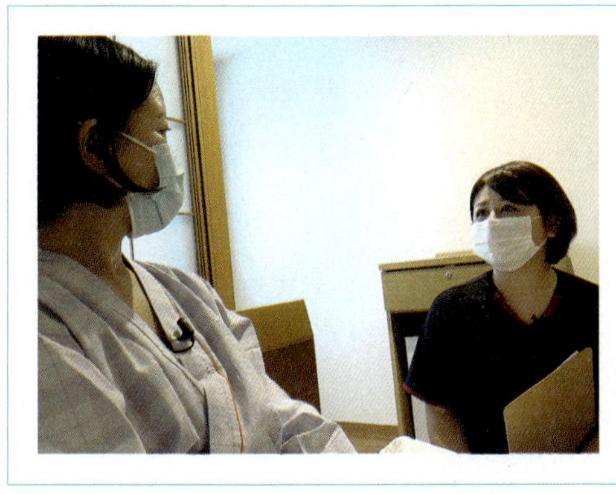

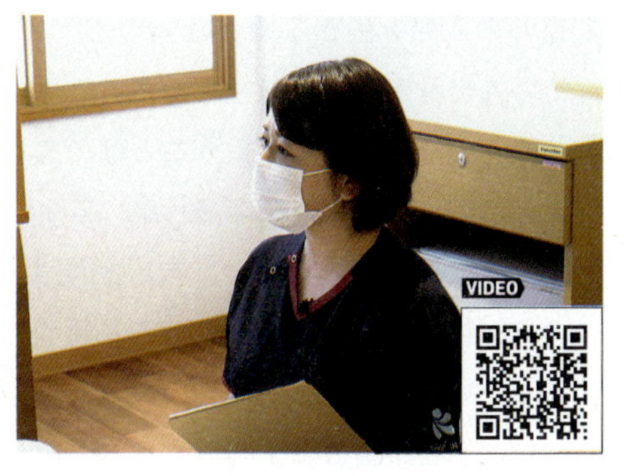

図5-3 精神疾患をもつ人との関係構築（職員による模擬場面）

振り返るということと尊敬は密接に関係していると考えられる。なぜ患者がそのように反応したのか，その反応に自分はどう影響していたのかを振り返らない看護師は，患者を尊敬しているとはいえないということにもなる。

尊敬の反対は，軽蔑や侮辱とされる。これらは，いずれも他者の価値基準での評価の言葉である。「自分が正しく，患者は間違っている」と考え，患者を問題患者として評価しているときは患者を尊敬していないということである。患者を尊敬することとは，自分の価値基準で評価しないことだともいえる。

▶ **その人は最善を尽くしている** 患者を自分の価値基準で評価していることに気づいた際に，その人なりの最善を選択していることを理解しようとすることは，助けになるかもしれない。他者から見て，そのやり方は不合理であったり，うまく機能していないと思われても，その人は，①それ以外の方法を知らないか，②それが現在のところ，ほかのやり方よりもまだましに思えるか，③ほかのやり方を知っているがそれができないという状況であるかもしれない，と考えてみる。そうすると評価するより，その人なりの努力に目を向けることができるかもしれない。

このとき，患者を尊敬していなかった自分を良くないとして，自分の価値基準で評価していた自分を批判しないことが重要である。批判に大切なエネルギーを費やさないで，良くなかったと思えば修正すればよい。「患者がそうするに至ったのはなぜだろう」「私は何をしたら患者の役に立てるだろうか」を考え，行動に起こすことだ。自分自身のことも批判するのでなく，まず自分を尊敬する（振り返ってみる）ことをしてみよう。

2. 信頼する

▶ **患者には力がある** 相手（患者）を信頼することが難しくなるのは，自分のなかに不安や心配があるときである。そのようなとき看護師は「患者には，本来，患者の人生を生きる力がある」ことを信頼できない。そして，自分にある不安や心配を解決しようと患者の人生を背負ってしまい，「私が患者さんを何とかしてあげなければ」と思い，実際に何とかしてあげようとしてしまう。

しかし，それは，患者が自分の人生を自分で生きる機会を奪うことである。患者は「自分は自分の人生を生きる力がないのだ」と思うだろう。患者の人生を背負ってしまっては，その人自身がどんな力をもっているのか，看護師自身もわからなくなる。人の人生を背負わなくてもよいし，背負うことはできない。

▶ **信頼を伝える方略としての看護行為** そうではなくて，看護師は「自分の人生を生きることができると患者が思えるように」援助するのである。植物に水をやるのは私たちだが，育つのは植物であるのと同じである。育つ力は本来その人がもっている。看護師はその力を信頼したい。

これは，患者が自分ですべてすることを目指すように，と言っているのではない。人に頼みたいときは頼んだり，したくないときは断ったりして，他者とやりとりをしながら，共に生きる方略を探す力のことである。看護師は患者自身にこのような力があると知るために，患者とよい関係を築きたいのである。

人は，自分が人から信頼されるに値する人間であると思えると，勇気をもって対人関係に入っていくことができる。「患者の言葉に耳を傾ける」「患者からの頼みごとや断りごとをきちんと受け止める」「可能であることは手助けする」，これらはすべて患者が自分に価値があると思うことにつながっていく大事な看護行為である。

3. 共感を伴う理解

共感とは，ほかの人の人生に入り込む能力で，患者の現在の感情の意味を正確に認識し，理解していることを本人に伝達することである[7]。共感を伴って患者を理解することは，尊敬や信頼を示す強力な態度である。

定義どおり「現在の（患者の）感情を正確に認識し，理解する」ことが重要である。患者が表出している感情に対して，「悲しいのね」「腹立たしいのね」と言うことは簡単である。しかし，このような表面的な了解をしているだけでは，感情の理解には行き着けない。他者の感情を正確に認識し理解することは，実際には不可能である。とはいえ，看護師が少なくとも理解に近づくために“患者が出来事に対して，どのようにとらえ，考えたか，本当はどうであることを望んでいるか，また，そのようなとらえ方に影響している背景は何か，実際にどのようにしようと思っているか”といったことを理解しようとすることが共感である。

たとえば実習中に患者が涙している場面に出会ったとき学生は泣いたりするが，学生はその患者の悲しみの感情を理解するため，患者に何があったのか，患者はその出来事をどのようにとらえたのか，その出来事の何を悲しいと受け止めているのかなどを，患者から教えてもらう必要がある。それによって，患者の悲しみの理解に近づくことができる。

他者からの共感を伴った理解があると，患者は，社会への所属感と自分の価値を感じることができる。

4. 誠実性；わかり得ないということをごまかさないこと

共感的に理解をしようとしても，その一方で，その人と同じ体験をすることはできないという事実を了解していることは大事である。大きな災害を体験した人の話をわかろうとしてどんなに一生懸命に聴いても，実際に災害を体験した人のことは本当にはわかり得ないのである。

しかし，“本当にはわかりようがない”ということを，わかっていることが大事である。わかり得ないことを，わかったとごまかすことが最も良くない。それは，相手ばかりでなく自分をも欺いていることになる。私たちは人の体験を本当には知ることはできない。しかし“知ることはできない”ということから出発することが重要である。“知らない”ということを知ることで，私たちは相手から謙虚に教わることが可能になる。

5. 現実社会との適合性

病院のなかで過ごす患者とかかわっていると，その守られた空間が患者にとっても看護師にとっても，通常の社会そのもののように感じられてくる。現実の社会ではしないことをしたり，逆に，することをしなかったりといったことが当たり前のようになったりする。たとえば，よほど親しくない限り，年配の人に「○○ちゃん」とは言わないのに，そのように呼んだりする。社会からかけ離れることは，患者のリカバリーを妨げることである。そのために，看護師が現実社会での共通感覚を常に意識しておくことは重要である。

看護師も病院という閉鎖された社会で，しかも，看護師が主導的に動ける場で1日の長い時間を過ごす。患者同様に社会的な感覚を身につける機会を逃したり，失っているかもしれないと意識すること，そして現実社会にきちんと足をつけた感覚を身につける努力をすることは重要である。

D 患者とのかかわりで起こり得ることと対処

精神疾患をもつ人との間では，関係の始まりから，その深まりに応じて様々な難しい局面が生じる。ここでは，主に患者側に生じることとして抵抗，転移，看護師側に生じることとして逆転移について理解し，その対処を検討しよう。

1. 患者側に生じる態度と対処

1 抵抗

抵抗とは，狭義にはジークムント・フロイト（Freud, S.）の精神分析過程において，抑圧していた無意識があらわになることを避けようとする，患者の一種の防衛を意味する。一般的には，外部からの力に対して逆らう気持ちやその行為をいう。

▶ **抵抗が生じるとき**

❶外部から変化を求める力が働いていると患者が感じた場合：言うまでもなく，患者は治ろうと思って治療を受けにくる。しかし，治療のためとはいえ，これまでのやり方や考え方を変えたり，変化を受け入れたりするには勇気がいるものである。

加えて，精神科では患者が望まないまま入院させられることもある。望まない入院をさせられたうえに，望まない変化を求められることになり，患者の抵抗はいっそう大きくなる。

❷看護師の対応への抗議：抵抗が，看護師の対応への抗議の表明であることがある。担当看護師が自分の意に反して交替したときや看護師の自分に対する配慮のなさを感じたときは，患者は抵抗によって抗議の意を示す。

❸疾病によって得たいことが得られている場合：疾病があることによって，特別な扱いを得

られたり容認してもらえたり注目してもらえたりすることがある。これを**疾病利得**という。患者にとっては，病気であり続けたほうが利益があるため，病気を治されてしまうことに抵抗を示す。病気がなかなか治らないことによって，患者はますます注目を得られるということにもなる。そうすると，抵抗は2次的な意味をもち持続する。抵抗をやめてしまうと抵抗することによって得ていたものが得られなくなるので，抵抗は長引くのである。

▶ **抵抗の表れ方**　抵抗は具体的には次のような態度や行動で示される。

- 症状が悪化する
- 急に問題は解決したとしてしまう
- 考えられない，考えようとしない
- 情報を伝えようとしない，話そうとしない，沈黙する
- 緊張し言いよどむ
- 自己卑下(ひげ)や絶望を伝える
- 時間に遅れる，約束を守らない，忘れる
- 眠そうにしている
- ルールや枠組み，社会的通念を超える行動をとる

▶ **抵抗への対処**　抵抗があるということは，患者が，外圧から自分を守らなければならない状況にあると考えているということである。看護師は，この意を汲み取り，まずは抵抗を押し返そうとする力，つまり治そうとする力を弱める。一般に作用する力が強くなれば，反作用の力も強くなる。それと同じで抵抗に対してさらに強い力を加えれば，抵抗はいっそう強くなる（図5-4）。

変化を求める力が働いていると患者が感じているときは，撤退するか，時間をおいて「いつならよいか」を患者に相談したり，受け入れられる程度の別の提案をする。

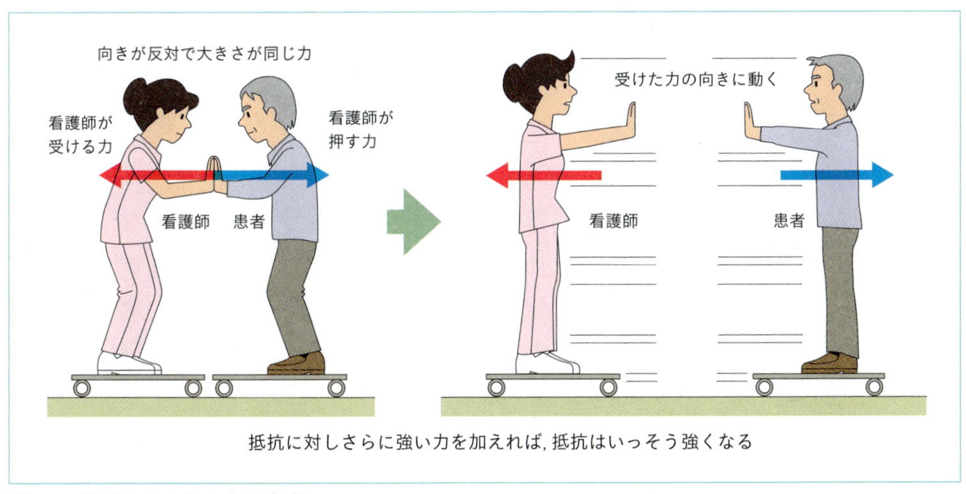

図5-4　外圧から自分を守る患者

抵抗が看護師への抗議の意味合いをもつときは，その抗議を受け止め，改めるべきことは改める。抗議を受け入れることが患者に良い結果をもたらさないと思われるときは，その理由や看護師の意図を話し，患者と話し合いをする。

新たな解決法の提案に対し患者がいったん承諾しても躊躇（ちゅうちょ）がみられるときは，その提案がそのときの患者に合わないということであるから，患者が受け入れられる提案を探す。そのような提案と合わせて，常に患者を勇気づけることを援助の基盤として行う。

たとえば，中井は「せっかく病気になったのだから，1つくらいいいこともなくちゃ」といったような，疾病利得を実現可能な形にして実現させるようにするとしている[8)]。いずれの場合も，看護師は，まず患者の話をよく聴き，今の状況を一緒に振り返り，必要であれば患者と目標を設定し直すことが重要である。

2 転移

患者との間では患者の過去の対人関係のパターンが看護場面にも再現される。フロイトは精神分析療法において，患者が，過去の重要な人物に対して向けていた特別な感情や態度を，無意識的に医療者に向けることを**転移**と定義した（図5-5）。転移感情には，尊敬や感謝，好意，親近感などの肯定的な感情が生じる**陽性転移**（陽性感情）と，非難や憎しみ，敵意，反抗などの否定的な感情が生じる**陰性転移**（陰性感情）がある。陰性転移は抵抗が生じる原因の一つとなる。

一般的には，陽性転移は関係構築を促進する。しかし，陽性転移が行き過ぎると，かえって問題を引き起こすことがある。たとえば患者が看護師に依存的になったり，機嫌をとるようになったりする。あるいは恋愛感情に発展することもある。それに対して看護師が応えきれなくなったり，適切な対応ができなくなったときには，陽性転移は陰性転移へと容易に反転する。

▶ **転移の表れ方**　転移は具体的には次のような態度や行動で示される（抵抗の表れ方の項目も

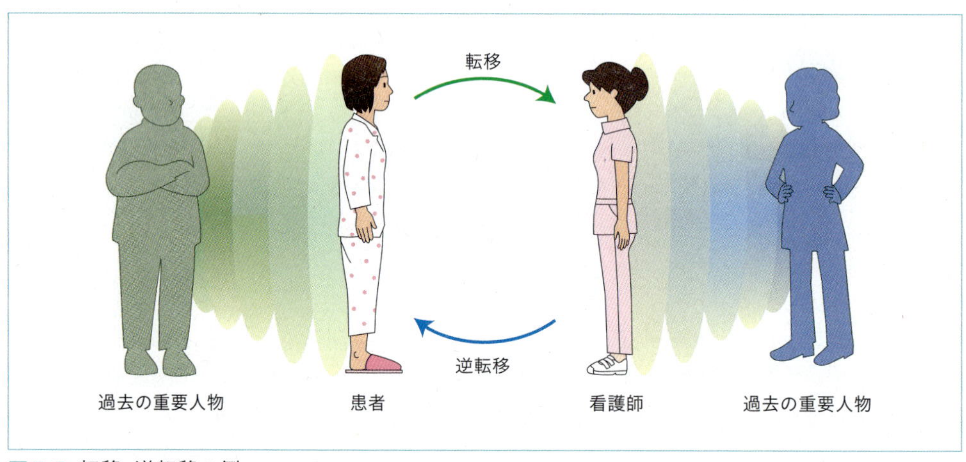

図5-5 転移・逆転移の例

含む）。

- 反応の過剰な強さ
- 看護師と張り合う
- 関係のない話を延々とする
- 延々と続く沈黙
- 過剰な期待

▶ **転移への対処**　患者は，過去の対人関係の経験を現在の関係に移し，目の前にいる看護師に良い感情をもったり，良くない感情をもったりしている。看護師は，患者が自分の感情とその背景に気づくことができ，最終的により発展的な対人関係のもち方を一緒に探すことを目指してかかわる。

そのためにも，看護師は，まず患者の感情を受け止めようとしていることを患者に示すことが必要である。患者が語ってくれるようであれば，どのような感情が生じているか，それをどのようにとらえているかを尋ねる。尋ねられることで，患者が自分自身のもっている感情や考えに気づくことができる。その後に，看護師は患者がどのように見えているか，どのような感情が生じているかを素直に伝える。

さらには，転移が起きている原因や背景を一緒に探る。このときには，患者の現在の問題に関連した様々な対人関係上の出来事に共通するパターンを探り，患者がどうあれば良いと望んでいるのか，その方向は実現可能かどうか，今の方法より良いやり方がないかを一緒に考えていくことになる。

2. 看護師側に生じる態度と対処

看護師においても，過去の重要人物に向けていた感情を患者に向けることがある。医療者が患者に向けるそのような感情は**逆転移**とよばれる。看護師も，過去に経験した対人関係を現実の患者との関係に無意識的に再現していることがある（前掲図5-4）。

▶ **逆転移の表れ方**　逆転移は，具体的には次のような患者に対する態度や行動で示される。

- 極端な愛情や援助
- 極端な嫌悪感や敵意の反応
- 極端な心配
- 職場を離れても患者のことが頭から離れない
- 患者と外で特別に会う
- 眠気がある，約束を忘れる，あるいは約束に遅れる

▶ **逆転移への対処**　新たな対人関係をもったり，対人関係で問題が生じたとき，人はたいてい過去の経験を参照して予測し対処する。転移・逆転移が問題になるのは，それが行き過ぎた様式で現れ，患者の回復を阻害したり，患者が新たな対人関係を学ぶ機会を阻害するからである。

ここでも，これまでに述べてきたように，看護師は自身に生じている感情や考えをリフ

レクション（振り返り，省察）することが求められる。患者に対してどのような感情を抱いているかをリフレクションするのである。申しわけない気持ちや，会うことを心待ちにする気持ち，また，うんざりしたり，恐れたり，拒否したり，罰したかったり，喜ばせたかったりなど，患者に対してどのような感情が湧いているか，看護師は自分の心の声に耳を傾ける必要がある。

そして，そのような感情が起こるのは，患者のどのような反応に対してか，患者から思い起こす過去のだれかがいるか，そのような感情が湧くときにはどのようなことを考えているかと振り返り，自己の行動を修正していく必要がある。

とはいえ，自分1人での振り返りには限界がある。関係のただなかにいる自分を自覚することは容易ではない。インフォーマルな対話も含めて，カンファレンス，そしてスーパービジョンといった，他者と語り合う機会や他者の視点を取り入れていくことが，精神疾患をもつ人にかかわる際には必須である。

Ⅱ 精神障害をもつ人とのコミュニケーション

 コミュニケーションとは

ここまで，精神障害をもつ人との「かかわり方」について学んだ。ここでは「コミュニケーションとは何か」を考えたい。

ところで，「かかわり方」と「コミュニケーション」は似た言葉のように思われる。しかし，「コミュニケーションが良くなくて関係がうまくいかなくなった」と言うと，双方向の伝達の問題を指しているように聞こえる。一方「かかわり方が良くなくて関係がうまくいかなくなった」と言うと，かかわった人の態度や方法を問題にしているように聞こえる。ここにコミュニケーションとは何かを考える手がかりがある。

1つは，コミュニケーションには必ず相手がいるということである。コミュニケーションには，異なる個体がお互いの情報を「**伝達し合う**」という意味がある。

もう1つは，コミュニケーションによって関係が良くなったり悪くなったりすることを考えると，コミュニケーションはただ情報が伝達されるだけではないということである。コミュニケーションの結果として生じる「**共有の感覚**」までを含む概念である[9]。

一般的に，コミュニケーションとは「人から人への情報の伝達，およびその結果生じたこころの触れ合い，共通理解，共同関係」を指すことが多い[10]。

コミュニケーションのキーワードは「伝達」と「共有」であり，コミュニケーションの積み重ねによって人間関係が構築されていく。コミュニケーションとは関係構築の手段でありプロセスである（図5-6）。

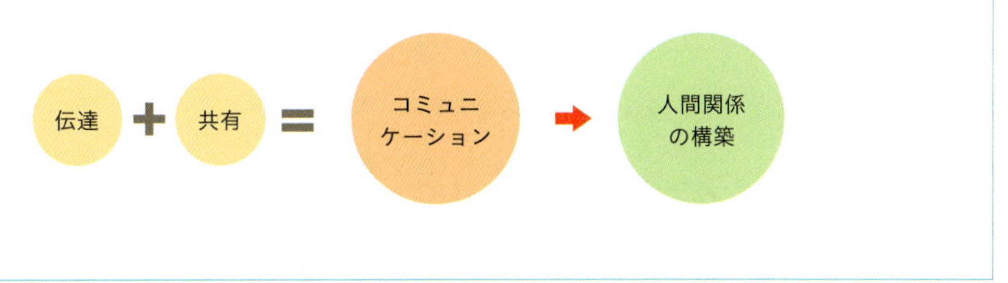

図5-6 人間関係構築の手段としてのコミュニケーション

1. 言語的コミュニケーションと非言語的コミュニケーション

コミュニケーションは，言語的コミュニケーションと非言語的コミュニケーションから構成される。

▶ 言語的コミュニケーション　**言語的コミュニケーション**とは文字どおり言葉を手がかりとするコミュニケーションである。言葉は書き残すことができる。それによって，人間は文化を継承し，知識を拡大，発展させることができた。情報の伝達の手段として大変効率が良いというのが言葉のもつ強みである。

しかし，言葉には難しい側面もある。言葉には，辞書にあるような人が共通して了解しているそれぞれの決まった意味がある一方，1つの言葉が様々な意味をもっているように，場面や文脈によって意味が変わり得る。

たとえば「坐薬」は医療者にとっては，どのように使用する薬であるか自明のことであるが，患者が文字どおりに受け取れば“座って飲む薬”として，正座して飲んでしまうということが起こり得る。あるいは，新人看護師に「ナースコールを切ってきて」と言ったところ，ナースコールのコードそのものをはさみで切ってしまったりするのも，言語的コミュニケーションの難しさを示すよい例であろう。

具体的な物や行為でさえ，このような齟齬(そご)が起こることを考えると，「自由でいたい」など抽象的な言葉が用いられるときには，なおさら，その言葉をどのような意味で使っているか確認することが重要となる。加えて，その人の文化背景や，非言語的なメッセージを含めて，用いられた言葉の意味するところを推測し，確認していくことが，看護師には求められる。

表5-1 非言語的コミュニケーションの種類

種類	内容	伝わること
聴覚情報	声：質，大きさ，強さ，トーン，アクセント 話：速さ，リズム	感情
視覚情報	顔：表情，顔色，視線 動作：姿勢，身ぶり，自動反射	雰囲気
	装飾：服装，装飾品，持ち物	感性
空間	2人の間の距離，座る位置	関係性

▸ **非言語的コミュニケーション**　**非言語的コミュニケーション**は，言葉以外の手段によるメッセージの伝達である。非言語的コミュニケーションには表5-1のような種類がある。

2. コミュニケーションのプロセス

▸ **コミュニケーションの3つの技能とプロセス**　コミュニケーションに必要な技能は，受信，処理，送信の3つの技能に分類される。送信者が「送信」したメッセージを，受信者が「受信」し，理解・解釈（処理）する。受信者はそれを受けて送信者にメッセージを「送信」する。コミュニケーションによってやりとりされるメッセージの種類は，情報，感情，思考，意志，行動などである。これがコミュニケーションのプロセスである（図5-7）。

- **受信機能**：必要な情報に対して選択的に注意を向けられるかどうかが重要である。心身の状態が整っていないと，注意を集中しづらかったり，そがれてしまい，受信が難しくなることが生じる。
- **処理機能**：理解，推論，解釈，判断する機能である。ここでは，記憶力と思考力が特に求められる。
- **送信機能**：言語的・非言語的手段を効果的に使って，相手に自分のメッセージを的確に伝えることができることが重視される。

▸ **3つの技能の関係**　コミュニケーションにおいて問題になるのは，言語による情報と非言語による情報に不一致がある場合である。たとえば「本当に助かったわ」と怒った表情

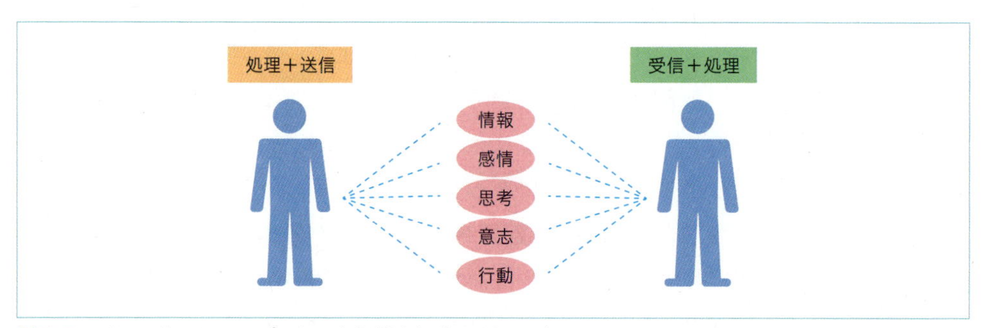

図5-7 コミュニケーションプロセスと伝達されるメッセージ

図5-8 非言語と言語の一致しないメッセージ

と強い語調で言われた場合などである。受け手は非言語と言語の矛盾したメッセージを同時に受け取ることになるため，混乱し困惑してしまう（図5-8）。

感情を伝えるコミュニケーションにおいて，このような矛盾したメッセージの受け止め方の法則を**メラビアンの法則**という。アメリカの心理学者であるアルバート・メラビアン（Mehrabian, A.）は，言語情報と聴覚情報，視覚情報のうち，どの情報が優勢に伝わるのかを実験した。感情を伝えるという限定された状況において，各情報はそれぞれ7：38：55の割合で影響を及ぼすということがこの実験で明らかになった[11]。

「本当に助かったわ」のようなメッセージで非言語情報に不一致がある場合，人は，言語情報（この場合は「本当に助かったわ」：7％）より，聴覚情報，視覚情報といった非言語的な情報（この場合は強い語調と怒った表情：38+55＝93％）に大きく影響される。つまり，相手には言葉より態度が伝わるということである。

B 精神障害をもつ人とのコミュニケーションの特徴

精神障害をもつ人とのコミュニケーションは一般的に難しいといわれており，接する看護師には，その特徴に合わせた対応が求められる。ここでは，精神障害があることによってコミュニケーションにどのような困難が生じるのか，その困難はコミュニケーションにどのような特徴として表れるのかをみてみよう。

1. 精神障害をもつ人とのコミュニケーションの困難さの要因と生じる困難や障害

精神障害をもつ人とのコミュニケーションに生じる困難や障害には，疾患それ自体と治療による影響が考えられる。

1 疾患による影響

疾患による影響として，ここでは主に統合失調症に生じる障害から考えてみたい。統合失調症には，代表的な症状として，陽性症状，陰性症状，認知機能障害がある。それらの症状によって生じるコミュニケーションに関係する困難や障害を表5-2に示した。

▶ **陽性症状，陰性症状**　陽性症状や陰性症状によってコミュニケーションそれ自体をつらく感じたり，避けてしまったりする。また，コミュニケーションをとろうと思っても，症状によって相手のメッセージをうまく受信できなかったり，ゆがんだ解釈をしがちである。

さらに，思考機能や感情機能の低下により，考えをまとめ，非言語的な手段を効果的に使いながら送信することが難しくなる。

▶ **認知機能障害**　認知機能障害は，さらにコミュニケーションにかかわる根本的な限界を生み出す原因になる。

- **注意機能の障害**：統合失調症では，選択的注意の低下が生じる。受信機能の説明でも

表 5-2 統合失調症の症状によって生じるコミュニケーションの困難や障害

陽性症状	被害的な内容の幻覚・妄想によるコミュニケーション自体の回避 幻聴によるコミュニケーションへの集中の困難 現実と非現実との区別の困難	
陰性症状	意欲の低下・自閉傾向によるコミュニケーションの減少 思考の低下による自分の考えをまとめることの困難 感情の鈍麻・平板化による非言語的コミュニケーションの困難	
認知機能障害	注意機能	選択的注意機能の障害 注意の保持の困難 注意の容量の減少
	記憶機能	言語性記憶の障害 ワーキングメモリの障害
	実行機能	問題解決過程の障害 概念形成の低下

述べたように，受信するときは周囲の音が背景に退き，会話している人の声に選択的に注意を集中させる必要がある。しかし統合失調症の人の場合は，必要な音を取捨選択して，必要な音だけに集中することが難しい。併せて，統合失調症の人の注意の向け方は，断片的で規則性がなく，範囲も狭い[12]。そのため，全体を把握することが難しく，かつ物事のつながりを理解することが難しい。注意が連想的にそれていくため，会話の本筋からどんどん離れていくことも生じる。

- **記憶機能の障害**：新しいことの記憶や言語性記憶が最も障害されるといわれている[13]。そのため，説明を受けても新しいことがなかなか覚えられなかったり，結局伝えなかったということを忘れてしまって，まるで，すでに伝えたかのように話題にしたりすることが生じる。
- **実行機能の障害**：筋道を立てて相手にわかりやすく伝えることが難しくなる。抽象概念の利用ができないことから，あいまいな表現の意を汲んだり，文脈による理解がしにくくなるという困難が生じる。

そのほかの疾患として，気分障害では，統合失調症と同様の難しさが感情機能の障害によって生じる。うつ症状が強いときは，コミュニケーション自体が大変な負担となる。精神機能全体が抑圧されるため，言葉もなかなか発せられない。滑り出しに大変な摩擦がかかるのである[14]。一方，躁状態のときは，次から次へと思考のスピードと範囲が増し，話がどんどん拡散していってしまう。

2 治療による影響

治療による影響としては，薬物療法の有害作用により，ろれつが回りにくくなって，話す本人も話しにくく感じたり，聞きとる側も聞きとりづらくなり，コミュニケーションの弊害になることがある。薬物の量や質によっては，眠気やからだのだるさから，人とのコミュニケーションが億劫になるかもしれない。頭がぼんやりして考えること自体がだるく，それが表情に現れたりもする。

このように，疾患とその治療の特徴を踏まえて，各精神機能にどのような障害が生じるかを理解しておくことは，精神疾患をもつ人々のコミュニケーションの困難感を理解することにつながる。併せて，そのような人たちにどのようにかかわることが，その困難感を減らすことになるのかを考えることができる。

2. 障害に沿ったコミュニケーションを支援する方法

前述のような機能の低下や障害は様々に組み合わさり，コミュニケーションのうえでは，統合失調症の特性として次のように現れる。

- 文脈から意味を理解することが難しい
- 全体を見ることが難しく，細部にこだわる
- 不意打ちに弱い，融通が利かない，冗談が通じない
- 結論への飛躍（jumping to conclusions；JTC）[15] がある
- あいまいな刺激に弱い
- 複数の処理や課題が難しい

このような特性がみられる人に対し，精神機能の各側面から支援を考えることができる（表5-3）。表中の「実行機能の低下」にある「あいまいな言い方」とは，たとえば実習中に学生が何気なく言う「また来ます」といった言葉などである。統合失調症の患者は不意打ちが苦手であり，「また」とはいつのことなのか，何をしに来るのか，わからなくて困ったりする。このような場合，前述の疾患の特性を踏まえていると，「何分後にレクリエーションが始まるので誘いに来ますね」と具体的に伝えることができる。

疾患によっては，どの患者にも同じ症状が現れるものもある。しかし，統合失調症では“まるで違う病気みたい”に，患者によって症状の現れ方が様々である。どのような機能の低下が起こるかを知っておくことは援助を考える助けになるが，どの患者にも機能の低下のすべてが起こるわけではない。機能の低下の表現もそれぞれである。看護師は，疾患をもつ一人ひとりの反応をていねいにとらえ，その意味を考え，一人ひとりの援助を考え

表5-3 認知機能障害への対応（例）

注意機能の低下	• できるだけ余計な音のない静かな場所，本人が落ち着ける場所を準備する • 時間を限定し，伝える • 一度にたくさんのことを伝えず，1つずつ話す
知覚機能の低下	• マスクをせず，表情豊かに話す • 感情を言葉にして伝える
記憶機能の低下	• メモを書いて渡すなど事柄が残るようにする • 忘れたらまた伝えればよいという構えに立ち，忘れたところを補う
実行機能の低下	• 全体を示した後に，今の位置を示す • 小さなステップを具体的に示す • 一度にたくさんのことをしない • あいまいな言い方をせず，具体的に「いつ」「何を」「どのように」するか伝える • 事前に知らせ，急な変更を可能な限り避ける • 十分な情報提供をする

る必要がある。知識を患者に当てはめるのではなく，援助を裏打ちするために知識を使いたい。

C コミュニケーション技法

ここでは，非言語的コミュニケーション技法と基本的な技法に追加して，患者とかかわる際に知っておくと助けになるであろう言語的コミュニケーション技法について解説する。したがって，ここでは傾聴，受容，明確化などの基本的な言語的コミュニケーション技法には触れない。

どの技法もそうであるように，どのように使うかによって，その人にとって意味のある技法にもなれば，意味のない技法にもなる。特に，形式的に用いられた場合は，非人間的なコミュニケーションになったりもする。意味ある技法として用いるためには，常にゴールに向かうベクトルを意識して技法を使うことが重要である。

ゴールは精神疾患をもつ人のリカバリーを支援することである。リカバリーを支援するということは，その人が自分の力を信じ，かつ周囲の人は自分を支えてくれていると，その人が思えるように支援することである。詳細は，本章-I「精神障害をもつ人とのかかわり方」を参照してほしい。

1. 非言語的コミュニケーション技法

▶ **位置関係**　座ってコミュニケーションを図るとき，どの位置に座るかによって患者に伝わるメッセージは変わる。座る位置によって，どんなことが伝わっているかをふだんの生活でも意識してみよう（**表5-4**）。

▶ **タッチング**　患者によっては「触れる」ことをあまり好まない人がいる一方，「触れる」ことは「あなたを大切に思う」ことを伝える効果的な技術ともなる。看護師は，触れられることを好まない患者にも，検温の際に必ず触れる機会をもっている。どのように触れることがそのメッセージを伝えることになるかを，日常のなかで探求したい。

近年は，認知症の人へのケアとして「触れる」ことを技術として教えるユマニチュードという方法が取り入れられつつある[16]。さらに，触れることは，安らぎと結びつきにかかわるホルモンであるオキシトシンの分泌を促すことも明らかにされている[17]。

▶ **ペースを合わせる**　患者の動作や姿勢，声のトーン，速さ，大きさ，表情，呼吸，視線などを合わせることを**ペーシング**という。相手が無意識のうちにしている動作に対し，こちらも自然に合わせていく。たとえば，患者がゆっくりと話しているようであれば，看護師もそのスピードに合わせてゆっくり話すなどである。看護師は患者の状況を自分に写しとりやすくなり，患者の理解が進む。また，患者と看護師のペースが合ってくると，双方に安心感が生まれる。一方，違和感やペースのかみ合わなさは，緊張，呼吸の乱れなど，からだの反応として現れるため，患者のからだの反応をよく見ておくことが大事である。

表5-4 位置関係とその特徴

位置	特徴
並列 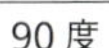	• 相手の見ている風景を共有することができる • 立場を理解し感情を共有しようとしていることが伝わる •「共にいる」感じが強くなる
90度 	• 視線を合わせることができ，ほどよく視線をはずすこともできる • 相手に向かって話しつつ，内省することを保証する • 面接相談時によく用いられる位置関係である
対面 	• 相手の反応がよく見える • 視線をはずしにくくなることから「きちんと話し合う」雰囲気になる • 公的あるいは正式な話，重要な話であることが伝わる

2. 言語的コミュニケーション技法

▶ **患者と出来事を分かち合う**　看護師は，患者とのコミュニケーションの基盤として傾聴，受容，共感を教わる。患者は，自分の話に熱心に耳を傾けてくれる看護師に対して，いっそう心を開いて話をしてくれるだろう。患者のなかには，話を聴いてもらって自分のつらさや苦しみを理解してもらえばそれで十分だと感じる人もいれば，何か助言がほしくて話す人もいる。助言を求めて話している患者に対しては，基本的に患者の話を一とおり聴いた後，解決へ向けては図5-9のような手順を踏む。

最初にすることは，出来事に対して，その人がどのように感じ，考えたかを再度聴くことである。どのようなことが起こった（あるいは起こっている）のか状況がイメージできる

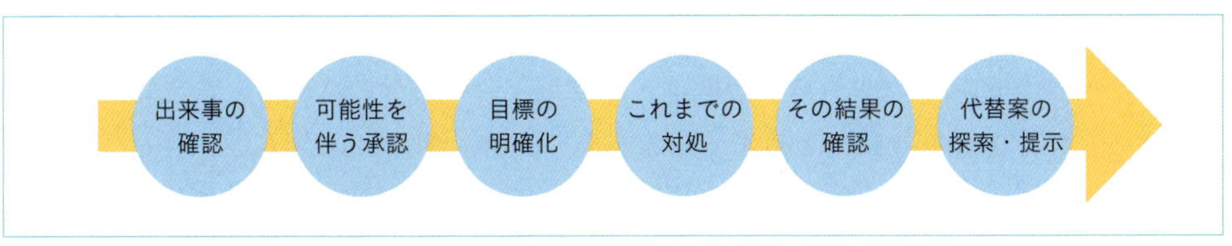

図5-9 患者と出来事を分かち合うコミュニケーションの手順

ように，できるだけ具体的に聴くことが大事である。

感情は出来事をどのようにとらえたかで変化する。そのために，抱いている感情と，そのときに考えたことを聴くようにしたい。共感するにも，その人の感情を知らないことには共感できない。感情や考えを聴くと，患者がその出来事をどのようにとらえているかが，おおよそつかめてくる。また，患者も話すことで自分の考えや感情を客観視することができる。

患者の話が事実のとおりに語られていない，あるいは本心を伝えられていないと感じたとしても，まずは受け取ることが大事である。仮にその話が偽りであることがわかったとしても，何が事実であるかより，「患者がそのように語ったのはなぜか」を病態や関係性，状況から理解しようとすべきである。それにより患者をより深く知ることになり，患者にそった現実的な支援が可能となる。

▶ **可能性を伴う承認**　患者のこれまでの苦労や努力に対してねぎらい承認する際，単に承認するだけでなく，その承認とともに，可能性につながるような事柄を見つけることが患者を勇気づける[18)]。

❶よいところを見つける

例）患者「1週間に1回しか参加しないんですよ」

看護師「1回は参加しているんですね」

❷専門用語を避け，肯定的に意味づける

例）家族「夫はうつ病だと言われました」

看護師「休まず仕事に打ち込まれたので，心もからだも休ませる機会だということですね」

❸「問題」を「目標」に変える

例）患者「自分には仕事は無理だと思います」

看護師「何か仕事をしたいと思っているんですね」

▶ **解決への手がかりを引き出す質問**　患者は何かしらの対処をしているのにそれに気づかなかったり，八方ふさがりでなすすべがないと思い，課題へ取り組む意欲を失いがちである。本当は，解決のための資源は患者のなかにある。それを探すための問いかけをすることが重要である。その際に次のような質問を知っておくと役立つ。

❶例外探しの質問：問題に目を向けていると，いつも24時間ずっと問題が生じているように思ってしまう。問題がないときや乗り切ったときが必ずあるはずである。

例）学生「最近どの実習もうまくいっていません」

看護師「では，うまくいっていた実習について教えてくれる？」

❷スケーリングクエスチョン：この質問は，患者が，今の自分の状態を，達成したい状態に照らして，どれくらいだと感じているかを1～10の数値で表すことによって，現状と変化を自他共に把握し共有することができる。

例）患者「今日はとても憂うつで何もする気がおきません」

看護師「あなたが望む気分を10としたら，今はどれくらいですか」

❸コーピングクエスチョン： 大変な状況にありながらも何とか対処をしているからこそ，患者は看護師の目の前に現れる。患者が何も対処をしなかったのなら，看護師は患者と出会うことさえできない。状況に圧倒され何も手立てがないように思えるときに，この質問は患者を勇気づけるはずである。「生き延びるための質問」[19]ともいわれる質問である。

例）患者「もうどうしようもありません。私には何もしようがないのです」

看護師「絶望しそうな気持ちのなか，今日ここで話されるまで，どうやってがんばり続けられたのですか」

▶ **目標を明確にする** 何を目標におくかを患者と共有するために「（患者が）どのようになったらよいと考えているか」を尋ねる。早い段階でこの質問をされても患者は答えられない場合があるが，出来事を話し，相手がよく聴いてくれて，かつ可能性を伴う承認を受けた後では具体的に考えやすくなっているはずである。

また，多くの患者は問題がなくなることばかりを考えていて「どのようになったら良いか」を考えていないことが多い。この質問をされることで，改めて解決像を考え始めることにもなる。目標は具体的で明確であるほど達成されやすい[20]。また，表現は「〜がない」「〜をしなくなる」ではなく，「〜をする」「〜ができる」といった行動を示す肯定文で表すことがコツである。

▶ **代替案を提示** 前述の「解決への手がかりを引き出す質問」の技法を用いて，患者自身が有効な解決策を見つけたり，こちらから別の提案をしたりする。

提案をするときは，提案することの了解を患者から得ること，1つではなく選択肢があるようにするとよい。これは，患者の領域を侵さず，患者の人生を患者自身が選択することを支援しようとする意図からくるものである。

III 精神障害をもつ人との関係の振り返り

A 振り返ることの意味

▶ **振り返りの必要性** 看護師は，そのとき，その場で，様々な対象者に対し，目の前の状況を認識し，考え，判断しながら実践を行っている。つまり，看護師は教科書から学ぶ知識のみではなく，看護実践のなかから知識を得て，それを身につけ活用している。そのような知識は，何気ない振る舞いのなかに潜んでいることが多く，振り返ったり，あるいは実践のなかで問題に直面し，どちらの行動をとるべきか慎重に考えるときにのみ表に現れてくるともいわれている[21]。したがって，看護師が経験から学び成長し続けていくため

表5-5 看護師によるリフレクションの目的

● 学んだ知識と自己の実践を結びつけ，考えながら看護を行う ● 自己の実践を振り返り，次の実践につなげるために看護を言語化して説明できる ● 看護経験をとおして看護師個々が，自分の行っている看護の価値や意味を「実感」できる

出典／東めぐみ：看護リフレクション入門：経験から学び新たな看護を創造する，ライフサポート社，2009，p.16.

図5-10 リフレクションの種類

には，自分の行った実践，それに伴う思考，感情を意識的に振り返る必要がある。

▶ **リフレクション**　このように，経験から知識を得るため，自らの実践を一定の方法を用い意識的に振り返るプロセスを**リフレクション**とよぶ[22]。看護師によるリフレクションの目的は表5-5のようにいわれている。

リフレクションは，看護師が新たに出会う状況や問題を認識し，行為しているなかでそのことを考えるプロセスである「**行為のなかのリフレクション**」と，看護行為を後から思い起こし，分析し，解釈することで，知識を明らかにするために行う「**行為についてのリフレクション**」に分類される（図5-10）。実践の基となる「行為のなかのリフレクション」をより有効なものにしていくためには，「行為についてのリフレクション」のトレーニングを積む必要があり，プロセスレコードはこの「行為についてのリフレクション」の手段の一つであると考えられる。

B プロセスレコード

1. プロセスレコードとは

プロセスレコードは，看護師の働きかけがどのように患者に影響しているかを客観視するため，患者と看護師の対人関係場面を振り返り，記述する記録様式である。もう一度，その場面に身を置き，自らの知覚，思考，感情，行動を基に看護実践を洞察することを目的としており，看護師が自分自身の対人関係における傾向を知ることで技術の向上に活用したり，患者に対する理解を深めたりするために用いられる。

この記録様式は，看護理論家のペプロウ（1952年）により開発され，アイダ・J・オーランド（Orlando, I. J., 1972年），アーネスティン・ウィーデンバック（Wiedenbach, E., 1962年）によって，洗練されていった。

2. プロセスレコードの変遷

プロセスレコードは，自分の心をスクリーンにして患者の心を映し出し，患者の抱えている問題点を明確にするという精神療法家たちが用いる作業を，看護実践に応用するという試みのもと，ペプロウによって開発された[23]。患者の情報のみを記載する従来の記録様式とは異なり，「患者の反応」と「看護師の反応」を記載することで，相互作用を振り返るための記録様式である[24]。

オーランドは，人の「行為の過程」に着目し，ペプロウが示した「患者の反応」「看護師の反応」を，さらに細かく吟味できるよう枠組みをつくった。**「行為の過程」**とは，五感を通じて行う知覚と，知覚によって刺激される思考，思考により刺激される感情が含まれ，その反応の結果，人は行為する[25]というものである。つまり，オーランドは「看護師の反応」を，看護師が知覚したことに対して「感じたこと・考えたこと」と「看護師の行為」に分けた。

ウィーデンバックは，プロセスレコードを用いた振り返りを“場面の再構成”とよんだ。そして，学習のための効果的な手段として，看護師自身が自らの課題を明確化できるよう，その手順と自己評価項目を示した[26]。

C プロセスレコードの書き方と振り返りの実際

1. プロセスレコードの書き方

❶再構成する場面を選択する際の注意点

- **今一番気になっている看護場面を選択する**：何気ない看護実践を意識化したり，患者にとっての看護実践の意味を再考し，今後の学びにつなげるためには，どんな看護場面を選択してもよい。しかし，より効果的にするためには，自分の知識や技術の限界に直面している場面である“今一番気になっている看護場面”を選択するとよいといわれている[27]。

❷場面を書き起こす際の注意点

- **自分の「知覚」「思考・感情」「行為」を起こった順に記載する**（番号をつける）：プロセスレコードの項目である「患者の反応」「自分の考えたこと・感じたこと」「自分の反応」は，オーランドの示す「行為の過程（知覚，思考・感情，行為）」となっている。

人は対人関係のなかで互いの行為に影響を受けるため[28]，記載された反応が何に影響を受けて生じたものかを知るためにも，その順序が大切なのである。

- **言語的表現のみでなく，非言語的表現も記載する：**互いの行為がどのように影響したかを考えるため，患者に対して五感で感じたこと，つまり言語的表現のみでなく，非言語的表現，その場を取り巻く状況も記載する。同様に自分が行った「行為」に関しても，言語的表現のみでなく，非言語的表現を記載する。
- **そのとき，考え，感じたままに記載する：**プロセスレコードでは，看護師自身の心の動きを分析することを通じて，患者理解を深め，援助の妥当性を評価する。そのためには，自分がそのとき，考え，感じたことを，正直にそのときの言葉で記載する必要がある。
- **思い出せなくても気にしない：**再構成された場面は，あくまで自分の主観的なフィルターをとおして記述したものである。つまり，場面を忠実に再現できないことは当然であり，思い出せない部分があるからといって再構成を諦める必要はない。ただし，思い出す努力をすることが重要である。

❸場面を自己評価する際の注意点

- **この場面を選択した理由・場面の背景を考える：**看護場面を直感的に選択した場合も，なぜその場面が気になったのかを考えることが重要である。それは，場面を選択した時点で必ず何らかの理由が自分のなかに存在しているからである。その理由を意識化することで検討すべき問題が絞られ，場面の振り返りがより深いものとなる。
- **自分が「患者の反応」「考えたこと・感じたこと」「自分の反応」を一つ一つ評価する：**次の点を基に，プロセスレコードの項目に沿って自らの行為の過程をていねいに分析する。
  ①自らの「考えたこと・感じたこと」と「自分の反応」が一致しているか確認する。
  ②「自分の反応」が患者に及ぼした影響と，「患者の反応」から自らに生じた影響を吟味する。
  ③自らの「考えたこと・感じたこと」から，自分自身や，自らの対人関係の特徴について考える。
  ④自らの「考えたこと・感じたこと」から，患者の言動を読みとる。
  ⑤看護の意味を考え，次の実践にどう生かすかを考える。
- **「場面全体をとおしての振り返り」を行う：**前述の「自分が『患者の反応』『考えたこと・感じたこと』『自分の反応』を一つ一つ評価する」を行った後，場面全体をとおしてどのような洞察（どうさつ）を得て，それを次の実践にどのように生かすかを考える。

2. プロセスレコードによる振り返りの実際

場面1：嫌われてしまったかもしれない

担当患者Aさん。統合失調症，40歳代，男性。実習初日。

朝9時に訪室したが，眠そうにしていたため，昼食後に訪室すると伝えていた。初めて患者と2人で会話をする場面である（表5-6）。

表5-6 プロセスレコード（場面1）

この場面を選択した理由：実習初日，Aさんとの関係性を築いていくこと，Aさんの1日のペースを知り，それに沿って看護計画を立てることを目標に会話を行った。しかし，会話が盛り上がらず，最後には「しんどい[注]ので」と拒否され，ショックだった。

患者の反応（言動・表情・状況など）	自分が考えたこと・感じたこと	自分の反応（言動・声の調子など）	言動の振り返り
①ベッドで臥床されているが，開眼し天井を見ている。	②表情に大きな変化がないため，かかわるタイミングが難しいな。	③「失礼します。Aさん，今から少しだけお話を伺ってもよろしいですか？」	相手のタイミングがわからないからこそ，確認したことは良かった。
④「はい，良いですよ。」無表情でチラッとこちらを見る。臥床したまま。	⑤よかった。あまりお話できる時間がないし，入院生活について簡単に聞きたい。	⑥ベッドサイドにしゃがむ。「Aさんの1日の生活について，おうかがいしたいのですが，音楽療法とか参加されないんですか？」	自分の焦りが言動に現れていたかもしれない。⑥で，なぜ1日の生活を知りたがっているのかAさんに伝える必要があった。
⑦天井を見たまま，「はい，参加したことないです。ずっと座っとくのが，しんどいので……。」	⑧カルテにも書いてあったな。でも歩いているときはスムースだったし，立つのは大丈夫なのかな。	⑨「あっ，そうなんですね。立っているのはしんどくないんですか？」	⑦で座ることのつらさを表出されているにもかかわらず，⑨で私は話を変えてしまっている。
⑩「はい，立っとくのは全然。」	⑪なら，体育館で運動することはできるかもしれない。	⑫「あっ，じゃあ，スポーツとかはお好きですか？」	⑥⑨⑫と質問攻めになってしまっている。
⑬「……。」天井を見つめたまま。	⑭返事に困っている。スポーツは気がのらないのかな。	⑮「あんまりお好きじゃないですかね。」	⑬で，すぐに返事がなかったので，私の話の内容のせいだと，すぐに判断してしまった。
⑯「いや，嫌いってことはないです。中高でバスケをやっていたので。」こちらの目を見て話す。	⑰好きなことが聞けた！自分からバスケやってたって言ってくださったし，会話を弾ませるチャンスかもしれない。	⑱「バスケやっていたんですね，すごいですね。バスケって難しいですよね。私，あまり得意じゃないんです。」	
⑲「あの，すみません。今日はもういいですか。」腕時計をチラッと見ながら「時間短いですけど。しんどいので。」	⑳無理に話をさせてしまっていたんだ。話をすることしか考えてなくて，Aさんのしんどさを考えられてなかった。早く退出しなきゃ。	㉑「あっ，そうですね。すみません，じゃあ退出しますね。ありがとうございました。」急いで退室する。	⑲で断られたことがショックで，すぐに退出してしまったが，Aさんは「すみません」や「時間短いですけど」と私を気遣ってくださっている。

場面全体をとおしての振り返り：「情報収集がしたい」という気持ちが優先され，私のペースで会話が進んでいた。話す時間がないという焦りから，質問攻めになってしまっており，1日中，幻聴に悩まされ，自室にこもっていることの多いAさんにとって，会話がどのような体験であるか考えることができていなかったと思う。この会話の後，嫌われたと思い，次に話しかけるのが恐くなっていたが，Aさんが「もういいですか」と会話を中断されたことは，マイナスなことだけではなく，自身の体調を他者に伝えることができる強みととらえられる。また，この場面では，焦っていて意識できていなかったが，「すみません」や「時間短いですが」と気遣ってくださっている。

注）しんどい：くたびれている，疲れている様子を表す表現（方言）。

- **自らの反応の妥当性を確かめる：**学生は，会話を断られたという知覚に対し，「嫌われてしまったかもしれない……」という思考から“ショック”という感情を抱いた。このような場面を振り返ることは，つらかった感情が呼び起こされ，決して簡単な作業とはいえない。しかし，学生は勇気を出して，振り返りの場面として取り上げ，その場面では見えなかったAさんの強みに気づくことができた。

　このように，感情が大きく揺さぶられる場面では，冷静な思考や判断ができていないことが多いため，ゆっくり落ち着いた状況のなかで振り返ることで，そのとき抱いた感情が妥当なものだったのか確かめることができる。

- **自らの「考えたこと・感じたこと」と「自分の反応」が一致しているか確認する：**また，

⑥⑨⑫の発言は，学生のなかではつながりのある発言であっても自らの思考・感情を表現していないため，学生も振り返っているように，相手には“質問攻め”と認識される可能性もある。この場面の振り返りから，学生は自身の思考・感情を意識し，相手にそれが伝わっているのかを常に考える必要があることを学ぶ。

場面2：沈黙によるあせりと相手の返答への異和感*

担当患者Bさん。統合失調症，30歳代，男性。実習3日目。

精神症状としては「幻聴は少なくなってきている」と自ら話し，学生とのコミュニケーションもスムースである。いつものようにベッドサイドで会話をしている場面である（表5-7）。

- **自らの「考えたこと・感じたこと」から患者の言動を読みとる**：この場面で学生はBさんから，過去の病的体験についてあまり思い出したくないという言葉や，暗い表情，下向きの視線を受け，病的体験を振り返る際には大きなエネルギーを要することに改めて気づいた。患者の言動を読みとる技術は“感じる能力”であるといわれており[29]，このように自分に生じた感情を意識することは患者理解に大変重要であるといえる。
- **自分自身や自らの対人関係の特徴について考える**：一方，このような予想と反したBさんの言動に，学生は不安や焦りを感じた。この感情は，相手の精神状態を悪くしてしまうかもしれない，どうにかこの場面の空気を解決しなければいけないという自分の行動に焦点化した思考から生じていると考えられる。

もし，患者の思いや感情に焦点をあてることができていたら，その感情も異なったものとなっていたであろう。このように自分の思考の特徴を振り返ることで，新たな思考が選択できるようになる。

- **自らの「考えたこと・感じたこと」と「自分の反応」が一致しているか確認する**：学生は，沈黙の後にBさんが表出した言葉について，「本音じゃないかもしれない」という異和感を記載している。それを感じさせたBさんの言動とは何であったのだろうか。たとえば⑲で「良い思い出」と言っているが，視線は下を向いたままであった。このようなBさんの言葉と行動との不一致が，学生に生じた異和感の原因であったのであれば，Bさんの心情に配慮しつつ，そのことをフィードバックすることができる。これは，患者自身もその不一致に気づくことにつながり，援助が広がる可能性がある。

---

* **異和感**：「自分が暗黙の裡に抱いていた予想や期待と，現実に生じたこととのずれによって生じた欲求不満の表れ」[30]。宮本は，違和感という表記に関して，しっくりこないのは相手が間違っているせいであるという一方的な姿勢を感じ，自分と相手が異なっているからであるという公平な姿勢が感じられる異和感を用いている。

表5-7 プロセスレコード（場面2）

この場面を選択した理由：病室でのBさんとのコミュニケーションのなかで，Bさんの過去（精神状態が悪かったとき）の話題になったときに，それまでの会話のやりとりでの様子とは違い，長く沈黙された。また，沈黙された後のBさんの発言を直感的にBさんの本心ではないように感じとり，すっきりしない感じが自分の中に残った。

患者の反応（言動・表情・状況など）	自分が考えたこと・感じたこと	自分の反応（言動・声の調子など）	言動の振り返り
①私からの質問（仕事について）にスムースに返答される。からだも顔も視線もこちらに向けている。	②Bさんは，私との距離もうまくとれ，精神状態も安定してきている感じだな。今の状態について，Bさん自身はどう感じているのかな。	③「今みたいに話すのには，幻聴の影響はないんですね。今の状態ってBさんにとっては，どんな感じなんですか？」	病気の回復を知るには，客観的状態とBさん自身の主観的状態を照らし合わせる必要がある。
④「そうだね。まだ本調子ではないですけどね。今なら仕事もできそうな気がする。」軽く笑う。	⑤まだ本調子ではないのか……。でも仕事できそうってことは，ちょっとは良くなっている感じなのかな？入院前はどうだったんだろう。	⑥「そうなんですか。仕事もできそうって思えるんですね！入院する前は仕事するには大変な感じだったんですか？」	仕事もできそうな気がするという発言にうれしくなり，より回復を実感してもらおうと過去の話を出した。
⑦「前か……。」沈黙がある。私に向けていた視線をずらし，斜め上を見ている。表情が変わり，少し暗め。	⑧あ，答えにくかった？それとも思い出している？もう少し待ってみよう。でもこの沈黙嫌だなぁ。	⑨「……。」Bさんの顔を見ながら発言を待つ。	⑧において，沈黙には焦ったが，Bさん自身が回復を振り返るために，有効な時間だったかもしれない。なぜ以前を振り返ってもらったのか，目的を伝えておくとよかった。一方で，⑩のように「あまり思い出したくない」という言葉もあり，思い出したくなければ，思い出さなくてもよいという保証も必要だったと思う。
⑩「……。」斜め上に向けていた視線を下げる。「……あんまり思い出したくないんだけどね。」	⑪あ，そうか。つらい時期は幻聴も悪口だったってカルテにあったし，そんなときのこと恐くて思い出したくないよなぁ。何でこんなこと聞いちゃったんだろう……。	⑫「……。」焦りながらも発言できない。	
⑬「……。」視線は下に向けたまま。	⑭うわぁ……どうしよう。せっかくお話しできていたのに，気分悪くさせてしまったかも。やばい……。	⑮「……。」沈黙が続き，焦っている。	
⑯「……なんか……難しく，考え過ぎていたのかな。」視線は下のまま，自身に言い聞かせ少し暗めでつぶやくよう。	⑰あぁ，しゃべってくれた。そんなふうに考えているのか。でも本心じゃないような感じもするな……。とりあえず，何か言葉を返さないと。	⑱「……そういうときってありますよね……。」静かに何度かゆっくりうなずく。	何か言葉を返さなくてはと焦り，⑱のような発言をしたが，安易に共感を示してしまったと思う。
⑲「うん……，でも今となっては良い思い出ともいえるのかなぁ。」相変わらず，視線は斜め下に向けたまま。最後に少しだけほほえむ。	⑳良い思い出って本当にそう思えているのかなぁ。これも本心じゃない気がする。	㉑「そうなんですか……うん。」	
㉒しばらく沈黙があった後，こちらに視線を向けて「学生さんは兄弟いるの？」	㉓全然違う話でびっくり。もう話題を変えたいんだな。ちょっと気になるけど話題は変えよう。	㉔「えっと兄弟は……。」	話題を変えたいのだと，このときは考えたが，沈黙に対し，気を遣ってくださったとも考えられる。

場面全体をとおしての振り返り：沈黙に焦り，Bさんの考えを想像したものの，確かめることはできなかった。また，⑯⑲といった発言は，まとまっていない感情や，複雑な思いが入り乱れているなかでの言葉であったため，本心ではないのではないかという思いが私に生じたのだと考えられる。したがって，Bさん自身が振り返るタイミングを判断できるよう，相手をじっと見つめるといった（答えを催促したようにとられかねない）対応を避けたり，「話したくなかったら話さなくてもよい」と保証し，Bさんのペースで，自身の過去を整理するサポートを行っていこうと思う。

場面3：信頼関係を築いたきっかけを振り返る

担当患者Cさん。うつ病，50歳代，女性。実習6日目。

抑うつ気分が強く，ベッドで臥床されていることが多い。最初は会話も少なかったが，徐々に学生に自身のつらさを表出したり，手伝ってほしいことを依頼するようになった。学生は，実習の初めと後半でCさんとの関係性が変化してきているように感じ，そのきっかけは何であったかを振り返った（表5-8）。

- **看護の意味を考え，次の実践にどう生かすかを考える**：患者と良い関係性が築けていることを自覚していても，どのような看護が有効であったかを明確に認識していないことは意外に多い。今回，学生はCさんの客観的状況から水分摂取量が不足している可能性をアセスメントし，その不足を補うという目的のうえでかかわりを始めている。しか

表5-8 プロセスレコード（場面3）

この場面を選択した理由：今から振り返ると，意図せず患者から感謝の意を述べられ，信頼関係を築くきっかけとなった場面であったように感じている。この場面を振り返り，何がCさんとの関係構築に影響したのか，自身のかかわりを考察し，今後に生かしたい。

患者の反応（言動・表情・状況など）	自分が考えたこと・感じたこと	自分の反応（言動・声の調子など）	言動の振り返り
①食事の際，コップ半量程度の水を飲まれている。	②薬剤の有害作用に口渇があるけれど，Cさんは朝，自覚はないとおっしゃっていたな。便秘傾向でもあるし，水分は足りているだろうか。	③一緒に自室へ戻る。	症状のみでなく，服薬している薬の影響や，抑うつが原因で生じるだろう状態を考えることで，水分摂取量の不足に気づくことができた。
	④やっぱり，お茶やお水は床頭台に置いておられない。毎回ご自身で汲みにいっておられるのかな。	⑤「Cさん，お部屋で水分って，とられていますか？」	患者を取りまく環境がアセスメント指標になることを改めて実感した。
⑥「ううん，あまりのど乾かないんです。食事のときだけ……。」	⑦食事のときは，いつもコップ半分くらいなのかな。それだと水分が不足しそうだなぁ。	⑧「食事のとき，いつもどのくらい飲まれているんですか？」	動くのは，起立性低血圧もあり，気力も必要なため難しくても，Cさんは健康に気をつかっておられ，もう少し水分をとったほうがいいと思っておられる。その気持ちを生かして援助方法を考え，提案できたのではないかと思う。
⑨「コップに軽く1杯くらいかな……。でも，もう少し飲んだほうがいいよねぇ。」苦笑いでこちらを見る。	⑩やっぱり少ないのでは……。でも，患者さん自身も，もう少し飲んだほうがいいと思っておられるんだ。どうしたらいいだろう。	⑪「あったら……。もしお部屋にあったら飲まれますか？ コップに入れて持ってきておきましょうか？」	
⑫「うん。置いてあったら，また飲みます。」笑顔で答える。	⑬汲みに行くという行動がしにくいことで水分補給が妨げられていたのか。	⑭「お茶とお水どっちがいいですか？」	
⑮「じゃ，お水，お願いしようかな。」	⑯これで水分をとってもらえたらいいな。	⑰「はい，わかりました。入れてきますね。」	
⑱「助かるわ。ありがとう。」	⑲Cさんのお手伝いができているならうれしい。	⑳「いいえ，お力になれるのであれば，うれしいです。」	

場面全体をとおしての振り返り：私はCさんに脱水の危険性があるかもしれないとアセスメントし，脱水にならないよう援助することを目的に看護を行った。後から振り返ると，この場面以降，「いつも水をありがとう」と笑顔を見せてくれたりして，少しずつ信頼関係を築くきっかけになっていたのではないかと思う。これは，Cさんが抑うつ状態でからだが思うように動かないなかでも，健康に気を遣い，水分摂取量が少ないことを気にされていることに気づくことができ，Cさんの気持ちを生かした援助ができたことが重要な点であった。

し，Cさん自身も水分をもう少しとったほうがよいと感じていた。このように，場面を振り返ることで，水を汲んでくるという何気ない援助が，Cさんのそのときのニードに一致していたことを理解した。つまり学生は，振り返りにより，何となくうまくいったという感覚から，対象のニードに合った看護とはどういうものであるかを認識し，次の実践への知識に変えることができたのである。

- **「自分の反応」が患者に及ぼした影響を吟味する：**学生は，Cさんにとって，つらいときはいつでもサポートを頼める存在になりたいと思っていた。Cさんのニードを把握し，それを具体的行動で示したことと，援助を提供している側である学生が，「力になれてうれしい」と自身の感情を表現したことが，まじめで人を頼ることを苦手とするCさんにとって，学生を頼れるようになったことに影響し，今後の関係性を方向づける一言になったと考えられる。

文献

1）中井久夫，山口直彦：看護のための精神医学，第2版，医学書院，2004，p.151.
2）Marriner-Tomey, A.，Raile Alligood, M. 編著，都留伸子監訳：看護理論家とその業績，医学書院，2004，p.384.
3）Erikson,E.H. 著，仁科弥生訳：幼児期と社会1，みすず書房，1977.
4）前掲書1）.
5）Regan, M. 著，前田ケイ監訳：ビレッジから学ぶリカバリーへの道；精神の病から立ち直ることを支援する，金剛出版，2005.
6）小島義郎，他編：英語語義語源辞典，三省堂，2004.
7）Stuart, G.W., 他著，安保寛明，宮本有紀監訳：精神科看護；原理と実践，原著第8版，エルゼビア・ジャパン，2007，p.49.
8）前掲書1），p.205.
9）星野欣生：人間関係づくりトレーニング，金子書房，2002，p.43.
10）世界大百科事典，第2版，平凡社，2006.
11）Mehrabian, A. 著，西田司，他訳：非言語コミュニケーション，聖文社，1986.
12）昼田源四郎：分裂病者の行動特性，金剛出版，1989，p.26.
13）Harvey, P. D., Sharma, T. 著，丹羽真一，福田正人監訳：統合失調症の認知機能ハンドブック；生活機能の改善のために，南江堂，2004.
14）前掲書1），p.159.
15）前掲書12）.
16）本田美和子，他：ユマニチュード入門，医学書院，2014.
17）Uvnäs-Moberg, K. 著，瀬尾智子，谷垣暁美訳：オキシトシン；私たちのからだがつくる安らぎの物質，晶文社，2008.
18）O'Hanlon, B.，Beadle, S. 著，宮田敬一，白井幸子訳：可能性療法；効果的なブリーフ・セラピーのための51の方法，誠信書房，1999.
19）白井幸子：臨床にいかす心理療法，医学書院，2004.
20）前掲書19）.
21）Burns, S.，Bulman, C. 編，田村由美，他監訳：看護における反省的実践；専門的プラクティショナーの成長，第2版，ゆみる出版，2009，p.19.
22）東めぐみ：看護リフレクション入門；経験から学び新たな看護を創造する，ライフサポート社，2009，p.28.
23）宮本真巳：看護場面の再構成〈感性を磨く技法1〉，日本看護協会出版会，1995，p.2.
24）Peplau, E. H. 著，稲田八重子，他訳：ペプロウ人間関係の看護論；精神力学的看護論の概念枠，医学書院，1973，p.323.
25）Orlando, I. J. 著，池田明子，野田道子訳：看護過程の教育訓練；評価的研究の試み，現代社，1977，p.29.
26）Wiedenbach, E. 著，外口玉子，池田明子訳：臨床看護の本質；患者援助の技術，改訳第2版，現代社，1984，p.109.
27）前掲書21），p.28.
28）前掲書23），p.29-31.
29）長谷川雅美，白波瀬裕美：自己理解・対象理解を深めるプロセスレコード；プロセスレコードが書ける，読める，評価できる本，日総研出版，2001，p.12.
30）宮本眞巳：感性を磨く技法としての異和感の対自化，日本保健医療行動科学会雑誌，31（2）：p.31-39，2016.

参考文献

・Liberman, R. P., 他著，池淵恵美監訳：精神障害者の生活技能訓練ガイドブック，医学書院，1992.
・Schön, D. 著，佐藤学，秋田喜代美訳：専門家の知恵；反省的実践家は行為しながら考える，ゆみる出版，2001.
・Wiedenbach, E.：Meeting the realities in clinical teaching，Springer Publishing Company，1969.
・鈴木丈，伊藤順一郎：SSTと心理教育，中央法規出版，1997.
・野坂達志：新訂 統合失調症者とのつきあい方；対人援助職の仕事術，金剛出版，2014.

・宮本真巳：援助技法としてのプロセスレコード；自己一致からエンパワメントへ，精神看護出版，2003.

第6章

精神障害をもつ人への看護援助の展開

この章では

- 精神障害をもつ人への看護援助の基本的構造を理解する。
- 精神障害をもつ人への看護診断の活用を理解する。
- 精神障害をもつ人へのセルフケア援助のあり方の意味を理解する。
- セルフマネジメント（自己管理）の発展について理解する。
- 服薬自己管理には，どのような方法があるかを理解する。

I 看護援助の基本構造

A 看護過程の展開

1. アセスメント

1 心の正常と異常のアセスメント

心の正常と異常は，どこで見分けたらよいのだろうか。たとえば，虹は7色というのはだれもがもっている常識であろうが，よく考えてみると，どこまでが赤でどこからオレンジ色であるかを判別することは難しい。

精神医学者の木村[1]は，「気分や活動性の『正常値』は，その人なりに差があるだけでなく，周囲の状況によっても変化する，つまり状況の関数でもあるということだ」と述べ，「判断のみちしるべは，全体としての患者のたちいふるまいの自然さと不自然さ，つまり患者の行動がどの程度まで周囲とフィットしているかということであり，その測定器具は，『常識的な感覚』である。また，『常識的な感覚』は，一般的知識のことではなく，実生活の中で周囲の人や事物とつきあっていく際に，状況の変化に円滑に対応するために必要な『共通感覚』のことであり，その根底にあるのは一種の『構成力』である」と説明している。

つまり，精神障害をもつ人の正常と異常の区別は，身体疾患のように外からは見えないため，外に現れた言動を手掛かりにして情報収集を行い，その人の周囲の状況のなかで不自然さがあるかどうかということを判断基準として，看護師自らがその判断基準に基づいてアセスメントを行うことが必要となるのである。

フローレンス・ナイチンゲール（Nightingale, F.）は，『看護覚え書』（1859）のなかで，「自分自身は決して感じたことのない他人の感情のただ中へ自己を投入する力をこれほど必要とする仕事はほかに存在しないのである。……（中略）……患者に彼が感じていることを言う努力を強いることなしに，その顔つきに現れるあらゆる変化を読み取れること，これこそ看護婦のABCなのである」[2]と，看護師にとって観察力とアセスメント力が必要不可欠であることについて明解に述べている。

2 心の健康のアセスメント

看護師が心の健康のアセスメントを行うためには，日常の生活援助場面や面接時など，精神障害をもつ人との何らかのかかわりをとおして，「他人の感情のただ中に自己を投入」し，「その顔つきに現れるあらゆる変化」を読み取り，観察することで情報収集を行うことが求められるのである。この場合，アセスメントを行う看護師の価値観や判断基準，体調が観察結果を左右することになるので，看護師が自分自身の心の動きを理解しながら体調管理をすることが必要となる。

3 受動的・能動的なかかわりをとおした観察

看護過程の展開は，まず，全体的な印象についての観察から始める（図6-1）。これは看護の基本である。特に精神看護における観察は，客観的観察のみでなく，前述したように，全体的な印象などの直観的観察や，かかわりをとおした観察を行うことが特徴である。このかかわりは，患者や家族への受動的なかかわりだけでなく能動的なかかわりも含んでいる。かかわった結果としての精神障害をもつ人の反応が，看護過程を展開するうえで意味のある情報となるのである。

たとえば，朝のあいさつをする場合，看護師のあいさつに対する反応から，その日の精神状態を把握し，アセスメントを行う。いつもと異なる反応が認められたときは，夜間の睡眠状態を尋ねるなど，いつもと異なる反応の原因について推測し，看護記録や夜勤者から変化の原因となる出来事の有無を確認する。朝のあいさつやバイタルサインの測定時は，精神状態のアセスメントを行う意味で大切な機会にもなる。その際に得られた情報を踏まえて精神障害をもつ人との距離の取り方を考え，その日の看護計画を立案・修正するのである。

したがって，精神看護における看護過程の展開において最も重要な能力は，いつもと異

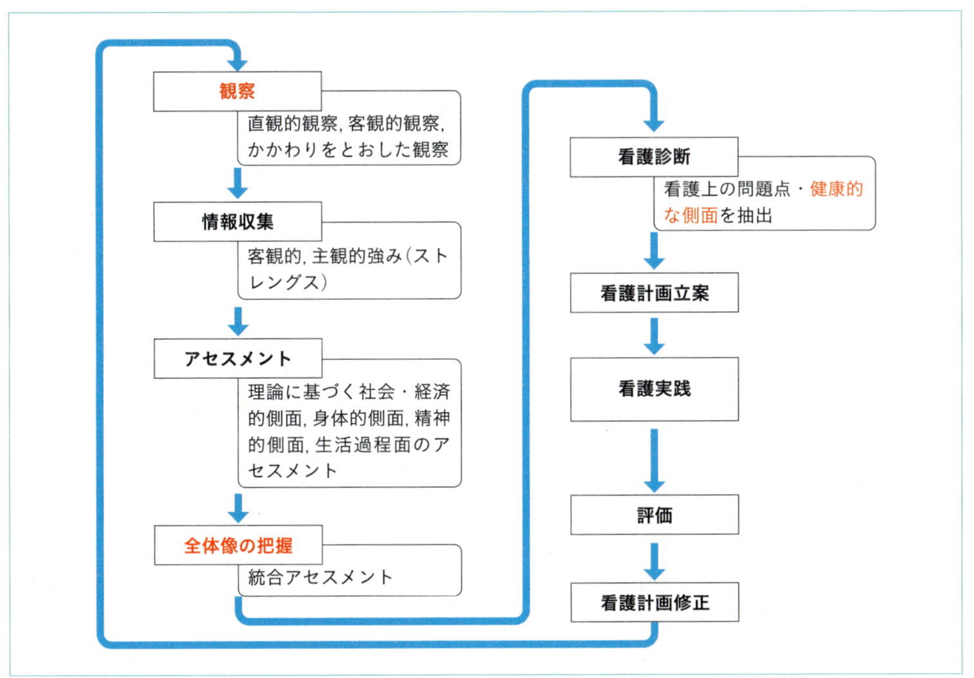

図6-1 精神看護における看護過程の展開

なる小さな変化に気づき，必要な情報を必要なだけタイムリーに収集することができるという看護師の観察力である。

4 統合アセスメントによる全体像の把握

統合アセスメントを行う場合，情報は多ければ多いほど良いというわけではない。年齢，性別，診断名，入院形態，家族構成（キーパーソンとなる重要他者はだれか），職業に関する情報があれば，とりあえず全体像を描くための柱は立つ。さらに，どのようなライフサイクルの段階で発症し，どのような家族や社会のなかで，どのような役割をもちながら生活してきた人が，現在，精神障害のどのような段階にあるのかという点に着目して，情報を段階的に付加しつつ全体像を描くのである。このとき，比較対照として年齢や性別が同じ人間一般の全体像を思い描くことで，患者の全体像の特徴を見出しやすい。そして，生活歴や家族構成などの社会・経済的側面，血液データや身体合併症の有無などの身体的側面，精神状態や情緒などの精神的側面，ドロセア・E・オレム（Orem, D.E.）のセルフケア理論やオレム・アンダーウッド理論に基づく生活過程面についてのセルフケアレベルのアセスメントを進め，それらを統合することで，より緻密な全体像を描くことができる。とらえた全体像がスタッフ間で異なる場合は，多職種カンファレンスなどを活用して十分に話し合い，豊かな全体像を描くことが必要である。このプロセスがチーム医療の推進力となる。

精神状態をアセスメントする視点を表6-1，アセスメントを行う際のポイントを表6-2にまとめた。アセスメントを行う際は，日内変動を踏まえ，週単位，年単位など経時的な変

表6-1 精神状態のアセスメント（mental status examination；MSE）

項目	観察内容
外見	服装，身だしなみ（整容），体格，栄養状態，雰囲気など 例）季節感，清潔感，整い方，過度の几帳面さ，派手さ，奇異さなど
運動性行動	姿勢，表情，態度，視線（アイコンタクト），身体の動き，歩行，瞳孔の大きさ，睡眠状態，精神運動性興奮，精神運動制止など
気分	悲しい，楽しい，つらい，高揚など感情・情緒の状態，情緒の安定感，不安感，集中力など
話し方	言語障害の有無，ろれつ，まとまりのなさ，一方的，切迫的，発話量，寡黙，無言，スピード，音量，アクセント，防衛的，自慢げ（誇大的），多幸的，抑うつ的など
知覚の障害	幻覚（幻視，幻聴，幻触，幻味，幻嗅など）
思考内容	妄想，強迫観念，自殺念慮，観念奔逸など
思考過程	合目的的思考，抽象能力，意識レベル 妄想的，論理的，心気的など
認識	現実見当識，記憶力，集中力，計算力
知識と知能	語彙の使用，教育水準，知識の資源
判断力	事実間の関係を理解したうえで結論を導く力，日常生活状況のなかで意思決定する力
病識	身体的・精神的に問題があると認識し，治療の必要性を認めること
自己についての表現	自尊感情の低下・過剰，自己の過小評価，身体像の歪（ゆが）み，性同一性など

出典／Stuart, G. W., Laraia, M. T. 著，安保寛明，宮本有紀監訳，金子亜矢子監：精神科看護；原理と実践，原著第8版，エルゼビア・ジャパン，2007, p.146-158 をもとに作成.

表6-2 精神症状のアセスメントを行う際のポイント

- 精神障害をもつ人の体験世界を理解し，その人がその世界の中で生活していくうえで，どのような苦悩があるのか
  例）人生における危機（変化）はどの時期に起こったのか，発達課題の達成はどうか，危機（変化）のきっかけは何か，危機（変化）を促進していることは何か，その人にとって危機（変化）にはどのような意味があるのか，その人の危機（変化）は将来とどのような関係があるのか
- 具体的な生活行動・言動のなかに，精神障害をもつ人の精神状態がどのような形で表現されているのか，その表現の変化はあるか
  例）その人のこれまでの対処機制の特徴は何か，今回の対処は効果的であったか，今回の対処の効果をどのように次の危機（変化）に生かすか
- 薬物療法などの治療効果や有害事象と精神状態の関係はどうか
- 社会・経済的側面，身体的側面，精神的側面，生活過程面から情報を全体的・統合的にとらえているか
  例）その人の希望や強み（ストレングス）は何か，家族の希望や強み（ストレングス）は何か，家族関係や家族との相互作用（影響）にはどのようなものがあるか，その人や家族が活用できる社会資源はあるか　など

化をとらえることが大切である。

5　精神健康度のアセスメント

精神健康度のアセスメントは，重度，中等度，軽度の3段階で判断するとわかりやすい（表6-3）。その際には，健康度に合わせて，対象との対人関係距離を考え，強み（ストレングス）を生かした看護ケアを行うことが大切である。

すなわち，重度の時期は，刺激やストレスを減らし，セルフケアに関して保護的にかかわり，向精神薬の力を借りて休息を促す。また，現実見当識を高めるためにカレンダーや時計などを安全に配慮して患者から見ることができる場所に置き，時間の流れを伝えることも大切である。中等度の時期は，精神状態により看護ケアを変え，リラクセーションを効果的に用いる。そして，軽度の時期は，退院後の生活に向けてセルフケアを促進する看護ケアを行う。

6　自我の防衛機制とアセスメント

私たちは，ふだん，日常生活を送るうえで，様々な環境刺激から自我を守るため防衛機制を働かせている。精神障害をもつ人も同様である。したがって，看護師は，表6-4に示

表6-3 精神健康度のアセスメント

重度	1日の中で変動がある，日常生活への支障がかなり強い 看護ケア　• 刺激やストレスを減らし，セルフケアに保護的にかかわる • 向精神薬の力を借りて休息を促す • 身体感覚の強化や現実見当識を高めるために時間の流れを伝える
中等度	1～2日ごとの変動がある。日常生活への支障がある 看護ケア　• 状態が良い日はセルフケアを促進 • 状態が悪い日はセルフケアに保護的にかかわる • リラクセーション法などを効果的に用いる
軽度	3～7日は安定している。日常生活への支障がほとんどない 看護ケア　• 退院後に必要なセルフケアを積極的に促進する

表6-4 精神疾患をもつ人の自我の防衛機制の表現

防衛機制	表現および状態
否認	「私は病気じゃない。病気なのは母親だ」「たまたま警察につかまって，ここに入れられただけ。どこも悪いところはないから早く出してくれ」
投射	「マフィアに追われている」「食事の中に毒が盛られている」「死んでしまえという声が聞こえる」
抑圧	不安，苦痛などの感情を無意識に抑えるための四角四面の人間関係をもつ 例）臭いものに蓋
反動形成	馬鹿ていねいで礼儀正しく几帳面だが，無意識には攻撃性がある 例）顔で笑って心で泣く
退行	病的退行：我慢することや待つことができない，年齢不相応の話し方など 例）赤ちゃん返り 健康的退行：レクレーションではしゃぐなど
取り入れ・同一化（同一視）	取り入れ：他者の特性や属性を身につける 例）相手の癖を真似する 同一化：相手にあやかる（価値，基準，趣味を取り入れる） 例）好きな人の髪型や服装を真似る
置き換え	子どものいない夫婦が犬をかわいがる
分離	相手に対してお世辞を言うが，陰で悪口を言う（両価性）
打ち消し	自分の受け入れにくい思いを消すために強迫的に手洗いをする
自己への敵対	自分の罪意識を自分で罰する 例）見たくないものを見た自分を罰するために目を突く
昇華	衝動のエネルギーを生産的な形に使用する 例）大便で遊ぶ欲求を粘土遊びで表現する
合理化	欲求不満による葛藤の隠蔽，幼児的な欲求や感情を抑圧して知的に理解したり処理する 例）就職試験の失敗を「あの会社はもともと嫌いだった」と言う

出典／Stuart, G. W., Laraia, M. T. 著，安保寛明，宮本有紀監訳，金子亜矢子監：精神科看護；原理と実践，原著第8版，エルゼビア・ジャパン，2007，p.371 をもとに作成．

すような精神障害をもつ人の自我の防衛機制の表現を問題行動としてとらえるのではなく，自我を守るための対処行動としての表現としてとらえることが大切である。

7 精神障害をもつ人に対する看護過程

現在，多くの臨床現場では電子カルテが導入されている。電子カルテは多職種間で迅速に情報共有を行ううえでは大変便利で有効であるが，症状をクリックするだけで看護計画が立案されるため，全体像をとらえるプロセスが省かれ，個別性のあるケアにつながりにくいことが課題である。看護はプロセスであるという原則を忘れずに，看護実践をていねいに展開したい。

本稿では，看護過程を「アセスメント（情報収集を含む）⇒看護診断⇒看護計画（ケアプラン）⇒実施と評価」のサイクルが，らせんを描きながら展開するプロセスであるという考え方に立って述べている。近年は，特にアセスメントの枠組みとして用いる理論や用語の概念について，十分な理解を前提にすることが重要視され，修正看護過程として提示されている[3)]。その理由は，電子カルテの発達により，テクニカルな看護過程に偏る危険性への危惧があるからであろう。

看護理論は，現象間の関係を統一的に意味づけて説明できる思考の構造である。私たちは，目の前の様々な現象をとらえる際，自らの学習や経験を判断基準としている。しかし，とらえる看護現象の判断基準が一人ひとり異なっていると，チーム医療のなかで看護の方向性を共有することは難しい。そこで，アセスメントを行うときには，その枠組みとして看護理論を用いるのである。共通の枠組みを用いることで，自分のとらえた内容や自分の考えをほかのスタッフに伝え，共有することができる。

しかし，看護過程には異なる考え方もある。特に精神看護においては，患者との相互作用のプロセスを看護過程ととらえる場合もある。看護師は自分をツールとして，治療的コミュニケーションスキルを用いて精神障害をもつ人とかかわる。このプロセスも看護過程である。看護師は，精神障害をもつ人とのかかわりのプロセスを再構成することで，自らの考えや感情を振り返ることができる。

2. 看護診断

1 看護診断とは

看護診断は「個人・家族・集団・地域社会（コミュニティ）の健康状態／生命過程に対する反応およびそのような反応への脆弱性についての臨床判断である」と定義されている[4)]。

看護診断には，次の3タイプがある。

❶問題焦点型看護診断：個人・家族・集団・地域社会（コミュニティ）の健康状態／生命過程に対する好ましくない人間の反応についての臨床判断

❷リスク型看護診断：個人・家族・集団・地域社会（コミュニティ）の健康状態／生命過程に対する好ましくない人間の反応の発症につながる脆弱性（ぜいじゃくせい）についての臨床判断

表6-5 精神障害をもつ人によく適用される看護診断13領域の診断名

領域	診断名
領域1. ヘルスプロモーション	気分転換活動参加減少，リスク傾斜健康行動，非効果的防御力
領域2. 栄養	栄養摂取消費バランス異常：必要量以下，肥満，体液量過剰
領域3. 排泄と交換	排尿障害，尿閉，便秘，便秘リスク状態，下痢
領域4. 活動／休息	不眠，睡眠剝奪，睡眠パターン混乱，徘徊，非効果的呼吸パターン，セルフケア不足（入浴，更衣，摂食，排泄），セルフケア促進準備状態
領域5. 知覚／認知	急性混乱，不安定性情動コントロール，非効果的衝動コントロール，言語的コミュニケーション障害
領域6. 自己知覚	自己同一性混乱，自尊感情慢性的低下，ボディイメージ混乱
領域7. 役割関係	ペアレンティング障害，家族機能障害，社会的相互作用障害
領域8. セクシュアリティ	性機能障害，非効果的出産育児行動
領域9. コーピング／ストレス耐性	心的外傷後シンドローム，不安，非効果的コーピング，家族コーピング機能低下，非効果的否認，悲嘆不適応，気分調節障害，無力感，レジリエンス障害，ストレス過剰負荷
領域10. 生活原理	意思決定葛藤，スピリチュアルペイン
領域11. 安全／防御	身体外傷リスク状態，窒息リスク状態，対他者暴力リスク状態，自傷行為，自殺行動リスク状態
領域12. 安楽	悪心，孤独感リスク状態，社会的孤立
領域13. 成長／発達	小児発達遅延リスク状態

出典／Hardman. T. H，他編，上鶴重美訳：NANDA-Ｉ看護診断 定義と分類 2021-2023，原書第12版，医学書院，2021，p.153-577をもとに作成.

❸**ヘルスプロモーション型看護診断**：安寧（あんねい）の増大や人間の健康の可能性の実現に関する意欲と願望についての臨床判断。反応は特定の健康行動強化へのレディネスとなって現れ，どのような健康状態でも使うことができる。ヘルスプロモーション反応は，個人・家族・集団・地域社会（コミュニティ）に存在する。

表6-5に，精神障害をもつ人によく適用される看護診断を13領域についてあげる。

看護診断という共通の判断基準をもつことは，看護の方向性を共有するうえで役立つ。しかし，看護診断の根拠となるエビデンスが看護研究の成果であることを考えると，日々の研究が進むなかでエビデンスも変更され続けることになる。最新の情報を確認する必要性がここにある。

2 精神障害をもつ人に適用される看護診断とストレングス

人間は，一人ひとり個別性をもったかけがえのない存在である。精神障害をもつ人の状態を看護診断ラベルに当てはめるのではなく，精神障害をもつ人の心身の状態に真摯（しんし）に向き合い，その状態を看護師として診断し，その結果を適切に表現できる用語を選ぶことが大切であることは言うまでもない。

一般的に看護過程を展開するうえで，看護問題に着目しがちである。しかし，精神疾患は慢性疾患であるため，看護問題にのみ着目するのではなく，健康的な側面に目を向け，**強み**（**ストレングス**）を伸ばす視点も不可欠である。統合失調症をもつ人の脆弱（ぜいじゃく）な自我を支え，自我を強化するためには，看護師が，統合失調症をもつ人の弱みを強みとしてとらえる人的環境になることが必要である。強み（ストレングス）と弱みは表裏一体の関係にある。看護師が精神障害をもつ人の言動をどうとらえるかによって，弱みも強みに変わるのである。

リンゴのストレングスモデル
～不可能と言われた無農薬のリンゴの栽培に成功した木村さんの話～

「その人の持っている力を発揮させるところを発見するのが先生方の仕事じゃないかなと思うんですよ。この人は野菜にたとえると大根なのか，豆なのか，はたまたニンジンなのか。でも一般的な農家の人は肥料を使うから，野菜の植え方がみんな同じなんです。私の場合は肥料も何も与えないから，その野菜の特徴を生かしてやらないといけないわけです。だからトマトは水が嫌いだから高い畝にしましょう。キュウリは水を好むから低い畝にしましょう。トウモロコシは中間の畝を立てましょうと，それぞれそのものが持っている特徴を生かしてやる。その舞台を作るのが本当の治療じゃないかなと思います」

文献／向谷地生良：技法以前；べてるの家のつくりかた〈シリーズケアをひらく〉，医学書院，2009，p.219-238.

3. 看護計画

精神障害をもつ人に対する看護計画の基本方針は，表6-6のとおりであるが，具体的に，実施可能な計画を立案することが大切である。

実際の看護計画の書き方は，観察行動であるO（observation）プラン，治療的行動を含む具体的なケア行動であるT（treatment）プラン，教育的行動であるE（education）プランに分けて記述することが多い。施設で統一した様式を用いることで，看護計画の情報を共有しやすい。

看護計画の立案には，患者と家族，看護師や多職種の同意のもとに，協働して問題解決を目指した援助の方向性を導くことが重要である。このような看護計画の作成方法を**共同意思決定**（shared decision making；SDM）という。精神障害をもつ人のもてる力と強み（ストレングス）を生かしながら，優先順位を決定して，長期目標や短期目標を設定する。このとき，精神障害をもつ人が描く人生における希望が，将来の支援の目標になり，リカバリーを目指すのである。

表6-6 精神障害をもつ人に対する看護計画の基本方針

- タイミングをはかり，簡潔な言葉で声かけを行うなどコミュニケーションを図る。
- 精神障害をもつ人と共にあって，問題を解決することを助ける。
- 精神障害をもつ人が自分の思いや感情を表現できるよう安全・安心な環境を提供し，励ます。
- 精神障害をもつ人の感情を推測しながら，これまでの対処方法や頑張りを認める。
- 「今，ここで」の言動に焦点を当てて働きかける。
- 問題解決ができそうな現実的な提案について話し合い，少しずつ段階を踏んでスモールステップで目標を設定することを支援する。
- 精神障害をもつ人が，様々な人的・社会的資源を活用できるよう助ける。
- 精神障害をもつ人のもてる力をアセスメントし，もてる力をエンパワーし，「自己」の安全を護ることを保証する。
- 精神障害をもつ人が，ストレスフルな出来事の意味をとらえ直すことができるよう支援する。
- 家族もケアの対象者とする。
- 「自己」の安全を護ることを保証し，優先順位を決定する。

Column

エンパワメントとパワレス

エンパワメント（empowerment）は，複雑で多面的な性質をもっているために定義が難しい概念である。エンパワメントとパワレス（powerless）は，対称的な概念であるが，連続した概念でもある。看護師がエンパワメントを目指してかかわる対象は，精神障害をもつ個人や家族を含む集団であり，地域住民である。対象をエンパワメントする目的でかかわることは，自尊感情や自信などを高めることにつながる看護ケアである。

文献／Cutcliffe, J. R., McKenna, H. P. 編，山田智恵里監訳：看護の重要コンセプト20；看護分野における概念分析の試み，エルゼビア・ジャパン，2008，p.107-122.

4. 看護計画の実施と評価

ナイチンゲールは，患者の生命力の消耗を最小にするよう生活過程を整えることが看護であると説いた[5]。つまり，看護は，日常生活行動を援助する過程で，その生活を脅かし生命力を消耗させる環境を整えることである。精神看護のイメージは，患者とのかかわりが中心であるととらえがちであるが，治療的環境を整え，身体への小さな看護ケアの積み重ねが，心のケアにもつながることを忘れてはならない。

つまり，日常生活行動を援助するなかで，精神面にもアプローチすることができるのである。たとえば，精神障害をもつ人は，向精神薬のために唾液の分泌が少なくなり口腔ケアが必要であるケースが多い。それにもかかわらず，精神症状のために歯磨きや洗面，着替えなどが億劫になり，保清（個人衛生）面でのセルフケアが不足する。このような日常生活における歯磨きや洗面などの小さな看護ケアを積み重ねることから，精神障害をもつ人との関係距離を縮めることができる。

評価は看護過程の最後の段階になるが，精神障害をもつ人や家族の反応が最も信頼できるアウトカムの評価である。看護に正解はない。その時々で最善の看護計画を立案し，実施し，評価する。そのため，評価は定期的に複数の観点から行うことが必要である。評価する際は，評価日を記載し，必要に応じて看護計画を修正する。評価の結果は，次の看護過程を展開する新たなスタートとなり，看護過程は，らせんを描きながら循環するのである。

5. 記録

1 記録様式

看護過程を記録することは，看護実践の継続のみならず，精神科看護実践の効果を示すためにも重要であり，法的な根拠資料ともなる。

これまでの精神科看護では，施設内収容という精神科医療の歴史を背景として，超長期の入院患者が多く，日常生活上，大きな変化を認めないということから，「特変なし」「穏やか」などの記録が多く書かれ，医師からの指示内容や医療処置の記録が中心であった。

また，精神科病院では，アセスメントが難しいという理由から，SOAP 様式ではなくFOCUS 様式[6]が採用されているところもある。**FOCUS 様式**は，コラム形式の患者の系統的な経過記録方法である。まず，フォーカス（Focus）欄に次のシフトの看護師に伝えたい患者の最も強調される出来事や検査・処置の理由と患者の反応を記録する。次にフォーカスを支持する主観的・客観的情報を D（Data），看護師の判断行動，計画を A（Action），患者の反応や看護師が実施したケアを R（Response）として記録する[7]。患者中心の記録である **SOAP 様式**の場合，患者や家族からの情報を S 情報，看護師が観察した情報や非言語的メッセージ，検査結果などを O 情報として記載する。

近年，電子カルテの導入により，症状を中心とした看護計画を立案する傾向がある。そのため「見守り」や「声かけ」のケアや，「傾聴」「沈黙」などの治療的コミュニケーションスキルが用いられた看護ケアが行われているにもかかわらず，記録として残ることは少ない。また，看護師の意図的・積極的なかかわりによる患者の反応などのナラティブ*な記載が重要な情報となるにもかかわらず，与薬や医療処置のみの記録が中心となっていることも課題である。

精神科看護においては，看護師のかかわりが人的な治療的環境として回復過程に大きく影響することから，日々のささいな変化を記録に残していくことが重要であり，臨床における精神科看護の質向上にも寄与できると考える。

2 記録の際の配慮

記録する際には，人権を擁護する倫理的配慮も大切である。「がんこ」「わがまま」など，患者の人権を侵害するおそれのある記録は避ける必要がある。精神科看護においては，法律を基に看護ケアを実施しているとはいえ，人が人に対して行動制限を行うことを余儀なくされることも多い。だからこそ，倫理的感性をもって看護を展開し，その実践記録においても倫理的配慮を十分行うことは必要不可欠なのである。

B 精神看護におけるアセスメントと看護計画

1. 安全への支援ータイダルモデル

タイダルモデル（tidal model）は，イギリスで提唱された対話（ダイアローグ）を基盤とした実践的ケアモデルであり，メンタルヘルスを発見するための哲学である。潮の満ち干きのように，心病(や)む人自身が自らの物語をもう一度取り戻し，最終的には自らの人生を取り戻すために，看護師からのどのような援助を必要とするかということについて具体的に述べられている[8)]。

このモデルは，対人関係論，精神科・精神保健看護の理論，エンパワメント理論の3つの理論を発展させたモデルである。患者の「言葉」として表現された考えを尊重しながら，看護師がどのように助けることができるかと尋ねることから始まる。そのため，患者の気持ちを脅かすことなく，柔軟に寄り添いながら患者の努力するプロセスに入ることができる。このモデルは，人生における様々な体験が成長を促すという価値観に基づいている。自傷行為や自殺のリスクがある場合には，個人の安全保障プランとモニター評価により，患者のセルフケアを促す支援を継続する。

個人の安全保障プランは，次のとおりである[9)]。

* **ナラティブ**：narrative，説話的とも訳される。語りを中心に記録することで，その語りのなかに意味を見出すことができる。

①患者のさらなる安全・安心のために患者自身ができるかもしれないことは何か

②患者のさらなる安全・安心のためにほかの人（看護師，家族など）が助けることができるかもしれないことは何か

また，モニター評価は次の視点で行う[10]。

①気分

②安全感（非常にもろい～非常に安全：10段階）

③スタッフに可能な援助（できない～非常にできる：10段階）

④自傷・他害のリスク（なし～非常に高い：10段階）

⑤リスクを軽くするためのサポート（できない～十分できる：10段階）

⑥援助に関するサジェスチョン

⑦安全を保てる信頼感（なし～非常に確信できる：10段階）

タイダルモデルの10の価値観としてのコミットメントを，**表6-7**に示す。

タイダルモデルで大切にしていることは，患者自身が表現する言葉を引き出し，尊重し，それらの言葉が紡ぐ語りを心からの関心をもって聴くことである。なぜなら，患者は患者自身の専門家だからである。患者は「自己」「世界」「他者」という3つの個人的領域

表6-7 タイダルモデルの10の価値観としてのコミットメント

❶患者の考え（Voice）を重んじる
❷患者の言葉遣いを尊重する
❸専門家は患者から学ぶ
❹利用可能なツールを活用する
❺先に進むステップをつくり上げる
❻時間を提供する
❼心からの関心を示す
❽変化は絶えず生じるものであることを知る
❾個人的知恵を意識できるよう助ける
❿率直さ

出典／Barker, P., 他：英国にみる看護実践モデル：メンタルヘルスの回復についてのタイダルモデル〈萱間真美，他編：精神看護学；こころ からだ かかわりのプラクティス〉，南江堂，2010，p.425-433.

ストレスとレジリエンス

ストレスは，外圧（ストレッサー）によって生じた物体内部の応力を意味する。へこんだ風船をイメージするとわかりやすい。

一方，レジリエンスには2つの側面があり，「ひとつは実際に“困難あるいは脅威的な状況”に陥ってしまったときに，それを“克服”する力，つまり『回復する力』」，そして「もうひとつは，困難な状況であるにもかかわらず，“良好な結果をもたらす”力，つまり『心が折れない力』」である。

ストレスとレジリエンスは，対の概念であるといえる。ストレス反応が生じても，レジリエンスがあるので心が折れず，私たちは回復過程をたどることができる。

文献／小玉正博：レジリエンス思考，河出書房新社，2014.

により示される。

「自己」という領域は，患者が住むプライベートな場所であり，自分しか知らない考えや感情，信念，価値観，アイデアなどを経験する場である。精神障害をもつ人は，器質的・機能的には障害がなくても，精神症状のために日常生活を送ることに困難を覚えている。見えない声の指示に従い，不合理とわかっていても確認行為をやめることができない苦悩ははかりしれない。精神障害をもつ人の多くが望むことは「普通の生活」である。人は，自分の人生を自分で決定することができる。この，自分の人生を自分が決定するという自己決定を支援することは，重要な看護ケアである。

「世界」という領域は，患者が自己領域での経験の一部を他者と共有する場所である。自分だけが知っているプライベートな考え，感情，信念，経験などを他者に語ろうとする際には，この「世界」領域に赴くため，看護師は，患者との1対1の面談のなかで患者自身の生きるうえでの具体的問題を同定し，取り組みへの支援を試みる。

「他者」という領域では，患者が，家族や友人，隣人，職場の同僚，専門家などの他者と出会って日常生活を表現し，他者と相互に影響し合う。

2. 日常生活支援

精神障害をもつ人は，精神症状のために，自らが本来有するセルフケア能力を発揮することができない。これまでの人生で，セルフケア能力を学習する機会が失われていた可能性もある。「私は精神疾患患者である」という認識から，「私は精神疾患をもっている」という認識にとらえ方を変える（リフレーミング）[11]ことで，セルフ（自己）を取り戻し，自分の人生を歩むことができる。これが**セルフケア**の原点ではないだろうか。たとえ，24時間の生活すべてを自力で行うことができなくとも，自分でセルフケアニーズを認識し，他者に支援を受けながら生活することを自己決定する。これも「セルフケア」である。なぜなら，精神障害という危機を乗り越えて回復する力（レジリエンス）が，すべての人に備わっているからである。

からし種の寓話とロゴセラピー

「インドで生まれたゴタミが出産後，すぐに死んでしまった息子の亡骸を抱いて生き返る薬を探して方々を探し回り，ある人の助言を受けて偉い先生のところに行きます。すると，その先生は，彼女に町中を歩き回り，苦しんだ人や死者を出したことのない家から，からし種を1粒もらってくるよう命じます。しかし，どこにも苦しんだ人のいない家を見出すことができず，苦悩は人間に共通する一つの法則であることを悟るのです。人間は，病気や障害や苦悩の中でさえ意味を発見できる存在であるということです」。

文献／Frankl, V. E. 著，広岡義文訳：絶望から希望を導くために：ロゴセラピーの思想と実践，青土社，2015.

タイダルモデルでは，「どうして今，こんなことが起こっているのか」，「何が役に立つのか」，「患者が自分自身の問題をどのようにとらえているのか」，「どのようにして制限を少なくするか」というプロセスを踏む。看護師は，介入する部分をできるだけ少なくすることで，精神障害をもつ人の潜在的な能力を引き出し，使うことができるよう支援する。人間は，本来，日常生活において自分をセルフケアできる能力を有している。セルフケア能力の一つを再獲得することができれば，ほかの能力も開花するのである。

3. 危機時の支援

タイダルモデルでは，前述したように，包括的なリスク評価を継続しながら，モニター評価や安全保障プランによる患者の精神状態をアセスメントしつつ面接を行い，リスクを防止するべくマネジメントを行う。問題を同定し対処方法を見出すまでには時間がかかるため，継続した援助が必要不可欠である。しかし，抱えた苦悩に一人で対処することができず，自傷・他害行為へと行動化することもある。このような危機を回避するためには，患者の小さな変化に気づく観察力が重要である。しかし，残念ながら危機に直面したときには，生命の安全を最優先に考えた救命救急時の看護ケアを行う。医療処置を行う際には，患者の苦悩を共感的に理解する姿勢を示しながら，患者との関係性を築き，患者自身が，自ら苦悩に向き合うことができるよう支援する。

II 精神障害をもつ人のセルフケアの援助

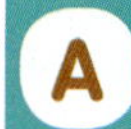 セルフケアとは

1. 保健行動とセルフケア

保健行動とは健康保持，増進および不健康からの回復を目的として行う行動であり，**セルフケア**とは個人のイニシアチブ（自ら判断し，実行する態度）で行う保健行動である。セルフケアを行う要素として，問題解決の主体は自分自身にあると考えていること，起こった問題の解決への見通しがつくこと，生きる希望をもっていること，まわりからの手段的・情緒的支援があることなどがあげられている。

セルフケアのタイプには，専門家の助けをまったく借りずに独自に行うもの，専門家の指示に従って行うもの，および専門家の助けを活用するものがある。オレムのセルフケア理論では，セルフケアを，専門家の助けを活用して本人が行動することとしている。

2. オレムのセルフケア理論

ドロセア・E・オレムはセルフケアを，生命や健康，安寧を維持するために自分自身のために各個人が意図して行う行動であり，自分自身および環境を調整する機能であると述べている。また，セルフケアは提供され体験されることによって学習されると述べている[12)]。

オレムのセルフケア理論（看護のセルフケア不足理論）は，セルフケアの目的を述べた「セルフケア理論」，看護の必要性を述べた「セルフケア不足理論」，ケアを受ける患者と看護師の関係を述べた「看護システム理論」で構成されており，3つの理論は互いに関連している（図6-2）。オレムは，ニードを健康を維持・回復するために行わなければならないことという意味で「セルフケア・ディマンド」と表現している。

1 セルフケア理論

セルフケアはニードを満たすために行われ，ニードは普遍的セルフケア領域，発達的セルフケア領域，健康逸脱に関するセルフケア領域の3つで構成されている。

❶普遍的セルフケア領域　すべての年齢において共通な，健康や安寧の基本となる行動である。①②③十分な空気，水分・食物摂取の維持，④排泄過程と排泄物に関連するケアの提供，⑤活動と休息のバランスの維持，⑥孤独と社会的相互作用のバランスの維持，およびそれらと⑦生命・機能・安寧に対する危険の予防，⑧人間の機能と発達の促進の関連である。

❷発達的セルフケア領域　発達段階に伴って起こる心理社会的な問題への対応に必要なセルフケアである。発達を促進する体験を継続的に提供し，自己の発達へ意識的に関与し，発達を阻害する事柄を理解してその影響の緩和に努めることとしている（表6-8）。

❸健康逸脱に関するセルフケア領域　個人の健康状態や治療状況によって変わるセルフケアである。このセルフケア領域の状況に応じて普遍的セルフケア領域を調整する。肥満から糖尿病に至った人が，摂取する食物の種類や量を調節することなどである（表6-9）。

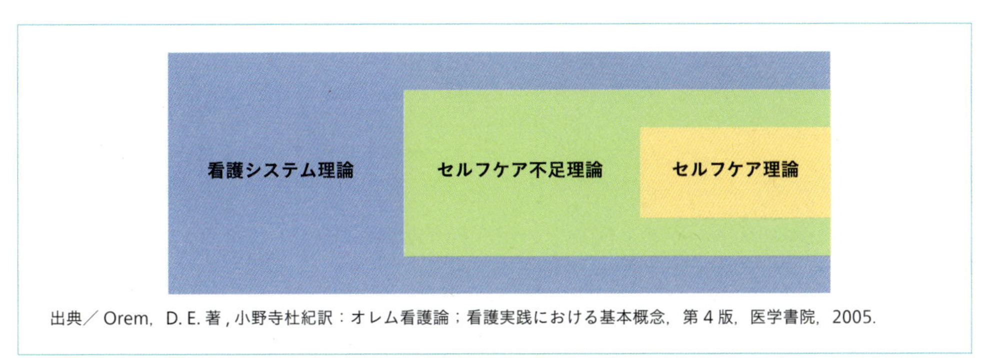

出典／Orem, D. E. 著，小野寺杜紀訳：オレム看護論；看護実践における基本概念，第4版，医学書院，2005.

図6-2 看護のセルフケア不足理論の理論構成

表6-8 発達的セルフケア領域

- 発達を促進する体験の提供
  ❶人間が発達するために不可欠なことを提供し続ける（例：水，食物など）。
  ❷快適感・安心感，他者との親密感，世話をされていることの感覚を確かにする体験を提供し続ける。
  ❸受け入れ，対処できる量の刺激を提供し続ける。
  ❹情緒的・認知的発達を促進する体験を提供し続ける。
  ❺社会生活にとって不可欠な技能を開発・進歩させる体験を提供し続ける。
  ❻自分が1人の人間であるとの自覚を確立させる体験を提供し続ける。
  ❼不安・怒り・心配の状態を予防するための物理的，生物学的，社会的環境を調整し続ける。

- 自己の発達への意識的な関与
  ❶洞察力を高めるために熟考，内省する習慣をつける。
  ❷洞察に伴う感情・情緒を受容する。
  ❸社会において生産的業務に従事することに関心をもつ。
  ❹参加する事柄に価値を見出し，目標をもつ。
  ❺自分の理想に従って生活に責任をもつ。
  ❻情緒的に安定することに価値を見出す。
  ❼罪悪感，自責，葛藤などの否定的情緒は，自己の生活目標や理想自己と行動が一致しないために起こっていることを理解する。
  ❽以下の意図的な努力をとおして，積極的な精神的健康を促進する。
  現実の枠組内で機能する，日常生活に秩序をもたらし維持する，誠実さと自覚をもって機能する，コミュニティの一員として機能する，自分自身の人間性を深く理解して機能する。

- 発達を阻害する事柄の理解と影響の緩和
  教育を受ける機会を奪われている，社会的適応に問題，健全な個性化の失敗，親族・友人・同僚の喪失，財産の喪失，職業的安定の喪失，未知の環境への突然の転入，地位に関連した問題，不健康もしくは重い障害，経済的問題，末期疾患および差し迫った死

出典／Orem, D. E. 著，小野寺杜紀訳：オレム看護論；看護実践における基本概念，第4版，医学書院，2005，p.212-217，一部改変．

表6-9 健康逸脱に関するセルフケア領域

❶病理学的事象や状態に関連する特殊な物理学的・生物学的作用因または環境的条件にさらされた場合，あるいは，病気をもたらしたり，それに関係することがわかっている遺伝的・生理的・心理的状態の証拠が存在する場合に，適切な医学的援助を求め，確保すること。
❷発達への影響を含め，病理学的な条件と状態がもたらす影響と結果を認識し，それらに注意を払うこと。
❸特定のタイプの病気を予防し，病気そのものを治療し，人間の統合的機能を調整し，欠損もしくは異常を修正し，廃疾を代償するために医師が処方した診断的・治療的処置，およびリハビリテーションを効果的に実施すること。
❹発達への影響も含め，医師が処方もしくは実施した医学的ケアの，不快や害をもたらすような影響を認識し，注意を払い調整すること。
❺自分が特殊な健康状態にあり，専門的なかたちのヘルスケアを必要としていることを受け入れることで，自己概念（および自己像）を修正すること。
❻病理学的な条件と状態の影響，ならびに医学的な診断と治療処置の影響のもとで，持続的な人間としての発達を促進するようなライフスタイルを守って，生活することを学ぶこと。

出典／Orem, D. E. 著，小野寺杜紀訳：オレム看護論；看護実践における基本概念，第4版，医学書院，2005，p.219．

2 セルフケア不足理論

対象者が，セルフケアのために何をどの程度行う必要があるか（セルフケアの必要性，セルフケア・ディマンド）をアセスメントし，セルフケアの必要性が対象者のセルフケア能力を上回っている場合，または，近い将来においてセルフケアの必要性が増加すること，あるいはセルフケア能力が減少することが予測される場合に，看護（看護エージェンシー）が必

表6-10 看護システムのバリエーション

	全代償システム	一部代償システム	支持・教育的システム
行為の責任	看護師	患者・看護師 (責任の割合は変化する)	患者
患者の行動	可能であれば行動の意思決定をするが，行動はしない，または看護師の援助で行動する。	主な部分を行えるが十分ではないため，一部を看護師によって代償されることを受け入れる。	教育，支持を受けて自分でセルフケア欲求を満たすために行動する。
看護師の行動	患者に意思決定と行動を働きかけながら援助し，セルフケア欲求を満たす。	患者が何をどれくらいできるのかを常に見極め，できないことを援助し，できることを実施するよう働きかける。	教育によって患者のセルフケア能力を訓練し，発達させる。また，支持によって患者が不快な状況や意思決定を避けることを防ぐ。
場面例	食べるように働きかけながら，食事を介助する。	自分で食べることはできるが，医師の指示に従って食物の種類や量の制限を行えないため，看護師が行う。	食物コントロールの意思はあるが知識がないため，看護師の準備したリストから食物を選んで購入する。

要になってくる。

3 看護システム理論

情緒的な関係性を基盤に看護師が行う看護ケアの計画・実施をとおして，患者－看護師関係が形成され，患者と看護師は共に患者のセルフケアに責任をもつ。援助のレベルは，全代償システム，一部代償システム，支持・教育システムの3つであり，行動に対する患者と看護師の責任の割合が異なる（表6-10）。

オレムは意図的に行動する力を「エージェンシー」と表現しており，**セルフケア・エージェンシー**とは，セルフケアの行動を起こすまでのプロセスを的確に進めることができる個人の能力であり，それを補完するものが看護を提供する看護師の能力（看護エージェンシー）である。

B 精神科看護におけるセルフケア理論

1. オレム－アンダーウッドモデル

パトリシア・R・アンダーウッド（Underwood, P.R）は，オレムのセルフケア理論を精神科看護に適用するため，オレムの理論を構成する「セルフケア理論」「セルフケア不足理論」「看護システム理論」に，それぞれ修正を加え，「オレム－アンダーウッドモデル」を開発した。

セルフケア理論に関する修正では，オレム理論の3つのセルフケア領域は「普遍的セルフケア領域」に集約されるとして，8項目の普遍的セルフケア領域を5項目に整理し，さらに生命の危機を回避し，機能・安寧（あんねい）を向上して正常化を図ることができる能力として，「安全を保つための能力」を加えて6項目に修正した（表6-11）。

表6-11 アンダーウッドによる普遍的セルフケア領域

普遍的セルフケア領域	セルフケアの概要	観察項目
空気・水・食物（薬）の摂取	生命を維持し，健康を維持するために必要なものを過不足なくからだに取り込めることと，その意識	• 空気：過呼吸，呼吸困難 • 水：摂取不足，多飲，飲み物の種類 • 食物：るいそう・肥満（体重，BMI），食事のバランス，間食，食物購入・保管，食行動（過食・拒食，食べ方，異食，盗食，食べることに関連した他者との交流） • 薬：定時服薬，頓用薬使用の状況，症状コントロールの主体性，拒薬，服薬管理 • 喫煙：量，喫煙行動（タイミング，主観的な効果）
排泄と排泄のプロセス	老廃物の体外への排泄と排泄行動プロセスと，その意識	• 排尿：回数，量，失禁，尿意，後処理 • 排便：回数，便秘・下痢，便意，残便感，失禁，後処理，コントロール意識 • 発汗 • 月経，月経処理
体温と個人衛生の維持	体温を適切に保ち，清潔を維持することと，その意識	• 気候に合う衣服の選択，着用 • 身体の衛生：洗面，歯磨き，髭剃り，爪切り，足のケア，洗髪，整髪，入浴，更衣など • 環境整備：洗濯の一連の行為，片づけ（整理，収納），ゴミ処理　など
活動と休息のバランス	身体的活動および回復のための休息のバランスと，その意識	• 1日の生活リズム（起床時間，就寝時間，睡眠時間） • 活動状況 • 睡眠の深さ，熟眠感 • 睡眠コントロールの意識 • 睡眠薬の使用
孤独と人とのつき合いのバランス	1人でいる時間の過ごし方および人との交流状況と，その意識	• 1人の時間の過ごし方，とらえ方 • 他者（医療者，ほかの患者，家族）との会話，他者への視線，他者のやり取りへの関心 • 集団活動への参加状況 • 人との付き合いに影響していること（金銭管理，間食，喫煙など）
安全を保つための能力	上記5つの項目において，身体的・精神的な安全・安寧が保てない可能性	• 安全・安寧を保つ意義の理解 • 理解に基づいた危険回避，危険制御行動

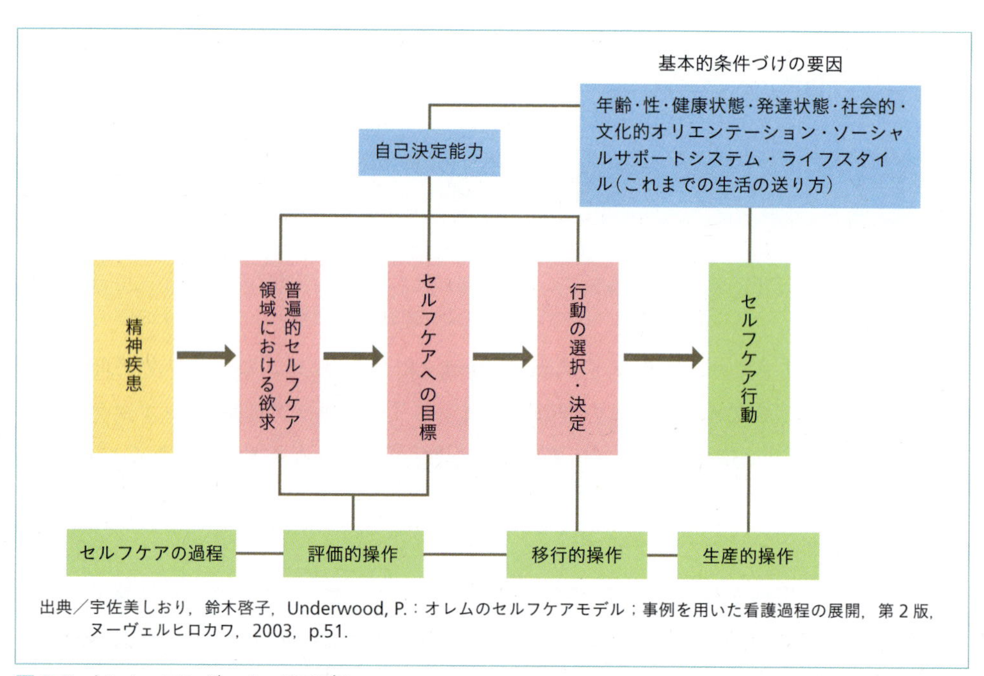

出典／宇佐美しおり，鈴木啓子，Underwood, P.：オレムのセルフケアモデル；事例を用いた看護過程の展開，第2版，ヌーヴェルヒロカワ，2003，p.51.

図6-3 オレム－アンダーウッドモデル

表6-12 アンダーウッドによる基本的条件づけの要因

- 年齢
- 性別
- 社会的・文化的オリエンテーション（成長・発達レベルを含む）
- ソーシャルサポートシステム
- ライフスタイル
- 精神的・身体的健康状態

セルフケア不足理論に関する修正では，精神疾患および長期入院によってセルフケアが阻害される場合，セルフケア能力として最も影響を受けるのは「自己決定能力」であるとして，セルフケア不足理論を自己決定能力に働きかける理論として修正を加えた。オレム－アンダーウッドモデルは，精神疾患をもつ人がセルフケア行動に至るプロセスを提示し，プロセスの各段階に自己決定能力が影響していることを示した（図6-3）。また，自己決定能力に影響を与えている要因を「基本的条件付けの要因」として整理した。基本的条件付けの要因は，その個人を特徴づけているものでもあるため，患者理解にも重要なものである（表6-12）。

看護システム理論に関する修正では，看護システムという表現を「ケアレベル」と言い換えて，レベル1からレベル3とし「自立的レベル」を含めて4レベルとした。

2. 自己決定能力への働きかけ（オレム－アンダーウッドモデルの援用）

オレム－アンダーウッドモデルでは，患者の自己決定能力への働きかけによるセルフケアの向上が，精神科看護の焦点となっている。そして，精神疾患をもつ人がセルフケア行

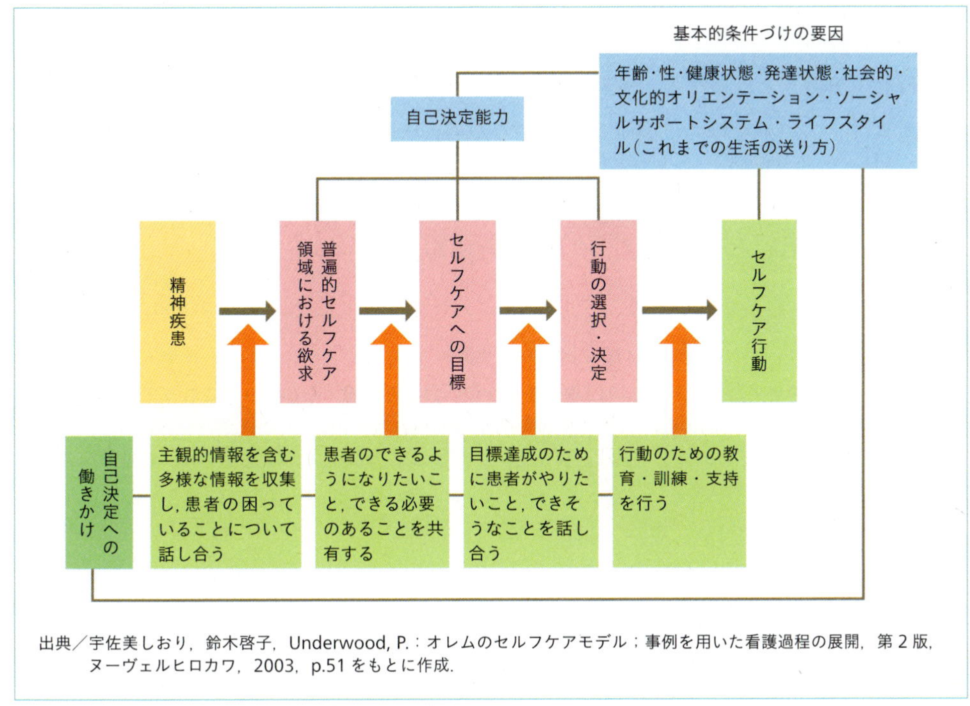

出典／宇佐美しおり，鈴木啓子，Underwood, P.：オレムのセルフケアモデル；事例を用いた看護過程の展開，第2版，ヌーヴェルヒロカワ，2003，p.51をもとに作成．

図6-4 オレム－アンダーウッドモデルによる看護展開

表6-13 自己決定能力への働きかけと，達成する自己決定の段階

	自己決定能力への働きかけ	働きかけによって達成する自己決定の段階
第1段階	主観的情報を含む多様な情報を収集し，患者の困っていることについて話し合う	「普遍的セルフケア領域における欲求」の明確化
第2段階	患者のできるようになりたいこと，できる必要のあることを共有する	「セルフケアへの目標」の明確化
第3段階	目標達成のために患者がやりたいこと，できそうなことを話し合う	「行動の選択・決定」
第4段階	行動のための教育・訓練・支持を行う	「セルフケア行動」の実施

動に至るプロセスの各段階において，自己決定能力に働きかけることを重視している。セルフケア行動に至るプロセスは，①普遍的セルフケア領域における欲求，②セルフケアへの目標，③行動の選択・決定，④セルフケア行動の4段階からなる。自己決定能力への働きかけは，セルフケア行動に至るプロセスに沿って，患者の意思やニーズ，目標などを確認，共有，尊重しながら看護を展開する（図6-4）。「自己決定能力への働きかけ」の詳細は表6-13に示した。

C 精神科看護実践におけるセルフケア理論の適用

本項では，「自己決定能力への働きかけ」を中心としたセルフケアの援助について，統合失調症の急性期，回復期，および退院時における例を紹介する。急性期においては，幻覚・妄想によって安全を保つ能力が低下している事例をとりあげる。回復期では，日常生活行動におけるセルフケアに改善がみられるが，孤独と人との付き合いのバランスがうまくとれない事例をとりあげる。退院時においては，服薬継続の必要性が理解できず，服薬アドヒアランスが不十分で，健康を維持するためのセルフケアの低下が危惧される事例をとりあげる。

1. 急性期におけるセルフケアの援助

精神症状による不安・混乱で安全が保てない事例

25才，男性，統合失調症。友人との口論をきっかけに大学を中退。その後ひきこもっていたが，「監視されている」という発言と奇異な行動が3年前からみられた。買い物に出た際に「狙われている」とおびえて精神運動興奮となり，入院となった。入院後は4時間程度の睡眠がとれ，看護師の声かけで身の回りのことは行える。

❶アセスメント

S:「だれかが見張っているんです。入ってきていませんか？」「いつもだれかが見ているので眠れない」

O:トイレやシャワー以外は自室から出ない。眠っているように見えても，訪室すると

すぐに開眼する。時々座ったりすることもあるが，１日に12時間程度は立ったままで幻聴と会話している。病室に食事を運ぶと，まわりを見ながら不安そうな表情をみせる。

A：注察妄想，被害妄想からくる不安，対話性幻聴により安全が保てず休息が取れていない。

❷目標

安全感が上昇することによって，妄想・幻聴があっても，休息が取れる。

❸評価指標

①妄想・幻聴からくる不安の表現が減少する。

②睡眠が8時間以上とれ，病室での立位が減少する。

❹看護計画

OP：病室内での休息の状態，不安様の表情，見られているなどの発言の頻度。

TP：

①安全・安心感を脅かさないように，反応を確認しながら働きかける。

②トイレや食事など身の回りのことを声かけしながら誘導，実施する。

③表出される不安な気持ちを傾聴して共感を示し，安心できる関係性を構築する。

④病棟内の安全を保証する。

2. 回復期におけるセルフケアの援助

孤独と人との付き合いのバランスが課題の事例

35才，女性，統合失調症。対人関係で体調を崩して幻聴が出現し，退職。しばらく休養して求職活動を始めたが，希死念慮様の発言があり入院となった。入院後２週間ほどで幻聴は消失。現在入院１か月で身の回りのことは自分で行え，日常生活に支障はないが，デイルームにはほとんど出ずに病室で過ごしている。２週間後に退院が予定されている。

❶アセスメント

S：「人と接するのは苦手」「早く仕事がしたい。先生は慎重過ぎる，仕事をしても大丈夫だと思う」

O：集団の中では笑顔がなく緊張がみられる。職場における人との付き合いに関する発言はない。外泊時に求職活動を行っている。

A：人付き合いが苦手なことは意識しているが，再就職にともなう人付き合いについて明瞭に理解できておらず，再就職による症状再燃の可能性がある。

❷目標

孤独と人付き合いのバランスのとり方を身につけ，症状再燃を防ぐ。

❸評価指標

①職場における人付き合いと精神的不調の関連を理解する。

②孤独と人付き合いのバランスをとる方法を選択し，実施する。

③実施した方法で得られた精神状態の安定化を評価して，より良い方法に修正する。

❹看護計画

OP：デイルームや病棟活動でのほかの患者との交流の様子，緊張様の表情。

TP/EP：

①現在集団のなかで感じることや職場での体験を尋ね，人付き合いにおける楽しさや苦労を共有する。

②孤独と人付き合いのバランスがどのように変わればいいか，目標を話し合う。

③目標達成のための方法を話し合い，できそうなこと，やりたいことを選択してもらう。

④選択した方法を実施できるよう支援し，孤独と人付き合いのバランスの変化を共有し，一緒に評価する。

⑤より良い方法への改善と実施を支持する。

3. 退院時におけるセルフケアの援助

服薬アドヒアランスが不十分で，健康維持のセルフケア低下が危惧される事例

25才，女性，統合失調症。実家で両親と暮らしている。高校在学中に発症し，卒業後働いていたが長続きせず，半年前から仕事をしていない。ひきこもりがちの生活で，幻聴による暴言もあり入院となった。入院後，幻聴は消失したため退院予定となっている。母親は服薬治療に対して消極的であり，もう良くなっているから薬はいらないのではと本人に話している。

❶アセスメント

S：「飲んでいるのは，気持ちを調整する薬」「幻聴が聞こえなくなったのは意思を強くもったから」「もう良くなったから薬はいらないんじゃない？どうかな？」

O：日常生活は落ち着いている。退院後の服薬は不要と言いつつ，看護師の意見を求めてくる。

A：症状と服薬との関連が明確でなく，また，母親が服薬に消極的なことも影響して，服薬継続に迷いがある。

❷目標

服薬によって症状が安定していることを理解し，退院後も服薬を継続できる。

❸評価指標

①症状変化と服薬の関連を理解する。

②症状安定には服薬継続が必要であることを理解する。

③母親が服薬継続の必要性を理解し，本人の服薬に協力する。

❹看護計画

OP：服薬に関する発言，服薬自己管理時の様子。母親面会時の母親とのやり取り。

TP/EP：

①入院当時の症状を一緒に振り返り，現在との違いを話し合う。

②服薬と症状の変化の関係について話し合う。

③現在困っていることや退院後に不安なことについて話し合う。

④退院後何をしたいか，できるようになりたいか，目標を話し合う。

⑤目標達成のためにできそうなこと，やりたいことを話し合う。

⑥どのような支援があると実行できそうかを話し合い，希望する支援に関する情報を提供する，または支援が得られるよう調整する。

⑦目標達成に服薬が役に立ちそうかを話し合う。

⑧母親が服薬治療に消極的な理由を聴き，子どもへの思いを理解したうえで，服薬の効果と中断による再燃の可能性を説明する。

III 精神障害をもつ人のセルフマネジメント（自己管理）

A セルフマネジメントの背景

1. 患者によるセルフマネジメント

患者による**セルフマネジメント**（patient self-management）は，慢性疾患患者が増えている現在では，重要な概念になっている。とりわけ慢性疾患の治療において効果的かつ効率的に医療を提供するには，病気および治療の影響を熟知している患者本人が能動的に治療に関与することの重要性が認識されている[13]。

なお，病気のセルフマネジメントは，服薬や食事療法などの治療を実施すること（医療的管理）だけにとどまらない。慢性疾患と付き合っていくなかで，人生において意義ある役割や行動を維持したり，時には変更したり，新たに創出したりすること（役割管理）と，慢性疾患によって未来の変更を余儀なくされることから生じる怒り，不安，葛藤，挫折，抑うつなどの感情をうまく処理すること（感情管理）も含まれる[14]。

2. セルフマネジメントの発展

セルフマネジメントの概念が発展した背景には，医療の進歩に伴う疾病構造の変化がある。かつて感染症の治療が医療の中心であった時代は，専門職が患者や住民に正しい知識を教えるという一方向的な「指導型の教育」[15]が中心であった。その後，医療の進歩や高齢化に伴い，慢性に経過する様々な疾患や生活習慣病が主要な課題となってくると，専門職が一方的に知識を教える，専門家が管理するという考え方では，治療の効果を十分に得ることはできなくなってきた。

▶ **学習援助型の教育への発展**　そこで治療の考え方は，しだいに患者が自ら学ぶことを専門家が支援するという「学習援助型の教育」[16]へと発展していき，患者は病気の知識だけでなく，慢性疾患をもちながらもできるだけ症状を軽減して良い状態を維持できる方法を学び，生活のなかで実行していくというセルフマネジメントが重視されるようになった。

3. 精神医療におけるセルフマネジメントの重要性

精神疾患の多くは慢性の経過をたどるため，精神医療においても病気のセルフマネジメントが重要である。精神医療では，再発防止や地域生活への移行の方策として，服薬管理や症状管理，日常生活管理の側面からセルフケアの教育が，社会生活技能訓練（SST）や心理教育，ピアサポートなどをとおして提供されてきた。そして，病気のセルフマネジメントの知識と実践は，陽性症状の緩和，主観的QOL（生活の質）の向上，うつ病患者の自殺リスクの軽減と関連していることが報告されており，セルフマネジメントの重要性は，病気による苦痛の緩和や生活の安寧（あんねい）の意味からも重要であることが示唆される。

▶ **セルフマネジメント支援上の注意**　その一方で，セルフマネジメントに焦点を当て過ぎると，セルフマネジメント自体が目的化してしまう恐れがある。なぜセルフマネジメントなのか？　それは，薬を飲む当事者にとっては，症状緩和や再発予防といった療養上の目的だけでないはずである。当事者にとってセルフマネジメントは，自身の夢や希望を実現するうえで不可欠であるかもしれないし，あるいは職業を維持したり，人間関係を保ったり，家庭生活を営んだりするうえで必要なのかもしれない。当事者がセルフマネジメントという「道具」を活用して夢や目標を達成できるような支援が重要であろう。

当事者の視点からセルフマネジメントを支援するための基礎知識として，患者と医療者の関係からみたセルフマネジメント，セルフマネジメントのための疾病教育，服薬自己管理，当事者によるセルフマネジメントを紹介する。

4. 患者−医療者関係からみたセルフマネジメント

患者と看護師がどのような関係をもつことが，効果的なセルフマネジメントにつながるだろうか。まず，セルフマネジメントに深く関連する患者と医療者のパートナーシップに基づくコンコーダンスについて，コンプライアンス，アドヒアランスからの発展を含めて説明する。

▶ **コンプライアンス**　**コンプライアンス**は遵守という意味であり，たとえば「服薬コンプライアンスが良好である」ということは，患者が医療者の言うことを守って規則正しく服薬をしており，模範的で優秀な患者ということになる。しかし，この考え方の前提は医療者の判断は常に正しく，医療者が決めたことを患者が守るのが当然という考えがあり，患者の意向は考慮されていない。たとえば，服薬がきちんと行えなければ，それは「コンプライアンス不良な患者」として，患者側に問題があるとみなされてしまう。患者は受動的な立場であり，コンプライアンスは指導型の教育に通じる概念といえる。

▶ **アドヒアランス**　患者教育が指導型から学習援助型に発展したことと同様に，患者と医療者との関係においても，患者の意思や主体性を尊重するアドヒアランスという概念が重視されるようになってきた。WHO（世界保健機関）は**アドヒアランス**を「患者が医療者の提案に同意して，薬物治療，食事療法，もしくはライフスタイルを変えるといった行動をおこすこと」と定義し，コンプライアンスとの違いとして，患者が医療者の意見に同意することを強調し，患者と医療者はパートナーであり，効果的な実践には医療者との良好なコミュニケーションが不可欠としている[17]。

「服薬アドヒアランスが良好である」という場合，まず医療者が服薬の必要性，効果，有害作用などの十分な説明を行う。そして患者の疑問や意見に答えていくことで，患者が医療者の説明に納得できるように働きかける。そのうえで患者が同意して，自らの意思で服薬を行うのである。

▶ **コンコーダンス**　では，コンコーダンスはどのような関係をいうのだろうか。**コンコーダンス**は一致，調和という意味であり，患者と医療者が意見を一致させる，調和させるという意味合いをもつ。つまり薬を飲むことは最優先目標ではなく，患者と医療者が服薬について共通の考え方をみつけて寄り添うことが重要である。薬を飲むこと以上に，その患者が健康面のパートナーシップをもつことや患者自身のもつ価値観や希望といったQOLにつながる心理的要素を重視する。そのため患者の能力や考えを改善しようと押しつけることはしない[18]。

アドヒアランスとコンコーダンスは，患者の意向を重視してコミュニケーションをもつことは共通しているが，アドヒアランスでは「服薬する」ことが前提としてあるのに対し，コンコーダンスは患者と医療者が互いの意見を理解し合い，調和させることによって共通のゴールをつくりだすという点で異なっている（表6-14）。

精神障害のような長い経過をたどる疾患が患者の人生に及ぼす影響は非常に大きく，また病気を受け入れること，病気の知識をもつこと，治療への気持ちをもち続けることなど様々な努力が必要である。このような場合，患者の価値観や希望などを尊重し調和を図るコンコーダンスのかかわりが有効であり，患者が自分にとって意味のあるセルフマネジメントを身につけていく土台となる。

表6-14　患者と医療者の関係性

	コンプライアンス	アドヒアランス	コンコーダンス
コミュニケーション	医療者⇒患者	十分な説明と納得	尊重と調和
患者の態度	受動的	主体的	主体的

出典／安保寛明：詳説コンコーダンス；患者と医療者の心がともにあることの意味，精神科看護，38（11）：5-12，2011，一部改変．

B セルフマネジメントのための疾病教育

精神疾患には統合失調症のように自分が病気であるという病識をもちにくい場合がある。病気であるという認識がなければ，治療をしようという気持ちは起きない。

世間には精神疾患に対する差別や偏見があり，精神疾患にかかったことを認めたくないし，周囲に知られたくもない。容易に受け入れることの難しい病気だからこそ，疾病教育によって自分の病気や対処法について理解することは，セルフマネジメントのために非常に重要な意味をもつ。疾病教育の発展について説明したうえで，構造化された疾病教育プログラムを紹介する。

1. 疾病教育の発展

疾病教育は，もともと統合失調症の家族を対象として発展し，日本では「心理教育」として広がり，患者の再発予防に効果があることが報告されている。近年では統合失調症をもつ患者本人に対して，また気分障害，摂食障害など様々な疾患をもつ患者や家族を対象に行われるようになってきている。

疾病教育が行われる場としては，医療機関においては急性期病棟や療養病棟，デイケアや作業療法などのリハビリテーション，そして地域においては保健所や地域活動支援センターなど，急性期から慢性期までの様々なステージにおいて，精神疾患をもつ人やその家族を対象に実施されている。

2. 構造化されたプログラム

▶ **SILS（自立生活技能プログラム）** 疾病教育を構造化したプログラムとして開発されたものもあり，カリフォルニア大学ロサンゼルス校の精神科教授であるロバート・P・リバーマン（Liberman, R. P.）らが開発したSSTによる**SILS**（social and independent living skills，**自立生活技能プログラム**）は，日本語版が開発され，服薬自己管理モジュール，基本会話モジュール，症状自己管理モジュールの3つで構成されている[19]。

▶ **IMR（疾病管理とリカバリー）** 疾病教育は病気の理解と対処方法を学ぶことによって再発を減らすことを目的として始まっているが，近年では患者のリカバリーを最終目標とする方向に発展してきており，**疾病管理とリカバリー**（**IMR**；illness management and recovery）という構造化されたプログラムが開発されている。これはアメリカ連邦保健省薬物依存保健サービス部（SAMHSA）が編集した科学的根拠に基づくプログラムであり，2009（平成21）年に日本語版が出版されている[20), 21)]。

このプログラムで取り上げられている疾患や対処法についての知識は，従来の心理教育に共通する部分が多いが，従来のプログラムとの違いは**リカバリー**が中核的な概念となっていることである。プログラムの最初にリカバリー戦略があり，①リカバリーの重要性，

表6-15 IMRの5つの中核的な価値

❶希望は重要な要素である。
❷利用者自身が自分の精神疾患の経験についての専門家である。
❸個人の選択が最優先される。
❹実践家は共に取り組む。
❺実践家は精神疾患に悩む人への敬意を示す。

表6-16 IMRの9つのトピックス

❶リカバリー戦略	❻再発を減らすこと
❷統合失調症／双極性障害／うつ病に関する実践的事実	❼ストレスの対処
❸ストレス－脆弱性－対処技能モデルと支援方法	❽問題や症状への対処
❹ソーシャルサポートの形成	❾精神保健のシステムにあなたのニーズを適合させること
❺薬物療法の効果的使用	

②リカバリーのプロセスで役立つもの，③向かっていく目標の明確化，④目標達成のための戦略の4つの内容が含まれ，2～4回のセッションをとおしてリカバリーについて学ぶことから始まる。そして，以降のセッションにおいても，学習する内容はリカバリーのプロセスを助けるために必要な知識や技術という位置づけがされている。表6-15，16は，それぞれIMRで扱われる5つの中核的な価値と9つのトピックスである。

C 服薬自己管理

精神科の治療は，身体的・心理的・社会的側面のそれぞれから行われるが，身体的側面においては薬物療法が中心となる。薬物療法は，症状が軽快した後も服薬を継続することが再発予防のために有効である[22]。しかしながら，統合失調症など病識をもちにくい場合は薬を飲む必要性が理解しにくい。また，服薬していても症状が持続する場合や，有害作用が生じる場合もある。このような理由から，服薬を中断したり不規則になったりすることも多いため，**服薬自己管理**には，患者が服薬継続の必要性を理解し，服薬を継続しようという意思をもつという，**服薬アドヒアランス**が非常に重要となる。ここでは服薬自己管理に向けたアセスメントと，服薬アドヒアランスを高める支援について述べる。

1. 服薬自己管理に向けたアセスメント

患者が入院したばかりの急性期においては，精神運動興奮状態や病識の不足などから服薬自己管理ができる状況ではないことが多く，一般的に，看護師が患者に代わって服薬を管理し服薬時に薬を渡し服用を確認するという方法をとる。

急性期から徐々に落ち着きを取り戻すと，患者は心理教育を受けて病気や薬に関する知識を学んでいき，服薬自己管理に向けた支援が始まる。怠薬や拒薬が精神症状悪化の原因となることもあるため，服薬自己管理を開始する際は服薬自己管理に影響を及ぼす要因に

表6-17 服薬自己管理におけるアセスメントのポイント

患者に関する要因	• 病気や薬に対する知識と理解 • 病気や薬に対する認識（病識やセルフスティグマ，有害作用に対する不安など） • 記憶力や理解力などの認知機能 • 入院前の状況（生活リズム・服薬自己管理の状況など） • これまでの拒薬や怠薬の有無 • 家族の理解や支援状況
治療に関する要因	• 治療者との信頼関係 • 薬物療法の効果 • 有害作用 • 服薬の量や回数 • 薬の特性（剤形，錠剤の大きさ，味） • 処方形態（シートのままか一包化されているか）
怠薬・拒薬につながる要因	• 病気と思っていない • 症状が改善したから飲む必要はないと考えている • 精神障害を認めたくないという葛藤 • 有害作用がつらい，不快（眠気，体重増加，便秘，口が乾く，勃起不能など） • 薬の効果を感じていない • 職場などで飲みにくい（人に知られたくない，詮索されたくない） • 通院が面倒 • 飲み忘れ　など
アセスメントの例	• 病気のセルフマネジメントへの意欲が高く，積極的に服薬自己管理に取り組んでいる。 • 服薬の重要性に関する知識が不十分で，服薬を躊躇（ちゅうちょ）する傾向にある。 • 抗精神病薬以外にも複数の薬を服用しており，飲み忘れや飲み間違いがある。

ついてアセスメントを行う。病気や服薬に対して抵抗があっての拒薬なのか，認知機能の低下による怠薬なのか，要因によって支援方法は異なってくるため，アセスメントにより患者の状況を把握し，患者に合った支援を行うことが重要である。アセスメントする内容は患者に関する要因だけでなく，治療に関する要因も検討する必要がある（表6-17）。

2. 服薬アドヒアランスを高める支援

服薬アドヒアランスを高めるための支援は，教育的介入，情緒的介入，行動的介入の大きく3つの次元から考えるとよい[23]。これらは看護師の視点だけで一方的に進めるのではなく，看護師は患者の気持ちや考えを理解し，患者が主体的に取り組んでいけるように話し合いをしながら支援していく。

❶教育的介入

教育的介入では，患者が病気や薬に関する知識を学ぶことで，服薬継続の必要性を理解できるように支援する。病気や薬に関する知識は，グループで行われる心理教育などで提供される場合が多い。看護師は，心理教育に参加した患者の理解の内容や程度，学んだ知識についてどのような考えをもったかなどを把握していく。

過去に症状の好転を理由にした拒薬がある場合や，服薬の必要性を疑問に感じている場合は，患者と一緒にこれまでの経過を振り返りながら，継続的な服薬の必要性について話し合い，服薬心理教育を行う。有害作用が理由で服薬を中断してしまった経緯がある患者に対しては，有害作用の対処法について共に考える。また，服薬中断の状況，精神症状や生活への影響などを確認し，医師に報告・相談することが重要である。

❷情緒的介入

情緒的介入は，情緒的側面から患者の服薬自己管理を支えていくことである。精神障害は社会的偏見が根強い障害であり，障害を受け入れることは容易なことではなく，不安や葛藤が生じ，これらは服薬アドヒアランスを低下させる要因となる。看護師は患者のこのような不安や葛藤の表出を促し，軽減できるように支援していく。そのためには，患者との信頼関係を築き，共感的態度でかかわっていくことが重要である。

患者の最終的なゴールは，服薬自己管理ができるようになることではない。その先の患者の人生における夢や目標の実現，つまりリカバリーである。服薬自己管理はあくまでもそのための手段であることを，患者と看護師が共有することが，服薬アドヒアランスを高めることにつながる。

❸行動的介入

行動的介入は，服薬行動が患者にとってできるだけ行いやすく，継続しやすいように支援することである。症状安定のために規則正しい服薬が大切であるが，処方された薬が余ってしまう場合も多く，その最大の理由は飲み忘れである[24)]。また服薬量や回数，薬の特性や処方形態などが，服薬アドヒアランス低下の要因となっている場合もある。服薬の回数は無理がないか，飲みにくさを感じていないか，飲み忘れを防ぐために服薬カレンダーや服薬ケースを活用してはどうかなど，服薬を継続しやすい方法について患者と共に検討する。記憶力や理解力など認知機能の低下がある場合には，患者自身でどこまでできるか，できない部分をどのように支援すればよいかなど，患者の能力をアセスメントして，支援方法を検討していく必要がある。

D 当事者によって編み出されたセルフマネジメント

精神障害をもつ当事者は，自身の病気との付き合いの経験をとおして，病気や障害の特徴や病状悪化や危機状況の前兆の感知，危機状況の引き金の特定と予防方法，危機状態への対処方法，幻聴への対処方法，助けの求め方，規則的な生活習慣の維持，医師とのコミュニケーションのとり方，精神的に健康な生活の送り方など，病気・健康と生活をセルフマネジメントする方法を編み出している。

また，仲間どうしで意見交換したり相互にサポートし合いながら，より効果的なセルフマネジメントを探ったりしている。具体的なセルフマネジメントの例として，アメリカ・コロラド州デンバーの当事者活動団体の創始者の論文から紹介する（表6-18）。論文は1989年に発表されたものだが，今日でも通用する内容である。

表6-18 当事者による病気のセルフマネジメントの方法

本人が認識する病気の特徴	セルフマネジメントの方法
雑音や余計な刺激を濾過することが困難で，環境にあるすべての音や動きを拾ってしまう。そのため混乱し，不安や短気になったり，いらいらしやすい。	• 刺激をできるかぎり減らす。
視線が苦痛で，親密な関係が苦手なため，ひきこもりがちになる。だが，知り合いは多いほどよい。	• 時々自分を励まして上方を見る。 • 1人になる（トイレに逃げることもある）。 • 同じ興味や体験をもつ人と交流する。 • サポートグループに入る。
妄想的に解釈しやすく，幻聴がある。	• 壁を後ろにして，他者が自分の背後に来ないようにする。 • 疑念を相手に質問，確認する。 • 現実を確認できる相手（私の場合は夫）をもつ。 • 人前にいるときは独り言を言ったり，幻聴と話したりしないようにする。
集中力や記憶が低下しているうえ，考えがまとまらないことが結構ある。	• 重要なことはリストにして書き出す。 • 相手に，簡単，明瞭，具体的に話してくれるように頼む。
病状が悪化すると，すべてのことに怯え，引け目を感じ，傷つきやすくなる。	• 自分の気持ちを楽にすることなら何でも試してみる（散歩する，揺り椅子(いす)に座る，胎児姿勢で寝る，友人からサポートを得る）。
新しい体験，新しい環境，変化（良し悪し両方）などのストレスに非常に弱い。	• 決まった日課を送る。 • 出来事と出来事の間に余裕をもたせる。 • 課題を小さい段階に分け，一度に1つずつ実行する（小さな成功が自信につながる）。 • 新しい状況下で起こり得る問題を予測し，対応策を準備する。 • 自分の限界に合わせて目標を設定して，高ストレス状況を避ける。 • ストレスに対処する（ストレス状態にあることを認識する，ストレッサーを確認する，過去うまくいった対処方法を試す）。
疲れやすく，再発しやすい。怒りを抑えられないときがある。	• 再発の徴候（疲労，睡眠不足，集中力低下，記憶力低下，緊張，幻聴・幻覚の悪化，いら立ち，興奮など）をモニター（観察・監視）し，早めに治療を受ける。 • 薬を一時的に増量する。
自信を喪失している。 「言っても聞いてもらえない，提案してもまじめにとってもらえない，考えを伝えても妄想ととられる，経験を話しても空想と思われる……病人のラベルを貼られると精神病者のアイデンティティができあがり，変えるのは困難」	• 自分のなかの内なるスティグマに打ち克つ。 • 自分の強みを見つける。 • 精神病について学び，病気・障害と付き合う方法を体得する。 • 自分の人生に責任をもつ。 • 仕事に就く。

出典／Leete, E: How I perceive and manage my illness. Schizophr Bull, 15（2）: 197-200, 1989 をもとに作成.

文献

1） 木村敏：心の病理を考える，岩波書店，1994，p.4-7.
2） Nightingale, F. 著，薄井担子，他訳：看護覚え書，改訳第7版，現代社，2011，p.227.
3） Hardman, T.H.，上鶴重美原著編，上鶴重美訳：NANDA-I 看護診断 定義と分類 2018 − 2020, 原著第11版，医学書院，2018，p.40.
4） 前掲書3），p.42
5） 前掲書2），p.15.
6） Lampe，S. 著，岩井郁子監訳：フォーカスチャーティング；患者中心の看護記録，医学書院，1997，p.87-104.
7） 川上千英子監著：精神看護に活かすフォーカスチャーティング®の実践，アウトカム・マネジメント出版局，2004，p.8-9.
8） Barker，P. J.：The Tidal Model；A Guide for Mental health Professionals, New York，2005，p.47.
9） 前掲書8），p.96.
10） 前掲書8），p.91.
11） 村瀬智子，村瀬雅俊：未来から描くケア共創看護学；自然・生命・こころ・技の循環，大学教育出版，2021，p.1-12.
12） Orem, D. E. 著，小野寺杜紀訳：オレム看護論；看護実践における基本概念，第4版，医学書院，2005，p.133-134.
13） Holman, H.R., Lorig, K.: Patient self-management; a key to effectiveness and efficiency in care of chronic disease. Public Health Rep, 119：239-243, 2004.
14） Lorig, K.R., Holman, H.: Self-management education; history, definition, outcomes, and mechanisms. Ann of Behav Med, 26（1）；1-7, 2003.
15） 吉田亨：健康教育の潮流；その過去・現在・未来，保健婦雑誌，51（12）：931-936，1995.
16） 前掲書15），p.931-936.
17） World Health Organization：Adherence to long-term therapies；evidence for action，2003.
18） 安保寛明：詳説コンコーダンス；患者と医療者の心がともにあることの意味，精神科看護，38（11）：5-12，2011.
19） 池淵絵美，他監：日本語版 SILS 自立生活技能プログラム，丸善出版，2013.
20） アメリカ連邦保健省薬物依存精神保健サービス部（SAMHSA）編，日本精神障害者リハビリテーション学会監訳：IMR・疾病管理とリカバリー本編；アメリカ連邦政府 EBP 実施・普及ツールキットシリーズ5-Ⅰ，地域精神保健福祉機構，2009.
21） アメリカ連邦保健省薬物依存精神保健サービス部（SAMHSA）編，日本精神障害者リハビリテーション学会監訳：IMR・疾病管理とリカバリーワークブック編；アメリカ連邦政府 EBP 実施・普及ツールキットシリーズ5-Ⅱ，地域精神保健福祉機構，2009.
22） 佐藤光源，他編，精神医学講座担当者会議監：統合失調症治療ガイドライン，第2版，医学書院，2008，p.100.
23） 長嶺敬彦：予測して防ぐ抗精神病薬の「身体副作用」，医学書院，2009，p.173.
24） 池淵恵美監：精神障がい者の生活と治療に関するアンケート；より良い生活と治療への提言，全国精神保健福祉会連合会，2011，p.46.

参考文献

・Orem, D. E. 著，小野寺杜紀訳：オレム看護論；看護実践における基本的概念，第4版，医学書院，2005.
・Stuart, G. W, Lavaia, M. T 著，安保寛明，宮本有紀監訳：精神科看護；原理と実践，原著第8版，エルゼビアジャパン，2007.
・Underwood, P.：第4章オレム理論の概観，看護研究，18（1）：81-92，1985.
・宇佐美しおり，他：オレムのセルフケアモデル；事例を用いた看護過程の展開，第2版，ヌーベルヒロカワ，2003.
・加藤敏，他：レジリアンス；現代精神医学の新しいパラダイム，金原出版，2009.
・小玉正博：へこんでも折れない レジリエンス思考；復元力に富む「しなやかな心」のつくり方，河出書房新社，2014.
・村瀬雅俊，村瀬智子：未来共創の哲学；大統一生命理論に挑む，言叢社，2020.
・村瀬雅俊，村瀬智子：歴史としての生命［増補版］；自己・非自己循環理論の構築，ナカニシヤ出版，2022.
・野中猛：図説リカバリー；医療保健福祉のキーワード，中央法規出版，2011.
・南裕子，稲岡文昭監，粕田孝行編：セルフケア概念と看護実践；Dr. P. R. Underwood の視点から，へるす出版，1987.
・宗像恒次：保健行動学から見たセルフケア，看護研究，20（5）：20-29，1987.
・山本勝則，他編：看護実践のための根拠がわかる精神看護技術，第2版，メジカルフレンド社，2015.

第 7 章

精神障害をもつ人への看護

この章では

- 精神障害をもつ人の治療的環境と生活の場としての環境のあり方を理解する。
- 精神障害をもつ人の入院および治療の特殊性と，そこにある倫理的問題を理解する。
- 精神疾患／精神障害の早期発見や治療のために求められる看護ケアについて理解する。
- 身体疾患を合併する精神障害をもつ人の予防と治療，看護ケアについて理解する。

I 精神科病棟における事故防止・安全管理と倫理的配慮

A 精神科看護における安全管理

患者や医療者が安全で安心して治療や業務に専念できる環境を提供することは，病院管理者の責務といえる。医療安全については2007（平成19）年の第5次医療法改正によりすべての病院と有床診療所において義務化された[1]。具体的には①医療安全，②院内感染対策，③医薬品安全管理，④医療機器安全管理の4点について安全を確保することが義務づけられた。精神科医療機関においても上記の安全管理はなされている。精神科病院は様々な危険に備え物理的にも安全な環境を提供すると同時に，情緒的安心感をもたらすような人によるケアが重要となってくる。

精神科を受診する急性症状の激しい患者にとっては，時に患者の意に反し強制的入院治療を受けなければならないことがある。ここで医療者が十分に注意しなくてはならないのは，患者の心身の安全を守るための強制的な入院が，もし正当な根拠がなければ心身の自由の権利の侵害すなわち重大な人権侵害に直結する，という事実である。

誰のための安全なのか，その根拠が重要となる。精神科医療機関においては，適切な安全管理により患者の人権を守ること，また患者の人権と医療者の人権を同時に守るように体制を整備していかなければならない。

B 病棟環境の整備

1. 療養環境の整備

療養環境としての病棟および病室の空間は，空調，照明，ベッド，収納棚，ドア，カーテン，テーブルや椅子（いす）など，プライバシーと安全面の両方から生活の場として適切であることが求められる。閉鎖病棟であっても外気を取り入れられ，新鮮な空気の流れを病棟でも感じられるような配慮や，中庭を設け病棟からも中庭の緑や空を見ることができるような工夫が求められる。居心地のよさについては，同時にリスクを回避する安全面の工夫が必要となる（図7-1）。

図7-1 精神科病院の設備と患者への配慮

2. 危険物の管理

1 入院時オリエンテーション

患者の入院が決まった段階で，**入院時オリエンテーション**を実施する。入院時オリエンテーションは患者にとっては医療者や精神科医療との出会いといえ，その印象は，その後の治療への動機づけにも大きく影響する。看護師の基本的な姿勢として，患者にわかりやすい，ていねいな説明が求められる。不安で先の見通しをもつことができずにいる患者を安心させつつも，入院にあたって危険物を所持していないか患者の持ち物を確認する。精神科病棟では患者の安全を守るために持ち込み品の制限があったり，使用時以外は看護師が預かったりすることがあるが，患者の所有している物を預かったり制限する行為は，患者の人権を侵害することでもあることに留意すべきである。

「あなたご自身と入院しているほかの患者さんの安全を第一に守らなければならないので，申しわけありませんが，お持ちいただけない物があることに，ご理解とご協力をお願いします」などと，ていねいに対応する。患者の状況により持ち込みや使用に制限の可能性がある品物の例は表7-1のとおりである。

表7-1 患者の状況により持ち込みや使用の制限の可能性がある品物（例）

危険物		貴重品	その他
• はさみ	• ひも類	• 貴金属類	• 携帯電話
• 爪切り	• 衣類（例：ストッキング，ベルト，ひもなど）	• 宝飾品	• カメラ
• かみそり	• 医薬品	• 証書類	• パソコン など
• 針（ソーイングセット）	• 除光液	• 多額の現金	
• 缶切り	• 洗剤，漂白剤	• 高額な衣類やバッグ	
• 安全ピン	• コードの付いた電気製品 など	• 高額な家電	
• カッター		• 装飾品 など	
• ライター			
• マッチ			

2 患者への制限がもつ意味を考慮した対応

持ち込み品の制限は，看護師にとっては患者の入院ごとに行う日常的な行為であるが，当の患者にとっては初めての体験であったり，また納得がいかないことも十分に予測される。制限される患者自身の不快感や不信感，不安などを想像しつつ，院内での持ち込み品の紛失や，ほかの自傷のある患者の手に渡ることの危険性を回避したいためなどの説明をし，誠実に対応することが基本的姿勢として求められる。

荷物のチェックを行う際には，判断が難しい場合の対応もあるため，2人の看護師で実施するとよい。病棟生活に必要のない物品は，本人の同意を得て家族に持ち帰ってもらう。一時的に預かるものについては，紛失防止のため書類に品物，品数を記載し，患者，看護師，家族が確認できるようにしておく。

3 一律ではなく個別性を考慮した制限

患者にとって何が危険物かの判断は難しく，一律に決定することはできないし，すべきではない。一律の制限は，制限の必要のない患者に不必要な生活上の制限をもたらすことになる。また，看護師が一律の制限に従うことを当たり前と思っていると，制限のもともとの意義やその必要性について看護師自身も深く考えなくなってしまう。

「病棟ルールだから制限します」というような一方的に患者や家族に制限を押しつけるような対応は慎(つつし)むべきである。その品物がどのように生活に必要なものなのか，ないことが生活の質にどのように影響するのか，代替できるものが病棟にあるのかなど，患者の状況に合わせて個別に制限の内容について，看護チーム内で検討し続ける柔軟性が，看護師には求められる。

3. 災害時の精神科病棟の安全管理

1 備品・備蓄品の準備の必要性

地震や台風などの自然災害が発生した場合，電気やガス，水道などのライフラインが断たれ，食料の確保ができないと，精神科病院が病院として十分な機能を発揮できなくなることが予想される。また過去に精神科病院では放火や失火により火災が発生し，死傷者が出た事件もあった。自然災害にしろ人災にしろ，災害が発生した場合に備えて，精神科病院では災害時の避難誘導，安全確保について日頃から病院全体で対応策を検討し，誰もが共有できるマニュアルとして整備しておく必要がある。

▶ **災害時の必要物品・備蓄品**　一般的には災害時の**必要物品**（ヘルメット，ライト，担架(たんか)，ラジオ，毛布，災害持ち出し袋，入院患者名簿など）を持ち出せるように準備しておく。患者名簿は毎日最新の状況が反映されているものが用意できるようにしておく。ライフラインが確保されるまでの食糧や水の**備蓄**も必要である。一般的には患者数および職員数の3日分程度を確保しておく必要がある。必要備品や備蓄品については適切な保管ならびに定期的な点検および補充が必要になる。

2 定期的な避難訓練の必要性

緊急事態時には迅速（じんそく）な行動ができるように，定期的に患者の誘導および避難訓練を行う。特に医療者については，災害が発生したときに精神科病棟の入院患者に予測される問題や課題，また患者のストレス反応やそのケアに関する知識や技術に関する教育研修の機会をもち，様々な職種全員が学び，知識をもって備えることが重要となる。

▶ **避難訓練** 定期的な避難訓練は年2回，実際に屋外まで患者を誘導し避難してみる練習が必要である。隔離や拘束している患者がいる場合には，特に鍵の開錠や適切な誘導が必要であり，マンパワーをどのように割り振るのかなどのシミュレーションをとおして，適切な避難の方法を選択できるようにする。

▶ **夜間の避難** 特に夜間の場合，多くの患者が向精神薬を服用しているために十分覚醒できない状況が予測される。このため日頃から鍵の開錠および患者への声かけや，患者の安否確認方法を明確化し，水害，火災，地震などが起きたときの避難場所を複数決定し，実際に訓練を実施する必要がある。

3 関係機関のネットワーク整備の必要性

しばしば医療者自身も被災者になることから，自身の備えを考えておくことと，支援にあたる医療者のストレス反応についても教育研修で学ぶ必要がある。東日本大震災のような広域にわたる災害が発生したときには，一医療機関だけでは対応しきれず，外部からの支援を得ることのできない精神科病院もあった。ふだんから近隣の病院や施設，警察や消防などの関係機関とのネットワークを整備し，患者の移送や避難誘導についても協力し合える体制をつくっておくことが求められる。また，実際に被災した精神科看護師たちの経験をもとにまとめられた「精神科病院で働く看護師のための災害時ケアハンドブック」（2015，日本精神保健看護学会）は具体的な状況とケアの内容がわかりやすく明示されており活用できる。

C 自殺・自殺企図・自傷行為

1 精神疾患と自殺

WHO（世界保健機関）によると，自殺者の9割以上に何らかの精神障害の診断に該当する状況があったという。自殺既遂（きすい）者の調査によると，うつ病などの気分障害が自殺の要因として重要なことが明らかになっている。このほか，アルコール依存症，薬物依存症，統合失調症，パーソナリティ障害なども自殺と関連している。

自殺のリスクの背後に潜んでいる精神障害を早期に診断して，適切な治療を集中的に実施できれば，自殺予防の効果が期待できる[2)]。精神科入院患者や通院患者の多くは自殺の危険因子があると考えられ，精神科医療が自殺対策に極めて重要な役割をもっていることが理解できる。

また自殺に至るまでに何らかの相談や医療機関への受診がされていることもあるため，精神科に限らず，**ゲートキーパー**（悩んでいる人に気づき，見守り，必要な支援につなげ，自殺予防の一端を担う人）として多くの人が自殺の危険因子を理解し，自殺のサインに気づくことが予防につながる。

2 自殺の危険因子の評価

自殺の危険因子としては，①自殺未遂歴，②精神障害の既往，③サポート不足（生活環境），④性別，⑤年齢，⑥喪失体験，⑦性格，⑧自殺の家族歴，⑨事故頻発性，⑩児童虐待（ぎゃくたい）を受けた経験（表7-2）がある[3)]。

これらの危険因子のなかでも最も重要なものは自殺未遂歴である。近親者の死や失業，経済的損失などの喪失体験，過去の外傷体験，仕事や家庭でのトラブルなども危険因子になり得る。

3 自殺の危険因子を減少させる精神科病院における取り組み

森らは精神科病院における過去3年間の自殺既遂（きすい）者および未遂者の調査結果から，精神科病棟のありかたが自殺の危険因子の増減に影響することを示している（表7-3）[4)]。紹介されている自殺のリスクを減少させる取り組みは非常にわかりやすく，各病棟で実際に起きている問題に即した対策の検討のためのチェックリストとしても活用できる。

一度起こった自殺や自殺未遂をきちんと分析することにより，病棟ごとに起こる自殺・事故の特徴や傾向を踏まえることができる。これらをチーム内で共有し，そのリスクに対しチーム全体で注意する，協働できる体制をつくることが再発防止のためには重要となる。

表7-2 一般的な自殺の危険因子

項目	確認事項
自殺未遂歴	未遂状況，選択した自殺の手段，意図，周囲の反応
精神障害の既往	気分障害，統合失調症，アルコール依存症，パーソナリティ障害
サポートの不足	未婚者，離婚者，配偶者との離別，最近の近親者の離別・死別，家族や相談者の不在
性別	既遂者（女性より男性が多い），未遂者（男性より女性に多い）
年齢	年齢が高くなると自殺率が上昇する
喪失体験	失業や経済的破綻，地位の失墜，病気や外傷，近親者の死，訴訟問題
性格	衝動的，抑うつ的，孤立，反社会的，依存・敵対的，強迫的
自殺の家族歴	家族・親族の自殺歴
事故頻発性	身体や健康に無頓着，事故防止のための必要な措置をとらない
児童期の被虐待歴	幼児期に身体的，心理的，性的な虐待を受けた体験がある

出典／高橋祥友：医療者が知っておきたい自殺のリスクマネジメント，第2版，医学書院，2006，p.15.

表7-3 精神科病棟のありかたが自殺の危険因子の増減に及ぼす内容

自殺の危険性を減少させる状況・取り組み	自殺の危険性を増加させる状況
□医療者間のコミュニケーションがよい	□医療者間のコミュニケーションが悪い
□患者との接触が多い	□患者との接触が少ない
□以前に起こった自殺・自殺企図現場がチームで共有されている	□以前に起こった自殺・自殺企図現場がチームで共有されていない
□チームで危険な場所を特定している	□チームで危険な場所を特定していない
□チームで危険な場所を点検している	□チームで危険な場所を点検していない
□半年以内に病棟で自殺・自殺企図がなかった	□最近，病棟で自殺・自殺企図があった
□定期的に持ち物のチェックが行われている	□定期的に持ち物のチェックが行われていない

出典／森隆夫，他：愛知県内精神科病院の実態調査に基づく自殺リスク要因の評価，愛知県精神科病院協会：自殺防止マニュアル；精神科病院版，2012，p.20–21 をもとに作成.

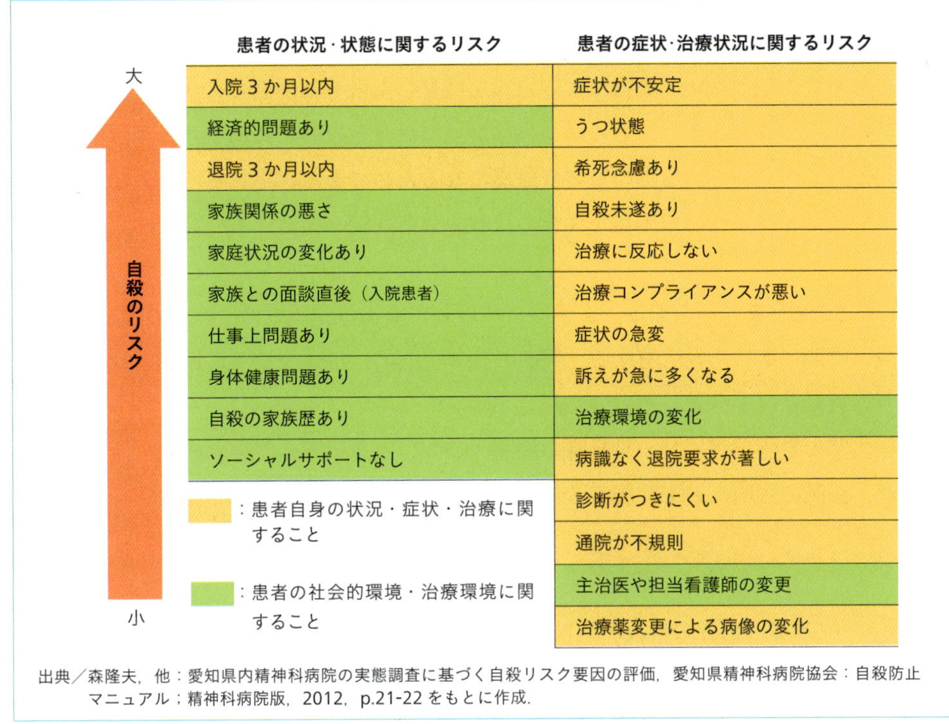

出典／森隆夫，他：愛知県内精神科病院の実態調査に基づく自殺リスク要因の評価，愛知県精神科病院協会：自殺防止マニュアル；精神科病院版，2012，p.21-22 をもとに作成.

図7-2 精神科において自殺の危険性について留意すべき患者の特徴

また，森らは入院・通院患者の自殺予防のための観察留意内容についても図7-2のようなリスクをあげ，継続的な観察が必要であることを示している[5)]。この項目は危険性の大きさの順番になっており，各臨床の特徴に合わせてチェック項目として活用することもできる。

このなかでは，特に入院して間もない患者や，退院後の患者の自殺には注意を要する。直接的な希死念慮（きしねんりょ）の表現（例：「死んでしまいたい」「生きている価値がない」など）がある場合にも注意すべきである。

4 希死念慮のある患者への対応

希死念慮や自殺企図（きと）のある患者については，入院中は継続的な観察が必要となる。患者本人には，希死念慮（きしねんりょ）の強さや具体性について確認する必要がある。

▶ **看護師の対応**　看護師は心配していることを明確に伝え，患者の思いを受け止める。希死念慮を強く訴えたり，持続してほのめかす場合には，周囲の環境調整を行い，看護師によるモニタリングおよびリスクアセスメントを継続する。また，家族との関係の変化や主治医の交代などの患者へ影響の可能性のある出来事に注意する。

▶ **希死念慮の強い場合**　外出や散歩，レクリエーションへの参加は控えることになるため，患者の孤立感や苦悩を和らげる働きかけをする。また，適切な薬物の服用の支援や，必要時には隔離や身体拘束を医師の指示のもと実施する。

5　事故発生時の対応

自傷や自殺の手段としては縊首（いしゅ）（首つり），飛び降り，過量服薬などがあげられる。**縊首**は入院中の事故として多い。縊首による自殺を発見したときは，直ちにひもを切断し救急救命処置を行う。このとき，ひもの結び目は解いてはならない。死に至った場合に事故原因が自殺か否かの判断をする際の重要な証拠になるためである。応急処置および医師への報告後，院内での救急救命が困難な場合には救急対応病院へ搬送する。死亡確認の際には警察へ通報する。

向精神薬の大量服薬の場合には，まず経口摂取した薬物の種類や量，時間の確認をする。種類，量，時間に応じた対応をする。吸収の疎外のため，活性炭投与が推奨されるが，炭酸リチウムは活性炭を吸着しないので注意する。

事故発生時の看護記録には，発見時の場所，時間，応急処置の内容と経過，症状，家族への連絡，医師の説明などを記載する。

6　自殺のもたらす影響への対応

▶ **入院患者への影響**　患者の自殺が病棟で起こった場合には，ほかの入院患者に事故を隠したり，何事もなかったような対応をすべきではない。特に自殺した患者と親しかった患者には，注意深いサポートが必要となる。

また，ほかの患者についても病棟でのコミュニティミーティングなどで事故を取り上げ，悲しみやつらさなどの感情を患者間で表現できるような機会をもつことが重要となる。

▶ **看護師への影響**　病棟で自殺が起こった場合には，自殺や自殺未遂事故を発見したり，緊急事態に対応した看護師に心的外傷後ストレス障害（PTSD）が発生することも多い。また，病棟の看護チーム全体にも事故による心理的な影響が起こるのは一般的によくあることである。怒りや自責感，抑うつ感などが生じやすくなる。

看護師相互に各自の感情や思いを表出できる機会（**ディブリーフィング***）をもつことが大事

＊ **ディブリーフィング**：大きな心的衝撃を受けるような現場に遭遇した人に起こる精神的トラウマを緩和するために，互いの体験を語り合う支援方法である。患者の自殺や患者からの暴力被害に遭ったスタッフのフォローとして用いられたりする。また，暴力を起こした患者自身も，この支援の対象に含まれることがある。

になってくる。また，今後の事故防止に備えて，組織的に危険要因の確認，安全対策の検討の見直しをしていく。

D 攻撃的行動・暴力・暴力予防プログラム

医療現場では患者の多くが様々なストレスから苛立ちや怒りを医療者に向けることがある。攻撃的行動や暴力を予防し，管理することは精神科に限らず，すべての看護師にとって重要な課題である。

1 暴力とは

▶ **暴力の種類** 暴力には，殴る，蹴るなどの**身体的暴力**，暴言，誹謗，中傷などの言葉により個人の尊厳や価値を貶めるもの，不快感や嫌悪感をもたらすようなセクシュアル・ハラスメント，そして恐怖心を与えるような威嚇や脅迫といった**精神的暴力**がある。

患者からの攻撃には段階がある。言語的暴力は言語によるものだけなので，深刻にとらえられないことがあるが，しばしば身体的暴力が出現する前に起こり，危険性が増す徴候の一つといえる。

▶ **暴力への影響要因** 暴力の発生の影響要因としては，精神科病棟に入院したことによる**環境的ストレス要因**，医療スタッフとの**コミュニケーションの質に関連したストレス要因**，患者自身のもつ**特異的要因**が絡み合った結果，患者の認知的脅威が増大し，攻撃的言動が引き起こされる。単に患者の精神病的状態だけが原因になるわけではない。

患者からの攻撃が多い場合は，次のような状況である。①入院治療を受けることに患者自身が同意していない場合，②今後の処置や退院について見通しがもてない場合，③治療環境や心理社会的状況に変化があった場合，④過去に暴力を振るった経歴がある場合，⑤知的発達障害や認知症，精神症状のために自身の置かれている状況や周囲の人のかかわりが理解できない場合，これらを患者は脅威と感じる。

2 暴力を予防するための対応

患者の暴力は，ふだんの落ち着いている状況から，少しずつサインが見え始め，次第にセルフコントロールを失っていき，最終的には他者の介入がなければ自他の安全が保たれない段階までエスカレートし，介入を受けることにより再び自身のセルフコントロールを取り戻していく一連の過程のなかでとらえることができる。発生してから危険を回避する以前の日常的なケアのなかでの取り組みが重要になる。

❶病棟の治療的環境づくり

患者の悩みやトラブルについては，日頃から看護師が相談にのることのできる関係づくりが基本になる。また，問題やトラブルが発生したときは，コミュニティミーティングなどの集団療法的アプローチをとおして，問題について話し合うことのできる場づくりが患者の攻撃性を緩和したり，問題解決方法のモデルを学習する機会を提供することになる。

❷看護チームによる柔軟な対応

患者の状態や置かれている状況により，攻撃的行動へ影響する要因は様々である。看護師が一律な対応をすることで，かえって攻撃性をエスカレートさせることもある。日頃のケース検討をとおして，各患者の状況に合わせた個別ケアを看護チーム内で柔軟に提供することの意義を，看護師相互で確認しておく必要がある。

3 攻撃的言動や暴力への対応の基本

❶医療者側の組織的対策

入院時の既往歴のなかで過去に他者への攻撃や暴力があった患者については，特に観察を十分に行い，暴力的言動に関する情報を看護チーム内で共有し，対応策を講じることが求められる。暴力は，看護師が1人で事態を収めようとするときに起きていることが多いため，患者・看護師双方の安全を守るためには，1対1で無理な対応をしないことが原則である。看護師が，職業人として一人前になることを1人で業務をこなすようになることと思いこんでいると事故に遭いやすくなる。

そのため，複数の看護師で対応し，相手から手の届かない距離を保ち，自身の逃げ場を確保しておく。暴力を受けそうになったら，その場から逃れることが基本である。暴力が引き起こされた場合は，まず，患者と暴力の対象者，周囲の人の身の安全を確保する。病院内では「暴力事故防止対策マニュアル」を作成し，院内での暴言・暴力行為は容認されないという明確な方針を打ち出し，ポスターなどを外来や病棟に掲示する。また緊急時の報告および対応の体制を整備し，院内の外来を含めての全病棟および多職種間が連携して，事態に速やかに対応できるように整備しておくことが求められる。

❷患者への対応の基本

患者自身のセルフコントロール感を大事にすることは，暴力的な言動があっても重要であり，直接対応する看護師は特に注意をする必要がある。具体的には患者を「追いつめない」「脅かさない」，そして「面子(めんつ)を守る（自尊心を保つ）」ことである。

▶ **患者を追いつめない**　看護師の対応は，絶望的な状況のなかで孤立無援感を抱いている患者に，時に追い打ちをかけることにもなり得る。看護師側の正当な根拠から理詰(りづ)めで患者を追いつめてしまったり，患者に逃げ場を与えない状況では，さらに患者の攻撃性をエスカレートさせることになってしまう。また，看護師の対応そのものがしばしば患者を脅かすことにつながる可能性があるため，落ち着いた声で明確な言葉がけをする。できるだけ，患者を静かな環境に案内し，興奮を助長する恐れのある行動（大きな声を出す，注意，説得など）や身体的接触は避ける。患者の思いを否定せずに聞き，患者が了解できる内容を伝えたり，患者の心情を理解していることを伝えることで意思疎通を図る。

患者の攻撃性がエスカレートするようであれば，いったん引き下がり，時間を少しおく，あるいは人を変えて患者にかかわることが重要になる。当然であるが患者との距離，態度，姿勢，声の大きさ，明確さなど，基本的なコミュニケーションに注意する。

▶ **患者の自尊心の尊重**　また，人は自尊心が傷つけられたときに攻撃性を爆発させることがあるため，強引な対応をしたり，子ども扱いするような対応は慎むべきである。患者の攻撃性が高くなる場合には，患者だけではなく看護師自身も心理的に追いつめられていくような状況に陥る。看護師自身の安全感が脅かされる感覚が，相手の自尊心を損ない面子を失わせる言動に出てしまいかねない。緊迫した状況での看護師の対応は，その後回復してからも患者の記憶に残ることも多く，患者の人格を尊重した対応が基本となる。

4 包括的暴力防止プログラム（CVPPP）

包括的暴力防止プログラム（Comprehensive Violence Prevention and Protection Programme；CVPPP（シーブイトリプルピー））は，主に精神科医療において医療現場で発生する患者からの暴力の予防および防止をするためのプログラムである。イギリスのプログラムを日本に導入し開発されたものである。暴力による不利益が患者に起こらないように支援する基本的な考え方に基づく。

▶ **CVPPPの技術**　CVPPPは次の技術から構成される。①リスクアセスメント（攻撃性・衝動性などの暴力のリスクを予測する），②ディエスカレーション（言語的介入技法：患者の攻撃性を落ち着かせ，受容，共感，信頼関係を構築，交渉などを主としたコミュニケーション技法），③チームテクニクス（身体的介入技法：暴力行為のある患者を安全に抑制し移動できる技術である。チームで役割分担し，協力して患者の危険な行動を封じこめる），④ブレイクアウェイ（突発的に暴力が起きたときに，患者にダメージを与えずに完全に脱出する方法），⑤ディブリーフィング（暴力が収まった後の攻撃者・看護師双方のアフターケア）である[6)]。

▶ **暴力の段階と対応**　これらのアセスメントおよび介入技法，振り返りの方法は，患者の攻撃や暴力のエスカレートする段階に合わせて適切に実施することが求められる。これを示したものが図7-3である。リスクアセスメントはどの段階でも実施するものである。攻

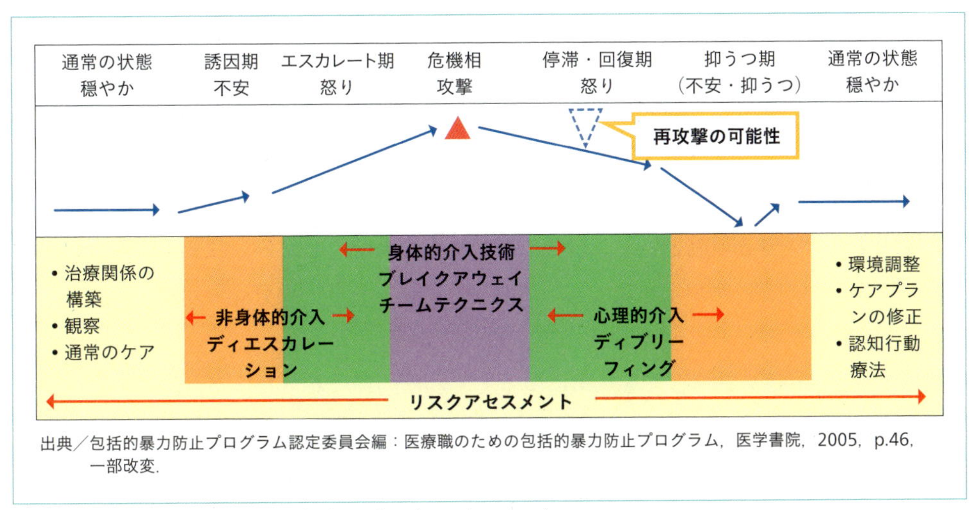

出典／包括的暴力防止プログラム認定委員会編：医療職のための包括的暴力防止プログラム，医学書院，2005，p.46，一部改変．

図7-3 暴力の段階と包括的暴力防止プログラム（CVPPP）

撃や暴力は突然始まるものではない。「通常の状態」は誰にでもある。そこでは日常的ケアのなかで観察とともに治療的関係づくりが心がけられる。

「通常の状態」から，イライラや落ち着きのなさが見え始める「誘因期」，徐々にそれがエスカレートする「エスカレート期」，そしてそれがさらに暴力が生じる「危機相」へと発展する。「誘因期」から「エスカレート期」にはディエスカレーションが，「危機相」では身体的介入技法としてブレイクアウェイやチームテクニクスが用いられる。

怒りをやり過ごしたり爆発した後には「停滞・回復期」に入るが，このときはまた再攻撃の可能性がある段階である。そして「抑うつ期」に入るが，この段階では暴力行為を振り返るディブリーフィングが実施される。

CVPPPは，単に技法を用いるのではなく，組織のなかで安全で安心できる環境づくりを目指すものであり，攻撃や暴力を受けた患者や看護師が感情を吐露(とろ)できる環境をつくることが重要とされる。CVPPPの理念の理解と的確な身体技法の習得のため，包括的暴力防止プログラム認定委員会による研修会に参加し，規定のプログラムの訓練を受けることが求められる。

5 看護者自身の振り返りと安全で安心できる職場環境づくり

患者の攻撃性は，医療現場でのコミュニケーションスキルを中心としたサービスの質と深く関係している。看護師は自身の治療的コミュニケーション能力を妨げるストレスに気づくことが重要となる。看護師の疲労，不安，怒り，また無気力は，患者への共感的接近を難しくさせる。

看護師が職業上や私生活の問題に圧倒されているような状況では，患者への対応にも影響が出てくる。患者に対する看護師自身の振り返りと自己認知が重要となる。自身のありようやふだんのコミュニケーションのつくり出す雰囲気についても理解を深めて，自己研鑽(けんさん)していく必要がある。また，そうしたことを組織的に推進する職場環境づくりが大事になる。

E 離院

入院中の患者が所定の手続きをとらずに医療者に無断で病院から出て行き，所在がわからなくなることを**無断離院**という。自分の意思による入院をしている任意入院患者の場合は，病院内での不在後に自宅に戻っているのが確認されたり，自分から帰院することもある。

▶ **離院の背景**　患者が離院しても無事に戻ってくれれば問題にならないが，医療者に無断で患者が離院してしまう背景には，①医療者に相談できない状況，②医療者に相談をしていたが進展がない状況，③入院していても先の見通しがもてずに絶望感を抱き，自殺念慮(ねんりょ)がある状況など，深刻なケースもある。

特に注意が必要なのは，自傷・他害のある入院患者が無断離院をし，その行方がわからなくなった場合である。精神保健及び精神障害者福祉に関する法律（精神保健福祉法）第39条により，警察署に捜索保護願いを出さなければならない。近年では離院は医療事故ととらえ，精神科病院の管理責任が問われる傾向にあり，患者の不明が確認されたときには的確な所在確認が求められる。

1 無断離院の状況

精神科病院で起こりやすい無断離院の状況としては，次のような事例があがる。①院外への外出中（他科受診を含む）の離院，②室外でのレクリエーション中の離院，③開放病棟の開放時間中の離院，④閉鎖病棟のドアの開閉時の離院などである。

任意入院の患者については①②③が起こりやすく，任意入院以外の場合には看護師や家族の同伴による外出やレクリエーションによる外出中である①②の状況での離院や，また④の閉鎖病棟のドアの開閉時における患者のすり抜けや医療者の不注意による開錠の結果としての離院がある。

▶ **無断離院の理由** 無断離院には様々な理由が考えられるが，患者の背景として次の場合には，その危険性が高くなる。①入院治療への不満や不信感を抱いている場合（自分の意思によらない入院であることを含む），②外出したい理由がある場合（自宅や家族のことが気になる，外出要求があるなどを含む），③家族の受け入れが悪く，先の見通しが立たない場合，④ほかの患者とのトラブルなど人間関係に問題がある場合，⑤精神状態が安定していない場合，⑥知的障害や見当識障害がある場合，である。

①③⑤は，ともに患者は入院の必要性への疑問や医療者や家族への不満や不信感を抱いていることが多い。②は単純な動機によるものであり，すぐに見つかることが多い。④は療養生活上の問題であり，患者間のトラブル時にみられる。⑥の場合には判断力の低下や見当識障害のため外出してしまった後に帰院することができなくなってしまったり，事故や事件に巻き込まれたりする危険性が高くなる。

2 無断離院の予防

精神科病院の入院患者の治療への不満や医療者への不信感など，日頃から患者の感じているつらさや悩みを看護師が知る努力や，語ってもらえる関係づくりが基本になる。

これは，情緒的な治療的環境づくりとも重なるが，無断離院には患者なりの理由や意味があってのことが多いので，患者なりの思いや願いを看護師がどれだけつかむことができているかが重要となる。日常生活のなかに表れる小さなサインに気づき，患者と向き合うことが求められる。そのためには常に患者に関心をもち，「いつもと違う」と思われる情報を看護チーム内で共有し，勤務時の患者の状況，服装，病棟を出た時間などを把握しておく。また無断離院発生時のマニュアルの整備も必要である。

3 無断離院発生時の対応

❶患者の捜索

患者の無断離院と思われる事態が発生した場合には，一看護師だけあるいは病棟の看護師だけで探さずに，速やかに病棟管理責任者および安全管理者に連絡し，組織的な対策を実施することが基本である。

患者の家族へ連絡し，捜索チームを編成し，病院周辺および患者の行きそうな場所を探す。また，最寄りの駅やタクシー会社へ連絡する。状況に応じて家族の了解を得て警察に保護願いを提出する。自傷・他害の恐れのある患者については，精神保健福祉法第39条に基づき所轄の警察署長へ速やかに通知し，探索を警察に依頼する。

❷患者の所在確認および帰院時の対応

患者の所在が確認でき帰院した場合には，無断離院を理由に行動制限をするなどの懲罰的対応があってはならない。看護師は，患者が無事に帰ってきたことの安堵の気持ちや喜びを伝え，落ち着いた対応をすべきである。患者の身体の損傷の有無を確認し，また精神状態をアセスメントし，必要に応じて飲み物や食べ物を提供し，患者が心身共にリラックスできるように環境を整え，休息をとることができるようにする。

❸再発防止に向けての対応

患者が休息をとり，落ち着いた頃に，今回の離院の状況について患者から話を聞く。動機や経過，どこでどのように過ごしたのかを聞き，離院の背後にあった患者の思いや希望を確認する。この際，入院治療への不満や医療者への不信感などがある場合には，改めて医療チーム内で検討し治療やケアに生かしていく。

無断離院という1つの事故をとおして，患者が自分のことを気にかけてくれる人がいることを知り，医療者との信頼関係を築くためのきっかけとして生かしていくことが重要となる。また医療チーム内では，関連職種との事例の振り返りをとおして，再発防止策を検討する。

F 隔離・身体拘束

隔離（かくり）や身体拘束（こうそく）を受けるという経験は，たとえ，それが治療上必要であったとしても患者にとっては恐怖や苦痛をもたらす体験になることが多く，患者自身も記憶していることが多い。**行動制限**は，ほかに代替方法がない場合に，やむを得ず行う制限であり，実際に隔離および身体拘束中のリスクについて看護師は十分認識して行動の制限をしなければならない。12時間を超える隔離や身体拘束には，**精神保健指定医**の診察に基づく指示が必要となる。看護ケア時に，隔離を一時的に中断することは，看護師の判断で行うことができる。やむを得ず，隔離や身体拘束を行う際は，患者の状態にかかわらず理由を説明しなければならない。

また，行動制限は人権侵害につながる恐れがあるため，行動制限にかかわる諸条件が改善した時点での速やかな解除を目指すための看護計画を立てる。

1 保護室での安全対策

隔離は患者の自傷・他害の危険性が高く，一般室では安全の確保ができずほかの手段がない場合に選択される。

▶ **保護室での観察** **保護室**は音が響きにくく，患者にとって低刺激な環境につくられている。しかし保護室へ入室した患者は，医療者はいつ自分を訪室してくれるのかもわからず，自らは誰にも接触できない環境に置かれる。患者が保護室にいるということは看護師の目の届かない場所にいるという意味でも，注意深い，きめ細やかな観察が求められる。

保護室に監視カメラが導入されている場合もあるかもしれないが，患者側からするとプライバシーの侵害にもあたるため，入室前に説明が必要となる。また，あくまでも直接観察をしなければ観察とならない。個々の患者の状態や必要度に合わせて，最低でも30分に1回以上の観察をきめ細やかに行わなければならない。

▶ **保護室への私物の持ち込み** 保護室への私物の持ち込みについては，一覧表を作成し，看護師間で情報を共有しておく。また，隔離しているが，時間を限定したうえで一時的に一般室やデイルームで過ごす場合，保護室に再度入室する際には持ち物を確認するなどの身体チェックを行う必要がある。その際，患者には事前にていねいな説明をし，了解を得て行う。毎回のことであり，看護師側にとっては日常的な確認のための行為であるが，患者にとっては屈辱(くつじょく)的な印象をもつ場合もあるので，常に患者の尊厳を損なうことのないように，ていねいな説明を行い，持ち物の確認への協力要請をしていく。

▶ **保護室使用の評価** 隔離が漫然と継続され長期に及ぶことのないように，保護室使用についての定期的評価および検討をすべきである。保護室の患者の生活行動のすべてを観察することにより安全を確保する責任と，患者の尊厳とプライバシーの保護を守る責任を，一人ひとりが真摯(しんし)に考え，またチーム内で継続的に検討していく必要がある。そうでないと，看護師のしていることが内含(ないがん)している危うさに自らが無頓着(むとんちゃく)になる危険性がある。

2 身体拘束時の安全対策

身体拘束とは，一時的に患者の身体を拘束し，その運動を抑制する行動の制限であり，患者の生命の危険，重大な身体的損傷を予防し安全を確保するために行われるものである。身体拘束は，代替方法が見い出せるまでのやむを得ない処置として行われる。

身体拘束は隔離と比較しても，制限の度合いはさらに強く，患者の精神的・身体的苦痛は大きい。また，注意すべき重大な問題は，身体拘束による二次的な障害を引き起こす可能性もあることであり，可能な限り早期にほかの方法に切り替えるように努める必要がある。

▶ **身体拘束の危険性** 身体拘束を行うためには，部分的または段階的な解除が可能なことや，着脱が容易であること，さらに安全性の面からマグネット式拘束帯（こうそくたい）を使用することが推奨されている。身体拘束中に生じる危険性については**表7-4**にまとめた。

他者の身体を拘束することは憲法で保障されている基本的人権の侵害に当たる。たとえ正当な理由があり治療として行うにしろ，身体拘束は必要最小限でなければならず，実施に当たっては精神保健福祉法の規定（第36条第2項）に定められた手続きに従い，患者の

表7-4 身体拘束中に想定される危険性と対策

拘束中の危険性と原因		予防的ケア
静脈血栓塞栓症（下肢静脈血栓・肺塞栓）	長時間の安静後に下肢にできた深部静脈血栓が遊離して肺動脈を閉塞して発症する。エコノミークラス症候群ともよばれる。精神科入院患者には血栓が生じやすく[注1)]，生命に直結する疾患であり早期の発見・対処が求められる。	• 観察（呼吸困難，咳嗽，血痰，胸痛，頻脈，チアノーゼなどの初発症状） • 経皮的動脈血酸素飽和度（SpO_2）／バイタルサインの測定 • 早期離床 • 積極的な下肢の自動および他動運動（下肢の挙上など） • 弾性ストッキングの着用 • 間欠的下肢圧迫装置[注2)]の着用 • 水分の補給とイン・アウトの計測 • 薬物的予防，ヘパリン5000単位の皮下注射（2回/日） • 血液検査による血栓測定，血中のDダイマー測定[注3)]
窒息，誤嚥性肺炎，沈下性肺炎	不適切および不完全な拘束により首に拘束帯が引っかかったり，過度に締めつけたりすることにより呼吸抑制や窒息を起こす危険性がある。仰臥位の状態で拘束が続くと気管内分泌物や吐物の喀出が困難となり誤嚥性肺炎や窒息に至ることがある。	• 観察（拘束部位の確認，呼吸困難，咳嗽，胸痛，チアノーゼなどの胸部症状の有無） • 適切な拘束の実施 • 拘束帯の一時的解除による苦痛の軽減 • 食事介助時には可能な限り座位とする • 体位の工夫（食後2時間はベッドを挙上したままとする） • 口腔内の清潔の保持 • 窒息発生時にはすぐに対応するために，心電図モニターを装着
ストレス性潰瘍，イレウス	臥床の長期化や向精神薬の有害作用により腸蠕動の低下が起こり，便秘・イレウスのリスクが高まる。	• 観察（腸蠕動の聴取，腹部の触診） • 排泄は可能な限り離床して行えるように援助 • 腹部のマッサージ
尿路感染，ルートトラブル感染	尿量の減少により，尿路感染が生じやすく，また末梢静脈ルートや尿道カテーテルなどのルートからの感染のリスクがある。	• 観察 • 水分イン・アウトチェック • 尿道カテーテルの必要性を評価し早期に中止 • ルートに患者の手が届かないように走行を工夫 • 必要性を評価し，不要なチューブ類は抜去
関節・筋肉痛	臥床の持続や車椅子（いす）への固定により筋力の低下が急速に起こる。同一体位を強いられることによる。	• 観察（関節・筋拘痛の有無，痛み・しびれの有無や部位） • 拘束帯を一時的に解除して，自動または他動的に関節の運動 • 2時間ごとの体位変換
血行障害・神経圧迫症状	四肢の拘束帯を強く締めすぎた結果，末梢の血行障害や神経麻痺が起こる。	• 観察（末梢のうっ血・浮腫など，しびれ・疼痛などの神経圧迫症状の有無） • 上記の状態がみられたときには，拘束帯を一時的に解除し，循環を促し，再度適切な強さで拘束帯を装着 • 手関節・足関節に近い最細部に指が1本入る程度の余裕をもたせて装着
転倒・転落	離床する際や不十分な拘束のために転倒・転落が起こる可能性がある。	• 観察（拘束帯の状況，起立性低血圧の有無，ベッドの高さ） • 拘束帯の工夫（片側のみの拘束は転落リスクが高いので行わない，寝返り調節帯は必ず装着する） • 離床する場合は座位になりゆっくりと立ち上がるように声かけし，見守る

注1）2008（平成20）年4月より精神科病床入院患者を対象として肺血栓塞栓予防管理料が新設され，予防が積極的に行われるようになってきている。
注2）24時間連続運転が可能な空気圧式マッサージ器。間欠的空気圧迫法で下肢静脈血の還流を促進できる。
注3）Dダイマーは，線維素溶解現象（フィブリン溶解現象）を調べる検査で，体の中のどこかに血栓ができていれば線溶現象が亢進し，フィブリン分解産物の一つであるDダイマーが高い値を示す。

人権の尊重に十分留意すべきである。

日本では，診療報酬制度による行動制限最小化委員会設置の義務づけにより，基本指針の整備，行動制限最小化委員会による月1回の評価，職員を対象とした年2回の研修の実施が定められている。また，日本医療機能評価機構による審査項目に身体拘束を減少させる取り組みが定められている[7)]。このような状況にもかかわらず，日本の精神科における身体拘束は施行時間，頻度ともに増加している[8)]。海外との比較でも日本の拘束頻度および時間は非常に長いという実態がある[9)]。海外の状況と単純に比較することはできないが，**隔離・身体拘束使用防止のための介入技術である「主要6戦略」**（column参照）がアメリカ，オーストラリア，ニュージーランドで普及しつつあり，日本でも紹介されている。残念ながら，日本では少ない医療者数で多くの患者を看護している現状にあり，患者の行動の制限が医療者にとって当たり前となり，その問題を十分認識できない状況が生じやすい。先進国の取り組みを知ることにより，どのように隔離（かくり）・身体拘束（こうそく）を減少させ適切なケアを提供できるのか，広い視野をもち，可能性を探求する必要がある。

3 これからの隔離・身体拘束の最適化に向けて

看護師を対象とする研修としては，日本精神科看護協会主催による行動制限最小化研修

隔離・身体拘束使用防止のための介入技術である「主要6戦略」

アメリカの精神科看護師ケヴィン・A・ハックショーン（Hucksborn，K.A.）により提示された〈Six Core Strategies〉は，6つの主要戦略としてあげられている内容を実施することによって，アメリカの多くの施設で隔離・身体拘束使用の減少がみられたとのことで，オーストラリア，ニュージーランドで普及しつつあり，日本でも紹介されている。6つの戦略を次に示す。

戦略1	**組織改革に向けてのリーダーシップ**（明確なリーダーシップのもと隔離・身体拘束最小化の使命・ケア理念などが明確に記載され，すべてのスタッフの役割と責任を明確に示すなど）
戦略2	**実践を形作るためのデータ利用**（隔離・身体拘束の施設内実施状況を示すデータが，病棟別，シフト別日単位，スタッフ別に隔離・身体拘束実施の特徴を分析するために活用されるなど）
戦略3	**スタッフ力の強化**（スタッフには，隔離・身体拘束ハイリスク患者に対し，その実施を減少させる方法を組み入れた治療計画を立てる技能を身につけるための研修や教育を受ける機会が与えられなければならないなど）
戦略4	**隔離・身体拘束使用防止ツールの利用**［個々の患者の状況に合わせて，隔離・身体拘束の減少のために多くのツール（ディエスカレーションないし危機的状況に対するケアプランと契約，施設環境の工夫，すでに有効とされている日々の治療法）を利用するなど］
戦略5	**入院施設での患者の役割**（患者や回復の途上にある人は，隔離・身体拘束最小化を援助するため病院組織のなかで様々な役割を担うべきであるなど）
戦略6	**ディブリーフィング**（実施された隔離・身体拘束を分析することから知識を得て，その知識を活かして次の実施を回避するための考え方，手順と実施を普及し，隔離・身体拘束が実施された際にかかわったすべての人に，隔離・身体拘束の心理的副作用を和らげることなど）

出典／Huckshorn，K.A.: Six Core Strategies for Reducing Seclusion and Restraint Use©，2006，p.1-3. https://www.nasmhpd.org/sites/default/files/Consolidated%20Six%20Core%20Strategies%20Document.pdf（最終アクセス日：2019/7/22）をもとに作成.

会の開催や，前述した包括的暴力防止プログラム認定委員会によるCVPPPの研修が一般的で，広く実施されている。これらにより隔離・身体拘束の最適化のための看護師個々のスキルアップがなされるようになっている。また，隔離・身体拘束の現状把握と目標設定のための基本情報の把握として，現在，一覧表台帳整備が精神科病院には義務づけられている。他施設と共同しモニタリングすることにより，各施設における隔離・身体拘束の適切さや治療効果を比較検討することができるようなしくみづくりも行われている。このように，精神科病院では隔離・身体拘束の最適化のための整備が進められつつある。

今後，日本では患者をコントロールするための隔離・身体拘束から患者とのパートナーシップを築く方略を，患者自身の視点から模索していくことが求められる。非自発的入院により治療を受けた患者の再入院率の低さは，自分が受けた治療を正しいと認識できることと関係していることが報告されている[10]ことや，非自発的入院により治療を受けた患者で入院が適切だったと認識する者は，具合が悪いときの強制的な介入が必要だったと認識していた[11]。隔離・身体拘束は患者の意に反して実施されることになるが，その経験が患者自身にとって意味があったと実感できるような援助とはどのような支援なのか。患者からの体験の聞き取りなどの調査をとおして，さらに探求していく必要がある。また，できる限り隔離・身体拘束をせずにすむケアや環境づくりを，看護師が中心となり創造していくことが重要である。

Ⅱ 事例で学ぶ:精神疾患／障害をもつ人への看護

 統合失調症

1. 急性期から回復期にある統合失調症をもつ人への看護

1 疾患の特徴

統合失調症の主要な症状には，陽性症状，陰性症状，認知機能障害がある。

❶急性期の特徴と対応

急性期の特徴 急性期においては，幻覚妄想，滅裂思考，興奮，昏迷などの**陽性症状**が激しいことが多い。幻覚妄想のために，自分を卑下したり理不尽な命令をしたりする声が聴こえたり，恐ろしいものや情景が見えたり，自分や大事な人に危険が迫っているという確信をもったりすることにより，患者はまわりの人や環境への安心感がもてず，強い不安や恐怖を感じる。さらに，これらの陽性症状による体験を他者と共有することができないた

めに，患者は強い孤独感と無力感を感じることになる。

急性期の対応　急性期では，激しい精神症状のために日常生活に大きな支障を受ける。急性期のケアにおいては，回復過程を順調に経過して回復期へと移行していけるように，まずは安心と安全を保障し，不足するセルフケアを保護的に援助し，十分な休息がとれるよう支えることが重要である。患者は自身の飲食，排泄，身体の状態などに注意を向けるゆとりがないことも多いため，水分出納バランスや全身状態の観察を十分に行う必要がある（表7-5）。

❷回復期の特徴と対応

回復期の特徴　回復期になると陽性症状は軽減するが，陰性症状や認知機能障害による生活への影響が目立つようになる。生き生きとした感情を失う**感情の平板化**や，ものごとに取り組む意欲がわいてこない**自発性の低下**，人とかかわることが億劫になる**自閉**は，患者にとって活動範囲や他者との交流が制限されるつらい症状である。

また**認知機能障害**により，物事を全体的視野でとらえたり融通性をもって認知したりできないために，問題解決や柔軟な対応が困難になることは患者の自信を損なう。

さらに，これらの陰性症状や認知機能障害による影響は，周囲からは患者の個性とみられたり，怠（なま）けていると誤解されたりすることがある。

回復期の対応　患者の陰性症状や認知機能障害の影響を的確にアセスメントし，症状への対処を考える視点をもつことが重要である。回復期の前半は，患者に急性期に大量のエネルギーを消耗した疲労がまだ残っており，頭がぼんやりし，からだが動かない状態が続くため，十分な休息をとりながら少しずつ活動を広げていくことが大切である。回復期の後半になると，患者に心にゆとりができて，身のまわりを整えたり，気疲れせずに人と一緒

表7-5　統合失調症をもつ人の看護の重要ポイント

急性期	• 激しい精神症状により，強い不安や恐怖を体験していることに思いを寄せ，安心できるようにかかわる。 • 非自発的な入院や制限のある入院環境による自尊心の低下に配慮し，できる限り患者の意思を尊重する。 • 十分な休息がとれるように環境を整え，不足するセルフケアを保護的に補い，回復過程を順調に経過するように支える。 • 休息がとれなかったことによる疲弊や抗精神病薬有害作用の影響を考慮し，身体状態を観察し，整うように支援する。 • 患者の気持ちに配慮しながら，服薬が継続できるように支援する。
回復期	• 陰性症状や認知機能障害による生活への影響をアセスメントし，活動や交流が広がるように支援する。 • 回復前期は十分な休息を取りながら活動を広げることを支援する。 • 回復後期は地域生活へ移行する準備を進めることを支援する。 • 退院支援では，患者の希望と不安を聴き，退院後のその人らしい生活の実現に向けて支援する。 • 退院支援では，社会資源の活用について一緒に考える。 • 退院に向けて，家族を支援し，家族と連携しながら準備を進める。
慢性期（維持期）	• 長期入院のために回復過程の途中で停滞している患者が，自信と希望を取り戻し，再び回復過程を進めるように支援する。 • 地域のなかでの居場所や役割を失った患者が，地域で生活することをイメージし，安心して退院の可能性について考えられるように支援する。 • 患者の回復や退院の可能性を信じ，患者のストレングス（強み）に焦点を当てた支援を行う。 • 陰性症状や抗精神病薬の有害作用，長期にわたる入院生活によって低下したセルフケアの維持・向上を支える。 • 社会資源についての知識を活用し，多職種チームで連携して支援する。

に過ごしたりできるようになるため，地域生活へ移行していく準備を進めることができる。

回復期におけるケアは，患者がセルフケアをどの程度行えるかということに合わせて変化させていく必要がある。そして，患者の話をよく聴いて退院後のその人らしい生活をイメージし，それに合わせて活動の拡大や服薬継続方法，症状への対処，社会資源の活用などについて一緒に考えていくことが大切である（表7-5）。

2 事例紹介

❶患者の概要

1. 患者プロフィール

患者：Aさん，19歳，女性
病名：統合失調症
家族：両親，5歳下の妹と同居

2. 入院までの経過

子どもの頃からおとなしい性格であったが，少ないながら友人もいた。5歳からピアノを始め，高校3年生まで習っていた。保育士になるという夢をもって勉強しており，成績もよかった。高校3年生の夏頃から成績が下がり始め，学校を休むことが増えたが，何とか卒業し，大学の保育科に進学した。

大学では友人がなかなかできず，ボランティアサークルに入ったが2～3回参加して行かなくなった。大学1年生の6月頃から授業を休みがちになった。母親が理由を聞くと「みんなに噂されている。行きたくない」と話した。家では，ほとんど自室で過ごしており，昼間もカーテンを閉めきっていた。

夏休みの後は大学にまったく行かなくなった。昼間に寝て，夜中に食事や入浴をするという昼夜逆転した生活が半年ほど続いた。入院の1か月ほど前より，独り言が増え，「うるさい！」と突然大きな声を出すことがあった。

入院前日，寝ている母親を起こして，「おばあちゃんの家が燃えている」と顔面蒼白で訴えた。母親が，祖母宅に電話して大丈夫であることを説明したが，Aさんはまったく落ちつかず家を飛び出そうとした。父親がなんとか止めて付き添ったが「私が考えたことが現実に起こってしまう。ほかの人に考えが全部ばれてしまっている」とつぶやきながら，Aさんは朝まで家の中を歩き回っていた。

3. 入院時の状態と治療方針

Aさんは両親に伴われて精神科病院を受診した。主治医から「心身ともに疲れている状態なので入院して休養する必要があります」と説明されると，Aさんはぼうぜんとした表情のまま「病気じゃないので帰ります。私をつかまえようとしているんですか」と看護師を押しのけて診察室から出ようとした。父親の同意による医療保護入院となった。母親によると，入院前1週間はほとんど寝ていなかったようで，食事はパンやジュースなどを時々とっていたとのことだった。

入院後は，Aさんの安全を確保し，刺激の少ない環境で休養する必要があるという主治医（精神保健指定医）の判断により，保護室に入室した。看護師の話しかけには目を合わさず，ぼうぜんとした表情で短く返事をするのみであった。非定型抗精神病薬と睡眠導入薬が処方となった。

4. 本人の目標，希望，強み

本人の目標，希望：家に帰りたい
強み：高校までは成績は良く，友人もいた。保育士になる夢をもって勉強していた。大学のボランティアサークルで活動していた

❷入院後の経過と全体像のアセスメント

(1) 入院後の経過

入院当日　看護師が夕食を持っていくと，看護師に駆け寄り「出してください。家に帰りたいんです」と眉間にしわを寄せ，切羽詰まった表情で話した。看護師は頷きながら，

「座って話しましょう」と促した。そして,「しばらく眠れていなくて疲れていると聞いています。体調を整えてから家に戻っていただきたいなと思っています。そのためにも、ご飯を食べて今日はよく休んでほしいです」と伝えた。食事を促すと少量だけ食べた。薬を持って行くと,「飲まないとだめですか」とAさんは言った。「今日は薬を飲んでゆっくり休んでほしいのですが」とゆっくりと説明すると，頷いて服用した。19時から入眠した。

入院2日目　朝，看護師が訪室すると「大変なことは起こってないですか。ここは安全ですか？」と心配そうな表情で話したため，看護師は「大丈夫ですよ，大変なことは起こっていないですよ。ここは安全です」とゆっくりと優しい口調で伝えた。食事は半分程度食べた。「お薬は飲めそうですか」と看護師が聞くと，頷いて服用した。洗面を促すとゆっくり自分で行った。看護師の介助でシャワー浴を行った。それ以外の時間は入眠して過ごした。

(2) 全体像のアセスメント

現在は急性期にあり，妄想や思考伝播という症状によって強い不安を感じ混乱している。これらの症状のために現実吟味能力，判断力，柔軟性が損なわれ，自我が脆弱な状態である。落ち着いた態度での説明，促し，介助によって，食事や服薬，休息をとることができている。

3　急性期における看護

❶看護目標

安心して十分な休息をとり，回復過程を順調に経過する。

❷アセスメントと看護計画

Aさんについて次のようにアセスメントした。

(1) 精神症状および入院と保護室入室による不安と混乱

現在は，精神症状および服薬による強い不安を感じ混乱している。また，不本意な入院や保護室への入室によって自尊感情が低下し，不安と混乱が増している。落ち着いた態度でかかわり，不便さが少なくなるように配慮し，Aさんが安心して休息を十分とれるように支えることが重要である。

(2) セルフケア能力の低下

精神症状の影響によりセルフケア能力が低下しており，食事や服薬，洗面，シャワー浴など全般にわたって援助が必要な状態である。セルフケアを保護的に援助し，無理せず休息がとれるように支える必要がある。

(3) 身体的消耗

入院まで栄養や休息が十分にとれないまま活動していたために，身体的に消耗している。休息の必要性を説明し，安心できる環境を整え十分な休息がとれるように援助する必要がある。

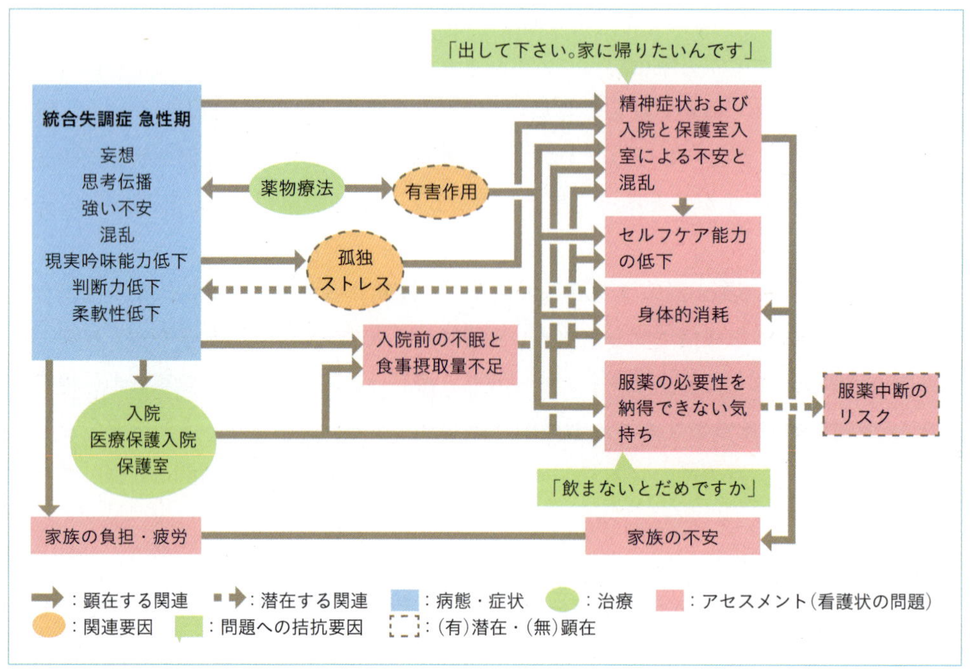

統合失調症 急性期　関連図

(4) 服薬の必要性を納得できない気持ち

薬について「飲まないとだめですか」という発言があったように服薬の必要性を納得しておらず，説明と促しによってなんとか服用している状況である。今後，A さんが落ち着いてきたときに，薬に対する A さんの気持ちを聴いていくことが必要である。

(5) 家族の不安

家族は入院前の A さんの激しい症状を大変心配し，A さんを守ろうとして心身ともに疲れきっている。また，A さんの思いに反して入院させたことについても，つらい思いでいると考えられる。病気の診断や，初めての精神科病院への入院に戸惑う家族の不安に寄り添う必要がある。

現在の A さんにとって優先度が高く，今後の回復を促進するうえで重要となると考えられる「精神症状および入院と保護室入室による不安と混乱」について看護計画の概要を示す。

アセスメント 主観的情報，客観的情報， 関連要因(O，S，E)	目標および評価指標	看護計画 観察，ケア，教育(O，T，E)
精神症状および入院と保護室入室による不安と混乱 S：「病気じゃないので帰ります。私をつかまえようとしているんですか」と看護師を押しのけて診察室から出ようとした。看護師に駆け寄り「出してください。家に帰りた	目標：安心して休息できる 評価指標： • 不安を表出する発言が減る • 休息を十分とる • 看護師と落ち着いて会話する	O：睡眠時間，日中の過ごし方，現状に対する発言，不安の表出，精神症状，現実検討力 T：落ち着いた言動で寄り添うことで安心感を提供し，休息を支持する ①安心できるような声かけをする ②落ち着いた態度で接する

アセスメント 主観的情報，客観的情報， 関連要因（O，S，E）	目標および評価指標	看護計画 観察，ケア，教育（O，T，E）
いんです」と話す。「大変なことは起こってないですか。ここは安全ですか？」という発言がある O：眉間にしわを寄せ，切羽詰まった表情。落ち着かない様子で部屋の中を歩く。心配そうな表情		③休息を十分にとることを支持し，見守る

❸実施した看護と患者の反応

(1) 安心できるような声かけをする

訪室するときはドアをノックして呼びかけてから入り，時間や1日の流れがわかるように時間と訪室した理由を伝えた。そして，「主治医から説明があったように，今は静かな環境でゆっくり休めるようにこの部屋を使っていただいています。落ち着かれたら数日で自由に出入りできる部屋に変わっていただく予定です。ドアが閉まっていて心細いかもしれませんが，30分に1回は来ますし，声をかけてくださったらいつでも来ますからね」と伝えた。Aさんは，不安な表情になることなく看護師と目を合わせて聴いていた。Aさんが「大変なことは起こってないですか。ここは安全ですか？」と聞いたときには，「大変なことは起こっていないので大丈夫です。ここは安全ですので安心して休んでくださいね」と答えた。Aさんは頷（うなず）いていた。

(2) 落ち着いた態度で接する

Aさんに近づくときは落ち着いて動き，話しかけるときは斜め横からゆっくりと話した。声かけの間に十分な時間をもち，Aさんが理解したり返事を考えたりするための時間をつくった。そして，体調を尋ねたり寒さや暑さは大丈夫か聞いたりして，しばらく一緒に過ごした。Aさんは，看護師の訪室や話しかけに対して驚いたり，混乱したりする様子はなく，話しかけに対して返事をした。

(3) 休息を十分にとることを支持し，見守る

Aさんは夜間の睡眠だけでなく，日中も眠っていることが多かった。「寝てばかりいる」と言うAさんに，「今はゆっくり休まれることが大切だと思います」と伝え，休息をとることを支持した。Aさんは，食事や服薬以外の時間は横になって過ごしていた。

❹評価

落ち着いた言動で寄り添うことで安心感を提供し，休息を支持することによって，Aさんの不安な表情や発言が減り，看護師と落ち着いて対話し，十分な休息をとることができているため，「安心して休息できる」という目標は達成できたと考える。したがって，実施した看護は現在のAさんに適切であったと考えられる。

4 回復期における看護

❶回復期の経過とアセスメント

(1) 入院後から回復期の経過

入院3日目 不安な表情や発言はほとんどなくなった。下膳時に「ありがとうございます」と小声で言ったり，「入浴は週に何回ですか」と聞いたりして周囲の人やセルフケアに関心を向けるゆとりがみられるようになり，隔離解除となった。保護室から個室に移動しても，しばらくは食事や入浴のとき以外は日中もほとんど入眠して過ごしていた。

入院2か月後 食事や入浴のセルフケアも自分で行い，髪をとかし，床頭台を整理して身の回りを整えている。

主治医の指示で入院1か月後から作業療法に参加している。作業療法室では音楽を聴いていることが多く，時々近くに座った患者に話しかけられると短い会話をしている。作業療法士に勧められると卓球をすることもあり，短時間だが笑顔を交えて楽しんでいる。からだを動かした後は「ちょっと疲れました」と午睡している。病棟では，家族に持ってきてもらったファッション雑誌をデイルームで見ていることがあるが，ベッドで横になっていることも多い。声をかけると，「入院していると退屈です」とAさんは答えた。

診察時に幻聴について主治医に聞かれると，「ざわざわと小さい音が聞こえるけど，何かしているときは気にならない」と話した。そして，「いつ退院できますか」と聞いた。主治医から，外泊を繰り返して家での生活に慣れていくことや，心理教育に参加して病気や薬との付き合い方を身につけていくことが退院までに必要だと話され，Aさんは黙って聞いていた。そして，「薬はずっと飲まないとだめですか」とAさんが尋ねたため，主治医から服薬を継続することの重要性が説明された。Aさんは黙って聞いていた。

診察後，看護師が声をかけると「大学に戻りたい。もう2か月も入院しているので早く退院したい」と思いつめた表情で話した。

(2) 回復期のアセスメント

妄想が続いている可能性はあるが訴えはなくなり，陽性症状による日常生活への支障はかなり少なくなっている。身の回りを整えたり，ほかの患者と短い会話をしたり，笑顔を交えて卓球をしたりしている。しかし，自発性の低下や自閉という陰性症状や，急性期に大量のエネルギーを使ったことによる疲れにより就床していることが多く，活動や他者との交流は少なく受け身である。現在は回復期にあり，活動範囲や他者との交流を広げ，自信をつけながら地域生活に移行していくための準備を支える援助が必要となる。

❷看護目標

家族や多職種と話し合いながら，希望をもって自信をつけながら地域生活移行準備を進めることができる。

❸アセスメントと看護計画

Aさんについて次のようにアセスメントした。

(1) 地域生活移行準備状態

地域生活に戻るために準備をしていく状態である。A さんは，早く退院したいという気持ちが強く，外泊や心理教育への参加をとおして退院の準備を進めていくという主治医の説明を黙って聞いていたことから，退院までの準備について納得しているか不明である。早く退院したいという気持ちを受け止め，外泊や心理教育への参加に対する気持ちを聞き，A さんが納得したうえで退院に向けて準備を進められるように援助していく必要がある。入院生活のなかで A さんが楽しみ，自信をつけられるように支えることも重要である。

(2) 服薬継続についての気持ちが表出されていないこと

「薬はずっと飲まないとだめですか」と主治医に質問し，主治医からの説明を黙って聞いていたことから，服薬について納得できない思いがあることが考えられる。薬の服用についての A さんの気持ちの表出を促し，気持ちを受け止め，どのようにできるか一緒に考えていく必要がある。

(3) 退院に向けての家族の不安

家族は入院前の A さんの行動を大変心配しており，退院後の A さんをどのように支えたらよいか不安に感じていると考えられる。まずは最近の入院生活のなかで落ち着いてきた A さんの様子を伝え，家族が安心できるように支える必要がある。そして，外泊に向けての家族の気持ちを聴く機会をもち，外泊後にも状況を聴くことで，一緒に退院後の生活について考えていくことが必要である。

A さんにとって優先度が高いと考えられる「地域生活移行準備状態」について，看護計画の概要を示す。

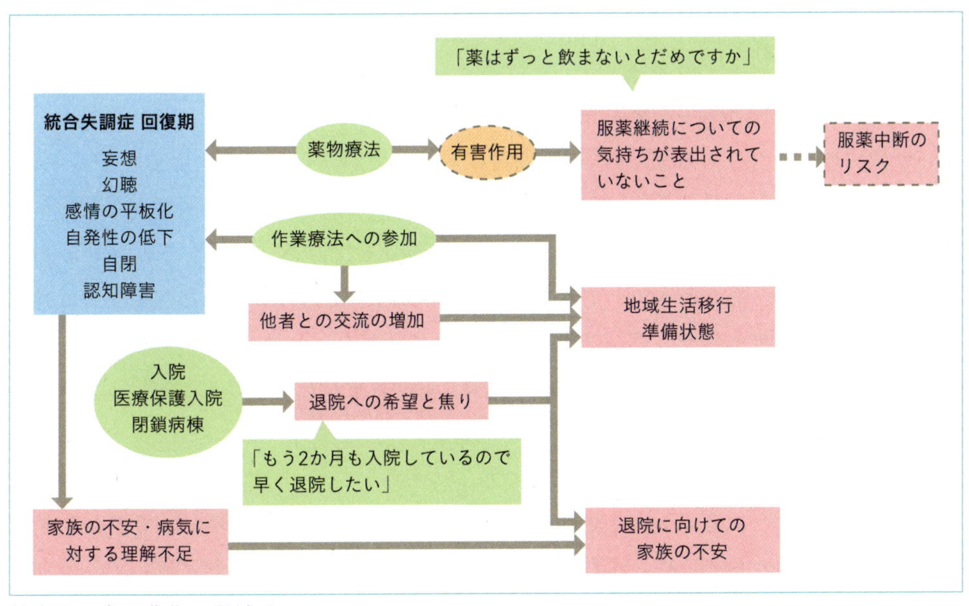

統合失調症 回復期　関連図

アセスメント 主観的情報，客観的情報， 関連要因（O，S，E）	目標および評価指標	看護計画 観察，ケア，教育（O，T，E）
地域生活移行準備状態 S：幻聴について，「ざわざわと小さい音が聞こえるけど，何かしているときは気にならない」と話す。「いつ退院できますか」と主治医に発言している。「大学に戻りたい。もう2か月も入院しているので早く退院したい」と看護師に話す O：整容，身辺整理，食事，入浴のセルフケアが行える，作業療法に参加し近くに座った人と話をしている，短時間の活動を楽しんでいる，作業療法以外はベッドで横になっていることも多い，外泊や心理教育への参加をとおして退院の準備を進めていくという主治医の説明を黙って聴いている	目標：外泊や心理教育への参加について納得し，自信をつけながら地域生活への移行の準備を進められる 評価指標： • 退院までの準備を前向きにとらえる発言がある • 楽しんで参加できる活動が増える • 心身の疲れに早めに対処できる	O：活動と休息のバランス，作業療法に参加する様子，心理教育に参加する様子，外泊前後の様子，家族との関係 T：Aさんの気持ちを共有し，情報を伝えて相談し，他職種や家族とも調整して，Aさんが納得して移行準備に取り組めるように支える ①退院したい気持ちを受け止め，退院後の生活についての意向を聞く ②心理教育に対する気持ちを聴き，前向きに参加できるように情報提供する ③外泊に向けてAさんも家族も準備できるようにかかわる ④好きなことやできることを生かした楽しめる活動を促す ⑤心身の疲れへの対処を評価する

❹実施した看護と患者の反応

(1) 早く退院したい気持ちを受け止め，退院後の生活についての意向を聞く

診察時の主治医との会話について気持ちを聴くと，「すぐに退院したいのに，外泊して心理教育に出るようにと言われて，がっかりしました」とAさんは答えた。「がっかりしたのですね。正直な気持ちを教えてくれてありがとう」と受け止め，「外泊や心理教育への参加は気が進まないですか」と聞いた。Aさんは，「外泊して慣れていくというのは大事かなと思います。心理教育はどういうものかわからない」と答えたため，心理教育のプログラムを渡すことを伝えた。また，「退院したらどんな生活をしたいと思っていますか」と聞くと，Aさんは「家事を手伝いたいです。外泊の時に少し手伝いをしてみます」と話した。

(2) 心理教育に対する気持ちを聴き，前向きに参加できるように情報提供する

心理教育のプログラムを渡し，「心理教育は退院してから安心して生活できるように，退院前に参加していただく活動です。病気や薬，生活のしかたについて医師や薬剤師から話を聞くときもあるし，参加しているみなさんで意見を出しあったりするときもあります。退院してから利用できるサービスや制度について紹介されるときもあります」と説明し，予想される参加人数や，担当スタッフについて伝えた。Aさんは，「どういうものかわからなくて心配だったけど，説明を聞いて少し安心しました。薬のことをしっかり聞いてみたい」と話した。

(3) 外泊に向けてAさんも家族も準備できるようにかかわる

外泊中はどのように過ごしたいか聞くと，「自分の部屋でゆっくり寝たいです」とAさんは話した。母親の面会時に，外泊について気になることはないか母親に聞いてみた。母親は，「ちゃんと夜寝てくれるか心配です」と話したため，最近はよく眠れていることを

伝えた。眠れなかったときの対応を外泊までに相談することをAさんに提案すると，Aさんは「そうしたいです」と答えた。

(4) 好きなことやできることを生かした楽しめる活動を促す

Aさんにしてみたいことについて尋ねると，「ピアノが弾けたら気分転換になると思うけど難しいですよね」と話してくれた。作業療法士に相談すると，作業療法室のピアノを弾けるように準備できるとのことであった。次の作業療法では一緒に楽譜から曲を選び，Aさんは数曲演奏した。まわりにいた数人の患者と看護師が拍手して感想を伝えた。Aさんは，「しばらく弾いてないから，あまりうまく弾けなかったけど，楽しかった」と笑顔で言った。

(5) 心身の疲れへの対処を評価する

Aさんに「作業療法で卓球をして疲れたときにはからだを休めておられますね。疲れたときに休むのはよい対処だと思います」と伝えると，「寝てばかりと思っていたけど，休んでいいんですね」とAさんは話した。「からだや心の調子に気づけることは大事ですね。疲れに気づいて早めに休めると安心ですね」と伝えると，「そうですね」とAさんは答えた。

❺評価

実施した看護によって，Aさんは早く退院したい気持ちと退院後の生活の希望について表出し，心理教育への参加や外泊について前向きにとらえた発言があった。そして，楽しめる活動を広げ，心身の疲れに早めに対処することの大切さを確認できていた。これらのことから，「外泊や心理教育への参加について納得し，自信をつけながら地域生活への移行の準備を進められる」という目標を達成できたと考える。したがって，実施した看護はこの時期のAさんに適切であったと考えられる。

2. 慢性期(維持期)にある統合失調症をもつ人への看護

1 疾患の特徴

慢性期（維持期）の特徴　慢性化は，発病し回復していく過程のどの段階であっても起こる。その契機として，個人的・社会的自己の喪失や絶望，退屈があげられている。

長期収容による精神医療が中心であった時代には多くの長期入院患者が存在し，そのなかには慢性期にある統合失調症患者が多く含まれていた。地域中心精神医療への移行が進む現在では，長期入院患者は減りつつあるがまだ入院が続いている人も少なくない。長期入院により自宅や家族，友人と長く離れて暮らし，自分らしい生活や自分の役割を失うことは，個人的・社会的自己の喪失をもたらす。また，退院を願っては，諦めることの繰り返しによる絶望と，活動や楽しみが限られた入院生活のなかでの退屈を経験する。長期入院には慢性化の契機が重なっている。

慢性期にある統合失調症は，感情の平板化，自発性の低下，自閉などの陰性症状が主体となることが多い。幻覚妄想などの陽性症状は軽減していることもあるが，軽減せずに幻覚妄想の世界と現実世界との折り合いをつけて両方を生きているということもある。

セルフケアは陰性症状や抗精神病薬の有害作用，社会との接点が少なく制限が多い入院生活などの影響で低下している。病棟の中では自立度が高く見えていても，地域生活を想定すると援助を必要とする場合が多い。

慢性期の対応　長期入院をしている慢性期の患者も，再び回復過程を進み，退院が目指されるべきである。しかし，長い入院の間に帰る家を失っていたり，地域で生活する自信を失っていたりする患者にとっては，突然退院を促されることは脅威となるかもしれない。患者が安心して退院を含めた将来の希望について考えられるように，様々な自己決定の機会を提供し，自己決定を尊重し，活動や他者との交流を増やし，できていることを評価することによって，患者が自信と希望を取り戻せるように支援する必要がある。

2　事例紹介

❶患者の概要

1. 患者プロフィール

患者：Bさん，65歳，男性

病名：統合失調症。現在まで35年間入院している

家族：入院前は両親と同居していたが，入院中に両親は亡くなり，兄が入院費の手続きなどをしている

2. 入院までの経過

子どもの頃は素直で明るく，友人もいて，家の手伝いをよくしていた。高校卒業後は会社の寮に住み，工場で働いていたが，まわりの人となじめず，2年で退職し実家に戻った。実家の酒屋の仕事を手伝っていたが，24歳の頃から自分の部屋にひきこもりがちとなり，「大きな組織にねらわれている」と言い，窓から外に大声で叫んだり，「テレビで自分のことを言われている」とテレビを壊したり，止めようとした兄を突き飛ばした。統合失調症と診断されて4年間入院し，28歳の時に退院し自宅へ戻った。

3. 入院時の状態と治療方針

実家の酒屋を時々手伝いながら過ごしていたが，半年で薬を飲まなくなった。徐々にふさぎこみ，「監視されている」と言ったり大声を出したりしたため，退院から1年後に2回目の入院となった。

現在は，開放病棟に入院しており，日中の病院周辺への外出は許可されている。非定型抗精神病薬による薬物療法が継続されている。

4. 本人の目標，希望，強み

本人の目標，希望：安心できる環境で楽しみとしていることを継続したい

強み：幻聴や妄想による不調に対処しながら日常生活をしている。毎日の散歩を楽しみにしている。洗濯やベッドまわりの整頓を行うことができる。花や草木に詳しい。軽度肥満であるが，間食が増えないように気をつけて体重を維持している

❷入院後の経過と全体像のアセスメント

(1) 入院後の経過

入院後は閉鎖病棟に長くいたが，現在は開放病棟にいる。入院中に両親は亡くなり，両親宅には兄家族が住んでいる。兄は入院費の手続きに来院するが，Bさんには会わずに帰ってしまう。兄は退院について，「退院されるのは困る。自分も体調がよくないし，面

倒はみられない」と言っている。

日常生活 4床室にいるが，ほかの患者との交流は少ない。週2回の作業療法では，体操や書道などプログラムに沿って活動しているが，感想を聞くと「あんまり好きではないけどね。先生から言われて参加している」と話す。毎日決まったコースの散歩に行っており，声をかけると「見まわりね。仕事だよ。警察から指令がきているからね」と穏やかに話す。散歩コースの公園や住宅街の庭に咲いている季節ごとの花について，表情良く看護師に教えてくれる。作業療法と散歩以外はベッドで横になっていることが多い。

毎日ほぼ変わらないスケジュールで生活しており，診察や散歩の予定が変更になったりすると，表情に余裕がなくなることがある。1～2か月に1回，「警察からの指令がずっと聞こえてきてしんどい」と話し，1日中ベッドで横になっている。しかし1～2日で落ち着き，また通常の生活に戻る。

ベッドの周辺は片づいているが，引き出しには丸めた衣類が入っている。洗濯は定期的に行っている。花や草木に詳しく，それらに関する雑誌や新聞記事を大事にしている。

身体状況 身体面では軽度肥満であるが，間食が増えないように気をつけており，ここ5～6年，体重は変わっていない。血糖値やHbA1c値は正常である。抗精神病薬の有害作用である口渇（こうかつ）のために水分摂取量は多めだが，血中電解質濃度は正常値であり，摂取量の制限や体重測定などはしていない。

最近，Bさんと長く同じ病棟にいたSさんが30年ぶりに退院して一人暮らしを始めた。Sさんを病棟に呼んで，訪問介護や訪問看護を利用しながら生活している様子を皆で聞く機会をもった際，Bさんは熱心に最後まで話を聞いていた。看護師が感想を聞くと，「私は無理だね。入院しているほうが安心。今のままでいい」と話した。

(2) 全体像のアセスメント

現在は，妄想や幻聴などの陽性症状は継続しているが，ふだんは症状とうまく付き合って生活している。症状が強くなるときが1～2か月に1回あるが，Bさんなりに対処している。そして，自発性の低下，感情の平板化，自閉などの陰性症状や，柔軟な対応が難しくなる認知機能障害，35年間の入院の影響によって，変化が少ない生活を送っている。他者との交流や活動範囲は限られているが，洗濯やベッドまわりの整頓を行えている。これらのことから，社会資源を活用して単身生活を目指すことは可能であると考えられる。しかし「入院しているほうが安心。今のままでいい」と述べており，長期入院によって自分の居場所や役割を喪失していることや，退院を願ってもかなわず諦め続けてきたこと，退院には賛成していない兄への配慮により，退院を考えることが難しい状態であると考えられる。

これらのことから，Bさんは慢性期にあり，長期入院によって希望がもてなくなっているといえる。入院継続が本人の希望と決めつけることなく，これからの支援のなかで変化していく希望を何度も確認することが大切である。Bさんが自信と希望を取り戻し，退院も含めた将来の選択肢について考えられるように，支える必要がある。

3　看護計画

❶看護目標

生活のなかで楽しみが増え，できることに自信や希望をもって今後の生活を考えることができる。

❷アセスメントと看護計画

Bさんについて次のようにアセスメントした。

(1) 長期入院による自尊心と意欲の低下

統合失調症の陰性症状の影響によって意欲が低下している。これに加えて，長期に渡る入院生活のなかで様々な希望を諦めてきたことは自尊心を低下させ，将来の希望や新たなことに取り組む意欲をもつことをさらに難しくしている。まずは，Bさんの強みに焦点を当てて新しい活動に取り組み，活動や対人関係が広がり，自信と希望を取り戻せるように援助する必要がある。

(2) 長期入院によるセルフケア能力の低下

入院生活では活用できるセルフケアの能力が限られていることから，生活全般にわたるセルフケア能力が低下している。食事や入浴は自分で行えるが，その準備や片づけは長期にわたって経験していない。洗濯やベッドまわりの整頓，買い物はしているが，変化の少ない環境で繰り返している状況であり，柔軟に対応することはふだん経験がない。退院後はホームヘルパーの利用が可能であるが，Bさん自身も，できることが増えて自信をもてるように援助していくことが必要である。

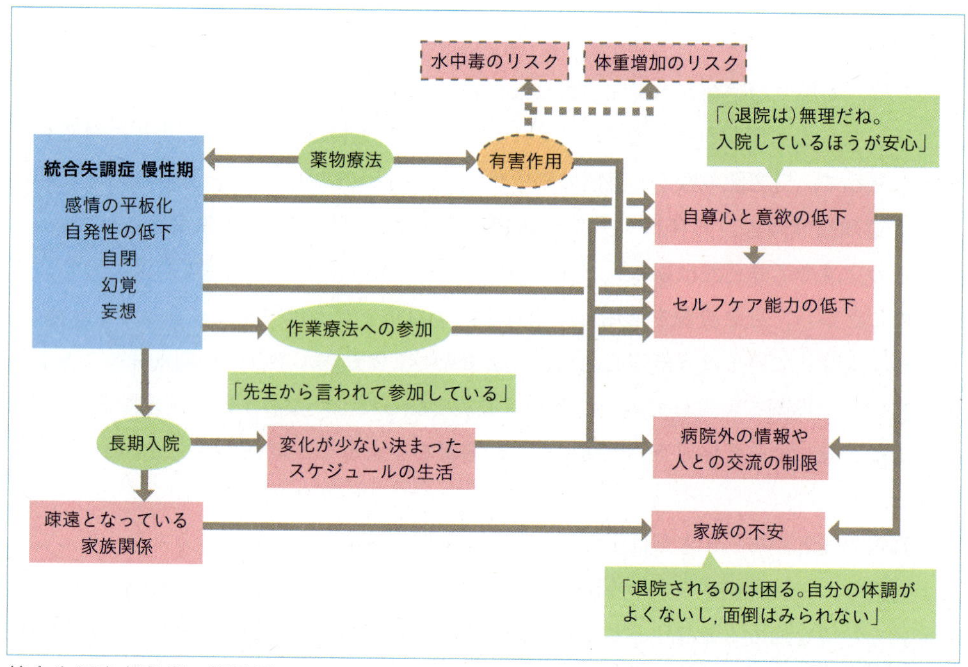

統合失調症 慢性期　関連図

(3) 病院外の情報や人との交流の制限

Bさんは病院周辺より遠くに出かける機会はほとんどなく，情報や人との交流が限られて送っている。Bさんの生活の楽しみや将来の選択肢を広げるために，Bさんの負担にならないような配慮のもと，様々な情報や人と交流する機会を提供する必要がある。特に，Sさんのように先に退院したピア（仲間）の話が聞ける機会を継続的にもてるようにする。

(4) 家族の不安

兄は入院前の症状が激しいBさんの様子を見てきており，退院して面倒をみることはできないという思いがある。Bさんの最近の穏やかな生活の様子や，家族が負担を背負うことなく，様々な社会資源を活用して地域で暮らしている人がいることを兄に伝える機会をもち，Bさんが今後の生活を考えることを，家族も安心して見守れるように支える必要がある。

現在のBさんにとって優先度が高く，これからの生活を充実したものにするための回復の転回点となると考えられる「長期入院による自尊心と意欲の低下」について取り上げ，看護計画の概要を示す。

アセスメント 主観的情報，客観的情報， 関連要因（O，S，E）	目標および評価指標	看護計画 観察，ケア，教育（O，T，E）
長期入院による自尊心と意欲の低下 S：「私は無理だね。入院しているほうが安心。今のままでいい」と話す。作業療法について，「あんまり好きではないけどね。先生から言われて参加してる」と話す。1日がかりで出かけるようなレクリエーションには「やめておく」と言う O：他者との交流は少ない。毎日をほぼ変わらないスケジュールで生活している。毎日決まったコースの散歩に行く。作業療法と散歩以外はベッドで横になっている。1〜2か月に1回，症状が辛い日は1日中ベッドで横になっているが，1〜2日で落ち着き，通常の生活に戻る。家族の面会はない	目標：活動が広がり，楽しみが増え，できていることに自信がもてる 評価指標： • 新たな活動に少なくとも1つ取り組める • 活動を楽しんでいる発言がある • 症状への対処について自信がもてる	O：余暇の時間の過ごし方，作業療法参加中の表情や態度，他者との交流，精神症状の影響 T：Bさんの興味や関心にあった活動を提案し，活動のなかで見つけたBさんの強みを共有する ①Bさんが好きなことを聞き，楽しめそうな活動を提案する ②一緒に活動を楽しみ，それを伝える ③活動をとおして気づいたBさんの強みを共有する ④症状に対処できていることを評価する

4 看護の実際と評価

❶実施した看護と患者の反応

(1) Bさんが好きなことを聞き，楽しめそうな活動を提案する

Bさんの散歩コースの近くできれいな花が咲いているところや，歩きやすい道を伝え，Bさんの気が向いたときに安心してコースを変えることができるようにした。数日後，Bさんは「この前，教えてくれた花を見てきた」と報告してくれた。

また，作業療法士と相談して，Bさんに病院の中庭での園芸の活動を勧めてみた。Bさんは，「できるかな」と言ったが，作業療法士と一緒に中庭で水やりをした。病棟に戻っ

てきたときに,「空いている花壇に植える花を一緒に買いに行くことになった」と笑顔で看護師に話した。

(2) 一緒に活動を楽しみ, それを伝える

Bさんが花や草木に関する雑誌を見ているときに, 質問したり感想を伝えたりすると, Bさんは笑顔で花の種類や, 家の庭に以前植えていた草木について教えてくれた。「楽しかったです」と伝えると, Bさんは「また一緒に見ましょう」と答えた。

(3) 活動をとおして気づいたBさんの強みを共有する

Bさんが花や草木について話した後に,「知識が豊富ですね。聞いていて楽しいです」と伝えると, Bさんは笑顔で「そんなことないけどね。また話しましょう」と言った。また, 作業療法の様子について,「ていねいに水やりをされていますね」と強みを伝えると,「そうかな」と笑って答えた。

(4) 症状に対処できていることを評価する

思考伝播が辛いために作業療法や散歩に行かずにベッドに横になっている日に, Bさんは「調子が悪いと何もできなくなってしまう」と話した。看護師は,「ご自分の状態に合わせて, 無理をせずに休んでおられるのは良い対処だと思います。いつも1～2日休んで, また作業療法や散歩を楽しんでおられるので, ご自分の状態とうまく付き合っておられると思います」と伝えた。Bさんは「そうかな」と答えた。

❷評価

実施した看護によって, 散歩コースを増やしたり, 作業療法での園芸活動を始めたりするなど, Bさんの楽しめる活動が増えた。そして, 活動を一緒に楽しんでいる発言があり, 症状への対処についての評価を聞いて受け入れていた。これらのことから,「活動が広がり, 楽しみが増え, できていることに自信がもてる」という目標を達成できたと考える。したがって, 実施した看護は現在のBさんに適切であったと考えられる。

B 妄想性障害

1 疾患の特徴

妄想性障害は, 現実の生活のなかで起こり得る状況に関する誤った思い込み (妄想) が, 少なくとも1か月間持続するのが特徴である。たとえば「配偶者や恋人が浮気をしていると思い込み, いざこざが絶えない」「暴力団に追跡されていると信じ込み, 家から出られない」「隣人から嫌がらせをされていると思い込み, 警察に訴える」などである。いずれも, 不確かで曖昧な状況のなかで妄想が始まるが, それが継続し, しだいに妄想対象となっている人や周囲の人々を巻き込んでトラブルに発展したり, 自分の生活に支障をきたすようになってくると問題が表面化する。

妄想的な訴えに対して, 周囲の人たちはその訴えが正しいかどうかに焦点を当てるため,

対立関係が生じて家族内や地域のなかで患者が孤立状況に陥ってしまうことがある。また，自分自身が病気であるという認識が乏しいことが多いために，薬物療法などの治療や看護師によるケアを拒否する場合もある。そのため，まずは訴えの真偽ではなく，患者が感じているであろう不安や苦痛に目を向けて，患者の置かれている状況や患者の心情に共感的にかかわり，傾聴することをとおして，信頼関係を構築していくことが必要である。

2 事例紹介

❶患者の概要

1. 患者プロフィール

患者：Cさん，53歳，女性
病名：妄想性障害
家族：夫と2人暮らし。子どもはいない

2. 入院までの経過

会社員として働きながら，休日には地域のボランティアサークルに参加して地域の清掃や高齢者世帯への訪問などを行っていた。

3か月ほど前，地元の新聞にボランティア活動を取り上げられると，「職場の上司やご近所から偽善者だとうわさされる」などと夫に訴えるようになった。会社へは通常どおりに出勤していたが，1か月前から「ボランティアでほかの男性と会うことを，夫は良く思っていなかった」と言って，外出を控えるようになった。また，夫の帰りが少しでも遅くなると「私のことを避けている」と泣き叫び，日に何度も夫に電話をするようになった。心配に思った夫が精神科への受診を促し，夫と共に訪れた。

医師から入院を勧められると，「私は病気ではない。夫と離婚させるつもりなのか」と入院を拒否したが，外来看護師や夫が「入院して休んだほうがよいのではないか」と説明すると，「仕事を休んで気分を落ち着かせるためなら，入院してもいい」と急性期治療病棟へ任意入院となった。

3. 入院時の状態と治療方針

被害関係念慮から妄想を呈した。妄想の内容が限局しており社会機能が保たれていることから，妄想性障害と診断される。妄想に基づく行動化がエスカレートし，家族の生活が著しく損なわれることが懸念されるため，本人と家族を離して本人には治療に専念してもらい，本人・家族共に休養する必要がある。本人が病識を獲得できるよう，任意入院での治療導入が望ましい。薬物療法は，統合失調症に準じて非定型抗精神病薬での治療を中心とし，状態に応じて睡眠薬も用いて睡眠を確保する。また，作業に集中して気分を落ち着かせることを目的に，作業療法を導入する。

4. 本人の目標，希望，強み

- 「休息して気分を落ち着かせたい」という気持ちがある
- 病気であるという実感は乏しいが，入院に応じ，説得によって服薬できている
- 日常生活能力は高い。会社員として働きながらボランティア活動をしており，社会的交流の機会やスキルをもっている
- 夫の面会がある

❷入院後の経過と全体像のアセスメント

(1) 入院後の経過

夫に対する言動　入院直後は病棟の公衆電話から夫に何度も電話をし，電話がつながらないと「夫の行動が怪しい」「私を避けている」と怒鳴っていた。眉間にしわを寄せ，切羽詰まった様子で何度もナースステーションにやってきて「夫から電話はありませんか」と確認した。連絡があったらすぐに呼ぶのでそれまでベッドで休むように伝えると，憔悴(しょうすい)した表情でホールに戻り，ナースステーションの様子を見ていた。夫から看護師に「仕事で

電話に出られないと何回も着信があり，怒鳴り声で録音メッセージが残されているので，気が休まらない」と相談があった。

服薬　薬物療法が開始され，当初は「私は病気ではありませんから，薬は必要ありません」と言っていたが，主治医の説得で「落ち着くためには飲んだほうがいいと思う」と言いながら服薬した。

睡眠　23～翌6時頃まで眠れているようであったが，本人は「途中で目が覚める」「ぐっすりは眠れなかった」と述べた。

日常生活　病棟内での日常生活は基本的には自立しているが，食事や入浴を促してもそわそわして落ち着かず，「夫から電話がかかってきてからにします」と後回しにすることもあった。

作業療法　医師から作業療法の指示書が出されていたが，「夫から電話があるといけないので」と作業療法には参加しなかった。

(2) 全体像のアセスメント

Cさんは夫に対する妄想によって疑心暗鬼となり，夫と思うように電話連絡がとれないことで不安感，焦燥感，疎外感を感じている。しかし，それらに対して自分自身で適切に対応することが難しく，常に落ち着かず休息もとれず気が休まらず心理的・身体的に消耗している状態にあった。病気であるという実感はないが，気分が落ち着かないという自覚はあるようである。服薬は可能であるが，勧められた作業療法は拒否していることから，自分では適切な治療の機会を得にくい状況にある。

日常生活行動自体は自力で問題なく行うことができるが，夫に対する妄想に左右されて食事や入浴にとりかかる行動が制限されており，日常生活上のセルフケアが低下している

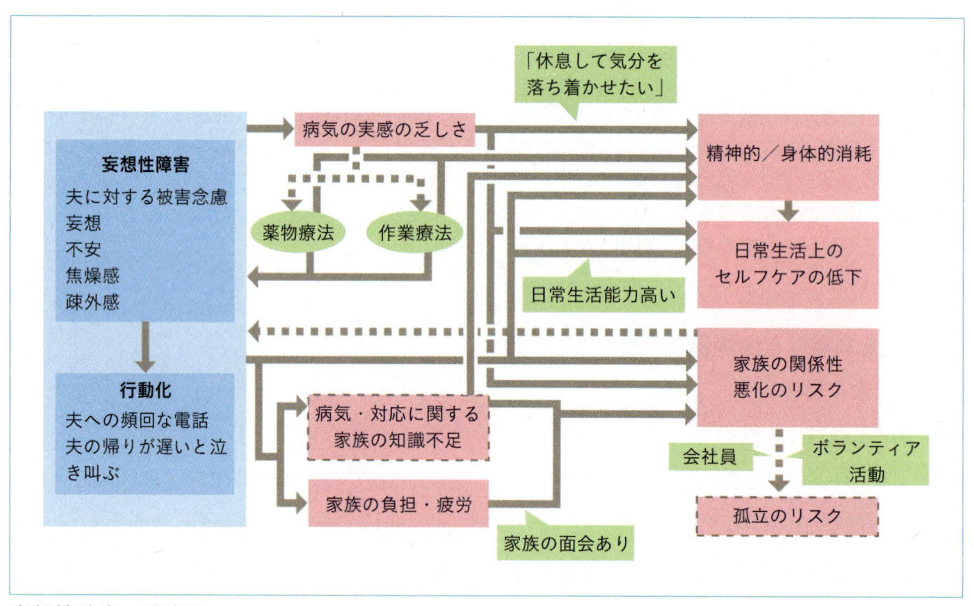

妄想性障害　関連図

状態である。

従来は会社員として働き，休日も社会的な交流をもっている人であるが，被害関係念慮から夫に執拗(しつよう)に電話をかけるため，夫の生活に影響を与え，夫は負担を感じている。また，夫とのコミュニケーションが妨げられており，夫婦間の関係性が悪化するリスクもある。

3 看護計画

❶看護目標

①妄想状態に伴う不安や苦悩が緩和し，心身の休息を確保する。

②日常生活上のセルフケアニーズを充足する。

③妄想による対人関係上の障害を調整する。

❷アセスメントと看護計画

アセスメント 主観的情報，客観的情報，関連要因（O，S，E）	目標および評価指標	看護計画 観察，ケア，教育（O，T，E）
精神的／身体的消耗 O：夫に何度も電話をする。眉間にしわを寄せ，切羽詰まった様子で頻回に夫からの電話の有無を確認する。ベッドで休むよう伝えても憔悴した表情でホールで夫からの電話を待っている。夫からの電話を気にして作業療法は不参加。睡眠時間は7時間程度 S：「夫の行動が怪しい」「私を避けている」「途中で目が覚める」「ぐっすりは眠れなかった」「落ち着くためには薬は飲んだほうがいいと思う」 E：夫に対する被害関係念慮～妄想，妄想に伴う不安感，焦燥感，疎外感，病気の実感の乏しさ，夫婦の関係性	目標：妄想状態に伴う不安や苦悩が緩和し，心身の休息を確保する 評価指標： •「よく眠れた」などの熟眠感を示す発言がある •「気持ちが楽になった」などの発言がある • 穏やかな表情で落ち着いて会話ができる • 作業療法に参加できる	O：1日の睡眠時間，熟眠感，休息の状況，精神状態，妄想に伴う行動の有無，服薬状況，作業療法への参加状況 T：本人が感じている不安や焦燥感について傾聴し，共感を示す T：心配なときはいつでも相談にのることを伝える T：行動が落ち着かないときはしばらく一緒に過ごす T：行動が落ち着かないときは休むことを促す T：心地よく休息できる場所や時間などを一緒に検討して選択してもらう T：不眠，中途覚醒があるときは，睡眠薬の使用を検討し，必要に応じて服薬をすすめる T：服薬に対する気持ちや考えを確認する T：服薬できているときは肯定的にフィードバックする T：主治医から勧められている作業療法については，無理に勧めず，患者の状態に合わせて根気よく勧める
日常生活上のセルフケアの低下 O：食事や入浴を促してもそわそわして落ち着きがない O/S：「電話がかかってきてからにします」と食事や入浴を後回しにする E：夫に対する被害関係念慮～妄想，妄想に伴う不安感，焦燥感，病気の実感の乏しさ	目標：日常生活上のセルフケアニーズを充足する 評価指標 • 座って食事を8割～全量摂取できる • 入浴時はていねいにからだを洗うことができる	O：食事摂取に関するセルフケア行動，食事摂取量，清潔に関するセルフケア行動，保清の状況，精神状態，妄想に伴う行動の有無 T：不安焦燥感が強いときは，時間をおいて落ち着いて食べられるときに再度勧める T：好物を確認して，食事が食べられないときに間食できるようにする T：不安焦燥感が強いときは，無理に入浴を勧めず，Cさんが落ち着いているときを見計らって入浴を促す T：どうしても入浴できないときは，温かいタオルを渡して顔を拭いてもらうなどする T：食事や入浴の途中でも，夫から電話がかかってきた際は知らせると説明する
家族の関係性悪化のリスク O/S：夫に何度も電話をし，電話がつながらないと「夫の行動が怪しい」「私を避けている」と怒鳴っている	目標：妄想による対人関係上の障害を調整する 評価指標： • 夫と電話に関するルー	O：妄想内容，妄想に伴う行動，夫に対する思いや期待，夫との交流場面，夫の負担や疲労感，夫婦の関係性 T：夫に対する思いを傾聴し，受け止める

アセスメント 主観的情報，客観的情報， 関連要因（O，S，E）	目標および評価指標	看護計画 観察，ケア，教育（O，T，E）
O/S：眉間にしわを寄せ，切羽詰まった様子で何度もナースステーションにやってきて「夫から電話はありませんか」と確認する S：夫「仕事で電話に出られないと何回も着信があり，怒鳴り声で録音メッセージが残されているので，気が休まらない」 E：夫に対する被害関係念慮～妄想，病気の実感の乏しさ，夫の生活への影響・負担，病気・対応に関する夫の知識不足	ルを決めて守る • 夫に対する不安や心配を言語化して看護師に相談できる • 夫と落ち着いて面会できる • 夫は不安や心配について対応策を検討できる	T：そのうえで仕事中は何度も電話に出られないことや帰宅後に電話をしたほうがゆっくりと話ができることなど，現実的な話をする T：電話に関しては，Cさんと夫の双方の考えを確認しながら，夫婦間でルールを決められるように介入する T：夫との面会の様子を見守り，必要に応じて介入する T：面会時には夫に声をかけ，夫が困っていることや心配について話を聴く E：Cさんの病状の変化やCさんの言動が病気に影響されているものであることを夫に説明する E：Cさんとのかかわり方について困っているようであれば，対応方法を一緒に検討する

4　看護の実際と評価

❶実施した看護と患者の反応

(1) 不安や焦燥感を傾聴して患者の気持ちに寄り添う

入院当初は，休息を促してもなかなか休むことができなかったが，話をじっくり聴くと「話を聴いてもらえると，気持ちが楽になる」と話した。薬物療法については，「効果はわからないが，飲まないよりはいいかもしれない」と言いつつ服薬していた。夫から電話があれば作業療法中でも声をかけることが可能であることを説明し，出入りがしやすい端の席を用意して作業療法への参加を促したところ，最後まで集中して作業に取り組み，その後も継続して参加した。症状が改善するのに伴い行動も落ち着き，夜間も熟眠感を感じられるようになり，看護師とリラックスした表情で会話するようになった。

(2) 無理せずそのときにできるセルフケアを促す

妄想状態にあって不安・焦燥感が強いときは，声をかけても座ってゆっくりと食事を摂ることができなかったが，状態をみて時間を少しおいてから声をかけると食べられることもあった。また，好物のあんパンを夫に持参してもらうと，面会時に一緒に食べる姿もみられた。状態が徐々に落ち着くにつれて，食事の時間に食堂でほかの患者たちと一緒に食事を摂れるようになった。

入浴についても，初めは夫からの電話を気にして入ることができなかったり，入浴してもすぐに出てきてしまったりしていた。そのようなときは落ち着いているときにホットタオルを手渡すと，自分で顔やからだを拭き「気持ちいい」と話した。状態が落ち着くにつれて，徐々にゆっくりと入浴し，ていねいにからだを洗うことができるようになった。

(3) 夫との関係を調整し，安心感をもてるようかかわる

夫婦間で電話に関するルールを決められるように，夫の面会時に同席し，Cさんと夫の双方の思いや考えを確認しながら介入した。朝は夫の出勤前にCさんから電話をし，夜は夫が帰宅後に病院に電話をしてCさんに取り次ぐことを決めた。当初，Cさんは「電

話をしたいです」「電話はまだですか」と約束した時間以外に何度も看護師に訴えていた。看護師はＣさんの不安をじっくり聴いたうえで，電話を楽しみに待ちましょうと促し，看護師に相談してくれたことや時間を守れていることについて肯定的にフィードバックした。

入院から2週間ほど経過すると，Ｃさんは「夫はもう面会には来ないはずです。私のことを捨てたんです」と看護師に訴えたが以前ほどの切迫感はなく，「でも，私の考え過ぎかもしれませんね」と自分で訂正することもあった。さらに，夫からの電話が遅くなると「仕事が忙しいのかもしれない。無理してないかしら」と夫を心配する言葉もみられるようになった。夫からは，「電話のルールを決めたことで，妻も少しずつ我慢ができるようになってきた」との肯定的な言葉と，「病気なのかもしれないが，疑われるのは精神的につらい」と疲労感も吐露された。

❷評価

入院1か月を過ぎると，病状の改善とともに，徐々に夫との面会や外出の際も穏やかに過ごすことが増え，外泊をとおして家で過ごす練習を始めた。外泊中は薬も自己管理して服用できており，食事の準備なども夫と協力して実施することができた。外泊中にも夫への心配を訴えることはあったが，「考え過ぎかもしれない……」とＣさん自ら振り返り，大きなトラブルなく過ごすことができた。その後も外泊を繰り返し，入院から2か月半頃に自宅退院となった。

不安や苦悩の緩和については，病気であるという実感が乏しいため，自ら他者に助けを求めることは難しい状況にあった。また，自分では妄想状態をコントロールできないため，表情や態度，行動などを観察することをとおして，Ｃさんが体験している世界を理解し，患者の気持ちに寄り添う姿勢をもちながら，休息を確保できる環境を整えることが重要であった。

セルフケアニーズの充足については，妄想状態によって日常生活上のセルフケアが左右されたため，日々のセルフケアの状況を見守り，そのときの患者のセルフケア能力に応じて必要な介入を行ったり，セルフケアに取り組める環境を整えることが重要であった。

妄想による対人関係上の障害の調整に関しては，Ｃさんの妄想の背後には，夫に対する罪悪感や不安から逃れたい気持ち，夫との関係に安心感を得たい気持ちなどがあるかもしれず，妄想をとおしてそれらの気持ちを満たそうとしていると考えることもできる。そのため，Ｃさんから妄想に関連した訴えがあるときはじっくりと傾聴し，特にその妄想の背後にある心情や状況をアセスメントして，本人が安心感や信頼感をもてるよう現実的な対応を提案することは有用であった。今後，病状の改善に伴って少しずつ現実的な対応ができるようになってきたら，妄想が自分の生活にどのように影響しているか，現実的に対処可能かどうか一緒に確認するような支援が必要になってくる。

C 双極性障害

1 疾患の特徴

双極性障害とは，主に過度に気分が塞ぎこむ抑うつ気分，意欲の低下，活動性の減少などがみられるうつ状態と，気分の高揚，活動性の亢進などがみられる躁状態の2つの病相を交互に呈する疾患の総称である（以前は躁うつ病と称した）。典型的な躁状態とうつ状態を交互に繰り返すが，うつ状態の有無は問わない**双極Ⅰ型障害**と，軽躁状態とうつ状態を繰り返す**双極Ⅱ型障害**に分類される。入院治療中に患者の病相が転換する場合もある。うつ状態を呈しているときと躁状態を呈しているときでは，それぞれ必要となる看護ケアが異なるため，日々の観察から患者の精神状態の変化をとらえて適切にアセスメントすることが必要である。特に，うつ状態にある場合でも，躁状態の症状（高揚気分，易怒性，攻撃性など）に注意して観察することも重要である。

また，患者がうつ状態のときに看護師のかかわりを拒否すると看護師は患者との心的距離を感じることがあり，一方，患者が躁状態のときに激しい感情をぶつけられると看護師もその感情に巻き込まれて，そのことがケアに影響することもある。そのため，患者が呈している状態は病気のためであることを理解して，患者がどのような状態にあっても，患者が負担にならない距離を保ちながら患者が安心できる関係を構築することも大切である。ここでは躁状態の時期の看護に焦点を当てて述べる。

2 事例紹介

❶患者の概要

1. 患者プロフィール

患者：Dさん，45歳，男性
病名：双極Ⅰ型障害
家族：妻と娘2人（高校生と中学生）との4人家族

2. 入院までの経過

Dさんは，20歳頃から消防士としてまじめに勤務していたが，消防士という職業柄，生活は不規則であり，十分な睡眠を確保できず，疲労が蓄積したまま出勤する日もまれではなかった。

入院の1週間ほど前から，ほとんど寝ないまま出勤する日が続き，職場の同僚や家族に対し怒声をあげるようになった。休日は昼夜問わずに知り合いに電話をかけ，話が通じないと電話先の相手をどなりつけていた。職場の上司が心配し，妻と連絡をとり精神科への受診を勧めた。

Dさんは受診を拒んでいたが，妻がなんとか説得して精神科を受診した。外来では，医師に対して「私は病気ではない。国民のために一生懸命働いているだけだ！」と声を荒げ，入院の必要性を伝えられると医師につかみかかろうとした。妻の同意により急性期治療病棟（閉鎖病棟）に医療保護入院となり，同時に隔離開始となった。

妻は「何をするかわからず，危なくて仕方ないが，どうにもできなかった。人が変わってしまって……恐かったです。本当に疲れました」と涙ぐんだ。

3. 入院時の状態と治療方針

十分な睡眠がとれず，疲労が蓄積しているため，まずは睡眠を十分にとり，服薬を確実に行うこと，また，易刺激的になっているため，なるべく刺激の少ない環境を整えることが求められる。しかし，本人は病状への内省がもてず，治療への協力が困難である。そのため，本人の安全を確保するために一定の行動制限はやむを得ず，医療保護入院が必要と判断された。

炭酸リチウム，バルプロ酸ナトリウムなどの気分安定薬を中心に，興奮と易刺激性の鎮静を図る。また，情動安定のため，非定型抗精神病薬の併用が必須と判断される。状態に応じて睡眠薬を用いることとした。

4. 本人の目標，希望，強み

- まじめで正義感の強い性格で，消防士として長年勤務してきた
- 「消防士として職場復帰したい」という希望がある
- 「妻と娘に心配と迷惑をかけてしまったので，早く退院して安心してもらいたいし，家族で仲良く暮らしたい」と話し，家族想いである

❷入院後の経過と全体像のアセスメント

(1) 入院後の経過

保護室での行動　保護室では，床に固定されているベッドを動かそうとしたり，ペットボトルに入った水を床に撒いたりした。対応する看護師に対して，言葉遣いや態度を注意し「看護師失格だ！」と怒声をあげた。食事時間中は室内で立ったり座ったりと動き回り，食事に集中できなかったが，時間をかけて8割程度摂取できた。

入浴中の行動　入浴中は，見守っている看護師にシャワーをかけたり洗髪の途中で浴槽に入ろうとするなど，行動にまとまりがなかった。腕や足に擦過傷があったため，看護師が消毒などの処置をしようとしたが拒否した。

睡眠時間　睡眠時間は2時間程度で，看護師が眠気や疲労感を尋ねると「絶好調！　俺は2時間寝れば大丈夫な人間だ」と話した。服薬は「病気じゃないから飲まないよ」と拒否することもあったが，説得するとしぶしぶ服薬できるときもあった。

一般室への転室後　その後，徐々に服薬できるようになり，睡眠時間も延長し，精神運動興奮は軽減したため，入院7日目に隔離が終了となり一般室へ移った。

(2) 全体像のアセスメント

躁状態による活動性の亢進から多弁・多動，不眠傾向となり，睡眠時間は2時間程度しか確保できていない。身体的にも精神的にも疲労が蓄積しているはずであるが，本人は疲労を自覚することなく，服薬も拒否することがあるため，自分で十分な睡眠を確保して活動と休息のバランスをコントロールするのが難しい状態にある。

入院当初は躁状態により活動性が亢進し，気分が高揚して刺激に反応しやすく，現実検討能力も低下しているために，危険な行為や破壊行為がみられ，自分自身ではコントロールできない状態であった。また，腕や足の擦過傷は入院前にできた可能性があるが，それに対して本人は自分自身で適切に対処できる状態にないため，危険行為からけがや事故につながるリスクがある。また，躁状態による気分の高揚，多弁・多動，誇大的な思考などの影響から，注意力散漫となり，行動が持続しないために，食事，保清など日常生活上の

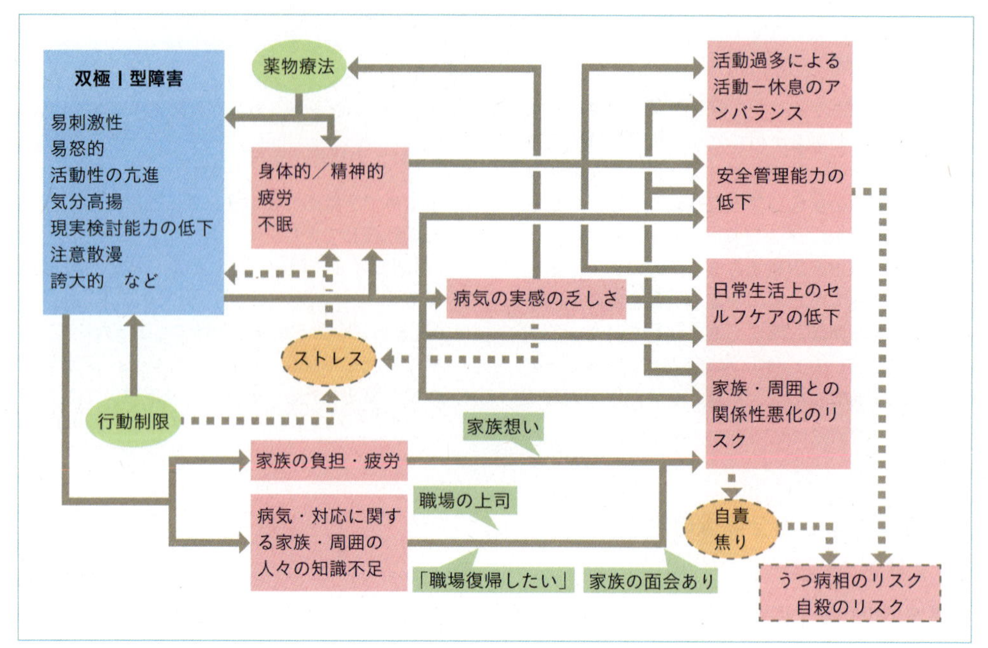

双極Ⅰ型障害　関連図

セルフケア能力が低下している状態である。

気分の高揚や易刺激性から，入院前に家族，同僚や知人を怒鳴りつけ，入院後は医療者に高圧的な態度で接するなど，周囲の人々の言動に敏感に反応して，時には尊大な態度や高圧的な態度で接したりするが，自分でコントロールすることが難しい状態である。そのため，対人関係に支障をきたし，トラブルに発展する可能性がある。特に，妻は患者に対して恐怖感を抱いているため，疲労困憊（こんぱい）の状態にある家族に対する支援も必要である。

3　看護計画

❶看護目標

①活動を調整して十分な休息を確保する。

②安全に過ごす。

③食事，保清などの基本的なニーズを充足する。

④他者と適切な距離をもって関係を構築する。

❷アセスメントと看護計画

アセスメント 主観的情報，客観的情報， 関連要因（O，S，E）	目標および評価指標	看護計画 観察，ケア，教育（O，T，E）
活動過多による活動ー休息のアンバランス S：「絶好調！　俺は2時間寝れば大丈夫な人間だ」 S：「病気じゃないから飲まないよ」と	目標：活動を調整して十分な休息を確保する 評価指標： • 夜間に6～7時間の睡眠を確保する	O：睡眠状況，活動状況，精神状態，副作用（嘔吐，下痢，食欲不振，眩暈（げんうん），ふるえなど） T：看護師のかかわりも刺激になるため，1回にかかわる時間は短時間とし，用件を簡潔に伝える T：患者からの訴えや話を聴くときは，患者から

アセスメント 主観的情報，客観的情報， 関連要因（O，S，E）	目標および評価指標	看護計画 観察，ケア，教育（O，T，E）
服薬を拒否 O：入院の1週間前から活動性が亢進し，睡眠がとれていなかった O：入院後も睡眠時間は2時間程度 E：躁状態による活動性の亢進，不眠傾向，易刺激性，身体的・精神的な疲労の蓄積，病気の実感の乏しさ	• 日中に1人で静かにゆっくりと過ごす	の指摘に弁解したり議論しない T：不眠時には，「目を閉じて横になっているだけでもよいからからだを休めましょう」と入床を促す T：不眠時には，頓服用指示の睡眠薬を勧める T：前日の睡眠時間が短いときには，日中でも保護室の照明を暗めに設定し，休息を促す E：回復期に入ったら，急性期のエネルギー消費の消耗が著しく出やすい時期になることを説明し，引き続き休息を勧める E：退院や職場復帰に向けて焦りも出てくるため，無理をしないように説明する
安全管理能力の低下 S：「私は病気ではない」 S：「病気じゃないから飲まないよ」と服薬を拒否 O：固定されているベッドを動かそうとする，ペットボトルに入った水を床に撒くなど危険な行為や破壊行為 O：腕や足の擦過傷あり O：腕や足の擦過傷への消毒を拒否 E：躁状態による活動性亢進，気分高揚，易刺激性，現実検討能力の低下，病気の実感の乏しさ，行動制限によるストレス	目標：安全に過ごす 評価指標： • 服薬を継続できる • 自分の気持ちや考えを言語的に表現する（危険行為をしない）	O：活動状況，精神状態，全身状態，持ち込み品，保護室内の環境，服薬状況 T：隔離中は危険な行為や破壊行為を防いだり早期に対応できるよう，保護室への持ち込み品について主治医と相談して慎重に決め，患者に説明する T：持ち込み品などについての要求が多いときには，要求に応じられない理由を分かりやすく簡潔に伝える T：危険な行為がないか見守る T：現実検討能力が回復してきたら患者の言動を注意深く観察し，希死念慮の有無，抑うつ気分や焦燥感の程度をアセスメントする T：自責的な発言や後悔の発言があったら，患者が安心できるように声をかける E：退院後も安定した状態を維持するために，安定期に双極性障害や薬物療法についての理解を深め，薬物の副作用を踏まえて安全に服薬を継続できるような工夫を一緒に考える E：患者の自尊心を傷つけないように配慮しながら，ライフスタイルや行動パターンを振り返り，再発のサインと対処について一緒に検討する E：一緒にゆとりのある生き方を探り，生活の調整を図る
日常生活上のセルフケアの低下 O：食事時間中も室内で立ったり座ったりと動き回り，食事に集中できない O：入浴中に看護師にシャワーをかけたり，洗髪の途中で浴槽に入ろうとする E：躁状態による気分の高揚，多弁・多動，易刺激性，注意散漫，病気の実感の乏しさ	目標：食事，保清などの基本的ニーズが充足する 評価指標： • 食事を8～10割摂取する • 入浴，洗面，歯磨きを最後まで自分で行える	O：食事や水分の摂取状況，身体の保清状況，セルフケア行動，精神状態，前日の睡眠状況，周囲の環境 T：様子をみながら，時間をかけ，根気よく食事摂取や水分摂取を促す T：摂取量が少ないときには，患者の食べたいものを間食として食べてもらう T：入浴や洗面時は，できるだけ自分で最後までやってもらうために，見守りながらその行為に集中できるように清潔行動の流れにそって声をかる T：保清が不十分なときには，別途温タオルを手渡し，清拭を促す
家族・周囲との関係性悪化のリスク S/O：外来で医師に対して「私は病気ではない。国民のために一生懸命働いているだけだ！」と声を荒げ，入院の必要性を伝えられると医師につかみかかろうとした S：看護師に対して，言葉遣いや態度	目標：他者と適切な距離をもって関係を構築する 評価指標： • 家族（妻）と落ち着いて面会できる • 過干渉な行動や攻撃的	O：活動状況，精神状態，他者に対する言葉遣いや態度，表情，他者に対する発言の内容，他者に対する思い，妻との面会の様子 T：1回にかかわる時間を短くし，落ち着いた静かな態度で必要なことだけを簡潔明瞭に話す T：本人の孤立感をやわらげるために，次回の訪室時間を伝える

アセスメント 主観的情報，客観的情報， 関連要因（O，S，E）	目標および評価指標	看護計画 観察，ケア，教育（O，T，E）
を注意し「看護師失格だ！」と怒声をあげた O：入院前に家族，同僚や知人を怒鳴りつけたりしていた O/S：妻は「何をするかわからず，危なくて仕方ないが，どうにもできなかった。人が変わってしまって……恐かったです。本当に疲れました」と涙ぐんだ E：気分高揚，誇大的，易刺激性，家族の負担・疲労，病気・対応に関する家族の知識不足，病気の実感の乏しさ	な言動なく他者とかかわる	T：かかわるときにはDさんのことをいつも気にかけていることを伝える T：他者に対して過干渉的な行動がみられた場合は，さりげなくそれを止めて相手の状況を説明して，他者とのかかわりを調整する T：妻との面会時，必要に応じて同席する E：妻の話を聞く機会を設け，心配事について相談にのる E：双極性障害や薬物療法についての理解を深め，薬物の副作用を踏まえて安全に服薬を継続できるような工夫を家族と一緒に考える

4 看護の実際と評価

❶実施した看護と患者の反応

(1) 活動を調整して十分な休息を確保する

徐々にスムースに服薬できる回数が増えるに伴い，活動性の亢進や易刺激性などの躁状態も徐々に軽減し，行動にもまとまりが出てきた。副作用についても大きな問題はなかった。患者自身では活動と休息のバランスを調整することが難しいため，時には適切に睡眠薬を利用できるようサポートすることで睡眠薬を服用できるようになり，23～翌5時頃まで連続して眠ることができるようになった。

入院して3週間が経過する頃，口数が少なくなり，食事や入浴などの日常生活や作業療法などの活動以外は，部屋で静かに過ごすことが多くなった。看護師のかかわり自体も刺激となって休息を妨げかねないため，援助の際にはできるだけ患者を刺激しないように，かかわる時間，話し方，声の大きさなどにも配慮すること，ささいな刺激で覚醒することを防ぐために環境を整えること，どうしても眠れないときには，短時間でも横になって休めるように配慮することも大切であった。

(2) 安全に過ごせるよう注意深く見守り，環境を整える

保護室への持ち込み品の制限についての説明には，その場では渋々了承したが，しばらくすると携帯電話やパソコンを持ってくるよう大声で要求した。そのつど理由を簡潔に伝えてはっきり断った。躁状態が軽減するに伴い，看護師の説明に納得し過度な要求はしなくなった。また，保護室内で水を撒くなどの危険な行為も声をかけると自制できるようになった。

入浴や洗面は徐々に最後まで集中して終え，特に危険な行為などはみられなかった。腕や足の擦過傷（さっかしょう）については，主治医に診察してもらい，入浴の見守りの際にさりげなく全身状態を確認するようにした。このように，患者の精神状態や行動を観察し環境を整えることで，患者は安全に過ごすことができた。

入院して3週間が経過する頃，看護師に対して，「保護室にいる時に怒ってしまって申し訳ない。どうお詫びしたらよいのか……」と謝罪したため，まずはDさんが自分の気持ちを話してくれたことに感謝し，Dさんの言動については病気の影響であるので気にしなくてよいことを伝えたところ，自責的な発言は減少した。

(3) 食事，保清などに集中できるように促す

初めの頃は食事中に動き回って集中できなかったが，躁状態が軽減するに伴い徐々に集中できるようになり，見守りだけで8割程度摂取できるようになった。同じく，入浴や洗面も見守りだけで最後まで集中してできるようになった。入院7日目に保護室から一般室へ移動して以降は，問題なく日常生活上のセルフケアを行うことができるようになった。

(4) 他者との適切な距離感を保てるようサポートする

入院当初は医療者に対して高圧的な態度がみられたが，躁状態が軽減するに伴い，看護師に対しても落ち着いて対応できるようになった。時々早口になったり声が大きくなったりしても，看護師からそのことを指摘すると自制できるようになった。

妻との面会は，短時間に制限されていたが許可されていたため，近くで見守りながらDさんの精神状態を確認した。入院間もない頃は，面会中にDさんの声が大きくなったり時間が延長したりしたときに介入したが，徐々に穏やかに落ち着いて面会できるようになった。

また，Dさんとは別に，妻に心配や不安について話を聴く機会を設けたところ，病状や今後の生活に関する心配があることを話したため，妻の苦労をねぎらうとともに心配事についてはそのつどていねいに説明した。Dさんの状態の改善に伴って，妻からも「だいぶ落ち着いてきましたね」と安心した表情がみられるようになった。

保護室から一般室へ移動した際に，ほかの患者に干渉的な言動がみられたが，看護師が声をかけるとその言動をやめることができた。入院して3週間が経過する頃，口数が少なくなり部屋で静かに過ごすことも多くなった。その後，双極性障害や薬物療法に関する家族教室への参加を促したところ，Dさんと妻とで参加した。

❷評価

入院後1か月が過ぎ，散歩をしたり，看護師やほかの患者と笑顔を交えて談笑するなど活動量が増加してきた。主治医の疾患に関する説明の内容を理解し，「退院後も薬を飲んで無理をし過ぎないようにしたい」と話した。妻は，病状や退院後の生活について心配していると述べ，退院の話が出始めた当初は退院に消極的であったが，主治医との面談を繰り返し，外泊を何度か重ねるにつれて徐々に退院することに納得し，入院2か月で自宅退院となった。

十分な休息の確保については，回復に伴い必要な睡眠がとれるようになっていたが，急性期時と同様のエネルギー消費の消耗が著しく出やすい時期にもなる。同時に退院や職場復帰に向けて焦りも出てくるため，今後は無理をせず十分に休養してエネルギーを充足する必要がある。

安全に過ごすことに関しては，物理的環境を医療者側で調整することが必要な場合もあるが，一方でこのような制限は患者の苦痛やストレスにもなり得るため，日々の患者の状態を把握して，必要なケアについて看護師チームでアセスメントし，主治医と相談することで必要最小限にとどめることができた。

今後は，退院後も安定した状態を維持するための生活のしかたや工夫について家族で話し合うことや，退院後の職場復帰の時期や働き方について主治医や職場の上司と相談して進めていくことが望ましい。

 うつ病

1 疾患の特徴

うつ病の主な症状には，抑うつ気分，興味と喜びの喪失，気力の減退，思考力の減退，罪責感と無価値観，運動抑制，睡眠障害，食欲不振，希死念慮(きしねんりょ)などがある。患者は症状のために役割が果たせなかったり，物事の判断ができなかったりすることで，「私はだめな人間だ」と自分を責める。また，興味と喜びの喪失のために家族や友人に温かい愛情を感じられないことは，患者に罪悪感をもたらす。うつ病の症状は患者の自己評価と自信を低下させる。

薬物治療を始めても，抗うつ薬の効果は服用を始めて1～2週間して現れるため，すぐに効果を感じられない。また，症状が軽減してきても，悲観的にとらえる傾向は続いているため，患者は改善していることを認めにくい。このような状況において，患者を安易に励ましたり，楽観的な希望を提示したりすることは，患者を追いつめることになる。患者の焦(あせ)りや不安に寄り添いながら，休息と治療によって必ず楽になるという見通しを，押しつけないように伝えることが必要である。

看護上の注意点　急性期には休息をしっかりとり，回復前期には休息を十分とりつつ活動を少しずつ広げ，回復後期には再発しないための生活の工夫を考えられるように支援することが重要である。朝は抑うつ的，夕方には少し楽になるという**日内変動**(にちない)を生かした援助を考えることも大切である。また，自殺をほのめかす言動の有無にかかわらず，自殺のリスクがあると想定してかかわらなくてはならない。回復するにつれて行動化する危険性が高まるため，回復期には，より注意が必要である（表7-6）。

表7-6 うつ病をもつ人への看護のポイント

❶抗うつ薬の効果の出現までに時間がかかることや，うつ病の症状のために悲観的になりがちであることによる焦りと不安を受け止め，改善しているところや今後の見通しを伝える。
❷うつ病の症状による自己評価の低下に配慮し，自信がつけられるように支える。
❸再発を防ぐために，無理せず休息がとれる生活に変化していくことを支える。
❹回復過程のどの時期にも自殺のリスクがあると考え，自殺を予防する。

2 事例紹介

❶患者の概要

1. 患者プロフィール

患者：E さん，50 歳，女性

病名：うつ病

家族：夫と 2 人暮らし。23 歳の長女と 22 歳の長男が他県に住んでいる

2. 入院までの経過

子どもの頃からまじめで几帳面であった。高校卒業後は事務員として働いていたが，25 歳のときに結婚を機に退職し，専業主婦となった。夫は仕事中心の生活で，家事や 2 人の子どもの子育ては E さんに任せきりであった。E さんは掃除や料理などにも手を抜かず，子どもたちの学校の PTA 活動にも熱心に取り組んでいた。

2 人の子どもが次々に大学を卒業し，一人暮らしを始めると，E さんは「寂しくなった」「何もやる気がしない」と話していた。その頃から頭痛やのぼせ，肩こりのために体調がすぐれないと訴えていた。また，近くに住んでいた E さんの母親が亡くなり，E さんは「親孝行できなかった」とまわりの人に話していた。その後，眠れないと言うようになり，外出することが減った。

2 か月前より，買い物に行っても何を買ってよいのか選べずに何も買わずに帰ってきてしまったり，夫が帰宅するまで電気もつけずに暗い部屋に座っていたりするようになった。徐々に食事がとれなくなり，体重が 8kg 減った。「胃か腸が悪いと思う」と言い，内科を受診して検査をしたが問題なかった。しかし，本人は「大きな病気だと思う」と言って昼間も布団に横になって過ごすようになった。

3. 入院時の状態と治療方針

夫と長女に伴われて受診し，うつ病と診断され，医療保護入院となった。診察時に，主治医の問いかけに「大きな病気でもう手遅れだから」「私がいると迷惑をかける。申し訳ない」とささやくような声でつぶやいた。また，「死んで家族に詫びたい」と希死念慮を表出したため，E さんの安全を守る目的で主治医（精神保健指定医）の指示で保護室使用となった。

じっと動かずに臥床し，眉間にしわを寄せて閉眼して過ごしていた。食事を促すと，聞き取れないほどの小声で「お金がないからご飯は食べられない」と言ったが，介助で数口食べることができた。水分も不足していたため点滴施行となった。薬を促すと，眉間にしわを寄せ苦しそうに飲み込んだ。抗うつ薬（SSRI）が処方されている。

4. 本人の目標，希望，強み

本人の目標，希望：早く退院したい

強み：まじめに取り組む性格である。事務員としての経験がある。家事や子育て，PTA 活動や地域の役割に熱心に取り組んで役割を果たしてきた経験がある。家族のサポートがある

❷入院後の経過と全体像のアセスメント

(1) 入院後の経過

入院 4 ～ 10 日目　入院後4日目からは食事を自力で半分ほど食べられるようになり，水分も促すと少しずつ飲めるようになったため点滴は終了した。隔離解除となり個室に移ったが，日中もほとんど寝たまま過ごしており，動く速さはゆっくりであり，入浴は看護師がほとんど介助した。入院10日目頃から，声かけに「すいませんね」と言うようになった。

入院 1 か月後　現在は多床室に移っている。午前中は横になっているが，午後は作業療法に参加している。作業療法では塗り絵をしているが，15分ほど行うと「疲れた」と言い，後は休憩している。ほかの患者に色鉛筆や紙を渡したり，片づけのときにそっと手伝ったりする。塗り絵以外にやりたいものを聞くと，「ないわね。以前は縫い物が好きだったけ

ど」とゆっくり，ぽつぽつと話した。

また，作業療法から帰ってくる際に，Eさんは「早く退院しないといけないのに，なかなかよくならない。もうよくならないと思う」「料理もまともにできないし，帰っても夫に迷惑をかけるだけ」と看護師に話した。

(2) 全体像のアセスメント

まじめで責任感が強いEさんは家庭や社会での役割を誠実に担ってきたが2人の子どもが家を出て，自分の役割を失ったように感じ，そこに更年期の身体の不調と母親の死が重なり，抑うつ状態へと進んでいったと考えられる。

入院前は抑うつ感が強く，不眠や行動停止，心気妄想，罪責感，体重減少などがあったが，現在は抗うつ薬の効果が現れて改善している。セルフケアは自立しており，作業療法に参加し，時にまわりの人を手伝うようなゆとりもある。しかし，集中力は長く続かず疲労しやすい状態である。これらのことから，現在は回復前期にあり，休息を十分にとりながら活動を増やしていく必要があると考えられる。

3 看護計画

❶看護目標

休息をとりながら無理せず活動と他者との交流を拡大し，自己肯定感を高め，家族もEさんも安心して生活できるようになる。

❷アセスメントと看護計画

Eさんについて次のようにアセスメントした。

(1) 将来への悲観と意欲の低下

「もうよくならないと思う」「料理もまともにできないし，帰っても夫に迷惑をかけるだけ」という発言があるように将来に対して悲観的であり，やりたいこともないと答えているように意欲が低下した状態である。Eさんが興味をもって取り組める活動を促したり，現在できていることを伝えたりすることによって，自信を回復し，希望を感じられるように支える必要がある。

(2) 自殺のリスク

希死念慮(きしねんりょ)を直接的に示す言動はないが，自己の存在価値を認められない発言がある。回復前期にも自殺のリスクが高まることから，ふだんと違う言動に注意して観察する必要がある。

(3) 家族の不安

家族は入院前のEさんの様子を大変心配し，不安に感じている。家族の気持ちを聴く機会をもち，うつ病の症状の影響であったことを説明し，安心してEさんの回復を支えることができるように援助していく必要がある。

現在のEさんにとって優先度が高いと考えられる「将来への悲観と意欲の低下」について看護計画の概要を示す。

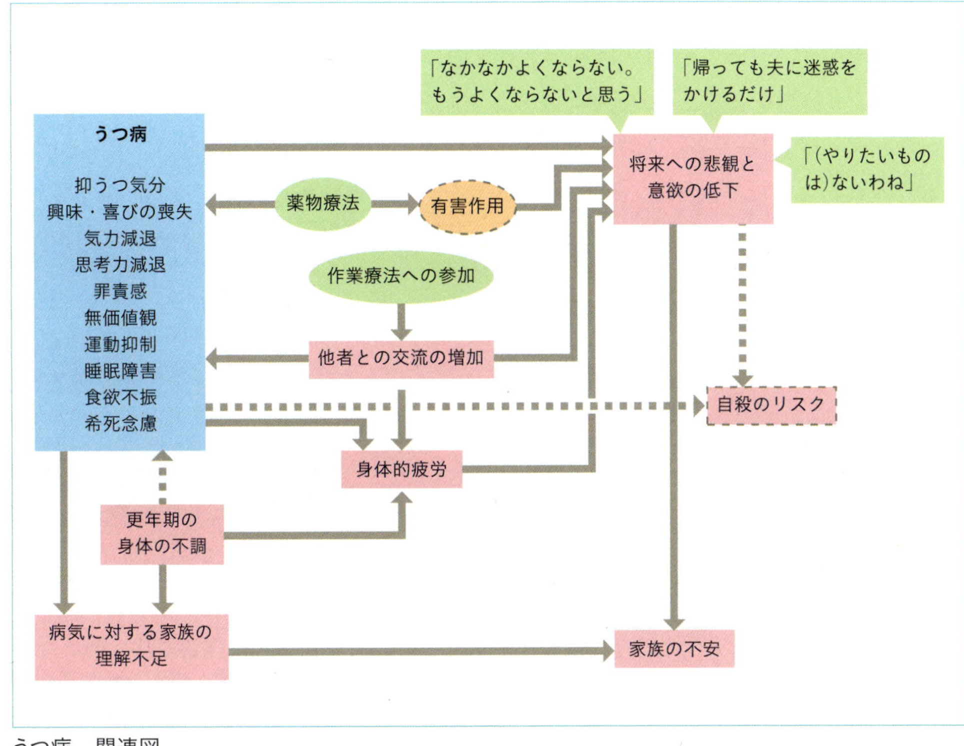

うつ病　関連図

アセスメント 主観的情報，客観的情報， 関連要因（O，S，E）	目標および評価指標	看護計画 観察，ケア，教育（O，T，E）
将来への悲観と意欲の低下 S：「もうよくならないと思う」「帰っても料理もまともにできないし，夫に迷惑をかけるだけ」という悲観的な発言がある。やりたいことをきくと「ないわね。以前は縫い物が好きだったけど」とゆっくり，ぽつぽつ話す O：ほかの患者との会話はほとんどない。作業療法に15分程度取り組み，その後は休んでいる	目標：休息をとりながら無理せず活動を広げ，できていることや良い変化に気づき，回復への希望がもてる 評価指標： • 安心して休息をとることができる • できていることや良い変化に気づく • 無理せずに取り組める活動が増える	O：睡眠・休息時間，日中の過ごし方，他者との交流，作業療法参加中の様子 T：無理せず楽しめる活動への参加を促し，できていることを伝えて，自信と回復への希望を感じられるように支える ①焦りや不安を受け止める ②安心して休息できるように休息の大切さを伝える ③できていることや良い変化を伝える ④楽しめそうな活動を提案する。 ⑤午後からの活動しやすい時間に活動を促す

4　看護の実際と評価

❶実施した看護と患者の反応

(1) 焦りや不安を受け止める

焦りや悲観的な見通しに基づいた不安が表出されたときには，説得するのではなく，「そう思われているんですね」と，E さんの気持ちを受け止めた。E さんはしばらく黙ってから，「また家事ができるようになりたいんだけどね」という希望を話した。

(2) 安心して休息できるように休息の大切さを伝える

休息の大切さについて，「この時期は活動も増やしていくのですが，まだ疲れやすいので，しっかり休息をとることが大事になります」と伝えると，Eさんは「いつまでも休んでいるとダメな気がしていたけど，休んでもいいのね」と答えた。看護師が「退院してからも，疲れたときは無理せず上手に休息できることは大事なことですね」と伝えると，「休むことが大事なんて考えたことがなかったです」とEさんは答えた。

(3) できていることや良い変化を伝える

現在できているセルフケアについて一緒に確認できるように，「入院時に比べると，眠れるようになり，食事もとれるようになっていますね」と伝えると，Eさんは「そうね」と答えた。

また，「作業療法の時間に，ほかの患者さんに色鉛筆や紙を渡してあげたり，片づけを手伝ったりしてまわりを気遣っておられますね」と看護師が気づいたEさんの強みを伝えると，Eさんは「いえいえ」と言いながら笑った。

(4) 楽しめそうな活動を提案する

Eさんが縫い物をよくしていたことを作業療法士に伝えて相談し，作業療法で簡単な絵柄の刺し子の布巾をつくることを提案した。Eさんは，「簡単だったらできるかもしれない。やってみようかしら」と答えた。作業療法以外にも楽しめる活動が増えるように，「料理やお菓子の本などがデイルームにあるので，一緒に見ませんか」「中庭に花が咲いていますから，よかったら散歩に行ってみませんか」などといくつか提案すると，Eさんは「中庭に行ってみようかしら」と答えた。

(5) 午後からの活動しやすい時間に活動を促す

日内(にちない)変動を考慮してEさんが動きやすい時間帯に活動を促せるように，「午前より午後の方が動きやすそうに見えますがどうですか」と聞いたところ，Eさんは「そうね，午後の方がちょっと楽です」と答えた。午後から夕方の時間帯に，散歩やデイルームで雑誌を見ることをEさんに提案した。

❷評価

実施した看護によって，Eさんは安心して休息することができ，自分の変化に気づき，新たな活動に取り組むことができた。これらのことから，「休息をとりながら無理せず活動を広げ，できていることや良い変化に気づき，回復への希望がもてる」という目標を達成することができたと考えられる。したがって，実施した看護は現在のEさんにとって適切であったといえる。

E アルコール依存症

1 疾患の特徴

アルコール依存症は，様々な身体合併症による身体的問題や，うつ病，不眠などの精神障害，家庭や社会関係の破綻という社会的問題を引き起こす。そして，それらが深刻な状態となったときに，ようやくアルコール専門医療と結びつく場合が多い。**否認**がこの疾患の特徴であり，「アルコール依存症ではない」あるいは「あの人に比べれば自分は軽症だ」などと自分に起こっている問題を否認する。

患者の否認を打破しようとするのではなく，揺れ動きながら進む回復過程の第一歩としてとらえ，患者が安心して自己洞察し，否認を乗り越え，回復過程を進んでいくことを支えることが重要である。そのためには，治療を受けようとした決断に敬意を払い，努力を認めることにより，患者が自己肯定感を取り戻せるようにかかわる必要がある。

看護上の注意点 患者にとって，アルコールを強く渇望する精神依存を抱えながら断酒を継続することや，アルコール中心のこれまでの生き方から新たな生き方に変更することは簡単なことではない。たとえ患者が再飲酒することがあっても，患者自身の失望を理解し，いつからでもまた回復に向かうことができるという態度で見守ることが大切である。依存症は回復可能であるということや，回復は直線的な道のりではないという認識を看護師がもっていないと，患者の回復を支えることはできない。

しかし，患者を支えたいという思いが過ぎて，患者の主体性や責任を尊重できなくなる関係性は共依存*につながる。患者の感情に巻き込まれていないか自分を振り返り，客観的な視点を保持できるようにチームで患者を支える体制をとることが必要である。

依存症治療は病院だけでは限界がある。生涯続く断酒の支えとなる断酒会やAA（アルコホーリクス・アノニマス）*などについての情報を提供することが重要である（表7-7）。

＊ **共依存**：相手に必要とされることで，自分の存在意義を見いだすという関係性である。もとはアルコール依存症者とそれを助長する人との関係性を指して用いられていたが，現在では，依存症者に限らず，特定の二者が互いにその関係性に過剰に依存し，その人間関係にとらわれている状態にあることを指す。アルコール依存においては，当事者が飲酒によって起こした問題をまわりの人が解決したり後始末したりすることは当事者の回復を妨げる。回復に向かうためには，当事者が自立し，自分が起こした問題の責任をとることができるようにする関係性が必要である。

＊ **AA（アルコホーリクス・アノニマス）**：アルコール依存症当事者の回復のための自助グループである。1935年にアメリカで設立され，その後，国際的にも広がった。設立のきっかけは，アルコール依存症の2人の男性が出会い，ほかのアルコール依存症者の助けをしていると飲酒しないでいられたという体験を話し合ったことであった。AAの基本的考え方は12のステップとして示されている。そこには，アルコールに対する自分の無力さを認めること，自分を超えた絶対的な存在（ハイヤーパワー）を信じることで，これまでの生活を振り返ること，傷つけた人たちに謝罪すること，アルコール依存症をもつ仲間と共に回復しようとすることなどが含まれる。この12のステップに基づいた「言いっ放し，聞きっ放し」のミーティングに参加することで経験と力と希望を分かち合い，飲酒しない生き方を続けていく。日本においては，AAと断酒会の2つが代表的なアルコール依存症者の自助グループである。

表7-7 アルコール依存症をもつ人への看護のポイント

❶患者の否認を，揺れ動きながら進む回復過程の第一歩としてとらえる。
❷患者の努力を評価し敬意をもってかかわる。
❸依存症は回復可能であるという認識をもつ。
❹断酒の困難さを理解し，回復は直線的な道のりではないという認識をもつ。
❺共依存にならないようにチームで支える。
❻入院治療の限界を認識し，自助グループにつなげる支援をする。
❼家族も支援する。

2 事例紹介

❶患者の概要

1. 患者プロフィール

患者：F さん，46 歳，男性
病名：アルコール依存症
家族：妻と小学生の娘との 3 人暮らし

2. 入院までの経過

子どもの頃から活発で，何事にも努力して取り組む性格だった。父親も祖父も大酒家（たいしゅか）（酒をよく飲む人）であり，親族の集まりにはお酒が欠かせないという家庭で育った。

大学卒業後，食品会社の営業職として熱心に働いていた。20 歳代から飲酒を始め，30 歳代で仕事上責任のある立場になって酒量が増えた。40 歳頃から週末は連続飲酒*するようになり，アルコールのにおいをさせたまま仕事に行くことや，仕事上の失敗が増えたことについて，たびたび上司に呼び出されて注意を受けていた。これまで数回飲酒をやめたが，いずれも数日すると再び飲み始めてしまった。

飲酒すると妻への暴言や暴力もあったため，妻と娘は時々妻の実家に避難していた。しかし，F さんは飲酒中の自分の言動を覚えておらず，酒に酔っていないときは家族に優しかったため，家族も F さんを支えたいという思いをもっていた。

1 か月前，会社で腹痛と嘔吐のために動けなくなり，内科を受診したところ，急性膵炎と胃潰瘍と診断され入院となった。前日まで連続飲酒をしていた。内科入院中には，「天井に虫がいる」という幻視の訴えや粗大な振戦などの離脱症状があった。2 週間で急性膵炎と胃潰瘍は改善した。退院前に内科の主治医からアルコール治療専門病棟で治療することを勧められ，妻や職場の上司の勧めもあり，内科から退院した日にそのままアルコール治療専門病棟がある精神科病院に入院した。3 か月のアルコール治療プログラムに参加することが目的であった。

3. 入院時の状態と治療方針

入院時は離脱症状は治まっており，やや倦怠感はあるとのことだった。セルフケアは自立しており，食事は普通食を食べていた。F さんは，「アルコールを減らすように職場で言われているので，飲み過ぎないようにする方法を勉強したい」と表情硬く話した。付き添ってきた妻は心配そうな表情で，「会社からも最後のチャンスと言われているので，今度こそ，お酒をやめてほしいと思っています」と話した。最終飲酒は入院 15 日前であった。抗酒薬が処方となった。抗酒薬は，服用後にアルコールを摂取すると頭痛や吐き気など不快な症状をおこすため，飲酒を断念しやすくする効果をもつ。

4. 本人の目標，希望，強み

本人の目標，希望：アルコールを飲み過ぎないよ

* **連続飲酒**：飲酒コントロール喪失の最終段階であり，48 時間以上続く飲酒を指す。日本酒換算で 2 ～ 3 合の酒を数時間おきに飲み続け，常に一定濃度のアルコールをからだの中に維持している状態である。仕事をしている場合は，金曜の夜から飲酒が始まり，週末の間ずっと飲酒が途切れないという連続飲酒になることが多い。長い場合は，数か月にわたって，ずっとからだにアルコールのある状態が続くこともある。初めは酔うことを目的に飲み続けていても，やがてアルコールが切れると離脱症状が出るようになるため，それを抑えるために飲み続けるというように変わっていく。長く断酒していても，再飲酒すると，短い時間で連続飲酒に戻ってしまうのが依存症の特徴である。

うにしたい

強み：アルコール治療プログラムに参加し，アルコールによる問題を改善しようという意思がある。家族や職場のサポートがある

❷入院後の経過と全体像のアセスメント

(1) 入院後の経過

入院翌日からアルコール治療プログラムへの参加を始めたが，まわりの参加者と話す様子はなかった。入院から1週間が経過した現在も，プログラム以外の時間は部屋で本を読んで過ごし，Fさんからほかの患者や看護師に話しかけることはほとんどない。看護師が治療プログラムの感想を聞くと，「私は飲み過ぎることが問題で依存症じゃないからね。ほかの患者とは違う。やめようと思えばいつでもやめられる」と目を合わせずに話した。

(2) 全体像のアセスメント

20歳代から飲酒を始め，30歳代で酒量が増え，40歳頃から連続飲酒するようになり，アルコール依存の状態に至っている。大酒家の父親や祖父がいて，飲酒が生活のなかにあることが普通という家庭で育ったこと，仕事や家庭の責任が増すなかで努力して取り組み，ストレスが増していったことなどから，飲酒量が増えていったと考えられる。

急性膵炎と胃潰瘍というアルコールによる身体合併症は，治療により改善している。すでに離脱期を抜けて現在は回復期にある。断酒しようという気持ちとアルコール依存症と認めたくない気持ちがあり葛藤している。治療プログラムをとおして断酒への動機づけを高める時期である。

3 看護計画

❶看護目標

治療プログラムへの参加とまわりの人との交流をとおして，Fさんがアルコール依存症であることと向き合い，希望する生活の実現に向かって取り組むことができる。また，家族が安心してFさんを支えることができる。

❷アセスメントと看護計画

Fさんについて次のようにアセスメントした。

(1) アルコール依存症に対する否認と孤立

「私は飲み過ぎることが問題で依存症じゃないからね。ほかの患者とは違う。やめようと思えばいつでもやめられる」と話しており，アルコール依存症に対する否認がある。そのため，ほかの患者と交流せずに孤立している。Fさんがアルコール依存症を否認しながらも治療を選択したことに敬意を払い，治療プログラムへの参加をとおして変化していく気持ちをFさん自身が確認できるように援助する必要がある。

(2) アルコール依存症についての理解の不足

Fさんは，「アルコールを減らすように職場で言われているので，飲み過ぎないようにする方法を勉強したい」と述べているように，断酒ではなく節酒でもよいと考えており，

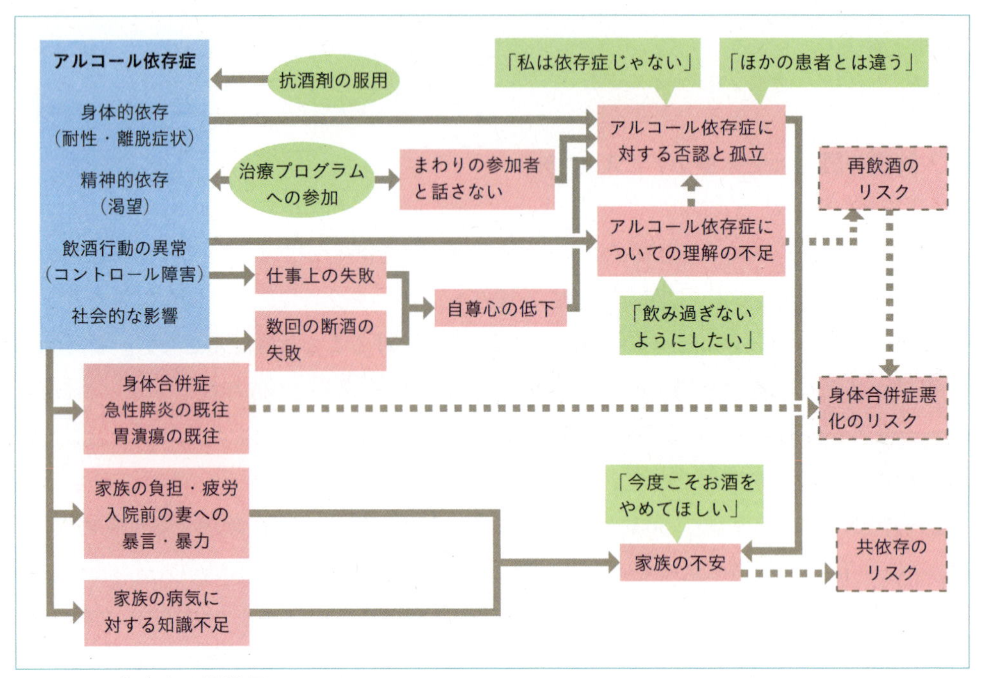

アルコール依存症　関連図

アルコール依存症についての理解が不足している。また，からだへの影響も十分認識できていない。治療プログラムをとおして，アルコール依存症への理解を深めていくことを支える必要がある。

(3) 家族の不安

家族は，これまでのＦさんの飲酒時の言動により，傷つき疲弊している。今回の入院治療について，会社からも最後のチャンスと言われているなかで，家族はＦさんの断酒を願い支えようとしているが，不安を抱えている。家族と話す機会をもち，情報を提供することで，安心してＦさんを支えることができるように援助していく必要がある。

現在のＦさんにとって優先度が高いと考えられる「アルコール依存症に対する否認と孤立」について，看護計画の概要を示す。

アセスメント 主観的情報，客観的情報， 関連要因（O，S，E）	目標および評価指標	看護計画 観察，ケア，教育（O，T，E）
アルコール依存症に対する否認と孤立 S：「私は飲み過ぎることが問題で依存症じゃないからね。ほかの患者とは違う。やめようと思えばいつでもやめられる」と目を合わせずに話す O：ほかの患者との交流がない。看護師に自ら話しかけることはない。治療プログラムの時間以外はベッドで過ごす	目標：アルコール依存症であることを受け入れ，まわりの人との交流が増える 評価指標： • アルコールによる問題に向き合う発言がある • どのような生活をしたいかという希望を話すことができる • まわりの人との交流が	O：他者とのつき合い，治療プログラム参加中の様子，身体状態 T：対話をとおしてＦさんの変化していく思いを受け止め，まわりの人との交流が増えるように支える ①できていることや努力を評価し，敬意をもってかかわる ②治療プログラムの後などに感想を聞く ③アルコールへの思いやアルコールによる問題について語るときは意見を控えてじっくり聞く ④どのように生活していきたいのかＦさんの希望

アセスメント 主観的情報，客観的情報， 関連要因（O，S，E）	目標および評価指標	看護計画 観察，ケア，教育（O，T，E）
	増える	を聞く ⑤ほかの患者との交流を促進する ⑥自助グループへの参加を押しつけないように提案する

4 看護の実際と評価

❶実施した看護と患者の反応

（1）できていることや努力を評価し，敬意をもってかかわる

Fさんと話す機会をもち，「ご自分の飲酒についてなんとかしたいと思って入院されたのは勇気があることだと思います」と伝えた。Fさんは，「家族に迷惑をかけているしね。会社にいられなくなるといけないしね」と笑いながら答えた。また，「プログラムも毎回，参加されていますね」と伝えると，Fさんは「そのために入院しているからね。ノートもとっている」とノートを見せてくれた。「しっかり取り組まれているんですね」と伝え，Fさんの努力を認めると，Fさんは「こんなことは普通だよ」と笑って言った。

（2）治療プログラムの後などに感想を聞く

アルコールのからだへの影響について学ぶプログラムの後に看護師が話しかけると，「アルコールがからだに悪いんだっていうことがわかって恐くなった。自分のからだもアルコールでボロボロになっていたんだと思った」と話した。そして，「まわりの人と自分は違うと思っていたけど，まわりの人の話を聞いていると，自分も同じようなところがあると思うようになった」と話した。少しずつ同室の患者と世間話をしたり，ウォーキングのプログラムのときにほかの参加者と話しながら歩いたりすることが増えていった。

（3）アルコールに対する思いやアルコールによる問題について語るときは意見を控えてじっくり聞く

Fさんが「飲んでいるときにしたことを覚えていないんだけど，家族に迷惑をかけていると思う」「会社も休んだり，ミスしたりして迷惑をかけているからね」と話したため，「ご家族や会社に対して，そんなふうに思われているんですね」と受け止めた。

（4）どのように生活していきたいのかFさんの希望を聞く

Fさんが断酒について前向きな気持ちと不安を話したときは，「断酒できたとしたら，どのような生活をしたいと思われますか」と聞いた。Fさんは，「本当は子どもが小さかったときにもっと遊んであげたかった。今なら，休日に家族で買い物に行ったりドライブに行ったり，娘が喜ぶようなことをしてあげたいかな」と話した。

（5）ほかの患者との交流を促進する

体力づくりの治療プログラムで近くの公園まで散歩をする機会に同行した際，Fさんやほかの患者と一緒に歩き，対話することで交流の機会がもてるようにした。Fさんは，最初は言葉が少なかったが，徐々にまわりの参加者と笑顔で話すようになった。また，Fさんから次週のプログラムについて質問があった際に，先にプログラムに参加したFさん

と同室の患者に声をかけ，説明してもらえる機会をつくった。Fさんは自ら質問していた。その後，同室の患者とホールや廊下などで会話することが増えた。

(6) 自助グループへの参加を押しつけないように提案する

Fさんが「退院したら飲まないようにするけど，会社の付き合いもあるし，冠婚葬祭のときは酒を勧められるだろうから，一生やめられるかどうかはわからないなぁ」と話したときに，「心配に思われるのは自然なことと思います。断酒会やAAでは，ほかの方がどんな工夫をされているのか聞けるようですね」と伝えた。Fさんは，「そういうことも聞けるんだね」と言った。

❷評価

実施した看護によって，Fさんはプログラムをとおして変化していく気持ちを表出し，アルコールによる問題に向き合うようになった。また，Fさんとほかの患者との交流も増えた。これらのことから，「アルコール依存症であることを受け入れ，まわりの人との交流が増える」という目標は達成できたと考えられる。したがって，実施した看護は，Fさんにとって適切であったと考える。

 認知症

1 疾患の特徴

認知症は，いったん正常に発達した認知機能が脳の障害によって慢性的にあるいは進行的に減退するものである。認知症の症状は，記憶，見当識，思考，判断力などの障害や失行・失認・失語など高次脳機能障害を含む**中核症状**と，それらに起因する精神症状や行動障害を含む周辺症状（行動・心理症状，behavioral and psychological symptoms of dementia；**BPSD**）に分けられる。これらによって，日常生活や社会生活に支障をきたし，家族や周囲の人々の安全も脅かされて適切にケアを行うことが困難になることもある。

BPSDに関しては，脳の障害のほかに，脱水，便秘，持病の悪化などの身体的な不調，寝たきりやひきこもりなどに由来する活動性の低下，新しいサービスや施設利用時や援助者の交代などの人間関係や生活環境の変化，周囲の不用意な言葉や援助者の不適切なかかわり方なども要因として考えられる。そのため，安易に薬物療法による対応をとるのではなく，まずは患者のおかれている状況や心理状況を把握し，援助する側のかかわり方や環境を見直したうえで，その人の心情に寄り添って適切なケアをし，不安や混乱を最小限にとどめることが大切である。

2 事例紹介

❶患者の概要

1. 患者プロフィール

患者：Gさん，71歳，男性
病名：アルツハイマー型認知症
家族：妻と2人暮らし。息子家族が他県に住んでいる

2. 入院までの経過

65歳まで公務員としてまじめに働いており，同僚や部下からの信頼も厚かった。特別な趣味はもっておらず，退職後は庭いじりをしたり，新聞やテレビを見て過ごすことが多かった。時々，息子の家族が自宅に遊びに来ると喜んでいた。

退職して3年が経過した頃から，眼鏡や財布をどこに置いたかわからなくなったり，人の名前が思い出せなかったりし，ささいなことで怒り出すことが増えていった。妻が友人と買い物や習い事に出かけようとすると，Gさんは「本当に友人と出かけるのか」「浮気しているのではないか」と言うようになった。1年ほど前からは，トイレの場所がわからなくなったり，ズボンを脱ぐのに手間どったりして，失禁するようになった。ある日，妻が買い物へ出かけようとすると「浮気相手のところに行くのか！ 許さん！」と言って妻の腕をつかんで離さず，叩いたり蹴ったりした。妻は恐怖を感じ，息子と相談して，認知症疾患医療センターとして指定されている精神科病院を受診した。

受診時，医師に対して「ここは病院か。私はどこも悪くない。悪いのは妻のほうだ」と声を荒げた。暴力のリスクがあったため，認知症治療病棟ではなく急性期治療病棟に医療保護入院となった。入院時の検査では，MMSE（mini mental state examination）20点，長谷川式簡易知能評価スケール（HDS-R）20点であった。個室に入室し，しばらくして妻が帰ろうとすると「俺を入院させてお前は浮気か！」と怒声をあげたため妻は涙ぐんでいた。

3. 入院時の状態と治療方針

認知機能低下に伴い周囲に対して被害的，攻撃的となり暴力など著しい問題行動に至ったため，本人と家族の安全を確保するため入院が必要と判断された。一定の行動制限を加える必要があり，なおかつ本人の認知機能低下に伴う判断能力低下があるため，医療保護入院とならざるを得ない。しかし，長期の入院は更なるADLの低下につながるため，できるだけ短期間の入院で在宅生活へ戻ることが大切である。家族の受け入れが困難ならば施設入所を考えていく。

本質的に認知機能低下を改善する薬物はないため，チアプリド塩酸塩や一部の非定型抗精神病薬を用いて，攻撃性，易怒性，情動面の安定を図る。高齢者は過鎮静，パーキンソニズムを生じやすいため，転倒からの骨折や誤嚥（ごえん）などに十分注意する。

4. 本人の目標，希望，強み

- 65歳まで公務員としてまじめに働いていた
- 周囲の信頼が厚かった
- 服薬できる
- ほぼ毎日妻の面会がある

❷入院後の経過と全体像のアセスメント

(1) 入院後の経過

日常生活 病室やトイレの場所がわからなくなり，うろうろしていたり，トイレに間に合わず失禁してしまうこともあった。汚れた下着がベッドの下に置いてあることもあった。食事は座席まで誘導すると自力で摂取することができたが，洗面や入浴は自ら行わず，時には看護師の誘導を拒否することもあった。また，誘導に応じた場合も，更衣の途中やからだを洗っている途中で手順がわからなくなり混乱してしまうようで，声かけや一部介助が必要であった。

服薬　もともと高血圧のために服薬していたこともあったためか，服薬に対する拒否はなかった。過鎮静やパーキンソニズムの出現はなく，歩行はしっかりしており転倒することはなかった。

対人関係　ほぼ毎日妻の面会があり，Gさんは面会時にはうれしそうな表情となるが，「この浮気者！」と手を軽く叩くこともあった。看護師や医師に対して声を荒げることは少なく，以前公務員として働いていた頃や若い頃のことを話題にすると，笑顔で落ち着いて話した。

(2) 全体像のアセスメント

認知機能の低下に伴って妻に対する被害妄想が出現し，言語的・身体的な攻撃性に発展していた。妻は夫に対して恐怖を感じ，どのように対応してよいかわからない状態にあった。妄想の背景には不安，恐怖，不信，不満，怒り，苦痛などがあると考えられるが，それらをうまく言語化して表現することができず，周囲の人には理解されにくいために，過剰な感情的反応になって現れている可能性がある。このようなBPSDによって家族の負担と疲労は大きくなり，家族との関係が悪化するリスクがある。

見当識障害からトイレの場所がわからなくなったり，加齢に伴う身体機能の低下も相まってトイレに間に合わず，失禁につながっていると考えられる。自尊心や羞恥(しゅうち)心から汚れた下着を隠す行動もみられ，排泄のセルフケア能力が低下している。同様に，失認・失行などの影響から，洗面や入浴などの保清を自ら行おうとせず，看護師の誘導を拒否することもあった。また，誘導に応じた場合も，途中で手順がわからなくなり混乱してしまい，自力では清潔を保つことができない状況にある。これらは家庭における家族の介護負担感にもつながっていると考えられる。

3　看護計画

❶看護目標

①安心して穏やかな対人関係を構築する。

②不快感なく適切に排泄する。

③清潔のセルフケアニーズが充足する。

❷アセスメントと看護計画

アセスメント 主観的情報，客観的情報， 関連要因（O，S，E）	目標および評価指標	看護計画 観察，ケア，教育（O，T，E）
家族との関係性が悪化するリスクがある O：入院前に妻の外出について「本当に友人と出かけるのか」「浮気しているのではないか」 S/O：妻が買い物へ出かけようとすると激怒して「浮気相手のところに行くのか！　許さん！」と言って妻の腕をつかんで離さず，暴力をふ	目標：安心して穏やかな対人関係を構築する 評価指標： • 面会時に妻と穏やかに交流する • レクリエーションなどをとおして他患者と穏やかに交流する • 妻が本人への対応のし	O：精神状態，妻との面会時の様子，病棟内でのほかの患者とのかかわりの状況 T：他者とのかかわりを見守りながら，必要時介入する T：妄想に対しては否定や説得はせず，Gさんが感じている不安や恐怖を傾聴しいったん受け止めたうえで，共感を示す T：話を聴いてひと区切りついたら，話題を変えて気分転換を図る

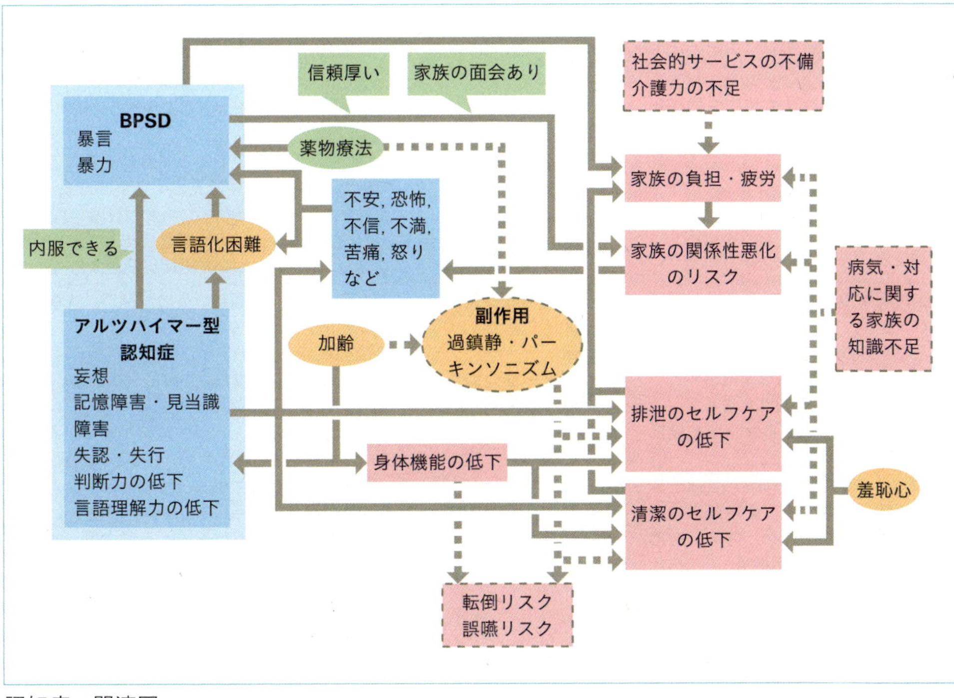

認知症　関連図

アセスメント 主観的情報，客観的情報， 関連要因（O，S，E）	目標および評価指標	看護計画 観察，ケア，教育（O，T，E）
るう S/O：入院時「俺を入院させてお前は浮気か！」と怒声をあげ，妻は涙ぐんでいた E：認知症による妄想，不安，恐怖，怒り，苦痛など，言語理解力の低下，病気・対応に関する家族の知識不足，家族の負担・疲労，介護力の不足	かたを検討できる	T：Gさんのことを気にかけていることを伝える T：Gさんが好きな話題，好きな活動をとおして，穏やかに過ごせる時間をつくる T：病棟のレクリエーションなどに一緒に参加して他者と交流がもてる機会をつくる T：妻の苦労をねぎらい，不安や心配について話を聴く E：妻に患者の言動の背景にある心理的な状況について説明する E：妻に対しては，本人と妻の双方が安心できるような本人とのかかわり方や声かけのしかたについて検討する E：妻に患者の心を傷つけない方法や態度（否定しない，議論しない，いつも気にかけていることを示すなど）を紹介する E：精神保健福祉士とも連携して退院後に必要な社会資源を活用できるよう情報提供する
排泄に関するセルフケア能力が低下している O：病室やトイレの場所がわからなくなり，うろうろする O：トイレに間に合わず失禁してしまう O：汚れた下着がベッドの下に置いてあった E：見当識障害，記憶障害，失行・失認，羞恥心，言語理解力の低下，身体機能の低下，副作用のリスク，	目標：不快感なく適切に排泄する 評価指標： • 誘導によってトイレで排泄する • 失禁がみられても誘導によって速やかに保清・更衣する	O：排泄の時間やタイミング，失禁時／誘導に応じた際の時間・タイミングや周囲の環境，排泄量，失禁後の行動，失禁の理由，副作用の有無 T：排泄のパターンを把握し，時間やタイミングに合わせてトイレに誘導する T：トイレの場所に目印をつけ，誘導の際に根気よく場所を伝える T：トイレ誘導や失禁時の更衣の際には，羞恥心に配慮してさり気なく見守り，必要な時だけ介助する T：失禁した場合は，そのことには触れずに「シ

アセスメント 主観的情報，客観的情報， 関連要因（O，S，E）	目標および評価指標	看護計画 観察，ケア，教育（O，T，E）
病気・対応に関する家族の知識不足		ャワーに行きましょう」と誘導する（自尊心を傷つけない） T：汚れた下着が隠してある場合は，そのことを問いただしたりせず「洗濯しておきましょう」と声をかけ，了解を得てから片づける E：妻に自宅のトイレの位置を確認したり，誘導や介助のしかたについて一緒に検討する
清潔に関するセルフケア能力が低下している O：洗面や入浴は自ら行わない O：時には看護師の誘導を拒否する O：更衣の途中やからだを洗っている途中で手順がわからなくなり混乱してしまう E：失認・失行，記憶障害，言語理解力の低下，羞恥心，身体機能の低下，副作用のリスク，病気・対応に関する家族の知識不足	目標：清潔のセルフケアニーズが充足する 評価指標： • 声かけと一部介助によって清潔行為が行える	O：保清の状況，誘導時の表情・反応，誘導に応じるとき / 拒否するときの時間・タイミングや周囲の環境，清潔行為の自立度，副作用の有無，薬の副作用の有無 T：洗面，歯磨き，入浴などを誘導する際には「これから○○しましょう」と声をかけ，Gさんにこれから何をするのかがわかるように伝える T：誘導に対して拒否がみられる場合，Gさんなりの理由があるため，その理由を把握する T：誘導に対して拒否がみられる場合は，無理強いせず，時間をおいてから再度声をかけてみる T：入浴の場合は，羞恥心に配慮し，一番最後にゆっくり入れるように配慮する T：安全に配慮して見守りながら，自分でできることはできるだけ行ってもらうようにし，必要な部分だけ介助する T：途中で手順がわからなくなる場合は，1つずつ「○○をしてください」と声をかける T：介助や声かけの際は，焦らせないよう看護師もゆっくり落ち着いて行う T：清潔行為が完了したら，「さっぱりしましたね」「素敵になりましたね」などの声をかける E：妻と清潔行為の誘導や介助のしかたについて一緒に検討する

4 看護の実際と評価

❶実施した看護と患者の反応

(1) 不安や妄想を受け止めて共感を示す

Gさんが疎外感を感じないようにこまめに声をかけたり，ほかの患者と交流できるような状況を整えた。特に，以前公務員として働いていた頃や若い頃の話題では，笑顔で落ち着いて話をすることができた。また，妻の面会時には，家族やペットの写真を病院に持って来てもらい，その写真を見ながら会話をしてもらったところ，孫の話や飼っているペットの話に耳を傾け，以前と比べると怒ることは少なくなった。妻は，「まだ浮気を疑っているようですが，怒ることは少なくなったので安心しました。趣味がなくて家にいることが多い人だから，よく出かける私のことが心配になったんでしょうね。仕事一筋のまじめな人だったから」と話した。

(2) 羞恥心に配慮しながらトイレ誘導やケアを行う

起床時，10時，昼食後，15時，夕食後，就寝前と定時にトイレに誘導したところ，排泄がある場合もあれば，ない場合もあった。定時の誘導以外にも，廊下をうろうろしているときに声をかけると排尿がみられた。トイレの場所に目印をつけたがすぐに覚えることは難しいようであった。根気よく誘導することで，日中の失禁の回数や下着を隠すなどの不潔行為は減ったが，起床時に失禁していることがあった。そこで，夜間もトイレ誘導を試みたが，ぐっすり眠っていることが多く誘導は困難であった。そのため，夜間はトイレ誘導と併せておむつを使用し，朝の起床時にはずすことにした。

(3) 心地よい環境を整えてセルフケアを促す

入浴については，唐突に誘うと「今はいい」と断ることがあったので，「今日は暑いですね。汗だくになりますね」などの日常会話をしばらく続けてから，「それではお風呂で汗を流してさっぱりしませんか」と声をかけるとスムースに風呂場に向かうことができた。また，風呂場にほかの人がいてざわざわしていると落ち着かないようだったので，Gさんだけで入浴できるよう時間を調整したところ，ゆっくりと湯船につかることができた。歯磨きや更衣の途中で時々行動が止まってしまうことがあったが，1つずつ声をかけると，おおよその行為は自分で行うことができた。洗面後や入浴後には「さっぱりした」と笑顔がみられた。

❷評価

入院2か月が過ぎ，入院生活にも慣れて，昼間はデイルームで過ごしたり，ほかの患者に話しかけたりする様子もみられるようになった。妻は，「随分と穏やかになってきたし，退院後はできれば自宅で介護したい」という意向を看護師に話した。看護師からは，残存機能を低下させないためのケアのポイントと，家族も休息をとる必要があることなどを家族に説明し，精神保健福祉士から介護保険について説明したところ，妻は「これなら家でもやっていけそうです」と話した。その後，入院中に介護認定調査を受け，デイサービスとショートステイを利用して在宅生活を送ることとなり，退院となった。

対人関係の構築に関しては，妄想の背景として，認知機能の低下に伴って自分の置かれている現状や周囲の人の状況を正しく把握できないことによる不安や寂しさなどが根底にあるため，患者が孤独感や疎外感を感じることなく安心してリラックスして過ごせるよう声をかけたり，患者が大切にしているものを病室に置くなどして，患者にとって心地よい環境を第一に考えることが重要であった。そのためには，患者のふだんの生活の様子，趣味，性格などについて家族から情報収集し，家族と共に患者が安心できるかかわり方と環境を整える。そうすることで，退院後の生活において家族がどのように患者とかかわるかのヒントにもなる。

また，排泄については，失禁時の状況だけに焦点を当てるのではなく，失禁せず成功した状況についても，なぜ成功したのかを分析することがヒントとなり，適切にケアすることが失禁を減らすことにつながった。また，排泄障害は患者の自尊感情を低下させ，生活意欲にも大きな影響を与えるため，患者の羞恥（しゅうち）心や自尊心に最大限に配慮して対応することが重要であった。

清潔のセルフケアニーズ充足に関しては，患者は自分が今どこにいて，何をするのかがわからずにいる場合があるので，これから何をするのかがわかるように説明したり，前後の文脈とのつながりで納得できるように声をかけることが有効であった。また，清潔ケアの促しに抵抗を示すような場合は，Gさんなりの理由があるため，その理由を把握して，焦らせることなく患者のペースで進められるよう，患者にとって心地よい環境で行えるように調整することが必要である。洗面や入浴などは基本的には快の感覚をもたらすものであるため，保清という目的だけでなく，患者が気持ちよさを実感しリラックスできることにも着目して，環境を整えたり声をかけたりするとよい。

Ⅲ 事例で学ぶ：精神疾患／障害をもつ子どもへの看護

A 自閉症スペクトラム障害

1 疾患の特徴

自閉スペクトラム症／自閉症スペクトラム障害（autistic spectrum disorder；**ASD**）は，発達障害の一つである。スペクトラム（連続体）と表現されるように，社会生活に特に支障のない軽度のものから，生活に支援を必要とする重症のものまで，その範囲は広く，時には知的障害も併存するなど関連要因は複雑であり，多様な行動と社会生活上の問題として表れる。

特徴としてはコミュニケーションの障害，他者の心情についての想定や理解の障害がある。しばしば感覚過敏を伴うことがある。これにより，対人関係が苦手，周囲に合わせることができない，同じように行動できないという状況に陥る。学校などの社会生活場面では「問題行動」としてとらえられることがあるが，故意にそうしているのではなく，原因には認知や感覚過敏，言語の特性があり，本人自身が生活上の困難や生きづらさを感じている。家族にとってもその養育や対応は困難となるが，対応法を変えていくことや，本人を取り巻く学校などの環境を調整することが，本人の強みや能力の発揮につながる。

2 事例紹介

1. 患者プロフィール

患者：Hくん，7歳，男性。公立小学校在学中（小学2年生）

病名：自閉スペクトラム症／自閉症スペクトラム障害（ASD），重症度水準レベル1（支援を要する），知能の障害を伴う，言語障害あり。合併症なし

家族：Hくんを含め4人家族。父親は会社員，母親は専業主婦，兄は中学生

2. 入院までの経過

妊娠中・出産時，特に問題なし。2歳以降，多動，音の敏感さ（大きな音で建物から飛び出す，耳をふさぐ），衝動性（思いついたらすぐに行動し，触る，高いところでも上る・登る），家から突然いなくなって離れたところで発見される，他児との集団行動ができないということが目立ち始めた。

幼稚園〜小学校入学後：幼稚園以降はさらに，視線が合わない，寡黙（かもく），言語・非言語でのコミュニケーションがあまりとれないことが加わり，何度も受傷し，骨折での入院の既往もあった。

小学校は普通学級であったが，通級支援を受けながらも，親の付添いを要請されることが多々あり，母親が何度もHくんに同伴した。ADL（日常生活動作）は促しや部分的な介助が必要であった。物事へのこだわりや興味があり，たとえば，電気製品のケーブルやコンセントを触る，分解するなどがみられた。

児童精神科の受診：小学1年生の初夏頃，学校に勧められて児童精神科を受診した際に，自閉スペクトラム症との診断がなされ，以降，同外来で遊戯療法を受けた。遊戯療法中も喃語（なんご）やエコラリア（反響言語）が多く，言語でのコミュニケーション困難，アイコンタクトの乏しさ，場面と表情・感情の不一致，多動，物を片づけられないことなどが顕著であったが，徐々に改善がみられた。

学校では小学1年生の診断後に特別支援学級に移っていたが，小学2年生の春，他児との集団行動ができず，授業中の多動がさらに顕著となり，自宅では親が気づかないうちに外出し，数km離れたところで保護され，警察から親に連絡があり迎えに行く，ということが何度もあった。

加えて中学生の兄が不登校気味となり，母親が疲弊してしまった。父親は会社で要職となり，海外への出張が続き，家庭では母親1人でHくんの世話を行い，時には小学校に同伴し，そして兄の世話も行っており，母親が抑うつ状態となった。母親の休息と，HくんのADLおよび社会的スキルの向上を目指し，最長3か月の予定で入院となった。

3. 入院時の状態と治療方針

❶入院時の状態

主訴：コミュニケーションがとれない，音を怖がる，飛び出し，多動，身の回りのケアに支援が必要

診断：自閉スペクトラム症／自閉症スペクトラム障害，重症度水準レベル1（支援を要する），知能の障害を伴う，言語障害あり

身体所見：入院時身長118cm，身長SDS（標準偏差値）はマイナス0.51，体重20kg（肥満度マイナス7.6％），BMIは14.4 kg/m^2，BMI-SDSはマイナス0.90であった。バイタルサインは問題なし。全身に瘢痕（はんこん）化した古い傷跡が複数あった。血液検査値は基準値内であった

心理的所見：入院後のIQは，WISC-IV（ウェクスラー児童用知能検査 第4版）では全検査IQ40であった。特に言語理解が低めであった。担当した臨床心理士によると，集中できていないことや，問題自体を理解できていないことが，結果に関連しているのではないかということであった

❷治療方針

Hくんは，自閉スペクトラム症の多重的な機能障害によりADLのセルフケアや対人関係に障害を生じ，ADLおよび社会生活の障害，自己損傷のリスクが引き起こされている。Hくんの特性に応じた環境調整とソーシャルスキルの獲得により，できる限り障害を減じる。また，Hくんの特性に合わせた楽しい時間などをもち，成長・発達を促す。

母親のHくんの養育による疲弊などに関連した抑うつ状態については，外来での通院治療として休養を取りつつ，状況によっては薬物療法を併用する。不登校気味であるHくんの兄については，必要に応じて受診してもらい，スクリーニングを行う。

ケースフォーミュレーション：Hくんは幼稚園時代より自閉スペクトラム症の徴候が認められ，より集団行動や規律が求められる小学校において顕在化した。自閉スペクトラム症の特徴，そしてHくんのIQ特性なども含めて，言語理解は苦手であり，視覚理解のほうが得意で，感覚過敏がある，集団は苦手で個人での関係形成が有効，物事の状況予測や文脈の理解と他者の感情推測は苦手，独自の状況認知と概念理解などがあり経験が一般化につながらないなど，多くの要因がHくんの行動や生活の根底にあり，それが問題を引き起こしている。

入院の経過：Hくんは予約入院であったので，病棟では入院前よりHくんを迎える準備を開始した。同じ病院の外来で遊戯療法を受けていたこともあり，事前に外来の看護師や医師から情報を収集し，病室は個室を準備した。担当看護師のほかにアソシエイトナースを2人決め，合

計３人の看護師を中心としてＨくんに一貫性をもってかかわれるように体制を整えた。入院当日はＨくんのやりかたを観察しつつ，病棟内の規則を守り，他児に支障がないように誘導した。

しかし，他児の部屋でもうれしそうに入って行く，突然ドアを開ける，他児の物を突然触る，積み木のゲームを突然触って倒してしまう，音が気になるのか他児が見ているテレビを突然切ってしまう，他児がからだに触ろうとすると「キャー」と大声を出して嫌がるなど，自閉スペクトラム症の著明な症状としての行動が，他児とのトラブルを多々招いた。けんかになりそうになり，看護師が仲介し，他児に事情を説明するなどしておさめるということが繰り返された。Ｈくんには反省している様子はみられなかった。

このようなＨくんに対し，看護師も「言っても聞かない，何度言っても何も変わらない，反省がない」などと言い，なかにはＨくんに対して怒り出し，陰性感情を顕著にする看護師もいた。

4. 本人の目標，希望，強み

本人は家族，特に母親が好きである。様々なことへの興味や冒険心があり，特に描画や工作が好きであり，好きなことには集中できる。笑顔がかわいらしい。母親はまじめな性格であり，自閉スペクトラム症のＨくんと不登校の兄とを養育してきた。父親は仕事が忙しい様子だが，協力的である。

3 看護計画

❶看護目標

環境調整とソーシャルスキル獲得によって多動・衝動性をコントロールし，機能障害を減じて，ＨくんのADLおよび社会生活スキルの向上を図る。また，退院後を見据え，ペアレンティングスキル訓練や学校・社会資源の調整を行うことによって，母親の負担を軽減し，Ｈくんにとって良い環境を整えることを目指す。

❷アセスメントと看護計画

現在のＨくんにとって優先度が高いと考えられる「自閉スペクトラム症に関連した多動・衝動性コントロール不良，コミュニケーション困難による機能障害および他児とのトラブル・自己損傷のリスクを減らすこと」について，看護計画の概要を示す。

アセスメント 主観的情報，客観的情報， 関連要因（O，S，E）	目標および評価指標	看護計画 観察，ケア，教育（O，T，E）
自閉スペクトラム症に関連した多動・衝動性コントロール不良。コミュニケーション困難による機能障害および他児とのトラブル・自己損傷のリスク S： ①（他児のものを触ろうとする，使おうとするときに）「……（無言）」 ②（学校で他児を叩いたり，遊戯療法中にセラピストを叩いたりして）「痛い？」 ③（学校のチャイムの音を聞いて）「キャー」 ④「ムニャムニャ」（のように聞こえる） ⑤（「元気？」と言われ）「元気」，（「今日は何する？」と言われ）「今日は何	目標：多動・衝動性をコントロールし，他児とのトラブルなく病棟の中で生活を送ることができる 評価指標： ①他児に対し，他児のからだや物に触る前に，あいさつできる ②Ｈくんの病室とデイルームのみ出入りする（他の病室や処置室に入室しない） ③病棟内での他児とのトラブルが起こらない ④転倒・転落しない・受	O： • 多動・衝動性および行動の観察（例：どのようなときに，どこで，だれ，あるいは何に対して，何をしようとして，結果としてどうなるのか） • コミュニケーションの有無，方法，内容 • 他児との対人関係（例：あいさつの有無・内容） • 物品使用時のあいさつや承諾を得る質問・会話の有無，内容 • 他児との交流の有無，内容，表情，言動，感想 • ADLのセルフケアの有無，内容，方法，タイミング，場所など • 物や方法への固執（こだわり）の有無と内容 • 反復・常同行為の有無，内容，頻度，時間などと状況との関連，ADLへの影響 • 自宅や学校での工夫，本人なりの工夫 T：

アセスメント 主観的情報，客観的情報， 関連要因（O，S，E）	目標および評価指標	看護計画 観察，ケア，教育（O，T，E）
する」 ⑥（他児や看護師がHくんのからだに触ろうとすると）「キャー」 O： • S①のように，無言のまま他児の物を触ろうとする，手に持つ，使うなどあり • S②のように，他児を叩いた後に発言あり。他児から叩かれたりされなくても，突然，笑顔で他児を叩く，蹴ることもある。叩く・蹴るといった動作は3～4回/週であった • 入院前はS③のようにチャイムの音を聞いて叫び声をあげ，耳をふさいで教室から飛び出すことが多々あった。入院後は清掃の掃除機の音を聞いて，耳をふさぎ，病棟の端まで走った • Hくんの自発的な言葉は少なく，対人的あるいは1人で何かに集中しているときでも④のように発語していることがある。内容の聞き取りは不可 • S⑤のようなエコラリアもしばしばある • 多動であり，1回45分の授業中に，指示されていないのに4～5回は立ち上がる • 入院前，木や高いところに登るなどして落下・骨折の既往あり。また，物にすぐに手を出して触ってしまうことにより，火傷や切創も多々あった • S⑥のようにからだに触れられることを嫌がる • 視線が合わない，目をのぞき込んでも避ける • 他児や親から話しかけられても反応がなく，それまでの動作を続けることや返事をしないことが多々ある。親や教諭の口頭での指示が聞こえてないかのようなことが多々ある • ADLは，動作そのものは可能であるが，促さないとその行為を開始しない，ずっと続ける，違う場所で開始する（例：トイレ） • 偏食が多く，箸がうまく使えない • 自宅や学校では工作，特に建物や電気製品を工作用紙で作成する，絵を描くなどが好きであり，最長では1～2時間，継続することができる • 自宅では絵カードを提示して，HくんのADLを促していた E：自閉スペクトラム症，幼児	傷しない ⑤Hくんの特性にあった情報伝達（視覚情報など）によりコミュニケーションがとれる ⑥支援を受けながら，正しいときに正しい場所でADLのセルフケアを行う ⑦病棟・病院内で1時間/日以上，楽しい時間を過ごすことができる ⑧からだを動かすなどして気分転換ができる	• 適宜，多職種スタッフ間で自閉スペクトラム症やその社会生活技能訓練（SST），ペアレンティングについて学習会・情報共有を行い，Hくんについても方針や目的を共有しておく • 他児とのトラブルの際は，Hくんおよび相手の心身の侵襲を防ぐために，介入する • スタッフ側も自閉スペクトラム症およびHくんの特性について熟知し，本人の特性にあった環境調整と対応を行う • Hくんのできているところや努力について，具体的にどんな行動や言動がよかったのか言語化してHくんや他児に伝える（あいまいだと何がよかったのか本人に伝わりにくい） • ADLについてはまずは待ってみて，行動を開始しないようであればタイミングや場所を知らせる。次回は前もって準備できるように，Hくんと一緒に絵カードなどを用いてスケジューリングしておく（例：時計の時刻のイラストとやることのイラストのカードをセットにするなど） • 出入りしてよい場所のみ，ピンクの花のイラストをつけてHくんが理解できるようにする • 登ってはいけないところ，触ってはいけないところなどもイラストで示す • 対人関係スキルやADLの行動について，細かい動作に分けて，説明しながら本人にやって見せて，模倣できるようにする（模倣は得意） • 痛いことやつらいことの状況や身体感覚，そして表情カードなどを用いて，言語化して伝え，感情と表情，感情と状況をつなげられるようにする（特に他児の感情の推測が苦手） • 1時間/日以上，楽しい時間が過ごせるように調整する。個人遊びでよいが感情や達成感をHくんが認識できるように言語化して伝える • 他児との交流の際には，適宜介入して成功体験となるようにする。トラブルがあってもリカバリーできるように介入する • プレイルームや院内散歩で15～30分/日程度，キャッチボールなどの四肢の協調運動を含めてからだを動かす • 本人なりの工夫や，自宅での親の工夫も取り入れる • 臨床心理士や主治医，院内学級教諭との情報共有を図る

4 看護計画の実際と評価

❶実施した看護と患者の反応

(1) 病棟の中でADLを自分なりにできるよう支援する

HくんなりのADLのやり方を観察し，視覚的情報の処理を得意とするHくんに合わせ，絵カード（イラストや写真を使用したカード，図7-4）を用いた説明を行うなどの方法でADLの自立を支援した。これにより食事，排泄，移動，清潔などのやり方がHくんにとって明確となり，わからない点や修正点についてはイラストで理解し，Hくん自身でできることが増加した。

(2) 日常生活の状況とその課題を明確にする

Hくんの五感の敏感さと反応としての行動，対人関係，コミュニケーション方法などの観察を行った。また，担当看護師が中心となって，医師や臨床心理士，院内学級教諭も含め，Hくんの障害についての学習会を再度開き，ケースカンファレンスを行い，Hくんの視覚情報処理が得意であるという特性に合わせた対応を実施することとした。

まず，集団での活動や感覚過敏など，Hくんが嫌がるものに対しては無理強いをしないようにした。コミュニケーションについては，できるだけ視覚情報を用い，言語の際は，まずHくんの名前を呼んで注意を引きつけ，具体的な行動を短い言葉で伝え，続けざまに言わないようにした。

Hくんの感情と言語をつなげるために，Hくんがうれしそうなときは「うれしいね」，おいしそうなときは「おいしいね」，痛そうなときは「痛そうだね」と言葉で伝えた。

Hくんの行動については構造化を行うことで対応した。たとえば移動範囲については，

使用例：朝の支度
「時間」と「すること」をボードに貼り，終わったら下の終了ボックスに入れる。

起きる
起きる
朝ごはん
トイレ
歯みがき
お風呂

絵カードには，家庭生活で「すること」のイラストと文字が描かれている。

写真提供／古林療育技術研究所

図7-4 絵カード（例）

Hくんが出入りしても良い部屋には，ドアに大きなピンク色の花のイラストを貼って何度も説明した。1日の生活については，イラストによるスケジュール表を作成して示し，できるだけ同じプログラムを同じ時間に行うようにし，そして他児がいない時間に担当看護師らと，工作やお絵描きなどHくんの好きなことを集中して行うようにした。その場合も「一緒にやると楽しいね」と，他者とのかかわりが楽しいことを伝えるようにした。

また，人と会ったときのあいさつや，ぶつかったときの謝罪などのマナーについて，行動を言葉で説明しながら実際にやってみせて模倣できるようにした。院内学級も，自閉スペクトラム症児への対応経験のある教諭が担任となり，1対1での授業を開始した。

その結果，少しずつではあるがADLは自分でできることが多くなり，他児の部屋への入室も減り，結果としてトラブルも少なくなった。

(3) 家族がエネルギーを取り戻すと同時に, Hくんとの関係も維持できるよう支援する

母親を中心とした家族が，Hくんのケアが減ることによって精神的・物理的に安心でき，余裕を取り戻すと同時に，Hくんが帰っていく場所としてHくん不在の家族ができあがってしまうことを防ぐ必要があった。そのため，平日の家族の面会は自由として，週末にはできるだけ自宅に外泊することを家族と約束した。家族の了承が得られ，ほぼ毎週外泊に出かけ，両親からはHくんが自分でできることが増えたという感想があった。

不登校気味であったHくんの兄は児童精神科を受診し，外来での精神療法により徐々に登校を再開した。母親は「少しずつ余裕が出てきました」と発言した。

(4) 地域生活再開のための社会資源活用の準備を開始する

原籍校では，すでに特別支援学級への通級支援を受けていたが，放課後の時間に，母親の負担減となりさらに本人の成長・発達にもつながるような社会資源を活用することとした。精神保健福祉士や地域医療連携部を通じて地域の療育センターや発達障害者支援センターに連絡をとり，情報収集などの準備を開始した。

父親が自ら障害児・者のための学習教室の情報を得て，両親で教室に通う手はずを整えた。そのほか，療育センターへの通所によって家族会やペアレント・メンター*に相談する機会も得られ，母親の表情も明るくなった。

❷その後の経過

入院31日目以降は，臨床心理士との感情当てゲームも取り入れたSSTを導入した。徐々にADLのセルフケアは拡大し，他児とのトラブルや衝動性も減じ，自身の好きな工作などを集中して行うことができるようになった。外傷の受傷もなかった。

入院当初より，家族との面会・外出を徐々に開始し，61日目より自宅への長期の外泊を始めた。その後さらに，原籍校への通級，発達障害児・者のための学習教室への通所を開始した。多動性や衝動性は減少し，好きなことに集中して過ごす時間が増えた。放課後

＊ **ペアレント・メンター**：発達障害のある子どもを育てた経験があり，かつ相談支援に関する一定のトレーニングを受けた保護者などを指す。メンターは，同じように発達障害のある子どもをもつ保護者などに対して，自身の子育ての経験から共感的なサポートを行い，地域資源についての情報を提供する。

の居場所ができたことから単独で遠くに出かけることもなくなった。

母親は抑うつ状態が改善し，家事も支障のない程度に再開できたため，Hくんは82日目に自宅退院した。今後は，Hくん・母親・Hくんの兄を外来治療でフォローしていく。

B 注意欠如・多動性障害

1 疾患の特徴

注意欠如・多動症／注意欠如・多動性障害（attention deficit/hyperactivity disorder；**ADHD**）は，注意欠如（不注意，1つの物事への注意が続かない，注意散漫），多動，衝動性の障害の3つを特徴とする。3つの障害すべてを有する場合もあれば，注意欠如優位，衝動性優位など，どれか1つの障害が顕著である場合もある。

その背景には実行機能障害などがあるが，3つの障害により，特に集団行動や対人関係が重視される社会生活への適応が困難となる。本人は悪気があって問題行動を起こしているわけではないことを理解したうえで，実行機能障害にかかわる個々の特性をふまえたアプローチが必要とされる。

2 事例紹介

1. 患者プロフィール

患者：Iくん，10歳3か月，男性。公立小学校在学中（小学5年生）

病名：注意欠如・多動症／注意欠如・多動性障害（ADHD）多動・衝動優勢型，中等度。合併症なし

家族：Iくんを含め4人家族。父親は会社員，母親は専業主婦，2歳年少の妹あり

2. 入院までの経過

出生から幼稚園入園まで：妊娠中・出産時，特に問題なし。乳児期から，音に敏感で泣き出し，夜泣きがあった。始歩とともにあちこち動きまわったり，何でも触ろうとしたり，活発過ぎて危なっかしかったという。掃除機使用時には耳をふさいで外に飛び出したり，電車の中で走り回ったり，ほかの乗客の荷物を触ったり，ほかにも高い所に上る，横断歩道で飛び出すなど，外出時は特に目が離せなかったという。母親はIくんの妹の妊娠・出産後，Iくんの世話と妹の育児のため，夫（Iくんの父親）に休暇を取得してもらい手伝ってもらったという。

幼稚園入園後：5歳頃から，他児と一緒に行動できないことが目立ち始め，授業中は歩き回り，教員や他児が話している時でも質問したり，話したりしていた。

他児の物を，本人の承諾なく手に持って眺める，他児が遊んでいるところに突然割って入る，他児が描いている絵に突然クレヨンで描き入れるなどが，何かしらほぼ毎日あり，他児とトラブルになるなど，教員も対応に困っていた。一方で，「とってもきれい」と他児の絵を笑顔でほめる，誰かが泣いていると「痛い？」と心配して寄っていくなど，かわいらしいところもあった。

家でも妹にちょっかいを出して泣かせてしまい，泣いてしまうと心配するということがあった。父親のことは怖がっていたが，母親に対しては，荷物を持とうとする，食事の準備をするなど，手伝いをする様子がみられた。書字については，用紙の指定された場所への文字の記入時に，文字が斜めになったり，はみ出したり，用紙に収まりきらないこともあった。唯一，絵を描くことが好きであり，1時間ぐらいは集中してクレヨンで絵を描いていた。

両親は以前から，Ｉくんを「元気すぎる，じっとしていない子」と思っていたが，男の子はそういうものだと思っており，父親自身も「落ち着かない子」だったらしい。しかし，幼稚園教員からの勧めによって児童精神科を受診し，Ｉくんは ADHD と診断された。Ｉくんへの対応として，家族には，反復しての説明，時間や宿題も短時間・少量ずつ区切って集中して実施し，できたら逐一褒めるなどの対応法が説明された。薬は処方されなかったが，定期的に受診することとなった。Ｉくんへの対応を家族から幼稚園に伝え，幼稚園側でも同様に配慮してくれるようになり，他児とのトラブルも減り，卒園することができた。

小学校入学後：その後，近所の公立小学校普通学級に入学した。以前と同様に他児と一緒に何かをする，授業中おとなしく座って集中するということは苦手であり，特別支援学級への通級による支援も受けた。児童精神科で学業の向上を主目的として薬物療法（メチルフェニデート塩酸塩）を開始すると，授業中は座っていられるようになり，Ｉくん自身も「先生の言うことが聞こえるようになった」「ゆっくりと字が書けるようになった」と話した。実際にノートのマス目の中に字を書き入れることができるようになった。しかし，集団行動では他児と一緒に行動できないことも多々あった。

小学３年生になると妹も小学校に入学したが，妹は入学と同時に喘息発作を起こすようになった。Ｉくんは以前と同様に，他児の物に承諾を得ないで手を伸ばす，承諾を得ないで割って入る，順番を待てないで割り込むことなどがあり，他児と何度もトラブルになった。両親（特に母親）は学校や他児の親からの苦情に何度も対応し，Ｉくん自身も周囲の人々からの叱責や仲間はずれなどもあって落ち込み，学校に行きたがらないこともあった。Ｉくんが小学４年生の頃，母親は抑うつ的となり，Ｉくんの児童精神科受診の際に主治医に相談し，自らも精神科を受診することとなった。

小学５年生になると，授業中は座っていられるようになったが，貧乏揺すりをしたり，教科書やノートに関係のない絵を描いたりするなど，もじもじしている様子はあった。他児とのサッカーやゲームといった交流も増えてきたが，その分トラブルも増え，他児への暴力・暴言がみられ，また他児からも同様に仕返しされた。誤って他児のゲーム機を壊してしまい，他児の親から苦情があったこともあった。自宅では妹との大げんかが増え，母親が仲裁をしなければならなかった。大げんかの後に妹はよく喘息発作を起こし，母親は妹の看病とＩくんの世話，加えて学校や他児の親からの苦情の対応に苦慮していた。

そして，Ｉくんが小学５年生の６月，母親は妹も何か障害があるのではないかと気にし始め，さらに抑うつ状態となった。精神科では抗うつ剤を処方されると同時に，母親が休息を取れるようにとＩくんの児童精神科病棟への入院を提案され，Ｉくんの了承を得たうえでの予約入院となった。

3. 入院時の状態と治療方針，入院の経過

❶入院時の状態

主訴：多動性および衝動性

診断：注意欠如・多動症／注意欠如・多動性障害（ADHD）多動・衝動優勢型，中等度

身体所見：入院時身長 136cm，身長 SDS（標準偏差値）はマイナス 0.29，体重 30kg（肥満度はマイナス 5.7%），BMI は 16.2kg/m^2，BMI-SDS はマイナス 0.33 であった。バイタルサインは問題なし。血液検査値は基準値内であった

心理的所見：WISC-IV によると IQ は全検査 IQ108 であり，知覚推理と処理速度は平均より高値を示し，言語理解とワーキングメモリーは平均より低めであった

❷治療方針

母親のレスパイトケアとＩくんのソーシャルスキル向上を目的とする50日程度の入院である。

Ｉくん本人：Ｉくんは ADHD の症状から，機能障害（functional impairment）の状況となり，QOL も低下し，それらによる抑うつ状態，いわゆる生きづらい状態となっている。機能障害を減じるために環境調整およびソーシャルスキルの獲得，QOL の向上および自尊心の向上を図る。入院時に薬物療法は行っていないが，最初は環境調整および SST を優先して実施する。

母親：Ｉくんを中心とした育児としつけ，家事などの多重かつ過重な課題による疲弊および抑うつ状態にあり，外来での通院治療とする。Ｉくんの入院中に退院後の自宅での生活に備え，家事・育児などの負担減としてまずは休養，並行して父親も含めたペアレンティングスキルの獲得，そして親の負担減となるような社会資源の紹介・活用などを行う。妹も ADHD ではないかと気にしているようなので，妹についてもスクリーニングを行い，結果に応じて妹への

SST も実施する。

ケースフォーミュレーション：I くんは幼稚園時代より多動・衝動性を示し，小学生になって他児との差異が明確となり，学業や友人関係にも障害をきたしている。知的機能は平均的だがばらつきがあり，学校生活や他児との関係，兄弟関係において機能障害となって現れ，叱責される日々であり，学業成績も振るわない。小学校高学年の現在，自信を喪失し抑うつ状態となり，不登校となっている。本人，母親，妹との間で悪循環となっている。

❸入院の経過

I くん本人：I くん，家族および医療者間で入院の目的を明確化･共有し，かつ SST 開始に向け，病棟で安全・安心して暮らせるように個室として，病棟生活のオリエンテーションを実施し，院内学級を開始した。

また，I くんの社会生活上の課題を明確化し，15 日目からは SST を開始し，同時にトークンエコノミー法を導入した。並行して，この時期より家族との院外外出を開始した。

母親：I くんが入院した最初の 2 週間はゆっくり休養してもらい，入院 15 日目から I くんとの外出を開始した。2 週間の休養により母親の抑うつ状態は改善し，15 日目に I くんと院内を散歩した際も，I くんの落ち着いている様子に驚いていた。

並行して，両親を対象にペアレント・トレーニング・プログラムを実施した。自宅近隣の発達障害児を対象とする学習塾および家族会を社会資源として紹介した。父親にも積極的に I くんと過ごす時間を増やす様子がみられた。

4. 本人の目標，希望，強み

本人の目標，希望：自分を変えたい。お母さんに元気になってほしい。修学旅行に参加したい

強み：I くんは様々なことに興味があり，学校も本来は好きである。絵が得意である。家族のことも好きである。自身を変えたいというモチベーションがある。修学旅行に参加したいという具体的目標もある

3 看護計画

❶看護目標

環境調整とソーシャルスキル獲得によって多動・衝動性をコントロールし，機能障害を減じて，自信を回復し，QOL の向上を図る。また，ペアレンティングスキル訓練と学校や社会資源の調整により，母親の負担が軽減し，かつ I くんにとって良い環境が整う。

❷アセスメントと看護計画

現在の I くんにとって優先度が高いと考えられる「ADHD に関連した多動・衝動性コントロール不良による機能障害および他児とのトラブルを減らすこと」について，看護計画の概要を示す。

アセスメント 主観的情報，客観的情報， 関連要因（O，S，E）	目標および評価指標	看護計画 観察，ケア，教育（O，T，E）
ADHD に関連した多動・衝動性コントロール不良による機能障害および他児とのトラブル S： ①（他児の物を触ろうとする，使おうとするときに）「……（無言）」 ②「けんかが好きなわけじゃなくって，お前が悪いって（クラスメートから）言われて，頭に来るから言い返す，やり返す」 ③「何をやってもだめなんだ」	目標：多動・衝動をコントロールし，他児とのトラブルなく病棟での生活を送ることができる 評価指標： ①他児に対して，話しかけたり，他児の物に触る前に，あいさつできる ②他児の物や病棟の物を	O： • 多動・衝動性および行動の観察 例：どのようなときに，どこで，だれと，何をしようとして，結果としてどうなるのか，けんか（言い争い，身体的なのか）となるのか • 他児との対人関係（例：あいさつの有無・内容） • 物品使用時のあいさつや承諾を得る質問・会話の有無，内容 • SST の前・中・後，特に SST が日常生活に生かされているか • 他児との交流の有無，内容，表情，言動，感想

アセスメント 主観的情報，客観的情報， 関連要因（O，S，E）	目標および評価指標	看護計画 観察，ケア，教育（O，T，E）
④「本当はけんかはしたくないし，怒りんぼはやめたい」 ⑤「修学旅行に行きたい」 O： 入院前，S①のように，学校でクラスメートの筆箱やかばんを，本人に触っても良いかなどの承諾を得ないで触る，手に持つなどといったことが多々あった • 入院前，学校では物の使用に関連して，クラスメートらと多々けんかとなったが，それについてS②の発言があった E：ADHD，思春期 A：ADHDによる多動・衝動性により他児との関係が障害されるという機能障害となっている。Iくんも自身の行動について認識しており，他児とのトラブル頻発により自己尊重の低下に陥り，かつ自身を変えたい・変わりたいというモチベーションはある。また，修学旅行参加という希望や具体的目標があるので，これらのモチベーションや目標を生かすことができる	使おうとするときに，すぐに手を出さないで使ってよいかどうか聞くことができる ③自身でどのようなときにけんかとなるのかパターンを知る→具体的に「○○のとき」と言える ④自身の怒りの状態を説明することができる ⑤他児から嫌なことを言われたとき，言い返す前に3～6秒待つことができる ⑥上記①～④の課題について実施できたことをノートに記録すると同時に看護師よりもらったシールを貼り，できていることを認識する ⑦修学旅行に参加するための自分の行動上の課題（多動や対人関係関連）を説明できる ⑧病棟内で他児とのトラブルが起こらない ⑨病棟・病院内で1時間/日以上，楽しい時間を過ごすことができる ⑩からだを動かすなどして気分転換ができる	• 自宅や学校での工夫，本人なりの工夫 T： • 他児とのトラブルの際は，Iくんおよび相手の心身の侵襲を防ぐために介入する • 評価指標①～⑤についてはSSTを実施，毎朝9時30分～10時30分には特にあいさつの練習，他児に物品使用の承諾を得る練習，アンガーマネジメントを織り交ぜて実施，15～16時に振り返りも含め，評価およびシール貼りを実施する（修学旅行参加のために，Iくん自身が何が自分の課題でどうなればよいかということも明確化したうえで，SSTに含める） • スタッフ側もSSTおよびアンガーマネジメントについて習熟しておく • Iくんのできているところや努力について，具体的にどんな行動や言動が良かったのか，言語化してIくんや他児に伝える（あいまいだと何が良かったのか本人に伝わりにくい） • 1時間/日以上，楽しい時間が過ごせるように調整する。適度に個人・集団の時間を織り交ぜる（修学旅行に関連した旅行の楽しい計画など） • 他児との交流や趣味の話，勉強，テレビを見るなど年齢相応の活動ができるように調整する • プレイルームや院内散歩で15分/日程度からだを動かす。単純運動だけでなく，全身の協調運動（キャッチボール）も含める • 対人関係以外にも，生活上の困難に直面した際の対処法について具体的に検討し，Iくん自身のコーピング獲得につなげる • 本人なりの工夫や自宅での親の工夫も取り入れる • 臨床心理士や主治医と情報を共有する

4 看護計画の実際と評価

❶実施した看護と患者の反応

(1) Iくんと医療スタッフによる入院治療の目的・目標の共有

母親のレスパイトケアを主目的とした，今回のIくんの入院について，Iくんにとってわかりやすい言葉で何度も説明した。Iくんには「お母さんが疲れてしまったので休むため」と説明したところ，「なぜ妹は家にいるのか」という質問があり，「妹は喘息もあるので母親が面倒を見なければならない」「Iくんはお兄さんだし，妹より自分で生活ができる」「ここでは知らない人や同じ年頃の子どもたちと生活する練習をしてほしい」と説明したところ，納得したようであった。

目標の設定　また，Iくんのモチベーションにつなげるために，Iくんに3つの希望を尋ねたところ，「お母さんが早く元気になること」「人から怒られないようになりたい」「学校をやめさせられないで修学旅行に行きたい」と答えた。そこで，この3つの希望達成のために，今回の入院生活を役立てようという検討をIくんと行った。

特に，小学6年生での修学旅行を楽しみにしていたので「修学旅行には家族は一緒に行かないから，そのための練習だと思って，できることを一緒にやろう」と言うと，笑顔で大きくうなずいた。そして3つの希望を目標として，Ⅰくん自身が紙に書いて病室の壁に貼った。

病棟での生活　まずは個室から開始し，できるだけ担当看護師が受け持つようにした。病棟規則については入院時に文書を渡して説明したが，意味や目的を理解できないようであった。そこで，Ⅰくんの言語的理解力や視覚的理解力，描画力を考慮し，Ⅰくんと一緒に読みながら意味を説明し，紙にイラストを描いて視覚的にわかるようにしたところ，理解が進んだようであった。また，Ⅰくんが同じことを何度も質問してきても，嫌な顔をしないで答えるようにした。

院内学級への転校手続きを行うと同時に，両親の同意を得たうえで原籍校との情報交換を行い，1対1での院内学級を開始した。院内学級での対応についても医師，看護師，臨床心理士，教員の間で情報の共有を行い，Ⅰくんの混乱を避けるために統一した対応を図った。

(2) Ⅰくんの生活の様子を観察し，行動上の課題を明確化

Ⅰくんの生活の様子を観察し，行動上の課題を明確化した。ADL については，母親が作ったイラスト付きの日課表を自宅から持参し，それに沿って生活した。時間の管理は日課表を見てできたが，洋服の整理や物の片づけなど細かい作業は十分ではなく，再三の促しや一緒に行うことが必要であった。

デイルームで他児と共に過ごす際は，他児が見ているテレビのチャンネルをことわらないで変えたり，他児の私物を触ったりということが何度かあり，思ったらすぐに行動に移すという衝動性のコントロール不良が対人関係上のトラブルなどにつながっていた。その結果，他児からの叱責への反応としての暴力的な言動と，自己評価の低下が起きていると考えられた。

(3) 家族の十分な休息と，ニーズに適した資源や情報活用の支援

家族の面会については，家族の休息の促進と，Ⅰくん不在の家族の固定化防止の両立を図るため，週2回，そのうち1回は必ず父親・妹も同伴とした。母親については，状況次第で無理強いしないこととした。面会時には家族のこれまでの苦労をねぎらい，Ⅰくんについての母親や家族の希望・目標を確認した。

Ⅰくんと家族との外出を，最初は2～3時間から開始し，半日，全日と徐々に時間を長くした。家族全員の感想を聞き，新たに見えてきた問題点や良くなった点について家族と検討した。Ⅰくんが病棟でうまく生活できるようになったことについても，逐次家族に報告した。母親の抑うつ状態はかなり改善がみられ，入院によって離れて暮らしたことでⅠくんを客観的に見られるようになったという。病棟で他児と過ごしている様子を見て，「成長したのか，少ししっかりした感じがします」と笑顔で話した。

並行して，両親に対してペアレント・トレーニング・プログラムを多職種にて実施し

た。プログラム以外でも，担当看護師が窓口となって相談や質問などを受けるようにした。また，Iくんが通える施設やサービス，そして家族会についても情報収集を行い，情報を提供した。

(4) 多動・衝動性のコントロールの支援

SSTによる練習　衝動性のコントロールが良好となるように，アンガーマネジメントおよびSSTを用いて練習を行った。特に，他児が使っている物を使いたい，ゲームや遊びに加わりたいというときに，すぐに手を出すなど行動するのではなく，まず，あいさつをするなど声のかけ方や承諾を得る方法について，他児と共にロールプレイなどを用いて練習した。実際の場面でも看護師の立ち会いのもとに実施し，トークンエコノミー法を用い，できた場合には看護師からIくんにシールを1枚渡し，シールが数枚たまるとIくんの見たいアニメの映像が見られるなどとした。

他児とのトラブル回避　病棟の規則が守れないときにはイエローカードを渡し，他児とのトラブルなどで制止がきかない場合にはタイムアウト（感情が高まったときに，いったんその場を離れて落ち着くこと）の方式を用いた。他児とのやりとりで興奮したときなどは一緒に座って腹式呼吸を行い，落ち着く練習をした。トラブルがなく穏やかに過ごせた日にもシールがたまるようにし，Iくんができたことや問題を起こさなかったことについてもほめるようにした。また，1日の過ごし方について感想を聞き，言語化し，Iくん本人が認知できるようにした。他児との比較もしないようにした。

さらに，Iくんの特技であるイラスト描画を他児の前で披露できるような機会を設定した。その結果，他児の物にいきなり手を伸ばすことや，割って入ることは徐々に少なくなった。トラブルが減ると，「イラストが得意な男の子」として他児やスタッフからほめられ，話しかけられることが多くなり，Iくんは「なんだか人気者になってうれしい」と話した。

❷その後の経過

40日目より試験外泊および原籍校への試験登校を開始した。多動・衝動性共に減じており，妹とのけんかや学校での他児とのトラブルは入院前より減少し，Iくん自身も「入院したら，けんかしなくなった」と評価した。学校側の評価も良く，楽しみにしていた修学旅行も予定どおり参加できそうであった。54日目に退院とし，今後も外来での治療は継続する。

母親の抑うつ状態も改善しており，両親自ら家族会に参加し，同会より情報を得て社会資源として発達障害児・者へのサービスを実施するボランティア団体をみつけ，今後はこのサービスも利用することとし，負担の軽減・調整も自らできていた。父親からは「私が野球やサッカーの相手をして，からだづくりもやってやろうと思います」という発言があった。

妹についてはIくんの入院ならびに母親の抑うつ状態改善とともに落ち着きがみられ，ADHDではないとのことであった。Iくんと母親の外来フォロー時に，妹の情報も収集することとした。

C 強迫性障害

1 疾患の特徴

強迫性障害は，強迫観念により強迫行為を繰り返すことで生活に支障をきたす障害である。日常生活において，打ち消そうとしても消えない不安などの強迫観念が生じ，その観念にもとづいて行動する。たとえば，排泄後に何か感染症に罹患してしまうのではないかという強迫観念が生じ，その不安を打ち消すために数時間も手を洗う，という強迫行為を行うなどである。その行為には厳密な手順があるなど儀式的なこともある。本人はその強迫行為が無意味あるいは過剰であるとわかっており，本人にとっても苦痛であり，やめたいと思っているが，それをやらなければ不安が消えないという認知のもと，行為を何度も反復・継続し，その結果，学校や会社に行けないという生活上の支障が生じる。時には家族にも儀式的行為を強要するなど，周囲を巻き込むこともある。また，強迫観念や強迫行為によって食事摂取が困難となり，栄養障害や身体症状をきたすこともある。

不安に対する非効果的コーピングであるので，強迫行為を行わなくても自然に不安が軽減されることを経験・認知し，新たな健康的なコーピングを獲得することが治療と看護の目標となる。認知行動療法やSSRI（セロトニン再取り込み阻害薬）が治療として有効とされている。それまで不安を打ち消すために行っていた強迫行為をあえて行わないという治療であるので，患者・家族，そして医療者にとっても決して容易ではない。重度の強迫性障害の治療には，数か月以上という長期間を要する。

2 事例紹介

1. 患者プロフィール

患者：Jくん，14歳8か月，男性。公立中学校在学中

病名：強迫性障害，低栄養。合併症なし

家族：Jくんを含め4人家族。父親は公務員で留守がち，母親は専業主婦，小学生の妹あり

2. 入院までの経過

出生時および幼少期の発達上の問題はなかった。神経質で人見知り，几帳面，がんばり屋の性格であり，学校の成績は中の上であった。運動会などの学校行事前には「失敗したらどうしよう」と気にすることが多く，時々，試験や行事前には頭痛や腹痛を訴え，過呼吸となることがあった。

小学5年生の頃より，発汗を気にし始め，「汗をかいて汚い，汚れてしまった」と言っては頻回にシャワー浴，更衣，手洗いをするようになり，多いときは1日15回程度の更衣を行った。

小学6年生からは，1日の大半を手洗い，更衣などで過ごすようになり，学校に行けなくなった。

中学1年生では，不潔恐怖により下腹部に触れなくなり，自身での排泄が困難となったため，おむつを使用していた。元来小食であったが，中学1年生頃からは排泄を気にして食事が喉を通らなくなり，体重は中学1年生4月の43kgをピークに減少した。ADLのほとんどは，母親が介助したが，本人が決めた手順ど

おりでないと落ち着かなくなり，号泣し，また最初から同じことをやり直すように母親に要求することがあった。

小学6年生より児童精神科を受診し，中学1年生からは2つの病院に入院したが改善がみられず，母親の希望で3つ目の病院の児童精神科を受診し，治療目的で入院となった。入院前の水分摂取は500～600mL/日，食事は100gのヨーグルト2個程度/日の摂取であったという。

3. 入院時の状態と治療方針

❶入院時の状態

診断：①低栄養，脱水，るいそう，②強迫性障害

身体・心理的所見：身長153cm，体重37kgであり，低体温，徐脈，低血圧，手指・口唇の乾燥，脱水が認められた。入院8日目に実施したWISC-Ⅳ（ウェクスラー児童用知能検査）では標準値内であった

❷治療方針

重篤な脱水および低栄養であり，リフィーディング症候群*に注意しながら，まずはその改善を行う。並行して，強迫性障害については認知行動療法を導入し，母親との距離を取るなどの家族間の調整を行い，強迫観念・行為の改善を試み，年齢相応の健康的な生活が送れるようになり，成長発達の促進を目標とする。

母親を中心とする家族には，これまでの経緯から医療不信があることが予測されるため，Jくんおよび家族が安心して治療に取り組めるような環境を提供する。

ケースフォーミュレーション：Jくんは顕著な強迫観念・行為を示し，それによって登校などの社会的活動を行えない状態であった。強迫観念などにより食欲が低下していることから低栄養となり，行動のみならず身体・社会的な複合問題を呈していた。まじめで努力家であり，緊張の強いJくんの特性に加え，母親がかいがいしく世話をすることにより，無意識的に母親自身の役割を見出すという共依存関係にあり，発達という観点からは一種の退行状態となっていると考えられた。

入院の経過：入院時は，身体状況改善のために，内分泌科専門の小児科医師および栄養士にコンサルテーションを依頼し，補液を行った。食事の経口摂取を勧めたが，ヨーグルト1口程度で満腹を訴え，水分摂取も進まず，この時点での経口摂取による必要量の水分・栄養摂取は困難と判断し，リフィーディング症候群に留意しながら経鼻胃管による経管栄養を開始した。徐々に経口摂取へと移行することとした。

活動範囲は身体状況を考慮し，入院から最初の2週間は自室での床上安静とした。

強迫性障害については，Jくんの強迫行為を制限するという反応妨害法*を用い，家族の調整として母親の面会頻度を減じ，父親とのかかわりや過ごす時間を増やし，病院内では他児との交流の増加や院内学級への通級を開始した。

4. 本人の目標，希望，強み

本人の目標，希望：復学し，友人をつくり，勉強や楽しいことに時間を費やしたい

強み：おとなしいが，礼儀正しく，謙虚で誠実，几帳面で頑張り屋，1つのことに取り組み，コツコツと努力する様子もあった。家族の中心人物である母親はかいがいしくJくんの世話をし，やはりまじめな様子であった

3 看護計画

❶看護目標

身体状況を改善し，認知行動療法によって強迫観念・行為の改善を試み，同時に家族関係の調整を行い，年齢相応の健康的な生活を送り，成長・発達が促されることを目標とした。

＊ **リフィーディング症候群**：refeeding syndrome。慢性的な栄養不良状態が続き，高度の低栄養状態にある患者に対して，急速に栄養補給（再栄養，refeeding）を行うことによって発症する一連の代謝異常をいう。

＊ **反応妨害法**：強迫観念が生じる状況にあっても，強迫観念による不安を解消するための強迫行為をしないようにするという，強迫性障害に有効な認知行動療法の技法の一つ。意図的に強迫観念が生じる状況に曝露し，その後の反応妨害を行う治療法は曝露反応妨害法（exposure and response prevention；ERP）という。

❷アセスメントと看護計画

ここでは「強迫観念・行為の減少と ADL のセルフケアの拡大」について，看護計画の概要を示す。

アセスメント 主観的情報，客観的情報， 関連要因（O，S，E）	目標および評価指標	看護計画 観察，ケア，教育（O，T，E）
強迫観念・行為による排泄および清潔ケアを主とする ADL 全般のセルフケアの障害 S：「おむつを開くのはそーっとだよ」「おむつがからだに触らないように」「あーだめだ，もう 1 回最初からやって」「汗をかいたので着替えたい」 O：排泄はおむつ使用，おむつには自身で触ることができず母親が交換した。ADL 全般について母親あるいは看護師の介助を要した。排泄後および発汗時にウェットティッシュにて 3～5 分 / 回かけて手を拭き，ウェットティッシュは 1 パック（200 枚）/ 日で使用。1 回の排泄に約 50 分間を要し，1 日のうち 4～5 時間を排泄に費やしていた。 　発汗という理由で更衣を希望し，5～6 回 / 日の頻度であった E：強迫観念，強迫行為，不安	目標：強迫観念および行為が減少し，ADL のセルフケアが拡大する 評価指標： ① 1 回の排泄が 30 分以内に終えられる ②更衣回数が 1 日 3 回以下となる ③強迫観念・行為以外の現実的で楽しい時間を過ごす（30 分間以上 / 日）	O： • 強迫観念・行為の有無，時間，内容と ADL，特に排泄および更衣，清潔ケア • 強迫行為時以外の過ごし方，内容，表情など • 他児との交流の有無，内容，表情，感想など • 生活上の困難，希望など T： • 本人および家族への治療の内容と必要性について十分な説明を行う • スタッフ側も行動療法については本人のためであることを理解し，治療の枠組みとして提示し，遵守する • 制限の内容や，不潔・清潔などについては本人と議論しない • 反応妨害（強迫行為をしないこと）によって生じる不安に対し，大丈夫であることを保証し，実際に不安が減じたことの認知や強迫行為の減少を自覚できるように言語化して伝える • J くんはまじめな性格であるので，失敗体験として負の強化にならないよう，本人が努力しても制限内に排泄などを終えられないときも努力を労い，次の機会があることを伝える • 他児との交流や趣味の話，テレビを見るなど 14 歳相応の活動ができるように調整する。本人が楽しいと実感できるように言語化の促しや話しかけを行う • 生活上の困難に直面した際のコーピングについて具体的に検討する

4　看護計画の実際と評価

❶ 実施した看護と患者の反応

(1) 軽度の低栄養状態・脱水状態の改善の支援

経管栄養については，当初は鼻腔内の違和感や満腹感を訴えたが，そのつど観察や説明，大丈夫であるとの保証を行ったところ徐々に訴えは聞かれなくなった。

経管栄養により体重は入院当初から増加傾向となり，栄養状態は順調に改善した。

廃用症候群防止のために理学療法を導入し，以後，理学療法後は自ら「喉が渇いた」と訴え，お茶を経口摂取するようになった。また，徐々に他児と交流することにより，おやつの時間に他児に誘われ，少量のジュースを経口にて摂取するようになった。こうして，飲料から経口摂取の量と栄養分を開始・増量し，経管栄養から移行できるようにした。

(2) 強迫観念および行為が減少し，ADLを自身で行えるようになるための行動療法の実施

J くんの強迫観念・行為が軽減し，徐々に本来の日常生活を取り戻していくことを目的として，J くんなりの ADL の方法や生活の状況を観察しつつ，J くんの安静を優先して介

助中心でADLの支援を行った。同時に，入院までは母親がほぼ全介助を行っていたので，母子のやり方やその背景にある親子関係を観察した。

脱水が改善された頃から，強迫観念・行為の減少を目的として認知行動療法（反応妨害法）として強迫行為の制限を開始し，同時に母親の面会を毎日から週3回とした。諸々の制限開始にあたり，Jくんおよび母親に対して医師から説明を行い，自立を促し生活の改善を図るというJくん・家族，そして医療者の共通の目的を確認し承諾を得た。

反応妨害法の実施　最も時間を要する排泄については30分間という時間制限を設けた。当初，Jくんは困惑しあわてていたが，何度も「大丈夫」と保証することにより制限内で終えられるようになった。制限内で終えられたときは「いつもより短い時間でも大丈夫だったね，できるようになったね」と振り返り，強迫行為を行わなくても不安が減弱していることを共に確認し，Jくんの努力をねぎらった。

結果として強迫行為以外の時間が長くとれるようになり，「トイレの時間が短くなったから楽しいことがたくさんできるね」などと言語化して伝え，正の強化を行った。制限が守れないとき，Jくんは申し訳なさそうに看護師に謝った。看護師は行動制限の真の目的に照らして，「また次がんばろう，大丈夫」と伝えるなど，安定した態度でかかわった。Jくんへの陰性感情を防ぐために，医療チーム内でも治療方針を再確認しつつ，Jくんの努力や達成できた点に着目した。

治療による変化の観察　強迫観念・行為は徐々に軽減し，排泄は，おむつは着用していたが共用のトイレを使えるようになった。清潔行動は，時間制限付きで自立でのシャワー浴が可能となった。

看護師とのコミュニケーションも多くなり，時々冗談も言うようになった。医療者との会話は常に敬語であった。

(3) 本人・家族とスタッフが共に治療に取り組む姿勢の実現

医療への不信感　入院時に母親は「これまでの病院は私たち親子をわかってくれなかった」と発言し，複数の病院を受診しても改善しなかったことから，医療・医療者不信となっている可能性があった。治療の導入では，患者・家族および治療者の双方が相互信頼のもとに，共通の目的・目標をもって共に治療に取り組むという治療契約が重要であることから，受け入れ時は特に留意した。

チーム内の方針の共有　Jくんの入院決定に伴い，入院前より個室を確保し，担当看護師を決定し，多職種スタッフ間で情報共有を行い，母子を中心として家族をねぎらいつつ，治療導入していくという方針が共有された。入院時は担当看護師が外来まで母子を迎えに行き，病室まで案内し，早期に関係構築を開始した。日々のケアは担当看護師ができるだけ担当となるように調整した。入院1週間後までは，母子のこれまでのやり方でADL等を行ってもらい，母親の話を中立的に聴き苦労をねぎらった。8日目からは目的を説明したうえで，徐々に病棟看護師のADL介助法に移行した。

❷その後の経過

30日目頃，Jくんの希望により散歩を開始し，四肢の筋力回復のための理学療法も開始した。男性の理学療法士との交流の機会となった。

病棟内でも行動範囲を拡大し，制限なしとした。食事やおやつの時間はデイルームで過ごすこととして，同年代の男児との交流を促した。徐々に男児との会話や共にテレビを見る様子がみられるようになり，女児も含めたカードゲームなどにも参加するようになった。

40日目頃，強迫行為はほとんど消失した。時折トイレに15分程度かかり，1日に3回更衣する程度となった。母親は驚くと同時に，他児とデイルームで過ごす様子を見て喜んだ。母親に対しては，これまでかいがいしくJくんの世話をしてきたことから，Jくんの症状改善による対象喪失とならないように，これまでの苦労をねぎらいつつ，家庭での生活の状況や趣味の話を聞くように努めた。

症状改善に伴い，80日目頃より，同性・同年代の仲間形成，そして社会性の拡大という定型の成長・発達課題の達成に向け，個室から2床室への移室とした。Jくんも同室になる男児も共に喜んでいた。

移室後，対人関係・社会性の拡大に伴うストレス増強に対するコーピングとしての強迫観念・行為の再燃のリスクを考え観察を行ったが，対人関係の問題も認められず，退行や強迫行為のぶり返しもなく過ごしていた。

院内学級　100日目頃には，事前に治療方針やJくんの性格特性に関する情報共有を行ったうえで，院内学級への通級を開始した。過度のがんばりを回避し，不安増強が予測される際には安心と保証を提供し，努力に対しては自己尊重向上のために肯定的にフィードバックするという方針を確認し，開始後も院内学級教諭と定期的に情報交換を行った。Jくんは「(勉強は) 難しいけど，楽しい」と発言した。

外泊と家族面接　110日目頃より，父子間の関係発展も目指し，父親も含めた家族での外出を実施した。

121日目から，自宅での生活復帰を目指して外泊を繰り返した。外泊前には両親に対して，不安増強による強迫観念・行為の再燃の可能性，不安そうな時には過度のがんばりを避け，安心と保証を提供すること，努力については認め，不安時以外は過度に世話をせず年齢相応として接すること，困ったときには遠慮なく病棟に連絡することなどを伝えた。

Jくん自身には，まじめすぎるので手を抜く程度でちょうど良いこと，無理をしないこと，両親には正直に何でも話すこと，父親と遊ぶ時間をもつことなどを説明し，具体的に外出時の困難とそのコーピングについてイメージトレーニングを行った。Jくんも笑顔で「外泊が楽しみ」と話した。

家族面接では，医師から，Jくんの強迫症状が改善し通常の成長発達の過程に戻ってきたこと，この年齢の発達課題では同性の親がロールモデルとして重要であり，日々の生活のなかで，父親がJくんとの交流をもつことが必須であることを説明した。母親には，ボランティア活動など，母親自身が社会との関係や，やりがいをもつことができるように勧めた。

外泊から帰院した際には，Jくんより，自宅で父親とキャッチボールをしたことや，近所の友達とゲームをしたことが聞かれた。母親はボランティアや手芸サークルの活動を始めたと，笑顔で話した。

特別支援学校高等部への入学も決まり，180日目には入学し，通学を開始した。通学開始後も特に問題なく，195日目に退院となった。

経口摂取　標準体重を51.5kgとして，徐々に経管栄養から経口摂取に移行していった。

外出・外泊の際も，Jくんの性格特性を踏まえ，無理をしたり励ましたりはせず，Jくんのペースで経口摂取を試み，病棟でも他児とのかかわりのなかで，徐々におやつからご飯まで経口摂取できるようになった。

110日目頃には経鼻胃管を抜去し，完全に経口栄養へと移行した。外出・外泊に伴う摂取量の減少や，体重減少も認められなかった。

D 神経性やせ症摂食制限型

1 疾患の特徴

児童・思春期の摂食障害は，元来まじめでがんばり屋の子どもが，思春期の心理的特性もあり，ふとした失敗体験や他者からの評価がきっかけとなって発症することがある。自分自身では対処しきれない問題によって不安が増強し，コーピングとして摂食制限を行い，やせていることや食事摂取量が自己評価の指標として優先される。しばしば過度となり，社会生活に支障をきたし，身体的にも重篤となることがある。

飢餓（きが）症候群やボディイメージについての認知の歪（ゆが）みもあり，本人は治療の必要性を認識していないことも多々あるため，治療導入は慎重に行い，治療契約を結ぶ必要がある。

治療にあたっては，鑑別診断や身体状況の詳細なアセスメントが必要である。特に児童・思春期患者の体格評価については成長・発達が顕著であることを考慮し，成人と異なり，BMI曲線を用いた肥満度などで評価を行う。再栄養ではリフィーディング症候群が起きやすいので注意する。

健康的なコーピングとして，本人が感情や困っていることを認識し，言語で表出し，ストレスや困難に対処できるように支援することが必要である。

2 事例紹介

1. 患者プロフィール

患者：Kさん，14歳5か月，女性。公立中学校在学中

病名：神経性やせ症（Anolexia Nervoza），最重度，低栄養。合併症なし

家族：Kさんを含め4人家族。父親は会社員，母親はパートタイムの仕事，5歳年少の弟（小

学生）あり

2. 入院までの経過

妊娠中・出産時ならびに乳児期には特に問題なし。母親によると「がんばり屋で，手のかからない良い子，時々まじめすぎて融通がきかない子」であった。小学校高学年では陸上クラブに所属し，短距離走では地域の大会で入賞した。勉強もまじめに行い成績は上位であった。

公立中学校に入学後も陸上部で短距離走を継続し，当初は記録もよかったが中学２年生の初夏頃からタイムが落ち，下級生にも追い抜かれた。その時に，コーチから「体重が増えてタイムが落ちたんじゃないか」と言われ，以降，ダイエットに励み，陸上部の練習も人の数倍行うようになった。

学校給食でも小食となり，周囲の人々には「陸上のタイムが落ちたからダイエットしないといけない」と話した。自宅でも同様で，親が肉などを食べるように言ってもきく様子はなく，２週間後には3kg減となり「からだが軽くなった」と言った。しかし，記録は伸びず，「もっとやせなきゃ」と言い，さらに小食となるとともに，自宅でも筋肉トレーニングを行うなど活発に運動した。

その後もダイエットおよび過活動がエスカレートし，水分摂取を勧めただけでも「そうやって私を太らせようとしている」と怒り，食事を摂らせようとする親と何度も口論となった。一方で料理のレシピを見て過ごすことが多々あり，自ら調理し，家族に大量の食事を食べるように促した。

２か月後には学校で立ちくらみを起こし，養護教諭より親に対し病院の受診を勧められ，同月下旬に小児専門病院精神科を受診した。受診時の体重は中学入学時より8kg減であった。同科では入院を勧められたが，本人が固辞し，一度帰宅したものの，「体重が増えるのが怖い」と言って食事や水分がとれず，入院となった。

3. 入院時の状態と治療方針

❶入院時の状態

診断：①低栄養，脱水，るいそう，②神経性やせ症（最重度）

身体・心理的所見：入院時体重33kg，身長156cm，BMIは13.9kg/m^{2}であった。低体温，徐脈，低血圧，低たんぱく，貧血，そして軽度の低血糖と脱水が認められた。頭部および消化器の画像診断では問題はなかった。

眼窩のくぼみ，皮膚と口唇の乾燥，背部の産毛が認められた。月経は中学１年生のときに不定期にあったが，中学２年生からはない。自身の体型については「太っている，もっとやせなければいけない」との発言があった

❷治療方針

重篤な低栄養，脱水，るいそうについては，生命の危険もあり，内分泌科専門の小児科医師および栄養科よりコンサルテーションを受けながらリフィーディング症候群に留意し，改善を行う。

神経性やせ症（最重度）については，飢餓症候群と低栄養状態を改善したうえで，経口摂取の再確立，そして社会復帰（復学）を目指す。治療枠組みとしては，食行動を含めたADLに制限を加え，体重増加とともに制限を緩和する行動療法とした。制限の緩和のプロセスは，肥満度がマイナス17％である41kgより院外外出可，41kg以上を１週間維持できれば外泊可，その後２週間維持できれば退院・外来にて治療継続とした。

ケースフォーミュレーション：Kさんはもともと，きまじめで融通が利かないところもあり，摂食障害患者の典型的な病前の性格傾向を示していた。弟の世話，勉強，陸上競技をこなし，入賞するなどの達成感もあった。しかし，中学２年生になり陸上部で挫折を経験し，その際「体重が増えたから」という他者の言葉が契機となり，これまで経験したことのない問題に対し，「やせる」「食べない」という非効果的なコーピング行動をとった。それにより，食事や過活動への没頭による現実回避，また「自分でやせた」という自己コントロール感，飢餓状態に引き続く高揚状態，体力低下，思考・洞察力低下，問題解決力低下状態となった。

るいそうであるのに「太っている」という，ボディイメージについての認知の歪（ゆが）みも顕著であった。その結果，その後もコーピングとして摂食制限を続けるという悪循環となり，レシピへの没頭や家族への摂食強制などに代表されるような飢餓症候群に陥り，混乱状態となった。

入院の経過：Kさん入院時の33kgは標準体重の66.8％，肥満度はマイナス33.2％であった。やせの重症度は中程度であるが，直近の４週間にも急激な体重減少をきたし，低栄養状態であった。コンサルテーションを受けながら，点滴による補液を開始した。経口摂取については少量を勧めてみたが「怖くて食べられない」と言い，経鼻胃管による経管栄養を開始した。

エネルギー消費を低減するために活動につい

ても制限を加え，安静臥床を基本とした。特に排泄，清潔行為については，Kさんが動作を行うことは可能であるが，身体的には重症であることから，安静保持のために看護師による全介助とした。

4. 本人の目標，希望，強み

本人の目標，希望：勉強をがんばりたい

強み：Kさんはきまじめな性格であり，がんばり屋である。飢餓状態が改善し，食行動や体重へのこだわりが低減した後に，「勉強をがんばりたい」との現実的かつ前向きな目標を述べた。

家族はKさんのことを大変心配しており，もっと早く受診させるべきだったという自責の言葉も聞かれ，熱心に疾患などについて勉強した。弟も，姉であるKさんとの仲は良い

3 看護計画

❶看護目標

飢餓状態や低栄養状態を改善しつつ，非効果的コーピングとしての摂食制限に代わる効果的コーピングを獲得し，経口摂取にて体重を維持し，成長・発達を遂げながら学校に通うという社会参加を果たす。

❷アセスメントと看護計画

現在のKさんにとって優先度が高いと考えられる「低栄養・脱水状態とボディイメージについての認知の歪みの改善，経口摂取での体重維持」について，看護計画の概要を示す。

アセスメント 主観的情報，客観的情報， 関連要因（O，S，E）	目標および評価指標	看護計画 観察，ケア，教育（O，T，E）
神経性やせ症による肥満恐怖やボディイメージの認知の歪み，体重へのこだわりに関連した拒食あるいは必要量以下の栄養摂取 S：（食事をとるのが）「怖い」，（家族が食事を食べるように言うと）「私を太らせようとしている」，（家族にガリガリと言われ）「まだまだ太っている」「もっとやせなきゃいけない」「怖くて食べられない」 O： • 入院前，自宅では少量の野菜と水分のみ経口摂取，1日に何度も体重を測り，その都度一喜一憂していた。家族に食事を促されて上記Sのような発言あり。自宅でも筋トレ，大量の食事をつくって家族に食べさせようとした。レシピ本を見て数時間過ごしていた。4か月で15kgの体重減少 • 入院後，本人の希望で食事の経口摂取を試みたが，Sのように怖くて食べられないとの発言あり，37kgまでは経管栄養のみとした。 • 体重37kg（38日目） • これまでは特に逸脱行動は認められない。	目標：必要量の栄養の経鼻胃管から経口摂取への移行 評価指標： ①経口・経管合わせて1200kcal/日の栄養が摂取できる ②体重が減少せず，体重増加率0.5kg/週を目安とする ③1回の食事を50分以内で終えることができる ④食後の誘発性嘔吐などの食行動異常や過活動などの逸脱行動が認められない ⑤食事以外での楽しい時間や勉強などの時間を1時間/日以上過ごす	O： • 週2回の体重測定（測定条件を一定にする） • 食行動や時間の観察，食後の過ごし方の観察 • 過活動の有無，内容 • 排泄状況と，体重との関連 • 他児との交流の有無，内容，表情，言動，感想 • 食事以外の時間の過ごし方，内容，時間，表情や言動 T： • 本人および家族への治療の内容と必要性について十分な説明を行う • スタッフ側も行動療法については本人のためであることを理解し，治療の枠組みとして提示し，遵守する • 行動制限の是非や内容については論議しない • 体重や体型について言及・評価せず，ほかの話題とする • 最初に食事を配膳し，50分間経過したところで経口摂取量を確認し，計1200kcal/日となるように経管栄養で補う • 看護師も食卓の場に同席し，他児も含め，楽しい雰囲気づくりをする • 食行動異常や過活動，下剤乱用などの逸脱行動がみられた際は，責めるのではなく，理由や心情を聴き，葛藤への対処法を一緒に考える。またスタッフ間でもこまめに情報を共有する • 他児との交流や趣味の話，勉強，テレビを見るなど14歳相応の活動ができるように調整する • 本人が楽しいと実感できるように言語化の促しや話しかけを行い，食事以外の日常生活行動に

アセスメント 主観的情報，客観的情報， 関連要因（O，S，E）	目標および評価指標	看護計画 観察，ケア，教育（O，T，E）
		おいてKさんのできているところや良いところを言語化して評価する • 生活上の困難に直面した際の対処法について具体的に検討し，Kさん自身のコーピング獲得につなげる • 家族への心理教育の実施

4 看護計画の実際と評価

❶ 実施した看護と患者の反応

(1) Kさんと家族への治療枠組みの提示と安心感の提供

Kさんは，るいそうであるが，ボディイメージについて「自分は太っている」という認知の歪みがあり，また経口摂取への葛藤状況によって通常の食行動や休息がとれない状況にあった。そこで，危機状態を脱するまでは治療者側の主導で限界を設定（limit setting）する治療とした。

Kさんには身体的に重症であることを認識してもらい，治療への動機づけが必要であり，検査データによって身体的状況を説明した。Kさんが大切な存在であり，そうであるからこそ治療を受けて回復してほしいこと，このままではさらに悪循環を招くこと，良くなれば退院できること，安静や行動制限の意味などについて何度もていねいに説明し，ケアを行う際にも説明するようにした。

家族へも同様に，入院期間の見込みや，治療として本人の行動や家族の面会を制限することを説明し，疑問や質問にはその都度対応した。

10日目頃より，Kさんは低栄養および脱水が改善されたこともあり，「自分でもどうすればいいのかわからなかった，少し考えられるようになってきた」などと落ち着いて話し，入院前の状況を振り返ることができ，行動制限も守れた。両親もその様子に一安心しており，治療契約が結べたものと評価できた。

(2) 経鼻胃管から経口摂取への移行支援

徐々に経管栄養のみから，ヨーグルトなど少量からの経口摂取の開始，経管栄養・経口摂取の併用，そして経口摂取のみと移行した。体重増加，主体的な経口摂取，行動拡大に伴う他児との交流などの要因によって，やせ願望と関連する葛藤が健在化する可能性があった。葛藤を低減する枠組みとして，食事の席には看護師も同席し，食事時間も50分間として限界を設定するなどした。

リフィーディング症候群などの問題もなく，110日目頃には経管・経口併用，118日目より経口摂取のみとした。食事時間は50分間近く要するものの，ほぼ100％食べられるようになった。その後，数か月ぶりに体重が40kg台となると号泣し，過活動も顕著となったが，体重や食事を話題として扱わず，本人の得意なことや趣味，勉強のことなどの日常的な対応にて，数日経過すると落ち着いた。

その後は安定して経口摂取により体重を維持し，病院以外での生活における体重維持のための方法についても具体的かつ現実的に検討できた。病院の栄養士や，原籍校の教諭，養護教諭らとも方法を検討した。外泊や試験登校開始後の食行動異常や体重減少はなく，本人は「勉強をがんばりたい」と意欲を示し，体重や体型へのこだわりもなく，摂食障害の改善が認められ，148日目に，43kgにて退院となった。

心理的支援　経口摂取や体重の回復に伴い，「よく食べたね」「体重が増えてきて良かった」「丸くなったね」など，食行動や体重を用いての評価や他児との比較は避けた。Kさんのやせ願望や「食べたくないのに食べさせられる」といった食事や食行動に関するつらさについても共感しないようにした。ただし，制限が多いことやKさんのつらいという心情，そしてつらいことによく耐えてがんばっているというその態度には共感し，言語として伝え，Kさんの健康の回復のためであることを説明した。

制限からの逸脱行為，たとえば，便秘と偽って下剤を多用するなどは，Kさんのつらい心情の吐露行為であり，かつKさんなりのコーピングと解釈し，責めないでその事情や心情について聞くようにした。ただし，逸脱行動は葛藤の顕在化であるので，葛藤を低減させる枠組みとして行動制限の内容は変更しないようにした。たいていは体重増加に伴う予期不安の増大により，それを打ち消すために逸脱行為を行っていた。そこで，不安は時間の経過とともに低減することを説明し，入院後にKさんが乗り越えてきた実例などもあげて一緒に考えた。そして，今後の対処について相談し，Kさん自身が「また心配になって落ち着かなくなったら，行動する前に看護師さんに相談する」という結論を出した。Kさんは同時に，逸脱行為に対する治療者側の反応も見ており，治療者側が一貫して，どんなことがあってもKさんは大切な存在であるというメッセージを伝えていくことが重要であった。

IV　事例で学ぶ：身体疾患を合併している患者への看護

A　がん

1　精神疾患とがんの合併

日本では欧米諸国と比べて長期入院している精神疾患患者が多い。入院患者の高齢化は年々進んでおり，2020（令和2）年度のデータでは，精神科病棟の入院患者のうち，男性では約5割，女性では6割強が65歳以上となっている[12]（図7-5）。

がんは現在わが国において，一生涯のうちに罹患する者の割合が50％を超えている。ま

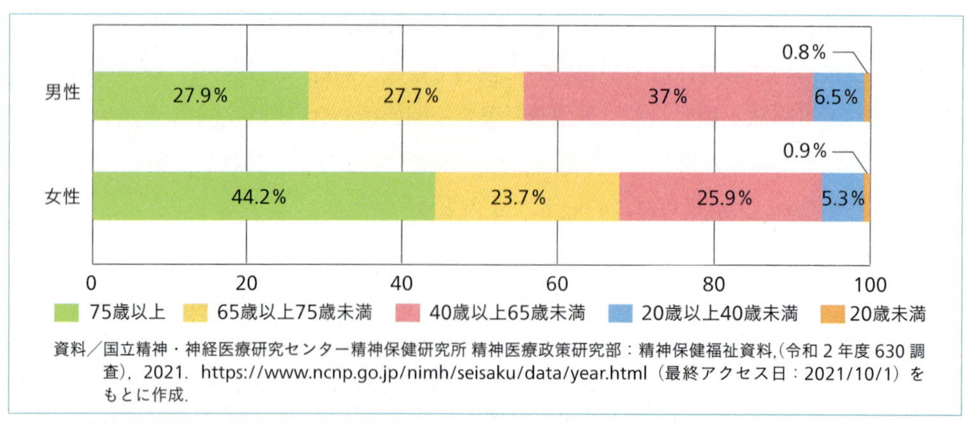

資料／国立精神・神経医療研究センター精神保健研究所 精神医療政策研究部：精神保健福祉資料,（令和２年度630調査），2021．https://www.ncnp.go.jp/nimh/seisaku/data/year.html（最終アクセス日：2021/10/1）をもとに作成．

図7-5 精神科病棟の入院患者の年代構成

た，1981（昭和56）年から日本における死因の第1位となっており，2020（令和2）年の死亡数は約37.8万人となっている[13)]。こうしたことから，精神科病棟に入院中にがんを発病する患者や，精神科病棟で終末期を迎える患者は増加傾向にあり，今後も増えていくと推測されている[14)]。

❶精神疾患患者のがん発症のリスク

統合失調症患者では，総合失調症をもたない人々に比べて，喫煙者や肥満者，糖尿病を有する者などの割合が高い[15)]。また，統合失調症をはじめとする精神疾患患者は，運動不足や偏った食生活，飲酒，妊娠・出産経験や授乳歴がないことなど，がん発症の様々なリスク要因を有しやすい傾向があり，さらに，抗精神病薬の有害作用の一つである高プロラクチン血症は，乳がんや子宮がんのリスク要因になる可能性があることも指摘されている[16), 17)]。

統合失調症患者のがんの罹患率は，そうでない者と比べて高くはないと報告されているが[18)〜21)]，統合失調症患者は，がんを発病していても診断に至らない人の割合が高いため，実際の罹患率はもっと高いといわれている[22)]。また，がんの種類ごとにみると，乳がんや肺がんの罹患率は，統合失調症患者では，そうでない者よりも高いことが報告されている[23), 24)]。

対象者と共に，食事や運動，喫煙などの生活習慣を見直し，がんやそのほかの生活習慣病の発症を予防する看護のかかわりが大切である。

❷がんを合併した精神疾患患者の死亡リスクとその要因

統合失調症患者ががんを発症した場合の死亡率は，統合失調症をもたないがん患者の死亡率よりも高い[25)〜32)]。その要因として，統合失調症などの精神疾患をもつ患者では，がんの早期発見や適切な治療を行うことが困難になりやすいことがあげられる。

精神疾患患者において，がんの早期発見やがんの適切な治療・ケアが困難になる要因には様々なものがある[33), 34)]（表7-8，9）。精神疾患をもたないがん患者と精神疾患をもつがん患者とでは，受けることのできるがん治療の質に格差が生じていることも指摘されてい

表7-8 精神疾患患者のがんの早期発見が困難となり得る要因

要因の主体	要因	要因の主な背景として考えられること
患者	痛みの訴えが少ない	• 向精神薬の鎮静効果により，痛みを感じにくくなっている • コミュニケーション能力の低下 • 認知機能の低下などのために，自分の身体の変化に気づきにくい
	症状の的確な表現が難しい	• 精神症状（幻覚・妄想，認知機能の低下など） • コミュニケーション能力の低下
	がん検診や他科の受診が少ない	• 受診の必要性の理解が不十分である • 精神症状（意欲や認知機能の低下，幻覚・妄想など） • ソーシャルサポートを得られにくい • 経済的な余裕が十分ではない
医療者	がんの罹患の可能性に気づきにくい	• 精神症状との区別が難しい • 精神疾患患者に対するスティグマ • 精神科の医療者の知識や観察が不十分である

出典／Irwin, K. E., et al.：Cancer care for individuals with schizophrenia, Cancer, 120（3）：323-334, 2014. Howard, L. M., et al.：Cancer diagnosis in people with severe mental illness; practical and ethical issues, The Lancet Oncology, 11（8）：797-804, 2010をもとに作成.

表7-9 精神疾患患者のがんの適切な治療・ケアが困難となり得る要因

要因の主体	要因	要因の主な背景として考えられること
患者	進行してからの診断になりやすい	表7-8参照
	手術後の合併症が起こりやすい	• ほかの身体疾患（心疾患，慢性閉塞性肺疾患，糖尿病など）の合併
	治療に関する意思決定や治療の継続が難しい	• 疾患・治療への理解が不十分である • がんの治療は複雑で選択肢が多い • 精神症状（意欲や認知機能の低下，幻覚・妄想など） • ソーシャルサポートを得られにくい • 経済的な余裕が十分ではない
医療者	がんの治療・ケアを行うことに困難を感じる	• 患者自身の疾患・治療への理解が不十分である • 患者の精神症状（認知機能の低下，幻覚・妄想など） • 精神疾患患者に対するスティグマ • 患者が身体科に入院してがん治療を受けることが難しい • 精神疾患治療薬との相互作用が起こり得る
医療システム	医療者間の密な連携が難しい	• 精神科治療とがん治療の医療機関が異なる場合などに，診療録や治療計画の共有が難しい
	治験に参加できる機会が少ない	• 治験実施医療機関で治療を受ける機会が少ない • 精神疾患患者に対するスティグマ • 患者の精神症状（認知機能の低下，幻覚・妄想など）

出典／Irwin, K. E., et al.：Cancer care for individuals with schizophrenia, Cancer, 120（3）：323-334, 2014. Howard, L. M. et al.：Cancer diagnosis in people with severe mental illness; practical and ethical issues, The Lancet Oncology, 11（8）：797-804, 2010をもとに作成.

る[35),36)]。

対象者が円滑に検査を受け，自分らしい意思決定を行って治療を受けられるように，個々の対象者のストレングス（強み，長所）とともに，治療やケアが困難となる要因についても様々な視点から把握し，個別的に支援していくことが大切である。

2 事例紹介

1. 患者プロフィール

患者：Lさん，40歳代，女性

病名・病歴：統合失調症，乳がんⅠ期

家族構成：入院前はグループホームで単身生活をしていた。同じ市内に住む父親（60歳代），母親（60歳代），弟（30歳代）とは疎遠な状態が続いている

2. 入院までの経過

20歳代前半で統合失調症を発症し，かつて2回（計約3年）の精神科入院歴がある。退院後はグループホームで生活していたが，2か月ほど前より妄想などの精神症状が悪化し，精神科病院に3回目の入院となった。

看護師が家族に連絡をしたが「忙しいので面会には行けません」と話し，面会はなかった。

3. 身体症状の発現と病状認識

入院から2週間後，Lさんが「胸からビー玉が出てきた」と話すようになり，時々左胸を押さえるしぐさがみられた。また，「このビー玉は神様がくれたものだから，大切にこのままにしておきます」との発言もあった。入浴介助を行う際に看護師が視診と触診を行うと，左乳房に小さなえくぼがみられ，左乳房の外側上部に直径2cm弱のしこりを触知したため，主治医に報告した。

主治医からしこりについて説明し，総合病院の乳腺外科を受診することを勧めたが，Lさんは硬い表情でうつむいてしまった。看護師がLさんに声をかけて気持ちをたずねると，「これは大切なものなのだから，病院なんて行きません」と拒否があった。

看護師が家族に連絡すると，母親からは「悪いものかもしれないんですか？」と質問があった。その後，看護師がLさんと母親に受診の必要性をていねいに説明し，粘り強く働きかけたところ，母親が面会に来院し，付き添って市内の総合病院を受診することとなった。総合病院で検査をした結果，乳がん（Ⅰ期）と診断された。

3 アセスメントと看護ケア

❶アセスメントの視点

(1) いつもと違う様子や気になる言動がないか

「胸からビー玉が出てきた」と話すようになり，時々左胸を押さえるしぐさがみられた。→いつもと違う様子から，身体の健康に問題が生じている可能性がある。

看護上の問題：身体症状の訴えが少なく，症状を的確に表現することが難しい。

(2) 身体所見・身体症状

乳房の視診と触診を行ったところ，小さなくぼみとしこりが観察された。→乳がんの可能性がある。

看護上の問題：訴えが不明瞭であり，発言内容からは具体的な身体症状がわかりにくいため，身体所見がないか十分な観察が必要である。

(3) 身体症状についてのLさんの受け止め

「これは大切なものなのだから，病院なんて行きません」と拒否があった。→疾患の可能性についての理解が不十分で，専門医を受診することが難しい。

看護上の問題：身体症状の受け止め方は，精神症状の影響を受けやすい。

(4) 家族の, Lさんへのサポート状況とLさんの身体所見についての受け止め

家族は「忙しいので面会には行けません」と話し，一度も面会はなかったが，母親からは「悪いものかもしれないんですか？」と質問があった。→今回の入院では家族のかかわりはみられなかったが，母親はＬさんの身体所見を気にかけている様子がある。

看護上の問題：長期入院歴があり，家族はＬさんと疎遠になっていた。

❷看護目標

①異常を早期発見できる。②異常が発見された場合に，家族の協力を得て早期に専門医の受診につなげることができる。

❸看護ケア

(1) Lさんの訴えによく耳を傾け, 言動を注意深く観察する

奇妙な言動に思えることでも，Ｌさんにとっては，どのように伝えればよいのかわからない症状の本人なりの表現であるかもしれず，「妄想にとらわれている」などと決めつけず，Ｌさんの話をしっかり聞いた。

結果：Ｌさんの「いつもと違う」様子に気づくことができ，身体に異常がないかどうかの観察につなげることができた。

(2) ていねいなフィジカルアセスメント

乳房の視診や触診を行い，五感を生かした観察を的確に行った。

結果：左乳房に小さなくぼみとしこりを発見し，医師に報告した。

(3) Lさんの思いの把握と, 受診の必要性の説明

主治医から説明を受けたＬさんの思いに耳を傾けた。また，できるだけ早く専門医を受診して検査することの必要性を，Ｌさんが理解しやすいように工夫しながら説明し，母親と調整したうえで，受診の際に母親が同行してくれることも伝えた。

結果：受診の必要性についての理解は十分とはいえないものの，母親が同行することになったことを喜び，母親に会えるなら受診してもよいと話すようになった。

(4) 家族への働きかけ

Ｌさんの身体所見に気づいて連絡をした際に，母親からＬさんを気にかける発言が聞かれたことに着目し，看護師は母親に対して粘り強く働きかけた。受診の必要性があることやＬさんが会いたがっていることを，ていねいに説明した。

結果：母親が面会に来院し，付き添って市内の総合病院を受診することとなり，乳がんが早期発見された。

❹評価

それまではみられなかった「いつもと何かが違う」と感じるような言動に注意することは，身体の異常を早期発見する手がかりとなる。日頃から対象者の様子をよく観察するとともに，ふだんはみられない言動があった場合は，それがなぜなのかを意識して注意深く対象者にかかわることが大切である。

また，異常を発見することができても，対象者の理解や家族の協力体制が十分でない場

合などは，早期に専門医を受診することが困難になることもあるが，対象者や家族の思いをくみながら，根気強く受診につなげる働きかけを行うことが重要である。

対象者にわかりやすい言葉で，ていねいに説明をすることで，検査や治療の必要性について少しずつ理解を促すことが大切である。また，家族からの協力が十分に得られていなかった場合であっても，医療者からの働きかけや患者の状態の変化などがきっかけとなって徐々に協力を得られるようになることもある。

B 肺炎

1 精神疾患と肺炎の合併

精神科病院に長期入院している患者の多くが高齢化しているなかで，身体合併症が重篤化した場合は救命救急センターや専門機関などへの搬送が行われる。最近の調査研究[37]によると，身体合併症で救急病院に搬送される精神科病院入院中の患者の特徴は図7-6のとおりである。身体合併症で搬送される患者は必ずしも高齢患者とは限らない。入院時の診断には肺炎や脳出血・骨折が多く，なかでも**肺炎**は日本人の死亡原因の約7％を占める[38]。

精神科臨床で経験する肺炎の多くに誤嚥性肺炎がある。**誤嚥性肺炎**は，加齢や長期臥床により起こる摂食嚥下機能の障害（誤嚥）が原因となって発症する肺炎である。ほかにも，むせないまま誤嚥を繰り返し，発生する肺炎である**不顕性誤嚥**（サイレントアスピレーション）や，気管挿管している患者が挿管チューブに蓄積した唾液や痰を誤嚥することで発生する**人工呼吸器関連肺炎**がある。主に発熱，咳嗽，喀痰，呼吸困難感，経皮的動脈血酸素飽和度（SpO_2）の低下などを症状とする。

では，精神科臨床と摂食嚥下機能にはどのような関係があるのだろうか。抗精神病薬を含む向精神薬全般にいえることであるが，その作用や副作用により，催眠や鎮静，運動機能の変調などが出現する（表7-10）。ドパミンの4つの経路は，中脳辺縁系，中脳皮質系，黒質線条体系，漏斗下垂体系であり，なかでも黒質線条体系が遮断されることによって錐体外路症状が出現する[39]。

錐体外路症状には，パーキンソニズム，ジストニア，アカシジア，遅発性ジスキネジアがあり，舌の動きや飲み込みなどの運動機能が障害される。そのため，抗精神病薬服用中の患者に対する摂食嚥下機能のアセスメントはとても重要である。

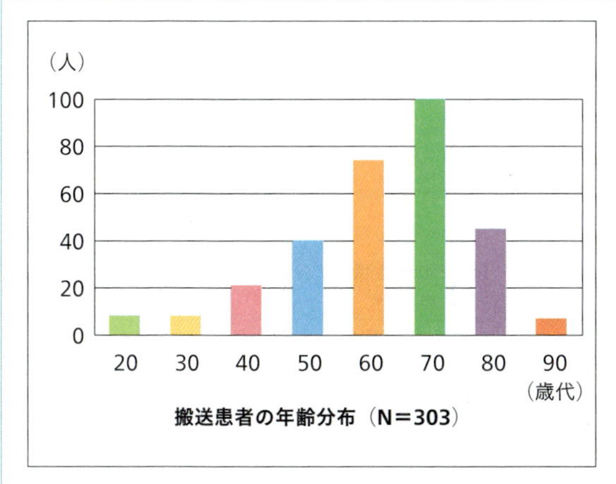

搬送患者の年齢分布（N＝303）

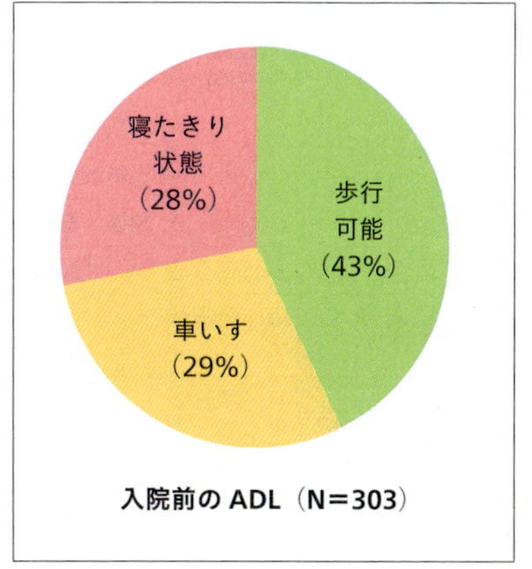

入院前の ADL（N＝303）

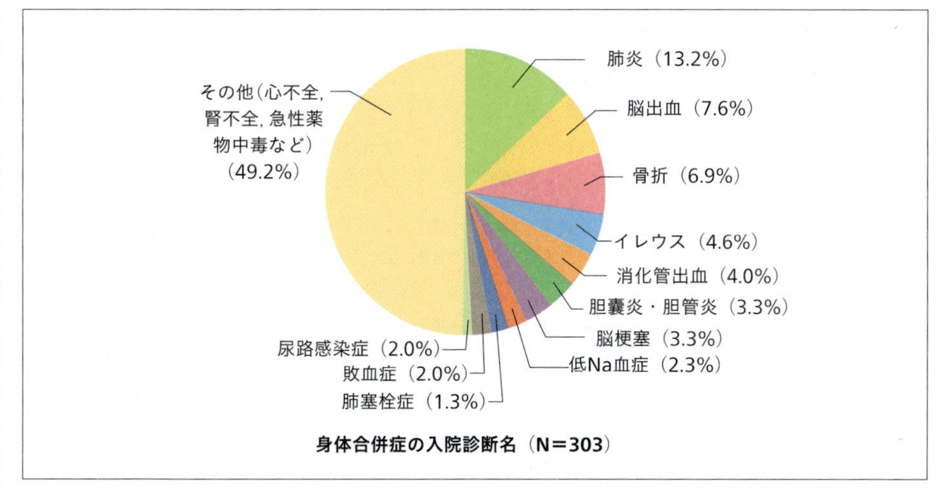

身体合併症の入院診断名（N＝303）

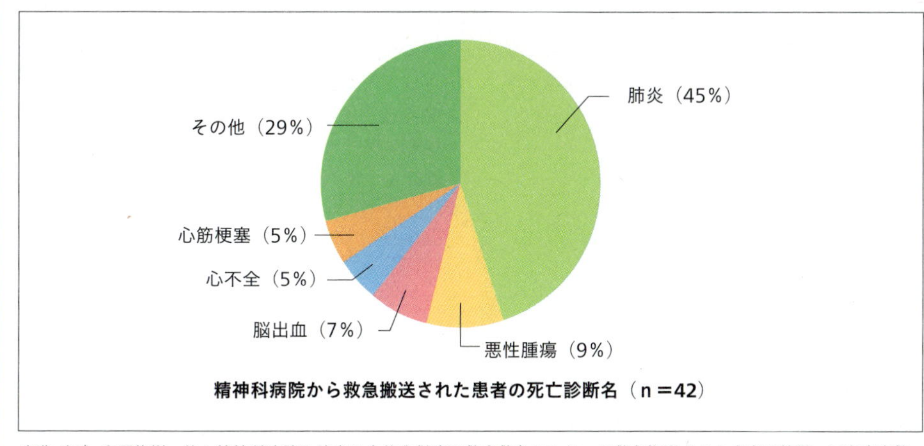

精神科病院から救急搬送された患者の死亡診断名（n＝42）

出典／1）金原佑樹，他：精神科病院入院中に身体合併症で救命救急センターに救急搬送された患者の特徴，日本臨床救急医学会雑誌，17（5）：675-679，2014 をもとに作成.
2）金原佑樹，他：医療連携通信　愛知県における精神・身体合併症患者を対象とした救命救急センターと精神科病院の地域連携，DEPRESSION JOURNAL，5（2）：68-71，2017 をもとに作成.

図7-6 身体合併症で救急搬送された精神科病院入院中の患者の特徴

表7-10 抗精神病薬の主な有害作用

生体内のアゴニスト	受容体		受容体遮断により予想される有害作用
ドパミン	D_2 受容体	中脳辺縁系	不明
		中脳皮質系	陰性症状の増悪
		黒質線条体系	錐体外路症状
		漏斗下垂体系	高プロラクチン血症
セロトニン	5-HT_2 受容体		体重増加
アドレナリン	α_1 受容体		自律神経症状（交感神経），起立性低血圧，めまい，過鎮静
ヒスタミン	H_1 受容体		体重増加，眠気
アセチルコリン	mACh 受容体		自律神経症状（副交感神経），口渇，便秘，かすみ目，尿閉，認知障害など

出典／雪下君子：摂食嚥下機能と向精神薬．精神科看護，42（4）：26，2015．一部改変．

2 事例紹介

1. 患者プロフィール

患者：M さん，50 歳代前半，男性

病名・病歴：統合失調症，誤嚥性肺炎

2. 入院までの経過

10 歳代後半に統合失調症を発症，未治療のまま自宅の自分の部屋で過ごしていた。

30 年前，支離滅裂な言動が目立ち，医療保護入院（初回），以後 5 回の入院歴（入院期間はそれぞれ 3 ～ 6 か月）がある。精神運動興奮，暴力行為があり，保護室での治療や抗精神病薬の筋肉内注射により鎮静が必要な状況が多かった。

M さんは 2 か月前から服薬を忘れるようになり，現在は被毒妄想が強くなり，幻覚妄想状態が著明で，食事や水分をほとんど摂っていない。

3. 入院後の経過と身体症状の発現

保護室での治療を開始し，注射と定期的な服薬により，入院 10 日目には自ら食事や水分が摂れるようになった。しかし，急いでかき込むように食べたり，話しながら食べるためにむせ込んだりしていた。食事中のお茶や水などの水分摂取は少なかった。看護師は「ご飯はよくかんでゆっくり飲み込みましょう」「今は食べることに集中しませんか」と声をかけるが，M さんは口の中に入れてはしゃべり出し，飲み込もうとすると，また口の中に食べ物を入れることを繰り返していた。

入院 12 日目頃から，37.0℃台の微熱と痰がらみの呼吸音が目立ち，食事は介助が必要となった。入院 14 日目，38.5℃の発熱があり，胸部 X 線検査の結果，誤嚥性肺炎と診断された。絶飲食となり，抗菌薬を含めた輸液が開始された。

3 アセスメントと看護ケア

❶アセスメントの視点

看護師は M さんの食事に付き添ってはいたものの，食べ方や食器の工夫を図り，肺炎の予防に努める必要があった。

誤嚥性肺炎の可能性が高い状況であるにもかかわらず，食事をそのまま継続させてしまったことも，さらにリスクを高めている。食事中や食後に誤嚥や咳き込むような症状がなかったとしても，寝ている間に唾液や逆流した胃の内容物を誤嚥し，突然の発熱により気づく場合もある。肺炎の重篤化や二次的感染を防ぐためにも初期対応が重要となる。

まずは，プライマリサーベイの **ABCDE アプローチ**による全身状態の評価（表7-11）を

表7-11 プライマリサーベイのABCDEアプローチ

	アセスメント	処置
Airway（気道）	• 発声は可能か • 呼吸音 • 気道の所見はないか	• 用手的気道確保 • エアウェイの挿入 • 異物除去 • 吸引 • 気管挿管や外科的気道確保
Breathing（呼吸）	• 呼吸数 • チアノーゼ • パルスオキシメーター • 努力呼吸の有無 • 胸郭の運動 • 両肺の聴診	• 安楽な体位の工夫（起座呼吸） • 補助換気，人工呼吸 • 気胸の場合は脱気
Circulation（循環）	• 皮膚の色 • 発汗 • 毛細血管再充満時間（capillary refill time） • 心臓の聴診 • 脈拍 • 血圧 • 心電図モニタリング	• 出血がある場合は止血 • 下肢の挙上 • 血管の確保
Disability（中枢神経）	• ジャパン・コーマ・スケール（Japan Coma Scale） • グラスゴー・コーマ・スケール（Clasgow Coma Scale） • AVPU 法での評価* • 血糖値（低血糖による意識レベルの低下の可能性）	• 上記 ABC の処置 • 低血糖の場合はブドウ糖 • AVPU 法で P や U の場合は患者を迅速に回復できる場所へ移動
Exposure（脱衣と体温）	• 脱衣させ全身皮膚の観察 • 体温	• 保温

＊ Alert：覚醒し見当識あり，Voice responsive：言葉に反応するが見当識なし，
Pain responsive：痛みにのみ反応する，Unresponsive：反応がない
出典／Thim, T., et al.：Initial assessment and treatment with the Aiarway, Breathing, Circulation, Disability, Exposure（ABCDE）approach, International journal of general medicine, 5：117-121, 2012をもとに作成.

表7-12 A-DROPシステム

A（Age）：男性 70 歳以上，女性 75 歳以上
D（Dehydration）：BUN 21mg/dL 以上または脱水あり
R（Respiration）：SpO_2 90％以下（PaO_2 60 Torr 以下）
O（Orientation）：意識変容あり
P（Blood Pressure）：血圧（収縮期）90mmHg 以下

軽症：上記 5 つの項目のいずれも満たさないもの
中等症：上記項目の 1 つまたは 2 つを有するもの
重症：上記項目の 3 つを有するもの
超重症：上記項目の 4 つまたは 5 つを有するもの。ただしショックがあれば 1 項目のみでも超重症とする。

出典／日本呼吸器学会成人肺炎診療ガイドライン 2017 作成委員会：成人肺炎診療ガイドライン 2017，日本呼吸器学会，2017，p.12.

行った後，**A-DROP システム**（表7-12）を参考に重症度の判定が必要である。

❷看護目標とケア

「誤嚥しない」が看護目標としてあげられる。咀嚼や嚥下がうまくできない患者が「誤嚥しない」ためには，どのようなケアが必要か検討した。

❸看護の実際

誤嚥性肺炎のケアのポイントは「予測」と「予防」である。精神科病院に入院している患者は，摂食嚥下機能の問題以外にも，食事中，一度に口の中に入れる量が多かったり，「一品食い」（1つのものを食べ続ける）で吸い込むようにかき込んだりすると，窒息のリスク

表7-13 食事介助や食器の工夫

- 「ゆっくり時間をかけましょう」「少量ずつ食べましょう」「口に入れて飲み込んでから話をしてください」などの声かけ
- 咀嚼中に話しかけない
- 小さめのお椀に移す（顔よりも小さめのお椀）
- ご飯を小さいおにぎりにして渡す
- 小さめのスプーンを使う
- 水分でむせる場合はとろみをつける，など

図7-7 誤嚥を誘発する食事介助（例）

も高くなる。医療スタッフが食事介助を必要と判断した場合には，介助の方法や食器の工夫が必要である（表7-13）。しかし，食事介助の方法によっては誤嚥を誘発させてしまう可能性がある（図7-7）。看護師1人が複数の患者の食事介助や周囲に気をとられながらケアするのではなく，ゆっくりと患者の視線の高さで食事介助を行うことが安全であり，「予防」につながる。

❹評価

誤嚥性(ごえんせい)肺炎の初期症状は，微熱や痰がらみの咳嗽がある。初期では明らかな肺雑音が聴取されないときがあるが，看護師は聴診や視診などを含むバイタルサインのチェック，フィジカルアセスメントを行っていく必要がある。それでも疑わしい場合は，胸部X線検査をし，軽症のうちに処置や治療などの対応ができれば重症化しない。安易に「様子をみる」ことにせず，常時のモニタリングと早期の対応を図ることが重要なポイントである（表7-14）。

表7-14 誤嚥性肺炎に対する8つの初期対応

❶胸部X線検査，採血	❺気管吸引
❷持続点滴・抗菌薬（軽症であれば内服）	❻酸素投与
❸絶飲食	❼イン・アウト管理
❹体位ドレナージ（30°ギャッチアップ）	❽バイタルサインのチェック

C 骨折

1 精神疾患と骨折の合併

精神科病院に入院している患者の骨折は，これまでは認知症の患者が多い病棟でよくみられた。しかし，2017（平成29）年の時点で，全国の精神疾患を有する総患者数は約419.3万人であり，精神病床在院患者数約30.2万人のなかでも65歳以上の割合は61.9%[40]に達している。看護師は入院中の患者の安全を管理する中心的な役割を担っており，多職種を含めた精神面と身体面のアセスメントがさらに重要となる。

骨折に至る経緯は様々であるが，原因は大きく分類すると対象者自身の内的因子と外的因子に分けられる（図7-8）。精神科臨床における**骨折**の原因には，日常生活における姿勢の保持やバランスの障害から引き起こされる転倒以外にも，自傷行為や器物破損から起こる打撲・外傷も含まれる。ここでは，骨折の主な原因である転倒・転落の予防に重点をおき，精神科特有のアセスメントと看護ケアを学習する。

2 事例紹介

1. 患者プロフィール

患者：Nさん，60歳代半ば，男性
病名・病歴：統合失調症，右大腿骨頸部骨折
体型：大柄（BMI 30）
既往：高血圧症で服薬治療中

2. 入院までの経過

被害的な幻聴と妄想により家族とのトラブルが続いたことをきっかけに入院となった。

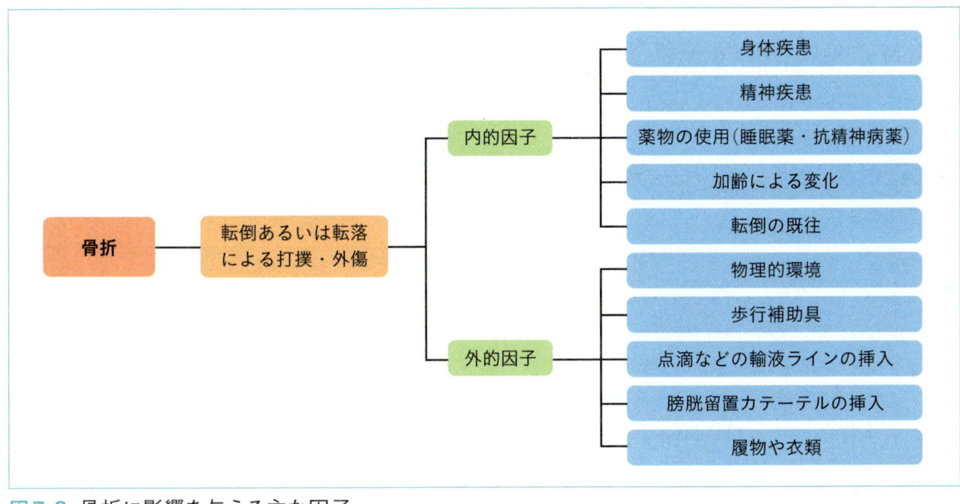

図7-8 骨折に影響を与える主な因子

3. 入院後の経過と身体症状の発現

入院時，Nさんは不眠が続いており，精神運動興奮が著しく隔離となったが，非定型抗精神病薬（second-generation antipsychotics：SGA）内用液の服用および外部刺激遮断によって，症状は徐々に改善した。また，主治医により処方薬内容の調整が行われた。

入院5日目には保護室から一般病室へ転室となったが，歩行にはふらつきがあり，ろれつは回っていない。Nさんはスリッパしか持参しておらず，移動や歩行の際には事前にナースコールを押すよう看護師から指導されるが，「大丈夫，手すりを使うから」と遠慮がちに答えていた。

入院5日目，21時，看護師はNさんの病室に行き，医師に指示された睡眠薬を投与した。深夜1時，病棟内で大きな音がしたため，看護師が駆け寄るとNさんはトイレの床に横向きに倒れ，スリッパや衣類は尿で汚染されていた。Nさんは右殿部に手を当て，痛みがあるような表情をしているが，「大丈夫，大丈夫」と言って足を引きずりながらベッドに戻り，更衣を行っていた。その後は痛みの訴えはないが，ベッドサイドにポータブルトイレを設置した。

翌朝，看護師がNさんの痛そうな表情に気づき，殿部を観察すると内出血と腫脹がみられた。すぐにX線検査したところ，右大腿骨頸部骨折と診断され，手術適応となった。Nさんは昨夜の転倒について，「個室のときに迷惑をかけたから，トイレ程度で呼ぶのは申しわけなくてね」と話した。

3 アセスメントと看護ケア

❶アセスメントの視点

事例は，保護室から一般病室へ転室した日の夜間に起きた転倒による骨折である。転倒の原因には複数の内的および外的因子が考えられ，転倒を予防するために最も重要な看護のポイントは，観察とアセスメントである。

まずは，患者の転倒・転落の危険度をアセスメントするために必要な情報が収集されなければならない。精神科の場合，患者が入院する前の生活習慣や活動状況などに関する情報は，転倒・転落の予防に極めて役に立つ。また，Nさんのように，入院時に精神運動興奮状態をきたしている場合や患者本人が危険を回避・防衛する力が低下している場合は，家族からの情報収集も必要である（表7-15）。

❷看護上の問題

精神科で用いられる治療薬の多くは，強力な鎮静や催眠作用をもち，薬剤によっては錐

表7-15 転倒·転落予防に必要な情報

項目	内容
一般状態	バイタルサイン，BMI，血液一般・生化学データ（貧血，脱水，感染症など），ADLの自立度
身体的機能	運動・知覚障害，言語・視力・聴覚障害，骨・関節の異常，筋力低下，けいれん・てんかんなど，歩行状態（歩行のバランスと姿勢，歩行補助具の使用など）
認知的機能	理解力・判断力低下，不穏・他害行為，危険の認知から回避・防衛する能力の低下
薬剤の使用	向精神薬および頓服薬，降圧利尿薬，血糖降下薬など
排泄	失禁，頻尿，夜間の排尿回数
チューブ類	膀胱留置カテーテル，持続点滴など
睡眠	入眠困難，中途覚醒，早朝覚醒，昼夜逆転
環境	床（材質，清掃後，段差など），トイレ，浴室，寝具，照明
性格	遠慮深い，我慢強い，せっかち，こだわりなど
その他	転倒の既往，履物・衣類，点滴架台，歩行補助具のメンテナンス状況

体外路症状（extra pyramidal symptom；EPS）や起立性低血圧などを起こしやすい。入院時のNさんには，不眠と精神運動興奮状態に対し，薬物による鎮静が図られていた。また，医師が処方薬を調整している最中であること，鎮静と保護室の使用から起こる一時的な筋力低下などから，Nさんの入院時の転倒リスクは高い状態であった。

転室後，看護師は転倒する前のNさんの履物や歩行状態，ろれつ，ナースコールに対する反応を観察している。さらに，その日の夜間には睡眠薬を投与しており，覚醒時の転倒を予測することはできた。

転室後，複数の医療スタッフがNさんにかかわっていると考えられるが，履物や歩行時のふらつきに対する具体的な予防策が行われていない。

❸看護目標

「転倒・転落しない」が看護目標としてあげられる。患者が「転倒・転落しない」ためには，どのような看護ケアが役立つのか検討した。

❹看護ケア

転倒・転落の予防対策は，看護師だけでなくすべての医療スタッフによって実施されることが大切である。転倒・転落には患者側の要因以外にも，施設や看護師側の要因がある。たとえば建物の構造，床面のすべり度や衝撃吸収性，看護師の夜間巡回の時間と頻度などである。なかでも看護師（医療者）側の「リスク感性」は事故を量的にも質的にも変化させる[41]といわれている。それぞれの看護師が患者にかかわり，「あれっ」と思った疑問やヒヤッとした危機感を，できるだけ多くのスタッフと共有し，予防策を講じることは，転倒・転落に限らず，様々な事故を最小限に食い止める有効な方法といえる。

ここでは「転倒・転落アセスメントスコアシート」（表7-16）と危険度に応じた看護ケア（表7-17）をあげる。

「転倒・転落アセスメントスコアシート」は，施設の構造や機能に沿って，それぞれの精神科病院による独自のものが作成され，使われている。

入院時は，入院前の生活の様子や転倒の既往があれば，その状況についても情報収集することで，転倒・転落予防に向けたアセスメントが可能である。また，急な入院の場合，患者の履物は見落とされがちな情報である。平坦ですべりやすいスリッパだけでなく，使い込まれた履物にも注意が必要である。

❺評価

転倒・転落リスクのアセスメントは，入院時以外にも必要である。入院時に行ったアセスメントの内容がその後も当てはまるとは限らない。アセスメントを行う時期としては，①入院時，②入院後1週間以内，③歩行状態に変化があったとき，④薬物の処方内容が変更になったとき，⑤転倒・転落が発生したとき，⑥隔離・身体拘束が解除になったとき，⑦病室あるいは病棟が変わったとき，⑧精神症状に変化があったとき，⑨退院や転院が決定したとき[42]などがある。看護師は，患者が入院した後は状況を判断しながら適時評価することが必要である。

表7-16 転倒・転落アセスメントスコアシート（例）

［201→205］号室　患者氏名［　　A　　］様　［66］歳　■男：□女

項目	内容	スコア	入院時 5／2	5／6
A 年齢	70 歳以上である	1	0	0
B 生活様式	転倒・転落したことがある	4	0	0
	履物に不備がある	2	2	2
C 環境	トイレまで距離がある	2	0	2
	ベッド周囲に多くの物がある	2	0	0
	環境に慣れていない	2	2	2
D 排泄	夜間，排泄のために覚醒する	3	3	3
	排泄に間に合わないことがある	3	0	0
	排泄に介助が必要である	1	0	0
	膀胱留置カテーテルを挿入している	1	0	0
E 睡眠	入眠困難，中途覚醒，早朝覚醒がある	3	3	3
	昼夜逆転がある	2	2	0
F 障害と既往	麻痺，拘縮，変形がある	3	0	0
	けいれん，てんかん，ヒステリー発作を起こしたことがある	1	0	0
	高血圧・低血圧，貧血，ふらつきがある	2	2	2
	視力障害・聴力障害がある	2	0	0
	移動・歩行時に介助が必要である	4	0	4
	筋力の低下がある	3	0	3
	肥満である（BMI，総コレステロール・中性脂肪値の確認）	2	2	2
G 認識力	判断力・理解力の低下がある	4	0	0
	危険を認知し，回避・防衛する力が低下している	3	3	0
	見当識障害・意識障害がある	3	0	0
H 症状	精神運動興奮状態である	2	2	0
	こだわり，強迫行為がある	4	0	0
	自傷あるいは他害行為，迷惑行為がある	2	0	0
	多飲行動がある	1	0	0
	食事摂取量の低下，あるいは摂取量にむらがある	1	0	0
I 薬剤	向精神薬を服用している	4	4	4
	降圧薬，利尿薬，糖尿病治療薬を服用している	1	1	1
	抗アレルギー薬，抗ヒスタミン薬を服用している	1	0	0
	頓服薬を服用している	2	0	2
	薬剤の調整中である	2	2	2
	持続点滴中である	2	0	0
J 患者の特徴	ナースコールを認識しているが押さずに行動しがちである	3	0	3
	ナースコールを認識できず，使えない	3	0	0
	ナースコールを設置できない	3	0	0
	スタッフの手を借りることを嫌がる，または遠慮する	3	0	3
	他人の言うことを受け入れない，がんこ，ゆずれない	4	0	0
	行動を焦りやすい	2	0	0
	何事も自分でやろうとする	2	0	2
K 気がかりな点 入院前の服薬状況がわからない。入院時，24 時間隔離（5/2） 205 へ転室。精神症状は落ち着いているが，歩行時のふらつきが強い（5/6）		0～5	3	5
危険度Ⅱ以上は計画を立案する	危険度Ⅰ：01～20 点　転倒・転落の可能性がある 危険度Ⅱ：21～40 点　転倒・転落の可能性が高い 危険度Ⅲ：40 点以上　転倒・転落の可能性がきわめて高い	合計	31	45
		危険度	Ⅱ	Ⅲ
		サイン	堤	陣内

出典／畑仲卓司：転倒転落防止マニュアル〈日本医師会：医療従事者のための医療安全対策マニュアル〉，2007．https://www.med.or.jp/anzen/manual/pdf/score.pdf（最終アクセス日：2021/3/17）をもとに作成．

表7-17 転倒・転落の危険度別の看護ケア

	リスクレベルⅠ 転倒・転落を起こす可能性がある	リスクレベルⅡ 転倒・転落を起こしやすい
ベッド周囲	①ベッドの高さ・ストッパーの固定 ②ベッド柵設置 ③ナースコールの位置および長さの調節 ④ポータブルトイレの位置確認 ⑤照明の確保 ⑥柱頭台・オーバーテーブルの整頓 ⑦声かけ	⑧①〜⑦の確認 ⑨体位変換は2名で実施 ⑩離床センサー・マットの設置 ⑪特殊ナースコールの設置 ⑫緩衝マットレス・床マットの設置 ⑬観察しやすい病室への移動 ⑭安全ベルトの使用（説明と同意は必須）
歩行	①可能な限りバリアフリーへ ②履きなれた靴・寝巻の裾丈に注意 ③床の水は必ず拭く ④廊下・階段の障害物の整理 ⑤コード・配線に注意 ⑥点滴架台・輸液ポンプ類の可動性の確認 ⑦歩行の指導	⑧①〜⑦の確認 ⑨保護帽子の使用 ⑩階段は手すり・杖を使用 ⑪スタッフの視野に入れる ⑫歩行時は付き添う ⑬清掃時は作業範囲に「立ち入り禁止」の表示
歩行補助具	①補助具の点検 ②正しい使い方の説明（杖，歩行器，車椅子） ③杖の長さの調整・滑り止めの摩擦の点検 ④車椅子のストッパー・安全ベルト装着の確認と点検	⑤①〜④の確認 ⑥患者のそばを離れない
移動・移送	【移動】 ①ストッパーの固定 ②移動間の台車の高さは同じにする ③最低でも2名で実施 【移送】 ④柵の固定・安全ベルトの装着 ⑤スピードに注意 ⑥搬送は2名以上で実施	⑦①〜⑥の確認
排泄	①患者の状態とADLに合わせた対応 ②そばを離れるときは声をかける ③ナースコールの確認 ④身体障害者用のトイレ介助はナースコールが使用可能か判断し，すぐに対応できるよう待機	⑤①〜④の確認 ⑥患者のそばを離れない
夜間排泄	①患者の状態とADLに合わせた対応 ②照明の確保 ③ナースコールの確認 ④排泄パターンの確認 ⑤必ず覚醒させて説明する ⑥夜間の巡回は，定時以外にも頻回に行う	⑦①〜⑥の確認 ⑧患者のそばを離れない
入浴	①入浴可能な状態か判断する ②浴室の環境整備（段差，手すり，床のぬめり，障害物） ③ナースコールの確認	④①〜③の確認 ⑤必ず付き添う ⑥介助者は同時に2つの行為を行わない ⑦スタッフの視野に入れる ⑧リフト式浴槽の介助は原則2名で実施

出典／都立病院医療安全推進委員会：転倒・転落防止対策マニュアル（予防から対応まで），2017，p.6. http://www.byouin.metro.tokyo.jp/about/hokoku/anzen/manual/pdf/jikoyobo0801.pdf（最終アクセス日：2021/3/17），一部改変.

(1) 転倒・転落が発生した場合の対応

患者の転倒・転落が発生した場合，看護師は患者の救命と事故を最小限にくい止めるための迅速・的確な対応から，事故後の原因究明や家族への説明，看護記録および事故報告書の記載，その後の取り組みなど一連の対応が求められる。看護の実際をもとに評価のポイントをあげる。

- 1人で対応せずにスタッフの応援を要請
- 患者の意識状態，外傷の程度と部位，疼痛（とうつう）の有無，関節可動域の確認，バイタルサインなどの観察
- 出血がある場合，速やかな患部の止血
- 本人または周囲の患者から状況の情報収集
- 医師への報告と指示による検査・処置
- リスクマネジャーへの報告
- 家族への説明
- 院内の対応が困難な場合は専門機関へ救急搬送
- 転倒・転落が発生した時間，場所，巡回時間などについて看護記録へ詳細に記載
- 事故報告書の作成と提出
- 事故後のカンファレンス開催と，原因や再発防止策の検討とその周知

(2) 骨折が疑われる場合

骨折は，多くは患者が強い痛みを訴えることで気づくことができる。しかし精神科臨床では，痛みを自ら訴える患者は少なく，入浴や排泄のケアの際に発見される場合もある。骨折が疑われる場合，局所の固定に努め，速やかに医師に報告し，適切な処置が行われなければならない。

看護師は，ふだんから骨折の危険を念頭において，患者の表情，歩容，日常生活動作を観察し，早期発見に努める必要がある。

最後に，転倒・転落の予防対策も重要である。予防のための危険度（表7-16，17）を評価しながら，積極的なカンファレンスの開催やチーム間での共有が必要である。転倒・転落は看護スタッフの認識の向上だけでは予防できない。そのため，他職種を含めたスタッフ教育の強化やチーム間の良好なコミュニケーションができる体制作りが有効である。

文献

1) 厚生労働省：医療法改正の概要（平成18年6月公布，平成19年4月施行）．http://www.mhlw.go.jp/shingi/2007/11/dl/s1105-2b.pdf（最終アクセス日：2019/7/22）
2) 高橋祥友：医療者が知っておきたい自殺のリスクマネジメント，第2版，医学書院，2006，p.8-9.
3) 前掲書2)，p.15.
4) 森隆夫，他：愛知県内精神科病院の実態調査に基づく自殺リスク要因の評価，愛知県精神科病院協会：自殺防止マニュアル；精神科病院版，2012，p.20-21.
5) 前掲書4)．
6) 包括的暴力防止プログラム認定委員会編：医療職のための包括的暴力防止プログラム，医学書院，2005，p.46-47.
7) 日本医療機能評価機構：病院機能評価機能種別版評価項目精神科病院〈3rdG:ver.2.0〉評価の視点／評価の要素，2017年10月1日版，p.22. https://www.jq-hyouka.jcqhc.or.jp/wp-content/uploads/2017/07/20170701_P.pdf（最終アクセス日：2021/11/2）
8) 平田豊明，分島徹編：精神科救急医療の現在〈専門医のための精神科臨床リュミエール13〉，中山書店，2009，p.157-160.
9) 野田哲朗：行動制限と人権擁護，臨床精神医学，43（5）：615-620，2014.
10) Priebe, S., et al.：Patients' views and readmissions 1 year after involuntary hospitalization，The British Journal of Psychiatry，194（1）：49-54，2009.
11) Katsakou, C., et al.：Psychiatric patients' views on why their involuntary hospitalisation was right or wrong；a qualitative study, Social Psychiatry and Psychiatric Epidemiology，47（7）：1169-1179，2012.
12) 国立精神・神経医療研究センター精神保健研究所精神保健計画研究部：精神保健福祉資料（令和2年度630調査）．http://www.ncnp.go.jp/nimh/seisaku/data/（最終アクセス日：2021/11/2）
13) 国立がん研究センター：最新がん統計．https://ganjoho.jp/reg_stat/statistics/stat/summary.html（最終アクセス日：2022/10/18）
14) 齋藤暢是，塩田勝利：単科精神病院における統合失調症患者の終末期について，精神科，24（6）：691-695，2014.
15) Mitchell, A. J., et al.：Prevalence of metabolic syndrome and metabolic abnormalities in schizophrenia and related disorders；a

systematic review and meta-analysis, Schizophr Bull, 39 (2) : 306-318, 2013.
16) Tworoger, S. S., et al. : A 20-year prospective study of plasma prolactin as a risk marker of breast cancer development, Cancer Research, 73 (15) : 4810-4819, 2013.
17) Harvey, P. W., et al. : Adverse effects of prolactin in rodents and humans ; breast and prostate cancer, Journal of Psychopharmacology, 22 (2 Suppl) : 20-27, 2008.
18) Catts, V. S., et al. : Cancer incidence in patients with schizophrenia and their first-degree relatives ; a meta-analysis, Acta Psychiatrica Scandinavica, 117 (5) : 323-336, 2008.
19) Chou, F. H., et al. : The incidence and relative risk factors for developing cancer among patients with schizophrenia ; a nine-year follow-up study, Schizophrenia Research, 129 (2-3) : 97-103, 2011.
20) Hendrie, H. C. et al. : Comorbidity profile and health care utilization in elderly patients with serious mental illness, The American Journal of Geriatric Psychiatry, 21 (12) : 1267-1276, 2013.
21) Leucht, S., et al. : Physical illness and schizophrenia ; a review of the literature, Acta Psychiatrica Scandica, 116 (5) : 317-333, 2007.
22) Howard, L. M., et al.:Cancer diagnosis in people with severe mental illness ; practical and ethical issues, The Lancet Oncology, 11(8): 797-804, 2010.
23) 前掲書 17).
24) Bushe, C. J., et al. : Schizophrenia and breast cancer incidence ; a systematic review of clinical studies, Schizophrenia Research, 114 (1-3) : 6-16, 2009.
25) 前掲書 18).
26) 前掲書 19).
27) 前掲書 20).
28) 前掲書 21).
29) 前掲書 22).
30) 前掲書 24).
31) Crump, C., et al. : Comorbidities and mortality in persons with schizophrenia ; a Swedish national cohort study, America Journal of Psychiatry, 170 (3) : 324-333, 2013.
32) Kredentser, M. S. et al : Cause and rate of death in people with schizophrenia across the lifespan ; a population-based study in Manitoba, Canada, The Journal of Clinical Psychiatry, 75 (2) : 154-161, 2014.
33) 前掲書 21).
34) Irwin, K. E., et al. : Cancer care for individuals with schizophrenia, Cancer, 120 (3) : 323-334, 2014.
35) Bergamo, C. B., et al. : Inequalities in lung cancer care of elderly patients with schizophrenia ; an observational cohort study, Psychosomatic Medicine, 76 (3) : 215-220, 2014.
36) Domino, M. E., et al. : Heterogeneity in the quality of care for patients with multiple chronic conditions by psychiatric comorbidity, Med Care, 52 (suppl 3) : S101-S109, 2014.
37) 金原佑樹, 他 : 精神科病院入院中に身体合併症で救命救急センターに救急搬送された患者の特徴, 日本臨床救急医学会雑誌, 17 (5) : 675-679, 2014.
38) 厚生労働省政策統括官（統計・情報政策担当）: 平成 30 年我が国の人口動態；平成 28 年までの動向, 厚生労働統計協会, 2018.
39) 長嶺敬彦 : 錐体外路症状〈抗精神病薬の「身体副作用」がわかる；The Third Disease〉, 医学書院, 2006, p.112-127.
40) 厚生労働省 : 平成 29 (2017) 年患者調査の概況, 2019.
41) 釜英介 :「リスク感性」を磨く OJT；人を育てるもうひとつのリスクマネジメント, 日本看護協会出版会, 2004, p.11-14.
42) 日比野壮功:高齢者の救急患者評価は ABCDE アプローチ, でもその前にまずは第一印象！, エマージェンシー・ケア, 31 (8): 710-712, 2018.

参考文献

・田中美恵子監, 日本精神保健看護学会災害支援特別委員会編 : 精神科病院で働く看護師のための災害時ケアハンドブック. https://www.japmhn.jp/carehandbook（最終アクセス日 : 2021/11/2）
・Goffman, E. 著, 石黒毅訳 : アサイラム；施設被収容者の日常世界, 誠信書房, 1984.
・Jones, M. 著, 鈴木純一訳 : 治療共同体を超えて；社会精神医学の臨床, 岩崎学術出版社, 1977.
・Schultz J.M., Videbeck S.L.: Lippincott's Manual of Psychiatric Nursing Care Plans, Ninth edition, LWW , 2012.
・Tobin R.M., House A.E. 著, 髙橋祥友監訳 : 学校関係者のための DSM-5. 医学書院 , 2017.
・World Health Organization 著, 国立精神・神経医療研究センター精神保健研究所自殺予防総合対策センター訳 : 自殺を予防する；世界の優先課題, 2014, p.1-88.
・掛田崇寛, 山勢博彰 : 静脈血栓塞栓症の予防法；間歇的空気圧迫法, EBNursing, 7 (3) : 56-68, 2007.
・粕田孝行編 : セルフケア概念と看護実践；Dr. P. R. Underwood の視点から, へるす出版, 1987.
・神山真生, 他 : 精神科独自の転倒転落アセスメントスコアシートの開発, 日本精神科看護学術集会誌, 56 (3) : 73-77, 2013.
・川合厚子 : 精神障害者も禁煙したい, 禁煙できる！；新しい禁煙治療薬への期待, 日本禁煙推進医師歯科医師連盟学術総会ランチョンセミナー, 2009.
・川田和人, 佐藤ふみえ編 : 実践！ 精神科における転倒・転落対策, 中山書店, 2008.
・金吉晴 : 災害時の精神保健医療対応と平時の備え, 厚生労働省東海北陸厚生局. https://kouseikyoku.mhlw.go.jp/tokaihokuriku/photo/documents/kouenshiryou.pdf.（最終アクセス日 : 2021/11/2）
・栗田大輔, 竹林淳和 : 精神科でできる神経性やせ症の身体治療；浜松医大式入院治療プログラムの有用性と課題, 精神科治療学, 33 (12) : 1419-1423, 2018.
・志馬伸朗 : 重症度設定の意義, 医学のあゆみ, 265 (3) : 202-206, 2018.
・高野政則:“あれ”と“これ”だけやればいい！ 誤嚥性肺炎のケア（その 1）誤嚥性肺炎になったら最低限これをする！, 精神看護,

12（5）：56-65，2009.
・高野政則："あれ"と"これ"だけやればいい！ 誤嚥性肺炎のケア（その2）「徴候」をどのように発見するか；初期対応の基本，精神看護，12（6）：81-86，2009.
・高野政則："あれ"と"これ"だけやればいい！ 誤嚥性肺炎のケア（その3）治療と再発予防；ポイントはここ！，精神看護，13（1）：116-122，2010.
・高山恵子監：イライラしない，怒らない ADHDの人のためのアンガーマネージメント，講談社，2016.
・滝川一廣：子どものための精神医学，医学書院，2017.
・竹田壽子：法律に基づく身体拘束について；精神科病棟の拘束を通して看護場面の身体拘束を考える端緒として，共創福祉，10（1）：43-57，2015.
・都立病院医療安全推進委員会：転倒・転落防止対策マニュアル（予防から対応まで）〈医療事故予防マニュアル〉，2017. http://www.byouin.metro.tokyo.jp/hokoku/anzen/documents/jikoyobo0801.pdf（最終アクセス日：2021/11/2）
・中井久夫：精神医学の経験；分裂病〈中井久夫著作集1巻〉，岩崎学術出版社，1984.
・中谷江利子，他：強迫性障害（強迫症）の認知行動療法マニュアル（治療者用）. https://www.mhlw.go.jp/file/06-Seisakujouhou-12200000-Shakaiengokyokushougaihokenfukushibu/0000113840.pdf（最終アクセス日：2021/11/2）
・日本医師会：転倒転落防止マニュアル〈医療従事者のための医療安全対策マニュアル〉，2007. http://www.med.or.jp/anzen/manual/menu.html（最終アクセス日：2021/11/2）
・日本精神科看護技術協会監，大塚恒子，他編：改訂精神科ビギナーズ・テキスト身体管理編；身体をみるための基礎知識と技術，精神看護出版，2014.
・八田耕太郎，他：身体合併症医療の実態と展望；東京都における前向き全数調査から，精神神経学雑誌，112（10）：973-979，2010.
・八田耕太郎：身体合併症の望ましい方向性と人材育成，精神医学，60（6）：653-656，2018.
・細井匠，牧野英一郎：わが国の精神科病床における転倒事故実態調査，精神障害とリハビリテーション，12（2）：163-170，2008.
・本多和子：発達障害の子の遂行機能「何度言ったらわかるの？」を「できた！」に変える上手な伝え方，学研教育みらい，2018.
・松田優二：精神科病院入院患者の無断離院防止のための対応策に関する文献研究；1987年～2012年における先行研究からの検討，東北文化学園大学看護学科紀要，3（1）：3-14，2014.
・松本俊彦：薬物依存とアディクション精神医学，金剛出版，2012.
・文部科学省：発達障害を含む障害のある幼児児童生徒に対する教育支援体制整備ガイドライン；発達障害等の可能性の段階から，教育的ニーズに気付き，支え，つなぐために，2017. http://www.mext.go.jp/component/a_menu/education/micro_detail/__icsFiles/afieldfile/2017/10/13/1383809_1.pdf（最終アクセス日：2021/11/2）
・山﨑祐嗣：転倒・骨折〈高齢者に起こりやすい急変とその対応⑦〉，Nursing Today，29（2）：37-39，2014.
・山田秀則：精神科病院からの搬送を断らないERから学ぶ；精神科で見逃されがちな身体の急変，精神看護，15（6）：16-27，2012.

第 8 章

精神障害をもつ人の地域における生活への支援

この章では

- 精神障害をもつ人を対象とした精神保健医療政策について理解する。
- 国内外の精神保健医療福祉の変遷をふまえ，リカバリーという概念に基づくアプローチへと発展してきたことを理解する。
- 日本の精神障害をもつ人の社会参加と権利擁護という理念に基づく施策の概要をふまえ，精神障害をもつ人に対する地域生活支援について理解する。
- 地域精神保健福祉における多職種連携とアウトリーチの必要性について理解する。
- 精神障害をもつ人への地域支援の実際を制度とともに理解する。
- 精神障害をもつ人の就労支援の動向と支援について理解する。

I　地域生活の再構築と社会参加

日本の精神病床の 1 日平均患者数は約 27 万 1000 人であり，平均在院日数は，短縮しつつあるものの 277.0 日である。同時期の一般病床の平均在院日数は 16.5 日である[1)]。日本の精神病床の平均在院日数はその長さが世界においても突出しているが，日本国内の他病床と比較してもやはり長期となっている。入院期間の構成比に着目すると，2020（令和 2）年 6 月 30 日時点の入院患者数 26 万 9476 人のうち，在院期間 1 年以上が 16 万 7124 人（62.0%），同 5 年以上が 8 万 3381 人（30.9%）[2)] と，入院患者の 3 人に 1 人以上が 5 年以上入院している現状がある。この割合は徐々に低下しつつあるものの，いまだ多くの入院患者が地域生活の機会を逸しているともいえる。

そもそも，医療や看護，そして福祉は，対象者が社会や地域でその人らしく自己実現を目指しつつ生きていくことが支援の目標であり，地域移行ならびに地域生活の維持支援が目的である。精神疾患はその多くが慢性的となり生活の障害であることに加え，入院という管理下での長期生活により，日常生活スキルの喪失あるいは低下が少なからずある。さらに，疾患による認知機能障害があることなどから，精神障害をもつ人々には地域生活への移行のためのリハビリテーションと同時に，生活の場の確保や，障害がありながらも自身の疾患を管理しつつ地域で日常生活を再び送れるようになるという，生活の再構築が必要である。

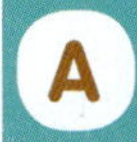 日本における精神障害者へのケアシステムと支援に関する法制度

1. 精神障害にも対応した地域包括ケアシステム

日本の精神保健医療福祉政策において，入院精神障害者の地域移行および定着支援について積極的に取り組まれるようになったのは近年である（表 8-1）。2004（平成 16）年の「精神保健医療福祉の改革ビジョン」において「**入院医療中心から地域生活中心へ**」という理念が示され，様々な取り組みが実施された。2005（平成 17）年には，障害者が自立した生活を営むことができるように支援を行うことを目的として，知的，身体そして精神の 3 つの障害を対象とした**障害者自立支援法**が公布されたが，障害者の費用負担増加により生活が制限されるなどの，本来の目的にそぐわない状況をもたらした。これらの取り組みの結果，平均在院日数は 338 日（2004［平成 16］年）から 277.0 日（2020［令和 2］年）まで短縮が図られたものの，精神病床数は 35.6 万床（2004［平成 16］年）から 32.4 万床（2020［令和 2］年）と微減であり，入院患者の地域生活への移行が進まない状況にあった。

そこで厚生労働省は，地域移行のさらなる推進を目的として，2014（平成 26）年に「長

表8-1 日本の精神障害者への福祉・支援に関する近年の法制度等の変遷

年	法制度	概要
2004（平成16）	精神保健医療福祉の改革ビジョン	• 入院医療から地域生活中心へという精神保健医療福祉施策の基本的方策を提示した
2005（平成17）	障害者自立支援法公布	• 身体障害，知的障害に加え，精神障害も支援の対象として含めた
2006（平成18）	改正障害者雇用促進法施行	• 雇用促進の対象として身体障害，知的障害に加え，精神障害を追加した
2008（平成20）	精神障害者地域移行支援特別対策事業開始	• 精神障害者の地域移行に必要な体制の総合調整役を担う地域体制整備コーディネーターや利用対象者の個別支援などにあたる地域移行推進員の配置を柱とする
2010（平成22）	障害者自立支援法改正	• 発達障害も支援の対象に含めた
	精神障害者地域移行・地域定着支援事業開始	• 精神障害者地域移行支援特別対策事業に，未受診・受療中断などの精神障害者に対する支援体制の構築と精神疾患への早期対応を行うための事業内容や，ピアサポーターの活動費用を追加した
2011（平成23）	精神障害者アウトリーチ推進事業開始	• 新たな入院および再入院を防ぎ，地域生活が維持できるように，未治療や治療中断している精神障害者などに対し，保健師，看護師，精神保健福祉士，作業療法士などの多職種から構成されるアウトリーチチームが，一定期間，アウトリーチ（訪問）支援を行う
2013（平成25）	障害者総合支援法施行	• 障害者自立支援法を改正・改名 • 難病も支援の対象として含めた • 自立支援給付と地域生活支援事業の2つによりサービスが構成される
	良質かつ適切な精神障害者に対する医療の提供を確保するための指針（平成26年厚生労働省告示第65号）	• 精神障害者が地域社会の一員として安心して生活していく権利享有の確保 • 精神障害者の社会復帰促進，自立，社会経済活動への参加促進，社会貢献できるような医療の提供 • ピアサポート促進 • 新たな入院患者については1年未満の退院を目指す
2014（平成26）	精神障害者地域生活支援広域調整等事業開始	• 2013（平成25）年度に終了した精神障害者アウトリーチ推進事業を各都道府県の保健所が中心となって継続
	長期入院精神障害者の地域移行に向けた具体的方策の今後の方向性	• 長期入院精神障害者の地域移行のために，患者本人のほか，医療者の意識改革を含む病院の構造改革や地域における住居の確保，生活支援サービスなどの必要性が示された
2015（平成27）	生活困窮者自立支援法施行	• 生活保護受給者以外の生活困窮者の自立を支援し，生活保護受給者の自立支援を強化
2017（平成29）	精神障害にも対応した地域包括ケアシステムの構築提示	•「地域生活中心」を基軸として，精神障害者のいっそうの地域移行を進めるための地域づくりを推進する観点から，精神障害者が地域の一員として，安心して自分らしい暮らしができるよう，医療，障害福祉・介護，社会参加，住まい，地域の助け合い，教育が包括的に確保されたシステムを目標として掲げた
2018（平成30）	改正障害者総合支援法施行	• 自立生活援助や就労定着支援を追加
	改正障害者雇用促進法施行	• 精神障害者雇用の義務化
2020（令和2）	改正障害者雇用促進法施行	• 短時間労働の障害者の雇用の推進，中小事業所における障害者雇用推進

期入院精神障害者の地域移行に向けた具体的方策の今後の方向性」をとりまとめ，各都道府県にも取り組み事項が通知された。そのなかでは，長期入院精神障害者本人に対する支援のみならず，病院の構造改革（医療の場であり生活の場ではない，入院医療は精神科救急など地域生活を支えるための医療に人員・治療機能を集約させる，地域移行のさらなる推進・地域移行機能を強化する），そして地域においては，居住の場の確保，地域生活を支えるサービスの確保，そ

のほかの精神障害者本人および家族への支援があげられた。

2012（平成24）年の調査では，退院困難者のうち33％は「居住・支援がない」ことが退院困難の理由であった。また，退院者の約40％が1年以内に再入院しており，その原因として必要な地域サービスを十分利用できていない状況があった。そして，精神療養病棟に入院する半数が，在宅サービスの支援があれば退院可能との報告もあった[3)]。

この状況を受け，2017（平成29）年には，「地域生活中心」を基軸として，精神障害者のいっそうの地域移行を進めるための地域づくりを推進する観点から，「精神障害者が地域の一員として，安心して自分らしい暮らしができるよう，医療，障害福祉・介護，社会参加，住まい，地域の助け合い，教育が包括的に確保された『精神障害にも対応した地域包括ケアシステム』の構築」が，日本の精神保健医療福祉の目標として明確化された。

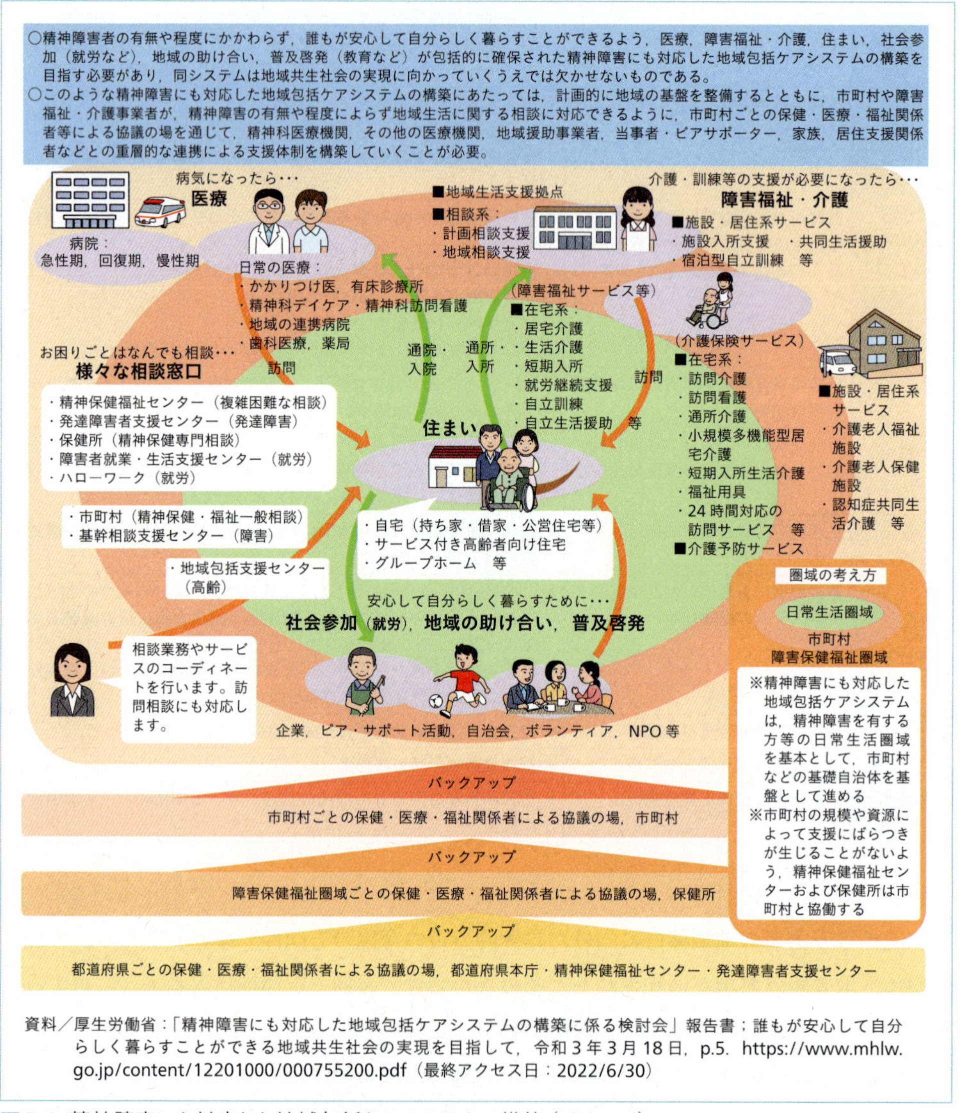

資料／厚生労働省：「精神障害にも対応した地域包括ケアシステムの構築に係る検討会」報告書；誰もが安心して自分らしく暮らすことができる地域共生社会の実現を目指して，令和3年3月18日，p.5. https://www.mhlw.go.jp/content/12201000/000755200.pdf（最終アクセス日：2022/6/30）

図8-1 精神障害にも対応した地域包括ケアシステムの構築（イメージ）

この「**精神障害にも対応した地域包括ケアシステム**」は，精神障害者が医療施設ではなく地域での生活を中心に据え，地域の一員として安心して暮らすことができるような地域づくりを推進するものであり，また，精神障害者のみならず，住民一人ひとりの暮らしと生きがい，地域を共につくる「地域共生社会」の実現にも寄与するものとされている（図8-1）。そのようなシステムの構築のためには，「計画的に地域の基盤を整備するとともに，市町村や障害福祉・介護事業者が，精神障害の程度によらず地域生活に関する相談に対応できるように，圏域ごとの保健・医療・福祉関係者による協議の場を通じて，精神科医療機関，そのほかの医療機関，地域援助事業者，市町村などとの重層的な連携による支援体制を構築していくことが必要」とされている[4)]。

看護職を含む医療者はもちろん，地域住民もまた，障害者が地域を生活の拠点として，適切な医療を受けながら，社会参加を実現させつつ暮らしていく支援を行う必要がある。入院施設において精神障害者の看護を行う場合も，常に，地域生活中心ということに留意するべきである。

2. 障害者総合支援法による自立支援給付と地域生活支援事業

2005（平成 17）年に公布された障害者自立支援法は，2012（平成 24）年に**障害者の日常生活及び社会生活を総合的に支援する法律**，通称**障害者総合支援法**へと改名および改正がなされた（2013［平成 25］年 4 月施行）。この障害者総合支援法には，「障害者及び障害児が基本的人権を享有する個人としての尊厳にふさわしい日常生活又は社会生活を営むことができるよう，必要な自立支援に係る給付，地域生活支援事業そのほかの支援を総合的に行い（中略）障害の有無にかかわらず国民が相互に人格と個性を尊重し安心して暮らすことのできる地域社会の実現に寄与」との文言があり，障害者のみならず国民全体を対象とすることなどの変更がなされた。これまで含まれていなかった難病患者も障害者として支援の対象とすることや，支援の拡充などが追加された。

看護職を含む医療者や福祉関係者，そして行政関係者はこの障害者総合支援法による自立支援給付および地域生活支援事業を総合的に用い，さらに，精神障害者保健福祉手帳や精神保健福祉センターなど既存の法制度による資源・支援，法制度に乗らないボランティアや資源などを活用し，地域移行および定着支援，すなわち生活の再構築と社会参加のための支援を行うこととなる。

障害者総合支援法による支援内容（サービス）は，**自立支援給付**と**地域生活支援事業**に大別される。

▶ **自立支援給付**　自立のための支援を行うものであり，介護給付，訓練等給付，相談支援，自立支援医療，補装具が含まれる（表8-2）。介護給付と訓練等給付は，個々の障害のある人々の障害程度や勘案すべき事項（社会活動や介護者，居住等の状況）を踏まえ，個別に支給決定が行われた後に支援を受けるもので，全国共通のサービスである。なお，18歳未満は児童福祉法による児童通所給付等のサービスとなる。

表8-2 障害者総合支援法における障害者サービスの種類と分類

自立支援給付 (**18歳以上対象**)	介護給付
	訓練等給付
	相談支援
	自立支援医療
	補装具
地域生活支援事業	市町村地域生活支援事業
	都道府県地域生活支援事業

注）18歳未満は児童福祉法による児童通所給付等を受ける

▶ **地域生活支援事業** 「障害者及び障害児が，自立した日常生活又は社会生活を営むことができるよう，地域の特性や利用者の状況に応じ，柔軟な形態により事業を効果的・効率的に実施するもの」であり，実施主体は，市町村と都道府県の2つとなる。障害者あるいは障害児は，これらのサービスや事業を総合的に用いて地域生活の構築と維持を行う。自立支援給付および地域生活支援事業の窓口は市町村となる（図8-2）。自立支援給付と地域生活支援事業の内容を表8-3に示した。自立支援給付（介護給付，訓練等給付）は，個々の障害のある人々の障害の程度や状況が考慮されて個別に支給決定が行われるサービスであり，

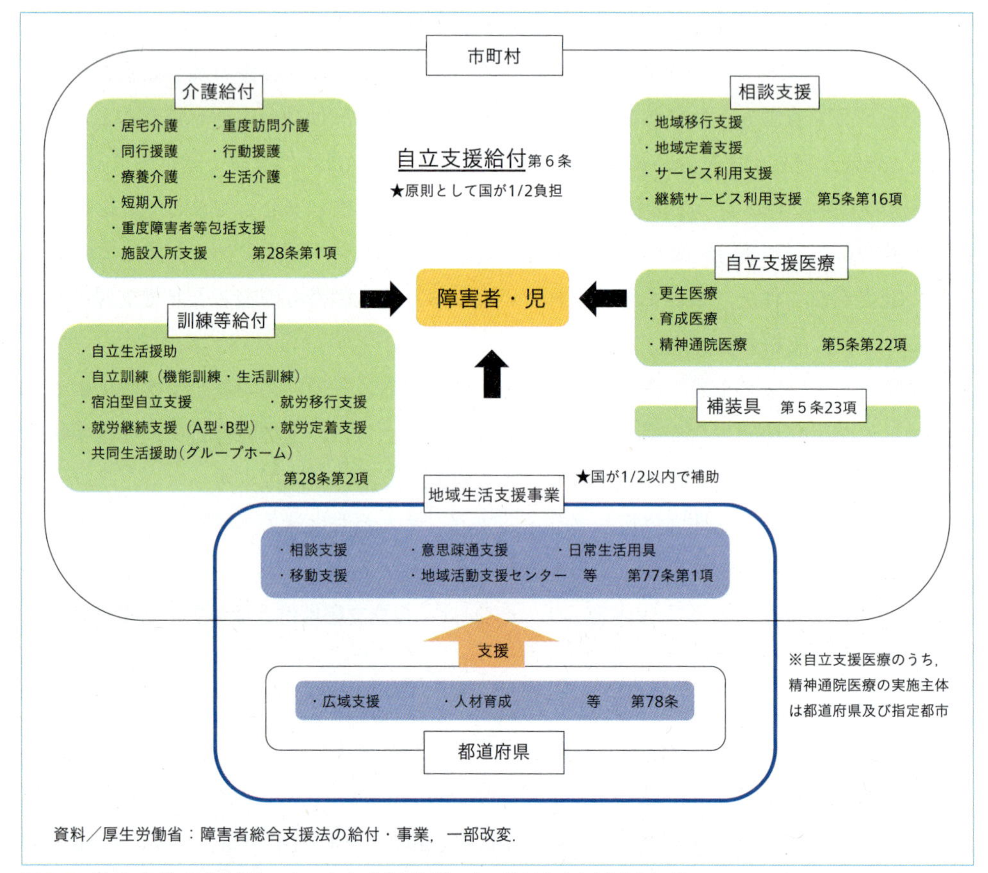

資料／厚生労働省：障害者総合支援法の給付・事業，一部改変．

図8-2 障害者総合支援法による自立支援給付および地域生活支援事業

表8-3 障害者総合支援法による自立支援給付および地域生活支援事業

●自立支援給付：個別に支給決定されるサービス

個々の障害のある人々の障害程度や勘案すべき事項（社会活動や介護者，居住等の状況）を踏まえ，個別に支給決定が行われる。

介護給付	
居宅介護（ホームヘルプ）	自宅で，入浴，排泄，食事の介護などを行う
重度訪問介護	重症の肢体不自由者または重度の知的障害もしくは精神障害により行動上著しい困難を有する者であって，常に介護を必要とする人に，自宅で，入浴，排泄，食事の介護，外出時における移動支援，入院時の支援などを総合的に行う
同行援護	視覚障害により，移動に著しい困難を有する人が外出するとき，必要な情報提供や介護を行う
行動援護	自己判断能力が制限されている人が行動するときに，危険を回避するために必要な支援，外出支援を行う
重度障害者等包括支援	介護の必要性がとても高い人に，居宅介護等複数のサービスを包括的に行う
短期入所（ショートステイ）	自宅で介護する人が病気の場合などに，短期間，夜間も含め，施設で，入浴，排泄，食事の介護などを行う
療養介護	医療と常時介護を必要とする人に，医療機関で機能訓練，療養上の管理，看護，介護および日常生活の世話を行う
生活介護	常に介護を必要とする人に，昼間，入浴，排泄，食事の介護などを行うとともに，創作的活動または生産活動の機会を提供する
施設入所支援	施設に入所する人に，夜間や休日，入浴，排泄，食事の介護などを行う
訓練等給付	
自立生活援助	1人暮らしに必要な理解力・生活力などを補うため，定期的な居宅訪問や随時の対応により日常生活における課題を把握し，必要な支援を行う
共同生活援助（グループホーム）	夜間や休日，共同生活を行う住居で，相談，入浴，排泄，食事の介護，日常生活上の援助を行う
自立訓練（機能訓練）	自立した日常生活または社会生活ができるよう，一定期間，身体機能の維持，向上のために必要な訓練を行う
自立訓練（生活訓練）	自立した日常生活または社会生活ができるよう，一定期間，生活能力の維持，向上のために必要な支援，訓練を行う
宿泊型自立訓練	自立訓練（生活訓練）の対象者のうち，日中，一般就労や他の自立支援給付を利用している人を対象に，居室そのほかの設備を利用すると同時に，家事などの日常生活能力向上のための支援，生活などに関する相談・助言などを行う
就労移行支援	一般企業などへの就労を希望する人に，一定期間，就労に必要な知識および能力の向上のために必要な訓練を行う
就労継続支援A型（雇用型）	一般企業などでの就労が困難な人に，雇用して就労の機会を提供するとともに，能力などの向上のために必要な訓練を行う
就労継続支援B型（非雇用型）	一般企業などでの就労が困難な人に，就労する機会を提供するとともに，能力などの向上のために必要な訓練を行う
就労定着支援	一般就労に移行した人に，就労に伴う生活面の課題に対応するための支援を行う

●自立支援給付：相談支援

基本相談支援，地域相談支援および計画相談支援をいう。

- 地域相談支援：地域移行支援および地域定着支援
- 計画相談支援：サービス利用支援および継続サービス利用支援
- 一般相談支援事業：基本相談支援および地域相談支援のいずれも行う事業
- 特定相談支援事業：基本相談支援および計画相談支援のいずれも行う事業

地域移行支援	障害者支援施設，精神科病院，救護施設・厚生施設，矯正施設などに入所または入院している障害者を対象に，住居の確保そのほかの地域における生活に移行するための支援を行う
地域定着支援	居宅において単身で生活している障害者などを対象に，常時の連絡体制を確保し，緊急の事態そのほかの場合に相談などの支援を行う

表8-3（つづき①）

サービス利用支援	相談支援専門員が，自立支援給付などの申請に係る支給決定の前にサービス等利用計画案を作成し，支給決定後にはサービス事業者などとの連絡調整を行うとともにサービス等利用計画を作成する
継続サービス利用支援	相談支援専門員が，自立支援給付などの利用状況等の検証（モニタリング）や，サービス事業所などとの連絡調整，必要に応じて新たな支給決定などに係る申請の勧奨を行う

●自立支援給付：自立支援医療

心身の障害を除去・軽減するための医療について，医療費の自己負担額を軽減する公費負担医療制度であり，精神通院医療，更生医療，育成医療の３つがある。指定自立支援医療機関にて治療や調剤，訪問看護を受ける必要がある。

精神通院医療	精神保健福祉法第５条に規定する統合失調症などの精神疾患を有する者で，通院による精神医療を継続的に要する者を対象とする
更生医療	身体障害者福祉法に基づき身体障害者手帳の交付を受けた者で，その障害を除去・軽減する手術などの治療により確実に効果が期待できる者（18歳以上）者を対象とする
育成医療	身体に障害を有する児童で，その障害を除去・軽減する手術などの治療により確実に効果が期待できる者（18歳未満）を対象とする

●地域生活支援事業

市町村・都道府県が実施主体であり，各地域の創意工夫により，利用者の状況に応じて柔軟に実施できる。必須事業と任意事業がある。

1. 市町村地域生活支援事業　［1］～［10］は必須事業

［1］理解促進研修・啓発事業
［2］自発的活動支援事業
［3］相談支援事業
（1）基幹相談支援センター等機能強化事業
（2）住宅入居等支援事業（居住サポート事業）
［4］成年後見制度利用支援事業
［5］成年後見制度法人後見支援事業
［6］意思疎通支援事業
［7］日常生活用具給付等事業
［8］手話奉仕員養成研修事業
［9］移動支援事業
［10］地域活動支援センター機能強化事業

［11］任意事業
【日常生活支援】
（1）福祉ホームの運営
（2）訪問入浴サービス
（3）生活訓練等
（4）日中一時支援
（5）地域移行のための安心生活支援
（6）障害児支援体制整備
（7）巡回支援専門員整備
（8）相談支援事業所等（地域援助事業者）における退院支援体制確保
【社会参加支援】
（1）スポーツ・レクリエーション教室開催等
（2）文化芸術活動振興
（3）点字・声の広報等発行
（4）奉仕員養成研修
（5）自動車運転免許取得・改造助成
【権利擁護支援】
（1）成年後見制度普及啓発
（2）障害者虐待防止対策支援
【就業・就労支援】
（1）盲人ホームの運営
（2）重度障害者在宅就労促進（バーチャル工房支援）
（3）更生訓練費給付
（4）知的障害者職親委託
［12］障害支援区分認定等事務

2. 都道府県地域生活支援事業　［1］～［5］は必須事業

［1］専門性の高い相談支援事業
（1）発達障害者支援センター運営事業
（2）高次脳機能障害およびその関連障害に対する支援普及事業
（3）障害児等療育支援事業《交付税》
［2］専門性の高い意思疎通支援を行う者の養成研修事業
（1）手話通訳者・要約筆記者養成研修事業
（2）盲ろう者向け通訳・介助員養成研修事業
［3］専門性の高い意思疎通支援を行う者の派遣事業
［4］意思疎通支援を行う者の派遣に係る市町村相互間の連絡調整事業
［5］広域的な支援事業
（1）都道府県相談支援体制整備事業
（2）精神障害者地域生活支援広域調整等事業
［6］サービス・相談支援者，指導者育成事業
（1）障害支援区分認定調査員等研修事業
（2）相談支援従事者研修事業
（3）サービス管理責任者研修事業
（4）居宅介護従事者等養成研修事業
（5）強度行動障害支援者養成研修（基礎研修）事業
（6）強度行動障害支援者養成研修（実践研修）事業
（7）身体障害者・知的障害者相談員活動強化事業
（8）音声機能障害者発声訓練事業
（9）精神障害関係従事者養成研修事業

［7］任意事業
【日常生活支援】
（1）福祉ホームの運営
（2）オストメイト（人工肛門，人工膀胱造設者）社会適応訓練
（3）音声機能障害者発声訓練
（4）発達障害者支援体制整備
（5）児童発達支援センター等の機能強化等
（6）矯正施設等を退所した障害者の地域生活への移行支援
【社会参加支援】
（1）手話通訳者設置
（2）字幕入り映像ライブラリーの提供
（3）点字・声の広報等発行

表8-3（つづき②）

	(4) 点字による即時情報ネットワーク (5) 障害者ＩＴサポートセンター運営 (6) パソコンボランティア養成・派遣事業 (7) 都道府県障害者社会参加推進センター運営 (8) 身体障害者補助犬育成 (9) 奉仕員養成研修 (10) スポーツ・レクリエーション教室開催等 (11) 文化芸術活動振興 (12) サービス提供者情報提供等 【権利擁護支援】 (1) 成年後見制度普及啓発 (2) 成年後見制度法人後見支援 (3) 障害者虐待防止対策支援 【就業・就労支援】 (1) 盲人ホームの運営 (2) 重度障害者在宅就労促進（バーチャル工房支援） (3) 一般就労移行等促進 (4) 障害者就業・生活支援センター体制強化等 【重度障害者に係る市町村特別支援】

資料／厚生労働省およびWAM NET（独立行政法人福祉医療機構）資料をもとに作成.

障害福祉サービスと呼ばれる。

自立支援給付を受けるためには，障害者基幹相談支援センターや福祉事務所，社会福祉協議会などの相談窓口をとおして，市役所などの障害福祉課や保健所の保健予防課などにサービス利用申請を行う。その後，障害支援区分認定を受け，受給者証の発行，サービス等利用計画作成，そしてサービス利用といったプロセスを経る。各サービスは障害支援区分や疾病の種類による支給要件などが定められている。

B 地域生活への移行と生活支援（衣食住と医職住）

「衣食住」とは，衣服，食物，住居といった人間が生活していくことの基本的要素，暮らしを成り立たせる基盤を示している。そして，精神障害をもつ人が地域生活を確立・維持していくためには，衣食住はもちろんのこと，「医」すなわち医療が不可欠である。精神障害をもつ人が，地域生活を基盤として適切な医療を受けながら自ら疾患を管理し，そして「職」の意味するところの社会参加へとつながるように，多側面からの支援が必要である。

1. 生活の場づくりと日々の生活の立て直し

精神障害をもつ人が，入院生活から地域生活に移行する際，まず，地域での生活の場となる住居が必要である。日本では，精神障害者の退院困難理由の多くが「居住・支援がないため」と報告されている。障害をもつ人に限らず，だれにとっても，生活の拠点となり安心して過ごすことのできる住居が必須である。特に入院が長期にわたると，発症時には親の家に同居していたが，入院中に世帯主が兄弟姉妹に代わり，退院しても兄弟姉妹世帯との同居が難しい，あるいは，もとは借家に住んでいたが入院中に契約切れとなり住む家がない状態となっている例も多々ある。これが衣食住の「住」にあたる。

そして，精神症状は落ち着いており単独で自宅やアパートで過ごすことができるが，疾患や長期入院による日常生活・社会スキルの喪失あるいは低下，患者自身の高齢化などにより，食事の準備や整容，洗濯，掃除，金銭管理，火の元の管理など日常生活の維持が困難という理由から退院に至らない事例も多い。言い換えれば，これらの日常生活の支援があれば，退院し，地域での生活を維持できるということである。

1 生活の場である住居の確保

まずは生活の場である住居を確保し，そのうえで日常生活を整えていくことが必要である。利用可能な住居としては，グループホーム，公的賃貸住宅，民間賃貸住宅などがある。障害者総合支援法における自立支援給付の相談支援事業の一つである**地域移行支援**を用いて，住居の確保や地域生活に移行するための活動に関する相談，地域生活移行のための外出時の同行，生活介護や自律訓練，就労支援の体験利用，体験宿泊，地域移行支援計画の作成依頼などが利用可能である。

グループホームは，同じく自立支援給付の共同生活援助に位置づけられ，障害者に対し，主に夜間において共同生活を営む住居で，相談，入浴，排泄または食事の介護，そのほかの日常生活上の援助を提供するものである。公営住宅は，運営する自治体にもよるが障害者が優先入居できる場合や，障害者住宅が設けられている場合がある。利用については相談支援事業同様，市町村の窓口などで相談できる。病院では地域連携医療部や相談室で，精神保健福祉士などへ相談するのが一般的である。民間賃貸住宅については，2007（平成19）年に施行された住宅確保要配慮者に対する賃貸住宅の供給の促進に関する法律，いわゆる住宅セーフティネット法において，障害者は住宅の確保に特に配慮を要する人（住宅確保要配慮者）とされており，国土交通省，厚生労働省および地方公共団体との連携によって実施された「あんしん賃貸支援事業」（2010［平成22］年廃止，以降は各都道府県の活動として継続）により，協力店である不動産仲介業者を利用することができる[5]。各地方公共団体のウェブサイトなどで情報を閲覧できる。

2 支援を活用した日常生活の立て直し

日常生活支援については，障害者総合支援法の自立支援給付のサービスのうち，介護給付にあたる**居宅介護**（**ホームヘルプ**）などを利用することができる。これは**訪問介護員**（**ホームヘルパー**）が対象者の自宅を訪問し，入浴，排泄，食事の介護，調理，洗濯，掃除などの家事，生活に関する相談など生活全般にわたる支援を行うものである。障害者総合支援法改正により，2018（平成30）年4月より新たに施行となったサービスの訓練等給付のうち，**自立生活援助**を用いることも可能である。これは，施設やグループホームから独居への移行を希望する障害者を対象として，実際に利用者宅を訪問し，家事や公共料金などの支払い，体調や受療状況，地域住民との関係などについて確認し，必要に応じて連絡調整を行う支援である。利用者からの要請があれば，随時，電話やメールでの連絡も行う。このほか訓練等給付の自立訓練も日常生活確立・維持に向けた支援である。同じく障害者総合支援法における地域生活支援事業であり，市町村が主体となって提供する必須事業である移動支援なども生活上の外出や移動の際に利用できる。

これらの介護・訓練等給付を受けるには，市町村の窓口などで相談し，障害支援区分認定，支給決定，サービス等利用計画の作成の後にサービス開始というプロセスを経る必要がある。さらに，地域生活継続のために，**地域定着支援**を利用することもできる。これは居宅において独居あるいは家族と同居であっても，緊急時の支援が見込めない障害者を対象に提供される支援であり，障害者施設や精神科医療施設から退所・退院した人や，家族との同居から独居に移行した人，地域生活が不安定な人を対象とし，常時の連絡体制の確保や，緊急時の対応などがなされる。

日常生活支援とともに重要なのが生活のための費用，資金である。経済的支援としては，生活保護，特別障害者手当，障害年金，特別障害給付金制度などがある。また，精神障害者福祉手帳の交付を受けることにより，障害等級にもよるが，各種税金の控除または減免，公共交通機関の運賃割引，生活保護の障害者加算などを受けることができる。さらに，自治体によるが，後述の精神科デイケアや地域活動支援センターへの通所の交通費が半額助成されるなどのサービスもある。

2. 生活の場を中心とする疾患管理

地域生活を維持し，就労などの社会参加へとつなげるためには，生活の場を中心とした医療が必要となる。生活の場を中心とする医療サービスとしては，外来治療，訪問診療，往診，デイケア／ナイトケア／デイ・ナイト・ケア／ショートケア，訪問服薬指導，訪問看護，ACT（assertive community treatment，包括型地域生活支援プログラム）などがある。

1 外来診療

精神科病院や診療所の外来で行われる治療である。外来精神・心理療法，外来集団療法，外来作業療法などがある。

2 精神科デイケア／ナイトケア／デイ・ナイト・ケア／ショートケア

デイケア，ナイトケア，デイ・ナイト・ケア，ショートケアは外来治療の一環であり（表8-4），診療の一つであるため，自立支援医療や健康保険の対象となる。いずれも，基本的には外来通院患者を対象とするが，デイケアおよびショートケアについては，条件を満たせば，入院中の患者が地域移行支援のために体験的に利用し，診療報酬上の算定が認められる。精神科デイケアとは，日中通所し，社会復帰に向けたリハビリテーションを行ったり，患者の生活リズムを整えたりすることを目的とした社会復帰活動であり，精神科病院，

表8-4 精神科デイケアなどの概要

	目的など	時間など
デイケア	• 精神疾患を有する人の社会生活機能の回復を目的として，個々の患者に応じたプログラムに従ってグループごとに治療するもの • 治療上の必要がある場合には，病棟屋外など，専用の施設以外において当該療法を実施することも可能である。また，この実施に当たっては，患者の症状などに応じたプログラムの作成，効果の判定などに万全を期する	• 実施される内容の種類にかかわらず，実施時間は患者1人当たり1日につき6時間を標準とする • 当該保険医療機関に入院中の患者であって，退院を予定しているものに対して精神科デイケアを行った場合には，入院中1回に限り，所定点数の100分の50に相当する点数を算定する
ナイトケア	• 精神疾患を有する人の社会生活機能の回復を目的として行うもの • 治療上の必要がある場合には，病棟や屋外など，専用の施設以外において当該療法を実施することも可能	• 開始時間は午後4時以降とし，実施される内容の種類にかかわらず，実施時間は患者1人当たり1日につき4時間を標準とする
デイ・ナイト・ケア	• 精神疾患を有する人の社会生活機能の回復を目的として行うもの • 治療上の必要がある場合には，病棟や屋外など，専用の施設以外において当該療法を実施することも可能	• 実施される内容の種類にかかわらず，実施時間は患者1人当たり1日につき10時間を標準とする
ショートケア	• 精神疾患を有する人の地域への復帰を支援するため，社会生活機能の回復を目的として個々の患者に応じたプログラムに従ってグループごとに治療するもの • 治療上の必要がある場合には，病棟や屋外など，専用の施設以外において当該療法を実施することも可能	• 実施される内容の種類にかかわらず，実施時間は患者1人当たり1日につき3時間を標準とする

精神科クリニック，保健所などで行われている。デイケアの多くは，精神科病院や診療所などの医療機関に付属する。

医療機関が提供するこれらのケアには，利用者人数や設備などにより人員基準が規定され，スタッフには，精神科医師，看護師をはじめ多職種が含まれることとなっている。プログラム内容は創作活動や運動などのからだを動かすものから，パソコンでの作業など，就労や職場復帰を視野に入れたリワーク（rework）とよばれるものまで幅広い。利用するデイケアは，利用者自身が選んで決定できる。

3 在宅医療

❶訪問診療／往診／オンライン

障害や疾患をもつ人が自宅などで受けられる医療である。精神障害をもつ人はその疾患の特性から，時に，自宅から出られなくなるなど外来受診が困難になることがあり，医師や専門職が利用者宅を訪問する訪問診療が重要な役割を担う。後述するACTも，訪問を中心とするアウトリーチサービスである。

2018（平成30）年4月，日本においても，遠隔医療のうち，情報通信機器をとおして患者の診察および診断，診断結果の伝達や処方などを行う「オンライン診療」が保険適用となり，診療行為として認められた。精神科医療関連では，精神科オンライン在宅管理料が報酬として認められ，算定条件はいくつかあるものの，ひきこもりやパニック障害などにより外出が困難な精神障害者でも医師との面談の機会ができるなどの有効性も報告されている。感染症まん延などの要因もあり，医療全般において導入が進んだ。

❷訪問服薬指導

在宅医療の一つである。通院困難な患者に対し，在宅訪問薬剤管理指導として薬剤師が処方医師の指示のもと管理計画を作成し，それに基づいて患者宅を訪問し調剤済みの薬剤を届ける，あるいは薬歴管理，服薬指導，服薬支援，薬剤の服用・保管状況や飲み残しの確認，服薬カレンダーなどによる服薬改善，副作用のモニタリングなどを行う。薬剤師は，訪問指導の内容や結果を処方医に報告する。原則は通院困難な患者であるが，独居で服薬の確認などが必要な患者も対象となる。

❸訪問看護

訪問看護とは，「疾病又は負傷により居宅において継続して療養を受ける状態にある者に対し，その者の居宅において看護師等が行う療養上の世話又は必要な診療の補助」である[6]。医師の指示により，病院・診療所と訪問看護ステーションの両者から訪問看護を提供することができる。サービス内容は健康状態のアセスメント，医療的ケア，日常生活支援などである。**精神科訪問看護**は精神科医師の指示のもと，保健師，看護師，准看護師，作業療法士または精神保健福祉士が，精神疾患を有する入院中以外の患者または家族などの了解を得て患者宅を訪問し，個別に患者またはその家族に対して看護および社会復帰指導を行う。

在宅で療養する精神障害者の疾患管理については，患者のみならず，家族が行う服薬管理や再発予防のための対応などが非常に重要となることから，2012（平成24）年より家族も訪問看護の対象となっている。

また，精神保健福祉士の訪問は，生活を整えるという観点から有意義であるため，精神保健福祉士も，看護師あるいは保健師と共に訪問する。

訪問看護の対象は，原則的には入院中以外の患者または家族となっているが，地域移行・定着支援という観点からは，入院患者が退院前に自宅に外泊する際，自宅での生活が順調に行えるかどうかが非常に重要となるため，外泊日の訪問看護も行われる。訪問看護ではないが，入院医療機関の医師や看護師などが，精神科退院前訪問指導として患者宅を訪問し指導できるので，入院患者の退院前の自宅への外泊時に，患者や家族を中心として，訪問看護ステーションのスタッフおよび入院機関のスタッフとで退院後の療養について打ち合わせを行う例などもある。訪問看護の時間については，1回当たり30分未満の主に服薬管理を行うものから，90分～2時間程度の長時間の訪問や，緊急的に医師の指示により訪問する精神科緊急訪問看護，また，夜間・早朝訪問看護，24時間対応体制など多様である。

❹ACT

ACTは，1970年代にアメリカのウィスコンシン州マディソン郡で始められたもので，比較的重度の精神障害者を地域生活の場で支援するため，医療・福祉などの多職種チームによって提供される包括型地域生活支援であり，マディソンモデルともよばれる。日本に導入されたのは2003（平成15）年からであり，2009（平成21）年時点で日本全国に12か所以上のACTの事業体があり，その後の活動を展開している[7]。日本のACTの特徴としては，「看護師・精神保健福祉士・作業療法士・精神科医からなる多職種チームアプローチであること，利用者の生活の場へ赴くアウトリーチ（訪問）が支援活動の中心であること，365日24時間のサービスを実施すること，スタッフ1人に対し担当する利用者を10人以下とすること」とされている[8]。

2011（平成23）年には，ACTをモデルとして，厚生労働省による精神障害者アウトリーチ推進事業が開始された。これにはもちろん入院患者の地域移行支援という意味もあるが，初発や再発の精神障害者に対し，入院という選択肢以外に，自宅で暮らしながら医療やケアを受けるという在宅医療の選択肢を加える目的もあり，ひいては入院患者数を減らすことにつながる。また，その支援の理念としては，障害をもつ当事者のリカバリーを尊重し，当事者の強みであるストレングスやレジリエンスに着目し，活用するアプローチでもある。

この事業は2013（平成25）年をもって終了となったが，翌2014（平成26）年には精神障害者地域生活支援広域調整等事業として，各都道府県の保健所が中心となって調整・実施することとなり，医療の部分は診療報酬に盛り込まれた。さらに2018（平成30）年4月から，同事業の実施主体は都道府県のみならず，指定都市，保健所設置市または特別区となり，市町村あるいは外部団体に一部委託可能となり，実施が推進されている。

4 自立支援医療

障害者総合支援法における受療支援に，自立支援給付の一つである**自立支援医療**がある（前掲表8-3）。これは，心身の障害を除去・軽減するための医療について，医療費の自己負担額を軽減する公費負担医療制度であり，精神通院医療，更生医療，育成医療の3つがある。精神通院医療はすべての精神疾患を対象としており，医療費の軽減が受けられる範囲は，精神疾患・精神障害や精神障害のために生じた病態に対して，指定医療機関において入院しないで受ける外来医療および在宅医療が対象となる。

精神障害（てんかんを含む）をもつ人は主に精神通院医療を用いることとなるが，利用するためには，受給者証（自立支援医療受給者証）の交付を受けた後，指定自立支援医療機関（各都道府県，指定都市などが指定した病院あるいは診療所，薬局，指定訪問看護事業者など）が提供する医療を受ける必要がある。指定自立支援医療機関は各都道府県のウェブサイトなどで公表されており，受給者証にも記載されている。

C 社会参加への支援

生活の基盤を整えつつ，社会のなかでの居場所や過ごす場所，仲間をみつけることは，障害の有無にかかわらず，だれにとっても必要である。精神障害をもつ人にとっては，外出し，集団や仲間と共に活動することは，対人関係スキル向上や体力回復のためのリハビリテーションになる。他者との共同作業は気分転換となり，楽しみや好きなこと，やってみたい物事がみつかる機会となり，自身の強みなどに気づくこともできる。対人関係のストレスなども生じるが，自分らしいストレス解消・回避法やコーピング獲得のための練習にもなる。外来治療やデイケアなどの医療に加え，福祉サービスなどの資源も活用できる。そして，徐々に体力や集中力，意欲や自信を取り戻し，精神障害をもつ人自身の自己実現ならびに社会参加という意味での就労を目指すのである。

1. 地域での居場所づくり

地域での居場所としては，前述のデイケアなどのほか，地域活動支援センター，クラブハウス，民間の団体や一般公共施設がある。障害の重さや症状の状態に合わせて，居場所としての場所や組織を選択する。

1 地域活動支援センター

地域活動支援センターは，障害者総合支援法に基づき都道府県が主体となって基準などを定め，市町村が実施主体として地域活動支援センター機能強化事業を担うこととなっている。障害者総合支援法による事業のため，精神障害に限らず3障害の障害を有する人が利用可能である。

地域活動支援センターにはⅠ～Ⅲ型の類型が設けられ，各センターで機能や活動内容が異なる。類型ごとの事業内容を表8-5に示した。1日当たりの実利用人数の要件は，Ⅰ型は20人以上，Ⅱ型は15人以上，Ⅲ型は10人以上である。地域活動支援センターは，障害者自立支援法施行による移行以前は民間の小規模作業所であった例が多数あり，Ⅲ型がそれに該当する。具体的な活動内容は，パソコン操作練習，手工芸，食事会，スポーツ，園芸，音楽活動，絵画などから，企業からの請負作業，メール郵便配達などの作業まで様々である。利用者の要件は各市町村によって異なる。

表8-5 地域活動支援センターの概要と類型

	Ⅰ型	Ⅱ型	Ⅲ型
目的	利用者（地域活動支援センターを利用する障害者および障害児）が，地域において自立した日常生活または社会生活を営むことができるよう，利用者を通わせ，創作的活動または生産活動の機会の提供および社会との交流の促進を図るとともに，日常生活に必要な便宜の供与を適切かつ効果的に行う。		
事業内容	専門職員（精神保健福祉士など）を配置し，医療・福祉および地域の社会基盤との連携強化のための調整，地域住民ボランティア育成，障害に対する理解促進を図るための普及啓発などの事業を実施する。相談支援事業を併せて実施ないし委託を受けていることを要件とする。	地域において雇用・就労が困難な在宅障害者に対し，機能訓練，社会適応訓練，入浴などのサービスを実施する。	（ア）実施主体から委託を受ける場合には，地域の障害者のための援護対策として地域の障害者団体などが実施する通所による援護事業（雇用・就労が困難な在宅障害者に就労・生活の場を提供。小規模作業所）の実績を5年以上有していること。（イ）自立支援給付に基づく事業所に併設して実施すること。

資料／厚生労働省：地域生活支援事業実施要綱（案）．https://www.mhlw.go.jp/topics/2006/bukyoku/syougai/j01a.html（最終アクセス日：2019/3/29）をもとに作成．

2 クラブハウス

1940年代にアメリカで始まった精神障害者リハビリテーションモデルの一つである。ニューヨーク市にて，精神障害をもつ人たちが自身の居場所としての自助グループ活動を始め，クラブハウスを設立したもので，現在は世界各国に広がっている。クラブハウスは国際基準に基づいて設置されており，そこではメンバーとスタッフは上下関係ではなく，同僚の関係にあり，ユニットに分かれて分担制で仕事や作業を行う。その内容は，クラブハウスの事務作業やパソコン教室，翻訳，メンバーやスタッフの昼食・夕食の準備，英会話，コーラス，旅行などである。日本のクラブハウスでは，就労継続支援や地域活動支援センター，生活介護事業，生活訓練事業，過渡的雇用などの支援サービスを提供している。

3 民間団体や公共のサービス

公共施設や精神保健福祉センター内で開催される「フリースペース」などのイベントも利用することができる。月に数回など開催の頻度は高くなくても，気軽に寄って帰るような自由な参加が可能である。また，費用はかかるが一般の喫茶店やカフェ，ショッピングモールなども居場所となり得る。公共施設である図書館や公園，公営の体育館やプール，美術館，博物館などもあげられる。

施設やサービスとは異なるが，各地域の精神保健福祉協議会が「心の健康フェア」として講演会や作品展示会，障害者スポーツ大会を開催しており，そうした催しへの参加や，そのための日頃の練習や習いごとも社会参加につながる機会となる。このような地域の施設を資源として情報提供することも重要である。

2. 就労への準備と継続支援

精神障害にも対応した地域包括ケアシステムの構築に，社会参加としての就労を目指すことが示されている。障害がありながらも働くということは，障害がない人のペースや環境に合わせて無理に働くのではなく，たとえばバリアフリーなど，職場の環境や内容を個々の障害者の障害の程度や内容，すなわち症状や，認知機能障害による集中力や体力の低下，障害されていない強みとなる能力を考慮したものへと，変更・調整することである。環境を整えるための法制度や福祉サービスの整備も行われつつある（本章-II-E-2「近年の精神障害者雇用をめぐる動き」参照）。

実際の就労のための流れと窓口および関係機関を表8-6に示した。このほか在宅就労支援も行われている。**ハローワーク**は全過程を通じて支援を行い，障害者専門窓口の設置，ハローワークインターネットサービスなどを提供している。**障害者就業・生活支援センター**は障害者雇用促進法に基づいて設置されており，職業生活における自立を図るために利用者の身近な地域で就業および日常生活を支援するものであり，2022（令和4）年の時点では，全国に338か所ある。**地域障害者職業センター**は障害者雇用促進法に基づき，独立

表8-6 障害者雇用に関する各種援助と相談窓口

	就職に向けての相談	就職に向けての準備，訓練	就職活動，雇用前・定着支援	離職・転職時の支援，再チャレンジへの支援
障害者就業・生活支援センター	• 就労に関する様々な相談支援		• 就業面と生活面の一体的な支援	
ハローワーク	• 職業相談・紹介	• 公共職業訓練 • 障害者の態様に応じた多様な委託訓練 • 職場適応訓練	• 求職登録，職業紹介 • 障害者トライアル雇用 • 継続雇用の支援（在職中に障害者となった場合）	• 職業相談，職業紹介，雇用保険の給付
市区町村，指定特定相談支援事業者	• 障害者相談支援事業			
地域障害者職業センター	• 職業カウンセリング，職業評価	• 職業準備支援	• 職場適応援助者（ジョブコーチ）支援事業 • 精神障害者の職場復帰支援（リワーク支援）	
就労移行支援事業者		• 就労移行支援		
障害者職業能力開発校等		• 公共職業訓練		
職業能力開発校（委託訓練拠点校）		• 障害者の態様に応じた多様な委託訓練		
社会福祉法人等			• 職場適応援助者（ジョブコーチ）支援事業	
就労定着支援事業所			• 就労定着支援事業	
就労継続支援事業者（A型，B型）				• 就労継続支援

行政法人高齢・障害・求職者雇用支援機構が設置するもので，全国の各都道府県に1か所以上あり，障害者に対する専門的な職業リハビリテーションサービス，事業主に対する障害者の雇用管理に関する相談・援助などを行う。

D 当事者の力量を生かす相互支援

障害をもつ人自らが，体験を生かしてほかの障害をもつ人に対し相互に支援を行う，当事者活動やピア（仲間）活動が重要かつ効果的なリソースとして利用できる。対等な関係のもとでピアからの支援を受けた経験や，ピアサポーターとして支援を行った経験は当事者のリカバリーやエンパワメントを促進することが報告されている。この当事者の相互支援にはピアグループ活動，ピアサポート，ピアスタッフ，そして障害者の家族についても同様に家族会などの当事者の組織がある。精神障害に関する当事者活動は1930年代のアメリカにおけるAA（アルコホーリクス・アノニマス）が始まりとされ，1940年代に始まったクラブハウスモデルも同様に当事者活動に端を発する。**WRAP®**（Wellness Recovery Action Plan，**元気回復行動プラン**）も，1970年代にアメリカの精神障害者のグループによって開発されたセルフヘルプ（自助）活動のためのものである。日本では「浦河べてるの家」の当事者研究などに代表される。障害者権利条約でも障害者相互の支援に言及されており，日本でも 2010（平成 22）年から，障害者総合支援法の地域生活支援事業に，精神障害をもつ当事者が支援者となるピアサポーター活動の推進が加えられた。

1 ピアグループ活動

精神障害をもつ人のピアグループとして，患者会やクラブハウスなどがある。**患者会**は病院などの医療機関が主導となって組織されたものや，当事者主体のものなどがある。もともと海外で結成されたものが，日本で同様に組織されたものもある。たとえば，全国自立生活センター協議会は日本の全国の自立生活センターの協議会であるが，最初はアメリカで，障害者に支援を提供する団体として 1970（昭和 45）年に設立され，障害者により運営されたものであった。そこで用いられていた援助法が，当事者どうしによるカウンセリングである**ピアカウンセリング**であった。日本では 1980 年代より同趣旨の組織が複数設立され，1991（平成 3）年に全国ネットワークである全国自立生活センター協議会が設立された。日本でもピアカウンセリングが導入され，系統的にピアカウンセラー養成のための研修が行われている。

そのほか，全国の共同作業所の関係者や利用者が組織する団体もある。会員どうしの情報交換や仲間づくり，ピアカウンセリング，研修会などの互助も行いつつ，障害者福祉改善のために，日本や世界への法制度に関連する意見の公表などを行っている。疾患ごとのピアグループもあり，アルコール依存症患者が自助を行う **AA** や日本発祥の断酒会，薬物依存症ではリハビリテーションの全国的組織である DARC（ダルク），うつ病・双極性障害などの気分障害，強迫性障害，摂食障害，成人の発達障害者など，ほかにも多くの自助グループや組織がある。また，自助グループとは異なるが，統合失調症をもつ当事者や家族がインターネットを通じ，体験談を動画やテキストメッセージとして発信する活動などもある。

2 ピアサポート，ピアスタッフ

北アメリカではすでに 1980 年代から，精神障害をもつ当事者が専門家として認定され，ピアスペシャリストとして活躍していた。日本における**ピアサポート**は，1980 ～ 90 年代の自立生活センターでのピアカウンセリング養成や，2000 年代初頭の大阪で，精神障害をもつ人をホームヘルパーとして養成した後に，ピアヘルパーとして同じく精神障害をもつ人に対しホームヘルプ（居宅介護）を提供するという事業や，北海道や長野県で，精神障害者退院促進事業の推進役スタッフとして，当事者を「ピアサポーター」として雇用したことが普及の背景にあるといわれる。2009（平成 21）年からはピアサポート活動を行う人材育成の研修プログラム開発が行われ，2010（平成 22）年には障害者総合支援法の地域生活支援事業にも導入され，各自治体が独自にピアサポーターを養成している。

ピアサポーターの活動は，日頃は自身が地域活動支援センターの利用者として所属しながら，要請を受けて対象者宅に訪問しカウンセリングを行う，病院からの要請により入院病棟に出向き，入院患者や家族，病院スタッフなどを対象に退院や地域生活の経験を伝えて地域移行を推進する，入院患者へのグループホームでの生活に関する情報提供，退院準備のためにグループホームを見学する際の同行，デイケアや研修会開催の協力などである。

ピアサポーターの定義や資格要件は，特に定められていない。2014（平成26）年には精神障がい者ピアサポート専門員養成研修が開始され，この研修を実施する組織として翌年，日本メンタルヘルスピアサポート専門員研修機構が設立され，今も研修が継続されている。同機構のピアサポート専門員はピアサポート活動を行う専門職とされている。

ピアサポーターと類似の用語としてピアスタッフがあるが，**ピアスタッフ**というのは，ピアサポーター活動により賃金を得ている当事者である。しかし，これも厳密な定義はなく，病院のスタッフでもピアサポーターや当事者スタッフとよばれていることもある。ピアスタッフはその名のとおり，病院や診療所あるいは医療福祉関係の組織などの常勤・非常勤あるいはボランティアスタッフとして勤務・従事しており，その活動内容はピアサポーターと重なることが多いが，組織の運営にかかわる業務などもある。ピアスタッフの全国的な協会も複数設立されており，数百人規模の会員を有する組織もある。ピアサポーターやピアスタッフは精神障害をもつ人が利用できるリソースでもあるが，支援を受けるだけでなく自分の強みや経験を生かして支援を行うことや，そのためにスタッフとして組織に所属し，社会に貢献できることから，社会参加の一つの方法でもある。障害者のピアサポートの専門性が評価され，令和3年度障害福祉サービス等報酬改定により，ピアサポート体制加算として認められた。

3 家族ピア活動

家族のピア活動には，**家族会**など精神障害者を家族にもつ人によって組織されるものがある。組織の設立主体は病院や保健所など，患者会と同様に様々である。日本では，1950年代にすでに精神障害者の家族会が各病院内で組織されており，1960年代には全国的な組織が結成され，主に患者をとりまく精神保健医療福祉の改善を目指し，当事者の家族団体として社会に向けてパブリックコメントを提示し，関係団体への働きかけなどを行った。一例として，1992（平成4）年，当時の全国的な家族会組織が，精神分裂病という疾患名について，偏見や誤解の低減に向けて，日本精神神経学会に改名を働きかけ，同学会は患者の社会参加促進や利益も加味して名称の検討を行った。その結果2002（平成14）年，同学会は「精神分裂病」という名称を「統合失調症」と改め，同年8月から政府の公文書や診療報酬にかかる文書にも統合失調症という名称が用いられるようになった。

家族会のそのほかの活動としては，自身の体験や気持ちを語り合ったり，レクリエーションを行ったり，情報交換や研修会開催，医療関係施設や組織の見学研修実施などがある。

家族会は精神障害をもつ人の親が中心であるが，兄弟姉妹の自助グループもある。同じ悩みをもつ兄弟姉妹たちと語り，相談することでエンパワメントが促進され，実際に問題解決に至ることもある。特に「親亡き後」といわれる，障害をもつ人や自身の親世代の逝去後，障害をもつ人に対する兄弟姉妹としての支援などが課題として検討されている。また，当事者の自助グループと同様に，障害者の家族としての体験をインターネットを通じて発信する活動もなされている。

これらのピア活動については保健センターや保健所，病院，診療所などで情報提供されているほか，インターネットで検索できる。

E 誰もが暮らしやすい地域づくり

これまで国の政策としての支援をみてきたが，障害をもちながら，あるいは障害をもたずに地域で生活していくことが日常であり，それを日常（当たり前のこと）とするためには障害の有無にかかわらず誰もが暮らしやすい地域づくりが必要である。当事者や家族の自助活動はそのためになされてきたともいえる。精神障害にも対応した地域包括ケアシステムや障害福祉サービスなどは，現状ではまだ不十分ではあるものの，当事者や家族が政府に働きかけてきた結果でもある。精神障害にも対応した地域包括ケアシステムの構築においても，**地域づくり**が重要であると位置づけられている。精神障害をもつ人とその家族の看護にあたっては，地域住民も含めた地域づくりという視点をもって行うことが必要である。

1. 地域との協働をとおした社会資源の活用

障害者自助活動組織や地域活動支援センターなどの生活支援組織が，積極的に地域の既存の組織や住民と協働し，それらを社会資源として活用している事例もある。これも相互支援であるともいえる。たとえば，地域住民と施設利用者との積極的な交流には，障害者施設が積極的に地域住民のボランティアを受け入れる，施設や設備を地域住民に貸し出す，地域主催の行事に積極的に参加する，地域の商店街と協働でイベントを開催する，地域のイベントに出店して日頃の創作作品を販売する，などがある。また，障害者の施設と大学や学校との協働もあり，高校や大学のメンタルヘルスの授業において，精神障害をもつ当事者として体験談の講演を行う，大学内の畑で学生と施設利用者とで共に野菜を育てる，大学構内で施設利用者が学生や教職員を対象にパンを販売する，大学生と施設との協働で弁当屋を開店するなどの取り組みもある。このほか，障害者組織や施設も積極的に地域の既存の体育館やバーベキュー場などの施設を利用し，一般のカラオケ店でレクリエーションを行うなど，自ら施設の外，すなわち地域に出て行き，地域住民との交流をもつなどしている。

大学や学校といった思わぬところが方法によっては社会資源となり，商店街との協働なども，双方にとってプラスとなる。地域住民との交流により，障害者への偏見や差別も軽減し，また特に若い世代の住民との交流により，障害の有無にかかわらず，人々が地域で共に暮らすことが当たり前という意識の形成にもつながる。

2. 地域資源の創出と涵養

日本の精神医療福祉においては，地域の住まいや居場所，就労支援のための資源が不足しており，それが入院精神障害者の退院困難の理由でもあった。資源がないといって諦めず，自ら場所を見つけ，切り拓き，新たな資源を創出する活動もある。障害者自立支援法以前は，家族会が当事者の就労支援のために作業所を開設していた例が多々あった。精神科看護師が病院を辞め，自ら作業所や当事者のための居場所，訪問看護ステーションを開設する例もある。地域に資源を創出し，そして障害の有無にかかわらず，人々が同じ地域のなかに暮らすことが当たり前となるように，地域を涵養していくことが求められている。

1 病院・診療所主導の地域づくり

病院・診療所主導で展開されている地域資源の創出とメンタルヘルスシステムづくりとして，「旭モデル」や「錦糸町モデル」がある。

▶ **旭モデル**　総合病院 国保旭中央病院で展開されている，いわゆる旭モデルは，カナダのバンクーバーやイギリスの例を取り入れ，それまでなかった精神保健センターや地域精神保健チームをつくり出した。ACT なども取り入れて地域を基盤として支援することにより，入院患者の地域移行・定着を実現し，約200床の精神病床を減らし在院日数も短縮化した。それまで地域になかった施設やサービスをつくることで医療の提供場所や方法を変え，多くの入院患者が地域で生活しながら医療を受けられるようになった。

▶ **錦糸町モデル**　錦糸町モデルは，精神科医師が当時勤務していた錦糸町の病院に，精神障害をもつ退院患者が遊びに来ることから始まったという。話を聞いてみると，昼間の居場所がなく，近くに仲間もいないので，病棟に来るのだという。そこで，その精神科医師が自身の診療所開設と共に，居場所となる施設や作業所，デイケア，訪問看護ステーションなどを診療所周辺につくり出した。診療所が多くの機能を有していることから，多機能型精神科診療所を核としたモデルともいわれる。

それぞれ，地理的条件や人口などは異なるが，いずれも街のなかに暮らしながら入院しなくとも医療が受けられるような地域をつくり出した。街の中に障害をもつ人もそうでない人も当たり前に暮らしており，そして同じ街の中にリハビリテーションや就労支援施設も当然のごとくあり，精神障害をもつ当事者のみならず地域住民にも「当たり前」という感覚を涵養している。

2 福祉主導の地域づくり

福祉が主導となるケースとしては，障害の有無にかかわらず共に働く就労の場であるスワンベーカリーの例や，地域支援施設が法制化される以前の 1980 年代に地域にケア提供の場を創出してきた「かがやき会」の例などがある。また，当事者の家族が地域を切り拓き，資源を創出し，複数の支援事業を展開しながら，地域住民にも資する活動を行ってきた例として，特定非営利活動法人スペースぴあ（現生活クラブ風の村スペースぴあ茂原）の活動がある。開設者は統合失調症の弟を亡くした後，心を病んでいる人々の恢復（回復）のための空間をつくり出そうと，2003（平成15）年から，社会資源の決して多くない地域に，新たな場所で一から資源となる施設を開設し，活動を開始した。図8-3は2018（平成30）年時点の資源マップである。

スペースぴあの資源は障害をもつ人のみが利用するものでなく，地域住民にも利用してもらいたいとの願いで開設されている。地域で生活するということは，地域住民との交流が必要であり，精神障害者に対する理解を深めてもらいたいとの願いもある。さらに，精神障害をもつ人が受動的にケアを受けるだけの立場ではなく，自らの強みを発揮して他者の役に立つ·他者に喜んでもらうという趣旨から，合唱団を結成し，高齢者施設や保育所，学校，そして精神科病院のクリスマス会などに出向いて訪問演奏を実施した。精神科病院での訪問演奏は，入院している当事者の人たちに，退院した当事者の姿や元気に合唱している様子を見てもらい，地域移行への意欲向上につなげたいという趣旨もある。

法制度上の事業としては，障害者総合支援法による自立支援給付および地域生活支援事業などの制度を取り入れ，共同生活援助（グループホーム），就労移行支援なども行っている。さらに，認知症をもつ人，高齢者，ひきこもり，生活困窮者，児童などの幅広い人々を対象に，地域の団体や公共施設と協働してサービスを提供し，ボランティアとして自ら開設している多目的ホールおよびカフェを，地域住民や前述の事業開催のために提供している。また，看護，教育，福祉系の学生の実習も受け入れ，当事者やスタッフと共にカンファレンスを行うことで常に外部からの客観的なフィードバックをもらい，改善に努めていると

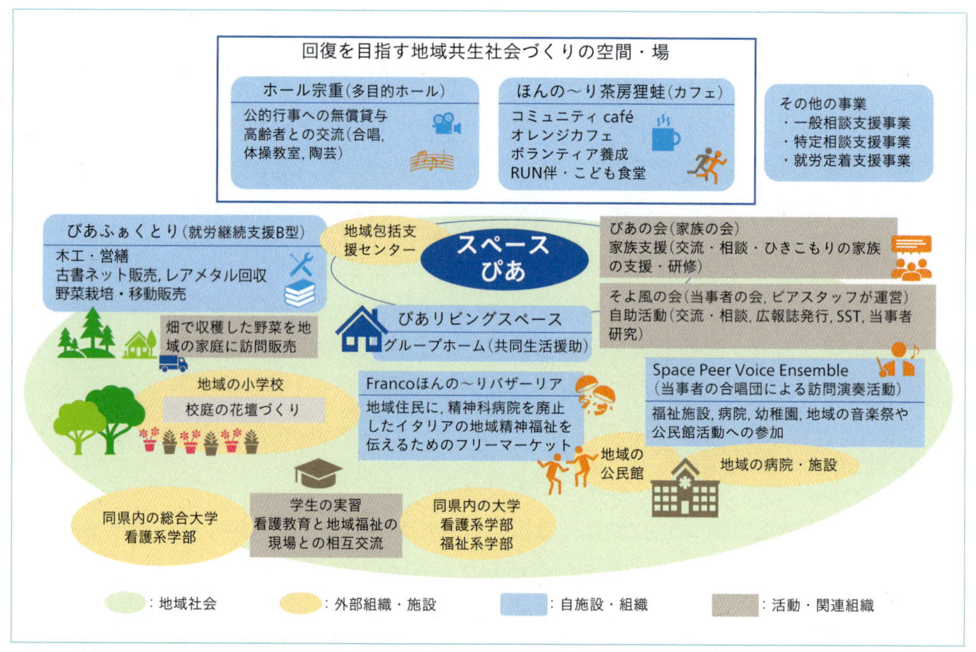

図8-3 特定非営利活動法人スペースぴあ（2018年当時）の資源マップ

いう。

精神障害をもつ人やその家族の看護を行うにあたり，地域の資源が少ないからと諦めないで，創出の可能性や既存の物を資源として活用する方法を探索したり，あるいは新たに立ち上げようとしている組織や施設に協力したりすることも重要な看護実践である。それは，障害をもつ当事者や家族，ひいては地域住民にも資する，だれもが暮らしやすい地域づくりにつながる活動となる。

II 精神障害をもつ人の地域生活支援の実際

A 地域生活支援における保健師の役割

都道府県の保健所や市町村の保健福祉センターなどで働く**行政保健師**は，乳幼児から高齢者まで，病気や障害の有無にかかわらず家庭訪問，健康相談・教育を実施し，地域組織の育成や関係機関とのネットワーク構築にかかわりながら，個人，家族，そして地域の健康を高める活動をしている。

精神保健福祉分野では，1965（昭和40）年に精神衛生法が改正され，保健所が地域における活動の第一線機関として位置づけられ，その後，1999（平成11）年の精神保健福祉法の一部改正により日常的な相談や支援が保健所から市町村に移行された。

現在，精神障害をもつ人（以下，対象者）への支援は「入院医療中心から地域生活支援」への移行が進められ，行政保健師は精神保健福祉に関する相談を受けるなど地域を担当する専門職として保健師活動を展開している。

ここでは，精神保健福祉分野における行政保健師の役割について考える。

1. 治療につなげるための支援

家族や地域住民から行政機関に寄せられる相談内容の一つとして「本人を精神科病院に連れて行きたいが本人が拒否する。家族だけでは難しい」など，**受診援助** * に関する相談がある。受診援助により治療へつなげる行為には，本人の意思を尊重し，人権に配慮した対応が必須であり，慎重な判断が必要となる。

相談内容から，本人の言動の状態，本人に対する家族の思い・考え，家族が取り組むことができる本人への支援内容などを明確にし，総合的に判断した後に受診援助が行われる。

* **受診援助**：家族などからの相談において，医療受診による治療が必要と判断した場合，家族などの同意を得て，保健福祉センターなどの職員が家族などと共に本人に受診の必要性を十分に説明し，医療機関への受診に結びつける行為。

また，受診援助を行う際には本人への精神的負担もあるが，家族にも同様の精神的負担が生じることを考慮しなければならない。

なお，受診援助による精神科病院への受診は「自宅で生活していくための見直しのきっかけ」であることを本人と家族に伝えるなど，退院後，自宅での生活がイメージできるような意図的な声かけが必要である。

2. 対象者へのサポート体制の構築

対象者の地域生活への移行および地域生活を支援するためには，行政機関，精神科病院と関係機関が，それぞれの役割を果たしつつ，顔の見える関係づくりをし，役割を相互に理解し，深めたうえで対象者にかかわることが重要である。

精神科病院は，入院から退院までかかわる相談員などが，対象者の状況を多角的にとらえながら退院の意欲を引き出し，対象者の生活を調整するとともに家族へのサポートに取り組む。

また，関係機関の一つである**地域活動支援センター**では，対象者の再発を予防し，問題があった場合には早期介入することにより，対象者の地域生活を支える役割を担っている。さらに対象者の活動の場を提供する役割もある。

もう 1 つの関係機関である**訪問看護ステーション**では，対象者の再発予防にかかわりながら地域生活を支える役割があり，対象者の生活支援，家族支援および近隣の地域住民への

不安軽減に取り組んだ退院調整：サービスを利用した地域生活

事例をもとに，障害者総合支援法によるサービスを複数利用する場合を考えてみたい。

●事例の概要

42 歳，男性。統合失調症の治療で精神科病院に 11 か月間入院。２週間後の退院が決定し，退院調整することとなった。

●生活状況・退院するにあたり不安なこと

- 生活状況：現在，マンションで一人暮らし。両親は他界，親戚とは付き合いがない。生活費は障害年金（約８万円 / 月）と貯蓄のみ。
- 不安な内容：サービスの申請手続きが一人ではできない。他人と集える場に行きたい。一人でご飯がつくれない。病院での治療費は安くしたい。

●事例の状況などを踏まえたサービスの提供

サービス名称	内容
地域相談支援	地域移行の支援計画を作成してもらい，各申請手続きなどを行う。
地域生活支援センター	本人が人と交流できる場を利用してもらい，本人の活動の支援を行う。
居宅介護（ホームヘルプ）	自宅で調理をしてもらい，本人が食事を摂れる支援を行う。
自立支援医療（精神通院）	精神科の通院に関する医療費の自己負担額を軽減する。

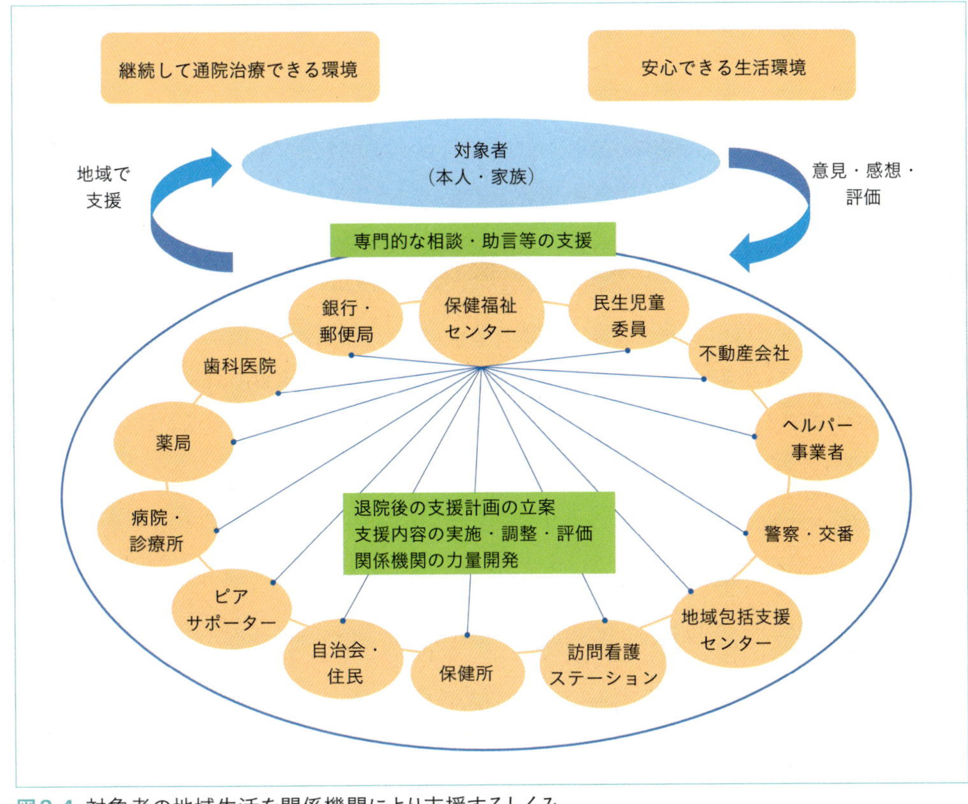

図8-4 対象者の地域生活を関係機関により支援するしくみ

啓発活動に取り組んでいる。

行政保健師の役割は，対象者の考えや思いに即した地域生活となるよう，関係機関に対して支援内容の情報共有・調整，専門的な知識・技術の助言などを行い従事者の不安軽減を図ること，さらに行政機関という中立な立場で関係機関に負担が偏らないように調整を図ることなどである（図8-4）。

3. 行政保健師が行う対象者宅への訪問支援

訪問支援は，対象者の生活実態を把握できる最も重要な行政保健師の援助技術である。自宅に訪問するということは，対象者または家族の生活の場に入り込むことであり，対象者の生活に沿った支援をすることができる。

その反面，対象者のプライベートな生活空間に立入ることから，対象者が保健師の訪問支援を拒否する場合もある。対象者が訪問支援を拒否することには，必ずその理由がある。むしろ，玄関越しに挨拶をしつつ訪問支援の目的を伝え，その場を失礼する対応も効果的な場合がある。意図的に時間を置くことで，対象者からの反応や思い，考えなどを把握することができる。

訪問ができた際の意図的な観察としては，対象者宅周囲の生活環境や雰囲気，さらに自宅内での室内環境（採光，汚れなど），台所，トイレや洗面所などの状況の観察が重要になる。

また，対象者や家族と対面する場合においては，会話を通じて本人たちの表情，しぐさ，言動や，会話中での理解度やその時の反応などから，相互の関係性を観察することが必要となる。

この観察した内容は，対象者や家族の健康課題や支援方法などを調整・検討するためにイメージしやすくなることから重要な情報となる。

4. 対象者を取り巻く家族への支援

対象者を支える家族の思いを支え，支援することは行政保健師の役割である。精神科病院への入院を経験した対象者の家族が抱える不安や悩みは，対象者の将来を心配することにより起こることが多く，不安や悩みが増え続けるなかで家族自らの生活を送っている。

病院への受診が困難な事例への対応

家族からの相談を受けた事例をもとに，本人が受診拒否する場合を考えてみたい。

● 家族からの相談内容

本人は，昼夜を問わず，自分の部屋で意味不明なことを一人で話している。特に夜間から朝方にかけて，窓を開けて大声で怒鳴っている。さらに，自分の排泄物を外に投げている。精神科病院を受診させたいが，本人が拒絶する。家族だけではどうにもならない。

● 対象者の概況

25 歳，女性。大学卒業後，一人暮らしをしながら，飲食店に勤務していたが，10 か月前に体調を崩し，退職した。その後，実家で生活していた。5 か月前から，自分の部屋にひきこもりぎみとなり，今の状態となった。精神科への通院歴や主な既往歴はない。身長 161cm，体重 53kg。7 階建てマンションの 3 階に住んでいる。

● 家族の思い

以前の元気な娘に戻ってもらいたい。通院には一緒に行きたい。娘の思いを聞いていきたい。

● 受診援助の対応者

家族（父親，母親）2 人，保健所および保健福祉センターの職員 3 人の計 5 人。

● 対応結果

本人に対し，家族が心配していることや治療の必要性など説明するが受診拒否。その後，約 4 時間をかけて説得した。その結果，本人が精神科病院を受診することに納得し，母親と手をつなぎ，父親も付き添いながら自分で車に乗った。

職員は，受診する精神科病院まで同乗し，診察まで付き添った。診察の結果，精神科医師より「早急な入院治療が必要である」と判断された。しかし，本人が入院することを拒否したため，精神保健福祉法第 33 条（医療保護入院）に基づき，父親の同意により入院することとなった。

このことから，家族に対する直接的な不安や悩みの軽減よりも，対象者自身が自立して地域で生活できるように，人的・物的・経済的な支援体制づくりを調整することのほうが，家族の不安や悩みの軽減につながると考えられる。

また，対象者が地域で生活していくためには，家族以外で対象者が信頼・相談できる人，もしくは関係機関が，対象者の心の支えとなることが重要である。

5. 地域住民の理解と支援へのネットワークづくり

地域での生活では，精神疾患に対しての誤解や偏見に遭遇することもある。しかし，対象者のなかには地域で生活しながら，自分の病気のことを地域住民に伝えることで，地域住民と積極的なかかわりをもとうと考えている場合もある。

今後，対象者が自らの病気や体験のことを語れる環境づくりに取り組むなかで，地域住民のニーズと調整しながら，地域で精神障害についての知識を深めるための教育の機会を設けることが必要である。

また，地域住民との交流やネットワークづくりが重要となる。近年，**ソーシャルキャピタル**＊の重要性がいわれているが，ソーシャルキャピタルが豊かな地域は，対象者を支援する体制ができやすい環境があり，地域で生活する安心感が得られやすいと考えられる[9)]。

さらに行政保健師の役割として，地域住民が対象者への理解を深めるだけではなく，地域住民との交流やネットワークづくりの調整役を担い，主体的な行動変容に焦点を置くとともに環境への改善の働きかけを行う。つまり，対象者の地域生活の継続には，よりきめ細やかな支援が求められる。

地域での対象者へのアプローチのあり方，地域における対象者への理解の進め方，関係機関間での連携，緊急時の連絡先や対応など，調整する課題も数多い。

しかし，行政保健師は地域での生活支援に社会全体への働きかけと，対象者と家族への働きかけを両側面から支援を行えていることから，その地域における支援者のネットワークをつくることや，地域に不足している資源を開発するといった，地域全体をみて，必要な支援体制を構築していく役割も重要となる。この役割は，行政に所属している保健師だからこそできる活動であるといえる。

B 多職種連携による地域生活支援

1. 精神障害をもつ人とその家族を支援する人々と組織

精神障害をもつ人とその家族を支援する保健・医療・福祉関連の関係者を図8-5に示し

＊ **ソーシャルキャピタル**：アメリカの政治学者ロバート・D・パットナム（Putnam, R. D.）によれば，人々の協調行動を活発にすることによって，社会の効率性を高めることのできる「信頼」「規範」「ネットワーク」といった社会組織の特徴と定義されている。

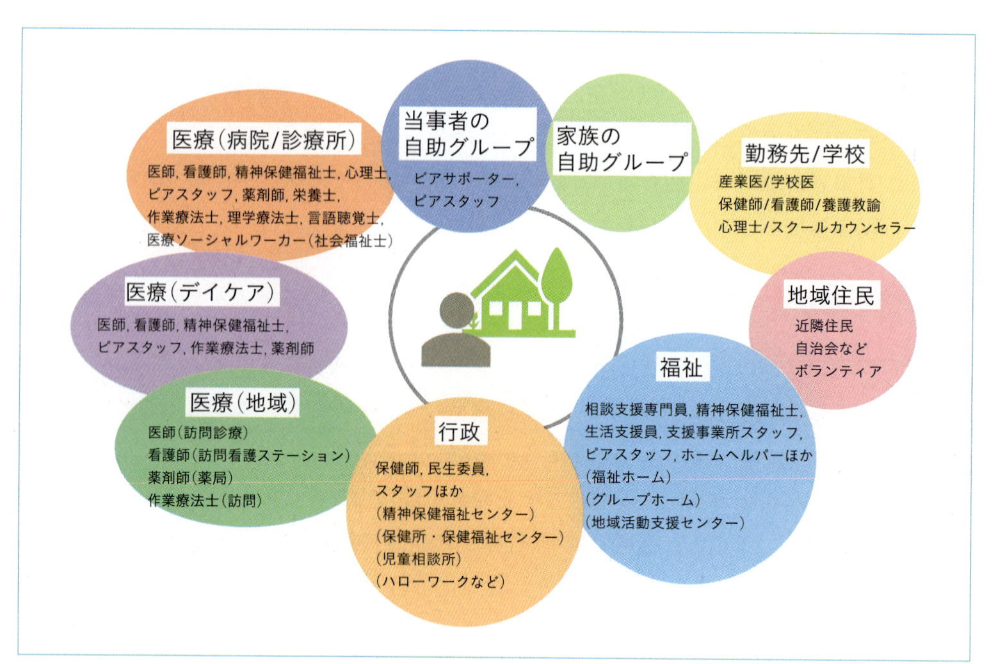

図8-5 精神保健・医療・福祉にかかわる人々

た。精神保健・医療・福祉にはこのように多くの専門家や人々と組織がかかわり，**多職種・多組織チーム**（multi-disciplinary team；MDT /multi-agency team；MAT）によって支援が行われる。

保健という観点では，地域の行政機関である保健所および保健福祉センター，また精神に特化したものでは精神保健福祉センターがあり，保健師や精神科医，看護師，精神保健福祉士（PSW）などがサービスを提供している。児童であれば児童相談所において，医師，児童福祉司，児童心理士などが携わる。社会活動の場である勤務場所では産業医や産業保健師，看護師，あるいは児童生徒や学生であれば学校医や養護教諭，スクールカウンセラー，臨床心理士・公認心理師，看護師などが保健活動にかかわる。また，日常生活の場である地域の近隣住民や自治会なども人的な資源であり，暮らしに携わる人々である。

▶ **様々な医療専門職による支援**　医療機関である病院／診療所においては，診療科にもよるが，精神科医師，看護師，精神保健福祉士，臨床心理士・公認心理師，薬剤師，作業療法士（OT）などが携わる。障害者の心身の状況や発達段階によっては他科の医師や，WOCナース（皮膚・排泄ケア認定看護師），助産師，院内学級の養護教諭など，多くの職種や専門家がかかわり，サービスを提供する。精神保健福祉士は入院医療においては，退院後生活環境相談員として退院支援を行い，院内外との多職種や組織との調整を行う。病院や病棟によっては，病棟専任薬剤師がサービスを提供している。病棟専任薬剤師は「病棟に専任配置された薬剤師として，病棟における薬物療法全般に責任をもつ薬剤師」とされている[10)]。

作業療法士は病棟のみでなく，外来，そして訪問での作業療法のサービスを提供する。作業療法とは，身体または精神に障害のある人に対して，主として応用的動作能力または社会的適応能力の回復を図るため，手芸，工作その他の作業プログラムを提供することとされており，具体的にはADL（日常生活活動）やIADL（手段的日常生活活動）などを改善するための訓練を行う。臨床心理士・公認心理師は心理検査のほか，各種心理的治療を提供する。嚥下（えんげ）や発声の改善のために言語聴覚士が，長期の身体的活動不足や加齢による筋力低下や可動域制限の改善のために理学療法士が，また，精神症状によって食事が摂れないことや，抗精神病薬の副作用により食思亢進や体重増加などが時にあることから，栄養管理を行う栄養士も重要な役割を果たす。

▶ **ピアスタッフや福祉職による支援**　近年は精神障害をもつ当事者が，障害を経験した専門家やスタッフとしてサービスを提供するピアスタッフの雇用も増えてきており，実際に多くの精神障害をもつ当事者が精神保健福祉士，ホームヘルパー（訪問介護員）や生活支援員などの資格を有し，サービスの提供を行っている。医療保護入院，措置入院など入院の種類によっては，これらの職種以外の専門家も加わる。

福祉では，行政のサービスとの重複もあるが，障害者総合支援法に基づく相談支援事業に係る相談支援専門員や，居宅介護支援のホームヘルパー，就労支援関連の専門家などが携わる。

2. 医療機関における多職種チームによる介入

病院を中心とした入院から退院，そして退院後の地域での生活の維持継続にかかる流れの概要を図8-6に示した。多くの入院患者の地域移行・地域定着を実現し，「旭モデル」として知られる旭中央病院の例である。

外来あるいは救急，そして一般科より精神科への急性期治療などを経て，ふたたび地域生活へと復帰するプロセスと，それにかかわる部門やチームが示されている。各チームは図中の表にある職種や専門家によって構成されている。このように，部門から部門へ，多職種チームから多職種チームへと支援が引き継がれていく。病院内だけでもこれだけ多くの職種や部門がその支援に携わっており，継ぎ目のないシームレスな支援が必要とされる。

3. 入院から地域移行・定着支援までのケアと多職種連携の概要

医療と行政，福祉との連携の具体例を図8-7に示した。上段は病期であり，下段は上に医療，下に福祉などの地域の組織における，病期の経過に伴う組織間や職種間のやりとりを図に表したものである。これは一例であり，前述のように，施設や障害をもつ人の心身の状態や発達段階によっても，かかわる人，部門，組織が異なってくる。

早期の地域移行・定着を実現するための支援としては，入院前より，障害をもつ当事者や家族，そして医療者，行政，福祉，勤務先や学校，さらに近隣の関係者らと，入院の目標／目的・期間，退院後の生活の場所や復職・復学あるいは就労などについて具体的に検討し，共有しておくことが重要である。入院は，地域生活をより良く継続するために行う

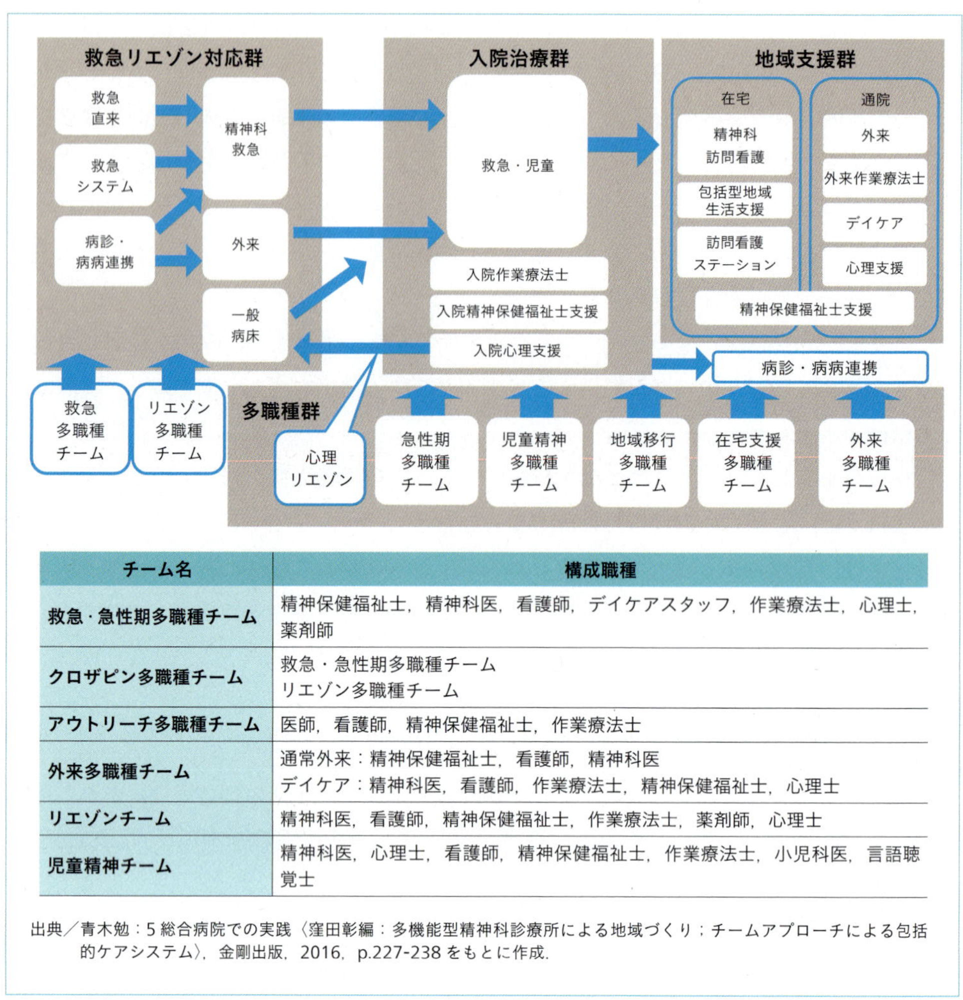

チーム名	構成職種
救急・急性期多職種チーム	精神保健福祉士，精神科医，看護師，デイケアスタッフ，作業療法士，心理士，薬剤師
クロザピン多職種チーム	救急・急性期多職種チーム リエゾン多職種チーム
アウトリーチ多職種チーム	医師，看護師，精神保健福祉士，作業療法士
外来多職種チーム	通常外来：精神保健福祉士，看護師，精神科医 デイケア：精神科医，看護師，作業療法士，精神保健福祉士，心理士
リエゾンチーム	精神科医，看護師，精神保健福祉士，作業療法士，薬剤師，心理士
児童精神チーム	精神科医，心理士，看護師，精神保健福祉士，作業療法士，小児科医，言語聴覚士

出典／青木勉：5 総合病院での実践〈窪田彰編：多機能型精神科診療所による地域づくり；チームアプローチによる包括的ケアシステム〉，金剛出版，2016，p.227-238 をもとに作成．

図8-6 旭中央病院神経精神科の多職種チームによる介入とチームの構成

ものであって，病院で暮らすために行うものではないことを再認識し，退院後の生活について具体的に計画しておく。緊急入院であっても，こうした見通しを入院の早期に，障害をもつ当事者や家族に伝え，共有し，入院の時点から退院時に備えて準備しておくことが必要である。

多職種・多組織チームによる支援の実践においては，当事者や家族と共に，入院目的や見通しも含め，チーム全体で理念を共有することが最も重要である。チーム内や組織間においては，時には理念の共有が困難であったり，それぞれの目指す方向が異なったりするが，常に当事者中心という意識をもち，そこに立ち返り，障害をもつ当事者の利益や自己実現につながることを目指すことが重要である。チームの中心は当事者や家族であることを忘れず，チーム内・チーム間・組織間にて検討・調整を行う。具体的目標や利用可能な社会資源，サービスなどを，障害をもつ人とその家族に選択肢として提示し，当事者の意志決定を支援する。

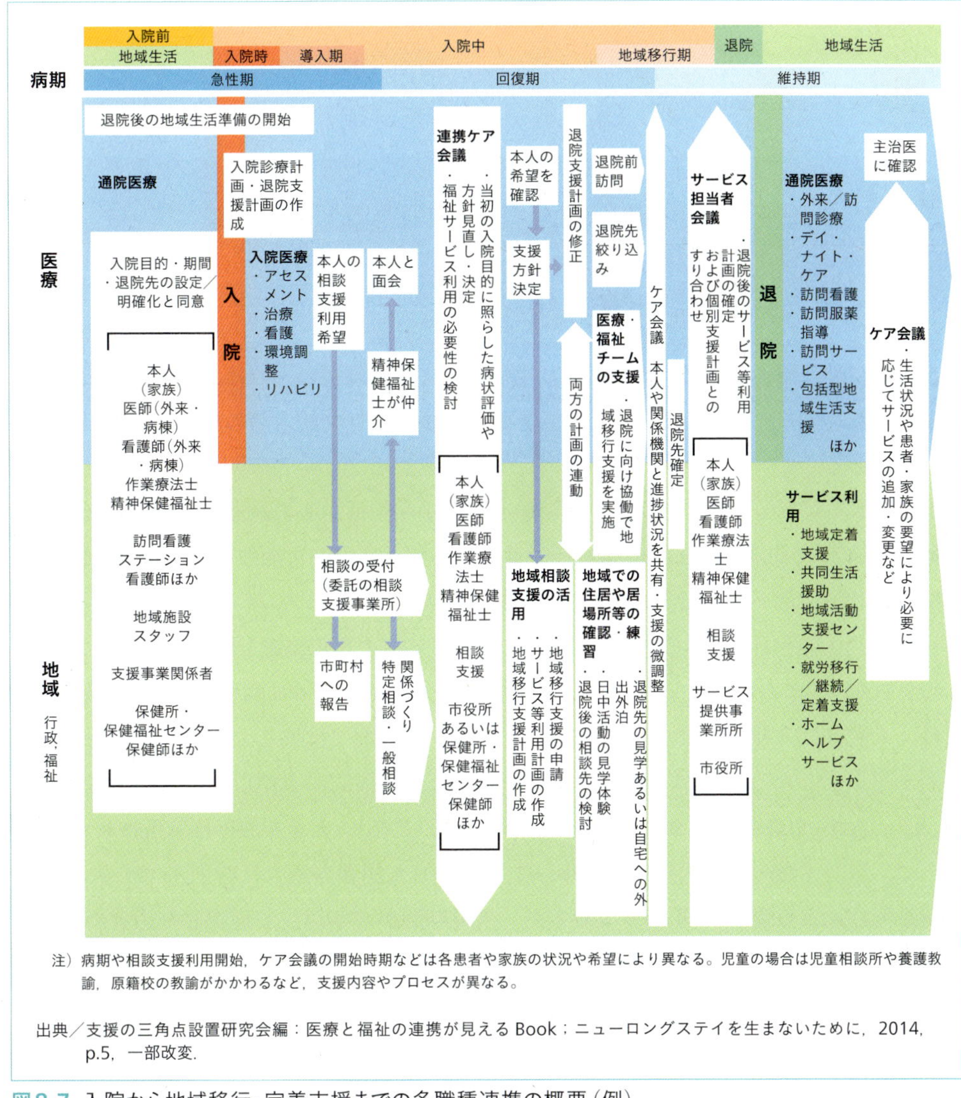

注）病期や相談支援利用開始，ケア会議の開始時期などは各患者や家族の状況や希望により異なる。児童の場合は児童相談所や養護教諭，原籍校の教諭がかかわるなど，支援内容やプロセスが異なる。

出典／支援の三角点設置研究会編：医療と福祉の連携が見えるBook：ニューロングステイを生まないために，2014，p.5，一部改変．

図8-7 入院から地域移行・定着支援までの多職種連携の概要（例）

多職種・多組織間，あるいは地域住民やボランティアなどの非専門家とも連携して地域移行支援，定着支援を行う際には，複数の人々が当事者と家族にかかわることになるので，支援の漏れがないようにすることが必須である。だれかがやるだろう，どこかの組織がやるだろうという考えで，結果として支援の漏れや空白が生じないように，情報共有や相談・報告などをこまめに行う。

協働と連携の前に，どのような専門家や非専門家の人々がかかわるのか，またそれぞれの専門性や役割，実践範囲について知っておく。また政令指定都市など，自治体によって制度や資源が異なるため，日頃から積極的に情報収集を行うことが必要である。医療職者も，自身の専門家としての役割や実践範囲について説明できるようにしておく。

さらに，ピアスタッフとして，あるいは精神保健福祉士などの資格を有する専門家としても精神障害をもつ当事者が多く活動しており，「サービスを受ける側」「サービスを提供する側」といった二項的な考えではなく，まさに障害をもつ人々と協働するチームとしての実践が求められている。

C 長期入院患者の地域生活への移行支援

1. 長期入院患者の地域生活移行支援の背景・経緯

日本の精神医療において長年にわたり指摘されている課題の一つは，欧米諸国と比較すると病床数が多く，平均在院日数が著しく長く，多くの社会的入院の患者を生み出していることである。このような課題に対して，厚生労働省は 2004（平成 16）年の「精神保健医療福祉の改革ビジョン」のなかで，入院中心から地域生活中心の医療へと転換することを掲げ，10 年間で約 7 万人と推計した「受け入れが整えば退院可能な者（いわゆる社会的入院患者）」の地域生活への移行を図ることを目標とした[11]。

しかし，10 年計画の前半の成果を踏まえて，後期 5 年の重点施策を策定するためにまとめられた 2009（平成 21）年の「今後の精神保健医療福祉のあり方等に関する検討会報告書」[12]では，入院期間 1 年以上での退院患者数は年間 5 万人弱で推移しているが，新たに入院期間 1 年以上となる患者が 5 万人程度であるため，結果的に 1 年以上の入院患者数は約 23 万人（入院中の精神障害者全体の約 3 分の 2 を占める）となり，大きな改善はみられなかった。さらに，退院患者のうち入院期間 1 年以上で退院した患者の割合は約 13% で，そのうち転院や死亡による退院が約 60% であった。入院期間が 5 年以上で退院した患者の割合は約 4% にとどまり，そのうち転院や死亡による退院は 70% 以上であった。このことから入院期間が長期化するほど，退院者数が減少し，転院や死亡退院の割合が高くなることがわかる。

▶ **入院の長期化に伴う弊害**　入院が長期化するということは，入院期間の分だけ地域生活が中断するということである。場合によっては，学業や就業といった社会的な活動を中断し，復帰の機会を逃してしまったり，夢を諦めなければならない場合もある。また，友人との交流が途絶えたり，家族との関係が疎遠になったりすることもある。そして，住む場所を失ったり，経済的基盤を失うこともあるだろう。

近年，精神科医療の目標は治癒からリカバリーへとシフトしているが，入院の長期化は患者のリカバリーを阻害する大きな要因となっている。それゆえ，看護師をはじめとする医療職者は，長期入院による社会的入院の課題の重大さを認識し，その課題解決に向けて地域生活への移行を支援していく必要がある。

2. 長期入院患者の地域生活移行にかかわる方向性

2014（平成 26）年 7 月に公表された「長期入院精神障害者の地域移行に向けた具体的方

表 8-7 長期入院精神障害者の地域移行に向けた具体的方策の今後の方向性（概要）

1. 長期入院精神障害者の地域移行及び精神医療の将来像	• 長期入院精神障害者の地域移行を進めるため，本人に対する支援として，「退院に向けた意欲の喚起（退院支援意欲の喚起を含む）」「本人の意向に沿った移行支援」「地域生活の支援」を徹底して実施。 • 精神医療の質を一般医療と同等に良質かつ適切なものとするため，精神病床を適正化し，将来的に不必要となる病床を削減するといった病院の構造改革が必要。
2. 長期入院精神障害者本人に対する支援	〔ア〕退院に向けた支援 〔ア -1〕退院に向けた意欲の喚起 • 病院スタッフからの働きかけの促進 • 外部の支援者等とのかかわりの確保　等 〔ア -2〕本人の意向に沿った移行支援 • 地域移行後の生活準備に向けた支援 • 地域移行に向けたステップとしての支援（退院意欲が喚起されない精神障害者への地域生活に向けた段階的な支援）等 〔イ〕地域生活の支援 • 居住の場の確保（公営住宅の活用促進等） • 地域生活を支えるサービスの確保（地域生活を支える医療・福祉サービスの充実）等 〔ウ〕関係行政機関の役割 • 都道府県等は，医療機関の地域移行に関する取組が効果的なものとなるよう助言・支援に努める。
3. 病院の構造改革	• 病院は医療を提供する場であり，生活の場であるべきではない。 • 入院医療については，精神科救急等地域生活を支えるための医療等に人員・治療機能を集約することが原則であり，これに向けた構造改革が必要（財政的な方策も併せて必要）。 •「2.」に掲げる支援を徹底して実施し，これまで以上に地域移行を進めることにより，病床は適正化され，将来的に削減。 • 急性期等と比べ入院医療の必要性が低い精神障害者が利用する病床においては，地域移行支援機能を強化する。 • 将来的に不必要となった建物設備や医療法人等として保有する敷地等の病院資源は，地域移行した精神障害者が退院後の地域生活を維持・継続するための医療の充実等地域生活支援や段階的な地域移行のために活用することも可能とする。

資料／厚生労働省：長期入院精神障害者の地域移行に向けた具体的方策の今後の方向性（概要），2014.

策の今後の方向性」[13]（表 8-7）において，精神医療の将来像としては，長期入院患者の意欲に働きかけ，本人の意向に沿って地域生活への移行を進めること，精神医療の質を一般医療と同等に良質かつ適切なものとするために，精神病床数を適正化して不必要な病床を削減していくといった病院の構造改革を進めていくことが盛り込まれた。

その将来像を実現するために，本人に対する支援としては，①退院に向けた意欲の喚起，②本人の意向に沿った移行支援，③地域生活の支援，④関係行政機関の役割，が含まれた。病院の構造改革としては，病院は医療提供の場であって生活の場ではないことが明記され，病院が病床削減を可能にするための財政的な方策などが必要であることが示されている。

3. 長期入院患者の地域生活移行を困難にしている要因

病棟において，長期入院患者の退院および地域生活への移行が困難であるとされる理由は様々であるが，その主なものを表 8-8 に紹介する。

まず，「患者の状態や状況に関連する要因」として，退院したいという患者自身の意欲が低下していること，治療に対するアドヒアランスが不良であること，日常生活上のセルフケア能力が低下していることなどがあげられる。また，「家族の状況に関連する要因」

表8-8 長期入院患者の地域生活への移行が困難であるとされる理由

患者の要因	• 退院の意思・意欲が低下している • 治療（通院，服薬など）に対するアドヒアランスがよくない • 日常生活上のセルフケア能力が低下している • 病状が不安定である • 身体合併症がある　など
家族の要因	• 家族が退院に反対している • 家族と疎遠になっている • 家族のサポートが得られない　など
社会環境要因	• 退院先・居場所がない • 経済的な基盤がない • 地域生活を支える社会資源・ネットワークが不足している　など
医療者の要因	• 地域生活移行支援に対する意欲が低下している • 長期入院患者の地域生活移行支援方法に関する知識・技術が不足している • 医療者間で地域生活への移行に関する見解が対立している • 病院が退院支援 / 地域生活移行支援に積極的でない　など

として，退院に対して家族が反対していること，家族関係が疎遠となってサポートがないことなどがある。さらに，「社会環境に関連する要因」として，退院先や日中に過ごす居場所がないこと，地域生活を支える社会資源が不足していることなどもある。「医療者側の状況に関連する要因」として，医療者の退院支援に対するモチベーションが低下していること，支援方法に関する知識・技術が不足していることなども長期入院患者の退院支援を阻(はば)む一因となっていると考えられる。

長期入院患者の退院支援・地域生活移行支援を行う際には，患者への支援のみならずこれらの困難要因への対応も同時に検討していく必要がある。

4. 長期入院患者の地域生活移行支援の方法

長期入院患者を対象として，ある精神科病院で実施されている地域生活移行支援の大まかな流れを図8-8に示す。なお，ここでは病院で行われる支援を退院支援としている。

第1段階では地域生活への移行に向けた患者や家族の考えや状況を把握し，第2段階ではその情報を基に病院内の多専門職種が連携して退院支援計画を立案し，第3段階では病院支援チームと地域支援チームが連携して地域生活への移行支援を実施・評価・調整し，第4段階では退院に向けた最終調整を行って退院となる。第5段階では地域生活を継続できるよう地域定着を支援する段階である。第5段階の支援については，次項D「訪問看護をとおした地域生活支援」を参照されたい。

1　第1段階：地域生活に向けた患者家族の考えや状況を把握する

❶患者の希望や意向の把握

患者の退院に対する希望や地域生活へ戻ることに対する考えなどについて確認し，患者の意向や希望に沿って，退院支援を進めていくことが大切である。

▶ **退院の意思の確認**　看護師は担当する長期入院患者の退院を支援をしようと思っても，

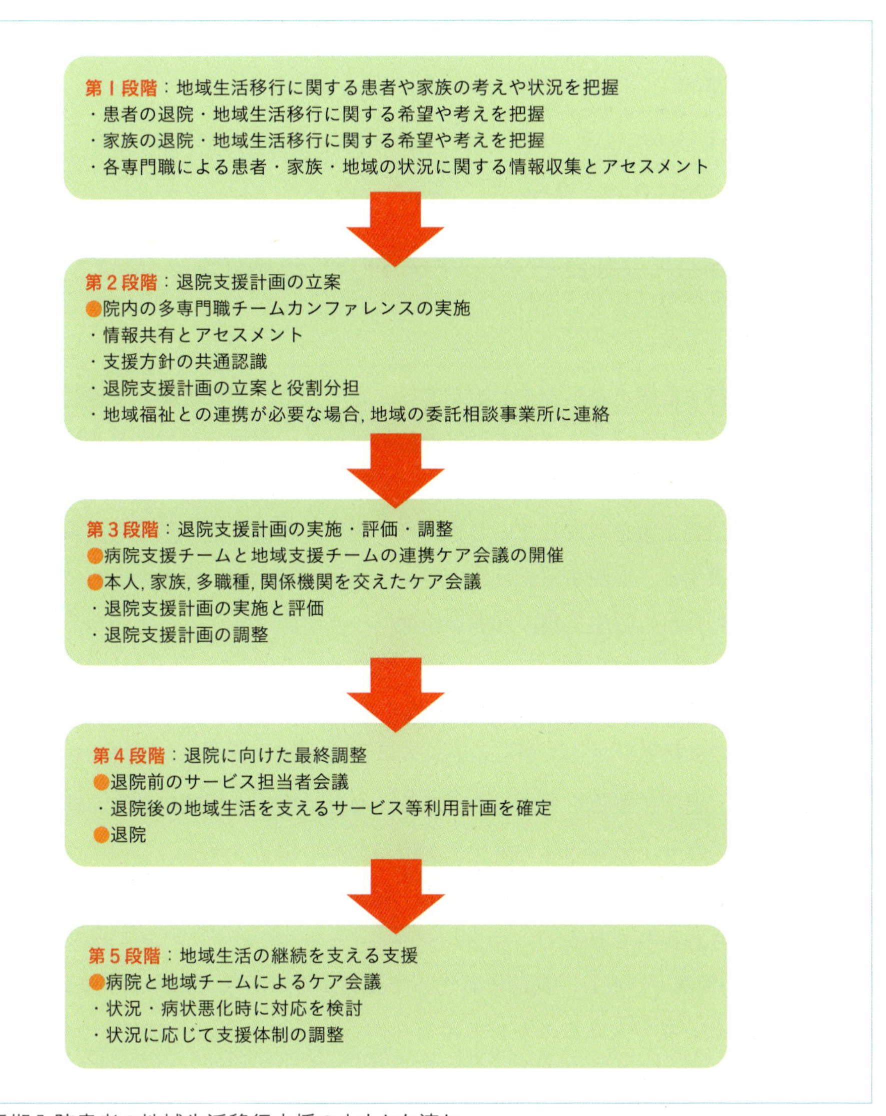

図8-8 長期入院患者の地域生活移行支援の大まかな流れ

患者が退院の意向を明確に示さず，退院に対して戸惑いをみせると「退院したくない」という意思表示として受け止め，患者の意向を尊重するという観点から，それ以上は退院支援を積極的に進められないことがある[14)]。

しかし，長期入院患者を対象とした調査では，対象者の８割以上がふだんから退院について考え，退院したいと希望している。一方で，退院について自分から医療者へは相談していないことが示された[15)]。このことから，実際には退院希望があっても患者本人が明確に退院希望を表明しない場合，医療者は患者に退院希望がないと判断してしまう可能性もあることを前提として，患者の思いや意向について時間をかけて傾聴することが重要である。

▶ **退院希望を口にしない背景**　患者が退院に対する希望を明確に言語化しない背後には，退

表8-9 長期入院患者が退院希望を言わない理由

- 地域生活に自信がない
- 症状に波があり，自分一人では心配
- 家族から退院を反対されている
- 退院しても行くところがない
- 退院は医師が決めるものと思っている
- これまで医療者から退院について聞かれたことがない
- 余計なことを言うと減点されて退院できなくなる
- 以前は退院希望を伝えたが退院させてもらえなかったので，言っても無駄と思っている
- 医療者や家族に信頼してもらえていない　など

院後の生活に対する様々な不安や心配がある。たとえば，退院に関して自己決定することが難しい，退院して地域で生活することを諦めている，医療者に対する不信感があるなどの要因が隠れていることもある（**表8-9**）。

そのため，退院希望を口にしないときには，患者の希望を推し量りながら，言語化できない理由を探索する。退院希望を言わない，あるいは言えない理由を探っていくと，そこに地域生活への移行に対する真の患者の援助ニーズが隠れていることがある。

❷家族の意向や希望の把握

▶ **家族の受け入れ**　長期入院患者の退院支援を進めていこうとすると，家族は「なぜ，今頃になって退院なのか」という思いがわいたり，入院当初の強烈な体験が想起されて不安が大きくなり，退院に難色を示すことがある。また，家族と疎遠になり，連絡がとれない状況になっていたり，実質的なサポートが得られない場合もある。このような家族は，退院を支援しようとする立場の医療者からは「家族の受け入れが悪い」と表現されることが多く，悪者にされがちである。

▶ **家族が抱える問題**　しかし，長期にわたって患者不在の状態で家庭内が安定していると，退院は家族にとっても大きなストレスになり得る。長期入院患者の家族の多くは高齢で，体力的にも精神的にもまた経済的にも患者を支える余力を残しておらず，両親の死去によりキーパーソンがきょうだいに代替わりしていることも少なくない[16)]。

一見すると「受け入れが悪い」と思われる場合でも，実は家族なりに患者の回復を願い，できる範囲のサポートをしていることもある。また，患者に対する罪悪感をもっていたり，社会の偏見にさらされていたり，健康状態の不調をかかえていたりと，家族も傷つき苦労している場合もある。

そのため，看護師は家族を直接的な看護の対象であると認識して，家族と直接話す機会を設定し話を傾聴するとともに，家族の負担に配慮して家族ができる範囲で患者の地域生活移行へのサポートに参加できるよう後押しするなど，家族の不安を軽減し，退院への抵抗感を和らげるかかわりが必要である。

❸各専門職による情報収集とアセスメント

▶ **医療者の主観的な判断**　看護師は担当患者について「退院して地域でも十分生活する力がある」と判断し，退院支援を開始しようと考えても，先輩看護師から「長い間入院して

表8-10 各職種によるアセスメントのポイント

職種	ポイント
医師	病歴，病状，今後の治療方針
看護師	病識，服薬行動について，ストレス対処，IADL（食生活管理，金銭管理，交通機関の利用など），対人関係，整容，清掃など
精神保健福祉士	家族関係，経済状況，社会資源の活用状況
作業療法士	得意なこと，苦手なこと，作業遂行能力，集中力，持続安定性，態度，運動能力，体力など

出典／富沢明美：病棟での退院支援計画とその実施〈井上新平，他編：精神科退院支援ハンドブック；ガイドラインと実践的アプローチ〉，医学書院，2011，p.40.

いたので今さら無理でしょう」と賛同してもらえなかったり，主治医から「せっかく今の状態で安定しているので，退院の話などしないでくれ」と反対されたりすると，支援を諦めたり中断せざるを得ない状況に陥ることがある。

このような医療者側の予期的不安や諦観(ていかん)に影響された主観的な判断は，長期間安定した入院生活から地域生活へと変化することへの医療者の抵抗[17]ともとらえることができ，退院支援を阻(はば)む要因の一つになり得る。そのため，まずは現在の患者や家族の状態や状況に関して情報収集し，客観的にアセスメントすることが重要である。

▶ **各専門職によるアセスメント**　表8-10に示した各専門職がアセスメントすべきポイント[18]のように，専門性の違いにより患者をとらえる視点が異なり，退院支援のポイントが異なるのは当然のことである。そのため，それぞれの専門性を理解し，各職種がとらえた情報を共有して患者の全体像をとらえることが大切である。

2 第2段階：退院支援計画を立案する

❶病院内の多専門職チームによる情報共有と退院支援計画の立案

▶ **カンファレンスの開催**　第2段階では，患者の支援にかかわる多職種が集まってカンファレンスを開催して，患者の退院支援を進めていくことを共通認識にする。第1段階で把握した患者・家族の希望や考え，各職種の視点から収集した情報とアセスメント（表8-10）を集約して全員で共有できるようにする。

▶ **職種間の調整**　それらの情報・アセスメントを基に，リカバリーを支援するという観点から患者の希望を中心において，地域生活移行に向けた支援の方針と具体的な支援計画を立て，各職種の役割分担を明確にする。

たとえば，医師は患者の退院後の生活スタイルに合わせた薬物調整を患者と共に行ったり，看護師は患者の気持ちに配慮し患者の強みに着目しながら地域生活に向けて必要な日常生活上のセルフケア能力の向上に向けた支援を行い，作業療法士や理学療法士は地域生活に必要なリハビリテーションを行う。

その際，リカバリー志向の疾患管理であるIMR（illness management and recovery，疾患管理とリカバリー），心理教育（psychoeducation）プログラム，社会生活技能訓練（social skills traning；SST）といった，病院内で行われている各種プログラムを退院支援に組み込むと効果的である。

▶ **精神保健福祉士の活動**　**精神保健福祉士**は，患者の退院先を調整したり，地域生活を維持するための各種社会資源やサービスの調整などを行う。特に長期入院患者の場合は，退院後に地域福祉との連携が必要な場合が多いため，地域の委託相談支援事業所などに連絡する。なお，2013（平成25）年に改正された精神保健福祉法においては「退院後生活環境相談員」が新設され，精神保健福祉士などが担うとされた。医療保護入院患者1人に対し1人の退院後生活環境相談員が担当し，退院後の生活環境に関して，患者とその家族などから相談を受け，早期治療・早期退院できるよう支援する。また，多職種連携のための調整を図り，病院外の機関・専門職との調整も行う。

▶ **ピアサポートの活用**　もう1つ重要な支援者として，ピア（当事者，仲間）サポーターの存在がある。ピアサポートの活用方法は様々であるが，たとえば病院や病棟からの依頼内容に応じて，ピアサポーターは「家族との付き合い方」「ひきこもりの経験」「グループホームの生活」など，自分が得意とする分野の自身の体験談を，入院している患者を対象に話す。ここで重要なのは，専門家の意見ではなく，同じような病（やま）いの経験をした立場から，実際の退院後の地域生活のなかに希望だけでなく苦労も含めて自分の人生が生き生きと語られるということであろう。

また，入院患者の買い物や外出にピアサポーターも同行して患者の不安に一つ一つ対応するといった，病院の支援チームあるいは地域支援チームのメンバーと連携してピアサポーターがかかわる場合もある。このようにして，入院が長期化している患者が，地域で生活している精神障害者と実際にかかわる機会をもつことは，退院後の地域での生活について具体的にイメージすることを促進したり，地域生活に対する不安を解消したりすることに役立っており，ピアサポーターによる支援にはより大きな期待が寄せられている。

❷患者と共に退院支援計画を具体化

地域生活移行に向けた退院支援計画が検討されたら，患者と共にその計画を具体化させていく。その際も，基本的には患者の希望を中心にすえて，患者と共に目標を設定する。

▶ **ストレングスモデル**　特に，長期入院患者の場合は，長期間病院に入院していることで自己評価や意欲の低下を引き起こすこと[19]や，退院後の生活に対する患者の自己効力感が退院率に影響すること[20]が指摘されている。このことから，患者の**ストレングス**（強み），すなわち患者の希望を尊重し，趣味や楽しみなど健康的な部分に働きかけ，ライフスキルやセルフマネジメント能力など，患者のもてる力を生かしたり促進することに焦点を当てることは重要なポイントである。

また，同時期に地域福祉の委託相談支援事業所などの相談支援専門員が患者と面会し，適切なサービスの組み合わせなどについて検討し，サービスなどの利用計画を立てる。そして，地域移行支援従事者は，その利用計画を踏まえて，事業所が提供するサービスの支援内容などを検討し，退院支援計画を作成する。

3　第3段階：退院支援計画を実施・評価・調整する

❶患者・家族・関係機関間における実施状況の共有・評価

第２段階で患者と共に具体化した退院支援計画を実践していく段階であり，定期的に本人や家族，多職種でケア会議を開催し，実施状況について確認・評価し，必要に応じて計画を微調整しながら進める。

▶ **地域移行支援計画と退院支援計画の連動**　地域福祉面の支援においても，患者の状況に合わせて，退院後に住む場所，日中の居場所，活動場所の見学や体験入所などが開始される。これら地域の支援事業所などの地域移行支援計画と病院内の退院支援計画に齟齬（そご）があると，患者や家族が混乱したり，負担をかけてしまうので，患者・家族・病院側の退院支援チーム，地域の移行支援チームによる連携ケア会議を開催し，足並みをそろえて支援していけるようにすることが大切である。

❷長期間にわたる退院支援・地域生活移行支援の停滞や困難への対応

▶ **患者・支援者の停滞感**　長期入院患者の退院支援は，支援する期間も長期にわたる場合が少なくない。そのため，地域生活移行に向けて順調に進んでいると思っていても，あるとき突然に患者の気持ちが揺れたり，一時的に精神症状が悪化したりして支援が停滞したり，それに伴い患者の退院へのモチベーションが低下してしまうこともある。また，停滞時期が長引くと支援者側のモチベーションも低下して，諦めの気持ちが出てきてしまったり，支援方針をめぐって専門職間の意見が対立して連携体制が揺らぐこともある。このような様々な退院支援の停滞や困難に関する対応のコツを表8-11にまとめた。

▶ **患者の再アセスメント**　特に長期入院患者の心理的側面は，退院への自信と退院後の生活に対する不安が共存し，その間を揺れ動く葛藤（かっとう）状況が生じることがある[21]。このような心理的葛藤は，地域生活を現実的にとらえるようになったのであれば当然のこととして受け止める。そして再度，患者の状況をアセスメントしてみる。すると，たとえば支援の

表8-11　退院支援の停滞や困難に関する対応のコツ

停滞・困難から課題を発見して，退院支援計画を微調整する	• ピンチはチャンスととらえる • 目標を再確認する • 支援スピードを微調整する • トライ・アンド・エラー（失敗を恐れず試みる）で実施する • 患者のモチベーションを喚起する • ピアサポーターを投入してみる
チーム内のコミュニケーションを促進する	• 意見の多様性を重視する • 話しやすい環境づくりを意識する • コミュニケーションを工夫して信念対立を低減する • 患者や家族にわかりやすく伝える
チーム内の自己効力感を高める	• チームメンバー間の相互の信頼 • チームメンバー間のエンパワメント • 効果の実感や喜びを言語化 • 退院支援の効果的な方法を体験的に学習

出典／石川かおり，他：精神科長期入院患者の地域生活移行支援における効果的なIPW（専門職連携）の要素〈第６回保健医療福祉連携教育学会学術集会抄録・プログラム集〉，79，2013をもとに作成．

スピードが早過ぎて患者に負荷がかかっていることがわかったり，患者が抱えている不安から，これまで支援者には見えていなかった地域生活上の課題が明確になることもある。また，患者のモチベーションの低下に対しては，ピアサポーターも支援チームの一員として支援に入ってもらうと，患者の安心感につながったり，専門家支援チームにとっても新たな支援の突破口につながる可能性がある。

このように，停滞や困難も支援計画を見直す良いチャンスととらえ，退院支援計画を微調整して最適化することで，その後の退院支援が促進される。

4 第4段階：退院に向けた最終調整を行う

▶ **サービス担当者会議の開催** 退院先や具体的な退院の日程が確定したら，患者・家族と病院の退院支援チーム，地域の地域移行支援チームが一堂に介して退院前のサービス担当者会議を開催する。訪問看護や精神科デイケアなどの医療サービスの利用，通院や服薬方法，確定した退院後のサービスの利用計画などについて共有し，最終確認を行う。

また，退院後に想定される病状や状況の変化と，病状悪化時の対応や生活トラブル時の連絡・対応方法などについても確認し，退院後の連携方法についてすり合わせる。これらの確認を経て無事に退院に至る。

5. 退院支援の事例

▶ **事例：長期入院患者の地域移行支援の例**

Aさんは58歳の男性である。20歳代のときに統合失調症を発病し，これまでにも何度か入院歴があった。今回の入院までは80歳代の母親とアパートで暮らしていた。母親が要介護状態となってAさんが身の回りの世話をしていたが，徐々に自分の生活もままならなくなり，怠薬もあって精神状態が悪化し，今回の入院となった。

急性期治療病棟での3か月間の治療の後，引き続き入院治療が必要であると判断され，療養病棟に転棟した。母親はAさんが療養病棟へ転棟して半年が経過した頃に死亡した。それを機に兄と相談してアパートをいったん引き払った。さらに1年が経過した頃に退院についての話があったが，Aさんは「母もいないし，住むところもなくなってしまった。もう少しここにおいてください」と話した。また，兄も「長いことかかわりがなかったので，いまさら一緒に住むことはできない」と述べた。Aさんは，それから1か月くらいの間は元気がなくふさぎこんでいたため，それ以上は退院に向けた検討はなされなかった。

退院に向けた本人の意思の確認

それから1年が経過した頃，担当看護師が交代となった。看護師が改めてAさんに退院についての意思を確認したところ，「退院したい思いはあるけれど，帰る家がないし，一人で暮らしたことがないから自分にできるか不安。兄には家族もいるし，これまでもほとんど付き合いがなかったので天涯孤独の身です」と話した。

家族の考えの確認

兄に連絡をとってみたところ，「一緒に住むことはできないし，弟の面倒をみることはできない」と同居の意思はなかった。同時に「もしも，退院できる状態で自分の責任の範囲で生活してくれるなら，弟が退院することに反対はしない」と述べた。

各専門職のアセスメント

主治医は，「病状的には安定しているので，薬の自己管理や通院ができるのであれば，退院できるかもしれない」と話した。精神保健福祉士は「今は帰る家がない状態なので，退院するなら本人の希望を踏まえて障害年金の範囲内で生活できるところを探す」と述べた。病棟の看護師からは「今までは母親がいたから退院できたけれど，一人ではどこまでできるのかわからない。兄も面倒をみないというし，具体的な退院先が決まっていないのに退院の話をすると，本人が不安になるかもしれない」という意見があった。

再度退院に向けた本人の意思の確認

Aさんと共に日常生活上のスキルを確認してみると，病棟生活は問題なく送れており，長年の母親との暮らしのなかで食事の支度や，掃除，洗濯などの家事はひととおりこなしていたことがわかった。人付き合いはあまり得意ではないが，ほかの患者との交流はある。療養病棟では服薬自己管理はしていないが，入院前は自己管理をしていた。しかし，生活リズムの乱れとともに徐々に服薬できなくなったということだった。

担当看護師から「Aさんは現在状態も安定しているし，退院してやっていく力は十分にあると思います。Aさんがどんなふうに生活していきたいかということを一番に考えて，みんなでサポートしていきます。不安なところは焦らず1つずつ解決していけばよいと思いますので，退院して地域で暮らすことを一緒に検討してみませんか」と切り出したところ，Aさんは「不安もありますが，がんばってみたいです」と話した。

多職種チームによる情報共有とアセスメント

担当看護師，医師，精神保健福祉士，作業療法士，薬剤師が集まってチームカンファレンスを開催した。各職種がとらえているAさんの現在の状況について情報共有してアセスメントした。援助ニーズとして，「#1 一人で生活することに自信がもてず不安が強い」「#2 退院先が決まっておらず家族のサポートは得られない」「#3 服薬中断のリスクおよび再発のリスクがある」「#4 生活スキルはある（が，退院後一人ですべてできるかは不明）」の4点があがった。

支援方針の共通認識

これらの援助ニーズに基づいて，Aさんの不安について一つ一つ対応していくこと，日々の生活のなかで少しずつ自信をつけていけるよう応援すること，Aさんの希望を聞きながら退院先を探し，必要な社会資源を利用できるように調整すること，服薬の自己管理や病気との付き合い方を支援すること，地域生活のなかで必要となる生活スキルを確認し，不十分なところを支援することを今後の支援方針として確認した。

退院支援計画の立案と役割分担

それぞれの援助ニーズに対応して，具体的な支援計画を立て，各専門職が担う役割を確認した（**表8-12**）。

支援の経過

計画（**表8-12**）に沿って各職種が連携し，ケア会議を重ねながら支援を実施した。なお，患者の希望に基づいて目指す退院後の地域生活が具体化するに伴い，グループホームの職員，デイケアのスタッフ，訪問看護ステーションの看護師などが地域の移行支援チームメンバーとして新たに加わった。

Aさんは，かつて同じ病棟に入院していたピアサポーターからグループホームでの生活について話を聞いて，「一人暮らしはハードルが高いけれど，グループホームならやれるかもしれない」と話した。そこで，精神保健福祉士と共にグループホームの見学をして，退院先をグループホームに決定した。兄が面会などで来院した際は，看護師や精神保健福祉士から支援状況を兄に報告し，医師から病状に関する情報提供をした。日常生活スキルに関しては，簡単なメニューであれば自分で調理することができ，お小遣いも1か月分問題なく管理できた。服薬の必要性は十分に理解していたが，「1日3回忘れずに飲むのが大変。以前も昼の薬を飲み忘れることが多かったので心配」と述べたため，1日1回夕食後に服薬すればよいように主治医が処方を調整し，最終的には2週間分を自己管理できるようになった。

グループホームの初回体験入所では，Aさんは「入居者のなかには知っている人もいて，安心。仲良くやれそうです」と述べた。支援スタッフみんなで，ここまで順調に進んでいることを評価し，Aさんと一緒に喜びを分かち合った。しかし，その数日後からふさぎこみ，2回目の体験入所を目前にして「明日の体験入所はやめようと思います」と述べた。ゆっくり話を聴くと「夜に一人になったときが不安です。また具合が悪くなったら困るし」と話したため，2回目の体験入所は延期した。その後ピアサポーターの協力を得て，Aさんの不安に対する具体的な対応策を話し合い，無事に2回目の体験入所を終えることができた。

また，Aさんは「ゆくゆくは仕事をしてみたい」という希望があったため，退院後はデイケアを利用して生活リズムがついてきたら，近隣の就労支援施設を利用する方向性とした。また，「退院後しばらくはきちんと生活できるか不安なので，訪問看護を利用したい」と希望があったため，1週間に1回の訪問看護でAさんの生活状況を確認することとなった。そして兄は，最終的には「経済的な支援やお世話はできないが，どんなふうに生活しているか心配なので時々は電話で連絡をとりたい。困ったことがあったら早めに相談してほしい」とAさんに伝えていた。そして，支援開始から5か月後に，退院しグループホーム入所となった。

表8-12 Aさんへの援助ニーズと支援計画

#1　一人で生活することに自信がもてず不安が強い
#4　生活スキルはある（が，退院後一人ですべてできるかは不明）

- 退院してどんな風に生活したいか，退院後やってみたいことはあるか確認する：看護師
- ピアサポーターに依頼し，実際の地域での生活について話を聴く機会を設定する：看護師，ピアサポーター
- Aさんを対象とした個別の社会生活技能訓練を行う（具体的にどんなことが不安であるか確認し，対応策を一緒に考え，ロールプレイをする）：作業療法士，看護師
- 日常生活のなかでAさんの強みやできていることを具体的に言語化して伝える：看護師，作業療法士など
- 料理教室などの作業療法プログラムを活用して実際のスキルをアセスメントし，必要に応じて作業療法を活用する：作業療法士
- 現在，本人は1週間ごとに5000円の範囲内でやりくりしているが，1か月単位で金銭管理をやってみることを提案・実施する：看護師

#2　退院先が決まっておらず家族のサポートが得られない

- 兄に今後の退院支援方針について説明し了承を得る：医師，看護師，精神保健福祉士など
- 兄の疑問や心配などを把握し，一つ一つ対応する：各専門職
- 面会の際に，Aさんの現在の状態や状況をていねいに説明する：看護師，医師
- 退院先として，Aさんの希望を把握し，必要に応じてアパートやグループホームなどを検討して探す：精神保健福祉士
- 退院後の生活の希望が具体的になってきたら，地域生活への移行と定着に必要な社会資源・サービス・支援者を検討し，調整する：精神保健福祉士

#3　服薬中断のリスクおよび再発のリスクがある

- 服薬に関する認識を確認する，現在飲んでいる薬の内容について説明する：薬剤師
- 服薬教室に参加してもらう：薬剤師
- 服薬の自己管理を1日分から開始し，徐々に日数を増やしていく。服薬ができているかどうか一緒に確認し，自信がもてるよう支持的にかかわる：看護師
- 薬に関して不明なことや副作用がないか，地域生活のなかで不都合がないか確認し，必要に応じて薬物調整を行う：医師
- 統合失調症の患者を対象とした心理教育への参加を促す：医師，看護師
- 心理教育で学習した内容について，日常生活のなかで話し合う：看護師

D　訪問看護をとおした地域生活支援

日本の精神保健医療福祉における基本的考え方は「地域を拠点とする共生社会の実現」である。その実現のために「医療，福祉等の支援についても，精神障害者の住み慣れた地域を拠点とし，精神障害者どうしの支え合いを重視しながら，本人の意向に即して，本人が充実した地域生活を送ることを見守り，応援するという理念のもとで行われることが必

要」である[22]。

精神障害をもつ人は，病気の症状による困難を抱えるだけでなく，日常生活や人間関係，社会生活の様々な面に影響が及ぶ。しかし，障害があっても住み慣れた地域で生活できるように，そして本人の希望や意思を尊重して，本人のもっている力を生かして，より健康的な生活が送れるように，支援者は精神障害をもつ人の地域生活を支援していくことが求められている。

地域生活支援には様々な人々や職種がかかわり，それぞれの役割を担っているが，看護師が担う役割の一つに**訪問看護**がある。ここでは訪問看護の目的，訪問看護の基本となる関係性の構築とモニタリングの看護技術，また主な看護について，事例を交えながら説明する。

1. 訪問看護の目的

精神科訪問看護（以下，訪問看護）は，医療保険の診療報酬制度に規定された活動である。保険医療機関もしくは訪問看護ステーションの看護師などが，精神疾患をもつ入院中以外の患者またはその家族などを対象に支援を行う。訪問看護で行われる看護ケアは，①日常生活の維持／生活技能の獲得・拡大，②対人関係の維持・構築，③家族関係の調整，④精神症状の悪化や増悪を防ぐ，⑤身体症状の発症や進行を防ぐ，⑥ケアの連携，⑦社会資源の活用，⑧対象者のエンパワメント[23]といった医療的側面だけでなく，地域生活の様々な側面から利用者の支援を行っている。

訪問看護は利用者の生活の場での支援であり，そこには利用者が生きてきた歴史があり，日々の暮らしがあり，どのように生きていきたいかという意思や希望がある。地域生活においては，病気をもっていることはその人の一部でしかない。利用者が病気による困難を抱えていても，主体的に自分の責任で自分の人生を生きるための支援をすること，つまり利用者のリカバリーを支えることが訪問看護の目的である。

利用者が訪問看護を主体的に活用するためには，訪問看護を活用する目的を，利用者と看護師が話し合い，共有することが必要である。図 8-9 は，その話し合いに用いる様式の一例である。

2. 関係性の構築

訪問看護は，利用者の生活を様々な側面から支援していくため，利用者の生活に立ち入ることになる。一方で訪問看護の利用者は，病気の症状や社会の偏見などの影響を受けて，人間関係を築くことが難しい場合や，社会とのつながりが絶たれている場合もある。

そのような利用者にとって，訪問看護を受け入れ，看護師が生活の場に入ってくることは緊張感や負担感をもたらす。そのため看護師は，様々な看護技術を用いて利用者との関係性を築いていく。たとえば，①味方だと伝える，②利用者が安心する場所を確保する，③利用者が望むペースでの訪問，④試行錯誤に付き合う，⑤リラックスできる相手として

訪問看護の計画と評価

作成日　〇〇年　〇月　〇日

利用者氏名　〇〇　〇〇　様

現在の状況（困っていること，楽しんでいること，病気や薬のこと，生活のこと，将来のこと，人間関係など）

・好きなラジオ番組を聴くのが楽しい。時々，本屋で面白そうな本を探すのが好き。

・朝起きられない。1日中眠い。

・両親とはうまくいっている。よく話をする。

・今の薬は合っていると思うが，薬を飲まなくても良くなりたい。

家族からの希望・評価

・気持ちの面ではとても良くなって，穏やかになった。

・昼間寝てばかり，夜中ずっとテレビを見ている。やりたいことを見つけて，外に出かけるようになってほしい。

これからの希望や目標，心がけることなど

・これからも両親や友だちと良い関係が続くとうれしい。

・体力をつけるために散歩に行く。

利用の継続　開始　（継続）　終了　その他

訪問看護の利用頻度　週1回　（2週に1回）　月1回　その他

訪問看護で行うこと

・話を聞いてほしい。相談にのってほしい。

・体力をつけるために，一緒に体操をしてほしい。

担当者氏名　〇〇　〇〇

次回評価予定　〇〇年　〇月

図8-9 話し合いに用いる様式（例）

機能する，⑥病気であることを見せられる相手として機能する[24]などである。そのような看護技術を用いて看護師が利用者との関係性を築くことにより，利用者の生活における様々な支援が可能になっていく。

▶ 事例：被害妄想により警戒心が強く，時間をかけて関係性を築いた例

Bさん，50歳代，女性。統合失調症。弟と2人暮らし。

30歳代で発病し，弟に対する被害妄想からバットを振り回し，措置入院になったこともあった。近隣に対する被害妄想もあり，外出はせず自室からもほとんど出ずに過ごしていた。3回目の入院を機に，服薬の継続を目的に訪問看護を開始した。

訪問時，Bさんは緊張が非常に強く，看護師が「調子はいかがですか？」と問いかけても「ええ，いいですね」とだけ返答し，それ以上自分から話そうとしなかった。看護師は，質問攻めにならないように心がけ，雑談などを織りまぜながら「今の薬はどうですか？ 口が渇くとか何か気になることはありませんか？」など心身の状態を観察していった。

数か月経過してもBさんの緊張はなかなかほぐれず，Bさんから話すことは少なかった。看護師はもどかしい気持ちも生じたが，看護師が自身の心理を自覚し，Bさんを脅かすことのないように心がけた。そして，妄想のために周囲を警戒しながら，外に出ることもできずに過ごしているBさんの心情の理解に努めた。

「Bさん，今日はお会いできてうれしかったです。また1か月，元気で過ごしてくださいね」と，ありのままのBさんを肯定する言葉がけを続け，指導的発言は控え，焦らずに見守る姿勢を継続した。そうしたかかわりを続けることで，徐々にBさんの警戒心が和らぎ，笑顔がみられ，子どもの頃の話などもしてくれるようになっていった。

ある訪問の際に，「近所からの嫌がらせがひどくて困っている」とBさんから話してくれた。入院を嫌がっていたBさんであったが，看護師を信頼し，Bさんから SOS を出してくれたことで，精神症状が悪化する前の早めの入院につなげ，薬物調整を行い短期間で退院することができた。

3. モニタリング機能

精神障害は慢性の経過をたどり，通院や服薬などの治療は長く続く。また疲労や不安，人間関係の苦労，ライフイベントなどをきっかけに精神症状が悪化する場合もある。

訪問看護では，患者の生活能力や病状の変化を継続的に観察しながら，時と場に応じて援助のレベルを調整し，極端な増悪を防ぐために予防的に介入していく**モニタリング機能**があり，①症状モニタリング，②有害作用モニタリング，③薬効モニタリング，④服薬行動のモニタリング，⑤悪くなる徴候のパターン把握などを行っている[25]。

▶ **精神症状モニタリング**　利用者の話しぶりや行動，表情や身なりなど，精神症状の変化は様々な面に表れる。また，室内の様子がいつもと違うことから，看護師が精神症状の変化に気づくこともある。気をつけなければならないのが，精神症状の原因が，脳の器質性疾患や代謝異常，電解質異常など身体の異常によるもので，速やかな治療が必要となる場合である。精神症状の変化があった場合には，病状の悪化と決めつけずに，身体疾患の可能性を検討することが重要である。

▶ **身体症状モニタリング**　訪問看護の利用者は，糖尿病や高血圧などの身体合併症をもつ者や，高齢者も多いため，身体症状のモニタリングも重要である。合併症の悪化を予防するために生活指導を行う場合は，利用者の生活に合った実行可能な内容が提案できるように，食生活や生活リズムなどの生活状況を把握する必要がある。

▶ **有害作用モニタリング**　薬の有害作用は，利用者に苦痛や不安をもたらし，また服薬中断から再発につながる可能性もあるため，看護師のモニタリングは重要である。薬の内容

や量が変わった場合，または代謝能力が低下している高齢者や栄養状態の低下した利用者の場合，有害作用が出やすいため，より注意が必要である。

▶ **事例：向精神薬の有害作用と思われた歩行障害が硬膜外血腫に起因していた例**

Cさん，60歳代，男性。統合失調症。母と2人暮らし。

10歳代に発病し，服薬中断による幻覚，妄想の悪化により，20回以上の入退院を繰り返していた。服薬の継続と高齢の母親のサポートを目的に訪問看護が開始された。

慢性期の統合失調症であり，固定した妄想と独語があるが，情動はここ数か月安定していた。ある日の訪問時，Cさんはいつもと変わらない様子で，母の呼びかけに自室からリビングに出てきた。バイタルサインの異常はみられなかった。母からも穏やかに過ごしているとのことであった。

いつものように家の近所を散歩するため，外に出て歩き始めると小刻み歩行がみられた。これまで怠薬が多かったが，最近は順調に服薬していたため，看護師は向精神薬の有害作用によるものではないかと推測した。しかし歩いているうちに歩行状態は悪化し，足がもつれて看護師が支える必要があるほどになった。怠薬傾向だったCさんがきちんと服薬するようになったからとはいえ，ここまで急激に歩行状態が悪化するとは考えにくく，看護師は精査が必要と判断した。

主治医に連絡をとり，臨時の受診となり看護師が付き添った。MRI検査の結果，硬膜外血腫が判明し脳外科に搬送された。母親にたずねると，1か月ほど前に階段で転んで頭部をぶつけていたことがわかった。術後経過は順調で後遺症もなく，リハビリテーションを行い，1か月ほどで元の生活に戻ることができた。

4. セルフマネジメントへの支援

自分の病気について理解すること，症状に対処する力を身につけることは，利用者が病気をセルフマネジメントし，リカバリーを歩んでいくための大きな助けとなる。幻聴や妄想がつらいとき，不安になったとき，生活上の困り事が出てきたときにどうすればよいか，そのようなときの対処法を利用者がたくさんもっていることは，大きな強みとなる。

訪問看護では，病気や薬に関する情報を提供したり，症状や困り事の対処法を一緒に考えることで，利用者のセルフマネジメントの力を高める支援を行う。

元気回復行動プラン（WRAP®）という，心身の困難をもつ当事者たちにより開発された，当事者が元気を回復するために自分自身で作成する行動プランがある。元気なときから自己対処が困難になったクライシスのときまで，それぞれの段階ごとに自分の状態と実行すべきことを書き表していくものである。WRAP®を訪問看護で活用して，利用者が主体的にセルフマネジメントに取り組めるように支援することも有効な方法である。ただし，このようなツールを活用する場合，あくまでも利用者の対処する力を伸ばすことが目的のため，利用者自身が自分でつくることを看護師が支援するという立ち位置で活用することが重要である。

▶ 事例：つらい幻聴の対処に対する支援の例

Dさん，40歳代，女性。統合失調症。一人暮らし。

20歳代で発病した。定期的な服薬を継続していたが幻聴や妄想（もうそう）が改善せず，数回の入退院を繰り返していた。幻聴の対処法を学ぶこと，苦痛を和らげることを目的に訪問看護を開始した。

Dさんの幻聴の内容は誹謗中傷（ひぼうちゅうしょう）が多く，「この前外来に行ったら，事務の人たちが『Dがきた，あいつはエイズだ』って話していたんですよ」「お風呂に入っているのを男性と女性が見ていて，私のことを話しているんですよ，困ります，つらいですよ」などと訴えた。看護師はDさんが常に幻聴に苦しめられているつらさを共感し，受け止めていった。また，幻聴に関する知識と対処法について，患者とその家族に向けて書かれた冊子『「正体不明の声」ハンドブック』[26]を用いて，聴こえてくる声の理解と対処方法について一緒に勉強を行った。

「私のことが書かれているみたい。こんなにつらい思いをしているのは，私だけじゃなかったんですね」という驚きとともに，つらいのは自分一人ではないという連帯感も感じられたようだった。

ハンドブックに書かれている幻聴が生じる4つの条件である不安，孤立，過労，不眠については，「そうなんです，家事をがんばり過ぎたりすると，ひどくなるんです」と，Dさんはハンドブックの内容に納得がいったようだった。まじめで手抜きができないDさんであったが，「もう少し休んだほうがいいんですね，疲れているときは掃除機をかけなくてもいいんですね」と気持ちが楽になったようであった。

幻聴が生じる4つの条件を減らすという対処法について，毎日の生活で実施できたか，実施した効果はどうであったかなどを訪問看護で振り返り，Dさんのセルフマネジメントの力を高める支援を継続した。このように対処法を看護師と一緒に検討することで，Dさんが症状から距離を置くことや，孤独感を和らげることにもつながった。

Column

ヒアリング・ヴォイシズ

『「正体不明の声」ハンドブック』では，幻聴について精神の病気がなくてもだれでも体験する可能性があるものとして説明し，病気に対するスティグマ・偏見を和らげ，病気の理解や受け入れに役立てようとしている[1]。類似した考え方で，幻聴はだれにでも起こり得るものとして理解し，互いの体験を話し合い，対応のしかたを学び合うヒアリング・ヴォイシズ（hearing voices）という活動がある。

1987年にオランダの社会精神科医マリウス・ローム（Romme, M.）が，テレビ番組を通じて幻聴が聞こえる人たちに呼びかけたところ，反応のあった700人のうち450人は幻聴が聴こえ，そのうちの150人は対処のしかたがわかっており，一度も精神科医療を受けたことがないことが判明した[2]。これらの人たちが集まり会議を開いたのがヒアリング・ヴォイシズの活動の始まりである。

その後，この活動は世界各地に広がりをみせ，1997年には聴声者や精神保健従事者らがインタヴォイス（The International Community for Hearing Voices）という国際的な組織をつくり，幻聴に関する研修・教育・研究のためのネットワークをつくり，日本を含め世界20か国の団体が参加している[3]。

文献／1）原田誠一：「正体不明の声」ハンドブック；治療のための10のエッセンス，第3版，アルタ出版，2009.
2）原田誠一：幻聴と認知行動療法〈日本臨床心理学会編：幻聴の世界；ヒアリング・ヴォイシズ〉，中央法規出版，2010，p.73-95.
3）松王強：インタヴォイスの活動〈日本臨床心理学会編：幻聴の世界；ヒアリング・ヴォイシズ〉，中央法規出版，2010，p.111-124.

5. 日常生活の支援

訪問看護における日常生活の支援は，利用者の非常に個人的な領域に踏み込むことである。また，人にはそれぞれの価値観があり，長年培った生活習慣がある。たとえ利用者に身だしなみの乱れや不衛生な環境，偏った食生活などがあったとしても，支援を一方的に押しつけることは，これまでの利用者の生き方を否定することにつながりかねない。また，看護師が必要と思っていることが，一般常識や自分の価値観の単なる押しつけであることも多い。

このようなことを念頭に置き，利用者の価値観や意思を尊重しつつ，利用者の健康と生活を支援していく必要がある。

▶ **事例：利用者の意思を尊重しながら日常生活の支援を行った例**

Eさん，50歳代，男性。統合失調症。一人暮らし。

20歳代に結婚し2人の子どもをもうけたが，30歳代に発病し，離婚となってからは単身生活を送ってきた。外来受診時に身だしなみの乱れが目立つようになり，尿臭もあったため，生活状況の確認と必要な支援を行うために訪問看護を開始した。

Eさんの住むアパートを訪問すると，Eさんは掃除をする習慣がなく，床は汚れで黒ずんでいた。2部屋あるうちの1部屋には，数年前に引っ越ししてきたときの荷解きをしていない段ボールが積み重なっており，Eさんの生活スペースは，もう1つの部屋に置いてあるベッドの上だけだった。ゴミはきちんと捨てることができていた。

夜間の尿失禁が長期間続いていたようで，ベッドの骨組みのパイプが朽ちかけ，床は尿がしみ込んで黒ずんでいた。排泄に関することであるため，羞恥心に配慮しながら，「Eさん，夜寝ているときに，お小水が間に合わないといったことなど，ありますか？」とたずねると，

患者の家族に対する暴力

同居している家族が患者から暴力を受けた場合，家族はどうしてよいかわからず精神的に疲弊したり，恐怖心や身の危険を感じたりしているため，看護師は家族の心情を理解し，共感的に受け止めることが大切である。また，電話相談など，困ったときにすぐ相談できる手段を紹介しておくことは，家族の安心感につながる。暴力が精神症状の悪化によるものであれば入院治療が必要な場合もあり，担当看護師が1人で抱え込まず，ほかのスタッフおよび主治医と対応を検討する必要がある。

看護師から「暴力はいけないこと」と患者にはっきり伝えることは必要であるが，患者は好んで暴力を振るっているのではなく，何らかの原因による追い込まれた気持ちの表れであり，患者自身も苦しんでいる。患者を追いつめることなく，暴力に至ってしまった背景，暴力を振るわずにすむ方法を，患者と看護師が一緒に検討できるとよい。暴力を何らかの圧迫や困難を解消する1つの自己対処として理解し，その困難に対する新しい有効な対処法（コーピング・スキル）を患者と支援者が一緒に考え，社会生活技能訓練や「認知行動療法的生活支援」により支援する方法もある。

文献／向谷地生良：統合失調症を持つ人への援助論；人とのつながりを取り戻すために，金剛出版，2008，p.115-131.

「そうなんだよ。困っているんだけどねえ……」と，穏やかで人当たりのよい印象のEさんは，さほど恥ずかしがる様子もなく教えてくれた。

Eさん自身も困っていることがわかり，まずは尿失禁対策をすることになった。寝るときにパンツ型紙おむつの使用を試してもらう，壊れそうなベッドの処分，敷布団(ぶとん)の購入など，Eさんと相談しながら進めていった。また，尿失禁の原因を検討するために，飲水や排尿，服薬などの観察も行っていった。

Eさんは倹約(けんやく)家で，少ない年金の中から少しずつ貯金をして，通帳をながめるのが楽しみだった。そのため，新しい布団や衣類の購入，ホームヘルパーを利用することには，なかなか首を縦に振らなかった。看護師は必要性を説明しながらも，Eさんの価値観を否定せず，Eさんのペースでのかかわりを継続した。

数か月後にはEさんからホームヘルパーを利用したいと希望があり，料理や掃除を手伝ってもらうようになった。「ヘルパーさん，ぼくの好きなもの作ってくれるんだよ，おいしかったよ」とEさんは，すてきな笑顔で話してくれるようになった。

6. 家族に対する支援

精神疾患をもつ利用者と共に暮らしている家族は，情動的負担として自責感や無力感，孤立無援感，荷重(におも)感をもっている[27)]。家族は，利用者によくなってほしい，普通の生活を送ってほしいと望んでいるが，長年変わらない状況に家族がストレスや将来の不安を感じたりもしている。

看護師は家族の話を傾聴し，ねぎらうとともに，利用者が悪いのではなく病気のために起きているのだということを，病気の説明をとおして理解してもらう。そして利用者の本来もっている良い所，できている部分を伝えていくと，家族も気持ちが少し軽くなり，前向きに考えることができる。また，利用者や家族がどのようなサービスを活用できるのかを具体的に紹介していくことも必要である。

▶ **事例：精神障害をもつ娘に，母親が強いストレスを感じている例**

Fさん，50歳代，女性。統合失調症。両親と同居。

大学卒業後就職するが，1年も経たないうちに発病し，数回の入退院を繰り返した。ここ10年は入院はしておらず，通院以外はほとんど外出することなく自宅で両親と暮らしていた。両親は高齢になり自分たちの亡き後を心配し，Fさんに自分のことは自分でできるようになってほしいと希望していた。訪問看護は両親の意向が強く，Fさんは黙って従っている様子だったが，自分のことは自分でやる，食事が自分で作れるようになることを目的に訪問看護を開始した。

Fさんは，いつも笑顔で看護師を出迎え，体調を気づかってくれる優しい人だった。自室の掃除や自分の衣類の洗濯は行っており，服薬の管理もできていた。一方で認知機能障害があり，こだわりや不安が強く，臨機応変な対応が苦手だった。

「私が道の右側を歩いているのに，人が向かってきたら，どうしたらいいですか？」「外にいるときに地震がきたらどうしよう，恐いです」など，外出には様々な不安や緊張が伴うことがうかがえた。また，訪問時に行う調理はごく簡単なものであったが，一つ一つ看護師に手順を確認しないと安心できず，覚えた料理をFさんが一人で作ることも難しかった。

母親は「Fのおかげで私もすごく不安定なんです。1日ずーっとそこに座って，何もしないんです」「入院していたときのこと，いつもそればっかり，ずーっと私にへばりついて話してくるんですよ，もう30年もこんなですよ。いつになったら治るのか……」と悲嘆し，母親自身のつらさを訴えた。看護師は，母親の話を傾聴しつつ，統合失調症の症状について説明した。そして「Fさんが悪いのではなくて，この病気のために，一番苦労されているのはＦさんなんです。この病気をもちながら生活するのは本当に大変なんです。それでもＦさんはとても優しくて，いつも私を気づかってくれるんですよ。私はＦさんが大好きです」と話すと，「そうなんですよ，この子は昔から優しいんです。私たちにも気をつかってくれるんです」と本来のＦさんを思い出すことができ，「いつもすみません，話を聴いてもらって，気持ちが楽になりました」という言葉が聞かれた。

また，別の訪問時に看護師がＦさんが利用できるサービスについて，資料を用いて説明することで，母親は「こんなに，いろいろあるんですね。私たちがいなくなっても，Ｆはこの家で一人でやっていけるんですね」と安心した様子がうかがえた。

E 就労支援

1. 就労支援の目指すもの

▶ **働くことの意義** “働くこと”は，人とのかかわりや社会とのつながりを実感する社会参加の一形態である。働くことによって，一定の役割をもって自己の力を発揮し，社会的な活動に加わり，他者と協働し，収入を得て自らの生活を支え，社会への参与感を高めることができる。また，周囲から認められ，自分の存在意義を確かめることができる。

▶ **生活支援の一環としての就労支援** 精神障害者にとって“働くこと”は，病気や服薬がもたらす不都合と折り合いをつけながら，自己発揮の機会を得て生活の幅を広げる重要な機会である。働くことをとおして，周囲の人々と共に仕事をやり遂げる充実感をもち，対価として収入を得ることができ，役立っている自分を確かめ，自尊心が高められる。

障害を抱えながら働き続けるために，日々の生活の中心に“働く時間”を置いて，生活のバランスを取りながら，体調を整えていくことが必要とされる。また，ストレスへの対処をはじめ，困り事の相談，医療との連携など，自らをコントロールする力が求められる。仕事の疲れや緊張を和らげ，気持ちを立て直す休日の過ごし方も大切である。

したがって**就労支援**は，当事者の「働きたい」という思いを実現し，一人ひとりの生き方・暮らし方・病気との付き合い方についての課題を確かめ合い，主体的に自分の暮らしを創っていくことを支える**地域生活支援の一環**として位置づけられる。

当事者が“働くこと”をとおして，社会とのつながりのなかで自分らしい生き方を獲得していくことが目指されている。

就労支援は，一人ひとりが働くことを生活のなかに位置づけ，必要な医療や福祉サービスを活用し地域生活を送っていくための**個別支援**に重点が置かれている。当事者の希望する働き方を選択することを支え，働くための条件や環境を整えていくこと（**合理的配慮***）が求められている。

＊ **合理的配慮**：障害者から何らかの助けを求める意思の表明があった場合，事業主が行う，負担になり過ぎない範囲の社会的障壁を取り除くために必要な便宜のことであり，障害者権利条約に定義されている。障害者一人ひとりの必要性や，その場の状況に応じた変更や調整などを，個別に行うことを指す。障害者権利条約において，「障害に基づくいかなる差別もないこと」と共に定義されている二大権利の一つである。

2. 近年の精神障害者雇用をめぐる動き

日本における精神障害者の働く場や機会を保障する施策は，身体障害および知的障害と比較して大幅に立ち遅れてきたが，近年，ノーマライゼーションや，ソーシャルインクルージョンの理念の普及や，国際的な法制度の動きに伴い，日本でも精神障害者の雇用をめぐる動きがようやく整ってきた。

2006年（平成18）年に「障害者権利条約」が国連で採択され，日本は翌年に署名して以来，国内の法律や制度の整備を進め，2014（平成26）年に世界で141番目に批准に至った。2013（平成25）年の障害者差別解消法（障害を理由とする差別の解消の推進に関する法律）成立に次いで，障害者雇用促進法の改正が行われ，2018（平成30）年より，身体障害者，知的障害者に加えて精神障害者の雇用義務化が定められた。

▶ **精神障害者の雇用を支援する制度の広がり**　共生社会の実現に向けて，精神障害者が就労に向けて活用できる情報や社会資源が増え，企業などでの就労（一般就労）を希望する動きが高まった。公共職業安定所による「障害者委託訓練事業」や，官公庁において実施される「チャレンジ雇用」など，就労の機会と選択肢が広がっている。また，障害者が民間企業での実習をとおして自分の力を試し，雇用主が採用を検討する「職場体験実習」の機会も年々拡大している。一方，雇用主に対しては「特定求職者雇用開発助成金」や「障害者トライアル雇用助成金」などの助成金制度や税制上の優遇措置が講じられている。さらに，短時間労働者が，法定雇用率を定める「障害者雇用率制度」の対象に含まれ，精神障害者の雇用を後押ししたことにより，一般企業が障害者を雇用する動きが高まった。専任の指導員を配置するなど障害に配慮した職場環境を整備した「特例子会社」も増加した。

これらの動きによって，公共職業安定所における精神障害者の就職件数は，身体障害と知的障害を上回って著しく増えてきた。2020（令和2）年にはコロナ禍の影響で求職者の就職活動が抑制されたため，就職件数は一時的に減少したが，2021（令和3）年度には2年ぶりに増加し，精神障害者の求職活動が再び活発化している（図8-10）。

就職者数が増加する一方で，職場においては新たな環境への適応の困難さや，人間関係のつまずき，生活面の負担による体調変化に伴う離職など様々な課題が浮上し，具体的な支援が求められた。2018（平成30）年より「**就労定着支援事業**」が障害者総合支援法に基づき創設され，関係機関との連携をとおして精神障害者が働き続けることを支援している。また，障害者と共に働く社員のバックアップを目的とした「**職場内障害者サポーター事業**」が創設され，職場への定着を目指した企業側による対応も試みられている。

▶ **就労支援の場の多様化**　精神障害者の就労支援は，障害者総合支援法（障害者の日常生活及び社会生活を総合的に支援するための法律）により，就労継続支援事業A型*，就労継続支援事

* **就労継続支援事業A型**：企業等に就労することが困難な65歳未満の障害者を対象に，雇用契約に基づき，最低賃金を保障し，生産活動等の機会の提供や，就労に必要な知識および能力の向上のための訓練を行う。

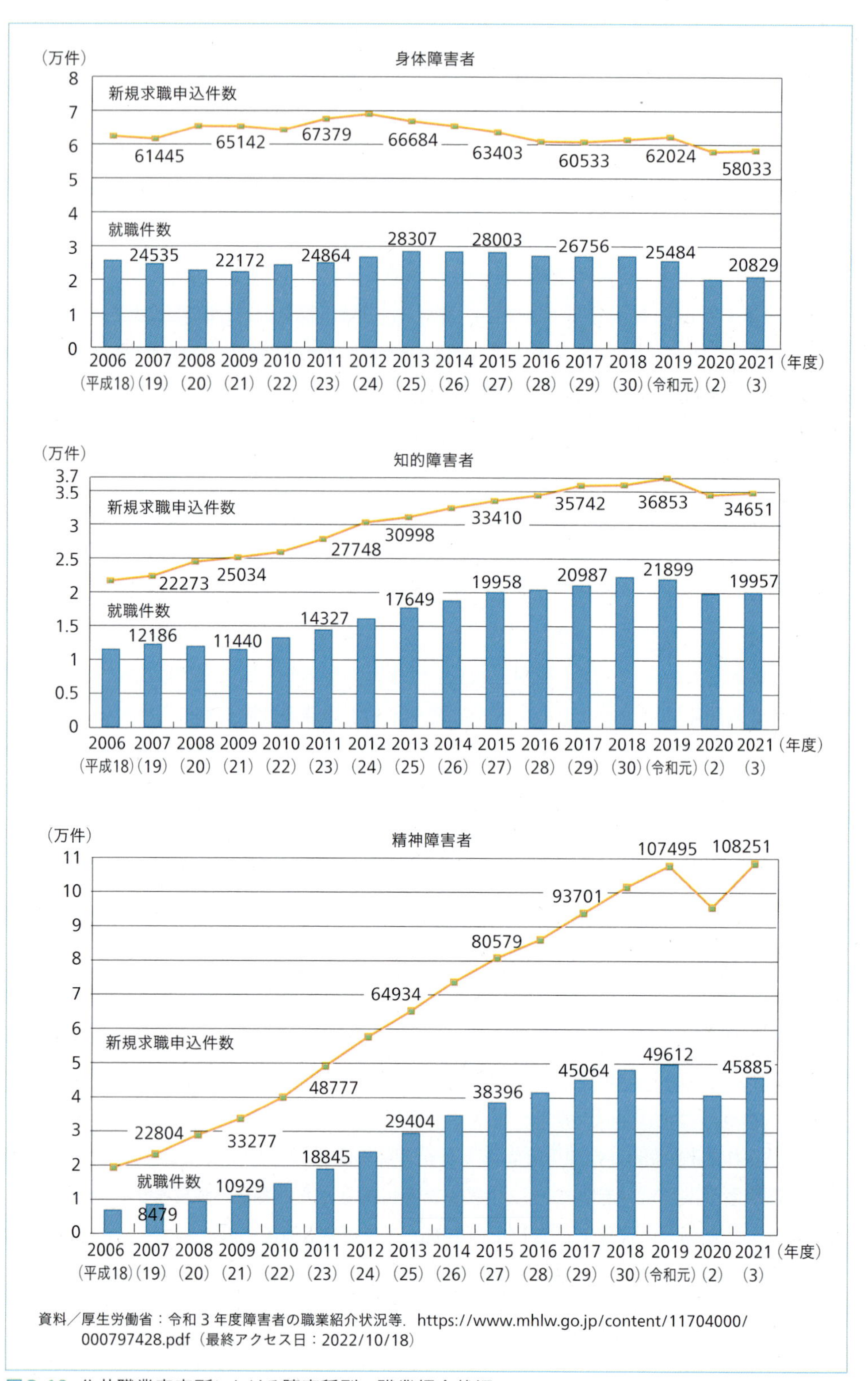

資料／厚生労働省：令和 3 年度障害者の職業紹介状況等．https://www.mhlw.go.jp/content/11704000/000797428.pdf（最終アクセス日：2022/10/18）

図8-10 公共職業安定所における障害種別の職業紹介状況

就労支援の場：社会福祉法人かがやき会 就労センター「街」（就労移行支援事業・就労継続支援事業B型・就労定着支援事業）は，障害者の地域での自立と社会参加を目指して，働く機会と場を提供している。パンとクッキーの製造販売，喫茶店の運営などをとおして，当事者が経験を蓄積し自信を回復することを支えている。

図8-11 就労支援の場の多様化

業B型*，就労移行支援事業*，就労定着支援事業*が制度化され，65歳未満の求職者は一般就労へのチャレンジが奨励されている。

現在，就労支援は福祉施設のほか，精神科デイケアや区市町村障害者就労支援センターなどで展開されている。また，民間企業が運営する就労支援事業所が年々増加し，支援の場は多様化している（図8-11）。精神障害者にとっては，インターネットなどを活用して就労支援事業所についての情報を収集し，自分に合った支援の場を選択して就労のチャンスを得ることが可能になった。

また，海外の動向として，イタリアで「社会的協同組合」として始まったソーシャルファーム（社会的企業：障害者を含む就業困難者に支援付き雇用の機会を提供し，社会的課題に取り組む企業）が，ドイツやイギリスなどヨーロッパを中心に発展し，日本でも試みられている。

3. 職場における困難さの乗り越え方と支援の方向性

精神障害者は，病状や症状だけでなく，働く場での人間関係や生活面の負担によって，就労を継続し難い状況に置かれやすい。当事者が直面する困難さに目を向け，生活面および医療面を含めた包括的な支援によって，本人が力を発揮することが可能となる。就労支援事業所における支援の事例をとおして，精神障害者が直面する困難とその支援について

* **就労継続支援事業B型**：通常の事業所に雇用されることが困難な障害者のうち，就労移行支援によっても一般就労に至らなかった者や50歳に達している者に，生産活動などの機会の提供や就労に必要な訓練を行う。利用形態は雇用契約に基づかない。

* **就労移行支援事業**：就労を希望する65歳未満の障害者で，通常の事業所に雇用されることが可能と見込まれる者を対象に，一般就労等への移行に向けて，事業所内や企業における作業や実習，適性に合った職場探し，就労後の職場定着のための支援を行う。原則2年間の利用期限がある。

* **就労定着支援事業**：就労移行支援事業などの利用を経て一般就労し，6か月が経過した障害者で，一般就労に伴う環境変化などにより生活面の課題が生じている者を対象に，個別相談による支援や，企業や関係機関との連絡調整など，課題解決に向けて必要となる支援を行う。最大3年間の利用期限がある。

述べる。

1 福祉的就労の場における困難さ

場面1：周囲の反応に脅かされる

Gさん（38歳，女性）は高校時代に統合失調症を発症し，以後15年間にわたり入退院を繰り返していた。就労経験はなく，退院後は病院デイケアなどの利用を経て，就労に向けた準備のために就労支援事業所の利用を開始した。

その事業所は活動の場として喫茶，パン製造，販売などの働き方を提供しており，Gさんは接客の仕事を選択した。働き始めてしばらく経った頃，支援者に相談が持ち込まれた。「私がレジに立つと，席を立って帰ってしまうお客様がいるんです。心をこめて接客しているのに，どうして避けられるんだろうと傷つくし，不安になるのです。どうしたらいいでしょうか」としょんぼりした様子で話した。

支援者はGさんのつらさを受け止め，Gさんの接客がとてもていねいであることを伝えた。そして，Gさんが問題にしている場面を共に検討した。客の動きは，客の都合（つごう）で生じている可能性もあることを伝え，「Gさんができることは“心をこめた接客”をどのように提供できるかではないか」と問題提起した。

しばらくしてGさんは接客技術や知識を学びたいと希望して，外部研修に参加した。その後，事業所のメンバーに研修報告を行い，自信をつけたようだった。面接でGさんは「お客様の動きに惑わされずに，やれるようになってきました」と支援者に語り，「自分は被害的に受け止めてしまう傾向がありますが，相手のことだと思うようにしています」と，“Gさんなりの自分の症状との折り合いのつけ方”を表現した。

▶ **表現を励ます**　精神障害をもつ人は対人関係におけるコミュニケーションが苦手なことが多く，周囲の反応に脅かされ，孤立感・疎外感を高めやすい状況に置かれる。Gさんが客の反応に脅かされて不安が高まったとき，支援者はそれが事実かどうかを確かめようとしたり判定しようとせずに，Gさんのつらさを認めていることを伝え，これ以上こだわりを強めないように配慮した。周囲の反応が気になったとき，安心して表現しやすい支援者との信頼関係を築くことが大切である。

また，支援者はGさんに，客の動きは客の都合で生じている可能性もあるという別の

就労支援プログラム（IPS）

IPS（individual placement and support，個別就労支援とサポート）は，アメリカで1990年代前半に開発された就労支援プログラムである。IPSでは“train-then-place”（訓練した後に就労する）という従来の方法ではなく，“place-then-train”（就労してから訓練を行う）方法を重視する。

IPSの基本原則は，①症状が重いことを理由に就労支援の対象外としない，②就労支援の専門家と医療保健の専門家でチームをつくる，③職探しは，本人の興味や好みに基く，④保護的就労ではなく一般就労をゴールとする，⑤生活保護や障害年金などの経済的な相談に関するサービスを提供する，⑥働きたいと本人が希望したら迅速に就労支援サービスを提供する，⑦就職後のサポートは継続的に行う，とされている。

見方を伝えた。本人とかかわりを持ち続けている支援者が別の見方やとらえ方を伝えることによって，自分への否定的な見方を和らげることができる。

▶ **現実検討を支える**　就労の場においては，当事者が現実に直面し，そこでの責任を担い，自分のできることとできないことを検討していくことを迫られる。Gさんは実際に働く経験をとおして，「心をこめて接客しているのに，どうして避けられるのか」と仕事に対するイメージと現実とのギャップに直面して傷ついていた。支援者はGさんが問題にしている場面を検討し合い，Gさんができることは，心をこめた接客を提供することではないかと伝え，当面取り組むことの意思決定を支えた。

▶ **困ったときの対処のしかたを共に考え，セルフコントロールを励ます**　Gさんが客や周囲の反応が気になったとき，支援者はその都度気がかりを確かめる相手となり，共に乗り越え方を検討し合った。当事者が気がかりを表現することによって，気がかりや懸念（けねん）に折り合いをつけ，もちこたえていくセルフコントロールが動機づけられる。

▶ **実際に行えていることを確認し合い，自信につなげる**　支援者はGさんに接客がとてもていねいであることを伝え，具体的にできていることを確認し合った。当事者は自分に自信がもてず，ほかの人と比較したり，ありたい自分と比べて，できていないことを強調しがちである。支援者は，当事者ががんばっていることや，今できていることを認め，充実感をもてるようにかかわる必要がある。

場面2：医療を主体的に活用する

Gさんは「一般就労して，ゆくゆくは自立したい」と強く希望して就労継続支援事業B型から就労移行支援事業の利用に切り替え，一般就労に向けた具体的な検討を始めた。

一方で，Gさんから「仕事中に人目が気になり，お客様と視線が合わせられなくて困っています」といった訴えが続いていた。服薬について確認すると，母親が管理していることが明らかになった。Gさん自身が有害作用のつらさを主治医に相談し，主体的に医療を活用できるようになることを目指して，支援者が本人の同意を得て受診同行した。

母親はGさんの希望している一般就労について，「娘の言うなりにならないでほしい。せっかく具合がよくなってきたのに」と話し，再発への懸念を示した。支援者は母親の思いを受け止めつつ，本人の意思や主体的な選択を尊重して支援した。

その後，Gさんは体調の変化に自覚的になり，主治医に自ら相談するようになった。Gさんは支援者と二人三脚で就職に向けた動きを進め，数社での面接を経て，アパレル会社での職場実習の機会を獲得した。実習中，GさんはOLらしく，さっそうと身支度を整えて通い，「“企業で働いている”という充実感があります。母がお弁当を毎日作ってくれて助かっています」と笑顔で支援者に語った。

1か月後，実習後の振り返りに母親が事業所に出向き，「職場実習なんて娘には無理だろうと思っていました。でも，生き生きと実習に行っていて，やれることがわかったので，前向きに就職活動を応援していきたいと思います」と支援者に話し，Gさんの力を見直すようになった。

▶ **医療の主体的な活用を支える**　Gさんは，母親が有害作用を懸念して本人の服薬を調整していたため，Gさんは自己管理ができていない状況だった。働き続けるためには，服薬管理だけでなく自分の状態の変化を自覚して早めに受診するなど，医療を主体的に活用していく力が求められる。

働き始めると，職場での対人緊張や新たな仕事を担うプレッシャーなど様々な負担がかかり，症状コントロールが困難になることがある。当事者が，必要なときに医療のサポートを得られるように働きかけ，セルフコントロールしていくための支援が必要である。

2 一般就労の場での困難さ

場面3：ジョブコーチ支援を活用して職場に定着する

Hさん（48歳，女性）は20歳代で統合失調症を発症し，服薬しながら自宅でピアノ教師を続けてきた。一般就労に向けて対人関係を学ぶ目的で，就労支援事業所の利用を開始した。事業所でのHさんは一見作業遂行力に問題はないように見えたが，実際は仕事上の変化についていけず，自分のペースを保てなくなっていた。Hさんは，支援者にどう思われるかが気になって，困りごとを周囲に言い出せなかったことが個別の面談を通して明らかになり，困った時の対処のしかたをHさんと共に検討した。

Hさんは官公庁での期限付き就労である「チャレンジ雇用」で働きたいと希望した。支援者は応募書類の作成を手助けし，面接を受け，採用が決定した。採用時に職場担当者から「ジョブコーチ（職場適応援助者）*支援」の要請を受け，支援者は約3か月間，職場を訪問して，共に仕事を行いながら支援した。馴染みのある支援者が顔を出すことで，初めての職場での緊張や不安を軽減し，Hさんが安心感を得て働けるように支えた。また，事業所で毎週振り返りの面接を行い，Hさんが困り事を安心して表現できる場を提供した。

職場でHさんは要領よく働いていたように見えたが，「わからないことがあるときに上司に聞きづらくて。いつも忙しそうだし，迷惑だと思われているような気がして言い出せないんです」と話した。支援者は就労支援事業所で同様の課題に直面したとき，どのように乗り越えたかをHさんと振り返り，上司に直接確認ができるように支えた。

その後，Hさんは話しやすい女性社員に表現できたことをきっかけに，少しずつ周囲とのコミュニケーションがとれるようになっていった。

▶ **就労支援サービスの選択を支える**　Hさんが「チャレンジ雇用」の制度を活用するために，ハローワークに同行して利用登録の手続きや応募書類の作成，面接同行など現実的な動きを共にして支えた。また，職場では弱音を吐いても不利にならない支援者との関係を生かして，Hさんが新たな環境になじみ，安心して仕事に臨めるように，ジョブコーチとして支援した。

就労支援関係者とのネットワークを形成して，情報を収集し，サービスの特徴や利用方法を当事者に提示して具体的な動きを共にするなど，就労支援サービスを当事者が主体的に活用していくための“つなぎ手”としての支援が求められる。

▶ **経験を生かすことを手伝う**　福祉的就労の場で共に乗り越えた経験を，一般就労の場で生かすことを手伝う。Hさんは就労先での困難さとして，職場でわからないことを上司に聞きづらいと感じていることが把握された。支援者は個別面接において，福祉的就労の事

* **ジョブコーチ（職場適応援助者）**：障害者の雇用の促進および職業の安定に資することを目的に，障害者が円滑に就労できるように職場内外の支援環境を整え，職場適応に向けた支援を提供する専門職を指す。厚生労働省が2002（平成14）年に雇用促進法の下に「ジョブコーチ支援事業」として導入した。ジョブコーチの種類としては，地域障害者職業センターに配置される「配置型ジョブコーチ」，社会福祉法人等において支援する「訪問型ジョブコーチ」，障害者を雇用する企業に配置される「企業在籍型ジョブコーチ」がある。

業所で同様の課題に直面したときに，どのように乗り越えたかをHさんと共に振り返り，その体験を職場で生かせるように支えた。

当事者は上司への遠慮や，働く場での評価を気にして，不利益を被るのではないかという懸念から，困り事を伝えることを躊躇(ちゅうちょ)してしまいがちである。支援者は，福祉的就労の場で培った「大変さを安心して表現できる人」としての関係を生かして，一般就労の場においても，直面した困難さへの対処方法を提案し，乗り越えることを支えることができる。

場面4：周囲との折り合いのつけられなさ

Hさんはチャレンジ雇用を修了後，新たな職場に就職した。就労して1か月経たないうちに，Hさんは支援者との個別面接で「私は，もっときちんと仕事をしたいのに，ほかの人たちの働き方が大雑把(ざっぱ)で，私の働く尺度と合わないんです。仕事に必要な情報も下ろしてくれないので，本当に困っているんです。こんなはずじゃなかった」と，いらだった口調で不満を訴えた。

Hさんは，チャレンジ雇用中と違ってジョブコーチのいない環境で疎外感を募らせているように見えた。支援者は，Hさんの職場への不満や要求は，周囲の働き方に合わせることの困難さの表れであると感じた。支援者はHさんとの話し合いを重ね，「Hさんの気がかりは，職場に変わることを要求する問題ではなく，Hさん自身のことが問われていると思う。職場と折り合いをつけていくことがHさんの課題であると思う」と繰り返し伝え，当面の乗り越え方を共に考えた。

だが，Hさんの不満の訴えが続いたため，職場で起きていることを確かめる目的で，職場の上司との合同の話し合いをもった。支援者はHさんが困り事を表現することを支え，仕事への取り組み方について具体的に確かめ合った。また，業務に関する情報共有のしかたを上司と確認し合い，職場が改善できることと，Hさんが努力すべきことが明確になった。

上司から「いつもよくやってくれていて助かっています」と仕事ぶりを認められて，Hさんは，ほっとしたようだった。その後，Hさんは少し落ち着いた様子で「不満を感じることがあっても"ここの職場のやり方なんだ"と，だんだん思えるようになりました。あと半年は仕事をがんばってみようと思います」と支援者に話した。

▶ **課題を明確にし，具体的な行動を提案する**　Hさんは新たな職場環境で，期待していた働き方と実際のギャップに直面し，自分の思いどおりにならない葛藤(かっとう)やフラストレーションが，上司やまわりの職員に対する不満や批判となって支援者に表現されていた。

Hさんが周囲との折り合いのつけられなさを自分の課題であると認めていくことができるよう，支援者はHさんと繰り返し課題を確かめ合った。そして，どのような場面や条件ならば折り合いをつけて働くことができるかを検討し合った。かかわりをもち続けている支援者と，当面の取り組み目標を設定することによって，当事者がもちこたえて働くことを動機づけている。

▶ **相互理解と合意の形成**　当事者，職場の上司，支援者との話し合いによる相互理解と合意の形成を図る。支援者はHさんの困難さに対処するために，職場で生じていることを把握する目的で，職場の上司との合同の話し合いの場をもった。話し合いのなかでHさんは上司に困り事を表現し，職場が改善できることと自分の取り組み課題が明確化したことで，就労を継続するという現実的な判断ができ，職場環境に折り合いをつけようと主体的に取り組み始めた。

当事者と上司を交えた合同の話し合いの場は，当事者が自分の困り事を表現し，本人と上司の互いの受け止め方を確認し合う場である。上司からも，ふだん感じていることを伝え，互いに理解のしかたを深める機会となる。支援者は，当事者がどのようなときに何に困るのかを上司に伝えることを手助けし，取り組み課題についての合意形成を補強し，当事者が乗り越える力を発揮していくことを支えている。

精神障害者の就労支援は，働く場で当事者の直面している困り事に目を向け，その表現を支え，共に解決を考えていく**個別支援のプロセス**である。支援者は，当事者が得意なことや，今できていることなど，一人ひとりがもつ“強み”に焦点を当て，当事者との二人三脚で“強み”を生かせる仕事を選択し，働き続ける生活を支える視点が重要である。

一般就労した当事者の抱える困難さは共通しているものが多く，経験の交流の場として提供しているOB・OGによるミーティングや，当事者が主宰するセルフヘルプグループの場で互いに悩みを語り合い支えられている。グループの話し合いでは，働き続けるための体調管理，仕事のペース配分のしかた，人間関係の悩みなどに加え，現在の職場でずっと働き続けられるのかという将来への不安や，キャリアアップを目指した転職への迷いが表現されている。一人ひとりの就労経験を共に振り返り，意味づけることを通して，現実的に行動を選択することへの支援が一層求められている。

昨今の社会情勢の変化により，就業時間を自ら選択して働くフレックスタイム制度や在宅勤務などが推進され，社会全体の働き方に影響が現れている。精神障害者の働く場においても，一人ひとりが現実の課題に主体的に対処する力を高めていくための支援が必要である。

III 精神障害をもつ人をケアする家族への支援

これまで日本では，精神障害者をケアする家族は，「保護者」として，治療を受けさせる義務，財産上の利益を保護する義務，医師に協力する義務などを課せられてきた。2014（平成26）年の精神保健福祉法の改正をもって保護者制度は廃止され，保護者の義務等はなくなった。しかし，これまでと変わらず家族は精神障害者のケアの主たる担い手である。精神保健医療職者も家族を障害者のケアを担う存在としてとらえ，ケアへの積極的な関与を期待する。

その一方で，家族は，ケアを必要とする存在でもある。多くの家族は愛する家族のメンバーが病気になったことに苦しみ，また病気を抱えることになった本人のために悲しみ，傷ついている。加えて，家族はケアを担うなかで様々な困難や苦悩に遭遇，孤軍奮闘しており，家族自身が健康を害することもある。

こうした両側面を踏まえつつ，精神障害の家族への影響と，家族への支援について概説する。

 精神障害の家族への影響

家族のだれかが精神疾患を発病した場合，家族にどのようなことが生じるだろうか。発病当初であれば，発病した家族成員の不可解な行動に困惑，動揺し，なすすべがないと感じるかもしれない。あるいは，精神病に対する偏見から病気を恥じて，だれにも相談できずにいるかもしれない。多くの家族は，発病した本人を医療につなげ，精神疾患に関する知識がほとんどない状況で試行錯誤を重ね，何が障害者の助けになるのか，何が障害者の妨げになるのかを体得しつつケアを続けている。

1. 家族によるケア提供

精神障害をもつ人が地域で自立した生活を送るには，家族のサポートや保健医療福祉サービスの利用が必要となる。精神障害者の6～7割は親や兄弟姉妹と同居しており[28), 29)]，障害者の日常生活を支えるケアは同居している家族が担うことが多い。

精神障害者の家族は，障害者本人の幸福を願って，治療継続のサポート，日常生活の自立に向けた支援，社会参加への支援など，日常的に様々なケアを提供している。ただ，家族は自分たちがケアを提供していると認識しているわけではなく，家族として当然のことをしていると感じている。

ケアの内容や頻度は，病状や障害の程度，家族の状況によって異なるが，家族が行っているケアの例を表8-13にまとめた。

治療継続と病気のセルフマネジメントへの支援では，家族は家族会や家族教育の場に積極的に参加し，精神疾患や治療への理解を深め，ケア提供上の多彩な問題や問題への対応方法などについて学んでいる。

表8-13 家族によるケア提供の内容

①治療継続と病気のセルフマネジメントへの支援	• 精神症状や生活リズムの把握 • 服薬管理の支援 • 通院の促しや同行 • 病気のセルフマネジメントの励ましや助言
②生活上の自立に向けた支援	• 経済的支援や住居の提供 • 洗面，歯みがき，入浴，着替え，排泄などの支援 • 炊事，洗濯，掃除，買い物，家計管理などの支援 • 健康管理（栄養，運動，睡眠，定期健診など）の支援 • 障害者手帳の申請手続き等の支援
③社会参加への支援	• 友人や地域の人々との交流の励まし • 自助グループへの参加の促し • 福祉サービスの利用の促し • 地域のボランティア活動への誘い • 社会の精神障害への理解を促す啓発活動への参加

家族による治療継続への関与は，入院や再発率の低下，治療へのアドヒアランスの向上，司法制度による関与の低下，自殺や事故死のリスク低下，医療費の低下などと関連することが報告されている[30),31)]。

生活上の自立に向けた支援として，日常生活動作（ADL）や家事における援助がある。厚生労働省の調査[32)]によると，2割以上の精神障害者が介助を必要としている日常生活動作として，掃除・整頓（36.4%），金銭管理（35.6%），服薬管理（25.8%），食事の支度・後片づけ（24.6%），買い物（24.6%），洗濯（21.2%）などがあげられており，家族の援助もこの結果に対応している。

福祉的就労を含め就労している精神障害者は3割程度であり，障害者の6割は月収が9万円未満である[33)]。機能障害のため就労できない障害者も多いため，多くの家族が経済的な支援もしている。

社会参加への支援では，家族は，障害者が社会との接点を少しずつ広げることができるように，外出や地域の行事に誘ったり，友人との再交流を励ましたり，就労移行支援サービスの利用を促したりしている。同時に，障害者がそれぞれ望む生活を実現できる社会を創るため，精神障害への理解を広げる啓発活動や，行政への働きかけをしている。障害者本人への直接的な働きかけに並行して，家族自身の精神障害へのスティグマを克服し，社会の精神障害への理解を高める啓発活動にも取り組んでいる。

家族がケア提供をとおして得た経験は，家族のレジリエンスを高める契機となる。たとえば，家族が結束して危機状況に対処することをとおして，問題解決能力や対処能力が向上したり，障害者と家族のサポートのネットワークを拡大したり，他者や周囲の状況に働きかけ，変化させる能力を獲得したりするなどである。

しかしその一方で，ケア提供は家族にとっては重荷にもなり得る。

2. 家族のケア負担

1 ケア負担とは

精神障害者のケアは長期にわたることが多いうえ，急性期や再発時には精神症状や予測のつきにくい行動上の問題などに翻弄されることもあるため，家族の生活や心身に大きな負荷（ケア負担）がかかることがある[34),35)]。生活上の負担として，役割過重，私的時間の減少，社会的活動の制約，友人とのつきあいの減少，患者以外の家族のニーズの軽視，家族関係の緊張，近隣とのトラブル，社会的な孤立，休職や退職，経済的困難などがある。心身の負担として，混乱，悲嘆，自責感，無力感，将来への悲観などの情動面の負担と，不眠，頭痛，燃え尽き，抑うつ，体調悪化，精神的身体的疲労などの健康面の負担がある。

精神障害者家族会連合会に所属する家族会員4419名を対象とした2010（平成22）年の調査[36)]では，**ケア負担**として，本人がいつ問題を起こすかという恐怖（64.8%），病状悪化時の近隣とのトラブルによる肩身の狭い思い・孤立感（49.8%），身の危険（30.9%）が報告されている。また，7割近い家族が趣味などを行う余裕をなくし（67.6%），5割近い家族が病状の悪化時の危機的状況において仕事を休み対応した経験（47.3%）をもっていた。さらに，6割近い家族が精神状態や体調の不調（58.7%）を訴え，4割近い家族が精神的不調による服薬の経験（37.9%）をもっていた。同連合会による2018（平成30）年の調査報告書（対象者数3129名）においても，同様の結果が報告されている[37]。

2 ケア負担に関連する要因

ケア負担に関連する要因として，患者の症状や障害，精神障害に対するスティグマ，病気やケアに関する知識・情報の不足などがある[38]。たとえば，ケア負担に影響する患者の症状や障害には，暴言，暴力，自殺企図，ひきこもり，拒絶的態度，落ち着きのなさ，くどい要求，昼夜逆転，奇妙な行動，不安定な病状，服薬や通院の拒否，近隣とのトラブル，金銭管理・清潔保持・家事ができないこと，仕事に就けないことなどが含まれる。また，精神障害のスティグマは，家族が孤立無援の状態でケアすることにつながる。家族の孤立は，1つには，精神障害者とその家族に対する社会の偏見や差別，排除から生じるが，2つには，家族自身に内在化されたスティグマにより，家族が病気を恥じ，専門家や他者への相談を躊躇（ちゅうちょ）し，病気を世間から隠すことからも生じる。病気やケアに関する知識・情報の不足は，本人への適切なかかわりや必要な資源の円滑な利用を妨げることがあり，結果的に負担が増大することになる。

一方，負担感を軽減する要因として，家族・親族の協力，友人・近隣・専門家からのサポート，障害者本人に対する好ましい気持ちや本人との気持ちの通い合い，障害者本人と共に成長してきた歴史，障害者のより良い未来の実現への思いなどがある[39]。

3. 家族それぞれの立場からみた体験

精神障害者家族の体験は，家族内の立場（親，兄弟姉妹，子ども）により異なる面もある[40]。

❶親の立場から

障害者本人のケアは親が担う場合が多い。親は，ケアを続けるなかで様々な苦悩を抱える[41), 42]。発病当初は了解不能な言動に混乱し，不安を募らせる。また，子どもの病気は自分の育て方が悪かったせいではないかと罪悪感・自責感をもつ。そして，精神疾患やそのケアに関する知識がないなかで，本人のことを心配する以外に何もできず，子の苦しみを和らげることができない自分に不甲斐（ふがい）なさや無力を感じる。あるいは，病気を治したい一心で，加持祈祷（かじきとう）に奔走することもある。また，精神病に対する偏見から，病気を恥じて病気を隠し，社会的に孤立することも多い。

こうした反応は，時間の経過や症状の変動などに伴い変化する。そして，ケアを継続する過程で，肯定的な体験をする家族も多い。たとえば，他者の痛みがわかるようになった，本人のおかげで多くの人に出会えた，家柄やお金，学歴は人生の本質ではないことに気づ

Column

精神障害の親をもつ子どもへの支援

精神障害の親をもつ子どもへの支援として，①子どもの存在を忘れずに，子どもの成長発達をサポートすること，②子どもに精神障害について教育をすること，③家族全体の機能を高めることなどがある。

家族の関心は病気の親に注がれがちになる。早期から子どもに手を差し伸べ,「あなたのことを忘れていない」「あなたは一人ではない」「一人で頑張らなくてもよい」ということを伝えていく必要がある。そして，どんなに些細なことであっても子どもが相談できるように，子どものつらさや心配，疑問などに耳を傾け，子どもに悲しいことや困っていることを含め，何でも話してよいというメッセージを送ることも必要になる。また，子どもが成長発達に必要な経験を重ね，将来の目標を達成できるように，折に触れ励まし，サポートすることも必要になる[1)]。

子どもに対する教育では，子どもが理解できる方法で精神障害について説明するとともに，子どもが読みたいときに読むことのできる資料を提供する。低年齢の子どもには読み聞かせ*が有用であり，子どもの心配や疑問を話し合うきっかけになる[2)]。山下は，病気による親の無関心な態度を，子どもは「自分のことが好きではないんだ」などと誤解したり，親が病気になったのは自分が「宿題をしなかったから」などと考え，自責感や罪悪感をもちやすいとしている。その場合は，「あなたのせいではない」ことを子どもに伝え，精神障害について説明する必要があるとしている[3)]。子どもへの教育は，子どもが親の病気が自分のせいではないことや親の不可解な言動が病気からくることを理解し，自責感や困惑を軽減することにつながる。

親の病気で崩れた家族のバランスを回復し，家族全体の機能を高めるには，家族自身が家族のまとまりや問題解決における柔軟性を高められるように働きかける。たとえば，家族で一緒に買い物に出かける，家族で地域の行事に参加する，家族全体にとって重要な意思決定には子どもの意見も聞く，子どもたちができる範囲内で家事を分担してもらうなどである[4)]。そして，家族が非日常の中に笑いや楽しみを感じられるよう，親の発病前にしていた家族の楽しみを取り戻す機会を家族につくってもらう働きかけもある。また，家族が，親戚や友人，教師，専門家などから情報や援助，精神的サポートを得ることができるような支援も必要である。

家族機能の強化に加え，子どものレジリエンスを高める働きかけも欠かせない。精神障害の親をもつ子どものレジリエンスを高める要因として，親と良い関係にあること（両親でなく親のどちらかとでもよい），病気のない親が支持的であること，兄弟姉妹との関係が良好で支持的であること，支持的な友達がいること，家族外でもよいので自分の存在を認めてくれるモデルとなる大人がいること，心を通わせることができる教師がいること[5)]などがある。これらの要因に働きかけることも重要である。

文献／1）National Alliance on Mental Health：How siblings and offspring deal with mental illness, 2016.
2）前掲書 1）.
3）山下浩：精神障害を持つ親とその子どもに対する理解，小児保健研究，72：769-776，2013.
4）前掲書 1）.
5）Foster, K.，et al.：Addressing the needs of children of parents with a mental illness：Current approaches，Contemporary Nurse，18：67-80，2004.

＊ **読み聞かせ**：読み聞かせ用の絵本の例として，プルスアルハ（著）「お母さんどうしちゃったの…」（ゆまに書房）などがあげられる。

けた，本人の力を発見できた，家族がまとまった，などである[43]。

❷兄弟姉妹の立場から

兄弟姉妹では，子ども時代にきょうだいが発病した場合，発病に伴う家族の混乱のなかで，両親のケアが十分に行き届かなくなったり，障害児を中心に生活が回るようになることで，親に甘えられなくなったりすることがある。また，きょうだいの病気が就職や結婚の足枷（あしかせ）になることもある[44]。あるいは，自分が病気を免（まぬか）れたことに罪悪感を覚えたり，精神障害者である兄弟姉妹を病気のなかに喪失したことを悲嘆したりすることもある[45]。

親が高齢になってくると，ケアは兄弟姉妹に引き継がれることが多い[46]。その場合，配偶者への気兼ねが生じたり，きょうだいのケアと自分自身の家族への責任の両方を果たそうとして役割過重になることもある。あるいは，きょうだいのケアと自分の家族の世話のどちらを優先すべきかジレンマに陥ることもある。

❸子どもの立場から

子どもは，親の精神疾患・障害によって心身の発達や社会的発達に深刻な影響を受けることがある[47)～50]。たとえば，親の病状によっては育児放棄や虐待が生じることがある。あるいは，親の発病をきっかけに夫婦間の不和や家族葛藤が顕在化し，結果的に家族機能が低下し，子どもの養育がおろそかになることもある。

また，家族や専門家の関心は病気の親ばかりに向きがちで，子どもの存在は忘れ去られることも多い。時には，子どもが発病した親のケアや情緒的サポート，年下のきょうだいの世話，家事などを引き受けることもあり，その結果，学校や友達関係から切り離されることもある。あるいは，病気の親を“見捨てて外に出る（親から離れる）”ことができなくなることもある。そのほか，親の病気の原因は自分にあると考えて自分を責めたり，親の暴言や予測不能な行動におびえながらも，自分の親を怖いと感じる自分に罪悪感をもったりすることもある。家庭外では，スティグマが原因で仲間はずれや差別などに遭い，学校や地域で孤立することもある。

B 家族への支援

アメリカやイギリスでは，精神保健福祉の専門家は，家族との協働のもとに患者の治療・ケアを進めていくことが推奨されている[51,52]。とりわけ家族心理教育は，精神障害者の予後を改善するエビデンスの高い介入方法として強く推奨されている。

一方，家族自身は，障害者のケアに加えて家族に対するケアも必要としている。さらに，障害者本人と家族のよりよい地域生活の実現のためには，社会資源・制度を充実させていくことも重要である。

1. 家族心理教育

1　家族の感情表出

家族心理教育（family psychoeducation；**FPE**）は，家族の**感情表出**（expressed emotion；**EE**）研究の成果を受けて発展した。家族の感情表出とは，家族の患者に対する感情の表現のしかたを指す。家族の感情表出のありようが統合失調症患者の再発に関連することが，イギリスでジョージ・W・ブラウン（Brown, G.W.）ら[53]が始めた一連の研究から明らかになった。その後，イギリスをはじめ各国の研究において，批判的コメント・敵意・過度な情緒的巻き込まれといった感情表出の強さ（**高 EE**）が再発と関連していることが報告されている。たとえば，伊藤ら[54]は，統合失調症患者の退院 9 か月後の再発率は，高 EE 群が低 EE 群に比べて有意に高いことを報告している。また，低 EE（ことに批判・敵意の少ない環境）と服薬遵守が相関していることも報告している。

精神病をもつ母親が体験する養育上の困難

精神病をもつ母親が子どもを養育する際に体験する困難には，精神症状，抗精神病薬の副作用，母親役割を果たせない罪悪感，スティグマなどが関連している[1]。

たとえば，精神症状によって意欲や気力が低下し，子どものケアができなくなることもある。あるいは，幻聴や妄想，イライラ感の高まりなどにより，子どもに危害を与えそうになることもある。

また，薬の鎮静作用のため動作が緩慢になるなどして，食事を作る，衣類を洗濯する，子どもの話を聞く，宿題を見てやるなど，子どもの日々のニーズに応えることが難しくなることもある。

母親役割を果たせない罪悪感は，病状の悪化時や再入院時に母親らしいことを十分に子どもにしてあげられないことや，子どものそばに居てやれないこと，子どもが親役割を担うことなどから生じ，親としての役割を十分に果たせない自分の不甲斐なさに自責感をもつ。

そして，病気のため親権を奪われ，子どもと離される可能性に不安や恐怖も感じている。実際に親権を奪われることもあり，その場合の絶望や悲嘆は深い。精神病にまつわるスティグマは，病気の母親だけでなく子どもにも影響する。スティグマは子どもの存在と権利の社会的なネグレクトにつながり，子どもが友達関係や地域社会から排除されることもあり，そのことに母親は胸を痛める。

なお，母親の困難は，前述のような個人的要因だけではなく，精神病をもつ親に対する子育て支援や社会資源がほとんどないこととも関連している[2]。

文献／1）Rampou, A.M., et al：Parenting experiences of mothers living with a chronic mental illness, Health SA Gesondheid, 20：118-127, 2015.
2）David, D.H., et al：Supported parenting to meet the needs and concerns of mothers with severe mental illness, American Journal of Psychiatric Rehabilitation, 14(2)：137-153, 2011.

高EEの概念は「再発」の責任を家族に帰するものではないかという批判が過去にあったが，その後，高EEは，家族が高度のストレス下にあることを示す危機信号として認識されるようになった。大島[55]は，高EEは慢性疾患患者を身内に抱えたことに伴う一般的な情緒反応であり，家族の主観的な生活負担のバロメーターであるとしている。

高EEは，病気や症状に関する知識がない場合，問題が家族の対処能力を超える場合や問題が慢性的に続く場合，家族が家族内や専門家から協力を得られない場合などに現れやすい。たとえば，陰性症状のために朝起きられず，身辺ケアが十分にできない患者を「怠けている」「やる気がない」ととらえて叱責することはよくある。

2　家族心理教育の概要

EE研究の成果を踏まえ，様々な家族介入プログラムが開発された。その一つがFPEである。FPEは，疾患や治療，再発予防，社会資源の活用などに関する知識･情報を提供し，病気や障害にまつわる諸問題への対処や問題解決を習得するための心理社会的治療プログラムである。

FPEは，家族のかかわりが患者の予後に肯定的にも否定的にも影響するという前提に立っている。FPEの目標は，家族の精神疾患・治療に関する知識と理解を深め，家族の不安やストレスを緩和し，家族がより効果的に治療・ケアに参加できるようになることである。それを介して，患者の入院や再発を防ぎ，予後を改善することも重要な目標である。

FPEの理論基盤は行動理論から家族システム理論まで様々だが，共通する目的は，家族が病気を正しく理解し，適切に対処できるようにすることと，家族がコミュニケーションと問題解決のスキルを高め，患者との否定的な相互作用循環を減らすことである。FPEの成功には，家族への配慮と共感，家族を否定･非難しない姿勢，家族への精神的サポート，

家族ピア教育

アメリカの精神障害者擁護団体（精神疾患に関する全国同盟，The National Alliance on Mental Illness：NAMI）は，1990年代から家族ピア教育（名称：Family to Family，家族から家族へ）を提供している。これは，精神病をもつ人の家族・重要他者・友人のための，家族ピア（peer，仲間）による，12週間の心理教育プログラムである。プログラムの目標は，精神障害者家族の対処および問題解決能力を高め，家族の苦痛を緩和することである。なお，心理教育を提供する家族は，家族ピア教育の訓練を受けている。

家族ピア教育の効果として，家族のエンパワメント，家族の問題対処・問題解決能力の向上，精神的サポートの増加，家族機能の向上，家族の病気受容が進んだことなどが報告されている[1), 2)]。

文献／1）Dixon, L., et al.：Outcomes of a randomized study of a peer-taught Family-to-Family Education Program for mental illness, Psychiatric Services, 62(6)：591-597, 2011.
2）Mercado, M., et al.：Generalizability of the NAMI Family-to-Family Education Program: Evidence from an Efficacy Study, Psychiatric Services, 67(6)：591-593, 2016.

家族のソーシャルサポートの拡大，家族葛藤（かっとう）の解決，患者の服薬アドヒアランスが不可欠である。FPEの効果として，家族の不安や負担感の軽減，家族の患者への安定した接し方の維持，家族関係の改善，再発率減少，服薬アドヒアランスの向上，精神症状の減少，患者の社会的機能の向上などが検証されている[56)～59)]。

3 家族心理教育の基本的構成

効果的なFPEに共通する援助は，関係構築，アセスメント，心理教育，コミュニケーション演習，問題解決演習から構成されている[60)]。

- **関係構築**：患者の回復に適した支持的な環境を，家族がつくることの重要性を理解してもらい，家族との間に協働関係を築いていく。このとき，家族の不安や心配に耳を傾け，家族を精神的にサポートすることが重要になる。
- **アセスメント**：家族が認識する病気の原因・治療のメリットとリスク，一番心配な点や将来に対する不安，家族の抱える健康問題・経済問題・職場でのストレスなど，家族の病気のとらえ方や治療に影響する家族ストレスについて把握する。
- **心理教育**：疾患の基本的情報（有病率，症状，経過，ストレス脆弱モデルなど），薬物療法，再発の引き金となる心理社会的要因，再発の初期症状，再発時・危機時の対応，医療的・心理社会的資源の活用，病気の長期的管理などについて知識を提供する。
- **コミュニケーション演習**：コミュニケーション演習の目的は家族内での否定的感情を減らし，患者とのコミュニケーションスキルを高め，患者の認知機能障害に配慮したコミュニケーションスキルを身につけることである。演習で取り上げられるコミュニケーションスキルとして，傾聴，肯定的感情の表現，特定の行動に対する否定的感情の表現，妥協と交渉の方法，頭を冷やすための小休止のとり方などがある。
- **問題解決演習**：問題解決演習の目的は，家族が問題解決の枠組と手順を学び，家族間で病気やケアに関する問題を分かち合い，問題に取り組み，問題を解決する力を高めることである。問題解決の手順は，①問題を特定する，②家族全員が合意できる形で問題を定義する，③問題の解決法をすべてあげる，④各解決法の利点と欠点を評価し，実現可能な解決法を選ぶ，⑤選択した問題解決法の実行計画を立てる，⑥計画を遂行し，問題が解決したかどうかを評価する，⑦計画を実行できなかった場合は阻害要因を特定し対応する，という順に進める。

2. 障害者のケアと家族自身のケアの両立への支援

精神障害者をケアする家族は，ケア提供者として障害をもつ本人のwell-being（身体的精神的社会的に良好な状態）とQOLを保障する一方で，家族自身のwell-beingとQOLを維持するという2つの課題を抱えている[61)～63)]。家族支援の目標は，家族が2つの課題の間でバランスをとれるようにすることである（表8-14）。

家族支援においては，個々の家族に対する個別支援と複数の家族に対するグループ支援

表8-14 家族への支援

家族の目標	看護の目標と評価指標	教育・支援の内容
患者のwell-being	家族によるケアの知識・技術の習得 • 家族それぞれが病気やケアの方法を知っている • 家族で問題やトラブルに建設的に取り組んでいる • 患者と家族が専門職に支えられ，必用な社会資源を利用している	病気や障害の経過・予後 • 各種治療の作用・副作用 • 病気の日常生活への影響 • 再発の徴候・再発の予防 • 症状や問題への対処方法 • 境界線の引き方
		相手を尊重した接し方 • 相手の話を聞く • 気持ちを伝える • 境界線の引き方
		資源の特定と活用 • 家族の「資源（道具，金銭，人脈，時間，知識・経験，家族凝集性，家族適応力など）の特定と活用 • 保健医療福祉資源・制度の特定と活用 • 情報の獲得・利用方法 社会への働きかけ • 啓発活動への参加 • 地域資源の創出
家族のwell-being	家族の心身の健康の保持 • 家族が互いに役割を分担し，休息する時間を確保している • 家族の内外から精神的サポートを受けている • 障害者と家族が病気やケアの経験に意味を見出している	自分の時間・生活をもつ工夫 • ストレスへの対処方法 • リラクセーションの方法
		精神的支援の獲得 • 精神的支援の必要 • 家族内の協力 • 仲間づくり • ソーシャルサポート
		病気やケアの意味づけ • ケアからの学び • 障害者および家族の力

を併用すると効果的である。グループ支援では主に教育的・支持的アプローチを用いる。グループ支援は，同じような問題や困難に直面している家族が対象となるため，それぞれの家族が直面している問題や苦悩に対する共感や精神的サポートが得られやすく，家族を勇気づける。また，お互いに危機を乗り越えた経験やケアの工夫に関して多種多様なインプットを得ることで，ほかの家族の経験から学び，困難な体験をプラスの体験に転じる機会にもなり得る。さらに，安心できるグループの中で家族の精神疾患について自己開示することは，セルフスティグマを減じる機会にもなる。

個別支援は，個々の家族のニーズに合わせた支援や，家族のライフステージを見据えた支援，長期の支援などが必要な場合に行う。個別支援では，アセスメントから計画，実施，評価まで，すべての過程で家族を含めることが重要である。アセスメントにおいては，まず障害者本人と家族のwell-beingをチェックし，どちらか一方あるいは両者のwell-beingが低い場合は，本人の病状に変化がないか，病気をどのように受け止めているか，ケアに困難を感じていないか，家族生活や職場においてストレスがないか，家族間で協力できているか，ケアから離れ休養するための資源や手段があるか，休養するための資源や協力を得る方法を知っているかなどをアセスメントする。そして，家族からの情報をエコマップや年表，問題関連図などに図式化し，家族と共有するとともに，家族と共に問題の重なりや問題解決の糸口を見出し，協力者や地域資源の活用を検討する。

また，家族によるケアは長期にわたることが多いため，長期展望をもち支援する必要がある。たとえば，家族の退職，祖父母の介護，家族の高齢化など，家族のライフサイクルの節目にはストレスが生じやすく，ケア負担が増大したり，反対にケアがおろそかになったりすることがある。あるいは，本人の病状の悪化や再発などにより，家族が疲弊し，適切なケアができないこともある。予測できるケア提供上の危機と危機時の支援について情報を提供するとともに，家族のライフステージの変化や本人の病状の変化に対応した支援を提供できるような家族とのかかわりが重要になる。

最後に，家族への支援にあたり最も重要なことは，家族成員の病気に胸を痛め，様々な苦悩を生きてきた家族の心情に配慮しつつ，障害者のために道を切り開いてきた家族に敬意を払い，地域生活支援の専門家としての家族から学び，家族と共により良いケアを考える姿勢であろう。

3. 社会資源・制度の充実

全国精神保健福祉会連合会[64), 65)]は，精神障害者の家族が直面してきた困難を７つにまとめ，それに基づき７つの克服すべき課題を提言している（表8-15）。こうした提言の背景には，障害者のケアが家族の努力に大きく依存するケアの限界がある。言い換えると，精神障害者の地域生活を支えるためには，多様な社会資源や多くの人の関与が必要となる。障害者と家族が必要な資源や援助を活用できるよう支援することが求められる。

表8-15 全国精神保健福祉会連合会による精神障害者家族の困難と課題

家族の困難	克服すべき課題
①病状悪化時に必要な支援がない	本人・家族のもとに届けられる訪問型の支援・治療サービスの実現
②困ったとき，いつでも相談でき問題を解決してくれる場がない	24時間365日の相談支援体制の実現
③本人の回復に向けた専門家による働きかけがなく家族まかせである	本人の希望にそった個別支援体制の確立（包括的回復志向の支援，日中活動の場の提供，復学・復職支援など）
④利用者中心の医療になっていない	本人・家族が治療計画に積極的にかかわれる医療体制の実現
⑤多くの家族が情報を得られず困った経験をもつ	家族に対する適切な情報提供（学校，職場，地域における継続的な啓発活動）
⑥家族は身体的・精神的健康への不安を抱えている	家族自身の身体的・精神的健康の保障
⑦家族は仕事を辞めたり，経済的な負担をしている	家族自身の就労機会および経済的基盤の保障

文献

1）厚生労働省：令和2（2020）年医療施設（動態）調査・病院報告の概況；病院報告，https://www.mhlw.go.jp/toukei/saikin/hw/iryosd/20/dl/03byouin02.pdf（最終アクセス日：2022/6/30）
2）国立精神・神経医療研究センター：精神保健医療福祉に関する資料（令和2年度630調査）．https://www.ncnp.go.jp/nimh/seisaku/data/（最終アクセス日：2022/6/30）
3）厚生労働省：「精神障害にも対応した地域包括ケアシステム」の構築；各自治体における精神障害に係る障害福祉計画の実現のための具体的な取組，社会保障審議会障害者部会第90回 資料2，2018，p.3．https://www.mhlw.go.jp/content/12201000/000307970.pdf（最終アクセス日：2021/11/2）
4）前掲3）．
5）国土交通省，厚生労働省：あんしんとやすらぎの住生活　国土交通省と厚生労働省，地方公共団体等の連携によるあんしん賃貸支援事業．https://www.mhlw.go.jp/shingi/2008/09/dl/s0924-9g.pdf（最終アクセス日：2021/11/2）
6）厚生労働省：訪問看護，社会保障審議会介護給付費分科会第142回参考資料，2017．https://www.mhlw.go.jp/file/05-Shingikai-12601000-Seisakutoukatsukan-Sanjikanshitsu_Shakaihoshoutantou/0000170290.pdf（最終アクセス日：2021/11/2）
7）地域精神保健福祉機構・COMHBO：「全国ACT（包括型地域生活支援プログラム）の質の向上の為の実態調査と新規事業者のデータベース整備・コンサルティング・研修事業」事業報告書，厚生労働省平成21年度障害者保健福祉推進事業，2010．https://www.mhlw.go.jp/bunya/shougaihoken/cyousajigyou/jiritsushien_project/seika/research_09/dl/result/07-02a.pdf（最終アクセス日：2021/11/2）
8）地域精神保健福祉機構・COMHBO：ACTガイド；包括型地域生活支援プログラム．https://www.mhlw.go.jp/bunya/shougaihoken/cyousajigyou/jiritsushien_project/seika/research_09/dl/result/07-02b.pdf（最終アクセス日：2021/11/2）
9）地域保健対策におけるソーシャルキャピタルの活用のあり方に関する研究班：住民組織活動を通じたソーシャル・キャピタル醸成・活用に係る手引き，平成26年度厚生労働科学研究費補助金（健康安全・危機管理対策総合研究事業），2015．
10）日本薬剤師会：薬剤師の病棟業務の進め方（Ver.1.2），2016，p.2．http://www.jshp.or.jp/cont/16/0609-2.pdf（最終アクセス日：2021/11/2）
11）厚生労働省精神保健福祉対策本部：精神保健医療福祉の改革ビジョン，2004．
12）厚生労働省：精神保健医療福祉の更なる改革に向けて，今後の精神医療保健福祉のあり方等に関する検討会報告書，2009．
13）厚生労働省：長期入院精神障害者の地域移行に向けた具体的方策の今後の方向性，2014．
14）石川かおり，葛谷玲子：精神科ニューロングステイ患者を対象とした退院支援における看護師の困難，岐阜県立看護大学紀要，13（1）：55-66，2013．
15）石川かおり，他：精神科長期入院患者の退院支援の状況；入院期間1～5年未満の患者を対象としたアンケート調査，日本看護科学学会第29回学術集会講演集，2009，p.502．
16）坂田三允：家族と暮らす〈坂田三允編：長期在院患者の社会参加とアセスメントツール〉，中山書店，2004，p.33-34．
17）前掲書14）．
18）富沢明美：病棟での退院支援計画とその実施〈井上新平，他編：精神科退院支援ハンドブック；ガイドラインと実践的アプローチ〉，医学書院，2011，p.40．
19）奥村太志，渋谷菜穂子：統合失調症患者の「長期入院に関する」認識；統合失調症の語りを通して，長期入院への姿勢の構成要素を明確にする，日本看護医療学会雑誌，7（1）：34-43，2005．
20）安西信雄：長期在院患者はどのような人たちか，集中的リハビリテーションは退院促進にどう役立つか；退院促進研究班の経験から明らかになったこと，精神科臨床サービス，9（3）；340-343，2009．
21）石川かおり：精神科ニューロングステイ患者の入院生活の体験，岐阜県立看護大学紀要，11（1）：13-24，2011．
22）厚生労働省：「精神保健医療福祉の更なる改革に向けて」（今後の精神保健医療福祉のあり方等に関する検討会報告書）について，2009．http://www.mhlw.go.jp/shingi/2009/09/s0924-2.html（最終アクセス日：2021/11/2）
23）瀬戸屋希，他：精神科訪問看護で提供されるケア内容；精神科訪問看護師へのインタビュー調査から，日本看護科学会誌，28（1）：41-51，2008．
24）萱間真美：精神分裂病者に対する訪問ケアに用いられる熟練看護職の看護技術；保健婦，訪問看護婦のケア実践の分析，看護研究，32（1）：53-76，1999．
25）前掲書24）．
26）原田誠一：「正体不明の声」ハンドブック；治療のための10のエッセンス，第3版，アルタ出版，2009．
27）岩崎弥生：精神病患者の家族の情動的負担と対処方法，千葉大学看護学部紀要，20：29-40，1998．
28）きょうされん：障害のある人の地域生活実態調査の結果報告，2016，http://www.kyosaren.or.jp/wp-content/themes/kyosaren/img/page/activity/x/x_1.pdf（最終アクセス日：2021/11/2）
29）厚生労働省社会・援護局障害保健福祉部：平成28年生活のしづらさなどに関する調査（全国在宅障害児・者等実態調査）結果，2018．https://www.mhlw.go.jp/toukei/list/dl/seikatsu_chousa_c_h28.pdf（最終アクセス日：2021/11/2）
30）Family Mental Health Alliance (FMHA): Caring Together: Families as partners in the mental health and addiction system，2006．https://ontario.cmha.ca/documents/caring-together-families-as-partners-in-the-mental-health-and-addiction-system/（最終アクセス日：2021/11/2）
31）Revier, C.J, et al.：Ten-Year Outcomes of First-Episode Psychoses in the MRC ÆSOP-10 Study, Journal of Nervous and Mental Disease，203(5)：379-86，2015．
32）前掲3）．
33）前掲3）．
34）前掲書27）．
35）宮﨑澄子，他：精神障害者を家族にもつ男性家族員のケアの内容及びケア提供に伴う情緒的体験と対処，千葉大学看護学部紀要，23，2001，p.7-14．
36）全国精神保健福祉会連合会：精神障害者の自立した地域生活を推進し家族が安心して生活できるようにするための効果的な家族支援等の在り方に関する調査研究，2010．https://seishinhoken.jp/files/view/articles_files/src/5.pdf（最終アクセス日：2019/8/19）

37）全国精神保健福祉会連合会：精神障害者の自立した地域生活の推進と家族が安心して生活できるための効果的な支援等のあり方に関する全国調査報告書ダイジェスト版，2018．https://seishinhoken.jp/files/view/articles_files/src/a1f6a8406fc0cd9a10fe8806593dc616.pdf（最終アクセス日：2021/11/2）
38）前掲書 27）．
39）岩崎弥生，他：精神障害者の家族のケア提供を支える要因；聞き取り調査の定性分析，病院・地域精神医学，45（4），2003，p.90-97．
40）前掲書 30）．
41）前掲書 27）．
42）前掲書 35）．
43）前掲 39）．
44）伊藤遅子，他：障害のある人のきょうだいへの調査報告書，国際障害者年記念ナイスハート基金，2008．https://niceheart.or.jp/blog/wp-content/uploads/2020/07/hohkokusho_kyoudai.pdf（最終アクセス日：2021/11/2）
45）前掲書 35）．
46）前掲 44）．
47）前掲 30）．
48）Foster, K.，et al.：Addressing the needs of children of parents with a mental illness；Current approaches，Contemporary Nurse，18，2004，p.67-80．
49）Harstone, A.，Charles, G.：Children of parents with mental illness；young caring, coping and transitioning into adulthood，Relational Child and Youth Care Practice，25（2）：14-27．
50）National Alliance on Mental Health（NAMI）：How siblings and offspring deal with mental illness，2016．http://namimd.org/uploaded_files/496/Siblings___Offspring_KSF.pdf（最終アクセス日：2021/11/2）
51）Lehman, A.F.，et al.：Practice guideline for the treatment of patients with schizophrenia，2nd ed.，American Psychiatric Association，2010．https://psychiatryonline.org/pb/assets/raw/sitewide/practice_guidelines/guidelines/schizophrenia.pdf（最終アクセス日：2019/8/19）
52）The Schizophrenia Commission：The abandoned illness：a report from the Schizophrenia Commission，Rethink Mental Illness，2012．https://www.rethink.org/media/2303/tsc_main_report_14_nov.pdf（最終アクセス日：2021/11/2）
53）Brown, G.W.，et al.：Influence of family life on the course of schizophrenic illness，British Journal of Preventative and Social Medicine，16：55-68, 1962.
54）伊藤順一郎，他：家族の感情表出（EE）と分裂病患者の再発との関連；日本における追試研究の結果，精神医学，36：1023-1031, 1994.
55）大島巌：社会の中の精神障害者・家族と EE 研究；CFI 面接を通して見えてきたこと，こころの臨床ア・ラ・カルト，12（1）：13-17, 1993.
56）Dixon, L.，et al.：Evidence-based practices for services to families of people with psychiatric disabilities，Psychiatric Services，52（7）：903-910, 2001.
57）McFarlane, W.R.，et al.：Family psychoeducation and schizophrenia；A review of the literature，Journal of Marital and Family Therapy，29（2）：223-245, 2003.
58）McFarlane, W.R.：Family interventions for schizophrenia and the psychoses；A review，Family Process，2016，p.1-23．
59）Glynn, S.M.，et al.：New challenges in family interventions for schizophrenia，Expert Review of Neurotherapeutics，7（1）：33-43, 2007.
60）Murray-Swank, A.B.，Dixon, L.：Family psychoeducation as an evidence-based practice，CNS Spectrums，9（12）：905-912, 2004.
61）前掲 30）．
62）岩崎弥生：精神科看護と家族との関わり，精神科看護，27（2）：8-12, 2000.
63）岩崎弥生，他：精神障害者の家族のケア提供上の対処；家族の応答性と自己配慮，日本看護科学会誌，22（4）：21-32, 2002.
64）前掲 36）．
65）前掲 37）．

参考文献

・Ahern, L.，Fisher, D. 著，齋藤明子，村上満子訳：自分らしく街で暮らす；わたしたち当事者のやり方，RAC 研究会 , 2004.
・American Psychiatric Association：What is Telepsychiatry?．https://www.psychiatry.org/patients-families/what-is-telepsychiatry（最終アクセス日：2021/11/2）
・Anthony, W.：Recovery from mental illness: The guiding vision of the mental health service system in the 1990s. Psychosocial Rehabilitation Journal, 16：11-23, 1993.
・Becker, D.R.，Drake, R.E 著，大島巌，他訳：精神障害をもつ人たちのワーキングライフ；IPS：チームアプローチに基づく援助付き雇用ガイド，金剛出版，2004．
・Brown，C. 編，坂本明子監訳，：リカバリー；希望をもたらすエンパワメントモデル，金剛出版，2012．
・Copeland，M. E. 著，久野恵理訳：元気回復行動プラン WRAP®，オフィス道具箱，2009．
・Fisher, D. 著，松田博幸訳：リカバリーを促す，2011．https://www.power2u.org/wp-content/uploads/2017/01/PromotingRecoveryJapaneseVersion.pdf（最終アクセス日：2021/11/2）
・NHS England：MDT Development；Working toward an effective multidisciplinary/multiagency team，2015．https://www.england.nhs.uk/wp-content/uploads/2015/01/mdt-dev-guid-flat-fin.pdf（最終アクセス日：2021/11/2）
・WRAP® ホームページ：http://mentalhealthrecovery.com/（最終アクセス日：2021/11/2）
・相川章子：ピアスタッフの活動に関する調査報告書，2013．https://psilocybe.co.jp/wp-content/uploads/peer2012.pdf．（最終アクセス日：2021/11/2）
・青木勉：旭モデル；旭中央病院神経精神科・児童精神科における地域精神保健医療福祉，精神神経学雑誌 117(7)：538-543,

2015.
・青木勉：5 総合病院での実践〈窪田彰編：多機能型精神科診療所による地域づくり；チームアプローチによる包括的ケアシステム〉，金剛出版，2016，p.227-238.
・井伊久美子，他編：新版 保健師業務要覧，第3版 2019年版，日本看護協会出版会，2018.
・石川かおり，他：精神科長期入院患者の退院を支援する看護の検討，岐阜県立看護大学紀要，14（1）：131-138，2014.
・伊藤順一郎編・監：研究から見えてきた，医療機関を中心とした多職種アウトリーチチームによる支援のガイドライン，国立精神・神経医療研究センター，2015. https://www.ncnp.go.jp/nimh/fukki/documents/or170817.pdf（最終アクセス日：2021/11/2）
・井上新平，他編：精神科リハビリテーション・地域精神医療〈臨床精神医学講座第20巻〉，中山書店，1999.
・厚生労働省：オンライン診療の適切な実施に関する指針，2018. https://www.mhlw.go.jp/file/05-Shingikai-10801000-Iseikyoku-Soumuka/0000201789.pdf（最終アクセス日：2021/11/2）
・厚生労働省：就労定着支援に係る報酬・基準について≪論点等≫，障害福祉サービス等報酬改定検討チーム第9回資料1，2017. https://www.mhlw.go.jp/file/05-Shingikai-12201000-Shakaiengokyokushougaihokenfukushibu-Kikakuka/0000177372.pdf（最終アクセス日：2021/11/2）
・厚生労働省：障害福祉サービスについて．https://www.mhlw.go.jp/stf/seisakunitsuite/bunya/hukushi_kaigo/shougaishahukushi/service/naiyou.html（最終アクセス日：2021/11/2）
・厚生労働省：自立支援医療制度の概要．https://www.mhlw.go.jp/stf/seisakunitsuite/bunya/hukushi_kaigo/shougaishahukushi/jiritsu/gaiyo.html（最終アクセス日：2021/11/2）
・厚生労働省：精神障害者アウトリーチ推進事業の手引き，2011. https://www.mhlw.go.jp/bunya/shougaihoken/service/dl/chiikiikou_03.pdf（最終アクセス日：2021/11/2）
・厚生労働省：どこへ相談すればいいか分からない方へ，障害者の方への施策，相談・支援機関の紹介．https://www.mhlw.go.jp/content/000429416.pdf（最終アクセス日：2021/11/2）
・厚生労働省：令和3年度 障害者の職業紹介状況等，2022. https://www.mhlw.go.jp/content/11704000/000797428.pdf（最終アクセス日：2022/10/18）
・厚生労働省：平成30年度診療報酬改定Ⅱ-1-4）地域移行・地域生活支援の充実を含む質の高い精神医療の評価⑥，2018. https://www.mhlw.go.jp/file/06-Seisakujouhou-12400000-Hokenkyoku/0000197998.pdf（最終アクセス日：2021/11/2）
・里中高志：精神障害者枠で働く；雇用のカギ 就労のコツ 支援のツボ，中央法規出版，2014.
・澤田優美子：クラブハウスはばたきの取り組みと精神科医に願うこと，精神神経学雑誌，110(5)：396-402, 2008.
・支援の三角点設置研究会編：医療と福祉の連携が見えるBook；ニューロングステイを生まないために，南高愛隣会，2014.
・かがやき会ホームページ：http://kagayakikai.com/about.html（最終アクセス日：2021/11/2）
・末安民生編：精神科退院支援ビギナーズノート，全訂新版，中山書店，2015.
・生活クラブ風の村 スペースぴあ茂原ホームページ：https://www.spacepeer.net/（最終アクセス日：2021/11/2）
・スワンベーカリーホームページ：http://www.swanbakery.co.jp/corporate/（最終アクセス日：2021/11/2）
・精神保健医療福祉白書編集委員会編：精神保健医療福祉白書 2018/2019；多様性と包括性の構築，中央法規出版，2014.
・全国自立生活センター協議会ホームページ：http://www.j-il.jp/aboutjil（最終アクセス日：2021/11/2）
・高瀬健一，他：障害者の就業状況等に関する調査研究，高齢・障害・求職者雇用支援機構，2017.
・滝沢武久：精神障害者家族会の組織と活動．リハビリテーション研究，vol.58/59：79-82, 1989. http://www.dinf.ne.jp/doc/japanese/prdl/jsrd/rehab/r058/r058_079.html（最終アクセス日：2021/11/2）
・多機能型精神科診療所を核として街で暮らす患者を支える「錦糸町モデル」，Medical Network vol.14（3）：8-11，2017. https://medical.mt-pharma.co.jp/support/mnw/pdf/mnw_vol14/mnw_vol14_03.pdf（最終アクセス日：2021/11/2）
・外口玉子，他：精神障害者の職場定着における困難さと就労継続を支える要件に関する研究．みずほ福祉助成財団 平成25年度社会福祉助成報告書，かがやき会，2014.
・外口玉子：これまでの歩みの中で互いに培ってきた経験と知恵〈社会福祉法人かがやき会 就労センター「街」10周年の集い冊子；就労センター「街」それぞれにとっての10年〉，かがやき会，2011，p.27-32.
・ぴあ・さぽ千葉：ピアサポートの人材育成と雇用管理等の体制整備のあり方に関する調査とガイドラインの作成，厚生労働省平成22年度障害者総合福祉推進事業，2011.
・夏井潰，他：受診援助にて入院した精神障害をもつ人の退院後の地域生活支援のしくみづくり，保健医療科学，62（5）：532-540，2013.
・日本クラブハウス連合ホームページ：http://www.clubhouse.or.jp/（最終アクセス日：2021/11/2）
・日本精神保健福祉士養成校協会編：新・精神保健福祉士養成講座，第4巻，第2版，中央法規出版，2014.
・日本メンタルヘルスピアサポート専門員研修機構ホームページ：https://pssr.jimdo.com/（最終アクセス日：2021/11/2）
・日本薬剤師会：薬剤師の病棟業務の進め方（Ver.1.2），2016，p.2. http://www.jshp.or.jp/cont/16/0609-2.pdf（最終アクセス日：2021/11/2）
・野中猛：図説精神障害リハビリテーション，中央法規出版，2003.
・福智寿彦：家族が統合失調症と診断されたら読む本，幻冬舎，2013.
・松本浩平ほか：就労センター「街」活動報告〈社会福祉法人かがやき会30周年の集い冊子 選択し行動する中で今を生きる；誰もが暮らしやすい地域づくり〉，かがやき会，2018，p.77-99.
・池淵恵美：こころの回復を支える；精神障害リハビリテーション，医学書院，2019.

第 9 章

日本の精神看護の発展

この章では

- リエゾン精神看護が必要とされた背景を理解する。
- リエゾン精神看護専門看護師の具体的な活動内容を理解する。
- 法律と精神医療の関連について理解する。
- 司法精神医療の位置づけについて理解する。
- 医療観察法による医療の理念と方法について理解する。
- 多職種連携における看護師の役割について理解する。
- 司法精神医学の成果を既存の医療にどう生かすか理解する。
- 災害が人々に与えるストレスと，人々のストレスへの反応を理解する。
- 災害時の精神保健医療活動の目的と方法を理解する。
- 災害時の精神保健初期対応を理解する。
- 災害時の精神障害者への治療継続への支援を理解する。

I リエゾン精神看護

A リエゾン精神看護とは

1. コンサルテーション・リエゾン精神医学とリエゾン精神看護学の発展

1 コンサルテーション・リエゾン精神医学の発展

▶ アメリカでの発展　身体疾患をもつ患者の精神面の問題にかかわる**コンサルテーション・リエゾン精神医学**（consultation-liaison psychiatry）は，1902年にアメリカの総合病院に初めて精神科が併設されたことから臨床形態として認知され始めた。その後，「総合病院における精神科医の必要性」を示唆する代表的な論文が出されたこと，1934年にロックフェラー財団が資金を出し，数か所の大学病院に精神科が設置され，コンサルテーション・リエゾン精神医学の活動を実践したことにより急速な発展を遂げたといわれている[1]。

▶ 日本での発展　日本では，1970年代後半になりその概念が紹介された。その後，1988（昭和63）年に日本総合病院精神医学会が設立され，総合病院に勤務する精神科医の臨床実践の重要な一側面として認識されるようになった。しかし，総合病院内の精神科設置数には地域格差もあり，人員不足でもあるなど，発展には様々な課題があった。

2012（平成24）年度の診療報酬改定により多職種で構成された「精神科リエゾンチーム加算」が算定できるようになり，MPU病棟（medical psychiatric unit，精神障害者身体合併症病棟）といった部署を有する施設も登場するなど，様々な普及への形を見せている。

2 リエゾン精神看護学の発展

▶ アメリカでの発展　アメリカにおけるコンサルテーション・リエゾン精神医学の発展に続いて，1930年頃には，一般の看護教育に精神科看護の知識も必要であることが認められるようになった。

1948年，エスター・L・ブラウン（Brown, E.L.）によって「Nursing for the future*」（これからの看護）[2] がまとめられ，より高度な知識を備え実践に生かすことができるような看護の専門分化が求められるようになった。

* **Nursing for the future**：第2次世界大戦後，全米規模で看護のための総合計画が検討されたが，ブラウンはその研究の中心人物である。本書には看護業務と看護教育を調査し，社会のニーズに基づく適正な配分を意識した教育に関する提言が盛りこまれており，看護教育大学化の整備が進むきっかけとなった。

さらに1950年代からはCNS*（clinical nurse specialist）として，いくつかの専門分野が認定され始めた。そのなかには精神看護領域も含まれ，コンサルテーション・リエゾン精神看護の専門教育も大学院のコースとして設けられるようになっていった。

▶ **日本での発展**　日本でのリエゾン精神看護（psychiatric liaison nursing）の教育としては，1984（昭和59）年に聖路加看護大学（現聖路加国際大学）の大学院精神看護学分野で講義が開始された。その後，1991（平成3）年に設立された日本精神保健看護学会をはじめとする国内学会のテーマ，シンポジウムのテーマとして取り上げられるようになり，精神看護学のサブスペシャリティ（細分化された専門分野）としてのリエゾン精神看護が認知され始め，1994（平成6）年に日本看護協会で専門看護師（certified nurse specialist；CNS）認定制度が開始された際に「がん看護」と「精神看護」の2領域が専門分野として特定された。1996（平成8）年の第1回認定試験では「がん看護」4人と「精神看護」2人が専門看護師として認定されている。

現在，専門看護師は全国に2901人おり，そのうち精神看護の分野は383人となった（2022［令和4］年10月現在）[3]。その内訳は明示されていないが，自身が深めてきた専門性と職場のニーズによって精神看護専門看護師もしくは**リエゾン精神看護専門看護師**として組織に従事することとなっている。

2022（令和4）年のがん罹患患者数は約101万9000人と予測され，がんで死亡する確率（生涯がん死亡リスク）は男性26.7％（4人に1人），女性17.9％（6人に1人）といわれる[4]。そのため，総合病院内でのリエゾン精神看護活動では，慢性疾患の代表としてがん患者・家族がケア対象になることが多い。1980年代に日本に精神腫瘍学（psycho-oncology）の概念が紹介され，がんの分野でも精神医療・看護の専門性が求められている。また近年，臓器移植医療，生殖医療，周産期における母子保健，災害医療など様々な領域の発展に伴い，その領域における精神科医療のニーズが発生し，主に総合病院において，専門性の高い医療チームのメンバーとしての役割を担う場合もある。リエゾン精神看護専門看護師は，ますます高度・複雑化する臨床に合わせ，今後も自ら能力の向上に努めていく必要がある。

2. リエゾン精神看護とは

「リエゾン」（liaison）とはフランス語で「つなぐ」「橋渡しする」「連携する」という意味をもつ。**リエゾン精神看護**は，身体的疾患が主たる問題とされる領域において，精神科

＊ **CNS**：アメリカのCNS制度は6領域（地域保健，老年看護，在宅看護，外科看護，小児看護，精神看護）にわたる。看護スペシャリストとしては，麻酔看護師（certified registered nurse anesthetist；CRNA）が最も早い1870年に誕生し，活動を始めた。アメリカ看護師協会（ANA）が上級実践看護師（advanced practice registered nurses；APRN）として前述のCRNAに加え，ナースプラクティショナー（certified nurse practitioner；CNP），助産師（certified nurse-midwife；CNM），専門看護師（CNS）として4種を決めたのは1993年になってからである。CNSを含めたAPRNは「専門的知識の基盤や複雑なケースにおける意思決定能力，拡大された実践領域での臨床能力を有した看護師」（International Council of Nurses，2008）と定義される。AACN（アメリカ看護大学協会）は，APRN教育をDNP（doctor of nursing practice）プログラムに変更していくことを推進している[5]。

看護の知識・技術を提供し（つなぎ），臨床に看護の“こころとからだ”の包括的な視点を生かす役割をもつ。

また，つなぐものは，患者－家族，患者－医療者，チームどうし，部署どうしなどの関係も含み，それらの調整・連携の促進によって治療的環境を整えることを目指している。

▶ **対象** ケアを提供する対象は，第1は患者とその家族であり，入院・外来を問わず依頼を受ける。また，職場内のコンサルテーションは，看護師を中心に医療スタッフすべてを対象として受ける。詳細は後述するが，看護師自身のメンタルヘルス維持支援もリエゾン精神看護の役割の一つであり，そのときの直接ケアの対象は看護師となる。

またチームとしての部署，多職種医療チーム，ケア支援・提供システムそのものも，連携・協働を阻害する状況（たとえば，グループダイナミクスの活用不足と，それに伴うミスコミュニケーションなど）が生じている場合はリエゾン精神看護の対象ととらえることができる。

▶ **目標** リエゾン精神看護では，次の3つの目標を基本とする。

①精神看護の知識や技術を，身体疾患を主とする患者および家族のケアに取り入れ，より包括的で質の高い看護実践につなげる。

②看護師が①のような実践を日々提供できるように支援し，また看護師自身のメンタルヘルスの維持・向上にも働きかける。

③精神看護学の視点での新たな看護の創造・開発に努める。

B リエゾン精神看護活動

ここでは，専門看護師の実践，相談，調整，教育，倫理調整，研究の6つの役割（日本看護協会専門看護師規程）に則（のっと）り，精神看護専門看護師として，その具体的な活動について示す。また，リエゾン精神看護においては看護師のメンタルヘルス支援も役割の一つとされているため，加えて示した。

1. 直接ケア（実践）

患者や家族に対して，リエゾン精神看護専門看護師が面談やリラクセーション技法を直接提供する。

1 直接面談の実施

▶ **アセスメントと見立て*** データに基づいた現象の確認および対応が必要なポイントの特定を行い，精神医学的視点からアセスメントしていく。具体的には，精神の機能と障害について基本的な現象（意識，知能，記憶，知覚，思考，感情，意欲，注意，自我意識など）をていねいに観察すると同時に，器質的な身体的変化によって精神症状が引き起こされていない

＊ **見立て**：専門家が患者に告げる病気についての意見の総体[6]。アセスメントに時間軸を加えた治療を受けている患者全体の見通しのこと。

か原疾患の経過の観察も行う。すなわちバイオ・サイコ・ソーシャル（bio-psycho-social）モデルで人間理解を深めていく。

バイオ・サイコ・ソーシャルモデルは，アメリカの精神科医ジョージ・L・エンゲル（Engel, G.L.）が1977年に，患者の身体症状のみならず，心理社会的問題も包括して対応するべきであると提唱したものであり[7]，コンサルテーション精神医学の基本となっている。

バイオ・サイコ・ソーシャルモデルに加えて発達理論，精神力動論（防衛機制），ストレスコーピング理論，危機理論，システム理論などを活用し，人を多面的に理解し科学的根拠に基づいたケアを組み立てていく。

▶ **支持的面談** リエゾン精神看護専門看護師が行う**支持的面談**とは，「精神領域における基本的なスキルとしてのカウンセリング技術を使い，精神的に不安定になっている身体疾患をもつ患者に行う」面談とされる[8]。

罹患期間が長期化した，本人の予想に反して回復が遅れている，治療についてこれ以上の手立てがない，などといったことから不適応を起こしていたり，医療スタッフに対しても攻撃的であったり操作性が高くなっているなどのストレスフルな対象に対して，基本に立ち，次のような自然なコミュニケーションの治療的因子をねらうものといえる[9]。

①孤独感の低減（自分に関心をもってくれる人がいることを実感できる）
②現実的な問題の明確化が自然に行える
③自己洞察が図れる（自分の本当の問題に気づくことができる）
④不合理な怒りが鎮静化する
⑤精神的に安定する，安心する

その実際は，医療スタッフから依頼を受け，ベッドサイドに訪問し，対象の了解が得られた時点から面談開始となる。対象が感じている圧倒的な苦悩，不安，恐怖，怒りなどを傾聴することが重要である。対象の本来の主体性や，能力や意欲への尊重・敬意なしでは「ありのまま」を受け止めることはできないため，集中して対話する。時には「もっとあなたのことを知りたい」気持ちをもって尋ねることもあるが，本人が語りたい姿勢を保てるようにかかわり続けることが求められる。

神田橋は，精神療法面談時の一般的な心得として「われわれ自身は日頃，主体に具わっている自然治癒力とそれを抱える自助の活動だけで心身の不調の大部分から回復している」ため「その活動を最大限に発揮させるよう心がけるのが定石であることがわかる」としている[10]。このことからも，リエゾン精神看護専門看護師が実施する面談は，精神科的専門性をもったアプローチとして，対象が自分自身を大切な存在だと感じ，また本人らしくあろうと自然治癒力と自助の力を発揮できるように，自然なコミュニケーションを備えて実践されてこそ成果が得られると考えられる。

2 認知行動療法など治療的技法を用いた直接介入

必要に応じ，科学的根拠に基づいた安全な治療的技法を，対象に合わせて計画し，実践していく。リエゾン精神看護専門看護師が取り扱うものは，対象の入院治療の主目的が身体疾患であり，その治療過程における抗うつ・抗不安・ストレス予防的効果をねらったものが多く，その際には精神科リエゾンチームの関与など，多職種での介入により質の担保を図る必要もある。

3 リラクセーション

リラックスした状態とは交感神経の興奮が抑えられており，副交感神経が優位に働き，身体内部調整がとられている状態のことをいう。その際は，情動的にも不安など不快な感情を落ち着かせて，穏やかな状態を維持できる。ストレスや緊張にさらされ続けることは，この均衡を崩してしまうため，それらを回避できるように，自己で意識的に副交感神経優位の状態をコントロールできる効果を感じてもらうことが重要になる。

リラクセーション効果には個別性があり，また，それぞれ緊張が適度に緩和された心地よい状態を知っているはずである。自分自身に合った方法を獲得してもらえるように，リエゾン精神専門看護師などの提供者は，いくつかの方法を習得して，患者の状態・好みに合わせて提案していくことが望ましい。まずは一緒に実践して心地よさを体感してもらうために，通常ベッドサイドで行うことが多い。

リラクセーション法には，自己暗示によって心身の弛緩（しかん）（リラクセーション）を得て，自律神経系・内分泌系や脳幹部の機能を調整する自律訓練法や，筋肉を弛緩させることで不安や緊張の緩和を促す漸進（ぜんしん）的筋弛緩法などがある。表9-1に基本的なリラクセーション法を示した。

表9-1 リラクセーション法（例）

方法	内容
呼吸法（腹式呼吸）	①楽なポジションで，締めつけているものがあれば緩める ②軽く閉眼して，口先から軽く残気を吐き出し，口は閉じて，鼻からゆっくり吸い，腹部にため込む ③肩や胸に力が入っていないかを確認しながら，いったん止めて口先をすぼめるようにして細く長い息を吐く。吐く息に合わせてからだの力を緩めていく ＊吸気時間の倍の長さをかける程度の目安で呼気時間を調整する ＊自分のリズムで行うほうがよい
筋弛緩法（漸進的筋弛緩法）	①椅子（いす）にもたれた状態が一般的（臥床でもよい），楽なポジションで締めつけているものがあれば緩める ②全身の筋肉を1つずつ，順を追って緩めていく ③ターゲットの筋肉に60～70％の力を入れて緊張させ，一気に力を抜いて弛緩させる。緊張と弛緩の体感を味わい，弛緩した状態をからだに思い出させるような気持ちで行う ＊筋弛緩の導入前は腹式呼吸を取り入れるとさらに効果的である ＊筋群は細かく分けられるが，簡易版（9つのグループに分類）が普及している（両上肢，頭部，顔面，頸部，肩，胸部／上背部，腹部，殿部，下肢）
イメージ法	軽く目を閉じて，腹式呼吸を行った後，自分自身が心地よくなる具体的なイメージを描いていく。視覚・聴覚・触覚などの感覚器に働きかける（人，色，音，触れた感じ，味，香りなど自身の好きな抱きやすいイメージでよい）

2. コンサルテーション（相談）

▶ **コンサルテーションとは**　コンサルテーションの概念を確立した精神科医の**ジェラルド・カプラン**（Caplan, G.）は，コンサルテーションを「クライアントのケアを改善するための2つの専門家間の相互関係のプロセスである」と定義し[11]，また看護理論家のパトリシア・R・アンダーウッド（Underwood, P.R.）はコンサルテーションを「援助過程であり，コンサルタントと相談者またはグループ間の双方向の相互作用をもち，内外の資源を用いて，問題を解決したり変化を起こすことができるように，その当事者やグループを手助けしていくプロセス」としている[12]。

また，エドガー・H・シャイン（Schein, E. H.）*はコンサルタントについて「問題解決や変化を起こすために資源を集めてくるだけでなく，再び同じような問題が生じたときに，コンサルティ（相談者）がそれに対応できるように働きかけるところまでが重要」としている[13]。

つまり**コンサルテーション**とは“何かうまくいっていない”コンサルティ（相談者）が，“専門的知識をもって何か支援できそうな”コンサルタントに，事態の改善や解決を目的に依頼するが，両者は任意で対等な循環する関係にあり，1つあるいは複数のことの改善や問題解決に向けて，共に歩む有効な活動プロセスである。

▶ **コンサルテーションのタイプ**　カプランによれば，コンサルテーションには4つのタイプがある。表9-2に，その焦点とコンサルテーションのゴールについてまとめた。実際には，このようにすべてを明確に区切ることは困難であり，患者・コンサルティに同時に焦点化していることも多い。そのため，次のプロセスのポイントをしっかりとおさえ，今どの問題に対して，プロセスのどの段階にいるのかを明確にしておくことが重要になる。

▶ **コンサルテーションのプロセス**　リエゾン精神看護専門看護師によるコンサルテーションのプロセスについては，野末らの調査研究の結果，表9-3のようにまとめられている。

シャインは「援助する関係の始まりでは両者は傾斜した不均衡の関係」にあり，コンサ

表9-2 コンサルテーションの4つのタイプ

タイプ	タイプの焦点	ゴール
患者中心	患者	• 患者理解，患者へのケアの改善 • コンサルティ・コンサルタントが協働して取り組む
コンサルティ中心	コンサルティ	• コンサルティがより質の高いケアが提供できるように，専門家としての能力・知識・技術を改善。意欲や自信を高める
プログラム中心の管理に関する	システム	• その組織が抱える特定の問題を解決する • 新しいプログラムの導入により変化が起きる • システムがうまく機能するように働きかける
コンサルティ中心の管理に関する	管理者	• 管理能力や技術向上により管理者自らの力で効果的再計画を立てて実施できることを支援

出典／Caplan,G.：The theory and practice of mental health consultation，Basic Books，1970をもとに作成.

* **エドガー・H・シャイン**：アメリカのマサチューセッツ工科大学（MIT）名誉教授。専門は社会心理学。組織文化，プロセスコンサルテーション，キャリア開発などに関する著書がある。

表9-3 コンサルテーションのプロセス

❶コンサルテーションの導入 ❷安心して話せる雰囲気づくり ❸問題に取り組む基盤づくり • 問題状況の見直し • 看護師の心理的サポート • コンサルテーションできることの見極め	❹問題の明確化 • 分析の仮説の提示→仮説の追加，修正，補強 • 看護師の自己理解の推進 ❺目標設定 ❻具体的対策の提案と検討 ❼コンサルテーションの総合評価 ❽フォローアップ

出典／野末聖香編：リエゾン精神看護；患者ケアとナース支援のために，医歯薬出版，2004，p.223.

ルタントが「ワン・アップ（一段高い位置）」にいるという[14]。そのため，導入の場面から“安心して話しやすい場”を確保することは，両者の関係づくりにおいて非常に重要なポイントといえる。

コンサルテーションのプロセスの第3段階「問題に取り組む基盤づくり」では，さらに“問題状況の見直し”“看護師の心理サポート”“コンサルテーションでできることの見極め”の3つの局面が示されている。実際の現場での困難事例は，現場スタッフの無力感，状況・対象に対する陰性感情があることも多く，このプロセスは非常に重要であり，次の段階の「問題の明確化」に影響してくる。

シャインは「問題を抱え，解決法を握っているのはクライアント（相談者）である」[15]ともいう。リエゾン精神看護専門看護師が依頼を受けた際，まずはコンサルティ（相談者）の語りを聴き，わからないことは質問しながら状況をより正確に見極めなければならない。そこに相互作用が働くことになる。互いに警戒がなく話し合える上下のない支え合いのもとで，コンサルテーションのプロセス全体を経過できたかどうかが，コンサルテーションの成否を決める。

3. コーディネート（調整）

調整役割は，リエゾンの「つなぐ」という意味に根づく，リエゾン精神看護専門看護師になじみ深い役割といえる。日常的な組織横断的活動のなかで職種・部署を越えて実践される。

重要なのは，調整を必要とされている構造全体についてアセスメントし，達成すべき目標がどこにあるのかを見極め，自身の行動と結果に責任をもち，それらすべてを考慮しながら活動することである。

自分の専門性だけを主張するのではなく，かかわる多職種の専門性を理解・尊重し，互いに信頼できる関係が根づくことで，より円滑な調整機能が果たせる。かかわる状況，場のダイナミクスを理解し活動していくために，精神看護専門看護師には高いコミュニケーションスキルと，それに加えて，看護の専門性から多職種協働のなかでリーダーシップを発揮できる力，逆にほかの職種の専門性においてはメンバーシップを発揮できる力，ケース全体を素早く的確に見通してマネジメントする力が必要とされる。

調整活動の成果は，患者がどのような状況に置かれても，医療職の協働により，場が安全に効率的に管理され，適切で細やかな質の高いケアを継続して受けられたと感じてもらえることである。

4. 教育

▶ **現場スタッフへの個の支援**　日々の横断的な活動のなかで，患者の精神症状査定やコミュニケーションスキルについてなど，現場スタッフからの質疑に答える形での教育的支援を行ったり，直接ケアの提供者としてロールモデルになる場合もある。

また，コンサルテーション活動において行える**教育的支援**も重要である。コンサルテーションの際，リエゾン精神看護専門看護師は現場スタッフ（コンサルティ）の能力を査定し，コンサルティが適切な看護介入を行うには，どのような知識・技術が必要か，それはどのタイミングでなされたら良いかなどを検討し提供する。この時，コンサルティが自ら学習しようとする気持ちを刺激すること，また刺激されたコンサルティを支援する教育的環境づくりなどを行う。

▶ **部署や組織への支援**　リエゾン精神看護専門看護師は，院内での集合研修（不安・抑うつなど精神症状について，精神疾患をもつ患者ケアについて，ストレスマネジメント，コミュニケーションスキルなどのテーマ）で講師やファシリテーターとしての役割を担うことも多く，教育プログラムの組み立てから関与する場合も少なくない。また，精神科リエゾンチーム，緩和ケアチーム，せん妄ケアチームなど，多職種で構成されるチームに所属し，部署ラウンドをとおしてチーム内外で教育的支援をすることも求められる。

これらの活動は部署・組織における課題・ニーズの検討のもとに実施する必要があり，目標は集団としてのケアの質向上である。教育的な風土づくりといった環境そのものへの働きかけも重要な役割である。

▶ **社会への支援**　組織の外での教育的支援もある。対象は，患者，家族，看護職およびそのほかの医療職であることが多いが，時には一般の市民が対象となることもある。このような教育的支援を求められる場の多様性に応えるためには，日頃から自身の専門性を意識的に評価し，ブラッシュアップ（磨きをかけること）に努めることが必要である。

5. 倫理調整

日本における看護職の職業倫理を規定するものとしては「**看護職の倫理綱領**」（日本看護協会，2021）があり，日本精神科看護協会も倫理綱領（日本精神科看護協会，2004）を提示している。看護実践の基礎となる**倫理原則**としては，サラ・T・フライ（Fry, S.T.）の「善行と無害」「正義」「自律」「誠実」「忠誠」[16]が用いやすい。

リエゾン精神医療における倫理的課題の一つに，主たる身体疾患の治療・ケアが現在生じている精神症状の病的影響によって脅かされているかもしれないという葛藤（かっとう）があげられることがある。このような場合は状況，かかわる対象などに陰性感情を抱いてしまっていることもみられるため，感情的な視点だけで葛藤が取り上げられないように支援することが必要である。正確な精神症状査定がそのつどなされ，想像ではなく，対象が現実に発した言葉や行動を材料に現象をとらえ直し，多職種による医療チームによって対象の最善を検討できるように支援する。検討の場では，職種による役割の違い，個の価値観の違いなどにより対立の構造ができあがることもある。専門看護師はチーム内力動を把握し，お互いを尊重しあったなかで検討できるように調整していく力も必要になる。

リエゾン精神看護専門看護師がかかわることの多い倫理調整としては，身体拘束に関連した「安全確保（無害）」対「人としての尊重」，患者・家族の意思決定に関連した「自律」対「善行・正義・誠実」などがある。このような看護実践上の倫理的課題があがるときは，それにかかわる患者を中心とした家族員，医療スタッフおのおのにおいて，①価値観が公平に観察されているか，②目標設定の合意がとれているか，③最優先で患者が尊重されているか，④医療としての最善がつくされているか，その都度確認することが重要である。

医療スタッフは，臨床現場でこの倫理原則の対立に日常的にさらされている。組織横断的な役割を担うリエゾン精神看護専門看護師は，これらの現象を客観的・包括的に見て，カンファレンスなどの場を設定し，ミスコミュニケーションや役割認識のずれ，互いの期待感のずれなどを調整する活動を求められる。

6. 研究

専門看護師は研究者としての役割もある。看護研究のシーズ（種）は臨床のなかにあり，また専門看護師はその分野の卓越した実践能力を有すると認定されただけに，日々現場の活動のなかで，そのシーズに敏感になり，患者ケア向上のための研究にかかわっていくことが求められる。また，いち早く専門領域の最新の知見を実践に取り入れ，部署の看護ケア向上に貢献したり，その結果から新たに発見したものを研究にまとめたり，さらなる応用による成果研究などに取り組むことも求められる。

このような活動を期待される専門看護師が，研究に関して求められる能力としては，①既存の状況に満足せず独創的な発想と課題を発見する力，②専門分野以外でも枠組みにとらわれず構想力をもって真摯に取り組む姿勢，③論理的・倫理的な思考を，研究プロセスをとおして維持できる力，④研究をとおして必要な部門を威圧感なく巻き込める対人関係力などが考えられる。

特にリエゾン精神看護専門看護師は，一般病棟でのスタッフの研究で支援できる領域（精神科看護的アプローチや，身体疾患をもった患者・家族の心のケアなど）には積極的に関与していくことが，組織内外で求められている。

7. 看護師のメンタルヘルスケア

アメリカの心理学者ロバート・A・カラセック（Karasek, R.A.）の仕事要求度－コントロールモデル（図9-1）で裁量度（意思決定の権限，スキルの自律度から構成）と欲求度（仕事の量

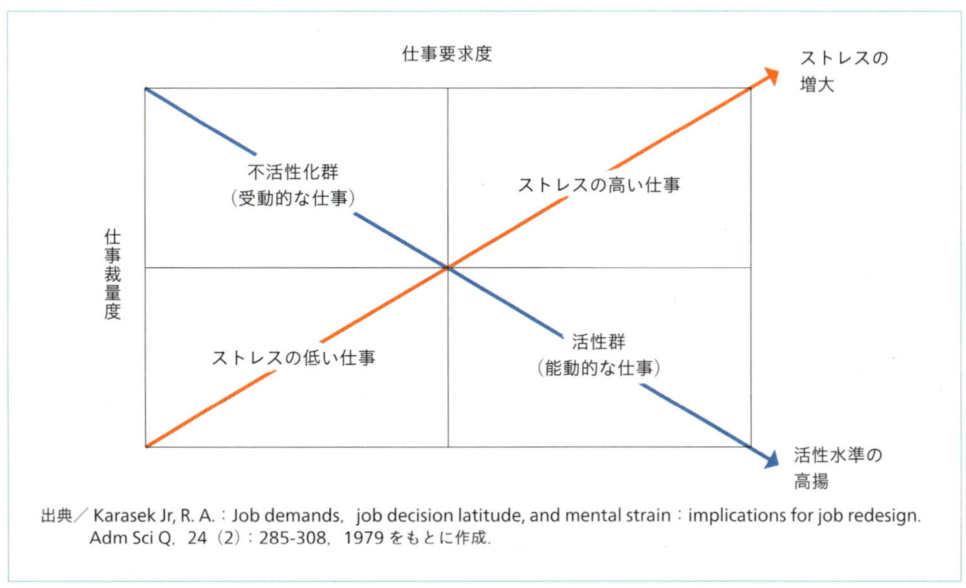

出典／Karasek Jr, R. A.：Job demands, job decision latitude, and mental strain：implications for job redesign. Adm Sci Q, 24（2）：285-308, 1979をもとに作成.

図9-1 カラセック「仕事要求度ーコントロールモデル」

的負荷，仕事上の突発的な出来事，職場の対人的な問題から構成）について示し，後に欲求度が高くコントロール感も高い群が職場での満足度も高いことを報告している[17]。

看護師はめまぐるしく発展・複雑化する現場において，医療安全の徹底から患者の権利擁護まで細やかな配慮が求められる。時に感情を揺さぶられ，経験知が増えても，常に新たな業務上の早急な判断と実践が求められる事態に緊張し，自律性が発揮できなかったことに悩み，罪責感を感じることもある。陥りやすい状態像としては，**リアリティショック***や**バーンアウト***があげられる。リエゾン精神看護専門看護師は，ケアに関する相談を受けることをとおして個人にかかわるだけでなく，医療スタッフ全体をみて現象をとらえ，包括的なアセスメントを行い，必要時には専門医療につなぎ継続的に支援することが可能である。最終の目標は，対象である医療スタッフ，部署，チームがやりがいをもって働き続けることにある。

職場でのメンタルヘルスにおいては，WHOの第一次予防から第三次予防の定義に準じて国内でも対策が検討されている。各段階と相当する具体的対策例を**表9-4**に示した。

2014（平成26）年の労働安全衛生法の改正により，2015（平成27）年12月から労働安全衛生法の一部を改正する法律（**ストレスチェック義務化法**）において，従業員数50人以上のすべての事業場に**メンタルヘルスチェック**が義務づけられた。おのおのの組織内で第一次予防か

* **リアリティショック**：reality shock。新卒の専門職（医師，看護師，教師など）が数年間の専門教育，訓練を受け，実習も含め卒業後の実践活動への準備をしてきたにもかかわらず，実際に仕事を始めるようになって，予期しなかった苦痛や不快さを伴う，しばしば耐え難い現実に出くわし，身体的，心理的，社会的な様々なショック状態を表すこと[18]。

* **バーンアウト**：burn out syndrome，燃えつき症候群。自分が最善を尽くして努力した仕事，生き方，対人関係などに対して，期待された報酬が得られなかったことによりもたらされる疲弊あるいは欲求不満の状態。代表的な3症状として，①情緒的消耗感，②脱人格化，③個人的達成感の低下があげられる[19]。

表9-4 職場におけるメンタルヘルス対策

段階	WHOの定義	具体的対策例
第一次予防	• (狭義の) 発症予防 • 労働者の健康障害の発生そのものを予防	• 全スタッフ対象のメンタルヘルス，ストレスマネジメント，アンガーコントロール，コミュニケーションスキルなどの研修 • 管理職のメンタルヘルス研修など • 組織におけるメンタルヘルスシステムについての情報提供（活用できる産業保健スタッフ情報，面談の依頼方法を使いやすく提示）など
第二次予防	• 早期発見・早期対処 • "それ以上症状を悪化させない"	• スクリーニング（職業性ストレス簡易調査票などによるチェック） • 所属部署（管理者など）での定期的な面談 • 部署からの適切な産業保健スタッフへの面談の依頼 • サポートグループ実施などの支援
第三次予防	• 健康障害を起こした労働者に対する再発予防・復職支援 • 疾病管理	• 復職支援プログラムの整備 • 対象者が復職する部署へのマネジメント支援 • 疾病を管理しながら働き続けられるように継続支援

ら第三次予防に分類される具体的対策を講じ，組織内メンタルヘルス領域におけるマネジメントシステムの確立がよりいっそう求められている。

1 個人面談

対象者からの直接の依頼も，職場の人間関係や職場適応に関することばかりでなく，プライベートな問題，キャリアビジョン（仕事や生活に関する将来像）についてなど多岐（たき）にわたる。これらは，リエゾン精神看護専門看護師が組織のライン外の位置づけとして機能していることが多く，職掌（しょくしょう）上の評価者ではなく利害関係のない第三者の視点から支援できる立場にあるためといえる。リエゾン精神看護専門看護師は安心して話せる場を提供し，内省を助け，看護師自身で意思決定できるようなかかわりを，一貫して提供できるように心がける必要がある。

病院の管理者からは，労務管理の視点で，部署スタッフの身体的・精神的・社会的反応が了解しがたく，現状での問題の同定が困難な場合などに面談の依頼がある。こういう場合は，専門医療につなぐ必要があるかどうかの症状査定にもつながるため，依頼者の目的を確認し，対象者の了解を得たうえで客観的な事実も調査しておくなど，細やかな配慮をもって対応することが必要である。

2 部署のクライシス時の対応

部署における**クライシス**（**危機**）になり得る出来事として，医療事故，患者の自殺，患者・家族からの暴言や暴力，職場内のハラスメントなどがあげられる。

個の対処能力では対応困難な，このような衝撃的なエピソードは，心的外傷体験として，急性ストレス反応状態への対応が早急に望まれる。対人援助専門職である看護師は，「こんな私ではいけない」「弱音は吐けない」といった職業意識が根づいていることが多く，「今日も患者がそこにいる」現実に直面している。そのため，情緒面・思考面・身体面・行動面に急性ストレス反応として起こる不調に対しても，否認したり，合理的に処理しようとしてしまいやすい。また，このようなエピソードにおいては直接的な当事者だけでなく，管理者を含めた医療チーム全体も二次的外傷体験者と考えられるが，この自覚も弱い傾向にある。

この際のリエゾン精神看護専門看護師の活動は，チーム全体が強烈な打撃を被っているため，まず精神科医や臨床心理士・公認心理師などの多職種で協働し，早急に今後のケア介入の構造を決定していくことである。当事者には強制力が働かないよう安心して感情を表出する機会を保証し，同時に自然に自身に起こるストレス反応や，その後の一般的な症状経過について，効果的な対処方法などの心理教育を行う。PTSD（posttraumatic stress disorder，心的外傷後ストレス障害）への移行を予防するために精神症状評価を繰（く）り返し，専門医療へつなぐ必要性の査定も含め，時期を逸しない継続的な支援を提供することが求められる。

C リエゾン精神看護のケアの実際

患者プロフィール

Aさん，50歳代，男性。入院1年前に複視・左上下肢の脱力感という初発症状を自覚した。その後，2か月にわたる精密検査の間も左片麻痺の増悪・緩和を繰り返しながら過ごしていた。精密検査の結果，脳幹部神経膠腫（こうしゅ）の確定診断がつき，抗がん剤の服用が開始された。左上下肢麻痺（まひ）は徐々に進行し，入院の数か月前は，杖歩行でセルフケアはほぼ自立していたものの，右上下肢の動かしにくさが出現し，入院数日前には立位・座位保持が困難となり，1日の大半は臥床したまま過ごしていた。

放射線療法を目的とした入院の直前，呼吸困難感を主訴に救急外来を受診，そのまま緊急入院となった。

家族は妻との2人暮らし，実母は近くに在住。自営業（そば屋）を継ぎ営んでいたが入院した年に廃業，現在は妻が生計者でありパートに出ている。日中は実母が毎日付き添う。

既往に狭心症，パニック発作（入院9年前）があり，パロキセチン塩酸塩水和物の服用を6～7年前より開始し，その後，発作はなかった様子であった。今回の緊急入院に至った経緯も器質的な原因は否定的とされた。

1. リエゾン精神看護専門看護師への依頼

患者は入院時より表情が硬く発言は少なく，発言があっても悲観的な表現となることが徐々に目立ち始め，夜間も眠れていないようであり，家族もその変化を感じ心配している様子だと，担当看護師から相談があった。入院し1週間を過ぎた時点であった。

現在の精神症状査定のため直接ケアとして面談が必要と考え，担当看護師を通じて主治医へ確認し，了解が得られた時点で本人・家族への了承をとることとした。

2. リエゾン精神看護専門看護師の看護実践

1 初回面談

「また今日1日どうなるんだろうってことばかり考える。物を見ることがつらい（複視）。悪くなることばかり。治療は始まっても，まったく良くなった感じはしない」。

意識は清明，感情の表出も会話の内容に合わせて違和感はなかった。しかし，「家族に言われて会うことにしました」と表情は硬く，やや警戒している様子と身体的な苦痛が先行しているようだった。

入眠困難感・中途覚醒・熟眠感のなさがあり，自力で行える行動の限界がベッド上での体動という受け入れがたい麻痺進行の衝撃，複視のための開眼による気分不快は，ぽつりぽつりとした発言からも受け止めることができ，了解が可能であった。

希死念慮についての確認には，ジェスチャーで「少し」と表現したまま，涙で言葉にならなかった。背中をさすりながらそばに寄り添い，しばらく時間を過ごした。その後は，話そうとすると頻呼吸になることがあり，「無理に言葉にしようとせず，いったん深呼吸をゆっくりと……」と誘導すると，本人も気に入り，自分でも繰り返し行っていた。次回の来室を約束し，退室した。

2 アセスメント

もともとパニック発作の既往もあり不安気質である。この数か月の急激で著しい身体機能低下による喪失体験はストレス因子といえ，楽しめず，覚醒中の大半を身体的苦悩を伴う抑うつ気分のなかで過ごしており，睡眠障害も明らかだった。「こんな状態が続くのなら死んだほうがまし」という思いを語るが，行動化に及ぶ様子は現在のところなく，了解可能な状態と判断した。明らかなストレス因子に関連した，抑うつ気分を伴う不適応状態と考えた。

現在，脳障害に影響された気分の変調は認められない。また，呼吸の変動について器質因は特定されなかったため，不安の身体反応へのリラクセーション法として，呼吸法の継続や睡眠の充実を計画につなげることとした。担当看護師にもその旨を伝え，リエゾン精神看護専門看護師として支持的面談，抑うつ気分の継続的な観察をしていくこととした。

現状の不適応反応に関しては，支持的面談の継続と睡眠と覚醒のコントロールがつくように担当看護師と相談し，抑うつ気分の経過によっては必要時，専門医へつなぐことを決めた。

担当看護師と初回面談後に情報共有したところ，「今朝，スタッフから患者が依存的になっているように感じるといわれた。私はそうではないと思うのですが……」との話があった。“依存”ととらえられる「Aさん－看護師」関係を包括的にアセスメントすること，“依存的”ととらえている一部看護師と担当看護師がアセスメントを共有できていないことから，チーム全体へのアプローチも検討していくことが必要と見立てた。

3 ケアの実際と評価

▶ **睡眠障害**　入眠困難感には動悸の自覚も強く，超短期作用型睡眠薬では効果がみられていないことを確認したため，主治医に報告し，抗不安・傾眠作用を伴った薬物への変更が検討された。患者には，服薬時間・用量などから効果を確認しつつ，その調整には“自身が関与している”ことを強調し，セルフコントロール感をもってもらうことで適切な薬物調整が行えた。

▶ **導入期の対応**　関係構築のため，日々顔を合わせる時間をつくることとした。体調や話題に合わせて時間配分をし，支持的面談を継続した結果，初発時，疾患の告知と経過に沿って感情の語りを聴くことができた。

Aさんは，治療を受け始めてから，まったく改善の自覚がなく，経済的な問題からくる役割喪失感，妻への罪悪感も抱えていた。“こんなに家族に迷惑をかけているのに”変化がないことへの怒りは，医師，看護師のささいな言動を取り上げ「こんなことだから信じられない」といった不信感の表現としてぶつけた。放射線治療も，新たに右上下肢の脱力感が強まったことと関連づけ，「そのせいで増悪した」ととらえる否認もあった。

そこには，現在の治療の経過，医療者が考える見通し，患者の理解の点で，主治医，看護師，Aさん，家族の認識に明らかなギャップがあると考えられた。Aさんに確認すると“主治医のインフォームドコンセントを受けた”自覚がないという返答であった。担当看護師と連絡をとり，早急に患者・家族と“インフォームドコンセントで確認したいこと”を明確にしておく必要性を伝え，「医療が想定した治療効果とその結果」「今後の見通し」などの項目を決め，合意のもとでインフォームドコンセントの場を設けてもらった。

▶ **視覚の障害**　視覚が障害されていることから，より音に過敏になり緊張感にさらされ，療養環境にある雑音（医療者の足音，カートの音，酸素吸入や吸引の音など）も呼吸困難感の出現に影響していることが考えられた。

リラクセーションとしての腹式呼吸の継続，心地よい音のなかで漸進的筋弛緩法，マッサージを実施し，快を感じてもらえる時間を提供し，セルフケアに生かしてもらうことができた。加えて安楽な体位を自由につくれないセルフコントロール感の補強のために“心地よい体位”を一緒に模索し，そのときに決まった体位は看護計画に入れてもらい，短期間に評価・修正ができるサイクルにつなぐようにした。

▶ **チームアプローチ**　担当看護師以外の現場スタッフからの情報を集めると「Aさんが1人で行うと危険なことはナースコールするように言っているのに，1人でがんばってしまうみたい。逆に，ベッド上で寝ていてもできると思われることはナースコールを押して“やって”と言う」「Aさんが1人で動くと転倒も怖い」とのことだった。

もともと1年前からの症状で，視覚低下，歩行も不安定だったため，よく転倒していたという情報があった。実際に，入院後すぐに一度転倒しており，大柄なAさんの転倒リスクに特別に配慮していたことが，Aさんの自律心が尊重されていないという不快感につながっていた。加えて，チーム内で同じ動作に同じ介助がなされないことにも混乱していた。

担当看護師と連携をとり，カンファレンスの企画をもちかけた。内容は，①現在の患者の麻痺（まひ）レベルと可動域の正確な査定と情報共有，②今後の治療・リハビリテーションの効果を考慮し，短いタームでの四肢麻痺レベル査定を繰り返す必要性の共有，③②の査定を生かした短期・長期の目標を共有し，介助は統一して実施することであった。本人のコンディションの変動が介助に影響する場合は，医療者の他覚的観察とAさんの自覚症状をAさんと共有し，相談していくことが自尊心への配慮にもつながると考えた。

加えてリエゾン精神看護専門看護師からは，抑うつ気分の評価，セルフコントロール感の影響など，現状の理解を支援する情報提供を行った。

4　その後の経過

複視が1日のうちの数分間でも改善する経験が続くなど，身体的な不快症状が幾分か緩和し，セルフケアレベルも改善方向に進んだ。

睡眠については波もあり，自宅退院の話題が出た頃に再度，不安症状，不眠が出現した時期もあった。確認すると，退院後の1人で過ごす時間の使い方や安全面への不安など，現実的なものであったことが了解できた。そのため，担当看護師や理学療法士と連携し，目標志向の強い患者の強みを生かし，①生活圏で活用できるリハビリテーション目標を細かく決め，②自宅の構造を確認し，不安を感じる場所の特定と安全配慮の対策を徹底するなど，具体的に進めた。それらにより患者は安心して退院することができた。

5　リエゾン精神看護専門看護師による支援の評価

脳幹部神経膠腫（こうしゅ）は難治性の予後不良な疾患であり，医師を含め現場スタッフはAさんの経過予測が可能であった。カンファレンスでも担当看護師は「経験上，入院当初から今後の厳しい現実は想像できた」と語っていた。どんな治療もケアも生命を救うことができないとわかっている患者に対する，どうしても拭（ぬぐ）えない無力感が，看護師の“ちょっとした訪室”の足を遠のかせていたのかもしれない。

そういった“足が遠のく患者”へのアプローチとして，担当看護師が「プレッシャーに感じた」気持ちを振り返り，担当看護師自身が巻き込まれず，患者が“患者－看護師間”の適切な距離を感じることができるようにかかわり続けることを，リエゾン精神看護専門看護師は支援した。その結果，担当看護師は大事な「予後」についての意思決定にも引き続き向き合うことができた。

II 司法精神医療と看護

A 司法精神医療と司法精神看護

1. 司法精神看護の対象

司法精神医療（forensic psychiatry）および**司法精神看護**（forensic psychiatric nursing）は，法的な問題と精神的な問題を併せもつ人々を対象とした医療および看護の総称である。司法精神看護の対象となる人々は，大別すると2つに分かれる。一方は，法に触れる他害行為を行ったが，その行為は精神障害によるものとみなされて法的な責任を問われず，犯罪者として裁かれるのではなく**触法**（しょくほう）**精神障害者**として処遇されている人々である。

もう一方は，法に触れる他害行為の被害に遭（あ）い，精神的な打撃を被って何らかの援助を必要としている人々であり，被害の当事者とその家族など身近な人々が含まれる。

2. 司法精神看護の蓄積

▶ **触法精神障害者の看護**　欧米諸国を中心に，医療刑務所や矯正機能を備えた精神科病院で行われる看護やリハビリテーションとして，長年にわたり実践経験が蓄積されてきた。日本でも，これらの領域における臨床活動はほそぼそと行われてきたが，法律や制度に支えられた組織的な取り組みは，欧米諸国をモデルにした**医療観察法**（心神喪失等の状態で重大な他害行為を行った者の医療及び観察等に関する法律）の施行により，ようやく緒（ちょ）に就（つ）いたところである。

▶ **被害者支援に向けた看護**　欧米諸国では司法看護（forensic nursing）とよばれ，法律的な規定に基づいた看護師の実践が積み重ねられてきている。なかでも，性暴力被害者を対象とし，身体被害の精査と証拠収集に始まり，精神的な保護と心的外傷からの回復支援に至る性虐待被害者の看護（sexual assault nursing）は経験が蓄積されてきている[20]。

さらには，児童虐待やドメスティック・バイオレンス（DV）による被害者の支援がアメリカを先頭に法的な裏づけを得て発展を遂げてきた。日本でも，被害者支援のための活動は続けられてきているが，法律や制度による裏づけは不十分であり，また看護職による活動の範囲は限定されている。

3. 司法精神看護の役割

このように，司法精神看護は，法に触れる他害行為の加害者と被害者という対照的な位置に立つ人々を援助対象として，それぞれ別の発展を遂げてきた実践分野によって構成されている。それだけに，司法精神看護の実践においては，被害者と加害者の不幸な出会いの場面を取り上げ，そこで何が生じたのかを包括的に明らかにしながら，被害者の精神的，社会的な支援はもとより，他害行為*を行った者の精神的な回復と社会関係の修復に向けた支援にも取り組む必要がある[21]。それには，他害行為者の精神機能や生活機能，さらには人格水準の綿密な評価を踏まえたニーズのアセスメント，さらには加害行為を生じさせた状況についての法的，社会的な視点を軸とした分析が必要となる。

B 触法精神障害者の処遇としての司法精神医療

1. 司法精神医療の法的基盤；医療観察法の基本的性格

1 医療観察法の制定

❶触法精神障害者とは

触法精神障害者（しょくほう）とは，精神障害が原因となって法に反する行為を行った人の総称である。法的には，精神障害によって「是非善悪（ぜひぜんあく）」についての判断力を失った状態や，判断力は残っていても自制心を失って行動を制御できないことを意味する「抗拒不能（こうきょ）」の状態を**心神喪失**（そうしつ），判断力や自制心が低下した状態を**心神耗弱**（こうじゃく）という。心神喪失と心神耗弱は，それぞれ意思能力の喪失ないし減弱した状態とみなされて，起訴猶予（ゆうよ）や減刑の対象となる。

ただし，医療観察法が適用されて司法精神医療および司法精神看護の対象となるのは，精神障害に起因する重大な他害行為*の加害者に限定されており，その処遇にあたっては精神障害の専門治療を受ける権利の保障と併せて，同様の他害行為を防止し社会の安全を保つことが要請されている。つまり，触法精神障害者の処遇には，精神疾患からの治癒や回復に向けた医療的処遇と，更生に向けた司法的処遇の両面から，社会的な自立を支援するために多くの専門職が協働して取り組む必要がある。なお，医療観察法の対象となる触法精神障害者は**対象者**，重大な他害行為は**対象行為**とよばれている。

❷司法精神看護を支える法律

司法精神医療と司法精神看護の実践を支える理論や方法論の確立に向けた試みは，欧米諸国において半世紀以上にわたる蓄積がある。しかし日本においては，様々な事情から本格的な取り組みの開始は2005（平成17）年の医療観察法施行まで待たねばならなかった。それまでの間，触法精神障害者は一般の精神障害者と同様に，**精神保健福祉法**（**精神保健及び精神障害者福祉に関する法律**）による医療の対象となっていた。

▶ **精神保健福祉法による医療**　医療観察法の施行以前は，他害行為の被疑者が精神障害を疑

---

* **他害行為**：他人に害をおよぼす行為のこと。
* **重大な他害行為**：重大な他害行為には，殺人，強盗，放火，強制性交等，強制わいせつ，傷害が含まれる。重大な他害行為に該当しない他害行為やそのほかの触法行為を行った精神障害者の場合は，原則として従来どおり精神保健福祉法（精神保健及び精神障害者福祉に関する法律）の対象として処遇されるが，刑務所で処遇される場合も多く，専門的な治療を受ける機会は保障されていない。

われた場合，警察官による都道府県知事への通報に基づいて2人の指定医が診察を行い，自傷他害の恐れがあると判断されると起訴処分は免除となり，措置入院による医療的な処遇に委ねられてきた。

このような経過をたどって治療を受けることになった触法精神障害者は，措置入院という強制処遇を処罰と受け止め，他害事件について触れられることに抵抗を示す傾向が強かった。そのため，医療スタッフは，治療的な人間関係が損われることを危惧するあまり，自らの役割を精神疾患の回復に向けた働きかけに限定しがちとなり，他害行為について医療スタッフと患者が話し合う機会は限られてしまった。

その結果，触法精神障害者は，他害行為を引き起こした要因への精神療法的アプローチは不十分なままに，薬物療法による精神症状のコントロールが可能とみなされ通院に移行した後は，服薬中断によって再他害行為のリスクが高まるという経過をたどりやすかった。また，医療機関によっては，再他害行為のリスクを危惧するあまり，触法精神障害者の措置解除や退院支援に消極的となり，入院期間が長引く場合があった。

さらには，社会的な注目を浴びた重大事件の加害者の場合，精神医学的には精神障害と診断されても，被害者や遺族の処罰感情への配慮から，司法判断としては心神喪失や心神耗弱が認められず，刑務所による処遇に委ねられて適切な精神科医療を欠くこともあった。刑務所環境への不適応が明確となった触法精神障害者に関しては，精神疾患の診断が下され医療刑務所に移される場合もあったが，処遇内容は刑期を終えるまでの症状コントロールにとどまり，社会復帰の促進に向けた支援は行われてこなかった。

▶ **医療観察法の制定**　このように，従来の法制度による触法精神障害者の処遇には多くの問題点が含まれていたが，精神医療関係者や法律関係者の間で意見が分かれ，合意の形成には長い時間を要した。立法に向けた検討が続くなかで，2001（平成13）年に発生した附属池田小学校事件が重要な契機（けいき）となり，触法精神障害者の処遇への社会的関心が高まった結果，2003（平成15）年に**医療観察法**が制定され，2005（平成17）年に施行となった。

医療観察法の第1条第1項では，この法律の目的が次のように規定されている。

「心神喪失等の状態で重大な他害行為を行った者に対し，その適切な処遇を決定するための手続等を定めることにより，継続的かつ適切な医療並びにその確保のために必要な観察及び指導を行うことによって，その病状の改善及びこれに伴う同様の行為の再発の防止を図り，もってその社会復帰を促進することを目的とする」。

この規定は，欧米諸国で長年にわたり論議が続けられてきた，「患者の人権保護」と「社会の安全保障」の両立という懸案課題に，一定の決着をつけるものであった。すなわち，この法律は「患者の人権保護」に重点をおいてこそ「社会の安全保障」も可能になるという観点から，触法精神障害者の医療と社会復帰支援の充実を法的，制度的に保障することを目的としている。その意味で，この法律は，精神医療に司法的な関与を組み合わせた精神保健福祉法の特別法として位置づけられている。

2　医療観察法による処遇システム

▶ **医療観察法による審判**　従来は，重大な他害行為を行った人に心神喪失などが疑われると，精神保健福祉法に基づく警察官通報（第23条），検察官通報（第24条），矯正（きょうせい）施設長通報（第26条）を受けて，精神保健指定医2名の診断に基づき措置入院による処遇が行われてきた。医療観察法の施行によって，重大な他害行為を行った精神障害者に対する処遇は，裁判官1名と精神保健審判員の資格をもつ精神科医師1名から構成される合議体による審判に基づいて行われることになった。なお，審判の結果，地方裁判所は，入院決定，通院決定，不処遇のいずれかの決定を下すことになる（図9-2）。医療観察法による処遇を受ける人は対象者とよばれる。

審判における決定権は，あくまで前述の2名によって構成される合議体にあるが，適切な判断を行うため，審判に向けた合議の場には多くの関係者が関与する。まずは，医療観察法による処遇を申し立てた検察官，弁護士である付添人，医療観察法鑑定を命じられた精神保健判定医またはこれと同等以上の学識経験を有する医師である。さらには，精神保健福祉の立場から，社会復帰支援に関する専門的な知見に基づいて情報と意見を提供する精神保健参与員と，保護観察所に所属し対象者の生活環境について調査を行う社会復帰調

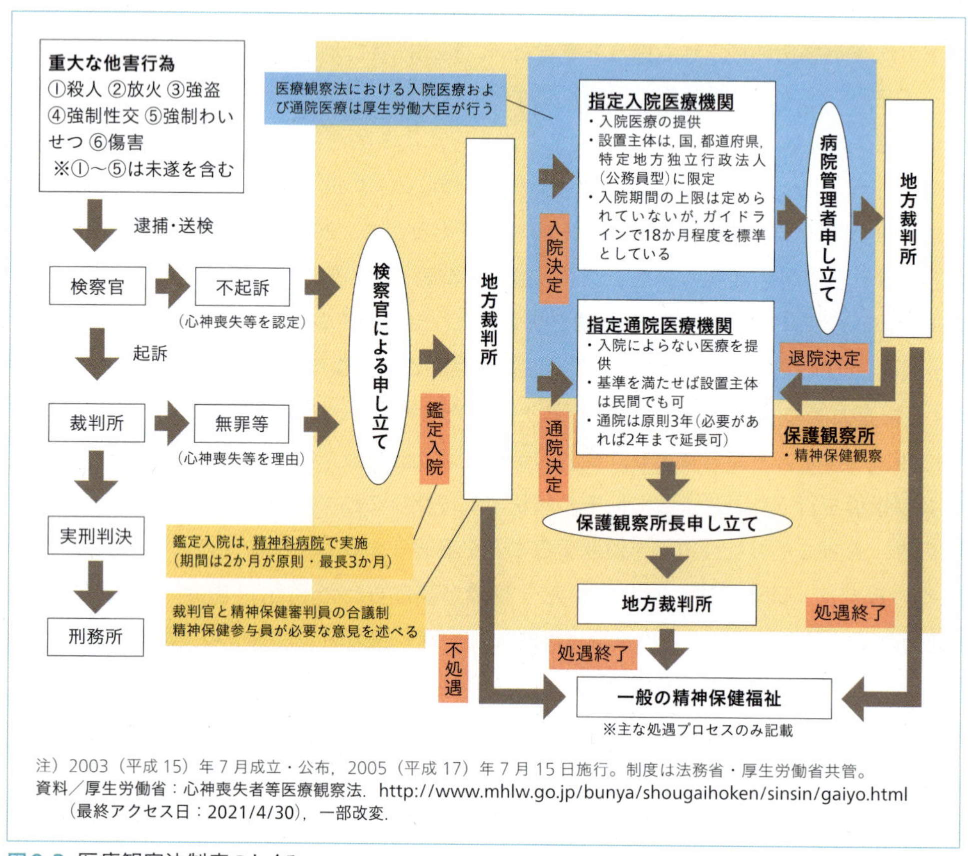

注）2003（平成15）年7月成立・公布，2005（平成17）年7月15日施行。制度は法務省・厚生労働省共管。
資料／厚生労働省：心神喪失者等医療観察法．http://www.mhlw.go.jp/bunya/shougaihoken/sinsin/gaiyo.html（最終アクセス日：2021/4/30），一部改変．

図9-2 医療観察法制度のしくみ

整官の2名が合議に参加する。

▶ **医療観察法による制度の転換**　医療観察法の施行によって，これまでは司法関係者に委ねられてきた触法精神障害者の法的処遇の決定に医療関係者が加わり，その一方で医療的処遇の決定に司法関係者が加わるという大幅な転換がもたらされた。この転換に対しては，根強い批判もある。すなわち，精神医療従事者の役割は精神障害者に医療を提供することであって，他害行為の防止には関与すべきではないし，医療的処遇の決定に司法関係者が関与すべきではないというものである。

しかし，精神病性障害に起因する他害行為は，被害者とその関係者にとって不幸なばかりではなく，加害者である精神障害者自身やその関係者にも多大な不利益をもたらす。したがって他害行為の防止を視野に入れた精神医療体制の確立は，治療を通じて患者の利益を図るという医療の目的にかなっていると考えることができる。

医療観察法の施行により，重大な他害行為を行った対象者に限っては，治療と再他害行為防止をどちらも視野に収めた処遇が可能となったが，重大とは見なされない他害行為を行った精神障害者は，従来どおり精神保健福祉法に基づく治療を受けている。一方，医療観察法の付則には，「この法律による医療の対象とならない精神障害者に関しても，この法律による専門的な医療の水準を勘案し，…（略）…精神医療全般の水準の向上を図るものとする」と規定されている。したがって，あらゆる精神科医療機関のスタッフには，医療観察法による医療の経験から学び，患者と共に他害行為について振り返る機会を設ける努力が求められる。

3　司法精神鑑定制度の整備

従来，**司法精神鑑定**は，刑事事件について責任能力を問う**刑事精神鑑定**と，成年後見制度の適用をめぐって判断能力を評価する**民事精神鑑定**に大別されていた。医療観察法の施行に伴って，専門的な司法精神医療を受ける必要性の有無を問う**医療観察法鑑定**が新たに加わったことになるが，いずれの鑑定においても，対象者の現在の精神状態と判断能力についての評価が求められる。

❶刑事精神鑑定

刑事精神鑑定では，現在の精神状態に加えて，犯行時における精神状態と判断能力についての評価に基づき，刑事責任能力の有無について判断することが求められる。すなわち，刑事責任能力の判断は，犯行時の精神状態についての精神医学的な診断を基盤に，是非善悪に関する「**弁識能力**」と違法行為の「**制御能力**」に関する心理学的な評価を加味して行われる。弁識能力と制御能力が失われている場合を**心神喪失**，それらの能力が低下している場合を**心神耗弱**といい，前者を責任能力の欠如，後者を責任能力の低下とみなす。鑑定医による責任能力の判断を参考にして，最終的な判断は裁判官が下す。

❷医療観察法鑑定

医療観察法鑑定においては，精神鑑定の基盤である精神障害（**疾病性**）についての精神医学的評価を基盤としながら，医療観察法による医療の必要性や有効性（**治療反応性**）についての判断，さらには社会復帰を阻害する環境条件（**社会復帰要因**）の有無についての判断を目的として行われ，最終的な判断は裁判官と精神保健審判員の合議によって下される。

▶ **疾病性**　精神障害の有無についての精神医学的評価はICD-10*（国際疾病分類，第10版）ないしDSM-5（精神疾患の診断・統計マニュアル，第5版）の疾病分類に基づいて行われるが，障害の重篤度や難治性を含意する疾病性についての評価はICF（国際生活機能分類）に基づいて行われる。

疾病性の評価においては，責任能力の喪失ないし低下の主因となって重大な他害行為をもたらした精神病性障害の評価だけでなく，人格障害，発達障害，知的障害，物質関連障害などの重複についての評価も重視される。

▶ **治療反応性**　**治療反応性**とは，医療観察法に基づく司法精神医学的な治療およびケアの必要性や有効性を意味する。治療反応性が欠如していると判断されるのは，重大な他害行為を引き起こした主な要因が精神病性障害ではなく，人格障害，発達障害，知的障害，物質関連障害であるとみなされた対象者であり，医療観察法による医療の適用から除外される。

▶ **社会復帰要因**　医療観察法による鑑定では，社会復帰の**促進要因**と**阻害要因**について評価を行うが，とりわけ重視されるのは社会復帰にとって著しい阻害要因となるような他害リスクの有無である。欧米諸国の経験からすると，人格障害に起因した他害行為や，犯罪による矯正（きょうせい）や保護観察の既往歴は他害リスクを増大させるが，先入観に囚われることなく，あくまで阻害要因と促進要因の総合的な評価に基づいた判断が求められる。

4　リスクアセスメント・リスクマネジメントの視点

他害行為の防止に向けた処遇に対する批判が根強い背景には，精神障害者であるか否かにかかわらず，他害行為の発生を的確に予測することには多大な困難を伴うという事情がある。確かに，根拠の曖昧（あいまい）な予測に基づいて他害行為の防止を企図すれば，不必要な強制入院や行動制限が増加する恐れがある。ただし，長年にわたる研究の蓄積により，どのような条件や状況のもとで，どのような危険が，どれくらいの頻度で起こるかに関するリスクアセスメントの指標が明確にされつつある。さらには，的確なリスクアセスメントに基づいて，危機的事態の回避を図るリスクマネジメントの方法も実施され，効果をあげつつある。こうした経験の蓄積に学びながら，対象者の個別性に即した処遇計画を対象者とも相談しながら立案していく必要がある。

欧米諸国における司法精神医療の現場では，リスクアセスメントのためのスケールとして，HCR-20（historical-clinical-risk management-20），PCL-30（psychopathy check list-30）などが活用されてきた。日本では，医療観察法の成立を機にHCR-20を基にしたアセスメント基準である**共通評価項目**が用いられるようになった。

* 2019年5月にICD-11がWHO総会にて採択されたことを受けて，日本での適用に向けた準備作業が進められている。

2. 医療観察法による医療の枠組み

1 医療観察法による医療の理念

医療観察法の施行に向けて，精神科医療に関与する専門職，司法関係者，精神保健福祉行政担当者の協働により，司法精神医療に早くから取り組んできたイギリスのシステムを主要なモデルとしながら，日本の現状に見合う実践に向けたガイドラインづくりが急ピッチで行われた。その際，医療観察法による医療の推進を通じて，日本における精神科医療全体の向上に取り組むことが合意された。

医療観察法による医療の枠組みと治療プログラムづくりは，日本に司法精神医療を定着させるための土台となると考えられたため，医療観察法のガイドラインづくりには，すべての精神医療関連職種の代表者が結集した。その結果，欧米諸国が司法精神医療の確立に向けて試行錯誤を重ねた末の到達点を引き継ぎ，なおかつ日本でも法整備が不十分な中でも蓄積されてきた経験に学びながら，日本における精神科医療全体の問題点を克服するための契機となるよう努めることが合意された。

入院処遇ガイドライン（厚生労働省）には，医療観察法による医療の目標と理念が次のように示されている。

①ノーマライゼーションの観点も踏まえた対象者の社会復帰の早期実現

②標準化された臨床データの蓄積に基づく多職種のチームによる医療提供

③プライバシー等の人権に配慮しつつ透明性の高い医療を提供

これらの目標と理念は，医療観察法附則の第3条に掲げられた，医療観察法の実践から得られた成果の還元によって「精神医療全般の水準の向上を図るものとする」との規定に沿ったものといえる。

2 司法精神医療の施設環境

❶指定入院医療機関の治療環境

医療観察法に基づいて設置された医療機関には，**指定入院医療機関**と**指定通院医療機関**とがあり，両者を合わせて**指定医療機関**とよぶ。どちらも，適切な医療の提供と他害行為の再発防止を通じて，対象者の社会復帰を支援するという目的に変わりはないが，指定入院医療機関の整備が優先されたため，指定通院医療機関*の整備は立ち遅れている。ここでは主に，指定入院医療機関の治療環境について紹介する。

▶ **施設基準**　医療観察法の対象者は，その多くが疾病の重篤性や難治性，生活歴や生活環境における多問題の複合など解決困難な問題を抱えており，そのような事態が他害行為の

＊ **指定通院医療機関**：審判の結果，病状が比較的軽度であるとして指定通院となった対象者，および指定入院医療機関を退院した対象者に医療を提供する機関である。いずれの場合も，多職種の連携による治療計画によって処遇されるが，指定入院医療機関と比較するとマンパワーが不足しているため，治療プログラムが組みにくい。

引き金となっている場合が少なくない。したがって指定入院医療機関が備えるべき第一の環境条件は，対象者の個別性に見合った多様かつ高度な治療が提供できることである。さらには，強制力の強い入院医療であることや，他害行為のリスクが比較的高いことから高度のセキュリティを求められる一方で，アメニティ（快適性）の保たれた治療環境であることも重要な条件である。

これらの条件を満たすために，ゆったりした空間とプライバシーの保てる個室の提供，集団療法室，作業療法室，生活訓練室，ホール，体育館，食堂などを備えるべきであることが，施設基準に定められている。病床規模としては，33床の大規模病棟，16～17床の小規模病棟のほかに5床程度の小規格ユニットを既存の病棟内に設置することも認められている。

病棟内は，急性期，回復期，社会復帰期および女性の対象者が主に入室する共用ユニットに区画され，ユニット間はドアによって仕切られ，セキュリティの段階分けが可能になっているが，運用は各施設に任されている。

❷指定入院医療機関の人員配置

欧米諸国の司法精神医療機関は，問題解決の困難性やセキュリティ確保の重大性から，一般の精神科医療機関に比べるとはるかに手厚い人員配置によって，成果を上げてきた経緯がある。日本でもこれにならって，33床について医師4人，看護師43人，臨床心理技術者3人，精神保健福祉士2人，作業療法士2人の配置が定められている。ほかに専任の事務職が配置されている施設が多いが，薬剤師の専任配置は行われていないため多職種チームへの関与度は施設によってばらつきが大きい。

看護師の配置人数は，一般の精神科病棟に比べるとかなり多いが，それだけにセキュリティやアメニティ（快適性）の維持・管理に傾かず，治療プログラムの充実に向けた主体的関与を可能にするための初任者研修と継続学習が重視されている。

3　指定入院医療機関の治療構造

❶多職種連携によるチーム医療

▶ **多職種チーム（MDT）の特徴**　欧米諸国の司法精神医療は，生物学・心理学・社会学の視点を幅広く取り入れ，多角的な対象者理解に向けたアセスメント基準の共有や，各職種の専門性を生かした多職種連携によるチーム医療の展開によって成果を上げてきた。**多職種チーム**（multi disciplinary team；MDT）の特徴は，①3職種以上による構成，②チームメンバーであることを相互に認知，③定期的なミーティングによる合意形成，④職種の境界を越えた責任の共有，⑤職種に限定されないチームリーダー・課題別責任者の指名，⑥担当者への決定権委譲である[22]。

▶ **多職種チームの活動**　多職種連携の重要性については日本の精神科医療においても早くから指摘されてきたが，普及には至らず，重要な懸案（けんあん）課題とされてきたという経緯がある。そこで厚生労働省の「指定入院医療機関運営ガイドライン」には，多職種連携によるチーム医療を前提とした医療システムが組み込まれることになった。

具体的には，5職種6人によって構成されるMDTが各対象者を担当し，本人を交えたMDT会議によって方針を立て，治療・ケアを展開していく。病状や経過についての評価や治療方針については毎週開かれる治療評価会議によって検討されるが，MDTの判断が尊重される。

MDTの導入によって，各職種の専門性が生かされ，対象者の病状や生活行動上の問題点についての多角的な理解が促進された。その結果，綿密なニーズ把握に基づき，退院後の生活再建に向けて，計画的な治療・ケアに取り組むことが可能になったと考えられる。

▶ **多職種の合意による方針決定**　一方で，従来は診断，治療，退院時期などについての判断が医師に委ねられてきた経緯から，当初はどの職種も多職種の合意による方針決定という原則に戸惑いを感じていた。とりわけ，従来は医師の専決事項とされてきた診断や処方についても，看護師やコメディカルスタッフの指摘や提言が奨励されることに，多くのスタッフは戸惑いを感じたとされる。すなわち，医師は与えられてきた権限や役割の縮小によって，ほかの職種は医師への提言という不慣れな役割を要請されることによって，職種アイデンティティが揺るがされたと考えられる。

しかし，新たなシステムに馴染むにつれて，医師は権限とともに担ってきた過大で固定的な責任から解放され，ほかの職種は自分たちの提言が歓迎され自らの専門性を発揮しやすくなったことに手ごたえと自信を感じ始めている。

❷治療契約のシステム化

▶ **治療契約とは**　指定入院医療機関における医療は，精神保健福祉法による措置入院以上に強制力が大きいが，精神科医療は治療への自由意思にもとづく同意と動機づけなしには効果が期待できない。このジレンマを解決するために，指定入院医療機関では入院当日に入院時ミーティングを開き，対象者とMDTを構成する全スタッフとの間で**治療契約**を結ぶというシステムを導入している。

この方式は，インフォームドコンセントの主導権を医師に委ねず，MDTの全員と対象者との間で取り交わすことを意味している。ただし法律上，インフォームドコンセントの概念は治療への拒否権を伴うとされているため，指定入院医療機関においては治療契約という用語を用いている。

▶ **入院時ミーティング**　**入院時ミーティング**では，最初に，対象者が医療観察法に基づいて入院となったことや，今後どのような処遇が行われるかについて確認を行う。そのうえで，各スタッフがそれぞれに対象者の社会復帰に向けて提供できる支援の内容とともに，対象者自身に期待される姿勢や行動目標について説明する。さらには対象者の希望を聞いたうえで治療への主体的な参加を促し，入院時点で可能な範囲の合意を取りつける。

入院時ミーティングでは，6人の担当スタッフが対象者を取り囲む形となるので，心理的な圧迫感を軽減するために，ラウンドテーブル（円卓）を用意し，お茶を飲みながら行うなどの工夫が取り入れられている。また，医師主導の慣例を改める工夫の一環として，司会は原則として看護師が務めることが望ましい。

▶ **入院初期の対応** 治療契約が実質的な効果を上げるためには，医療スタッフと対象者との信頼に基づく援助関係の形成が重要である。そこで，2人の担当看護師は，対象者の入院から2日間は連続の日勤とし，緊密なかかわりをとおして入院生活のガイダンスを行うことを原則としている。また，MDTは1週間後の治療評価会議に向け，対象者とのかかわりをとおして全体像の把握に努める。

❸共通評価項目によるアセスメント基準の共有

共通評価項目は，欧米諸国でリスクアセスメントの基準として開発されたHCR-20などを参考に，対象者の全体像を統一的に評価するための基準として考案された。多職種協働の前提として，指定入院医療機関，指定通院医療機関で広く共有され，4分類19項目からなる（表9-5）[23]。

▶ **従来の評価法** 従来，医療専門職は，職種ごとに患者の異なる局面に注目し，異なる基準を用いて評価を行う傾向が強かった。すなわち，医師は患者の精神症状，臨床心理技術者は精神状態と人格水準，作業療法士は作業能力や生活機能，精神保健福祉士は患者の社会性と生活環境，そして看護師は身体・精神・社会的なニーズへと，関心の方向はばらばらだった。各職種が蓄積してきた知見を統合し，全体像の把握へと向かう動きは乏（とぼ）しく，医師による精神症状の評価を中心に処遇方針が立てられてきた。その結果，多職種による協働を目指してはいても，患者理解の共通基盤を築けないままに，治療・ケアの幅広い展開は阻害されてきた。

▶ **共通評価項目による評価** 共通評価項目が導入されたおかげで，対象者の精神症状の推移に偏らず，人格機能や発達課題，生活機能や社会性，そして対象者を取り巻く社会的環境へと，多職種による様々な視点に基づく包括的評価へと進む道が開けてきた。指定入院医療機関では，共通評価項目を用いたMDT会議による評価が，治療評価会議における再検討を経て，回復段階に応じた処遇変更や，退院の時期やその後の処遇計画の立案に活用されている。なお，共通評価項目は2019（平成31）年3月に改訂されている。

▶ **生活機能・人格機能の評価** 共通評価項目は，病状再発と再他害行為に関連の深いリスクの評価に重点が置かれている。そのため，生活機能や人格機能の評価は“生活能力，治療・ケアの継続，内省・洞察，共感性，衝動コントロール”などの項目に限定され，対象者の全体像を把握するには十分といえない。そこで，多くの指定入院医療機関では，共通評価項目に加えて国際生活機能分類（ICF），機能の全体的評価尺度（GAF）などの評価尺度

表9-5 共通評価項目

疾病治療	精神病症状，内省・洞察，アドヒアランス，共感性，治療効果
セルフコントロール	非精神病性症状，認知機能，日常生活能力，活動性・社会性，衝動コントロール，ストレス，自傷・自殺
治療影響要因	物質乱用，反社会性，性的逸脱行動，個人的支援
退院地環境	コミュニティ要因，現実的計画，治療・ケアの継続性

資料／厚生労働省：入院処遇ガイドライン，2019.

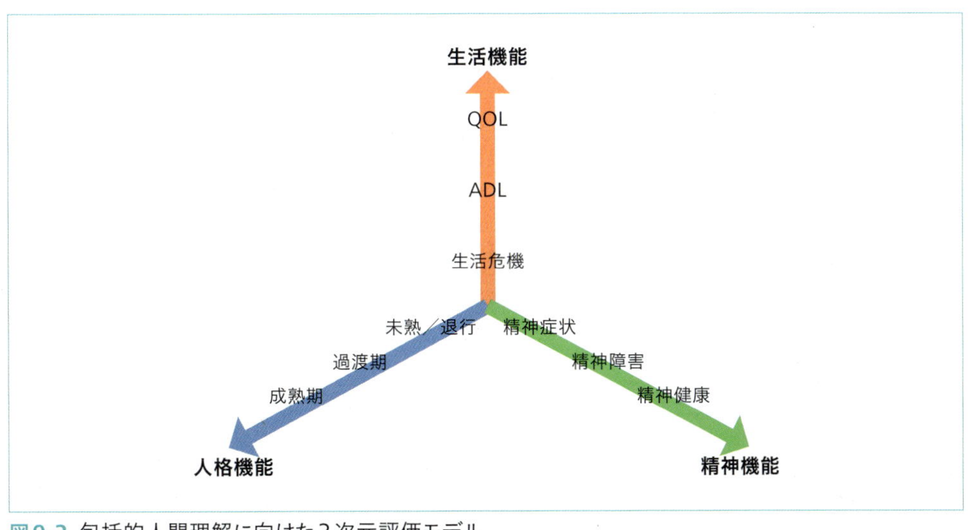

図9-3 包括的人間理解に向けた3次元評価モデル

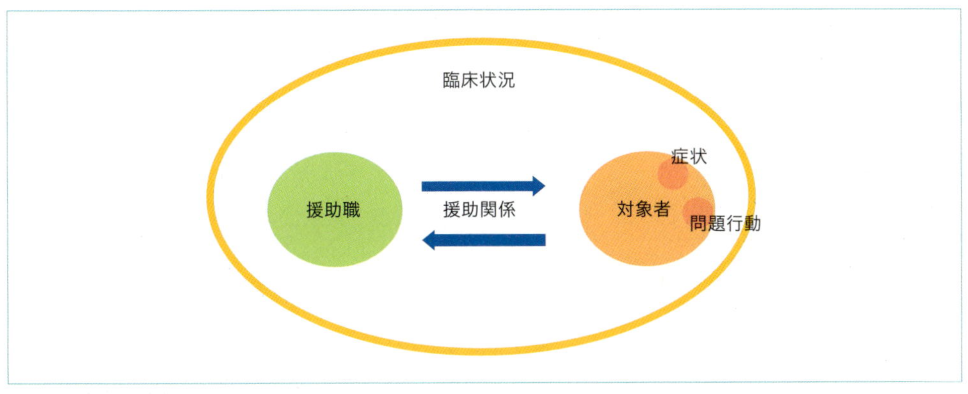

図9-4 事例分析の4局面

が併用されている。看護師の使用している評価尺度としては，全体的行動評価（behavioral status index；BSI），服薬姿勢の評価法（drug attitude inventory；DAI），司法版ニード評価尺度（camberwell assessment of need forensic version；CANFOR）などがある。

なお，精神機能，生活機能，人格機能の3軸からなる3次元空間を想定し，様々な評価尺度を組み合わせると，対象者の全体像に近づくことが可能になる（図9-3）。さらには，事例という言葉の範囲を対象者の特性だけに限定せず，援助職の特性，援助職と対象者の援助関係の特性，それを取り巻く臨床状況の特性という4局面に拡大したうえで事例分析を行うことによって（図9-4），事例の包括的な把握に基づいて，対象者の自立支援に取り組むことが可能になる[24]。

❹人権尊重に根ざすリスクマネジメント

司法精神医療におけるリスクマネジメントは，入院中の**自傷他害行為防止**と，退院後の**再他害行為防止**に大別できる。入院中の対象者による自傷他害などの事故を完全に防止することは不可能に近いが，事故によるほかの患者やスタッフ，そして対象者自身の被害を最小限に食い止めるための工夫は必要である。さらに院内で暴力行為や自傷行為に至った過程を対象者と共に検討し，退院後の再他害行為防止に生かすことも重要である。

(1) 対象者の人権尊重

指定入院医療機関における医療は，強制治療としての性格が色濃いだけに，対象者の人権保障とアメニティ（快適性）を損なわないリスクマネジメントが要請されていることも重要である。対象者は，入院が強制されていることによる圧迫感や屈辱感，入院が長期に及ぶことからくる閉塞感，さらには監視下におかれていることへの被害感など，様々な精神的苦痛を抱きがちである。医療者には，対象者のこうした心境を理解したうえでリスク防止に努めることが求められている。

(2) 治療環境

指定入院医療機関では，一般の精神科病棟よりもゆったりとした生活空間や，治療・ケアの必要性に見合った様々な機能の備わった環境が提供されている。生活空間が狭いと不快感が高まり攻撃的な言動につながりやすいことから，個室やゆとりのある生活空間の提供は，リスク防止にも役立っている。

治療的な環境としては，施設・設備などの物的環境だけでなく，対象者とスタッフの人間関係によって形づくられる人的環境も重要である。物的環境は整っていても，医療チームの関心が危険防止に傾くと，対象者はスタッフに絶えず監視されているような気がして束縛感や不信感を抱きがちである。そこで，不信感の解消と安全性の確保を両立させるための人的環境づくりの工夫として，指定入院医療機関では，①包括的暴力防止プログラム（comprehensive violence prevention and protection programme：CVPPP），②常時観察，③セキュリティ担当者の配置などの方法を取り入れている。

▶ 包括的暴力防止プログラム　**包括的暴力防止プログラム（CVPPP）**は，日本で初めて医療者のために開発された暴力対処のためのプログラムである。患者とスタッフ双方の安全に配慮しながら，精神疾患に起因する攻撃的行動をマネジメントする方法であり，ディエスカレーション，身体的介入，ディブリーフィングの3段階に分けられている。

- **ディエスカレーション**：攻撃性の増強をコミュニケーションによって鎮静し，暴力行為の発生を防止する方法である。
- **身体的介入**：身体的攻撃行動を抑止する技術が用いられ，患者から離れるための**ブレイクアウェイ**と，複数のスタッフで患者を安全に抑制するための**チームテクニクス**がある。
- **ディブリーフィング**：安全が確保された後に一連の経過を患者と共に，あるいはスタッフどうしで振り返る方法である。

これらの技法は，欧米諸国において地域精神医療の展開に伴い，入院医療が急性期治療に特化していく過程で，日本の武道を参考に患者とスタッフ双方の安全を確保する方法として開発されたものである。

すなわち，患者の尊厳を損なわずに攻撃的行動の鎮静を図るために，身体的介入だけではなく，①怒りや不機嫌など攻撃性の徴候を察知して心理的な安静化や説得に努めて，攻撃的行動を未然に防止する工夫や，②患者の自尊感情の低下を防ぎ援助関係を維持するための工夫などが加えられてきた。とりわけ，司法精神医療においては，患者自身が攻撃的行動を自制するためのマネジメントを学ぶことが地域自立の要件となるため，多くの工夫が重ねられてきている。

CVPPPは医療観察法の施行を契機に，欧米諸国で蓄積されてきた経験を取り入れながら，日本における蓄積や精神医療状況を考慮に入れて開発された方法であり，指定入院医療機関に限らず既存の精神医療機関の職員にも開かれた研修が開催されている。4日間の研修では，身体的介入技法の習得と併せて，患者の尊厳を守るための心構えや，患者の精神状態や暴力リスクのアセスメントに基づいて援助関係を維持するための方法についても学ぶ。

日本でも，入院医療が急性期医療に特化しつつあり，行動制限最小化が地域精神医療の展開と密接に関連していることが認識されてきたなかで，CVPPPの重要性についての認識は精神科医療全体に浸透しつつある。

▶ **常時観察**　**常時観察**とは，急性症状が顕在化し，気分や情動の過敏さや不安定さが自傷他害につながる危険が高い状態にあるとみなされた対象者に対して，看護師が交替しながら24時間切れ目なく付き添うという方式である。従来，このような状態の患者は，マンパワー不足を理由に隔離や拘束の対象とされがちだった。常時観察を導入し，対象者の状態に見合ったケアを実施することにより，行動制限最小化と急性症状からの早期離脱が同時に可能になることが確かめられつつある[25]。

常時観察によって，対象者の自殺企図は確実に防止することが可能となるが，監視されているという圧迫感を対象者ができるだけ感じずにすむような工夫が求められる。そこで，共感的・受容的な見守りの姿勢を保ちながら，安全確保の必要性や対象者の身を案じ一時的にこのような方法をとっていることについて，患者に伝える努力を重ねる必要がある。

一方で，怒りや不機嫌を基調とした不快感が持続し，攻撃的行動が発生しやすい状態の対象者の場合，自殺企図のリスクがある対象者以上に監視への被害感が強いため，常時観察にあたる看護師が攻撃対象となるリスクがあり，看護師の精神的負担も大きい。したがって常時観察の必要性や有効性について明確に告げたうえで，ディエスカレーションの技術も用いながら，不快や不満の言語表現を引き出すことによって攻撃心を和らげるようなやりとりを試みる必要がある。

なお，スタッフステーションの監視モニターによる観察は，人間関係を介した見守りとはいえないので常時観察には該当しない。

▶ **セキュリティ担当者の配置**　リスクの事前防止の役割に専念する看護師を交替で配置する。多くの病棟では，セキュリティ担当者は各勤務帯に1～2人配置され，スタッフステーションからは目が届きにくいホールなどに常駐しながら，定期的に施錠の確認や施設・設備の点検を行うことで，病棟内の安全を確保ならびに確認する役割を担っている。

このような勤務体制をとることで，セキュリティ担当者以外のスタッフは，危険防止を目的とした行動観察を意識せずに，対象者との援助的な関係づくりに専念しやすくなる。

❺計画的な治療プログラム

指定入院医療機関では，治療・教育・リハビリテーションの促進に向けた，計画的な活動を包括して**治療プログラム**とよんでいる。治療プログラムには，小集団によるグループプログラムと個別の治療・ケア的なかかわりが含まれるが，特にグループプログラムを重視している。グループプログラムを軸とした治療プログラムは，司法精神医療の理念的・方法論的な基盤とされる治療共同体の実践のなかで発展を遂げた。

▶ **治療共同体**　**治療共同体**の実践は，第2次世界大戦中のイギリスで始まり，スタッフと患者は戦争という運命を共にした同志として敬意を払い，権威構造を打破し対等の関係を結んでいくべきであるという発想が原点にあった。治療共同体が重視する，対等で民主的な人間関係，自律的で責任ある行動，他者の言動に対する寛容さ，厳しい現実の直視という原則は，精神病院の管理収容的な性格を打破するための活動にとって重要なモデルとされてきた。欧米諸国では，地域精神医療の発展につれて，入院治療における治療共同体モデルの実践については語られなくなっていたが，近年，司法精神医療や薬物・アルコール依存症リハビリテーション専門施設で再びその効果が注目を浴びている。

治療共同体は，小集団によるグループワークを主体とした様々な活動や話し合いをとおした社会的学習によって，患者が病気からの回復と社会的自立を果たすことを目標に掲げている。治療共同体の理念と方法の導入は，日本でも半世紀以上にわたり試みられてきたが，日本人に根強い集団場面での人間関係への苦手意識が邪魔して浸透するには至らなかったと考えられている。それでも近年では，社会生活技能訓練（SST）や認知行動療法など，治療やリハビリテーションを目的としたグループワークが浸透しつつあり，グループワークへの苦手意識は徐々に解消されつつある。ただし，これらの活動も人手不足などを理由に，治療プログラムとして十分に組織化され機能しているとはいえない。

▶ **指定入院医療機関における治療プログラムの実践**　既存の精神科病棟よりは比較的豊富なマンパワーを活用して，多職種連携による多様なグループプログラムを設定したうえで，個々の対象者のニーズに見合った治療プログラムを計画・実施している。

4　入院各期の治療

指定入院医療機関では，18か月で退院し通院医療に移行することを目安として，入院期間の全体を急性期（3か月）・回復期（9か月）・社会復帰期（6か月）の3期に分けた計画的な治療提供を行っているが，現実には平均在院期間は2年をやや上回っている。

全職種で共有する各期の治療目標は以下のとおりである。

❶急性期：初期評価と初期計画の立案，病的体験・精神状態の改善，身体的回復と精神的安定，治療への動機づけの確認，対象者との信頼関係の構築。

❷回復期：日常生活能力の回復，病識の獲得と自己コントロール能力の獲得，評価に基

づき計画された多職種チームによる多様な治療，病状の安定による外出の実施。

❸社会復帰期：社会生活能力の回復，社会復帰の計画に沿ったケアの実施，継続的な病状の安定による外泊の実施。

5 対象者への地域支援

❶指定入院医療機関における退院調整

入院期間の長期化を防ぐため，指定入院医療機関では，入院の時点から地域支援を視野に入れた処遇を行っている。その手始めとして，入院時ミーティングでは，対象者にMDTから処遇の概略と今後の見通しについて説明し，退院に向けた支援から退院後の地域支援まで継続的な支援を提供する用意があることを伝える。その上で，対象者自身が社会復帰に積極的に取り組むことを求め，治療契約を結ぶ。

急性期には，精神保健福祉士が中心となり，対象者に対して制度や資源に関する説明・相談や手続きを行うとともに，家族，関係者や，退院後のマネジメントの中心となる社会復帰調整官との連携を図る。

回復期は，各職種がそれぞれに，対象者の人間関係能力や生活能力の向上を図るための働きかけを行い，地域自立の基盤となる自己対処能力を高めることに重点が置かれる。それと並行して，対象者の希望に沿いながら社会復帰調整官との協議によって選定した退院予定地の社会復帰施設などの職員と共に**CPA**（Care Program Approach）**会議**とよばれる退院調整会議を定期的に開催する。また，複数のスタッフの同伴により，病院内，病院周辺，退院予定地などに外出し，地域生活に馴染むための準備を行う。

社会復帰期は，病状や社会生活能力の回復や安定の度合いの評価に基づいて社会復帰計画を立案し，院内および退院予定地への外泊を通して，地域での自立生活を安定して送れるようにするための具体的な支援を行う。CPA会議には指定通院医療機関職員を始め，退院後の支援に関わる支援者が参加し，対象者の回復状態を確認しながら，退院後の地域自立に向けた協議を行う。退院後の処遇計画については，指定入院医療機関のMDTが作成してCPA会議で検討を加えるが，退院後の緊急対応について具体化したクライシスプランの有効性が確かめられており，一般の精神科医療でも取り入れられつつある。

❷指定通院医療機関が中心となった地域支援

地方裁判所による当初審判の決定に基づき，指定入院医療機関において入院処遇を受けた対象者は，指定入院医療機関が退院可能と判断した時点で再度審判を受け，退院許可が得られれば指定通院の対象となる。なお，当初審判で通院処遇となった対象者は，指定入院医療機関での処遇を経ずに指定通院の対象となる。

指定通院医療機関でも担当MDTが組織され，外来診察に加え看護師，精神保健福祉士，臨床心理技術者による相談面接や，デイケアなどのグループプログラムを通じて支援を行う。また，社会復帰調整官の主導により，定期的なケア会議を開催し，対象者，家族，各関係機関の担当者などとともに，情報共有と処遇計画の見直しを行いながら地域生活の継続に向けて支援を行う。指定通院は原則として3年以内とされ5年までは延長可能だが，多くの対象者は1年以内に終了し，精神保健福祉法に基づく一般の精神医療に移行している。

欧米諸国の多くは，緊急時の敏速な対応が可能な多職種による訪問支援チームを組織しているが，日本ではシステムの整備が遅れている。個別には，社会復帰調整官，自治体保健師，訪問看護師，指定通院医療機関職員などの訪問によって対応しており，特に訪問看護師は，病状不安定時の頻回訪問や地域定着の支援に重要な役割を果たしている。しかし，触法精神障害者の地域支援には高度の専門性が求められることから，マンパワーの充実に加え研修体制の整備が急務となっている。

6 治療プログラムの実際

❶疾患や健康に関する教育講座的なもの

中心的に取り組まれているのは，精神疾患の成り立ちや原因，その治療法や予後の見通し，そして回復と再発予防に向けたセルフマネジメントについての理解を深めるための働きかけであり，心理教育の名称がつけられている。近年，多くの精神科病院で，精神科治療薬が脳に及ぼす作用についての学習をとおした服薬自己管理への動機づけ向上を主目的とした心理教育が行われるようになった。

指定入院医療機関では，医師による医学的な解説や薬剤師の協力による服薬方法についての説明に，看護師によるセルフケア向上への個別的な働きかけを組み合わせたプログラムが実施されている。

健康問題に関しては，精神的な健康だけでなく，身体的な健康の管理を含む療養生活全般にわたるセルフケア能力を体得するためのプログラムが必要である。このようなテーマへの取り組みの担い手として最も適しているのは看護師であり，糖尿病やアルコール依存症の教育入院などの経験も生かしたプログラムが実施されている。

❷感情のコントロールに向けたアプローチ

欧米諸国の司法精神医療機関では，攻撃的行動を防ぐための方法として開発された**アンガーマネジメント**を主体とする認知行動療法的なアプローチの重要性が指摘されている。アンガーマネジメントは，怒りの暴発防止に一定の効果を有することが確かめられているが，不快な感情のなかから怒りだけを切り離してコントロールできるかどうかについては疑問が残ることが指摘されている。

認知行動療法は，不快な感情をもたらしがちな思考の歪（ゆが）みを自覚し，合理的な思考への修正を図ることをとおして，情緒的な安定を図る方法として開発され，うつなどの症状改善に有効性が認められている。ただし，思考の歪み，すなわち“考え方の偏り”を自覚的に修正することが困難な場合は，その由来を成育歴や生活史のなかに探る必要が出てくる。また，成育歴や生活史上のトラウマ体験に由来する“感じ方の偏り”が，情緒的な不安定をもたらしている場合も少なくない。したがって対象者の情緒的な安定を促すためには，対象者が怒りに限らず，自ら体験している様々な感情について，自分の言葉で表現できる能力を高めるための働きかけが必要になってくる。

自らの感情体験を察知し，その意味理解を深めながら，率直に表現することを通じて，良好な人間関係を形成する能力のことを**感情活用能力**（**エモーショナルリテラシー**）とよぶことができる。感情活用能力は援助的な人間関係の形成や，多職種チームにおけるリーダーシップやメンバーシップの発揮にとって不可欠な能力であり，援助を受ける側と提供する側の双方に求められている。感情活用能力の概念は，治療共同体が目指したグループワークによる社会的学習の重要さを新たな視点から位置づけるものといえよう。

このように司法精神医療においては，対象者の怒りのコントロールを主要な課題としながらも，感情・思考全般にわたる精神機能の回復という広義の精神療法的アプローチに多職種が連携して取り組む必要がある。なかでも看護師には，対象者に最も密接にかかわる立場から，グループ場面や日常生活場面における対象者との率直な感情表現のやりとりを治療・ケアに活用していくことが求められている。そのような実践力を身につけるためには，プロセスレコードを用いて，看護場面で看護師自身が体験した感情・思考の流れに綿密な分析を加え，感情と思考のバランスが取れた表現力を身につける必要がある。

❸芸術療法とスポーツ，レクリエーション，園芸活動

芸術療法は，音楽，絵画，工芸，華道，茶道，文芸などの芸術活動に触れて，感性を磨き，表現力・創造力を開発するとともに，活動に取り組む過程で達成感や充実感を味わうことを通じて，病状の回復，精神的な安定，社会生活能力の向上を図ることを目的としている。また，スポーツ，レクリエーション，園芸活動への取り組みを通じた，心身の健康づくり，リラクセーション，ほかの対象者やスタッフとの連帯感の醸成などが期待できる。

いずれの活動においても，取り組みの過程で対象者が示す態度や言動には，対象者の心理状態や人格特徴を評価するうえで貴重な情報が含まれている。また，対象者もスタッフも楽しく参加できて取り組みやすいため，対象者の治療意欲を引き出しながら援助関係を形成するのに適している。とりわけ，うつ状態にある対象者の場合は，適度な感性刺激となるような活動場面の提供が，無気力や意欲低下から抜け出すための重要な契機となる場合が多い。

これらのプログラムは，様々な分野について幅広い訓練を受けている作業療法士が主導し，対象者が興味のある分野や種目を選択できるように，複数の種目を同時に進行させることが通例であるが，指定入院医療機関では看護師も参加することを原則としている。ただし，特定の分野や種目に造詣の深い看護師やそのほかのスタッフが主体となってプログラムを運営する場合もある。いずれにしても，対象者が特定の分野や種目に熟達することを求めるのではなく，自ら抱えている問題の解決にとって有意義な参加体験を積み重ねられるような配慮が重要である。

❹生活技術の獲得に向けた訓練

対象者は全般に，成育環境や精神疾患の発病によって，身だしなみ，食生活，住居環境などを整える力や社会生活を営む力の乏(とぼ)しさや衰えから不適応をきたし，周囲とのトラブルが重なり追いつめられた果てに触法行為に至っている場合が多い。したがって，指定入院医療機関では対象者が社会生活を送っていく力を高めるための訓練や，社会人として必要な知識を獲得するための学習の機会を提供することが不可欠である。

衣食住を安定させるためには，調理法をはじめとする食生活を充実させる方法の習得に向けた訓練や，生活上の必要を満たすために地域資源を利用するための訓練が重要である。また，社会参加の円滑化や活性化を図るためには，感情活用の基盤となる言語表現能力の向上や，SNS（ソーシャル・ネットワーキング・サービス）を活用できる能力の習得に向けたパソコン技術の習得などが重要となる。

生活技術の習得に向けた訓練プログラムは，SSTなどの知識や技術を学んだ看護師が主導しながら，主に作業療法士との協働によって実施されている。これらの訓練には，退院後の生活環境に見合った内容を盛り込む必要があるが，現状では対象者の外出や外泊には複数のスタッフによる付き添いが義務づけられているなどの制約から，十分な効果を得られていないとの報告もみられる。

❺法律・制度・社会資源の活用に向けた学習支援ならびに就労支援

医療観察法の施行以前は，触法性の強い他害行為によって強制入院となった患者に対しても，強制処遇の法律的・制度的な根拠についての説明は不十分であった。そのため患者は，病状の影響によるとはいえ，他害行為によって被害者本人や多くの関係者を苦しめてきたという現実に直面し，自らの社会的責任を厳しく問われる機会を逸してきた。そのような事情が，疾患についての理解を妨げるとともに，社会的な信用の回復を遅らせ，結果的に対象者を社会的な孤立に追い込み自立を阻害してきたといえる。

▶ **法律・制度・社会資源についての学習支援**　医療観察法による医療では，対象者の行動に対する制約や社会的要請に対応して，専門職による支援内容と対象者に求められる行動が明示されている。すでに，入院時ミーティングにおいて治療契約は結ばれた形をとっているが，この時点での理解はごく初歩的な内容に留まらざるを得ない。対象者が自らの社会的責任を引き受け，医療スタッフや社会資源を活用しながら治療に取り組むためには，医療観察法による医療を支える法律と制度の理解や，社会資源についての知識を深める必要がある。法律・制度・社会資源の活用に関する講座は，精神保健福祉士が担当するのが通例である。しかし，対象者への個別支援を適切に行うためには，看護師や他職種も，医療観察法や精神保健福祉法，そのほかの法律や制度についての理解を患者と共に深めていく必要がある。

▶ **就労支援**　退院後の地域生活の自立にとって重要な要因となる就労準備に向けた支援も，治療プログラムの重要な一環である。精神障害者の就労そのものが大きな制約を受けている社会状況のもとで，医療観察法による対象者の就労には多くの困難が伴う。しかし，本人の希望に沿い，なおかつ退院後の就労に役立つような準備を行うという原則に変わりはない。

看護師としては，対象者の作業能力や作業適性についての評価を作業療法士に求め，労働市場や雇用形態の動向や，援助付就労などの就労支援を担う社会資源についての情報を精神保健福祉士から得ながら，対象者の希望や意欲に見合った支援を行う必要がある。

7 グループプログラムによる学習効果の汎化

グループプログラムへの参加は，対象者が自ら抱える課題を認識し，それらの課題の解決に必要な知識を得るうえでは極めて有効な機会となる。ただし，対象者のなかには学習の機会や習慣に恵まれなかったため，講義内容が十分に理解できず学習課題への取り組みに困難をきたす者もいる。また，講義内容はある程度吸収できても，日常生活に生かすことが難しい者も多い。対象者が地域社会で自立した生活を送っていく力を蓄えるためには，対象者への日常的な支援が不可欠である。

対象者がグループプログラムを通じて吸収した学習内容を消化し，社会的な自立に生かしていく過程を**汎化**（はんか）といい，その支援を主に担うのは看護師であり，他職種からもその役割を期待されている。

8 対象行為をめぐる内省の深化に向けたアプローチ

▶ **内省の深化に向けたアプローチの重要性**　対象行為をめぐる**内省の深化**は，再他害行為の防止という社会的な要請を対象者が自らの責任として受け止め，疾患からの回復と社会的な自立へと前向きに取り組むうえで不可欠の課題である。

医療観察法の施行以前は，対象行為が重大であればあるほど，対象行為の直視を促すための働きかけは回避される傾向が強かった。その理由としては，将来への見通しを失って，無気力やうつに陥っている対象者を自傷や自殺に追い込むことや，他害行為の正当性を主張する対象者の反発を受けることへの危惧があげられてきた。確かに，殺人などの重大事件を引き起こした対象者は，対象行為の否認，対象行為時へのフラッシュバック*，自信喪失や自尊感情の低下，希死念慮とうつ状態の遷延（せんえん）などの状態に陥る場合が多く，この状態は **POSD**（post-offensive stress disorder）と呼称[26)] されており，PTSD と類似の病態と考えることができる 。

したがって，不用意な介入は避けるべきだが，かといって事件のことを取り上げる時機を逸すると，対象行為への持続的な否認や入院体験への被害的な解釈といった症状が出現する。欧米諸国の経験によると，対象者の精神状態を的確にアセスメントし，見通しと計画性を備えた治療プログラムを実施することによって，内省の深化には一定の効果が期待できる。

＊ **フラッシュバック**：トラウマの原因となったつらい出来事が，突然かつ鮮明に思い出されたり，悪夢としてあらわれること。

▶ **内省の深化に向けたプログラム**　内省の深化に向けたプログラムは，主に次の内容から構成されており[27]，グループプログラムと個別のかかわりを組み合わせることが原則であるが，施設によっては個別のかかわりに限定してプログラムを実施している。

❶生活史の振り返り：家庭，学校，職場などの生活で，楽しかった体験やつらかった体験を振り返り，過去に暴力の加害者ないし被害者となった体験について話し合って，他害行為と結びつきやすい態度や性格傾向が形成されていないかどうかを検討する。

❷対象行為に至った経緯の振り返り：どのようにして，被害者との人間関係が他害行為に発展していったかを振り返るなかで，事実関係の確認や解明を行うとともに，一連の経過のなかで折々に抱いた感情について本音で語るように促す。

❸対象行為の影響についての検討：対象行為が被害者とその関係者，さらには自分の身近な人々に及ぼした影響について検討を加え，とりわけ被害者の苦痛に共感を寄せることが可能かどうかを確認する。

❹対象行為と精神疾患との関連についての検討：対象行為を引き起こした当時の思考，感情，態度，行動の特徴を思い起こし，精神疾患による影響について検討を加える。とりわけ，怒りの抑圧や不機嫌の持続が暴力行為に結びついた後に，再び怒りの抑圧が怒りの暴発に転じるという，循環傾向の有無についての確認が重要である。

❺再他害行為の防止に向けた対応策の検討：病気と対象行為の関係，とりわけ暴力行為に至る循環についての理解を踏まえ，リスク徴候への自己対処と援助希求の方法について確認する。さらには，病状の再燃を防ぐための自己管理の重要性と責任性，有効な工夫などについて話し合う。

❻看護師による内省深化に向けたアプローチ：内省プログラムが効果をあげるには，ほかの治療プログラムと同様に，多職種による連携が重要であるが，現実には主に臨床心理技術者が担当する場合が多く，ほかの職種は対象行為に触れることを回避する傾向も見受けられる。看護師のなかからは，対象行為に触れると対象者に負担を与え，反発を受けることも多いので日常的な援助関係がつくりにくくなるとの声が上がることがあり，結果的に内省へのアプローチが回避されることもある。

その背景として，精神障害の有無を問わず，他害行為の加害者には，生涯にわたる懺悔（ざんげ）と被害者感情への共感を強く求める社会通念の影響が考えられる。看護師が社会的要請を意識し過ぎると，対象者に強く反省を促さなくてはという義務感から，ことさらに厳しい態度に出て対象者の抵抗にあい，援助関係の形成が難しくなる。そのような危惧から，内省へのアプローチは“援助関係ができてから”と先延ばしにするうちに，今度は“せっかくできかけた関係を壊したくない”と思うようになる。その結果，内省深化への支援には十分に取り組めないままに退院に至ってしまう場合もある。

対象者は治療プログラムへの参加によって，前述の❶〜❺の振り返りや検討を行うことの重要性をある程度は理解することができるようになる。しかし，再他害行為の防止に有効な深いレベルの内省をもたらすには，対象者への理解と敬意に根ざしながら厳しさを伴う日常的なやりとりが欠かせない。すなわち，内省へのアプローチにおいては，ほかのプログラム以上に汎化(はんか)の支援が看護師の重要な役割となっている。

そこで看護師は，対象行為をめぐる内省が深化していく次の5段階についての理解を対象者と共有し，折々に確認し合っていく必要がある[28]。

- **第1段階**：他害行為に及んだことへの後悔が始まっており，被害者感情への理解には至っていないが，地域管理による再他害行為防止の可能性が見えてきている。
- **第2段階**：親族や援助職など身近な人々に心配をかけた申しわけなさから，支援の受け入れを通じた生活再建の可能性が高まる。
- **第3段階**：自分や身近な人々の感情への気づきから自分の置かれた状況の理解を経て，被害者とその近親者の感情への共感に至り，他害行為の自制が可能になる。
- **第4段階**：服薬自己管理の継続と生活の再建に成功し，精神的な安定がもたらされることによって，他害行為の持続的な自制が可能になる。
- **第5段階**：触法精神障害者どうしによる相互支援の体験を積み重ねることをとおして，対等な立場からの協働という，再他害行為の防止に最も有効な取り組みが可能になる。

3. 医療観察法による看護の特徴と看護師の役割

1 指定入院医療機関における看護師の役割の特徴

指定入院医療機関に勤務する看護師は，医療観察法に基づく司法精神医療の新たな枠組みに沿って，今までに経験しなかった新たな役割を求められている。ただし，従来と全く異なる役割を要求されているわけではなく，日々の看護活動の大半は従来通りであるが，ケアの質が厳しく問われることになったという点に注目する必要がある。従来から必要性や有効性が指摘されながら，マンパワー不足などの理由によって導入されにくかった看護行為が，治療・看護の困難さに見合うマンパワーの確保された指定入院医療機関では実施可能になったからである。

入院処遇ガイドライン作りの準備段階では，それまで制度的保障のない中で行われてきた触法精神障害者への看護的かかわりを振り返り，欧米諸国のシステムと比較しながら，指定入院医療機関における看護師の役割の明確化を図った。その結果，以下の6つの役割が明確になり，入院処遇ガイドラインにも反映されている。

❶病棟管理

環境整備，スタッフ教育，研究支援，倫理調整，人事調整などの役割からなり，病棟師長のほかに数名の担当者が協力しながらリーダーシップを発揮することが期待される。3名以上の副師長を配置した上で，役割ごとに小チームを作り資質や意欲のあるスタッフにリーダーシップを委譲することが，チームの活性化に役立つことが分かってきている。

❷リスクマネジメント

リスクアセスメントに基づくセキュリティ確保とアメニティ保障の調整を主な役割とす

る専門性の高い担当責任者を配置する必要性が示唆された。また，24時間体制という勤務形態から看護師に委ねられがちな役割であるが，他職種による理解と協力を得ることや，病院全体としての支援体制づくりの重要性が明らかになってきている。

❸治療·検査などへの関与

他職種による全ての医療活動に同席することが，スタッフと対象者双方のセキュリティと安心感を確保するとともに，他職種による治療的関与を看護師の視点から理解し協力体制を築くことを目的として合意された。開設当初は，治療・検査場面への看護師の同席を求める他職種が少なくなかったが，状況に応じた柔軟な対応に変化しつつある。

❹身体的健康の管理

精神科医療機関では，身体面の健康管理が行き届かない場合があるが，処遇に強制を伴い長期収容が通例という指定入院医療機関の性格から，対象者の身体健康については厳しい医療責任が問われる。一方で，対象者の身体的な健康状態に配慮する看護師の姿勢が，患者との援助的な人間関係の形成を促進し得ることを知っておくと，励行しやすくなる。

❺入院各期のケア

看護師は他職種と入院各期の治療目標を共有しながらも，看護特有の目標実現に向けて独自の役割を担っている。とりわけ，心身共に病状が不安定な急性期の対象者の支援においては看護師の役割が重要であると考えられる。すなわち，急性期の対象者は，精神疾患の苦しみに加え将来への不安や周囲への不満を抱え不安定な精神状態にある。こうした状況にある対象者が周囲との信頼関係を築いていくための基盤づくりは看護師の重要な役割と言える。患者の身体的苦痛を手厚いケアによって和らげること，患者により添って不安を鎮めること，誠意を込めたかかわりによって患者の不信感を解くこと，不穏な患者をなだめることなど，精神科看護師が古くから担ってきた役割は，早期に対象者との信頼関係を築くことを可能にし得る。

このような役割の遂行を促進する目的で，**入院処遇ガイドライン**には看護業務の概要として，「集中ケアによる不安軽減」「身体管理」「個室内における常時観察」「興奮時・不穏時の早期介入とその後の調整」などが記載されている。さらには，「定期的な看護面接」によって「心理的支援」と共に「問題解決の手助け」をすること，「治療プログラムへの導入」から，「プログラム参加とその後のフォロー」まで一貫した支援に取り組むことなども看護業務として規定されている。これらの取り組みは本来，精神科看護師の中心的な役割と言えるが，対象者の特性に即した支援の適切な遂行を可能にする研修体制の充実が懸案課題となっている。

❻社会復帰支援と地域連携

社会復帰期においても，看護師の担うべき役割は基本的には急性期や回復期と変わらないが，他職種との協働により，対象者の意識，態度，行動の変化に応じて，対象者の保護や管理から回復と自立の支援へと重点を移動させていく必要がある。看護師は従来，地域連携への取り組みを精神保健福祉士に委ねがちだったが，指定入院医療機関では，地域スタッフに対象者の回復状態や抱えている問題についてわかりやすく伝え，退院後の支援体制づくりに寄与することは看護師の重要な役割である。

2 多職種連携における看護師の立ち位置

多職種連携によるチーム医療はあらゆる医療分野で取り組まれているが，**指定入院医療機関運営ガイドライン**には，MDTにおける，各専門職の対等な協働と対象者の参加を大前提とした極めて先駆的な内容が盛り込まれている。とりわけ，権限と責任が医師へと過度に集中することを極力避け，診断や処方も含め対象者の処遇に関するあらゆる問題について，対象者の意向と全スタッフの考えを十分に尊重することが重視される。それだけに，看護師は対象者ともっとも密接にかかわる機会を持ち得る立場を生かし，看護師独自の視点から対象者の理解や処遇方針について積極的に発言し，MDTとしての合意形成に貢献していくことが求められる。

このような役割の遂行は看護師にとって稀有な体験であり，当初は戸惑いや負担感を覚え，他職種の知識量に圧倒され発言をためらいがちになることも多い。しかし，MDTの理念と方法に馴染むにつれて，看護師独自の視点を提示しながら，時には職種間の認識のずれを調整し，処遇方針を主導する役割を担う場面も出てくる。そして，そのような役割を担うことに手応えや充実感を感じるようになっていく看護師も少なくない。

看護師以外の専門職にとっても，多職種の対等な連携は新しい体験であるという事情は変わらない。医師からは，「診断や処方にも他職種が口を挟むことに当初は戸惑いを覚えたが，そのおかげで視野が広がってより的確な処遇方針を出せるようになったし，これまでは一人で責任を背負い込んできたことに気づいたら気が楽になった」という感想も聞かれる。

このように，医療観察法に基づく医療は，触法精神障害者の治療と社会的処遇という，いずれをとっても解決が困難な課題に取り組むために，多職種連携を徹底し専門分野の経験と叡智を結集するという方針を取ることによって，一定の成果をあげてきている。この取り組みが，斬新なものであることは事実だが，対象者との日々の関わり自体は，各職種がこれまでに積み上げてきた臨床活動と基本的には変わらない。

看護師の場合も，医療観察法病棟だからと言って，特別なケアを行わなければならないわけではなく，これまでも重要性が認識されながら，マンパワーの不足や制度・システムの不備などを理由に，実践が難しかった取り組みの着実な積み重ねが求められている。そのことに気づけると，司法精神看護という多くの看護師，看護学生にとって馴染みの薄い分野が身近に感じられてくるのではないだろうか。

C 暴力被害者の支援としての司法精神看護

1. 被害者とその家族の現状

暴力事件の被害者は，生命や財産を奪われる，傷害を負わされるといった直接的な被害に加え，様々な精神的苦痛を被る。すなわち，事件による心身への打撃に加えて，捜査や裁判による精神的負担，マスコミ報道によるプライバシー侵害，SNSからの非難・中傷などによる2次被害を重ねて被る。被害者の家族もまた，被害者の苦悩する姿に身近に接し，自らも周囲の無理解や偏見にさらされ，被害者と一緒に苦しむことになる。被害者と家族は，精神的な支援を切実に必要としているが，その機会は十分に保障されてこなかった。

すなわち，被害者や家族の多くはトラウマ体験を負い，事件の直後から緊張，過敏，不眠，フラッシュバックなど，急性ストレス障害（acute stress disorder；ASD）に当たる症状を呈し，それが1か月を超えてPTSD（心的外傷後ストレス障害）に移行する場合も少なくない[29)]。このような深刻な被害にもかかわらず，被害者と家族は適切な社会的支援を受けることができず，社会的な孤立を強いられてきた。暴力被害のうちでも特に性暴力の場合は，事件が公になる過程での2次被害を恐れ，被害者が届けをためらう場合が少なくない。また，ドメスティック・バイオレンス（DV）や虐待の場合など，家族内に加害者と被害者が共存する場合も，被害の実情が明るみに出にくい。このような事情が，暴力被害からの回復を妨(さまた)げてきた。

2. 被害者保護のための法律の施行

こうした深刻な状況を，被害者団体が長年にわたって訴え続けた結果，社会的な関心が徐々に高まって，2005（平成17）年に**犯罪被害者等基本法**が施行された。この法律は「犯罪被害者等の権利や利益の保護を図る」ことを目的とし，犯罪被害者などの支援を「国・地方公共団体・国民の責務である」と定めている。支援の主な内容としては，精神・身体的支援，保健医療福祉サービスの提供，経済的支援，安全確保，居住・雇用の安定，刑事裁判などへ関与する機会の拡充，支援体制の整備，国民の理解増進と配慮・協力の確保などが掲げられているが，施策の充実は今後の課題である。また，児童虐待とDVについては，2000（平成12）年に**児童虐待防止法**（児童虐待の防止等に関する法律），2001（平成13）年に**配偶者暴力防止法**（**配偶者からの暴力の防止及び被害者の保護等に関する法律**）が施行されている。その結果，通報や相談の件数は急増しているが，これらに対応する体制の整備は今後の課題となっている。

3. 被害者支援における看護師の役割

これまで，犯罪被害者の精神的支援や社会的処遇は，臨床心理士・公認心理師，精神科医師，精神保健福祉士などの職種に委ねられがちだった。しかし，実際には看護師も救急医療や外来医療の現場で，被害者の訴えと接する機会や，訴えがなくとも被害の実態に触れる機会が少なくない。こうした場面で看護師は，被害者が安心して苦悩を語れるように環境を整え，援助関係を築きながら，心身両面にわたる支援に積極的にかかわっていく姿勢をもち，看護チームおよび多職種チームとしての支援体制づくりに寄与することが重要である。

III 災害時の精神看護

紛争や自然災害は，人々の生命や生活を奪い，被災地域だけでは対応しきれないほどの人的，物質的，経済的，環境的な損失をもたらす。2011（平成23）年の東日本大震災では死者の数は2万人近くにのぼり，同年の世界の自然災害による死亡の64.5%を占めた。経済的には自然災害史上最大の経済的損失（2100億ドル）を招いた[30]。

災害はまた被災者や関係者に計り知れない精神的ストレスももたらす。災害時のストレス反応は，不眠やいらいらから，悲嘆や絶望，家族内の不和まで多岐にわたり，人によってストレスの性質や度合いは異なる。また，時間の経過につれ状況が変化することで，新たなストレスが生じたり，反対に軽減したり，あるいは長引く避難生活でストレス反応がぶり返したりするなど，精神的ストレスの様相も様々に変化する。こうした精神的反応は，被災者の多くが経験する「異常な状況に対する正常な反応」である。

災害後の過酷な環境のなかで生活を続ける被災者の精神的ストレスを少しでも緩和し，精神的安寧を一刻でも早く取り戻せるように支援することは，精神看護の重要な役割である。同様に，災害による地域精神医療の崩壊などにより治療に困難をきたした精神障害者が適切な治療を続けられるようにサポートしつつ，災害のストレスの影響を少しでも緩和できるよう支援することも重要である。

 災害とストレス

1. 災害時のストレス

災害が被災者にもたらすストレスは多岐にわたる。発災直後には，生命や身体の危機，重要他者や知人の危機の目撃，住居や田畑の喪失，経済的損失，慣れ親しんだ風景の破壊など，災害の直接的被害によるストレスがある。避難生活においては，食糧・飲料水を含

表9-6 災害時のストレス反応

身体面	情動面	認知面	行動面
不眠 食欲不振 疲労 風邪症状 慢性疾患の悪化	不安，恐怖 悲しみ，抑うつ 失望，絶望 罪悪感 怒り，イライラ	混乱，失見当 集中困難 合理的思考の困難 判断力の低下 健忘	涙もろさ 過活動，過覚醒 閉じこもり 何もする気が出ない 家族不和の増加

む生活物資の不足，トイレや入浴の問題，避難所における生活空間・生活環境の問題，集団生活による制約，避難生活の長期化，行方不明者の捜索などがある。生活再建においては，災害の後片付け，住居や田畑などの修復，事業や仕事の再開に伴うストレスに加え，仕事や社会的役割の喪失，生活再建の目途が立たないなどのストレスがある。このような災害時のストレスは，ストレス反応として身体面，情動面，認知面，行動面に現れる（表9-6）。災害の後に，眠れない，食べられない，考えがまとまらないなどの状態に陥ることは，被災者のだれにも起こり得ることであり，時間の経過とともに回復することを，必要に応じて伝える。

2. 災害時のコミュニティの反応

災害に対するコミュニティの反応は，発災前からの時間経過に伴い，警告期，衝撃期，英雄期，ハネムーン期，幻滅期，再建期に分けられる[31]（図9-5）。提示した期間はあくまでも目安であり，災害の種類や規模などにより異なる。

警告期：重大災害が発生する危険性を警告し，発災に備える時期である。

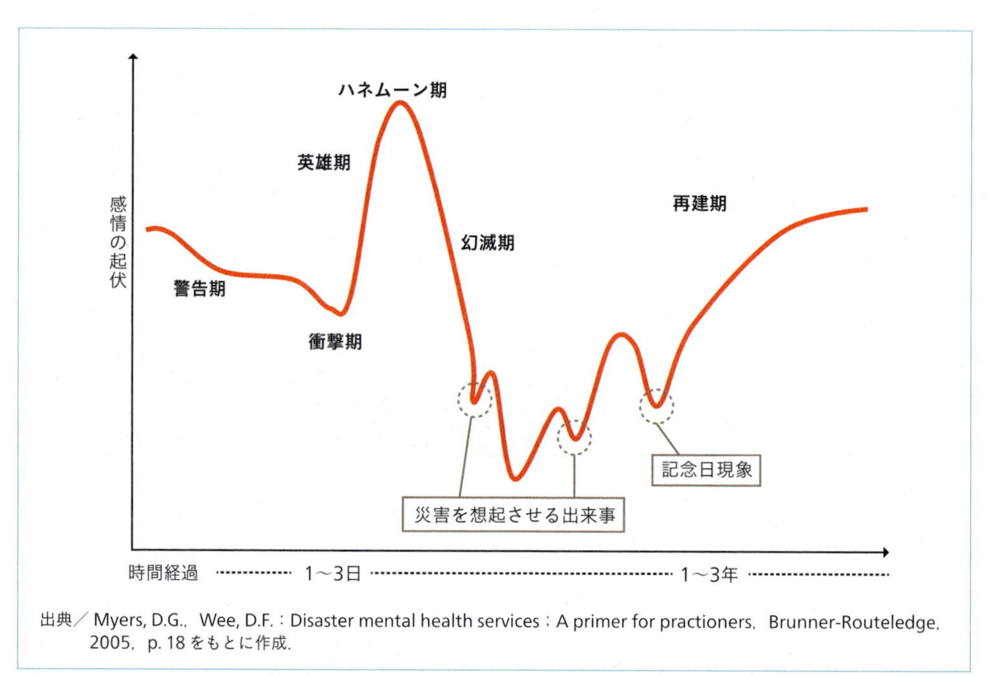

出典／Myers, D.G., Wee, D.F.：Disaster mental health services：A primer for practioners, Brunner-Routeledge, 2005, p. 18 をもとに作成.

図9-5 災害時のコミュニティの反応のフェーズ

衝撃期（発災直後）：自身と重要他者の命と安全を守ることに集中する時期である。この時期，多くの人々は混乱や茫然自失の状態に陥る。

英雄期（発災後3日間程度）：住民どうしの救出，救助，相互扶助が活発に行われる時期である。住民の多くは高揚し，過活動になることがある。過活動は不安や抑うつ状態に打ち克つ助けとなる一方で，「燃えつき」につながることもある。

ハネムーン期（発災後1～8週間）：各地から救援者や救援資金，救援物資が集まる時期であり，これらの支援はコミュニティ再生の原動力となる。

幻滅期（発災後2か月～1年）：被災者間で被害と復興に格差がある現実や利用可能な支援に限りがある現実を認識する時期であり，落胆，怒り，欲求不満などが生じやすく，災害を想起させる出来事が引き金となり被災時の気持ちを再体験することもある。また，被災後の問題処理や生活の立て直しへの努力，経済的心配など，被災生活における終わりのないストレスから身体的疲労や健康問題が顕著になる。

再建期（発災後1～3年）：再出発の時期であり，挫折や後退はあるものの，悲嘆を乗り越え新しい環境・状況に再適応していく。

3. 災害ストレスへの影響要因

災害がもたらす数々のストレスから，PTSDやうつ病などを発症する被災者がいる。その一方で，被災者の多くはストレスを乗り越え回復する力をもっている。どのような要因が災害ストレスによる精神健康へのリスクを高めるのだろうか。

災害のストレスに影響する要因は，災害の特徴，地域的社会的要因，個人的要因に分けられる[32)]。**災害の特徴**とは，災害の規模，衝撃の激しさ，突発性，成り行きと持続時間，制御の可能性をさす。**地域的社会的要因**には，被害の規模と性質，被災前の地域資源のレベル，地域の備えの状況，過去の災害の経験，再建のために利用可能な資源の有無，災害に誘発された政治的・社会的騒乱などが含まれる。**個人的要因**には，喪失や損害の状況，被災以外のストレスレベル，対処の有効性，利用可能なソーシャルサポートの性質と大きさなどが含まれる。

被災者の精神健康のリスクに影響する要因としては，災害への曝露(ばくろ)状況（直接被災したのか，被災者と密にかかわったのかなど）がある[33)]。とりわけ，外傷や生命の危機，大きな喪失を伴う被災体験は，精神健康問題と高い関連があるとされている。また，失業，経済的困窮，対人関係上の問題といった被災後のストレスについても，被災後の精神健康問題との関連が指摘されている。そのほか，女性・少数民族・低所得層・40～60歳代のグループ，および精神疾患の既往があるグループにおいて，被災後の適応問題や精神健康問題との関連が報告されている。

一方，被災後のストレスからの回復を促すレジリエンス（逆境に対処する能力）要因としては，①問題を解消する実際的な支援などのソーシャルサポート，②コミュニティのつながりやコミュニティの豊富な資源，③対処への自信，希望，楽観的なとらえ方，住まい・

仕事・経済的な資源などがある[34]。

B 災害時の精神保健医療活動の基本

1. 災害支援時に基本となるもの

国際連合とそれ以外の様々な人道支援団体の連携・調整役割を担う機関間常設委員会（Inter-Agency Standing Committee；**IASC**）によると，災害・紛争などの発生時には，通常の保護的サポートや社会的ネットワークが損なわれ，コミュニティの資源や支援システムも弱体化するなどして，社会的不公正や人権侵害の問題が拡大する傾向がある。そのためIASCは，災害や紛争などの緊急事態下におかれた人々の「精神的健康と心理社会的安寧を保護・改善すること」を目的として，緊急時の精神保健と社会心理的支援に関するガイドラインを作成し，支援の基本原則を提示した[35]。

人道支援の基本原則に含まれている内容は，①人権と公平性の保障，②被災した人々の参加，③害さないこと，④地域の資源と能力を基盤とした支援の構築，⑤支援システムの統合と一元化，⑥重層的な支援の提供，である。ここでは，③害さないことと，⑥重層的な支援の提供について概要を紹介する。

害さないこと　人道支援においては意図せずに被災者を傷つけることがある。殊（こと）に精神保健・社会心理的サポートでは非常にデリケートな問題を扱うことから，相手を傷つける可能性が高い。IASCは，害するリスクを最小にするため次のことを勧（すす）めている。

- 調整グループに参加し，支援の重複や支援の穴をなくすようにする。
- 介入計画を立てる際には十分な情報を得る。
- 評価に最大限の努力をし，外部からの監視や評価への風通しを良くする。

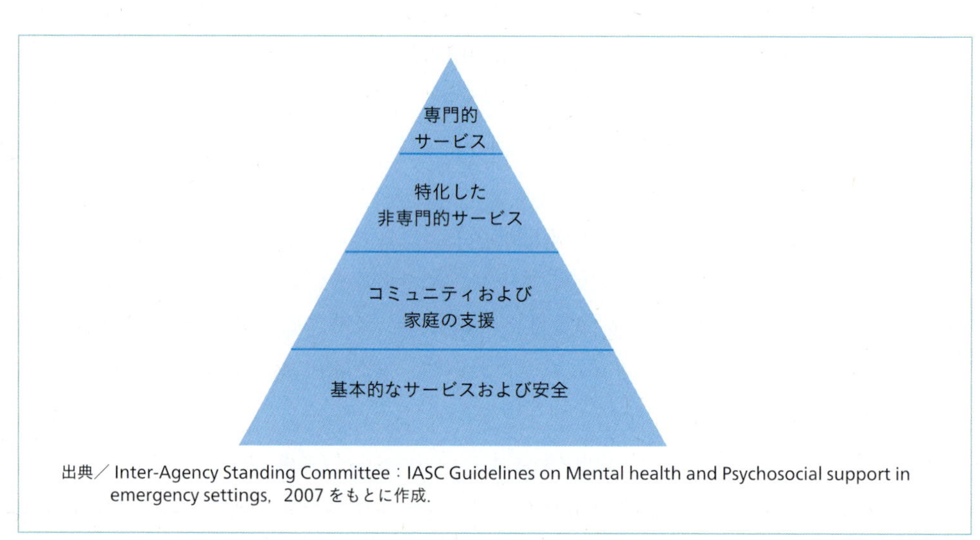

出典／Inter-Agency Standing Committee：IASC Guidelines on Mental health and Psychosocial support in emergency settings，2007 をもとに作成.

図9-6 緊急時における精神保健・心理社会的支援の介入ピラミッド

- 当該地域の文化に対する感受性と文化的能力を高める。
- 効果的な実践に関して根拠に基づく最新情報を常に得る。
- 人権，被災者と外部から入り込んだ支援者の力関係，参加型アプローチの意義について理解するとともに，常に内省する。

重層的な支援の提供　紛争や災害などの緊急事態発生時，人々が受ける影響は様々に異なるため，対応も人々の多様なニーズに合わせる必要がある。IASCは，多様なニーズに対応できる相補的な支援を階層的に組み合わせた重層的な支援システムの構築を提唱している（図9-6）。そして，すべての支援が同時に提供されることが理想であるとしている。

基本的なサービスおよび安全：すべての人を対象とした支援である。人々の安寧（あんねい）を守るため，できるだけ早期に，人々の安全と基本的ニーズ（食事，避難所，水，基本的ヘルスケア，感染症の予防・管理など）を満たすためのしくみを再構築する必要がある。

コミュニティおよび家庭の支援：地域や家族の支援を得ることにより，精神的健康・心理社会的安寧を保てる人を対象とした支援である。緊急時には，喪失，強制退去，家族の離散，コミュニティの不信や不安などにより，家族やコミュニティのつながりが崩壊する事態が生じるため，地域・家族の支援（家族追跡・再会*，葬儀，共同体の追悼行事，育児，生計などへの支援）は多くの人にとって有用である。

特化した非専門的サービス：一定の訓練を受けた非専門家による個人・家族・集団への介入を必要とする人を対象とした支援である。心理的応急処置はこの階層のサポートとして位置づけられる。

専門的サービス：ほかの階層の支援を受けたにもかかわらず耐え難い苦痛をもち，日常生活に大きな支障をきたしている人を対象とした精神保健専門家による支援である。

2. 災害派遣精神医療チーム（DPAT）

東日本大震災を契機に，被災地における精神保健医療活動の一元管理の必要性が認識され，厚生労働省は2013（平成25）年，**災害派遣精神医療チーム**（Disaster Psychiatric Assistance Team；**DPAT**）の体制と運用のシステムを整えた。

DPATは自然災害や犯罪事件，航空機事故，列車事故などの集団災害が発生したときに，被災地域において精神科医療および精神保健活動を支援する，都道府県・政令指定都市によって組織・派遣される専門的な研修・訓練を受けた精神保健医療チームである。

DPATの活動体制と活動概要について，DPAT活動マニュアル[36]から紹介する。

1　活動体制

DPATは，被災地域の都道府県などからの派遣要請に基づき派遣され，被災地の災害対策本部の指示下で活動する。派遣期間は災害の規模によって数週間から数か月にわたるこ

＊ **家族追跡・再会**：紛争や災害などで離散したり行方不明になった家族成員を捜索し，離散家族を再統合すること。

とがあるが，1班当たりの標準派遣期間は1週間（移動2日，活動5日）である。各班は，精神科医，看護師，ロジスティクス調整員（資材などの調達，関係機関との連絡調整，運転などを担当），そのほか被災地のニーズに応じて児童精神科医，薬剤師，保健師，精神保健福祉士，心理技術者などを含めて構成する。

発災後48時間以内に被災地域において活動できる班は先遣隊として派遣され，現地において本部機能（DPATの指揮調整，情報収集，関係機関との連絡調整など）の立ち上げやニーズの把握，急性期の精神科医療ニーズへの対応などにあたる。

なお，災害時の支援において重要となるのは，支援活動が自己完結型であることである。すなわち，移動，食事，通信，宿泊などを自ら確保し，自立した活動を行うことと，自分たちの健康と安全を自分たちで管理することが求められる。

2 活動概要

DPATに期待される活動内容は，精神科医療の提供（症状の悪化や急性反応への対応，移動困難な在宅患者の訪問など），精神保健活動の支援（災害ストレスによって不調をきたした住民への対応，ストレス反応への心理教育など），被災した医療機関への専門的支援（外来・入院診療の補助など），支援者（地域の保健医療従事者，救急隊員，行政職など）への支援，精神保健医療に関する普及啓発と幅広い。

支援の現場では，派遣先の医療機関のスタッフや避難所を担当する保健師に，収集した情報や活動内容を報告する。また，派遣チーム内では，被災地への負担を最小限にしながら，後続の派遣チームによる継続的な活動を可能にするため，先発した派遣チームから後続チームへの引き継ぎは重要である。引き継ぎ内容には，活動内容，被災地の状況の変化，連携機関，継続事例への対応などを含める。

3. 心理的応急処置（PFA）

心理的応急処置（psychological first aid；**PFA**）は，災害などの危機状況の急性期（通常は危機状況の発生直後）に，精神保健専門家以外の人により提供されるもので，危機状況によって，精神的に傷つきサポートを必要としている人々に対して，非侵襲的・人道的・実際的・支持的なサポートを提供することを目的としている。

ただし，①緊急の医療処置を必要とする外傷を負っている場合，②動揺が激しく，自身や子どものケアができていない場合，③自傷他害の恐れがある場合は，早急に専門家につなげなければならない。

また，見当識の低下，薬物やアルコール使用の増加，暴力や虐待（ぎゃくたい），持続する抑うつ状態や不眠などのような徴候がみられるときも，専門家への相談を勧（すす）める必要がある。

WHO（世界保健機関）は，PFAに該当するもの，しないものを整理し，PFAの提供にあたっての留意点を明瞭にしている[37]（表9-7）。PFAの基本はあくまでも被災者の基本的ニーズを満たすことと，安心の提供であることがわかる。

表9-7 心理的応急処置（PFA）の活動内容

PFAに該当するもの	PFAに該当しないもの
• 実際的なケアとサポートの提供 • ニーズと心配のアセスメント • 食事，水，情報などの基本的ニーズの対処をすることへの支援 • 傾聴（ただし，話をさせようと圧力をかけない） • 安心・安楽の提供と気持ちを落ち着かせる支援 • 情報，サービス，ソーシャルサポートの入手への支援 • 危害拡大からの保護	• 専門家だけが提供するもの • 専門的なカウンセリング • 苦痛の原因となった出来事を詳細に検討する精神的ディブリーフィング • 生じた出来事を順序立てて分析すること • いつでも人々の話に耳を傾ける準備があることは求められるが，出来事の反応として何を感じたのかを話させること

出典／World Health Organization：Psychological first aid；guide for field workers，2011をもとに作成.

4. 救援活動に従事する支援者への支援

被災現場の惨事や悲劇，過酷な環境での終わりのない支援活動は，強い衝撃やストレスとなって支援者に身体的・精神的な影響を及ぼす。たとえば，自ら被災しながら救援活動に携わる現地の支援者は，災害から派生するストレスや危険にさらされながら，十分な休息がとれない環境下で長時間にわたって活動することになる。

同様のことは，救援のため被災地に駆けつけた支援者にも生じる。混乱状態にあり，業務量が際限なく増え続ける未知の支援現場で，不明瞭な業務内容の遂行や，臨機応変な現場対応を求められ，支援者にはストレスが高い状態が続くことになる。さらに，過酷な破壊状況や外傷，暴力的な死，被害者の苦痛や苦悩などの目撃，被災者や遺族へのケア，遺体へのかかわりなどは，支援者を精神的に傷つける。こうした過酷な状況下で支援にあたることにより，支援者には無力感や挫折感をはじめ，表9-8のような身体的・精神的ストレス反応が出ることがある。

その一方で，不安，恐怖，罪悪感，悲しみ，怒りなどの反応は「異常時の正常な反応」であり，多くの場合，時間とともにおさまる。重要なことは，支援者自身が，そうした反応がだれにでも起こり得ることを理解し，自身のストレス反応に気づき，反応が長引く場合には専門家に相談することである。しかし，支援者自身がそうした反応に気づかなかったり，恥じることもあるため，周囲の人による配慮も欠かせない。また，多少なりともストレスの影響を緩和するため，支援活動グループのリーダーおよび支援者自身による次のような予防的対応も必要になる[38]。

表9-8 災害支援者にみられる身体的・精神的ストレス反応

- 不安，恐怖
- 罪悪感，自責感，悲しみ
- イライラ，怒り
- 無力感，悔しさ
- 打ちのめされ感，失望感，憂うつ
- 疲労感，脱力感
- 興奮，緊張，驚愕反応
- 涙もろさ
- 集中力の低下，思考力の低下
- 飲酒・喫煙量の増加または減少
- 消化器症状
- 動悸，発汗，呼吸困難
- ひきこもり傾向
- 家族や友人との衝突
- 不眠，悪夢
- 災害現場の光景のフラッシュバック

①勤務時間は12時間以下にする。
②短時間であっても，必ず食事・休息のための時間をとる。
③こまめに短時間の休憩をとる。
④水分を補給し，栄養価の高い間食をとる。
⑤飲酒，喫煙を控え，カフェインの摂取も最小限にする。
⑥自分で何もかも解決しようとせずに，被災者が自分たちで問題を解決できるように支援する。
⑦家族や友人との連絡を保つ。
⑧支援者間で努力をねぎらい合い，気持ちを話し合う機会をもつ。
⑨支援者どうしで互いの健康状態をチェックする。

被災者が元気を取り戻せたきっかけ（1つの例）

東日本大震災で津波に流されたが，捜索隊に救助されたFさんの話である。Fさんは津波から避難する途中で高齢の女性に出会い，その人の手を引いて丘を登っていたが，津波にのまれ，女性は亡くなった。Fさんはその後，この女性を含め亡くなった村の人々のことが頭から離れず，食事が喉を通らなくなり，2か月間寝たきりになった。「津波の勢いで手が離れてしまった」「助けられなかった」と思うたびにFさんは胸が張り裂けそうになった。

そんなFさんに，被災地支援に入った学生が，昔の思い出話を聞かせてほしいと言い，避難所にいたFさんを浜に連れ出してくれた。Fさんは，浜に出て潮風を頬に受けて，幼少期に毎朝母親と一緒に浜に出かけワカメを拾った思い出が鮮明によみがえってきたという。

（浜で朝日を拝む母に）
Fさん：かあやん，何やってんの？
母　親：Fがけがしねえように……悪いことしねえように頼んでんだ。……だれも見てねからって悪いことすんな。お天道さんが見てるからな。
Fさん：でも，夜はお天道さんいないよね？
母　親：夜はお月様が見てっぺや。
Fさん：でも，曇ってたら？
母　親：そらあ，かあやんがわかる。

Fさんが元気を取り戻せたきっかけは，学生に「良いときの話をたくさん聞いてもらった」ことだという。Fさんによると，「良い思い出が次々によみがえってきた。話しているときはお母さんが共にいた。あの日のままでいた」。

C 被災した精神障害者への支援

高齢者，子ども，乳幼児を抱えた母親，障害者，精神疾患・身体疾患の既往のある人，外国人などは，災害発生時，情報を受け取ったり，状況を把握したり，避難場所へ移動したりすることが困難な場合が多く，**避難行動要支援者**として被災時に特別な配慮が必要になる。とりわけ精神障害者は，災害の衝撃やストレスによる精神的な影響を最も受けやすいとされており，精神症状の悪化や，再発のリスクが高まる。急激な環境変化や生活変化を伴う災害は，状況・環境の変化や突発的な出来事への対応が苦手とされる精神障害者の安心・安全を脅かすばかりでなく，彼らの対処能力を超えるストレスとなり，精神症状を悪化させることがある。

症状の悪化には，治療の中断や避難所での生活なども影響する。大規模災害では，保健医療福祉施設の損壊や保健医療従事者の被災などにより，保健医療福祉システムが機能しなくなり，入院先や通院先を失う。また，交通や情報の途絶により，通院手段をなくしたり，薬の入手が困難になったりして，結果的に治療中断に至ることがある。また，避難所での集団生活になじめずに，孤立したりトラブルに巻き込まれたりするうちに症状が悪化することもある。

したがって，被災した精神障害者に対しては，巡回診療や訪問相談などにおける服薬支援や医療継続支援，症状管理支援をとおして病状の悪化をできる限り防ぐことが重要になる。加えて，日常生活管理における支援や支援ネットワークの早期の回復により，地域生活を維持できるような支援も重要である。また，ついたてや間仕切りを用いる，人の少ない避難場所に受け入れるなど，避難所でのストレスをできるだけ緩和できるような対応も必要になる。服薬の中断は病状の悪化に直結するため，速やかに服薬を再開できるような支援が必要になる。

さらに，刻々と変化する被災地の状況に呼応するかのように，精神障害者を含む被災住民の精神保健ニーズも変化する。たとえば災害急性期には，精神障害者の病状悪化や治療・服薬の継続への対応に加えて，新たな発病者の診療が中心となるのに対し，様々なストレスが累積(るいせき)した回復期では，アルコール依存，抑うつ症状，心身症，PTSDなど，被災住民のメンタルヘルス問題が浮上してくる。精神保健ニーズはまた，災害の種類やその影響の大きさ，復興の進度などの様々な要因によっても影響される。変化する被災状況や被災者のニーズをタイムリーに把握し，柔軟に対応を変更ないし拡大することも必要になる。

災害時に発生しやすい精神保健上の問題と精神障害者支援の実際について，阪神淡路大震災で被災した精神障害者の体験談，東日本大震災の発災後の東松島市および相双(そうそう)地区における実践報告，派遣チームによる支援活動報告から紹介する。

1. 精神障害者の被災体験

精神障害をもつ人が被災者としてどのような体験をしたのか，阪神淡路大震災を経験した障害当事者，高瀬氏[39]の講演記録から紹介する。高瀬氏は，被災後，避難所から待機所を経て，被災1年後に抽選で仮設住宅に入居し，さらにその1年後に抽選で復興住宅に移った。

高瀬氏によると，被災直後は，明け方に過敏になるためアイマスクをつけないと眠れなくなり，「道路の凹凸や建物の亀裂にも」恐怖がよみがえった。また，一部の精神障害者が主治医と連絡がとれなくなり薬を入手できずにパニック状態になったり，道路の損壊・遮断や建物の倒壊により，車椅子（くるまいす）を利用する身体障害者や視覚障害者，聴覚障害者が孤立し困っていた。

ただ，高瀬氏によると，障害者が置き去りにされることは被災後に始まったことではなく，被災前からあったことである。「震災の前から困ったことだらけ，壁だらけでした。地域社会での差別や蔑視（べっし），偏見からの孤立，障害者どうしの間で築かれていた壁に突き当たってしまうしんどさ，障害者の活動仲間の無理解や日々の活動の疲れからの衝突」などを含め，震災前から「分厚くて高くて長い長い壁」があったと述べている。

仮設住宅に住んでいた頃の思い出として，リュックサックに運動靴の「被災地ルック」で重い荷物を背負って長い道のりを歩くのが身にこたえたことを語っている。また，仮設住宅では，近くの遊園地から毎晩聞こえてくる歓声を耳にして孤独を深めたことも語っている。「楽しそうな遊園地の歓声と仮設住宅で1人住んでいる自分との対比が，何と言いますか鮮やかで，随分つらかった」。その頃，周囲では孤独死が相次いでいたという。また，「歯が欠けていくように」空き室が増え，治安が悪化していき，仮設住宅での暮らしは不安に満ちていたと語っている。

復興住宅入居後は，「被災が住んでいる」というよばれ方をして，差別の対象になったという。高瀬氏が望むことは「寄せ場や囲い込みではなく，地域社会に密着した，開かれた場に」障害者や生活困窮者を受け入れる場をもっと増やしてほしいということである。

災害時の精神保健医療支援では医療継続のことばかりに注意が向きがちである。しかし，高瀬氏の訴えは，精神保健システムや資源が弱体化している災害時こそ，障害をもつ人たちの人権保護について考えなくてはならないことを教えてくれる。

2. 被災地域の保健医療機関による精神障害者への支援の実際

災害により保健医療資源が打撃を受けた被災地では，精神障害をもつ人への支援はどのように行われたのだろうか。2011（平成23）年3月11日に起きた東日本大震災の際に，支援にあたった被災地の看護職者による実践報告から紹介する。

1 東松島市での実践から

最初に紹介するのは，東松島市の保健師である門脇ら[40]による報告である。東松島市では地元の医療機関は機能を停止し，薬剤も津波で流されてしまった。

> 発災からの7日間は，毎日のように精神障害者の緊急対応に追われた。「統合失調症の人が避難所のベランダから飛び降りようとしている」「パニックを起こして川に飛び込んだ」といった情報が次々と保健師のもとに入ってきた。津波で処方薬を流失して投薬が切れている上に，異様な緊張感を伴った避難所での集団生活である。ストレスフルな生活環境に置かれ，精神状態が不安定になる精神障害者が続出していた。医療機関も機能せず，補充する薬も確保できない中，患者がなんとか落ち着きを取り戻すまで，ひたすら話を聴きながら寄り添った。また「少しでも安心できる環境へ移れるように」と福祉避難所への移動を調整したり，かろうじて機能している遠方の医療機関への受診・入院調整を行っていた。
>
> 文献／門脇裕美子，他：東松島市における精神保健活動について；多職種協働からの学び，病院・地域精神医学，55（4）：318-321，2012.

発災から8日目に災害医療チームに精神科医が配置されていることを知り，支援を要請し，避難所で診療と処方を行ってもらうことになった。津波で「お薬手帳」を流されてしまった患者も多かったため，市役所内に保管されていた自立支援医療診断書の治療情報を基に診療してもらった。また，避難所で適応できない統合失調症の患者や，避難所の被災者から拒否された患者のなかには，半壊した自宅に戻った人も多くいたため，訪問診療も行ってもらった。巡回診療は2011（平成23）年7月末に避難所が閉鎖するまで続けられた。

なお，避難所が閉鎖され，仮設住宅に移ってからは「避難所の閉鎖を迎えた時期，市民も市職員も『何か一区切りついた』という感覚と同時に，気力も体力も尽き始め，心理的変化としては幻滅期に向かっていた」という。

冬に向かう時期でもあり，自殺のハイリスク者が増加したという。さらに震災後1年の時点では，飲酒，DV，虐待（ぎゃくたい）の問題などが顕在化したとのことである。

2 福島県相双地区での実践から

次に紹介するのは，発災当時，福島県相双（そうそう）地区（相馬（そうま）地域と双葉（ふたば）地域）の病院に勤務していた看護師の米倉[41]による報告である。

相双地区の精神科病院5病院（約800床）と福祉施設の多くは，福島第一原子力発電所から半径30km圏内に位置していた。原子力発電所事故により，5病院は入院患者の移送を命じられ，相双地区の精神保健医療福祉の機能は一時期停止していた。震災と原子力発電所事故は，相双地区の精神保健医療福祉の利用者に甚大な被害を与えた。

> 服薬の中断で症状が悪化した者，特に入所，入院中の高齢者や精神障害者の中には避難の過程で死亡した者や避難先で無理が生じ死亡した者もいる。薬がなくなった者はなんらかの情報を頼りに薬局へ行きお薬手帳を持参し入手することは可能だったのだが，その方法がわからなかった者は，医療機関がいつ再開するかわからないまま服薬は中断していた。

文献／米倉一磨：被災地での地域精神医療・保健・福祉の再建と新生；福島県相双地区の活動から，精神障害とリハビリテーション，16（2）：119-124，2012.

東日本大震災と福島第一原子力発電所事故により生じた精神保健医療福祉における問題は次のように整理されている[42]。

①他人を避け自宅にひきこもっていた人が，多勢の人がいる避難所へ急に移され，病状が悪化した人がいること。

②通院していた病院やクリニックが閉鎖され，通院治療の場がなくなった人がいること。

③流通が遮断され，病院，クリニック，薬局が閉鎖となり，服薬を中断せざるを得なかった人がいること。

④病院が機能しなくなり，本人の意思とは無関係に別の病院へ移らざるを得なかった人がいること。

⑤別の地域に避難させられた精神障害者は，見知らぬ土地で避難生活を余儀なくされ，病状が悪化した人がいること。

⑥通っていた作業所が閉鎖となり，社会参加の場が奪われた人がいること。

⑦自主避難者のなかには差別や孤立を経験し，種々の不適応を呈した人がいること。

発災当初は，福島県立医科大学の精神保健医療チーム「こころのケアチーム」により，公立相馬(そうま)総合病院に精神科外来が臨時開設された。派遣された精神保健医療チームは，精神科臨時外来での診療チームと避難所の巡回チームに分かれ，活動を開始した。未治療者や治療中断した人たちを医療に結びつける活動が中心となった。臨時外来の開設を知った住民が詰めかけたが，相馬市にはもともと精神科医療機関がなかったため，精神科関連の薬を扱うことができる薬局がなく，薬の処方ができずに混乱が生じた。薬局に種々の支援が入り，混乱が収まるのに数か月を要した。

仮設住宅への入居が始まった6月以降は，急性期支援の派遣チームのJMAT*とDMATは撤去した。その頃の主な支援活動は，①避難所から仮設住宅に移った住民の全戸訪問によるハイリスク者の把握や支援，②仮設住宅の談話室や相談室のサロン活動の運営，③支援者である消防署職員，高校職員へのケアや健康教育，④精神障害者の急性期の対応，である。

夏以降，服薬の中断や災害のストレスのせいか，相馬地域では警察官による通報と移送*が増加し，連日対応に追われた。また，9月以降は県内外からの支援者が減り，精神科臨時外来と仮設住宅での集団活動や訪問活動をかろうじて維持していた。

震災後4年目の相双地区で問題となっていたのは，原子力発電所事故の影響の深刻化である。長期の避難生活や家族の離散，復興の格差，ストレス障害，アルコール関連問題な

* **JMAT**：Japan Medical Association Team（日本医師会災害医療チーム）。JMATは東日本大震災における医療支援で大きな役割を果たした。
* **警察官による通報と移送**：精神保健福祉法に基づく制度であり，措置入院にかかわるものである。

どが，帰還の見通しが立たない現実と複雑に絡み合い，住民の将来設計の具体化を阻んだのである。

3. 派遣チームによる被災した精神障害者への支援

災害時に派遣される精神保健医療の専門家たちは，土地の事情に通じていない被災地においてどのような活動に取り組むのだろうか。東日本大震災で支援にあたった派遣チームによる実践報告[43)～46)]から紹介する。

前述のように福島県立医科大学の「こころのケアチーム」は福島県相双地域に支援に入ったが，当該地域では原子力発電所事故により精神科病院がすべて一時休業に追い込まれていた。支援チームの最初の活動は，公立相馬総合病院に臨時の精神科外来を開設することだった。そして，全国から派遣された支援スタッフの協力を得て，2011（平成23）年3月29日から12月末まで診療を行った。チームは，臨時の精神科外来での支援に加え避難所の巡回と在宅支援を行い，避難所では精神科患者を含め被災者全般に対して精神保健医療上の支援を提供した。

発災当初の派遣チームの活動は，通院が中断した精神科患者の治療継続，震災を機に発症した精神疾患の患者，パニックなどの重度の不安障害の患者への対応が中心になるようである。たとえば発災直後から3週間は，精神科医療にかかっている人たちが避難所にいることが多いため，避難所における支援活動に精神科治療薬の準備が欠かせないなどである。

その後は，避難所の生活に適応しにくい人たちへの支援や，住民の持続的ストレスおよびストレス関連疾患への対応，支援者のケア，子どもたち・親・保育士へのケアを目的とした幼稚園での個別およびグループ相談，乳児健診時のきょうだいと母親へのケアなど*に活動の幅が広がる。

一方，精神保健医療チームの派遣を受け入れた被災地の精神保健福祉センターの活動内容は，さらに多岐にわたる。仙台市を例にとると，被災から3日後の3月14日に，精神科医，保健師，心理士，精神保健福祉士らで「こころのケアチーム」の活動を開始し，翌15日に厚生労働省へ応援チームの派遣を要請している。発災当初は，トリアージを含めた診療，相談，情報収集のかたわら，震災後の心の健康に関する普及啓発のためチラシやポスターを掲示し，4月から子どもの「こころのケアチーム」を開始している。

同時並行で，電話相談，ホームページでの一般市民向けの災害後メンタルヘルスに関する知識の提供，医療機関の診療再開状況に関する情報収集と区保健福祉センターへの提供なども行っている。精神障害者へのケアから地域住民への情報提供，諸機関および派遣チームとの連携まで様々な活動が展開されており，被災による精神保健ニーズの高まりをかいま見ることができる。

＊ **きょうだいと母親へのケアなど**：丹羽は，災害後の心の問題は子どもに現れやすいこと，そして放射能汚染の不安が子をもつ親に広がっていたことから，子どもと親の心のケアも重視した。

文献

1）山脇成人：リエゾン精神医学とは〈黒澤尚，他編：リエゾン精神医学・精神科救急医療〈臨床精神医学講座，第17巻〉〉，中山書店，1998，p.4.
2）Brown, E.L.：Nursing for the future；a report prepared for the National Nursing Council，Russell Sage Foundation，1948.
3）日本看護協会：専門看護師．http://nintei.nurse.or.jp/nursing/qualification/cns（最終アクセス日：2022/10/18）
4）国立がん研究センター：がん情報サービス；2022年のがん統計予測．https://ganjoho.jp/reg_stat/statistics/stat/short_pred.html（最終アクセス日：2022/10/18）
5）American Association of College of Nursing：AACN Report from the Task Force on the Implementation of the DNP，2015.
6）土居健郎：新訂 方法としての面接；臨床家のために，医学書院，1992，p.63.
7）Engel, G.L.：The need for a new medical model；a challenge for biomedicine，Science，196（4286）：129-136，1977.
8）野末聖香編：リエゾン精神看護；患者ケアとナース支援のために，医歯薬出版，2004，p.11.
9）川名典子：がん患者のメンタルケア，南江堂，2014，p.128.
10）神田橋條治：精神療法面接のコツ，岩崎学術出版，1990，p.29.
11）Caplan, G.：The theory and practice of mental health consultation，Basic Books，1970.
12）Underwood, P.R.：コンサルテーションの概要；コンサルタントの立場から，INR，18（5）：4-12，1995.
13）Schein, E.H著，稲葉元吉，尾川丈一訳：プロセス・コンサルテーション；援助関係を築くこと，白桃書房，2012.
14）前掲書12），p.42.
15）前掲書12），p.30.
16）Fry, S.T.，Johnstone,M.J.著，片田範子，山本あい子訳：看護実践の倫理；倫理的意思決定のためのガイド，第2版，日本看護協会出版会，2005，p.29.
17）Karasek, R.A., Theorell, T.：Healthy work；stress，productivity，and the reconstruction of working life，Basic Books，1990.
18）Kramer, M.：Reality shock：Why nurses leave nursing，Mosby，1974.
19）Maslach, C., Jackson，S.E.：The Maslach burnout inventory，Consulting Psychologists Press，1982.
20）日高経子，他：諸外国における司法精神看護の役割，岡山大学医学部保健学科紀要，14（1）：103-111，2003.
21）高橋則夫：対話による犯罪解決；修復的司法の展開，成文堂，2007.
22）黒田治：イギリス司法精神医療における多職種チームアプローチの実際〈斉藤正彦，他編：精神医療におけるチームアプローチ〈臨床精神医学講座，S5巻〉〉，中山書店，2000，p.31-46.
23）厚生労働省：入院処遇ガイドライン，2019.
24）宮本真巳，他：多職種チームにおける事例検討を通じた継続学習，厚生労働科学研究費補助金障害者対策総合研究事業「医療観察法の向上と関係機関の連携に関する研究」平成25年度総括・分担研究報告書，2014，p.182-198.
25）村上優：司法精神医療の理論と方法〈日本精神科看護技術協会監：司法精神看護〈実践精神科看護テキスト，第17巻〉〉，精神看護出版，2008，p.32-46.
26）前掲書25）.
27）今村扶美，他：内省・洞察〈日本精神科病院協会，精神・神経科学振興財団編：司法精神医療等人材養成研修会教材集〉，2013，p.302-308.
28）熊地美枝，他：医療観察法病棟における常時観察の運用状況と一般精神医療への還元，日本精神科看護学術集会誌，55（3）：291-295，2012.
29）小西聖子：犯罪被害者の精神健康の状況とその回復に関する研究，厚生労働科学研究研究費補助金こころの健康科学研究事業「犯罪被害者の精神健康の状況とその回復に関する研究」平成17-19年度総合研究報告書，2008，p.3-19.
30）Guha-Sapir, D., et al.：Annual disaster statistical review 2011 ; the numbers and trends．Université Catholique de Louvain，2012.
31）DeWolfe, D.J.：Training manual for mental health and human service workers in major disasters，2nd ed.，〈U.S. Department of Health and Human Services：Substance Abuse and Mental Health Services Administration〉，Center for Mental Health Services，2000.
32）Centers for Disease Control and Prevention：Disaster mental health primer: Key principles, issues and questions，2005．https://stacks.cdc.gov/view/cdc/29151/cdc_29151_DS1.pdf（最終アクセス日：2021/11/2）
33）National Center for PTSD：Risk and resilience factors after disaster and mass violence．https://www.ptsd.va.gov/professional/treat/type/disaster_risk_resilience.asp（最終アクセス日：2021/11/2）
34）前掲33）.
35）Inter-Agency Standing Committee：災害・紛争等緊急時における精神保健・心理社会的支援に関するIASCガイドライン，2007.
36）DPAT事務局：DPAT活動マニュアルVer.2.1，2019.
37）World Health Organization：Psychological first aid ; guide for field workers，2011.
38）U. S. Department of Health and Human Services，Substance Abuse and Mental Health Services Administration，Center for Mental Health Services：Tips for oil spill disaster response works；managing and preventing stress for managers and workers，2010.
39）高瀬建三：震災体験を通じて考えたこと，病院・地域精神医学，48（2）：112-113，2005.
40）門脇裕美子，他：東松島市における精神保健活動について；多職種協働からの学び，病院・地域精神医学，55（4）：318-321，2012.
41）米倉一磨：被災地での地域精神医療・保健・福祉の再建と新生；福島県相双地区の活動から，精神障害とリハビリテーション，16（2）：119-124，2012.
42）米倉一磨：東日本大震災から3年後の精神科医療保健福祉；福島県相双地区のこれから，日本社会精神医学会誌，23（4）：358-365，2014.
43）丹羽真一：福島におけるこころのケアチームの取り組み，精神障害とリハビリテーション，16（2）：129-134，2012.
44）金吉晴：東日本大震災への精神医療対応〈精神保健福祉白書編集委員会編：精神保健福祉白書2012年版；東日本大震災と新しい地域づくり〉，中央法規出版，2011，p.28.
45）眞崎直子：災害時の要援護精神障害者に対する支援〈精神保健福祉白書編集委員会編：精神保健福祉白書2012年版；東日本大震災と新しい地域づくり〉，中央法規出版，2011，p.32.

46) 林みづ穂：仙台市における震災後メンタルヘルス対策の取組み〈精神保健福祉白書編集委員会編：精神保健福祉白書 2012 年版；東日本大震災と新しい地域づくり〉，中央法規出版，2011，p.27.

参考文献

- Underwood, P. R. 著，南裕子監：看護理論の臨床活用〈パトリシア・R・アンダーウッド論文集〉，日本看護協会出版会，2003.
- 宇佐美しおり，他：抑うつ・不安を有する慢性疾患患者への精神看護専門看護師による介入の評価，日本 CNS 看護学会誌 1 巻，2015.
- 内富庸介，小川朝生編：精神腫瘍学，医学書院，2011.
- エドランド，B.J. 他：コンサルテーション；よりうまく行うために，INR，18（5）：31-37，1995.
- 岡田佳詠：看護のための認知行動療法；進め方と方法がはっきりわかる，医学書院，2011.
- 尾崎紀夫，他編：標準精神医学，第 7 版，医学書院，2018.
- 上泉和子：看護組織へのコンサルテーションの実際，INR，18（5）：23-26，1995.
- 川名典子：リエゾンナースが行うコンサルテーションの実際，INR，18（5）：13-18，1995.
- 黒澤尚，他編：リエゾン精神医学・精神科救急医療〈臨床精神医学講座，第 17 巻〉，中山書店，1998.
- 厚生労働省：心の健康，https://www.mhlw.go.jp/stf/seisakunitsuite/bunya/hukushi_kaigo/shougaishahukushi/kokoro/index.html（最終アクセス日：2021/11/2）
- 厚生労働省：災害派遣精神医療チーム（DPAT）活動要領 2018. https://www.dpat.jp/images/dpat_documents/2.pdf（最終アクセス日：2021/11/2）
- 厚生労働省：入院処遇ガイドライン，2019. https://www.mhlw.go.jp/content/12601000/000485855.pdf（最終アクセス日：2021/11/2）
- 小西聖子編著：犯罪被害者のメンタルヘルス，誠信書房，2008.
- サイコオンコロジーの現場からⅠ；緩和ケアにおける精神医学的問題，精神科治療学，26（7），2011.
- サイコオンコロジーの現場からⅡ；心理・精神医学的問題，精神科治療学，26（8），2011.
- 佐藤直子：専門看護制度；理論と実践，医学書院，1999.
- 島薗安雄，他編著：成人の精神医学 A〈図説臨床精神医学講座，第 5 巻〉，メジカルビュー社，1988.
- 日本精神科看護技術協会監：司法精神看護〈実践精神科看護テキスト，第 17 巻〉，精神看護出版，2008.
- 日本専門看護師協議会監，宇佐美しおり，野末聖香編：精神看護スペシャリストに必要な理論と技法，日本看護協会出版会，2009.
- 野末聖香：コンサルタントに必要な教育，INR，18（5）：27-30，1995.
- 野末聖香，他．がん患者の抑うつ状態に対する精神看護専門看護師によるケアの効果，日本看護科学会誌，36，2016.
- 包括的暴力防止プログラム認定委員会編：医療職のための包括的暴力防止プログラム，医学書院，2005.
- 宮本真巳：実践力を育てる；精神科看護における実践力育成と感情活用，精神科看護，39（12）：22-35，2012.
- 山本和郎：コミュニティ心理学；地域臨床の理論と実践，東京大学出版会，1986.
- 山脇成人編：リエゾン精神医学とその治療学〈新世紀の精神科治療，第 4 巻〉，中山書店，2003.
- 吉田智美：オンコロジー分野のコンサルテーション，INR，18（5）：19-22，1995.
- 吉永尚紀，他：日本の看護領域における認知行動療法の実践・研究の動向；系統的文献レビュー，不安症研究，6 (2)，2015.
- 宮本眞巳：改訂版 看護場面の再構成，日本看護協会出版会，2019.

国家試験問題

1 こころのバリアフリー宣言の目的で正しいのはどれか。 （105 回 PM57）

1. 身体障害者の人格の尊重
2. 高齢者の社会的な孤立の予防
3. 精神疾患に対する正しい理解の促進
4. 精神科に入院している患者の行動制限の最小化

2 精神障害者のリカバリ（回復）の考え方で正しいのはどれか。**2 つ選べ。** （104 回 AM90）

1. 患者に役割をもたせない。
2. 薬物療法を主体に展開する。
3. 患者の主体的な選択を支援する。
4. 患者のストレングス（強み・力）に着目する。
5. リカバリ（回復）とは病気が治癒したことである。

3 神経伝達物質と精神疾患の組合せで最も関連が強いのはどれか。 （104 回 AM66）

1. ドパミン――――脳血管性認知症 cerebrovascular dementia
2. セロトニン――――うつ病 depression
3. ヒスタミン――――AA（アルツハイマー）病 Alzheimer disease
4. アセチルコリン――統合失調症 schizophrenia

4 抑うつ状態の患者で正しいのはどれか。 （93 回 AM149）

1. 活動性の低下から体重が増加する。
2. 小さなことでも被害的に話す。
3. 夕方に抑うつ気分が強い。
4. 知的能力が低下する。

5 歩道を歩いている途中で立ち止まってしまった A さん。「ブロックの継ぎ目を踏んではいけないという考えが，頭のなかで繰り返され動けない」と言う。
A さんの症状はどれか。 （96 回 AM143）

1. 連合弛緩
2. 観念奔逸
3. 思考途絶
4. 強迫観念

6 **心的外傷後ストレス障害（PTSD）で正しいのはどれか。** （100回 PM16）

1. 数日間で症状は消失する。
2. 特定の性格を持った人に起こる。
3. 日常のささいな出来事が原因となる。
4. 原因になった出来事の記憶が繰り返しよみがえる。

7 **躁状態の患者にみられる特徴的な訴えはどれか。** （95回 AM145）

1. 考えが進まない。
2. 考えが外から吹き込まれる。
3. 考えが抜き取られる。
4. 考えが次々と浮かぶ。

8 **リエゾン精神看護の活動はどれか。** （108回 PM60）

1. 行動制限の指示
2. 向精神薬の処方
3. 他科への転棟指示
4. コンサルテーションへの対応

9 **生活技能訓練（SST）について正しいのはどれか。** （105回 AM60）

1. 退院支援プログラムの1つである。
2. 診断を確定する目的で実施される。
3. セルフヘルプグループの一種である。
4. 精神分析の考え方を応用したプログラムである。

10 **Aさん（40歳，男性）は，5年前に勤めていた会社が倒産し再就職ができず，うつ病（depression）になった。その後，治療を受けて回復してきたため，一般企業への再就職を希望している。**
Aさんが就労を目指して利用できる社会資源はどれか。 （105回 PM59）

1. 就労移行支援
2. 就労継続支援A型
3. 就労継続支援B型
4. 自立訓練（生活訓練）

11 境界型人格障害の患者が，病棟の他患者に過剰に干渉してトラブルを起こし，主治医からその傾向を指摘された。診察後，患者は感情的に不安定になっている。
今後の患者の行動で注意するのはどれか。 （97 回 AM140）

1. 自己実現
2. 意欲減退
3. 適応行動
4. 衝動行為

12 統合失調症(schizophrenia)の A さんは，看護師に促されるまで入浴しようとしない。身体は自分で洗うが，いつも洗い残しがみられ，看護師が洗い残しがあることを伝えても，A さんの行動に変化はみられない。
看護師の対応で最も適切なのはどれか。 （101 回 AM73）

1. 洗い残しの部位を詳細に指摘する。
2. 洗い残しによる感染のリスクを説明する。
3. 入浴時に困っていることはないか尋ねる。
4. できるようになるまで看護師が全身を洗う。

国家試験問題 解答・解説

1 **解答 3**

× 1：2013（平成 25）年 6 月に成立した「障害を理由とする差別の解消の推進に関する法律」（障害者差別解消法）は，「障害を理由とする差別の解消を推進し，すべての国民が，障害の有無によって分け隔てられることなく，相互に人格と個性を尊重し合いながら共生する社会の実現に資すること」を目的としたものである。

× 2：高齢社会対策基本法に基づいて定められている「高齢社会対策大綱」[2012（平成 24）年] において，地域における高齢者やその家族の孤立化を防止するためにも，いわゆる社会的に支援を必要とする人々に対し，社会とのつながりを失わせないような取組を推進していくことが示され，高齢者の孤立化を防止する対策として，厚生労働省を中心に，地方公共団体への補助や技術的助言等が行われている。

○ 3：「こころのバリアフリー宣言」は，精神疾患や精神障害者の正しい理解の普及啓発をめざし，厚生労働省が 2004（平成 16）年に発表した指針である。

× 4：隔離・身体拘束による行動制限は，ほかに代替方法がない場合に，やむを得ず行うものであり，規制は最小限にとどめなければならない。日本では，診療報酬制度による行動制限最小化委員会設置の義務づけにより，基本指針の整備，行動制限最小化委員会による月 1 回の評価，また職員を対象とした年 2 回の研修の実施が定められている。

2 **解答 3, 4**

リカバリーとは，「当事者が自己意識を取り戻し，他者とつながり，人生の主導権を回復し，彼らにとって価値のある役割や希望を取り戻そうとする試み」であり，幅広い全人的な回復をいう。

× 1：症状の軽減ではなくリカバリーを目指すリハビリテーションにおいては，精神障害者が患者役割を離れ，主体的に自分の新しい社会的な役割の獲得を目指す回復を意味するようになった。

× 2：精神障害者の回復過程においては，薬物療法だけでなく，精神科作業療法，レクリエーション療法，社会生活技能訓練（SST），心理教育など様々な治療法を組み合わせて行う。

○ 3：患者の希望を尊重し，趣味や楽しみなど健康的な部分に働きかけ，ライフスキルやセルフマネジメント能力など，患者のもてる力を生かし，促進することに焦点を当てる。

○ 4：本人の困難な点の克服に注目するのではなく，本人のストレングス（強み，長所）をうまく利用して困難をカバーする支援である。

× 5：リカバリーとは，単なる病気からの回復や症状の消失，生活機能の向上といった医学モデル的な回復を指すのではない。

3 **解答 2**

× 1：ドパミンの過剰放出，あるいはドパミン D_2 受容体の感受性変化が生じ，その結果，過剰な神経興奮による幻聴や妄想，不安／緊張がもたらされるのは，統合失調症である。脳血管性認知症は，明らかに脳血管性疾患が存在し，その疾患が生じてから認知症を発症するものである。

○ 2：うつ病患者では，セロトニンやノルアドレナリンの異常が報告されている。

× 3：ヒスタミンはアレルギー反応に関与する物質であり，神経伝達物質ではない。アルツハイマー病では，脳萎縮，アミロイド主体の老人斑，タウ主体の神経原線維変化などが知られている。

× 4：アセチルコリンは，副交感神経や運動神経，交感神経の神経伝達物質として利用され，アルツハイマー病の症状には，脳内のアセチルコリンの活性低下が関係するとされる。

4 **解答 2**

うつ状態では，抑うつ気分，興味や喜びの低下，エネルギーの低下，罪悪感や自尊心の低下，睡眠と食欲の障害，集中力の低下などが生じる。

× 1：寡言（言葉数が少ない）・寡動（活動が緩慢）

がみられるが，食事がとれなくなり体重が減少することが多い。
○2：物事を悲観的にとらえる傾向がみられ，心気妄想や罪責感が特徴的である。
×3：朝は抑うつ的，夕方には少し楽になるという日内変動がみられる。
×4：思考や意欲の低下があるが，知的能力の低下はみられない。

5 解答 4

×1：思考過程の異常（思路障害）の一つ。かろうじて談話内容を追うことができるが，まとまりが悪い場合を連合弛緩という。
×2：躁状態の特徴的な思路障害である。次々に考えが浮かび，飛躍し，話の展開が素早い。連合弛緩とは異なり，前後の話の主題の関連は保たれているが，最初に意図した話題とはかけ離れてしまう。
×3：考えが急に途切れてしまい，話が続かずだまり込む。幻聴で思考が邪魔される場合，「考えが急に消えてしまう」と訴える場合などがある。統合失調症で特徴的である。
○4：考えが不合理でばかばかしいと自覚しているにもかかわらず，意思に反して浮かんできて追い払うことができず，その考えにとらわれて，無理に無視しようとすると強い不安を生じる。強迫性障害の重要な症状である。

6 解答 4

○：4
×：1，2，3

心的外傷後ストレス障害（PTSD）は，戦争経験，自然災害，自動車事故，暴力被害，性的被害，大切な人の不慮の死，他害経験などが心的外傷（トラウマ）となり，再体験（そのときと同じ気持ちがよみがえり，それに伴って生理的な身体反応を生じるなど），回避（特定の場所にどうしても近づけないなど），解離（体験の記憶や実感が乏しくなる），過覚醒（あらゆる物音や刺激に対して過敏になるなど）などの症状が現れる。これらの症状は通常，トラウマへの曝露後1か月以内に出現するが，6か月以上経った後に初めてみられることもあり，1か月以上症状が続く。

7 解答 4

×1：うつ状態で認められる思考制止である。考えが浮かばず，その進み方も遅延する。質問への返答に時間がかかり，最後まで続かないこともある。
×2：思考吹入であり，統合失調症に特徴的な思考障害である。
×3：自分の考えがだれかに抜きとられてしまうと感じ，自分の考えがなくなった，消えてしまったと訴える思考奪取は，統合失調症に特徴的な思考障害である。
○4：観念奔逸は躁状態の特徴的な思路障害である。次々に考えが浮かび，飛躍し，話の展開が素早い。

8 解答 4

○：4
×：1，2，3

リエゾン精神看護の活動には実践，コンサルテーション（相談），コーディネート（調整），教育，倫理調整，研究の6つの役割がある。また，看護師へのメンタルヘルス支援もリエゾン精神看護における活動内容として数えられる。1，2，3は医師の活動内容となる。

9 解答 1

○：1
×：2，3，4
社会生活技能訓練（social skill training；SST）は，精神障害を抱えながら社会のなかで生活していくうえで，特に困難さを感じやすいコミュニケーションについてのスキル，いわゆる対人関係技能（social skill）を向上させるための援助法で，認知行動療法の一つである。SSTは入院治療中の退院支援のプログラムとして，またデイケアにおける社会復帰のためのトレーニングとして実施されることが多い。

10 **解答 1**

〇1：就労を希望する65歳未満の障害者で，通常の事業所に雇用されることが可能と見込まれる者を対象に，一般就労等への移行に向けて，事業所内や企業における作業や実習，適性に合った職場探し，就労後の職場定着のための支援を行う。原則2年間の利用期限がある。
×2：企業等に就労することが困難な65歳未満の障害者を対象に，雇用契約に基づき，最低賃金を保障し，生産活動等の機会の提供や，就労に必要な知識および能力の向上のための訓練を行う。
×3：B型（非雇用型）は，通常の事業所に雇用されることが困難な障害者のうち，就労移行支援によっても一般就労に至らなかった者や50歳に達している者に，生産活動などの機会の提供や就労に必要な訓練を行う。利用形態は雇用契約に基づかない。
×4：自立訓練（生活訓練）は，自立した日常生活・社会生活ができるよう，身体機能訓練や生活向上のための訓練を行う。

11 **解答 4**

〇：4
×：1，2，3

境界性パーソナリティ障害の特徴は，感情，対人関係，自己像の不安定と著しい衝動性であり，自己破壊的行動（自傷，自殺企図，過度のダイエット，複雑な人間関係）を取りやすいので注意が必要である。

12 **解答 3**

〇：3
×：1，2，4

Aさんは，統合失調症の陰性症状である，生き生きとした感情を失う感情の平板化や，ものごとに取り組む意欲がわいてこない自発性の低下，人とかかわることが億劫になる自閉の状態にあると考えられる。また，セルフケアは陰性症状や抗精神病薬の有害作用，社会との接点が少なく制限が多い入院生活などの影響で低下している。
声かけと見守りによって，自分でできることは行ってもらい，できない部分は看護師が介助する。そして，Aさんの思いや困りごとを聞き，根気よくかかわりをもつことが重要である。

索引

欧文

和文

あ

い

う

え

れ

ろ

わ

新体系看護学全書

精神看護学❷

精神障害をもつ人の看護

2002年11月29日　第1版第1刷発行
2006年12月13日　第2版第1刷発行
2011年12月15日　第3版第1刷発行
2016年 1 月15日　第4版第1刷発行
2019年11月15日　第5版第1刷発行
2021年12月 6 日　第6版第1刷発行
2025年 1 月31日　第6版第4刷発行

定価（本体4,000円＋税）

編　集｜代表　岩﨑　弥生©

〈検印省略〉

発行者｜亀井　淳

発行所｜株式会社メヂカルフレンド社

https://www.medical-friend.jp
〒102-0073 東京都千代田区九段北3丁目2番4号 麹町郵便局私書箱48号
電話｜(03) 3264-6611　振替｜00100-0-114708

Printed in Japan　落丁・乱丁本はお取り替えいたします
ブックデザイン｜松田行正（株式会社マツダオフィス）
印刷｜大盛印刷（株）　製本｜（株）村上製本所
ISBN 978-4-8392-3390-7　C3347

000634-037

新体系看護学全書

専門基礎分野

人体の構造と機能❶ 解剖生理学
人体の構造と機能❷ 栄養生化学
人体の構造と機能❸ 形態機能学
疾病の成り立ちと回復の促進❶ 病理学
疾病の成り立ちと回復の促進❷ 感染制御学・微生物学
疾病の成り立ちと回復の促進❸ 薬理学
疾病の成り立ちと回復の促進❹ 疾病と治療1 呼吸器
疾病の成り立ちと回復の促進❺ 疾病と治療2 循環器
疾病の成り立ちと回復の促進❻ 疾病と治療3 消化器
疾病の成り立ちと回復の促進❼ 疾病と治療4 脳・神経
疾病の成り立ちと回復の促進❽ 疾病と治療5 血液・造血器
疾病の成り立ちと回復の促進❾ 疾病と治療6 内分泌/栄養・代謝
疾病の成り立ちと回復の促進❿ 疾病と治療7 感染症/アレルギー・免疫/膠原病
疾病の成り立ちと回復の促進⓫ 疾病と治療8 運動器
疾病の成り立ちと回復の促進⓬ 疾病と治療9 腎・泌尿器/女性生殖器
疾病の成り立ちと回復の促進⓭ 疾病と治療10 皮膚/眼/耳鼻咽喉/歯・口腔
健康支援と社会保障制度❶ 医療学総論
健康支援と社会保障制度❷ 公衆衛生学
健康支援と社会保障制度❸ 社会福祉
健康支援と社会保障制度❹ 関係法規

専門分野

基礎看護学❶ 看護学概論
基礎看護学❷ 基礎看護技術Ⅰ
基礎看護学❸ 基礎看護技術Ⅱ
基礎看護学❹ 臨床看護総論
地域・在宅看護論 地域・在宅看護論
成人看護学❶ 成人看護学概論/成人保健
成人看護学❷ 呼吸器
成人看護学❸ 循環器
成人看護学❹ 血液・造血器
成人看護学❺ 消化器
成人看護学❻ 脳・神経
成人看護学❼ 腎・泌尿器
成人看護学❽ 内分泌/栄養・代謝
成人看護学❾ 感染症/アレルギー・免疫/膠原病
成人看護学❿ 女性生殖器
成人看護学⓫ 運動器
成人看護学⓬ 皮膚/眼
成人看護学⓭ 耳鼻咽喉/歯・口腔
経過別成人看護学❶ 急性期看護:クリティカルケア
経過別成人看護学❷ 周術期看護
経過別成人看護学❸ 慢性期看護
経過別成人看護学❹ 終末期看護:エンド・オブ・ライフ・ケア
老年看護学❶ 老年看護学概論/老年保健
老年看護学❷ 健康障害をもつ高齢者の看護
小児看護学❶ 小児看護学概論/小児保健
小児看護学❷ 健康障害をもつ小児の看護
母性看護学❶ 母性看護学概論/ウィメンズヘルスと看護
母性看護学❷ マタニティサイクルにおける母子の健康と看護
精神看護学❶ 精神看護学概論/精神保健
精神看護学❷ 精神障害をもつ人の看護
看護の統合と実践❶ 看護実践マネジメント/医療安全
看護の統合と実践❷ 災害看護学
看護の統合と実践❸ 国際看護学

別巻

臨床外科看護学Ⅰ
臨床外科看護学Ⅱ
放射線診療と看護
臨床検査
生と死の看護論
リハビリテーション看護
病態と診療の基礎
治療法概説
看護管理/看護研究/看護制度
看護技術の患者への適用
ヘルスプロモーション
現代医療論
機能障害からみた成人看護学❶ 呼吸機能障害/循環機能障害
機能障害からみた成人看護学❷ 消化・吸収機能障害/栄養代謝機能障害
機能障害からみた成人看護学❸ 内部環境調節機能障害/身体防御機能障害
機能障害からみた成人看護学❹ 脳・神経機能障害/感覚機能障害
機能障害からみた成人看護学❺ 運動機能障害/性・生殖機能障害

基礎分野

基礎科目 物理学
基礎科目 生物学
基礎科目 社会学
基礎科目 心理学
基礎科目 教育学